Ma gratitude va également à mon employeur, HEC Montréal, qui a pleinement appuyé cette réalisation, d'une part, en m'accordant une année sabbatique pour que je puisse me consacrer à la rédaction de cet ouvrage et, d'autre part, en m'octroyant une aide financière pour embaucher des assistants de recherche. À l'École, de nombreux étudiants ont également contribué à cet ouvrage en commentant ou en critiquant des versions préliminaires de certains chapitres, en me posant des questions ou en me faisant part de leurs réactions. Ils ont agi, souvent à leur insu, comme des catalyseurs du processus de clarification de mes idées.

Je souhaite également souligner le professionnalisme et le dynamisme de toute l'équipe de Gaëtan Morin, en particulier Sylvain Ménard, éditeur, et Martine Brunet qui assumait la délicate tâche de chargée de projet. Je suis également très reconnaissante à Caroline Vézina et Michèle Levert, respectivement réviseure linguistique et correctrice d'épreuves, d'avoir relu le manuscrit avec minutie et d'avoir su me faire des suggestions pour améliorer le texte tout en conservant un style qui m'est propre.

Finalement, je ne saurais passer sous silence la contribution de mes proches dont l'écoute attentive et la patience ont parfois été mises à l'épreuve durant la rédaction de cet ouvrage. Leur présence et leur amitié est une source inépuisable de motivation et d'inspiration.

En espérant que le lecteur appréciera cet ouvrage, je lui souhaite une bonne lecture.

TABLE DES MATIÈRES

Anne Bourhis

10/2012

Recrutement
et sélection du personnel

**gaëtan morin
éditeur**

CHENELIÈRE ÉDUCATION

Recrutement et sélection du personnel

Anne Bourhis

© 2007 Les Éditions de la Chenelière inc.

Éditeur : Sylvain Ménard
Éditrice adjointe : Valérie Cottier
Coordination : Martine Brunet
Révision linguistique : Caroline Vézina
Correction d'épreuves : Zérofôte
Conception graphique : Josée Bégin
Infographie : Interscript

**Catalogage avant publication
de Bibliothèque et Archives Canada**

Bourhis, Anne

    Recrutement et sélection du personnel

    Comprend des réf. bibliogr. et un index.

    ISBN 978-2-89105-989-3

    1. Personnel – Recrutement.   2. Personnel – Sélection.
ı. Titre.

HF5549.5.R44B68 2007   658.3'11   C2006-942156-0

gaëtan morin éditeur

CHENELIÈRE ÉDUCATION

7001, boul. Saint-Laurent
Montréal (Québec)
Canada H2S 3E3
Téléphone : 514 273-1066
Télécopieur : 514 276-0324
info@cheneliere.ca

Tous droits réservés.

Toute reproduction, en tout ou en partie, sous quelque forme et par quelque procédé que ce soit, est interdite sans l'autorisation écrite préalable de l'Éditeur.

ISBN 978-2-89105-989-3

Dépôt légal : 1er trimestre 2007
Bibliothèque et Archives nationales du Québec
Bibliothèque et Archives Canada

Imprimé au Canada

2 3 4 5 6   ITG 12 11 10 09 08

Nous reconnaissons l'aide financière du gouvernement du Canada par l'entremise du Programme d'aide au développement de l'industrie de l'édition (PADIÉ) pour nos activités d'édition.

Gouvernement du Québec – Programme de crédit d'impôt pour l'édition de livres – Gestion SODEC.

Tableau de la couverture :
Les heures creuses
Œuvre de **Annie Paradis**

Annie Paradis est originaire de la région de Montréal. Cette artiste peintre puise son inspiration dans la condition humaine. Son œuvre à tendance expressionniste explore l'esprit en se ressourçant dans la sociologie, l'anthropologie, la philosophie, mais aussi dans le vécu de l'artiste. Son sujet de prédilection : le corps abordé sous l'angle de sa capacité à traduire physiquement la complexité de la nature humaine. Cette recherche sans cesse renouvelée de l'art l'amène aussi vers d'autres médiums tels l'écriture, le documentaire et la photographie.

L'artiste accepte avec plaisir de partager son travail avec vous sur son site Internet (www.annieparadis.com) et elle vous invite à communiquer avec elle par courriel, au paradiannie@hotmail.com.

Sources des photographies

p. 9 : Louis Leblanc/Isockphoto
p. 129 : René Mansi/Istockphoto
p. 225 : Christine Balderas/Istockphoto
p. 309 : Marcin Balcerzak/Istockphoto
p. 459 : Tomas Kraus/Istockphoto

Dans cet ouvrage, le masculin est utilisé comme représentant des deux sexes, sans discrimination à l'égard des hommes et des femmes, et dans le seul but d'alléger le texte.

Plusieurs marques de commerce sont mentionnées dans cet ouvrage. L'Éditeur n'a pas établi de liste de ces marques de commerce et de leur propriétaire, et n'a pas inséré le symbole approprié à chacune d'elles puisqu'elles sont nommées à titre informatif et au profit de leur propriétaire, sans aucune intention de porter atteinte aux droits de propriété relatifs à ces marques.

DANGER

LE PHOTOCOPILLAGE TUE LE LIVRE

AVANT-PROPOS

À une période où la pénurie de talents est devenue une des principales préoccupations des gestionnaires, la réussite d'une organisation dépend de plus en plus de sa capacité à attirer et à choisir une main-d'œuvre compétente. Pourtant, les gestionnaires se sentent souvent démunis lorsque vient le temps de se doter de nouveaux employés. D'abord, le marché du travail en Amérique du Nord est de plus en plus concurrentiel, de sorte que les organisations doivent déployer des trésors d'imagination pour attirer les meilleurs candidats. Ensuite, l'encadrement légal des activités de recrutement et de sélection s'est complexifié et exige beaucoup plus de rigueur de la part des entreprises. Finalement, en raison à la fois de la mondialisation du marché de l'emploi et de la création de nouveaux outils de recrutement et de sélection, notamment grâce à Internet, les recruteurs sont confrontés à de nouvelles façons de faire et à de nouveaux profils de candidats.

Devant ces défis de taille, faire reposer le recrutement et la sélection du personnel sur la seule intuition conduit à des erreurs souvent fort coûteuses. Le manuel *Recrutement et sélection du personnel* répond à ces défis en proposant une approche structurée, basée sur une définition rigoureuse des besoins de l'organisation. Abordant toutes les étapes du processus de dotation, depuis la planification des ressources humaines jusqu'à l'entrée en poste des recrues, ce livre situe le recrutement et la sélection du personnel au cœur de la réflexion stratégique de l'organisation et offre une perspective complète de cette activité essentielle de la gestion des ressources humaines.

Axé sur la pratique, ce manuel s'adresse autant aux étudiants universitaires de premier cycle en gestion des ressources humaines qu'aux gestionnaires et professionnels chargés du recrutement et de la sélection du personnel. Son approche, résolument concrète, privilégie l'usage d'un langage simple et direct et laisse une large place à de nombreux exemples d'entreprises québécoises, nord-américaines ou multinationales. Seul ouvrage de ce genre en français, il peut être utilisé dans l'ensemble de la francophonie.

Outre le fait de proposer un contenu pratique et à la fine pointe des connaissances dans le domaine du recrutement et de la sélection, cet ouvrage a été rédigé dans un souci constant de la pédagogie. Dans le but de satisfaire aux exigences diverses des lecteurs ciblés, *Recrutement et sélection du personnel* fait appel à plusieurs outils pédagogiques:

Chaque chapitre débute par l'identification des objectifs d'apprentissage et se conclut par un résumé des principaux éléments à retenir.

De nombreux exemples, clairement présentés sous forme d'encadrés, illustrent les propos et fournissent au lecteur un aperçu des pratiques implantées dans les entreprises.

Une soixantaine de termes sont définis en marge du texte et sont traduits en anglais pour le bénéfice du lecteur ayant à utiliser cette langue dans sa pratique professionnelle.

Plusieurs sites Internet sont indiqués afin de fournir des outils de réflexion au lecteur qui souhaiterait approfondir un point particulier.

Tout au long du texte, de nombreux outils concrets sont fournis sous forme de tableaux ou de listes de vérification. Ces outils peuvent être utilisés tels quels en entreprise ou adaptés pour répondre aux besoins spécifiques du lecteur.

Par ailleurs, ce livre s'accompagne d'un site Internet (www.cheneliere.ca) qui vise à fournir des outils supplémentaires au lecteur :

Tous les tableaux ou listes de vérification susceptibles d'être utilisés en entreprise ont été reproduits dans une mise en page claire, et sont prêts à être téléchargés.

Une liste de questions de révision, accompagnées de leurs réponses, existe pour chaque chapitre.

Une partie du site Internet est réservée aux enseignants qui désirent utiliser *Recrutement et sélection du personnel* comme manuel obligatoire dans leur cours. Cette section leur fournit un plan de cours et le diaporama PowerPoint lui correspondant.

Remerciements

Malgré les apparences, écrire un livre d'une telle envergure n'est pas un travail solitaire, mais, au contraire, le résultat de collaborations variées. Je tiens à exprimer ma profonde reconnaissance à Laura Wils, étudiante de 2e cycle à HEC Montréal, pour son travail remarquable de recherche et sa très grande disponibilité tout au long de la rédaction de cet ouvrage. Merci également à Redouane Mekaoui, lui aussi étudiant de 2e cycle à HEC Montréal, pour son aide dans la rédaction du matériel destiné au site Internet.

Je tiens également à exprimer ma gratitude à plusieurs collègues de HEC Montréal ou d'autres institutions qui ont généreusement accepté de relire certains chapitres du manuscrit ou encore ont guidé, par leurs conseils toujours bienveillants, mes réflexions sur des versions préliminaires de cet ouvrage. J'adresse donc mes plus vifs remerciements à Geneviève Beauregard, Dominique Bouteiller, Urwana Coiquaud, Gaetane Hains, Emmanuelle Léon, Jean-Yves Le Louarn et Thierry Wils. Ma reconnaissance va également à Alain Gosselin et à Michel Tremblay, qui, à titre de directeurs du service de l'enseignement de la gestion des ressources humaines, m'ont encouragée à me lancer dans cette aventure.

INTRODUCTION

La capacité à attirer du personnel compétent est une inquiétude majeure pour les gestionnaires.

Interrogés sur leurs préoccupations pour les prochaines années, les gestionnaires nord-américains placent systématiquement la capacité à attirer et à retenir du personnel compétent en tête de liste de leurs inquiétudes (Bérubé, 2005 ; Cousineau, 2005 ; Deloitte Touche Tohmatsu, 2005 ; Dulipovici, 2003). Et force est de constater que leurs craintes sont justifiées.

Tout d'abord, les départs à la retraite des personnes actuellement sur le marché du travail, combinés à la faible natalité des trois dernières décennies, laissent présager une décroissance de la taille de la population active (Gouvernement du Canada, 2001). Cela risque de se traduire par des pénuries de main-d'œuvre qui, même si elles ne sont pas généralisées à l'ensemble des postes, toucheront de plein fouet certains postes très qualifiés ou très spécialisés (Gouvernement du Canada, 1999). Les employeurs devront donc livrer bataille pour tenter d'attirer les talents. Et cette concurrence sera d'autant plus féroce que, en parallèle, la génération qui arrive sur le marché de l'emploi est plus exigeante quant à ses conditions de travail (Allain, 2005). Se sachant en demande, les candidats potentiels peuvent se permettre de négocier leur embauche.

Par ailleurs, la qualité des ressources humaines est de plus en plus un facteur fondamental de succès pour une entreprise. En effet, l'économie des pays industrialisés s'est transformée au cours des dernières décennies et repose désormais davantage sur le savoir (Bergeron *et al.*, 2004). Dans un tel contexte, bien gérer les détenteurs du savoir, c'est-à-dire les employés, devient une condition de prospérité pour une organisation. Les gestionnaires en sont conscients: près de la moitié des cadres interrogés par Deloitte Touche Tohmatsu (2005) estiment que les erreurs de gestion des individus ont des répercussions sur l'ensemble de la productivité et de l'efficacité de l'entreprise. D'ailleurs, il n'est pas rare que des projets d'envergure échouent, non pas pour des raisons techniques ou financières, mais parce que les gestionnaires ont négligé les ressources humaines (Gargeya et Brady, 2005; Garon, 2001; Gillooly, 1998). Au contraire, un employé très performant peut augmenter la productivité de son poste de 40 % à 67 % (Michaels, Handfield-Jones et Axelrod, 2001). Améliorer la qualité des recrues devient donc crucial pour assurer le succès d'une organisation.

Les coûts d'une erreur de sélection constituent la troisième raison pour laquelle les craintes des gestionnaires à l'égard du recrutement du personnel sont justifiées. Tout d'abord, le coût des activités de recrutement et de sélection peut atteindre plusieurs milliers de dollars par poste à pourvoir. Or, si le candidat embauché n'obtient pas un rendement satisfaisant et doit être remercié, l'entreprise ne pourra pas récupérer les sommes investies et devra, au contraire, débourser davantage pour trouver une nouvelle recrue. À cela, s'ajoutent les coûts attribuables au niveau de performance inadéquat du nouvel employé: diminution de la productivité, perte de clientèle, augmentation des erreurs, accroissement des frais de formation, etc. Mettre fin au contrat de travail d'un nouvel employé peut également occasionner des frais, surtout si la personne conteste son congédiement. Au total, iLogos Research (2004) estime que le coût d'une erreur de sélection sur la valeur des actions d'une entreprise peut se compter en millions de dollars pour un ingénieur en informatique, et en milliards de dollars pour un président-directeur général. Pour sa part, Schofield (2004) évalue que les erreurs de dotation coûtent environ 24,5 milliards de dollars par année à l'économie britannique.

Finalement, la grande complexité de l'encadrement juridique des activités de recrutement et de sélection du personnel oblige les employeurs à beaucoup de rigueur dans l'ensemble de leurs activités. À titre d'exemple, la collecte et la conservation de renseignements personnels sur les candidats doivent désormais, au Québec comme au Canada, suivre un protocole très précis. Dans le même ordre d'idées, la promulgation de lois et de règlements visant à réduire la discrimination au moment de l'embauche encadre de façon stricte les actions des employeurs.

Ainsi, au Canada comme dans de nombreux pays industrialisés, la pression économique, démographique et légale a modifié de façon inexorable la réalité de la dotation en personnel. Le tableau I.1 résume ces changements.

TABLEAU I.1	Changements dans la réalité de la dotation en personnel	
Ancienne réalité		**Nouvelle réalité**
• Les individus ont besoin des organisations.		• Les organisations ont besoin de personnel.
• Les équipements, le capital et la localisation géographique sont les sources d'avantage concurrentiel.		• Le personnel de talent est la source d'avantage concurrentiel.
• Des employés plus talentueux font une certaine différence.		• Des employés plus talentueux font une énorme différence.
• Les emplois sont rares.		• Les personnes de talent sont rares.
• Les employés sont loyaux et les emplois sont sûrs.		• Les individus sont mobiles et leur engagement est de courte durée.
• Les candidats acceptent l'offre standard qui leur est faite.		• Les candidats demandent beaucoup plus.

Source : Michaels, Handfield-Jones et Axelrod, 2001.

Le recrutement et la sélection du personnel sont des activités stratégiques.

Dans un tel contexte, les organisations ne peuvent plus se contenter de considérer le recrutement et la sélection du personnel comme une série d'activités opérationnelles routinières, voire un peu bureaucratiques. Le temps où un gestionnaire pouvait se contenter de faire paraître une annonce dans la presse écrite, de rencontrer quelques candidats en entrevue et de leur offrir un emploi est révolu. Les activités de recrutement et de sélection du personnel doivent dorénavant être menées de façon à la fois rigoureuse et innovatrice. Elles sont désormais perçues comme des activités stratégiques pour une organisation, dans la mesure où elles assurent l'arrivée dans l'organisation de ressources cruciales et de qualité (iLogos Research, 2004). D'autres activités de gestion des ressources humaines viseront ensuite à déployer ces ressources de façon optimale dans l'organisation et à les mobiliser vers l'atteinte d'objectifs communs. Mais si les recrues invitées à joindre les rangs de l'organisation ne sont pas de qualité, les efforts déployés ultérieurement pour les mobiliser risquent de rester vains.

Ce livre adopte donc une perspective selon laquelle chaque étape du processus d'embauche de personnel doit être menée de façon rigoureuse, en mettant au cœur des préoccupations les besoins de l'organisation. En effet, les candidats ne sont, intrinsèquement, ni bons, ni mauvais. Un candidat de qualité est un candidat qui répond aux besoins d'un poste donné, dans une organisation donnée. Une même personne peut s'avérer une excellente recrue dans une organisation, et un mauvais choix dans une autre. Chaque étape du processus visera donc à établir l'adéquation entre un candidat et les besoins d'une organisation.

Les étapes du processus de dotation

Le processus de dotation comprend plusieurs étapes successives.

La figure I.1 représente les étapes du processus de dotation. Présenter ce modèle est l'occasion de préciser les termes qui seront employés tout au long de cet ouvrage.

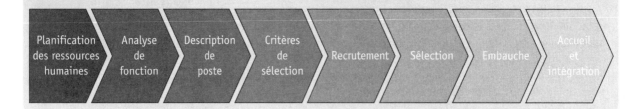

FIGURE I.1 Étapes du processus de dotation

Planification des ressources humaines › Analyse de fonction › Description de poste › Critères de sélection › Recrutement › Sélection › Embauche › Accueil et intégration

L'ensemble des activités qui consistent à pourvoir un poste vacant est appelé « dotation ». Un poste peut être pourvu par une personne qui est déjà à l'emploi de l'organisation et qui changera d'affectation : on parle alors de dotation à l'interne. Le plus souvent cependant, un poste est pourvu par une personne qui n'est pas à l'emploi de l'organisation : on parle alors de dotation à l'externe. Dans cette dernière situation, le terme « acquisition des ressources humaines » est parfois aussi employé.

Le processus de sélection se décompose en plusieurs étapes. En effet, avant de rencontrer des candidats, il importe de préparer la dotation en précisant quel est le nombre de candidats recherchés et quel est leur profil. Ainsi, l'étape de planification des ressources humaines permet-elle de prévoir les besoins et les disponibilités en ressources humaines. À l'étape de l'analyse de fonction, l'organisation recueille des informations sur les tâches accomplies, puis synthétise ces informations dans une description de poste. Les résultats de cette analyse permettront ensuite de dresser la liste des compétences nécessaires pour accomplir les tâches de façon satisfaisante. Les compétences les plus importantes de cette liste serviront à choisir le candidat le plus susceptible de maîtriser les tâches propres au poste : ce sont les critères de sélection.

Une fois cette phase de préparation achevée, l'organisation est prête à faire savoir à des candidats potentiels qu'un poste est vacant. C'est l'étape du recrutement, qui est primordiale, puisqu'elle permet de former un bassin de candidats au sein duquel sera ultérieurement choisie la personne qui joindra les rangs de l'organisation. Pour s'assurer de recevoir des candidatures de qualité et en nombre suffisant, les responsables de la dotation doivent cibler leur recrutement de façon que tous les candidats qui postulent possèdent les compétences minimales pour accomplir les tâches liées au poste.

Par la suite, l'étape de sélection permet d'identifier le meilleur candidat parmi ceux qui ont postulé. Pour ce faire, les gestionnaires disposent de plusieurs outils. Le plus répandu est l'entrevue de sélection, mais les responsables de la dotation utilisent aussi de plus en plus fréquemment les tests et la vérification des antécédents.

Finalement, une fois le choix final arrêté, l'organisation doit faire une offre d'embauche, que le candidat décide d'accepter ou de refuser. Dans le cas d'une acceptation, l'étape de l'accueil et de l'intégration de la recrue termine le processus de dotation. Dans le cas contraire, les responsables de la dotation devront recommencer le processus, en totalité ou en partie.

Les acteurs du processus de dotation

La dotation en personnel n'est pas une activité qui se fait en vase clos. Elle résulte de la convergence des actions d'une organisation, des chercheurs d'emploi et des pouvoirs publics, tel qu'illustré à la figure I.2. Par exemple, les gouvernements peuvent modifier les critères d'immigration ou encore les conditions d'accès à une formation, ce qui influence la disponibilité de la main-d'œuvre sur le marché du travail.

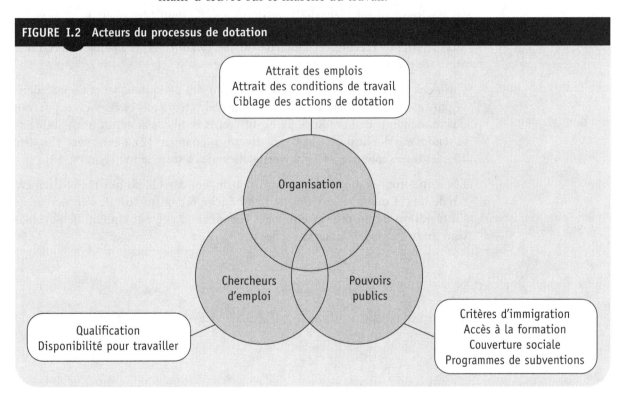

FIGURE I.2 Acteurs du processus de dotation

Les chapitres qui suivent reflètent le point de vue de l'organisation. Bien qu'importantes pour agir sur les difficultés de dotation, les actions des pouvoirs publics et des chercheurs d'emploi sont bien souvent hors du contrôle des gestionnaires. Certes, ceux-ci peuvent se regrouper pour tenter de faire modifier certaines lois, mais il s'agit là d'actions à long terme. Mener un processus de dotation rigoureux permet aux employeurs d'agir de façon plus immédiate afin d'améliorer leur capacité à attirer et à choisir un personnel de qualité.

L'organisation du livre

Ce livre suit pas à pas chacune des étapes du processus de dotation. La partie 1 dresse le bilan des enjeux de la dotation, en faisant un portrait du marché du travail au Canada et dans le monde (chapitre 1) et de l'encadrement juridique des activités de dotation (chapitre 2). Le chapitre 3 clôt cette partie en présentant une approche novatrice des activités de dotation.

La partie 2 traite de la préparation de la dotation, dès l'étape de la planification des ressources humaines (chapitre 4). L'analyse de fonction et la description de poste (chapitre 5) ainsi que le profil de compétences et les critères de sélection (chapitre 6) sont successivement abordés. Une fois la description de poste rédigée et la liste des critères de sélection dressée, une organisation peut planifier ses activités de dotation : cela fait l'objet du chapitre 7.

Le recrutement est traité dans la partie 3. Le chapitre 8 analyse les diverses sources et méthodes de recrutement. Une attention particulière est accordée aux activités de recrutement internationales (chapitre 9) et à la rédaction d'une annonce d'emploi (chapitre 10).

Cinq chapitres sont consacrés à la sélection des candidats, sujet abordé dans la partie 4 de l'ouvrage. Un chapitre général (chapitre 11) dresse un portrait des fondements de la mesure. Puis, différents outils de sélection sont abordés : le tri des curriculum vitæ et la présélection (chapitre 12), l'entrevue (chapitre 13), les tests (chapitre 14) et la vérification des antécédents (chapitre 15).

Les étapes finales du processus sont regroupées dans la cinquième et dernière partie de cet ouvrage. Il s'agit de l'embauche (chapitre 16), de l'accueil et de l'intégration des nouveaux employés (chapitre 17) et, finalement, de l'évaluation du processus de dotation (chapitre 18).

Références

ALLAIN, Carol (2005). *Génération Y. L'enfant-roi devenu adulte,* Outremont, Les Éditions Logiques, 175 p.

BERGERON, Louis-Philippe *et al.* (2004, octobre). «Perspectives du marché canadien du travail pour la prochaine décennie, 2004-2013», [en ligne], *Ressources humaines et développement des compétences Canada, Direction de la recherche en politiques et coordination,* 72 p. [réf. du 13 septembre 2006]. <www11.hrsdc.gc.ca>.

BÉRUBÉ, Gérard (2005, 19 février). «Danger : pénurie de main-d'œuvre : Un âge d'or se dessine pour les employés d'expérience», *Le Devoir,* Économie, p. C1.

COUSINEAU, Marie-Ève (2005, octobre). «L'année de tous les défis», *Les Affaires Plus,* vol. 28, n° 10, p. 32.

DELOITTE TOUCHE TOHMATSU (2005). «Comment attirer le talent comme un aimant : Résultats du sondage mondial sur le talent», [en ligne], *Deloitte consultation, édition canadienne,* 12 p. [réf. du 8 août 2006]. <www.deloitte.com>.

DULIPOVICI, Andreea (2003, avril). «Pénurie de main-d'œuvre en plein essor : Résultats des sondages de la FCEI sur la main-d'œuvre», [en ligne], *FCEI Recherche, Fédération canadienne de l'entreprise indépendante,* 8 p. [réf. du 8 août 2006]. <www.cfib.ca>.

GARGEYA, Vidyaranya et Cydnee BRADY (2005). «Success and failure factors of adopting SAP in ERP system implementation», *Business Process Management Journal,* vol. 11, n° 5, p. 501-516.

GARON, Jean (2001, 3 août). «Dossier fusions et acquisitions : Réussir l'intégration», *LesAffaires.com.*

GILLOOLY, Caryn (1998, 16 février). «Disillusionment», [en ligne], *Information Week,* vol. 669, p. 46-56 [réf. du 21 août 2006]. <www.informationweek.com>.

GOUVERNEMENT DU CANADA (2001, décembre). «Pressions sur le marché du travail découlant du vieillissement de la population au Canada», [en ligne], *Bulletin de la recherche appliquée, Développement social Canada,* vol. 7, n° 1, p. 19 [réf. du 15 mai 2006]. <www.dsc.gc.ca>.

GOUVERNEMENT DU CANADA (1999, été). «Pénurie de main-d'œuvre véritable ou phénomène cyclique ?», [en ligne], *Bulletin de la recherche appliquée, Développement social Canada,* vol. 5, n° 1, p. 9 [réf. du 15 mai 2006]. <www.dsc.gc.ca>.

ILOGOS RESEARCH (2004). «Quality of Hire : The Next Edge in Corporate Performance», [en ligne], *Taleo,* 16 p. [réf. du 7 août 2006]. <www.taleo.com>.

MICHAELS, Ed, Helen HANDFIELD-JONES et Beth AXELROD (2001). *The war for talent,* Boston, Harvard Business School Press, 200 p.

SCHOFIELD, Alistair (2004). «Recruitment errors cost Britain £ 12b», [en ligne], *Extensor Limited,* 2 p. [réf. du 9 août 2006]. <www.extensor.co.uk>.

PARTIE

1

Les enjeux
de la dotation

CHAPITRE 1

Les enjeux du marché du travail

Objectifs du chapitre

Le marché du travail traverse, tant dans les pays industrialisés que dans les pays en développement, une période de mutations profondes. Or, les activités de dotation sont étroitement liées aux caractéristiques du marché du travail. Par exemple, une pénurie de main-d'œuvre oblige les recruteurs à user de stratégies innovatrices pour dénicher et attirer les talents. Ce chapitre a pour objectifs de :

• faire le point sur les transformations du marché mondial du travail ;

• comprendre les répercussions de ces changements sur les méthodes de recrutement et de sélection du personnel.

Le recrutement du personnel consiste à attirer des candidats, le plus souvent extérieurs à l'organisation, afin qu'ils postulent pour un emploi. Plus que toute autre activité de gestion des ressources humaines, celle-ci exige de la part de l'organisation une interaction constante avec son environnement externe. Les caractéristiques du marché du travail, telles que la disponibilité de main-d'œuvre ou encore les compétences de celle-ci, ont donc une influence sur les activités de dotation. Par exemple, dans une période où le taux de chômage est élevé, de nombreux candidats postuleront de façon spontanée, sans que l'organisation ait à investir dans de nombreuses activités de recrutement. En revanche, une pénurie de main-d'œuvre dans un domaine donné oblige les organisations à déployer des trésors d'imagination pour intéresser des candidats potentiels.

Or, comme nous le verrons dans ce chapitre, le marché du travail est en constante évolution, dans les pays industrialisés autant que dans les pays en développement. La connaissance pointue du marché du travail dans lequel on recrute est donc un élément essentiel d'un bon processus de dotation. Les sections suivantes donneront un aperçu des changements du marché du travail au Canada et dans le monde, et montreront les impacts de ces mutations sur les activités de dotation.

1. L'évolution du marché du travail au Canada

L'économie canadienne repose aujourd'hui sur les industries de services.

La structure industrielle canadienne a beaucoup évolué depuis la Deuxième Guerre mondiale. Autrefois basée sur le secteur agricole, l'économie canadienne a connu une transition vers la production industrielle et repose aujourd'hui principalement sur les industries de services (Bédard et Grignon, 2000). Cette évolution a eu des impacts majeurs sur le taux d'activité des Canadiens ainsi que sur la nature des emplois et des compétences requises. À ces changements économiques s'ajoute l'évolution démographique de la société canadienne qui a transformé le profil de la **population active.** Les sections suivantes traitent de ces modifications profondes du marché du travail au Canada.

Population active
▶ *Working population*
Personnes de 15 ans et plus qui travaillent ou qui sont au chômage.

Chômage
▶ *Unemployment*
Fait de chercher activement du travail sans pouvoir en trouver.

1.1 Le taux de chômage et le taux d'activité

Le taux de **chômage** correspond à la proportion de la population active qui cherche activement du travail sans pouvoir en trouver. Cette proportion exclut les personnes qui ne cherchent pas de travail, car elles considèrent que leurs chances de trouver un emploi sont minimes (Gouvernement du Canada, s. d.). Le taux de chômage est considéré comme un indicateur clé de la santé économique d'une société, puisqu'une période de croissance économique se caractérise généralement par un taux de chômage faible. Une personne qui cherche du travail est alors susceptible d'en trouver plus facilement. Pour un employeur, en revanche, une période de faible chômage signifie que le recrutement du personnel peut présenter un défi, puisque la plupart des personnes compétentes détiennent déjà un emploi.

La croissance inexorable du chômage

Le taux de chômage au Canada a beaucoup fluctué au cours des dernières décennies. L'économie florissante de l'après-guerre se caractérise par un faible taux de chômage, de l'ordre de 3 % à 4 %. La récession de 1957-1958, qui voit le chômage grimper à plus de 7 %, est suivie d'une accalmie dans les années 1960 (Bédard et Grignon, 2000). Cependant, l'économie canadienne est à nouveau bouleversée par le choc pétrolier des années 1975-1976. Le taux de chômage passe alors de 5,3 % en 1974 à 8,4 % en 1978 (Statistique Canada, 2004a). Il ne repassera plus sous la barre des 6 %, comme le montre la figure 1.1.

Statistique Canada
www.statcan.ca

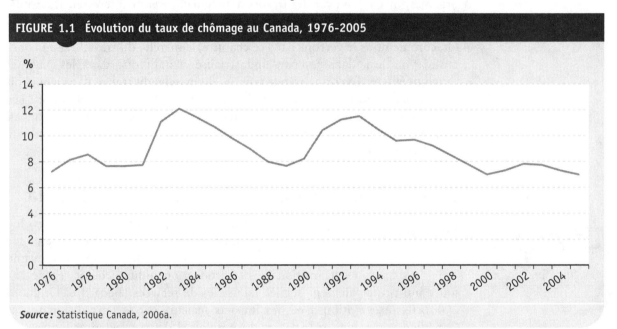

FIGURE 1.1 Évolution du taux de chômage au Canada, 1976-2005

Source : Statistique Canada, 2006a.

> *Le taux de chômage moyen a constamment grimpé au cours des 30 dernières années.*

Après une embellie de quelques années, le taux de chômage connaît une nouvelle croissance avec la récession de 1981-1982, frôlant la barre des 12 % en 1983 (Statistique Canada, 2004a). Il diminue ensuite progressivement pour atteindre, en 1989, le niveau d'avant la récession. Mais le scénario se répète avec la récession de 1990-1991, qui voit croître le taux de chômage jusqu'à 11,4 % en 1993 (Statistique Canada, 2004a). Depuis le début des années 2000, le taux de chômage semble se stabiliser aux alentours de 7,3 %, comme en fait foi la figure 1.1. Le taux de 6,8 %, observé en 2000 et en 2005, constitue le taux le plus faible enregistré au cours des 30 dernières années.

Ainsi, le taux de chômage moyen a lentement crû depuis la Seconde Guerre mondiale. De 2 % en moyenne dans les années 1940, il est grimpé à 4 % en moyenne dans les années 1950 et à 5 % dans les années 1960. Sa croissance s'est accélérée dans les décennies suivantes, puisqu'il a atteint en moyenne 6,9 % dans les années 1970, et est ensuite passé à 9,4 % et à 10,1 % au cours des années 1980 et 1990 respectivement. Bien que la décennie 2000 ne soit pas achevée, les statistiques concernant le chômage semblent toutefois prometteuses. Cependant, l'incapacité à faire diminuer de façon durable le chômage demeure préoccupante ; l'augmentation de la durée des épisodes de chômage l'est encore plus (Bédard et Grignon, 2000).

Ainsi, le taux de chômage met de nombreuses années à baisser pendant les périodes de reprise économique. Après les récessions de 1981-1982 et de 1990-1991, il a fallu attendre environ sept ans pour que le taux de chômage revienne à des niveaux d'avant la crise. Par ailleurs, la durée moyenne du chômage, c'est-à-dire la longueur de la période de chômage d'un individu, s'est accrue, comme en fait foi la figure 1.2. En effet, en 1980-1981, elle s'établissait à environ 15 semaines. En 1982 et 1983, ce chiffre a grimpé pour atteindre un sommet de 22 semaines, puis il a baissé de façon continue pendant le reste des années 1980 pour se situer à 17 semaines en 1990. La récession de 1990-1991 a de nouveau fait croître la durée moyenne de la période de chômage, qui s'est établie à plus de 23 semaines en 1992, puis à 25,7 semaines en 1994 (Browning, Jones et Kuhn, 1996 ; Gouvernement du Canada, 1997a). La catégorie des chômeurs sans emploi récent, c'est-à-dire des chômeurs qui n'ont pas occupé un emploi depuis plus de 12 mois, a presque doublé au cours des années 1990, passant de 21 % de la population totale des chômeurs en 1989, à 38 % en 1997, puis à 34 % en 1999 (Gouvernement du Canada, 2000a).

Ces chiffres sont donc préoccupants puisqu'ils traduisent une croissance du chômage, en proportion et en durée, et cela, malgré l'embellie des dix dernières années. Cependant, ces moyennes masquent de grandes variations des taux de chômage en fonction du sexe des travailleurs, de leur âge, de leur niveau de scolarité et de l'endroit où ils habitent.

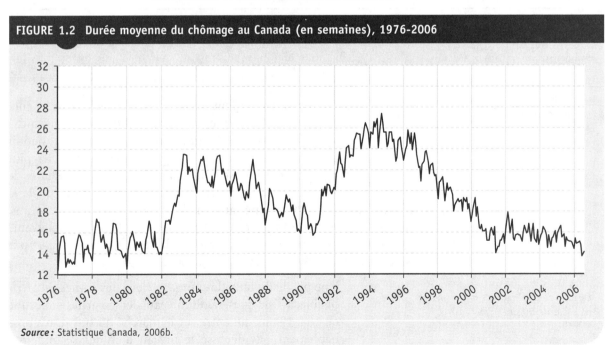

FIGURE 1.2 Durée moyenne du chômage au Canada (en semaines), 1976-2006

Source : Statistique Canada, 2006b.

L'inégalité des individus devant le chômage

Les femmes sont aujourd'hui moins touchées par le chômage que les hommes.

Comme le montre la figure 1.3, les Canadiens ont longtemps été plus épargnés par le chômage que les Canadiennes. En fait, du milieu des années 1970 à la fin des années 1980, le chômage des hommes était inférieur à celui des femmes. Toutefois, au début des années 1990, cette tendance s'est inversée et le chômage des femmes est maintenant inférieur à celui des hommes (Statistique Canada, 2004a). À titre d'exemple, en 2005, le taux de chômage des femmes se chiffrait à 6,5 %, tandis que celui des hommes atteignait 7,0 % (Statistique Canada, 2006c). Nous verrons plus loin dans ce chapitre que le taux de chômage plus faible des femmes s'explique en partie par la croissance des industries de services, où les femmes se trouvent en plus grand nombre.

FIGURE 1.3 Taux de chômage selon le sexe au Canada, 1976-2005

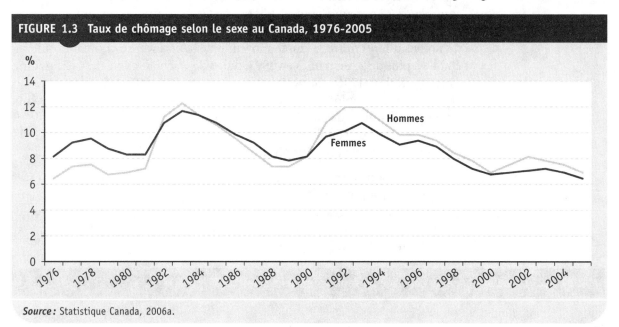

Source: Statistique Canada, 2006a.

Les jeunes affichent le taux de chômage le plus élevé de tous les groupes d'âge.

Si on observe un renversement de tendance dans les inégalités entre les sexes en matière de chômage, en revanche les différences entre les groupes d'âge demeurent : depuis plus de 30 ans, les jeunes de 15 à 24 ans sont les plus touchés par le chômage, comme l'illustre la figure 1.4. En 2005, le taux de chômage des jeunes s'élevait à 12,4 %, soit plus de 5 points au-dessus de la moyenne nationale de 6,8 %. Même au sein de ce groupe des 15 à 24 ans, ce sont les plus jeunes qui sont les plus défavorisés : en 2005, les adolescents de 15 à 19 ans connaissaient un taux de chômage de 16,5 %, contre 9,7 % pour les jeunes de 20 à 24 ans (Statistique Canada, 2006a).

Le taux de chômage est lié au niveau de scolarité atteint.

Une partie du taux de chômage élevé des jeunes est attribuable à leur plus faible niveau de scolarité : un jeune de 15 à 19 ans qui entre sur le marché du travail n'a probablement pas dépassé le niveau d'études secondaires.

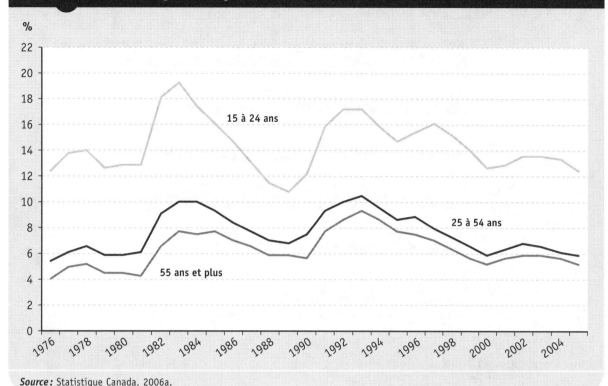

FIGURE 1.4 Taux de chômage selon l'âge au Canada, 1976-2005

Source : Statistique Canada, 2006a.

Taux d'emploi

▸ *Employment rate*

Pourcentage des personnes en âge de travailler qui occupent un emploi.

Immigrant récent

▸ *Recent immigrant*

Personne arrivée au pays il y a moins de cinq ans.

Or, plus le niveau de scolarité est élevé, meilleures sont les chances de trouver du travail. En 2003, par exemple, chez les personnes de 25 à 64 ans, le **taux d'emploi** des diplômés du secondaire était de 75,3 %, comparativement à 81,6 % chez les diplômés universitaires. Et parmi les diplômés universitaires, les taux d'emploi des personnes ayant un diplôme supérieur, comme une maîtrise ou un doctorat, étaient légèrement plus élevés que ceux des titulaires d'un baccalauréat seulement (Statistique Canada, 2004a). La figure 1.5 récapitule ces données.

Le chômage touche également, et de façon plus marquée, les immigrants arrivés au pays depuis moins de cinq ans. Ainsi, en 2001, le taux de chômage des **immigrants récents** âgés de 25 à 44 ans était deux fois plus élevé que celui des Canadiens de naissance : 12,1 % comparativement à 6,4 %. La figure 1.6 montre l'évolution du taux de chômage de ces catégories de travailleurs au cours des 20 dernières années. On constate que l'écart entre la situation du marché du travail des immigrants récents et celle des travailleurs natifs du Canada s'est considérablement creusé lors de la récession du début des années 1990. L'essor économique de la fin de la décennie a permis d'améliorer la situation de tous les groupes, mais l'écart entre les immigrants récents et les travailleurs non immigrants persiste (Statistique Canada, 2003a).

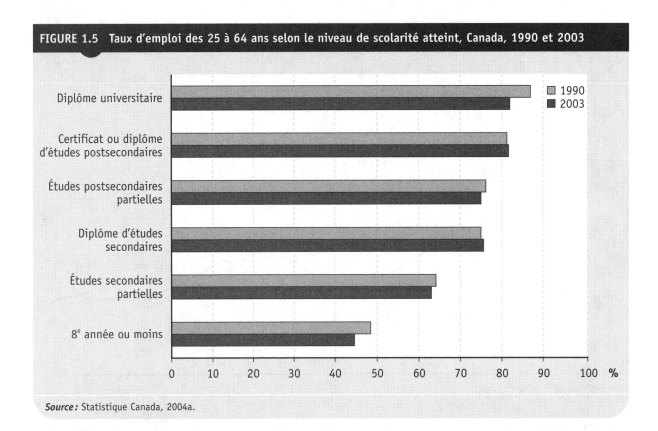

FIGURE 1.5 Taux d'emploi des 25 à 64 ans selon le niveau de scolarité atteint, Canada, 1990 et 2003

Source: Statistique Canada, 2004a.

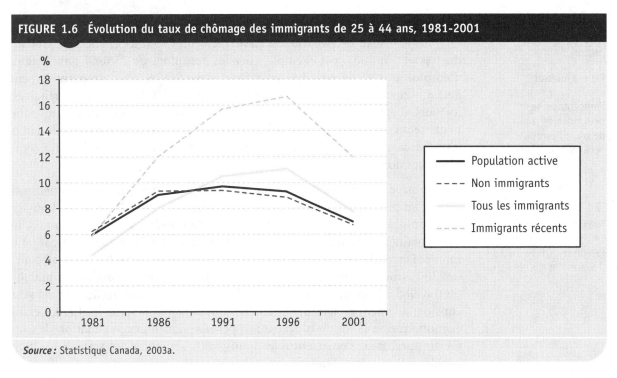

FIGURE 1.6 Évolution du taux de chômage des immigrants de 25 à 44 ans, 1981-2001

Source: Statistique Canada, 2003a.

Il est intéressant de noter que le taux de chômage chez les immigrants récents, contrairement aux Canadiens de naissance, ne varie pas de façon proportionnelle au niveau d'études. Ainsi, comme le montre la figure 1.7, les immigrants récents détenteurs d'un baccalauréat ou d'une maîtrise connaissent des taux de chômage plus élevés que ceux qui ont arrêté leurs études au niveau secondaire ou collégial. Se pose, en effet, pour les immigrants, le problème de la reconnaissance des diplômes et de l'expérience acquis à l'étranger (Centre syndical et patronal du Canada, 2004).

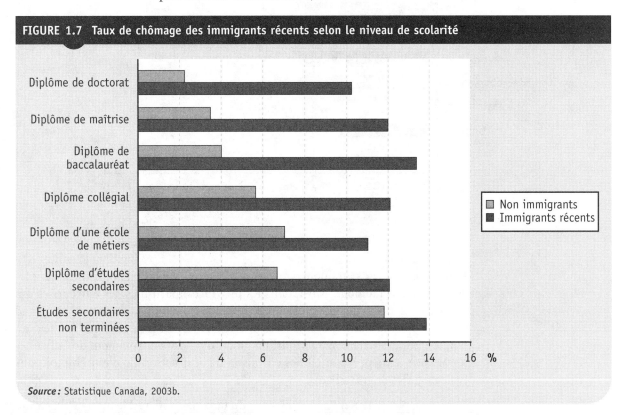

FIGURE 1.7 Taux de chômage des immigrants récents selon le niveau de scolarité

Légende :
- Non immigrants
- Immigrants récents

Source : Statistique Canada, 2003b.

Le chômage touche davantage les provinces de l'Est que celles de l'Ouest du pays.

Finalement, le chômage est inégalement réparti dans le pays. Depuis trois décennies, les provinces maritimes, en particulier Terre-Neuve-et-Labrador, ont affiché les taux de chômage les plus élevés au Canada. Comme l'illustre la figure 1.8, l'année 2005 n'a pas fait exception puisque cette province affichait un taux de chômage de 15,2 %, soit 8,4 points de plus que la moyenne nationale, suivie de l'Île-du-Prince-Édouard, dont le taux de chômage se situait à 10,8 % (Statistique Canada, 2006c). En revanche, la région des Prairies a affiché les taux de chômage les plus faibles au pays ces trois dernières décennies, sauf pour une période de six ans (de 1985 à 1990), où le taux a été moindre en Ontario. En 2005, l'Alberta a enregistré le taux de chômage le moins élevé (3,9 %), suivi de près par le Manitoba (4,8 %) et la Saskatchewan (5,1 %).

On peut donc retenir des lignes qui précèdent que, malgré une amélioration récente de la situation, le marché du travail canadien a connu, au cours des 30 dernières années, une progression constante, mais inégale, du chômage.

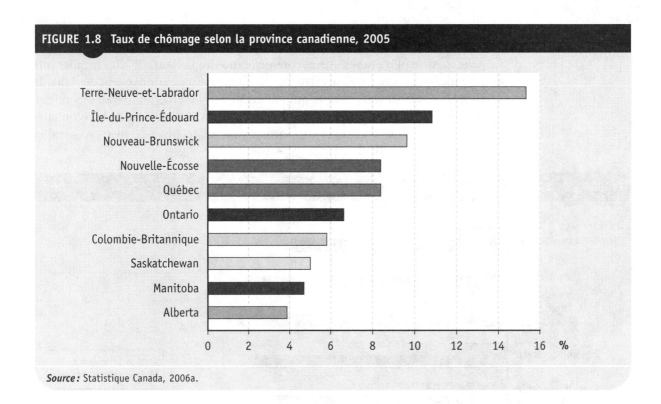

FIGURE 1.8 Taux de chômage selon la province canadienne, 2005

Province	%
Terre-Neuve-et-Labrador	
Île-du-Prince-Édouard	
Nouveau-Brunswick	
Nouvelle-Écosse	
Québec	
Ontario	
Colombie-Britannique	
Saskatchewan	
Manitoba	
Alberta	

Source : Statistique Canada, 2006a.

Pour les entreprises en quête de personnel, de telles disparités complexifient les actions de recrutement. Ainsi, dans les provinces maritimes, les entreprises qui cherchent à pourvoir des postes peu qualifiés doivent faire face à un grand nombre de candidatures spontanées provenant de personnes à la recherche d'un emploi. En revanche, les organisations albertaines ont énormément de difficultés à pourvoir leurs postes qualifiés en raison de la situation de plein-emploi pour ces catégories de travailleurs.

Toutefois, parallèlement à la croissance du taux de chômage, le marché du travail canadien a connu également une augmentation du nombre d'emplois et une croissance du taux d'activité. Ces statistiques, ainsi que leur apparente contradiction avec les données sur le chômage, font l'objet de la section suivante.

La progression du nombre d'emplois et du taux d'activité

Le nombre d'emplois augmente constamment.

Au cours des trois dernières décennies, le Canada a subi deux périodes où la diminution du nombre d'emplois a été constante : les récessions de 1981-1982 et de 1990-1991. La récession du début des années 1980 a été majeure, mais de courte durée, tandis que celle de 1990-1991, moins grave au départ, a eu des répercussions sur le marché du travail pendant de longues années. Ce n'est qu'en 1994 que l'emploi a fini par atteindre le niveau qu'il avait avant la récession. À l'exception de 2001, année pendant laquelle la croissance économique a stagné au Canada, le nombre d'emplois a fortement progressé de 1996 à 2003, augmentant de 2,4 % en moyenne par année (Statistique Canada, 2004a). La figure 1.9 illustre cette progression.

FIGURE 1.9 Évolution de l'emploi au Canada, 1976-2005

En millions

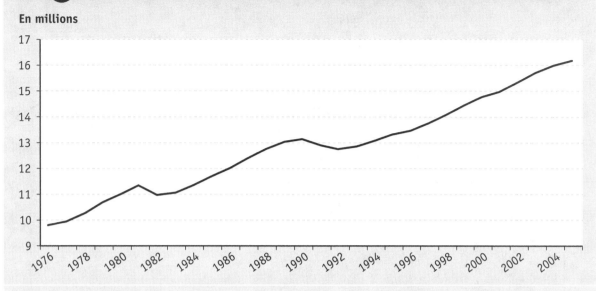

Source: Statistique Canada, 2006a.

Une plus grande proportion de la population cherche à travailler.

Taux d'activité

▶ *Activity ratio*
Proportion de la population en âge de travailler qui prend part au marché du travail.

À première vue, la croissance du taux de chômage semble incongrue lorsque l'on observe l'augmentation du nombre d'emplois pendant la même période. Cependant, pour comprendre la situation, un autre indicateur doit être considéré : le **taux d'activité,** c'est-à-dire la proportion de la population qui cherche à prendre part au marché du travail. Or, comme le montre la figure 1.10, le taux d'activité a connu une progression constante depuis le milieu des années 1990. La proportion des personnes inactives (par exemple, les retraités, les étudiants ne souhaitant pas travailler, les parents de jeunes enfants désirant rester à la maison, les personnes au chômage ne cherchant pas d'emploi) a constamment diminué au cours des 30 dernières années, passant d'environ 38,0 % en 1976, à 32,8 % en 2005 (Statistique Canada, 2004a, 2006c). Pour les entreprises à la recherche de personnel, cela signifie que ces groupes de personnes, autrefois peu sollicités par les recruteurs, constituent aujourd'hui des bassins importants de candidats potentiels.

Cette première section a dressé un portrait quantitatif du marché du travail au Canada. Ce portrait montre que la progression constante du nombre d'emplois ne suffit pas à fournir du travail à l'ensemble de la main-d'œuvre disponible. Le taux de chômage qui en résulte touche principalement les individus peu scolarisés. Cependant, dresser un portrait uniquement quantitatif serait incomplet : au-delà du nombre d'emplois, la répartition inégale du chômage dans la population suggère une inadéquation entre les postes créés et les compétences dont disposent les travailleurs. Or, cette correspondance entre, d'une part, les postes et, d'autre part, les compétences et la disponibilité de la main-d'œuvre, est un élément indispensable de toute action de recrutement du personnel. Il devient donc nécessaire d'examiner, de façon plus qualitative, la nature des emplois, puis les caractéristiques des travailleurs au Canada.

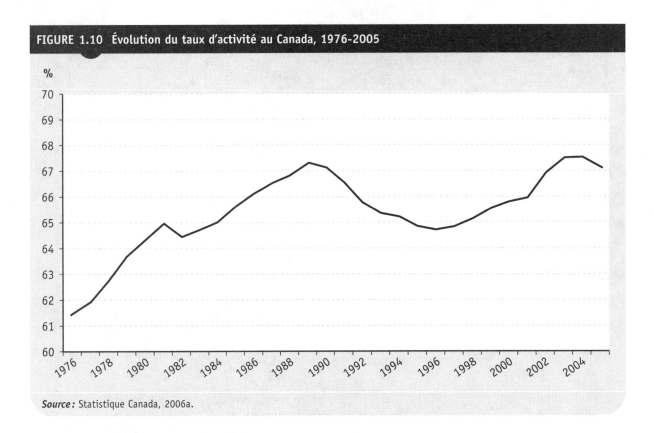

FIGURE 1.10 Évolution du taux d'activité au Canada, 1976-2005

Source : Statistique Canada, 2006a.

1.2 La nature des emplois

Le déclin des emplois peu qualifiés et l'augmentation des emplois qualifiés

Au cours des 30 dernières années, la croissance de l'emploi a été plus rapide dans les secteurs d'activité à forte intensité de connaissances que dans les secteurs à intensité moyenne ou faible. À titre d'exemple, l'emploi a augmenté en moyenne de 4,2 % par année dans les industries à haute intensité de connaissances, comparativement à seulement 1,7 % et 2,2 % dans les industries à moyenne ou à faible intensité de connaissances (Gouvernement du Canada, 1997b). La figure 1.11 illustre la croissance de l'emploi pour les travailleurs du savoir.

Les emplois hautement qualifiés ont dominé la croissance des années 1990.

Profession hautement qualifiée
▶ *Highly qualified occupation*
Profession requérant habituellement des études universitaires.

Selon le recensement de 2001, parmi les 15,6 millions de personnes faisant partie de la population active, plus de 2,5 millions exerçaient des **professions hautement qualifiées.** Il s'agit d'une croissance de 33 % par rapport à 1991, ce qui est trois fois plus rapide que la croissance totale de la population active. Ainsi, les professions hautement qualifiées expliquent-elles près de la moitié de la croissance totale de la population active survenue entre 1991 et 2001 (Statistique Canada, 2003a). En 2003, les travailleurs exerçant de telles professions représentaient 16,5 % de la population active totale, en hausse par rapport aux 13 % de 1987 (Bergeron *et al.,* 2004).

En revanche, la situation des professions peu qualifiées est beaucoup plus précaire. Ces emplois ont tendance à se concentrer dans les industries sensibles

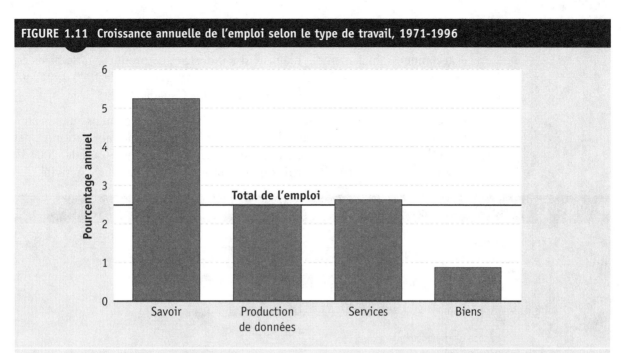

FIGURE 1.11 Croissance annuelle de l'emploi selon le type de travail, 1971-1996

Source : Gouvernement du Canada, 1997c.

aux fluctuations cycliques, notamment le commerce, la fabrication et les transports, de sorte qu'ils sont généralement plus vulnérables aux ralentissements économiques. Ainsi, la récession du début des années 1990 a entraîné la perte de milliers d'emplois peu qualifiés tandis que l'emploi dans les professions très qualifiées a continué de croître. Même si les emplois peu qualifiés ont bénéficié de la prospérité qui se maintient depuis 1998, on estime qu'entre 2004 et 2008, le rythme de croissance de l'emploi dans ces professions sera faible, de l'ordre de 0,7 % annuellement. En revanche, les prévisions de croissance dans les professions nécessitant une formation universitaire sont très positives, de l'ordre de 2,3 % par année (Bergeron *et al.,* 2004).

La transition vers une économie du commerce et des services

Le secteur des services connaît la plus grande croissance de l'emploi.

Les 30 dernières années ont vu un déclin constant des industries du secteur primaire, notamment l'agriculture et l'extraction, et, dans une moindre mesure, des industries de production de biens. C'est le secteur des services qui bénéficie de la plus forte croissance de l'emploi, et cela depuis plusieurs années. Par exemple, entre 1987 et 2003, le nombre d'emplois dans le secteur des services a crû en moyenne de 1,9 % par année, contre 0,5 % dans le secteur de la production de biens. En 2003, le secteur des services (y compris les soins de santé et l'administration publique) employait 3 travailleurs sur 4, ce qui représentait une hausse par rapport aux 70 % enregistrés en 1987 (Bergeron *et al.,* 2004).

Trois phénomènes expliquent le déclin relatif de l'emploi dans le secteur de la production de biens et la croissance dans celui des services : tout d'abord, la productivité de la main-d'œuvre a augmenté plus rapidement dans le secteur de la production (1,6 % par année en moyenne) que dans celui des services (1,2 %) ;

ensuite, l'expansion des technologies de l'information et des communications a alimenté les besoins de travailleurs dans les services administratifs, professionnels et techniques; finalement, la majorité des industries de production de biens est plus sensible aux ralentissements économiques, comme celui de 1990-1991, que les entreprises du secteur des services (Statistique Canada, 2004a).

Ainsi, en 2005, le secteur d'activité employant le plus de personnes au pays était le commerce de gros et de détail, suivi par le secteur de la fabrication et par celui des soins de santé et de l'assistance sociale (Statistique Canada, 2006d). La figure 1.12 montre la répartition de l'emploi selon le secteur d'activité.

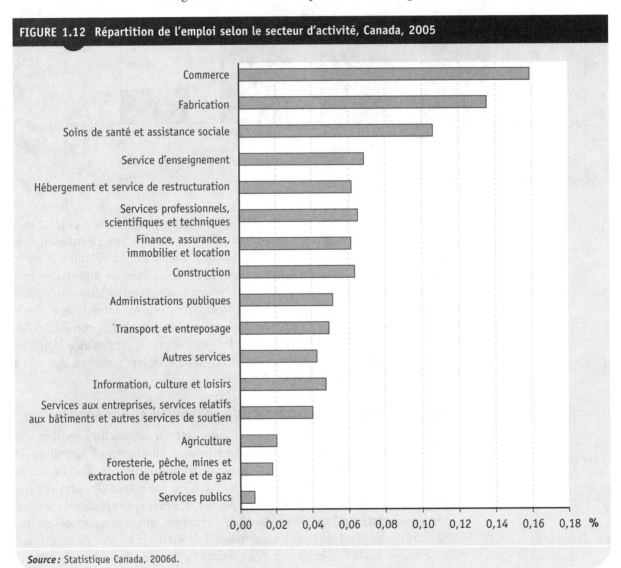

FIGURE 1.12 Répartition de l'emploi selon le secteur d'activité, Canada, 2005

Source : Statistique Canada, 2006d.

L'évolution de la qualification exigée

Cette transition vers une économie des services s'accompagne d'une évolution de la qualification exigée des nouveaux employés. Par exemple, les responsables du recrutement notent que les compétences scientifiques et technologiques ne suffisent plus pour obtenir un emploi en génie : les qualités interpersonnelles ou la connaissance des langues sont désormais incontournables (Vallerand, 2006).

La recherche du rendement et de la flexibilité dans les entreprises a également amené de nouvelles formes d'organisation du travail, basées par exemple sur les équipes de travail autonomes ou sur la rotation des emplois. Plusieurs études montrent que ces nouvelles formes d'organisation du travail se traduisent par une transformation des exigences professionnelles (Bélanger *et al.*, 2004 ; Eschuk, 2003 ; Gale, Wojan et Olmsted, 2002 ; Leigh et Gifford, 1999 ; Lynch et Black, 1998). Elles nous permettent de constater notamment une hausse des exigences en matière de lecture, de mathématiques, de résolution de problèmes, de relations interpersonnelles et d'informatique.

Cette évolution de la qualification exigée aggrave la situation des travailleurs peu scolarisés, déjà touchés par le déclin des emplois peu qualifiés : non seulement le nombre d'emplois nécessitant peu de qualification diminue, mais encore les compétences exigées dans ces emplois changent et, bien souvent, augmentent.

La croissance des statuts d'emplois atypiques

Une partie importante de la croissance de l'emploi est attribuable aux statuts atypiques.

Les années 1980 ont vu la polarisation du marché du travail. En effet, un fossé s'est creusé entre les « bons » emplois, qualifiés et stables, et les « mauvais » emplois, moins qualifiés, plus précaires et souvent caractérisés par des statuts atypiques, comme le temps partiel, le travail temporaire, le travail indépendant et le cumul d'emplois. L'ensemble de ces statuts atypiques a compté pour 44 % de la croissance de l'emploi dans les années 1980 (Bédard et Grignon, 2000).

Cette tendance a persisté pendant les années suivantes. La figure 1.13 compare la progression de l'**emploi à temps partiel** et celle de l'emploi à temps plein, entre 1976 et 2005. Après sa croissance fulgurante dans les années 1980, le travail à temps partiel a suivi le rythme de croissance de l'emploi à temps plein depuis les années 1990. Cela a permis au taux d'emploi à temps partiel de rester stable, se situant entre 18 % et 19 % depuis 1991 (Statistique Canada, 2004a).

Emploi à temps partiel
▶ *Part-time job*
Emploi de moins de 30 heures par semaine.

Le travail temporaire a connu une évolution similaire, illustrée à la figure 1.14. De 1997 à 2002, le nombre d'emplois temporaires a crû à un rythme de 31 % par année, contre 12 % pour les **emplois permanents.** Malgré le fléchissement des années 2002-2003, où le nombre d'emplois temporaires a diminué, cette évolution représente un gain de plus de 25 % depuis 1997. Même si 88 % des employés canadiens bénéficiaient d'un emploi permanent, 1,7 million de personnes occupaient un emploi temporaire en 2003 (Statistique Canada, 2004a).

Emploi permanent
▶ *Permanent job*
Emploi dont la date de cessation n'est pas établie à l'avance.

La situation diffère quelque peu en ce qui concerne le **travail indépendant.** Après une période de forte croissance entre 1994 et 1999, le nombre de travailleurs indépendants a connu un déclin entre 1999 et 2001, mais a recommencé à croître depuis 2001 (Gouvernement du Canada, 2005). Comme le montre la figure 1.15, c'est l'agriculture qui compte le taux le plus élevé de travailleurs indépendants, malgré une forte chute au cours des dernières années. En revanche, le secteur des services professionnels, scientifiques et techniques, qui comprend les cabinets d'avocats, les firmes d'ingénierie et d'experts-conseils en gestion, les entreprises de comptabilité et les sociétés de conception de systèmes

Travailleurs indépendants
▶ *Self-employed workers*
Propriétaires actifs d'entreprise constituée ou non en société, et travailleurs familiaux non rémunérés.

informatiques, a enregistré un taux élevé de travail indépendant en 2003. Ce secteur représente un tiers de la croissance du travail indépendant total, de 1989 à 2003 (Statistique Canada, 2004a).

Cumul d'emplois
▶ *Moonlighting*
Fait pour une personne d'occuper plus d'un emploi.

La situation diffère quelque peu en ce qui concerne le **cumul d'emplois,** qui connaît une croissance fulgurante. De 1976 à 2003, le nombre de Canadiens ayant cumulé au moins deux emplois ou deux entreprises a presque quadruplé, passant de 208 000 à 787 000, tandis que la croissance globale de

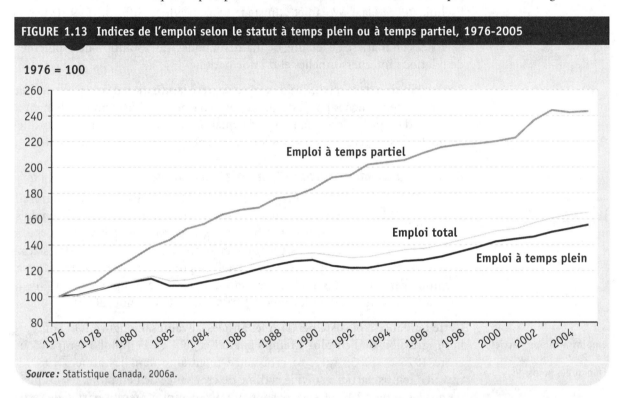

FIGURE 1.13 Indices de l'emploi selon le statut à temps plein ou à temps partiel, 1976-2005

1976 = 100

Source : Statistique Canada, 2006a.

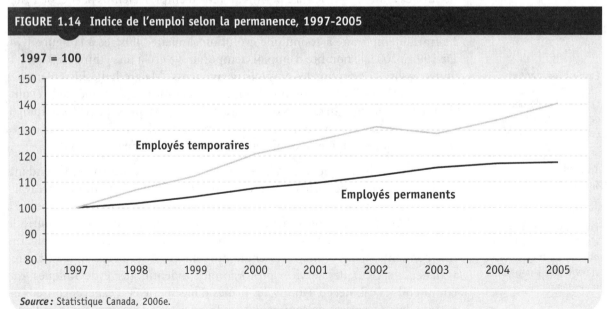

FIGURE 1.14 Indice de l'emploi selon la permanence, 1997-2005

1997 = 100

Source : Statistique Canada, 2006e.

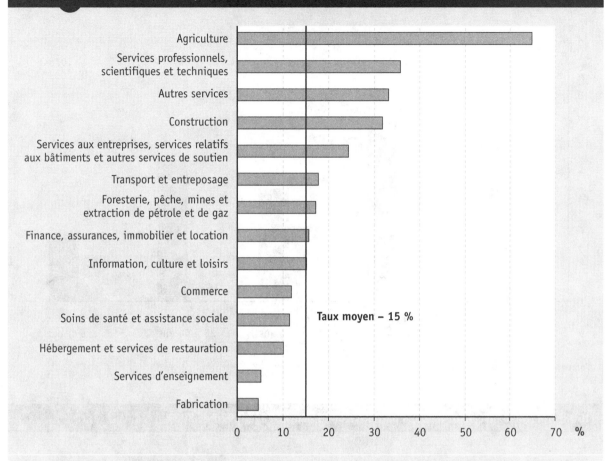

FIGURE 1.15 Taux de travail indépendant selon le secteur d'activité, 2003

Agriculture
Services professionnels, scientifiques et techniques
Autres services
Construction
Services aux entreprises, services relatifs aux bâtiments et autres services de soutien
Transport et entreposage
Foresterie, pêche, mines et extraction de pétrole et de gaz
Finance, assurances, immobilier et location
Information, culture et loisirs
Commerce
Soins de santé et assistance sociale
Hébergement et services de restauration
Services d'enseignement
Fabrication

Taux moyen – 15 %

Source: Statistique Canada, 2004a.

l'emploi n'atteignait que 61 %. Les travailleurs occupant plus d'un emploi représentaient 5 % de tous les travailleurs en 2003, contre seulement 2 % en 1976. Traditionnellement, les hommes constituaient la majorité des travailleurs occupant plus d'un emploi: ils formaient 75 % de l'ensemble de ces travailleurs en 1976. Toutefois, depuis ce temps, le nombre de femmes cumulant au moins deux emplois a augmenté beaucoup plus rapidement que celui des hommes, de sorte qu'en 2003, les femmes représentaient 54 % des travailleurs ayant plusieurs emplois. Les données de cette même année indiquent que les jeunes de 15 à 24 ans étaient plus susceptibles d'avoir plusieurs emplois que les travailleurs adultes (Statistique Canada, 2004a). La fréquence du cumul d'emplois chez les travailleuses et les travailleurs canadiens est illustrée à la figure 1.16.

Il est à noter que plusieurs statuts de travail atypiques, notamment le travail à temps partiel, le travail temporaire et le cumul d'emplois, touchent majoritairement les femmes et les jeunes de moins de 24 ans. Rappelons que ces deux groupes sont également les plus affectés par le chômage (Bédard et Grignon, 2000; Statistique Canada, 2004a). À titre d'exemple, les figures 1.17 et 1.18 montrent la répartition du travail à temps partiel et du travail temporaire selon le sexe et l'âge.

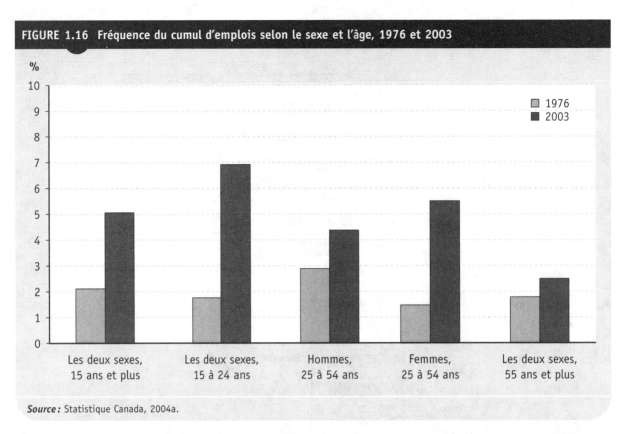

FIGURE 1.16 Fréquence du cumul d'emplois selon le sexe et l'âge, 1976 et 2003

Source : Statistique Canada, 2004a.

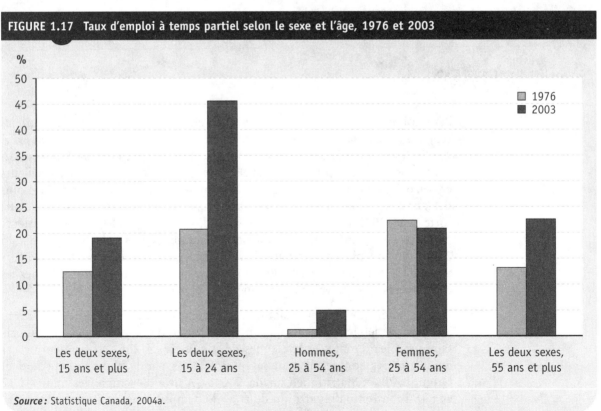

FIGURE 1.17 Taux d'emploi à temps partiel selon le sexe et l'âge, 1976 et 2003

Source : Statistique Canada, 2004a.

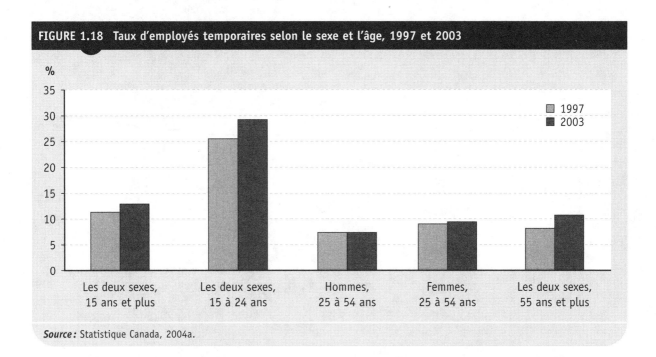

FIGURE 1.18 Taux d'employés temporaires selon le sexe et l'âge, 1997 et 2003

Source : Statistique Canada, 2004a.

Ainsi, le Canada a connu au cours des 30 dernières années des bouleversements importants de son marché du travail, caractérisés notamment par une forte croissance du nombre d'emplois, insuffisante cependant pour absorber le chômage. Pendant cette période, on a assisté également à un déplacement de l'emploi, d'une part vers le secteur des services, et d'autre part vers des statuts atypiques. Pour les recruteurs, ces changements se traduisent par une plus grande diversité des profils de postes à pourvoir, tant au niveau du statut que des compétences requises. Cependant, comme le montre la section suivante, les emplois offerts sur le marché du travail ne sont pas les seuls à avoir évolué au cours des 30 dernières années. Parallèlement à ces transformations des emplois, la composition de la main-d'œuvre a, elle aussi, changé.

1.3 Le profil de la main-d'œuvre

La proportion des femmes dans la main-d'œuvre canadienne n'a cessé de croître depuis 30 ans.

Autrefois composée essentiellement d'hommes blancs de 15 à 64 ans, la main-d'œuvre canadienne se caractérisait par son homogénéité. Or, pour résumer les transformations qui ont affecté la population active au cours des 30 dernières années, un mot suffit : *diversité*. En effet, les tendances présentées dans les pages qui suivent ont concouru à accroître la diversité de la main-d'œuvre du Canada, tant au plan démographique qu'en ce qui concerne les valeurs, les compétences et les attentes.

La féminisation de la main-d'œuvre

Au cours des 30 dernières années, la proportion des femmes dans la population active rémunérée a augmenté de façon spectaculaire, passant de 37,1 % de l'ensemble des travailleurs, en 1976, à 46,6 %, en 2003. Cette augmentation est illustrée à la figure 1.19 (Statistique Canada, 2004b).

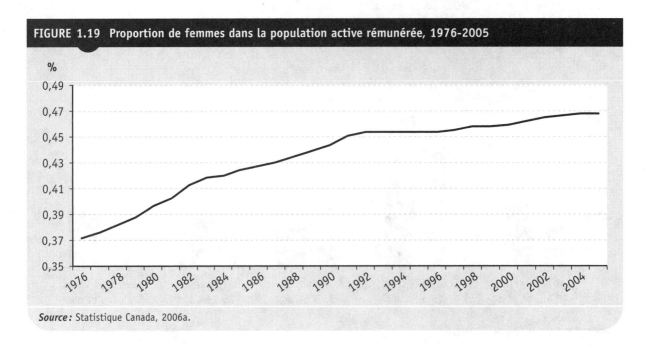

FIGURE 1.19 Proportion de femmes dans la population active rémunérée, 1976-2005

Source: Statistique Canada, 2006a.

Ainsi, en 2003, 57% de l'ensemble des femmes de 15 ans et plus occupaient un emploi, contre 42% en 1976. Comme le montre la figure 1.20, cette plus grande participation des femmes à la population active a connu sa plus forte croissance entre 1976 et 1990, passant de 42% à 54%, pour stagner dans les années 1990. Au cours de cette période, l'écart entre le taux d'activité des femmes et celui des hommes a continué de diminuer, non plus en raison de l'augmentation rapide du taux d'activité des femmes, mais plutôt en raison de la chute soutenue de celui des hommes (Gouvernement du Canada, 2000b). La proportion des femmes occupant un emploi a toutefois recommencé à augmenter au cours des dernières années (Statistique Canada, 2004b).

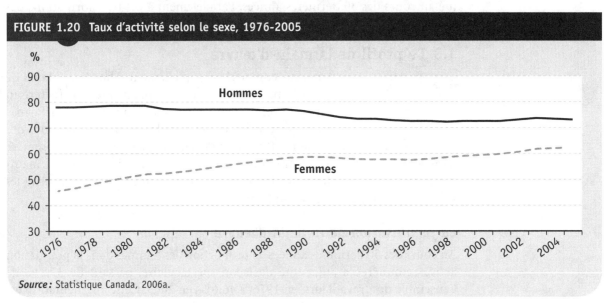

FIGURE 1.20 Taux d'activité selon le sexe, 1976-2005

Source: Statistique Canada, 2006a.

Cohorte
▶ *Cohort*
Groupe de personnes entrées au même moment sur le marché du travail.

Cependant, selon certaines études, le rattrapage des femmes en matière de taux d'activité tire à sa fin (Gouvernement du Canada, 2000b). En effet, l'écart entre le taux d'activité des femmes d'une **cohorte** à l'autre est de moins en moins marqué. Par exemple, le taux d'activité de la cohorte des femmes entrées en 1992 sur le marché du travail est comparable à celui des femmes qui y sont entrées dans les années 1980. Par ailleurs, l'évolution du taux d'activité des hommes et des femmes est de plus en plus semblable, comme en fait foi la figure 1.21 : la participation au marché du travail augmente avec l'âge jusqu'à environ 30 ans, se stabilise entre 30 et 54 ans, et chute à partir de 55 ans, à mesure que les individus partent à la retraite.

FIGURE 1.21 Évolution du taux d'activité selon l'âge et le sexe, 1976 et 1999

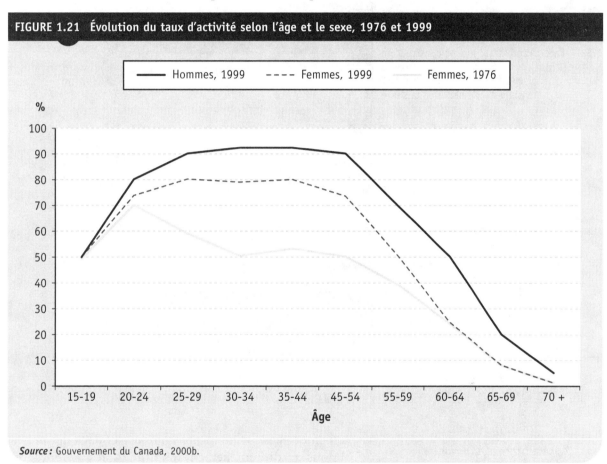

Source : Gouvernement du Canada, 2000b.

Ainsi, il semble que la période de l'augmentation substantielle du taux d'activité des femmes soit terminée, même si une hausse de quelques points est encore envisageable (Gouvernement du Canada, 2000b). En revanche, la nature des emplois occupés par des femmes continue de se diversifier.

Emploi à prédominance féminine ou masculine
▶ *Gender-dominated occupation*
Emploi dans lequel au moins 60 % des salariés sont du même sexe.

La majorité des travailleuses se trouve dans des **emplois à prédominance féminine,** c'est-à-dire des emplois traditionnellement occupés par des femmes. Ainsi, en 2003, 70 % de l'ensemble des femmes occupées travaillaient dans les domaines de l'éducation, des ventes et des services, contre seulement 31 % des hommes. La figure 1.22 compare la répartition des hommes et des femmes selon la profession (Statistique Canada, 2004b).

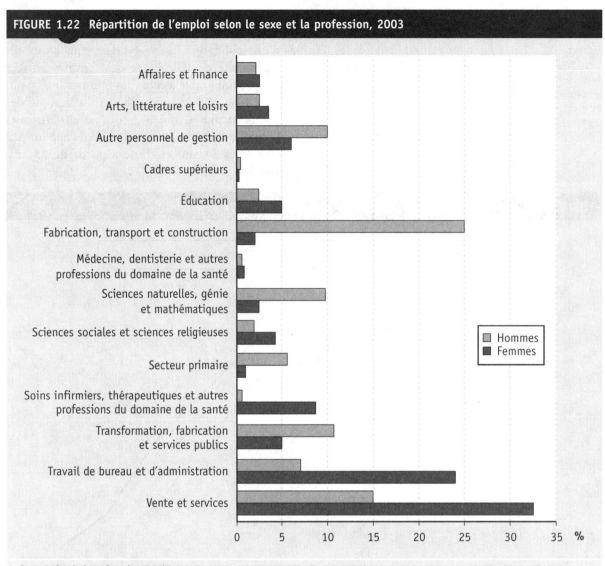

FIGURE 1.22 Répartition de l'emploi selon le sexe et la profession, 2003

Source : Statistique Canada, 2004b.

Les femmes sont de plus en plus nombreuses dans les professions hautement qualifiées.

Bien qu'elles soient encore nombreuses dans des professions traditionnellement féminines, les femmes ont cependant fait des percées importantes au sein de certains emplois dits « non traditionnels », plus particulièrement parmi les professions hautement qualifiées (Statistique Canada, 2003a). Ainsi, en 2003, les femmes représentaient 48 % des professionnels d'affaires et des finances, en hausse par rapport à 41 %, en 1987. Elles représentaient également 52 % des médecins et dentistes et 64 % des professionnels des sciences sociales ou religieuses, contre respectivement 44 % et 48 %, en 1987. En revanche, elles demeurent très minoritaires dans les professions des sciences naturelles, du génie et des mathématiques, domaines dans lesquels les étudiantes à l'université sont également très minoritaires. La tendance dans ces professions est donc peu susceptible de s'inverser à court et à moyen terme (Statistique Canada, 2004b).

Une main-d'œuvre plus scolarisée et plus exigeante

Le niveau moyen de scolarisation de la population active croît.

Comme nous l'avons vu plus tôt, la croissance de l'emploi au cours des dernières années a été particulièrement importante dans les professions qualifiées ou hautement qualifiées. Or, le niveau de scolarité de la population active a évolué au même rythme que la demande en compétences professionnelles (Bergeron *et al.*, 2004). Ainsi, entre 1991 et 2003, le nombre de personnes actives ayant fait des études universitaires s'est accru à un taux annuel moyen de 4,6 %, contre 3,3 % pour celles qui avaient fait des études collégiales et 0,8 % pour celles ne possédant qu'un diplôme d'études secondaires. Quant au nombre de personnes actives ayant moins qu'une scolarité secondaire, il a diminué de 2,8 % par année en moyenne (Bergeron *et al.*, 2004). Ces statistiques sont représentées à la figure 1.23.

FIGURE 1.23 **Évolution du niveau de scolarité de la population active, 1990-2005**

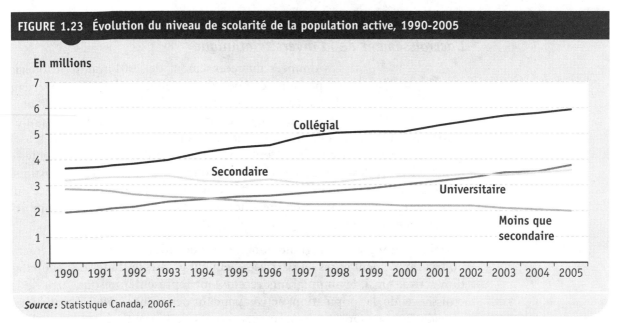

Source : Statistique Canada, 2006f.

Le nombre moyen d'années de scolarité de la population canadienne en âge de travailler était de 12,5 en 1990. Il se situe maintenant autour de 13 années, ce qui reflète une augmentation qui semble suffisante pour répondre au niveau de compétences plus élevé que recherchent les employeurs (Bergeron *et al.*, 2004).

Moins nombreuse mais plus scolarisée que les générations précédentes, la génération qui arrive actuellement sur le marché du travail est également plus exigeante envers ses employeurs. En effet, élevés dans 75 % des cas dans des familles reconstituées ou monoparentales, les jeunes de la génération Y n'acceptent pas, contrairement à leurs parents, de sacrifier leur vie personnelle pour leur carrière. Ils recherchent plutôt un rythme de vie équilibré et font leurs choix en ce sens (Hébert, 2005). Pourtant, cette génération se caractérise également par son ancrage dans l'immédiat. Nés à l'âge de l'information accessible en temps réel et du mythe de l'omnipotence de la technologie, les jeunes de la génération Y désirent tout, tout de suite (Allain, 2005). Sur le marché du travail, cela se traduit par une volonté de progresser rapidement, souhait qui est à l'origine d'un des paradoxes de cette génération : ces jeunes adultes tiennent à garder l'équilibre entre leurs engagements professionnels et familiaux, tout en obtenant rapidement de l'avancement. Ils s'attendent à ce que leurs patrons soient compréhensifs et sensibles à leurs obligations personnelles et désirent des conditions de travail sur mesure : horaires flexibles, formation continue, année sabbatique, congés familiaux, garderie en milieu de travail, liberté et, surtout, autonomie, défis et reconnaissance (Allain, 2005 ; Hébert, 2005).

Si le niveau de scolarisation moyen de la population active a augmenté au cours des dernières années, le mérite n'en revient pas uniquement aux Canadiens de la génération Y. L'arrivée au pays, surtout depuis les années 1990, d'immigrants hautement qualifiés y a aussi participé grandement. Cette immigration contribue également à accroître la diversité ethnique de la main-d'œuvre au Canada.

L'accroissement de la diversité ethnique

La population active est ethniquement de plus en plus diverse.

Les données du recensement de 2001 montrent que la proportion de la population du Canada née à l'extérieur du pays a atteint 18,4 %, son plus haut niveau en 70 ans ; seule l'Australie, avec une proportion de 22 % de la population née à l'étranger, devance le Canada à ce sujet. Entre 1991 et 2001 seulement, le Canada a accueilli 2,2 millions d'immigrants, ce qui représente le nombre le plus élevé de toute décennie au cours du dernier siècle (Statistique Canada, 2003c). Comme en fait foi le tableau 1.1, l'Ontario est la province qui a accueilli le plus grand nombre d'immigrants, loin devant la Colombie-Britannique et le Québec.

Parmi ces immigrants, un grand nombre sont des adultes qui, immédiatement ou très rapidement après leur arrivée, viennent grossir les rangs de la population active. Ainsi, les immigrants récents ont représenté presque 70 % de la croissance de la population active pendant les années 1990 (Statistique Canada, 2003a). Or, les changements récents de la politique du Canada en matière d'immigration favorisent de façon plus marquée l'arrivée d'immigrants scolarisés ou entrepreneurs. On observe donc une hausse importante de la proportion d'immigrants ayant les compétences pour occuper des professions hautement qualifiées : en 2001, plus du quart des immigrants récents âgés de 25 à 44 ans et entrés au pays entre 1996 et 2000 avaient une formation universitaire, comparativement à 13,4 % en 1991 pour les immigrants arrivés de 1986 à 1990 (voir tableau 1.2). Les immigrants entrés au pays à la fin des années 1990 constituent donc une source de travailleurs qualifiés, qui ont les moyens de bien réussir sur le marché du travail (Statistique Canada, 2003a).

L'arrivée de ces nouveaux immigrants contribue à accroître la diversité ethnique de la main-d'œuvre. En effet, alors que durant les 60 premières années du XXe siècle, les nations européennes constituaient la principale région d'origine des immigrants au Canada, la majorité des personnes qui s'installent au pays proviennent aujourd'hui d'Asie. La figure 1.24 indique l'évolution de la proportion d'immigrants selon leur région d'origine.

TABLEAU 1.1	Répartition des immigrants des années 1990, selon la province ou le territoire
	Proportion des immigrants des années 1990 (%)
Alberta	7,1
Colombie-Britannique	20,2
Île-du-Prince-Édouard	0,0
Manitoba	1,8
Nouveau-Brunswick	0,2
Nouvelle-Écosse	0,6
Nunavut	0,0
Ontario	55,8
Québec	13,4
Saskatchewan	0,6
Territoires du Nord-Ouest	0,0
Territoire du Yukon	0,0
Terre-Neuve-et-Labrador	0,1
Total Canada	**100,0**

Source: Statistique Canada, 2003c.

TABLEAU 1.2	Niveau de compétences professionnelles des immigrants récents âgés de 25 à 44 ans, 1991-2001		
	1991 (%)	**1996** (%)	**2001** (%)
Université	13,4	15,0	26,4
Collège	19,0	19,3	17,0
Formation d'apprenti	9,5	6,5	5,4
Secondaire et moins	50,5	52,4	42,8
Gestionnaires	7,6	6,8	8,4
Ensemble des professions	**100,0**	**100,0**	**100,0**

Source: Statistique Canada, 2003a.

Cependant, la diversité ethnique de la main-d'œuvre canadienne ne découle pas uniquement de l'immigration récente. Le Canada compte également de nombreux travailleurs nés au Canada d'origine étrangère. Si l'on tient compte à la fois des immigrants et des personnes issues de l'immigration, le Canada

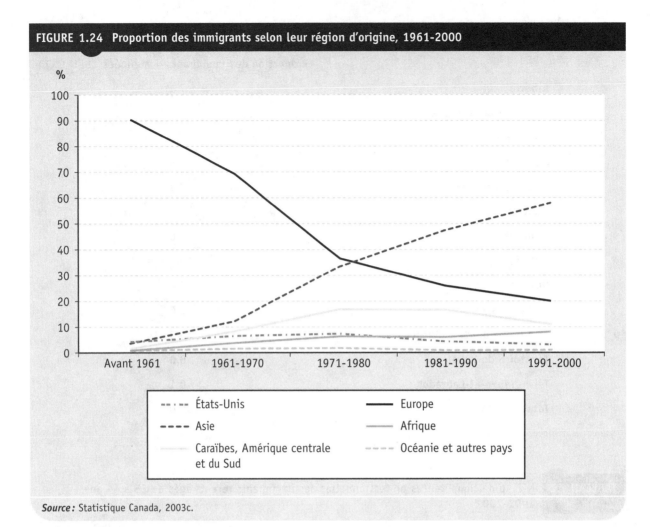

FIGURE 1.24 Proportion des immigrants selon leur région d'origine, 1961-2000

%

100
90
80
70
60
50
40
30
20
10
0

Avant 1961   1961-1970   1971-1980   1981-1990   1991-2000

— · — États-Unis   —— Europe

- - - Asie   —— Afrique

—— Caraïbes, Amérique centrale et du Sud   - - - Océanie et autres pays

Source : Statistique Canada, 2003c.

recense près de 4 millions de membres des minorités visibles, ce qui constitue 13,4 % de l'ensemble de la population (Statistique Canada, 2003c). Par ailleurs, la population des minorités visibles croît beaucoup plus rapidement que l'ensemble de la population. Par exemple, de 1996 à 2001, l'ensemble de la population canadienne a augmenté de 4 % tandis que la population des minorités visibles a crû de 25 %.

Comme le montre le tableau 1.3, le groupe le plus nombreux parmi les minorités visibles est celui des Chinois, qui représente 25,8 % de la population minoritaire et 3,5 % de la population totale du Canada. Il est suivi des Sud-Asiatiques et des Noirs, qui représentent respectivement 23 % et 16,6 % des minorités visibles.

L'augmentation récente de l'immigration reflète les efforts des divers ordres de gouvernement pour répondre à la pénurie anticipée de main-d'œuvre, en raison de la faible natalité des Canadiens et du vieillissement de la population canadienne (Centre syndical et patronal du Canada, 2004).

TABLEAU 1.3	Répartition des membres des minorités visibles selon leur groupe ethnique, 2001		
	Proportion de la population canadienne (%)	Proportion de la population active (%)	Proportion de la population des minorités visibles (%)
Arabes et Asiatiques occidentaux	1,0	1,0	7,6
Asiatiques du Sud-Est	0,7	0,7	5,0
Chinois	3,5	3,6	25,8
Coréens	0,3	0,3	2,5
Japonais	0,2	0,3	1,8
Latino-Américains	0,7	0,9	5,4
Noirs	2,2	2,4	16,6
Philippins	1,0	1,3	7,7
Sud-Asiatiques	3,1	0,3	23,0
Minorités visibles non incluses ailleurs	0,3	nd	2,5
Minorités visibles multiples	0,2	nd	1,9

nd : données non disponibles

Sources : Gouvernement du Canada, 2001a.
Statistique Canada, 2001.

Le vieillissement de la population active

Tout comme la population générale, la main-d'œuvre canadienne vieillit.

Baby-boomer
▶ *Baby-boomer*
Personne née entre 1943 et 1964.

Une dernière caractéristique importante de la population active canadienne est son vieillissement, qui s'amplifiera au cours des prochaines années en raison du départ à la retraite de la génération du baby-boom. En 2001, les **baby-boomers** âgés de 37 à 55 ans représentaient 47 % de la population active. Dans 10 ans, la moitié d'entre eux sera âgée de 55 ans et plus et 18 % auront dépassé 60 ans (Statistique Canada, 2003a). Le retrait de cette génération aura d'autant plus de répercussions sur la taille du marché du travail que le Canada a connu, au cours des dernières décennies, une chute de son taux de natalité : celui-ci se situe aujourd'hui à 10,5 % (Statistique Canada, 2006g). Les générations qui quittent la vie active ne pourront donc que partiellement être remplacées par les petites cohortes de nouveaux travailleurs, de sorte que le taux d'activité devrait chuter. Le gouvernement canadien estime en effet que la croissance moyenne de la main-d'œuvre devrait passer de 1,9 % dans la seconde moitié des années 1990 à 0,4 % en 2025 (Gouvernement du Canada, 2001b).

L'examen de l'évolution de la structure d'âge de la population active au Canada entre 1986 et 1996 (voir tableau 1.4) témoigne du vieillissement généralisé de la population active, mais révèle également des différences importantes entre

TABLEAU 1.4 — Vieillissement de la population active du Canada selon le secteur d'activité, 1986-1997

	Pourcentage de travailleurs âgés de 45 ans et plus		Âge moyen des travailleurs		Âge moyen à la retraite
	1986	1996	1986	1996	1993-1997
Secteur primaire					
Agriculture	43,3	44,7	42,0	42,9	67,1
Autres	25,0	30,8	36,5	38,7	63,7
Secteur secondaire					
Construction	28,2	31,1	36,9	38,7	64,7
Manufacturier	27,9	30,6	37,2	38,7	62,2
Services d'utilité publique	29,2	33,1	38,2	40,2	57,8
Secteur tertiaire					
Administration publique fédérale	24,0	30,2	36,3	38,3	58,2
Administration publique locale et autre	28,2	33,0	37,4	39,4	58,9
Administration publique provinciale	27,5	38,6	38,1	41,3	58,3
Commerce de détail	23,7	24,4	34,0	34,6	64,2
Commerce de gros	25,5	28,5	36,3	38,0	63,3
Communications	24,5	28,6	36,9	38,7	58,3
Éducation	31,2	43,0	39,7	41,4	59,2
Finances, assurance et immobilier	25,1	33,3	36,9	40,0	62,1
Santé et services spéciaux	26,1	34,1	37,3	39,8	60,3
Services aux entreprises	23,5	29,9	36,4	38,6	64,7
Transport et entreposage	31,7	36,3	38,7	40,6	61,7
Autres services	22,3	23,4	33,3	34,1	64,7
Toutes les industries	**26,9**	**30,9**	**36,7**	**38,2**	**61,6**

Source : Gouvernement du Canada, 2001b.

les industries. En effet, le vieillissement des travailleurs du secteur des services est presque trois fois plus rapide que celui des travailleurs des autres secteurs économiques (Gouvernement du Canada, 2001b).

Outre les changements dans la population active, le vieillissement généralisé de la population canadienne exerce, et continuera d'exercer, certaines pressions sur la demande de biens et de services, et donc sur les industries qui les produisent. Ainsi, on peut s'attendre à une augmentation de la demande en services personnels et à une diminution des dépenses en biens durables, comme les meubles ou les voitures. Ce déplacement de la consommation devrait profiter surtout aux transports en commun, au tourisme, ainsi qu'aux secteurs de la santé et des services sociaux. En parallèle, les gouvernements seront amenés à augmenter leurs dépenses en santé, mais à diminuer les sommes allouées à l'éducation (Gouvernement du Canada, 2001b).

Cette redistribution des dépenses publiques et privées aura des répercussions sur les besoins en main-d'œuvre. Ainsi, certaines industries, notamment dans le secteur des services et du transport, devraient connaître une croissance des emplois, tandis que d'autres, comme le commerce et la finance, subiront une perte ou une croissance moins rapide du nombre d'emplois. Le tableau 1.5 récapitule les prévisions de croissance de l'emploi selon les secteurs économiques.

TABLEAU 1.5 — **Prévisions de croissance de l'emploi au Canada selon le secteur, 1995-2025**

	1995-1999 (%)	2000-2004 (%)	2005-2009 (%)	2010-2014 (%)	2015-2019 (%)	2020-2025 (%)
Administration publique	−0,2	1,0	0,9	0,8	0,7	0,7
Agriculture	1,0	0,7	−0,3	−0,4	−0,6	−0,6
Autre – secteur primaire	−0,9	−0,2	−0,6	−0,4	0,1	0,5
Commerce	1,9	1,2	0,9	0,3	0,2	−0,1
Construction	2,5	2,7	−0,4	0,6	0,6	0,6
Finances, assurance, immobilier et crédit-bail	−0,3	1,2	0,2	−0,6	−1,0	−1,8
Secteur manufacturier	2,3	1,5	1,1	0,5	0,7	0,6
Services aux entreprises, services personnels et communautaires	2,8	1,9	1,4	0,6	0,5	0,6
Transport et entreposage	0,8	1,1	1,2	0,8	0,7	0,7
Toutes les industries	1,9	1,5	1,0	0,4	0,3	0,4

Source : Gouvernement du Canada, 2001b.

Ainsi, le portrait du marché du travail au Canada se caractérise par de profondes mutations qui touchent à la fois les caractéristiques des travailleurs et celles des emplois. Dans un tel contexte, la réconciliation des disponibilités de la main-d'œuvre et des demandes du marché devient un enjeu fondamental pour les organisations.

1.4 La réconciliation des disponibilités et des demandes

Au cours des dernières années, les employeurs ont été de plus en plus nombreux à signaler des problèmes de recrutement causés par un manque de personnel qualifié. Selon un sondage récent (Bourgeois et Debus, 2006), un dirigeant de PME canadienne sur deux se dit préoccupé par la pénurie de main-d'œuvre. Si elles ne sont pas récentes, ces inquiétudes se sont cependant intensifiées au cours de la dernière décennie. Par ailleurs, la préoccupation pour la pénurie de main-d'œuvre n'épargne personne, même si certains secteurs d'activité et certaines provinces sont plus touchés que d'autres, comme le montrent les tableaux 1.6 et 1.7.

Ce phénomène n'est pas le précurseur d'une pénurie généralisée de main-d'œuvre ; il est plutôt une caractéristique de la situation duale du marché du travail canadien dans lequel les pénuries de main-d'œuvre ponctuelles côtoient le chômage (Gouvernement du Canada, 1999). En effet, si le nombre d'emplois exigeant un diplôme universitaire s'est accru de 40 % entre 1971 et 1991, le nombre de diplômés universitaires présents sur le marché du travail a, pour sa part, augmenté de 140 % (voir figure 1.25).

Les données plus récentes présentées à la figure 1.26 confirment ce phénomène. En effet, pendant la période 1995-2000, la demande pour des travailleurs possédant un diplôme universitaire n'a que très peu dépassé l'offre, c'est-à-dire le nombre de ces travailleurs disponibles. On ne peut donc pas conclure à une pénurie généralisée de main-d'œuvre qualifiée au Canada.

TABLEAU 1.6	Préoccupation des entreprises à l'égard de la pénurie de main-d'œuvre qualifiée, selon la province
	Degré de préoccupation (%)
Alberta	72,7
Colombie-Britannique	60,2
Île-du-Prince-Édouard	27,6
Manitoba	60,1
Nouveau-Brunswick	42,2
Nouvelle-Écosse	30,8
Ontario	47,9
Québec	51,7
Saskatchewan	64,4
Terre-Neuve-et-Labrador	45,1
Canada	**51,7**

Source: Bourgeois et Debus, 2006.

TABLEAU 1.7	Préoccupation des entreprises à l'égard de la pénurie de main-d'œuvre qualifiée, selon le secteur d'activité
	Degré de préoccupation (%)
Construction	66,1
Primaire	63,2
Transports	62,7
Manufacturier	56,7
Commerce de gros	51,4
Commerce de détail	48,8
Agriculture	46,4
Accueil et hébergement	45,8
Éducation, santé et service social	45,1
Services aux entreprises	44,7
Finance, assurance et biens immobiliers	40,3

Source: Bourgeois et Debus, 2006.

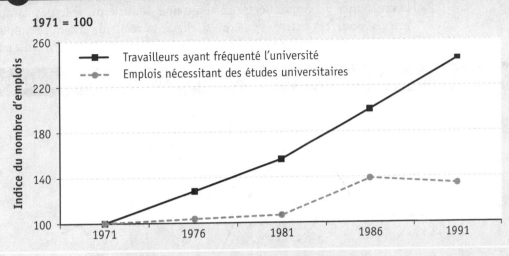

FIGURE 1.25 Offre et demande de travailleurs ayant fréquenté l'université, 1971-1991

1971 = 100

Indice du nombre d'emplois

— ■ — Travailleurs ayant fréquenté l'université

- - ● - - Emplois nécessitant des études universitaires

1971 1976 1981 1986 1991

Source: Gouvernement du Canada, 1999.

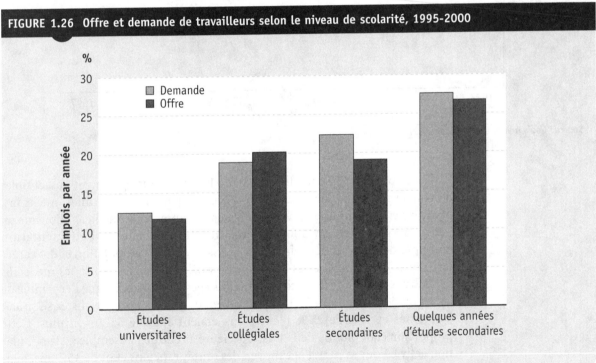

FIGURE 1.26 Offre et demande de travailleurs selon le niveau de scolarité, 1995-2000

%

Emplois par année

Demande
Offre

Études universitaires Études collégiales Études secondaires Quelques années d'études secondaires

Source: Gouvernement du Canada, 1996.

Il n'y a pas de pénurie généralisée de main-d'œuvre qualifiée au Canada, mais il existe des pénuries ponctuelles.

Cependant, depuis une vingtaine d'années, certains secteurs de l'économie vivent des pénuries de main-d'œuvre de façon récurrente. C'est le cas notamment du secteur de la recherche et du développement, dont les pénuries anticipées et réelles sont illustrées à la figure 1.27. Or, les activités de recherche et de développement revêtent une importance primordiale pour la croissance économique, de sorte qu'une pénurie durable des compétences exigées pour ces activités, même si elle se révélait de moindre ampleur que prévu, pourrait porter préjudice au développement à long terme du pays.

FIGURE 1.27 **Pénurie de main-d'œuvre dans le secteur de la recherche et du développement, 1986-1997**

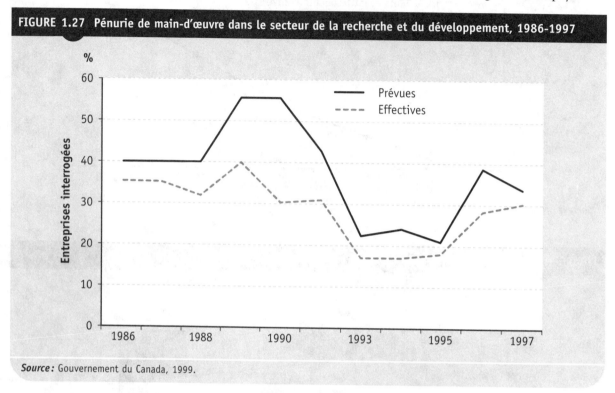

Source: Gouvernement du Canada, 1999.

Plusieurs professions dans le secteur de la santé sont également susceptibles de connaître des pénuries de main-d'œuvre : personnel infirmier, médecins, pharmaciens, technologues et techniciens en laboratoire médical (Cousineau, 2003 ; Bergeron *et al.*, 2004). Cette situation résulte de l'augmentation anticipée des besoins découlant du vieillissement de la population et des caractéristiques démographiques des professionnels en activité. Ainsi, les médecins spécialistes et les omnipraticiens sont plus âgés, en moyenne, que l'ensemble de la population active : en 2001, l'âge moyen des médecins spécialistes se situait à 45,6 ans et près de 25 % d'entre eux étaient âgés de 55 ans et plus. Cette proportion était plus de deux fois supérieure à celle de l'ensemble de la population active. Pour sa part, l'âge moyen des omnipraticiens était de 45,2 ans, mais la proportion d'entre eux qui étaient âgés de 55 ans et plus a augmenté encore plus rapidement, passant de 18,0 % en 1991 à 21,4 % en 2001. Inférieur à celui des omnipraticiens, l'âge moyen des infirmières se situe néanmoins légèrement au-dessus de la moyenne nationale. Par ailleurs, il a augmenté rapidement au cours des dernières années en raison du faible nombre de nouveaux venus dans la profession (Statistique Canada, 2003a).

La forte proportion d'enseignants parmi les groupes d'âge élevé pourrait également mener à certaines pénuries dans le secteur de l'éducation. Ces prévisions sont particulièrement préoccupantes dans le contexte actuel d'une économie fondée sur le savoir, qui accroît la demande de main-d'œuvre hautement scolarisée. Ainsi, en 2001, près de 29 % des professeurs d'université étaient âgés de 55 ans et plus, ce qui est nettement supérieur à la proportion de 19 % enregistrée une décennie plus tôt. En 2001, plus de 17 % des professeurs du niveau collégial étaient âgés de 55 ans et plus, comparativement à moins de 11 % en 1991 (Statistique Canada, 2003a).

Dans le cas des professions hautement qualifiées, les déséquilibres sont accentués par des facteurs qui limitent la croissance de la main-d'œuvre, notamment la longue durée des études et la capacité limitée des établissements d'enseignement d'accepter un nombre d'étudiants beaucoup plus élevé (Bergeron *et al.*, 2004).

Mais les pénuries anticipées ne sont pas limitées aux professions hautement qualifiées : plusieurs métiers spécialisés risquent de connaître des pénuries de main-d'œuvre (Bergeron *et al.*, 2004). C'est le cas notamment des entrepreneurs et des superviseurs du secteur de la construction, dont l'âge moyen a atteint 43 ans en 2001. Les briqueteurs figuraient parmi les plus vieux travailleurs de la construction, avec 17,5 % de travailleurs âgés de 55 ans et plus, suivis des plombiers (14,3 %) et des électriciens (11,8 %). Or, le nombre de jeunes travailleurs dans ces professions a diminué, de sorte que les départs à la retraite de la prochaine décennie ne pourront être totalement remplacés (Statistique Canada, 2003a).

Ainsi, le portrait de la main-d'œuvre et du marché du travail au Canada laisse apparaître un groupe hétérogène d'hommes et de femmes, provenant d'horizons différents, de plus en plus scolarisés et devant faire face à un marché de l'emploi en mutation. Cette situation crée un marché du travail dual, où les pénuries dans certaines professions côtoient un chômage difficile à enrayer, notamment dans certains groupes de la population. Mais le Canada n'est pas le seul pays confronté à des changements majeurs de sa population active et de sa structure d'emploi. Sans entrer dans les détails de chacun des pays de la planète, la section suivante résume la situation du marché du travail dans le monde.

2. La situation dans le monde

L'examen de la situation du marché du travail dans le monde fait apparaître trois groupes de pays, aux contours relativement stables : tout d'abord, les pays industrialisés, dont la situation est comparable à celle du Canada ; ensuite, les pays en développement, groupe hétérogène dont les taux de croissance économique varient énormément ; et finalement, les pays autrefois situés dans la sphère d'influence soviétique, qui traversent une douloureuse période de transition, passant d'un système étatique à une économie de marché.

2.1 Le marché du travail dans les pays industrialisés

La persistance d'un chômage inégalement réparti

Organisation internationale du Travail
www.ilo.org

À quelques exceptions près, les pays industrialisés se remettent lentement du ralentissement économique mondial, de sorte que leur situation se caractérise par une croissance modeste du PIB, du taux d'activité et de la population active (Bureau international du Travail, 2004). Le tableau 1.8 reprend quelques-uns de ces indicateurs.

TABLEAU 1.8	Indicateurs économiques des pays industrialisés, 1993-2004									
	Taux de chômage (%)			Taux de croissance du PIB (%)			Ratio emploi/ population		Taux de croissance annuel de la population active (%)	
	1993	2002	2003	2002	2003	2004	1993	2003	1993-2003	1998-2003
Tous les pays industrialisés	8,0	6,8	6,8	1,7	1,8	2,8	55,4	56,1	0,8	0,6
Sous-régions :										
Économies européennes	10,2	7,9	7,9	1,3	1,5	2,5	50,3	51,2	0,6	0,5
Économies non européennes	6,1	5,8	5,9	2,1	2,0	3,0	60,6	60,9	1,0	0,7

Source : Bureau international du Travail, 2004.

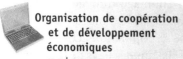
Organisation de coopération et de développement économiques
www.oecd.org
US Bureau of Labor Statistics
www.bls.gov

En dépit de la reprise économique mondiale des derniers mois, la croissance de l'emploi est restée modeste dans les pays industrialisés (OCDE, 2004). Avec un taux de chômage de 6,8 % en 2003, le Canada se situe dans la moyenne du groupe (Bureau international du Travail, 2004). Cependant, la situation de ces pays en matière de chômage est très hétérogène, comme l'illustre la figure 1.28. Dans les principales économies européennes industrialisées, le taux de chômage s'élevait à 7,9 % en moyenne en 2003, tandis qu'il se situait à environ 6,0 % aux États-Unis et en Australie, et à 5,3 % au Japon (U.S. Bureau of Labor Statistics, 2005).

Dans la plupart des pays industrialisés, les catégories de la population active les plus touchées par le chômage sont sensiblement les mêmes : les femmes, les jeunes et les personnes peu scolarisées. Leur niveau de vulnérabilité varie cependant d'un pays à l'autre. Ainsi, dans les pays scandinaves, les femmes connaissent un taux de chômage similaire, voire inférieur, à celui des hommes. Le tableau 1.9 compare les taux de chômage des hommes, des femmes, des jeunes et des personnes peu scolarisées.

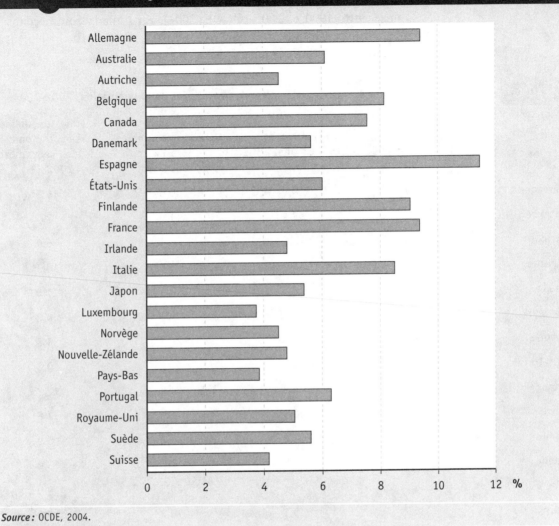

FIGURE 1.28 Taux de chômage standardisé des pays industrialisés, 2003

Source : OCDE, 2004.

La transformation de la nature des emplois

À l'instar du Canada, les pays industrialisés ont connu une transformation de la structure de leur marché du travail, avec notamment une augmentation importante de la part des services dans l'économie. Cette transformation s'est traduite entre autres par une croissance du nombre d'emplois hautement qualifiés, en particulier dans le secteur des services financiers, des services aux entreprises, de l'éducation et de la santé (OCDE, 2005a). La figure 1.29 donne un aperçu de cette évolution et des projections pour les prochaines décennies.

Cependant, l'augmentation de la proportion des emplois hautement qualifiés ne doit pas occulter la croissance, en parallèle, d'emplois plus précaires. En effet, tout comme le Canada, plusieurs pays industrialisés cherchent à combattre le chômage par une plus grande flexibilité du temps de travail. Ainsi, la proportion du travail à temps partiel est-elle passée de 13,3 % à 16,6 % dans l'Europe des Quinze entre 1990 et 2003 (OCDE, 2004). Au Canada comme dans les autres pays industrialisés, le travail à temps partiel touche principalement les femmes, comme le montre le tableau 1.10.

TABLEAU 1.9 Taux de chômage des pays industrialisés selon les catégories de la population, 2002-2003

	Hommes de 15 à 64 ans, 2003 (%)	Femmes de 15 à 64 ans, 2003 (%)	Hommes et femmes de 15 à 24 ans, 2003 (%)	Hommes et femmes sans diplôme d'études secondaires, 2002 (%)
Allemagne	9,7	8,9	10,6	15,3
Australie	5,7	5,9	11,6	7,5
Autriche	5,1	4,3	7,5	6,9
Belgique	7,5	8,0	19,0	10,3
Canada	8,1	7,3	13,8	11,0
Danemark	5,2	5,8	9,8	6,2
Espagne	8,2	16,0	22,7	11,2
États-Unis	6,4	5,7	12,4	10,2
Finlande	9,3	8,9	21,6	12,2
France	8,3	10,4	nd	11,8
Irlande	4,9	3,9	7,6	5,9
Islande	nd	nd	nd	3,0
Italie	6,8	11,7	26,3	9,0
Japon	5,7	5,1	10,2	6,6
Luxembourg	nd	nd	nd	3,8
Norvège	4,9	4,0	11,7	3,4
Nouvelle-Zélande	4,5	5,1	10,2	5,6
Pays-Bas	3,5	3,8	6,6	3,8
Portugal	5,9	7,7	14,6	4,4
Royaume-Uni	5,5	4,1	11,5	8,5
Suède	6,4	5,3	13,8	5,8
Suisse	3,9	4,5	8,6	4,7

nd : données non disponibles

Source : OCDE, 2004.

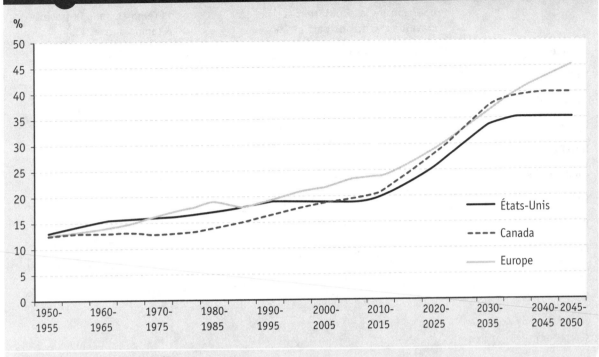

FIGURE 1.29 Évolution de la proportion d'emplois hautement qualifiés dans les pays industrialisés, 1950-2050

%

— États-Unis
- - - Canada
— Europe

Source : Statistique Canada, 2003d.

TABLEAU 1.10	Travail à temps partiel dans certains pays de l'OCDE, 2003	
	Proportion de la population active travaillant à temps partiel (%)	Part des femmes dans le travail à temps partiel (%)
Allemagne	19,6	83,3
Australie	27,9	67,2
Autriche	13,6	87,3
Belgique	17,7	81,0
Canada	18,9	68,9
Danemark	15,8	64,2
Espagne	7,8	80,7
États-Unis	13,2	68,8
Finlande	11,3	63,5
France	12,9	80,0
Irlande	18,8	72,1

»

TABLEAU 1.10 *(suite)*

	Proportion de la population active travaillant à temps partiel (%)	Part des femmes dans le travail à temps partiel (%)
Islande	nd	nd
Italie	12,0	74,7
Japon	26,0	66,7
Luxembourg	13,3	nd
Norvège	21,0	75,2
Nouvelle-Zélande	22,3	73,3
Pays-Bas	34,5	76,0
Portugal	10,0	68,3
Royaume-Uni	23,3	77,3
Suède	14,1	70,8
Suisse	25,1	82,2

nd : données non disponibles

Sources : OCDE, 2006a, 2004.

Une main-d'œuvre scolarisée mais vieillissante

Cette transformation dans la nature des emplois s'accompagne, dans tous les pays industrialisés, d'une évolution démographique de la population active. Le tableau 1.11 présente quelques indicateurs dignes d'intérêt.

Les pays industrialisés bénéficient d'une main-d'œuvre formée, mais vieillissante.

Le premier phénomène à considérer est le fait que le vieillissement de la population générale de ces pays a des répercussions sur la population active qui, elle-même, est vieillissante. Comme les taux de fécondité des pays industrialisés sont, depuis de nombreuses années, inférieurs à deux enfants par femme en âge de procréer, les générations qui se retirent du marché du travail ne sont pas remplacées en totalité. Une diminution du taux d'activité est donc à prévoir dans les pays industrialisés, et cela, malgré l'existence d'une légère marge de progression dans le taux d'activité des femmes.

Par ailleurs, les pays industrialisés bénéficient d'une main-d'œuvre relativement bien formée, donc en mesure d'occuper les emplois hautement qualifiés dont le nombre est en croissance. En effet, le niveau de formation des adultes progresse, notamment sous l'effet de l'augmentation du nombre de jeunes qui terminent leurs études secondaires et postsecondaires. Ainsi, dans les pays de l'OCDE, l'obtention d'un diplôme de fin d'études secondaires devient la norme et un jeune sur trois, en moyenne, obtient un diplôme de niveau universitaire (OCDE, 2005b).

TABLEAU 1.11	Quelques caractéristiques de la main-d'œuvre dans les pays industrialisés			
	Proportion de la population de 60 ans et plus, 2002 (%)	Taux de fécondité, 2003	Taux d'activité des femmes de 15 à 64 ans, 2004 (%)	Nombre moyen d'années des adultes dans le système éducatif, 2003
Allemagne	24	1,34	49,6	13,4
Australie	17	nd	55,6	12,9
Autriche	21	1,39	50,5	11,8
Belgique	22	1,61	nd	11,3
Canada	17	1,53	60,2**	13,1
Danemark	20	1,76	60,5	13,6
Espagne	22	1,29	44,3	10,5
États-Unis	16	2,04	57,8*	13,8
Finlande	20	1,76	56,2	12,1
France	21	1,89	44,8	11,5
Irlande	15	1,98	49,4	12,9
Islande	15	1,99	66,7	13,3*
Italie	25	1,29	37,1**	10,0*
Japon	24	1,38	48,2	12,4
Luxembourg	19	1,63	66,2**	13,4
Norvège	20	1,80	59,8	13,8
Nouvelle-Zélande	16	nd	59,2	12,6
Pays-Bas	19	1,75	54,1*	12,9*
Portugal	21	1,44	54,8	8,2
Royaume-Uni	21	1,71	53,6*	12,7
Suède	23	1,71	57,5	12,5
Suisse	22	1,41	60,8*	12,8

*: données de 2002 ; **: données de 2003 ; nd : données non disponibles

Sources : OCDE, 2006a, 2006b. 2005b.
     Statistique Canada, 2006h.
     United Nations, 2002.

Organisation des Nations Unies
www.un.org

2.2 Le marché du travail dans les pays en développement

Contrairement aux pays industrialisés qui, en dépit de certaines différences culturelles et économiques, possèdent un grand nombre de caractéristiques communes, les pays en développement sont très hétérogènes. Certains ont connu une croissance fulgurante au cours des dernières années, qui se traduit par de réels progrès des indicateurs économiques; d'autres, au contraire, peinent à sortir du marasme.

Ainsi, les taux de croissance économique au cours des dernières années varient entre –0,1 % et +8,3 % d'une région à l'autre (voir tableau 1.12). La croissance en Asie de l'Est est principalement nourrie par l'augmentation de la demande intérieure chinoise alors que dans les pays plus pauvres de l'Asie du Sud et du Sud-Est, comme le Bangladesh, l'Inde, le Pakistan et le Vietnam, c'est principalement l'accroissement de la demande venant du monde industrialisé qui stimule la croissance du PIB (Bureau international du Travail, 2004).

TABLEAU 1.12 — Croissance économique dans les pays en développement, 2000-2004

	2000 (%)	2001 (%)	2002 (%)	2003 (%)	2004 (%)
Afrique subsaharienne	2,7	3,4	3,2	3,6	4,7
Amérique latine et Caraïbes	4,0	0,6	–0,1	1,6	4,2
Asie de l'Est	8,2	6,6	7,6	7,1	7,1
Asie du Sud	5,3	4,1	4,8	5,1	5,8
Asie du Sud-Est	5,7	2,8	4,4	4,1	4,5
Moyen-Orient et Afrique du Nord	4,5	3,2	3,2	4,4	4,3
Monde	4,7	2,3	3,0	3,2	4,1

Source : Bureau international du Travail, 2004.

De grandes disparités en matière de chômage

Le taux de chômage reflète ces disparités économiques: comme le montre le tableau 1.13, les pays de l'Asie de l'Est et du Sud connaissent des taux de chômage de 3,3 % et de 4,8 % respectivement, ce qui est inférieur à la moyenne mondiale de 6,2 %. En revanche, la situation est extrêmement préoccupante au Moyen-Orient et en Afrique du Nord, régions qui connaissent un taux de chômage de 12,2 %. Elles sont suivies de près par l'Afrique subsaharienne avec 10,9 % et par l'Amérique latine et les Caraïbes, avec 8,0 %. À ces chômeurs, s'ajoutent également les très nombreux travailleurs pauvres qui vivent en dessous du seuil de subsistance: en Asie du Sud, ils représentent 40 % des travailleurs (Bureau international du Travail, 2004).

Plus préoccupante encore est la situation des jeunes, résumée au tableau 1.13: au Moyen-Orient et dans l'ensemble de l'Afrique, plus d'un cinquième de la population de moins de 25 ans est au chômage. La situation est aggravée par l'accroissement de la population active dans ces deux régions, illustrée à la figure 1.30.

TABLEAU 1.13	Évolution du taux de chômage dans les pays en développement, 2001-2003					
	Taux de chômage (%)			Taux de chômage des jeunes (%)		
	2001	2002	2003	2001	2002	2003
Afrique subsaharienne	10,6	10,8	10,9	20,6	21,1	21,0
Amérique latine et Caraïbes	9,0	9,0	8,0	16,6	17,2	16,6
Asie de l'Est	3,3	3,1	3,3	7,1	6,8	7,0
Asie du Sud	4,7	4,8	4,8	13,2	13,6	13,9
Asie du Sud-Est	6,1	7,1	6,3	14,4	16,4	16,4
Moyen-Orient et Afrique du Nord	12,0	11,9	12,2	25,4	25,5	25,6
Monde	6,1	6,3	6,2	13,9	14,3	14,4

Source : Bureau international du Travail, 2004.

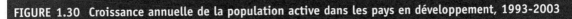

FIGURE 1.30 Croissance annuelle de la population active dans les pays en développement, 1993-2003

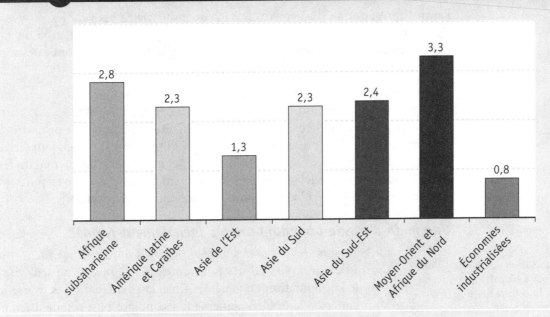

Source : Bureau international du Travail, 2004.

Des économies rurales qui se diversifient

L'économie des pays en développement repose encore majoritairement sur l'agriculture qui occupe, dans certains cas, plus de la moitié de la population active (voir tableau 1.14). La part occupée par l'agriculture connaît cependant un déclin au profit, dans une certaine mesure, du secteur industriel, mais surtout du secteur des services. Celui-ci a crû de façon importante dans toutes les régions économiques en développement, à l'exception du Moyen-Orient et de l'Afrique du Nord. La théorie selon laquelle les travailleurs quitteraient

TABLEAU 1.14 Structure économique des pays en développement, 1995-2005

	Part de l'agriculture dans l'emploi total (%)			Part de l'industrie dans l'emploi total (%)			Part du secteur des services dans l'emploi total (%)		
	1995	2005	Écart	1995	2005	Écart	1995	2005	Écart
Afrique subsaharienne	70,1	63,6	−6,5	8,2	8,9	+0,7	21,7	27,5	+5,8
Amérique latine et Caraïbes	23,4	17,1	−6,3	20,2	20,3	−0,1	56,4	62,5	+6,1
Asie de l'Est	54,4	49,5	−4,9	25,9	26,1	+0,2	19,7	24,4	+4,7
Asie du Sud	64,1	61,2	−2,9	13,4	14,1	+0,7	22,5	24,6	+2,1
Asie du Sud-Est	55,3	43,3	−12,0	15,5	20,7	+5,2	29,3	36,0	+6,7
Moyen-Orient et Afrique du Nord	30,8	26,3	−4,5	20,3	25,0	+4,7	48,9	48,7	−0,2
Monde	44,4	40,1	−4,3	21,1	21,0	−0,1	34,5	38,9	+4,4

Source : Bureau international du Travail, 2004.

l'agriculture pour se diriger vers le secteur industriel, puis vers les services, ne semble donc pas correspondre à la réalité. Pour un grand nombre de personnes, la transition se fait directement de l'agriculture à l'économie des services (Bureau international du Travail, 2006).

Ce passage de l'agriculture aux services ne signifie pas nécessairement une amélioration des conditions de travail pour les individus (Majid, 2005). En effet, le secteur des services, tout comme l'agriculture, compte une proportion importante d'emplois précaires, peu qualifiés et mal payés. Cependant, cette mutation de la structure économique s'accompagne d'un changement dans les compétences requises des employés, notamment pour que ceux-ci puissent accéder aux emplois les plus attrayants de l'économie des services.

Une main-d'œuvre abondante, mais inégalement formée

Organisation des Nations Unies pour l'éducation, la science et la culture
www.unesco.org

Or, au cours des dernières années, les pays en développement ont fourni de nombreux efforts pour améliorer le niveau de scolarisation de la population en général. Ainsi, la participation universelle au premier cycle de l'enseignement secondaire est presque atteinte en Amérique latine, en Asie centrale ou en Asie de l'Est, où les taux dépassent 90 % (voir figure 1.31). Cependant, dans la plupart des pays d'Afrique subsaharienne, les taux de scolarisation au premier cycle du secondaire stagnent en dessous du seuil de 50 %. En ce qui concerne le second cycle du secondaire la situation est encore pire : le taux de scolarisation chute de façon drastique dans toutes les régions en développement (UNESCO, 2006).

Certains pays en développement constituent des bassins de travailleurs hautement qualifiés.

Cependant, les efforts déployés au cours des dernières années par les pays en développement commencent à porter fruit, puisque le taux global de scolarisation, tant dans l'enseignement secondaire que dans l'enseignement

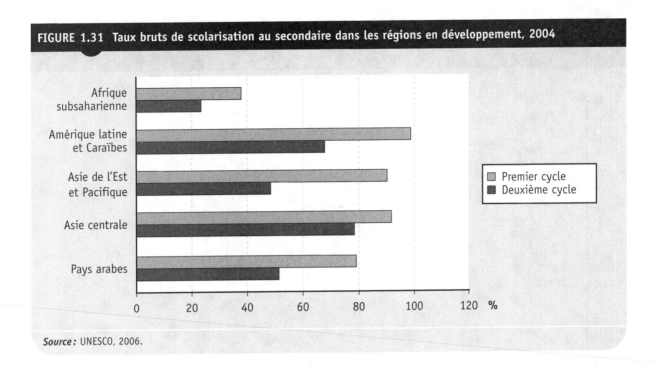

FIGURE 1.31 Taux bruts de scolarisation au secondaire dans les régions en développement, 2004

Premier cycle
Deuxième cycle

Afrique subsaharienne · Amérique latine et Caraïbes · Asie de l'Est et Pacifique · Asie centrale · Pays arabes

%

Source : UNESCO, 2006.

postsecondaire, est en croissance (UNESCO, 2005). Ainsi, le taux brut de scolarisation dans l'enseignement postsecondaire atteint par exemple 85 % en République de Corée et 60 % en Argentine, dépassant ainsi la proportion observée dans certains pays industrialisés (voir figure 1.32). Certaines économies en développement constituent donc des bassins de travailleurs qualifiés, qui, à défaut de trouver des emplois à la mesure de leurs compétences dans leur pays d'origine, pourront être séduits par le marché du travail attrayant des pays industrialisés. À titre d'exemple, l'Inde possède aujourd'hui 40 centres nationaux de recherche qui emploient 15 000 scientifiques. Le pays abrite plus de 300 écoles et instituts spécialisés, qui diplôment chaque année 50 000 personnes en biologie ou en biotechnologie, et plus de 100 facultés qui forment chaque année quelques 17 000 médecins (Etwareea, 2005).

Ainsi, les pays en développement constituent-ils un groupe hétérogène, dont certains membres peinent à relever le défi de la mutation de l'économie. Les infrastructures essentielles sont souvent déficientes, notamment en matière d'éducation, et répondent mal aux besoins nouveaux d'une économie en profonde transformation. Certains arrivent cependant à tirer leur épingle du jeu, grâce entre autres aux investissements dans les infrastructures et à la lutte contre la pauvreté qui permettent à la demande intérieure de devenir un facteur de croissance non négligeable (Bureau international du Travail, 2004). Pour les économies industrialisées, ces pays constituent un bassin potentiel de main-d'œuvre qualifiée.

2.3 La situation des économies en transition

Le Bureau international du Travail (2004) définit comme « économies en transition » les pays de l'Europe Centrale et de l'Europe de l'Est (par exemple, Bulgarie, Croatie, Slovénie), les pays baltes (Estonie, Lettonie, Lituanie) et ceux

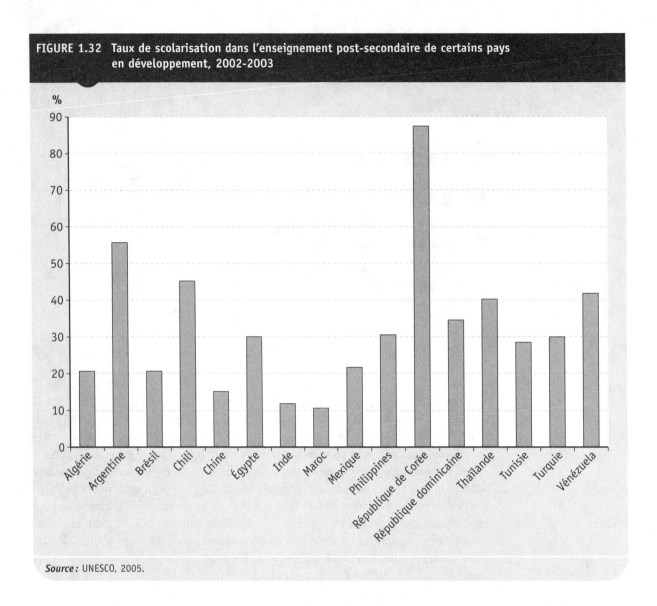

FIGURE 1.32 Taux de scolarisation dans l'enseignement post-secondaire de certains pays en développement, 2002-2003

Source : UNESCO, 2005.

de l'ancienne Union soviétique, qui sont passés récemment à l'économie de marché. Ces pays présentent certaines caractéristiques, entre autres démographiques, propres aux pays industrialisés. Cependant, l'effondrement du système étatique et la marche forcée vers l'économie de marché a engendré des bouleversements importants de la structure économique qui se rapprochent de ceux que vivent certains pays en développement.

Le chômage, un fléau constant

Ainsi que le montrent les données présentées au tableau 1.15, le chômage est le principal fléau de ces économies (Bureau international du Travail, 2004). Outre la pauvreté qu'il engendre, il participe au développement d'une économie informelle dont l'ampleur est difficile à évaluer. Comme partout dans le monde, le chômage touche en priorité les jeunes dont le taux d'inoccupation s'élevait à 18,6 % en 2003.

TABLEAU 1.15	Indicateurs économiques des économies en transition, 1993-2004								
	Taux de chômage (%)			Taux de croissance du PIB (%)			Ratio emploi/ population		Taux de croissance annuel de la population active (%)	
	1993	2002	2003	2002	2003	2004	1993	2003	1993-2003	1998-2003
Économies en transition	6,3	9,4	9,2	4,1	4,1	4,1	58,8	53,5	–0,1	0,7
Sous-régions :										
Communauté des états indépendants	3,6	7,4	7,2	4,8	4,4	4,0	61,4	55,6	0,0	0,9
Europe centrale et orientale	12,6	14,0	13,8	2,8	3,3	4,2	52,9	49,1	–0,1	0,4
États baltes	4,9	12,6	11,8	5,8	5,3	5,7	62,5	50,8	–1,7	–1,1

Source : Bureau international du Travail, 2004.

Parmi les pays en transition, huit ont joint les rangs de l'Union européenne en 2004 (la République tchèque, la Hongrie, la Pologne, la Slovaquie, la Slovénie, l'Estonie, la Lettonie et la Lituanie). L'ex-République yougoslave de Macédoine a été acceptée comme membre à part entière en 2005. Deux autres pays, la Bulgarie et la Roumanie, devraient intégrer l'Union européenne en janvier 2007 tandis que la Croatie a entamé les pourparlers depuis 2005. La volonté d'intégrer l'Union européenne a créé, dans plusieurs de ces pays en transition, des pressions importantes sur la lutte contre le chômage afin de se rapprocher du taux d'emploi de 70 % fixé par la Commission européenne (Bureau international du Travail, 2004). Mais les efforts pour enrayer le chômage s'inscrivent dans le contexte d'une restructuration économique majeure et marquée par un essor du secteur tertiaire.

L'essor du secteur des services

Contrairement aux pays en développement, la part consacrée à l'agriculture dans les économies en transition n'a pas diminué de façon systématique (voir tableau 1.16). En revanche, le secteur industriel a connu partout un effondrement qui a profité au secteur des services (Bureau international du Travail, 2004). Cependant, les emplois ainsi créés se situent aux deux extrémités du spectre du travail décent. D'un côté, les services financiers, les services aux entreprises et l'administration publique se sont développés à un rythme effréné dans les années 1990 et offrent des emplois qualifiés parmi les mieux rémunérés à l'échelle nationale. De l'autre, les emplois dans les secteurs de la distribution, les services aux personnes et les services domestiques sont souvent de piètre qualité, tant au plan de la stabilité qu'à celui de la rémunération et des conditions de travail.

TABLEAU 1.16 Répartition sectorielle de l'emploi dans certaines économies en transition, 1990 et 2001

	1990 (%)			2001 (%)		
	Agriculture	Industrie	Services	Agriculture	Industrie	Services
Arménie[1]	17,7	30,4	38,3	44,4	14,1	37,2
Azerbaïdjan	30,9	22,9	31,1	40,0	10,8	49,3
Bulgarie	18,5	44,2	37,3	26,3	27,6	46,0
Estonie	21,0	36,8	41,8	6,9	33,0	60,1
Fédération de la Russie[3]	13,9	40,2	45,6	11,8	29,4	58,8
Hongrie[2]	8,7	33,0	58,1	6,2	34,7	58,9
Kazakhstan[3]	22,3	31,5	40,7	22,0	18,3	59,8
Kirghizistan[3]	32,7	27,9	39,4	52,4	11,6	36,1
Lettonie	17,4	37,4	45,2	15,0	25,6	59,4
Pologne	25,2	37,0	35,8	19,1	30,5	50,4
République tchèque	12,3	45,5	42,2	4,8	40,4	54,8
Roumanie	29,1	43,5	27,4	42,3	26,2	31,5
Slovaquie[2]	10,1	39,6	50,0	6,1	37,6	56,2
Slovénie[4]	10,7	44,1	45,1	9,8	38,1	50,8

Notes : [1]2000, [2]1994, [3]1999, [4]1994. La somme des pourcentages de chaque secteur n'atteint pas 100 % parce que la définition de certains secteurs n'est pas uniforme.

Source : Bureau international du travail, 2004.

Si la chute de l'Union soviétique s'est traduite, sur le plan économique, par un effondrement systématique du secteur industriel, en revanche, le portrait démographique des pays en transition est plus diversifié.

Des défis démographiques divers

Comme le montre le tableau 1.17, les pays baltes, de même que les pays de l'Europe de l'Est, affichent une démographie assez similaire à celle de l'Europe de l'Ouest. Certes, la population de ces États est légèrement plus jeune que la population européenne. Ainsi, l'intégration de dix nouveaux pays à l'Union européenne a eu pour effet de ralentir le processus de vieillissement de la population dans l'Union. Cependant, ce phénomène sera de courte durée, car ces nouveaux États membres connaissent également un taux de fertilité inférieur à celui de la moyenne européenne (voir tableau 1.17). Par conséquent, la tendance au vieillissement de la population en général, et de la population active en particulier, ne sera pas inversée (Commission européenne, 2004).

En revanche, les pays asiatiques anciennement dans le bloc soviétique ont une démographie relativement similaire à celle des pays en développement. Leur population est jeune et leur taux de fécondité avoisine ou dépasse deux enfants par femme en âge de procréer.

TABLEAU 1.17	Quelques caractéristiques de la main-d'œuvre dans les pays en transition		
	Proportion de la population de 60 ans et plus, 2002 (%)	Taux total de fécondité, 2000-2005	Taux de scolarisation dans l'enseignement postsecondaire, 2002-2003 (%)
Albanie	9	2,29	16
Arménie	13	1,33	27
Azerbaïdjan	11	1,85	16
Belarus	19	1,24	62
Bosnie-Herzégovine	15	1,32	nd
Bulgarie	22	1,24	39
Croatie	21	1,35	39
Estonie	20	1,37	66
Ex-Rép. yougoslave de Macédoine	15	1,53	27
Fédération de Russie	18	1,33	69
Géorgie	19	1,48	38
Hongrie	20	1,30	51
Kazakhstan	11	1,95	45
Kirghizistan	9	2,71	42
Lettonie	21	1,26	73
Lituanie	19	1,28	72
Ouzbékistan	7	2,74	nd
Pologne	17	1,26	60
République de Moldavie	14	1,23	30
République tchèque	19	1,17	36
Roumanie	19	1,26	35
Serbie-et-Monténégro	nd	1,65	nd
Slovaquie	16	1,20	32
Slovénie	20	1,22	68
Tadjikistan	7	3,81	16
Turkménistan	6	2,76	nd
Ukraine	21	1,12	62

nd : données non disponibles

Sources : UNESCO, 2005.
   United Nations 2006, 2002.

Sur le plan de la formation, les économies en transition connaissent également des situations hétérogènes. Si les pays d'Europe centrale et orientale et les états baltes ont une main-d'œuvre très qualifiée, comme en témoignent les statistiques présentées au tableau 1.17, en revanche, la population des pays de la Communauté des états indépendants est relativement peu scolarisée.

Le niveau de qualification des travailleurs des nouveaux États membres de l'Union européenne a d'ores et déjà permis des mouvements de main-d'œuvre vers l'Europe de l'Ouest afin de faire face à des pénuries de qualification (Commission européenne, 2006). Ainsi, certains pays dont l'économie est en transition depuis l'effondrement de l'Union soviétique pourront profiter d'une main-d'œuvre qualifiée. Le défi sera d'offrir à ces travailleurs des conditions propices à leur développement professionnel pour éviter d'assister à un exode vers les pays de l'Europe de l'Ouest qui sont à la recherche de talents, d'autant que cet exode est facilité par le libre marché européen.

2.4 Les conséquences de la situation mondiale

Les pays industrialisés se font concurrence pour attirer les talents.

Ainsi, la situation du Canada se compare-t-elle à celle de la plupart des pays industrialisés. Confrontés à une stagnation de leur population active et à un besoin croissant de personnel hautement qualifié pour répondre aux exigences des secteurs économiques en développement, les pays industrialisés entrent en concurrence pour attirer une main-d'œuvre compétente. Les progrès dans le niveau de scolarisation des populations locales ne permettent de répondre qu'en partie à ces besoins de main-d'œuvre. En conséquence, la concurrence pour attirer les talents doit se produire au plan mondial. L'immigration d'une main-d'œuvre qualifiée est la seule façon, pour les pays industrialisés, de répondre aux répercussions de la baisse de la natalité. Ces mouvements migratoires risquent cependant de se faire aux dépens des pays en développement qui ont pourtant besoin de garder leur main-d'œuvre qualifiée afin qu'elle puisse participer à la croissance de leur économie (Bureau international du travail, 2006).

Faisant face au même besoin de main-d'œuvre scolarisée, plusieurs pays, tels que la Grande-Bretagne, le Canada et, dans une moindre mesure, l'Allemagne, ont revu en profondeur leur mode de sélection des immigrants afin de favoriser ceux qui ont la capacité d'intégrer rapidement le marché du travail (Kapur et McHale, 2005). Ainsi, au Canada, le système de sélection des immigrants, implanté depuis 1967, octroie à chacun des points, en fonction notamment du niveau de scolarité, de l'expérience professionnelle et de la maîtrise des langues officielles. Malgré une certaine lourdeur administrative, ce système réussit à faciliter l'arrivée au pays des immigrants qualifiés (Kapur et McHale, 2005). Pour les pays industrialisés de l'Europe, l'adhésion des nouveaux pays de l'Est a permis de combler à court terme certains besoins de main-d'œuvre. Ainsi, certains pays comme l'Espagne, la Grèce ou l'Italie, confrontés à une pénurie importante en matière de qualification spécifique dans certains secteurs, ont commencé à faciliter l'accès au marché de l'emploi aux travailleurs immigrants qualifiés, provenant en particulier des Balkans (Manpower, 2006). Mais l'élargissement aux pays en transition ne suffira pas, à terme, à combler les besoins de main-d'œuvre du marché européen.

Les pays en développement fournissent donc un bassin de main-d'œuvre sous-utilisée et de mieux en mieux formée. Le défi, pour les pays industrialisés, est donc d'attirer cette main-d'œuvre étrangère et de l'intégrer au marché du travail, et ce, sans perturber leur équilibre démographique fragile. Or, comme nous l'avons vu plus tôt, l'intégration au marché du travail des immigrants, même hautement qualifiés, n'est pas chose facile.

Par ailleurs, en raison de l'accroissement du niveau de formation de leurs populations, plusieurs pays en développement font eux-mêmes concurrence aux économies industrialisées. Plutôt que de subir un exode des cerveaux qui ne ferait qu'affaiblir l'économie locale, certains pays comme la Chine ou l'Inde déploient beaucoup d'efforts pour obtenir des contrats pour le compte d'entreprises multinationales intéressées à délocaliser leurs activités. Ces pays en développement entrent donc en concurrence directe avec les économies industrialisées, tant sur le plan des ressources humaines que sur celui de la production de biens et services.

Quant au marché du travail canadien, il se caractérise par la réalité duale du chômage et de la rareté de main-d'œuvre qualifiée, qui confronte les employeurs à un paradoxe des ressources humaines : celui de la pénurie au milieu de l'abondance. Ces transformations du profil de la main-d'œuvre et du profil des emplois nécessitent des ajustements dans la façon dont les organisations abordent leurs activités de recrutement. C'est ce dont nous traiterons dans la dernière partie de ce chapitre.

3. Les implications sur la dotation

Comme nous l'avons vu précédemment, les pouvoirs publics doivent agir pour limiter les déséquilibres anticipés de main-d'œuvre, par exemple en révisant leurs politiques d'immigration ou en favorisant la formation de la main-d'œuvre (Manpower, 2006). Cependant, la responsabilité des activités de dotation en personnel revient ultimement aux organisations qui se font concurrence pour tenter d'attirer ces talents. Or, si certaines entreprises bénéficient d'une grande notoriété qui leur donne une longueur d'avance dans le recrutement, toutes doivent faire preuve d'innovation et de rigueur pour cerner avec soin leurs besoins de main-d'œuvre et développer des stratégies de recrutement appropriées à la situation.

3.1 La connaissance du marché

Nous l'avons vu plus tôt, le marché du travail canadien se caractérise par la coexistence d'une main-d'œuvre spécialisée, largement en demande et dont le nombre ne parvient pas à satisfaire les besoins de l'économie, et d'un nombre élevé de chômeurs, dont les compétences ne semblent pas en adéquation avec les besoins des emplois.

Aux prises avec cette dualité du marché du travail, les employeurs doivent déployer des stratégies différentes pour pourvoir les postes vacants. Par exemple, pour les professions peu spécialisées, le principal défi consiste à gérer un grand nombre de candidatures. Les efforts doivent donc cibler la sélection des candidats plutôt que leur recrutement. En revanche, pour les postes exigeant des compétences en demande, la difficulté est d'attirer des candidats, fort sollicités par ailleurs. Il est donc crucial pour un spécialiste en recrutement d'avoir une compréhension très fine du marché du travail propre au poste qu'il cherche à pourvoir. Au-delà de la connaissance des statistiques essentielles, comme le taux de chômage ou encore le taux d'activité, cette compréhension du marché du travail passe par une analyse des différents acteurs, notamment les institutions d'enseignement, les syndicats ou les associations professionnelles. Comme nous le verrons dans le chapitre 8, la connaissance des différents acteurs permet de cibler les actions de recrutement. Par exemple, utiliser le bulletin mensuel d'une association professionnelle pour annoncer un poste spécialisé se révèle habituellement plus efficace que publier une annonce similaire dans le quotidien local.

Un recruteur se doit de posséder une connaissance approfondie du marché du travail.

Une compréhension des attentes des candidats est aussi nécessaire pour pouvoir attirer les talents recherchés. Savoir quel est le salaire moyen offert pour le poste à pourvoir est un minimum. Mais au-delà des considérations monétaires, il est nécessaire de connaître les conditions de travail proposées par la concurrence, d'évaluer les possibilités d'avancement professionnel ou d'affectation à l'étranger qui peuvent être offertes au candidat ou encore de se pencher sur ses attentes en matière de flexibilité dans les horaires (Manpower, 2006). Cette compréhension est particulièrement importante à l'heure où arrivent sur le marché du travail les individus de la génération Y, dont les valeurs diffèrent souvent de celles de leurs aînés.

Le marché du travail étant en constante évolution, cette connaissance n'est jamais acquise de façon définitive. Les formations évoluent, les concentrations de chômage se déplacent géographiquement, les compétences recherchées changent, les concurrents disparaissent ou naissent. Une partie importante du travail d'un recruteur, souvent sous-estimée, consiste donc, par des activités de réseautage et de veille, à se tenir continuellement à l'affût de l'évolution du marché du travail. Cette connaissance du marché permet ensuite de développer des stratégies de dotation propres à chaque situation.

3.2 La diversification et la personnalisation

La stratégie de dotation choisie doit être propre au poste à pourvoir.

Compte tenu de la diversité des besoins et de la rareté de certains profils, un recruteur doit nécessairement développer une approche différente en fonction du poste à pourvoir. Par exemple, pour pourvoir rapidement un grand nombre de postes peu qualifiés, organiser une journée portes ouvertes au cours de laquelle se déroulent les entrevues de sélection est une stratégie très efficace. À titre d'exemple, l'encadré 1.1 décrit la stratégie adoptée en 2006 par Rona, un distributeur et détaillant canadien de produits de quincaillerie. Une telle stratégie serait toutefois impensable pour pourvoir un poste très spécialisé, car ce type de recrutement requiert une approche beaucoup plus personnalisée dans laquelle les interactions avec un candidat sont adaptées en fonction de la disponibilité de celui-ci.

ENCADRÉ 1.1 **Rona ouvre les portes de tous ses magasins à grande surface pour recevoir des candidatures**

COMMUNIQUÉ DE PRESSE – *Pour diffusion immédiate*

[...] RONA inc., le plus important distributeur et détaillant canadien de produits de quincaillerie, de rénovation et de jardinage, lance le mois de mars comme étant le mois de l'emploi RONA et débute sa période d'embauche pour la saison des grands projets de rénovation. Ainsi, RONA annonce une journée portes ouvertes dans tous ses magasins à grande surface au Canada, le 9 mars prochain de 12 h à 20 h, et compte ainsi offrir un emploi à plus de 7000 personnes dont quelque 2000 postes pour le Québec. La période d'embauche s'échelonnera du début mars à la fin mai.

RONA invite les personnes qui ont des aptitudes pour le commerce de détail, qui accordent de la valeur au sens des responsabilités, au respect des clients et à leurs collègues de travail et qui ont du plaisir à servir les gens, à se présenter dans un magasin RONA, curriculum vitae en main, ou encore à postuler en ligne dès maintenant sur le site www.emplois.rona.ca.

Les postes à combler sont, entre autres, caissiers, conseillers-vendeurs, préposés à l'entrepôt et préposés au service/voltigeurs. Il est possible que certains magasins offrent d'autres postes. [...]

Source : Rona, 2006.

Diversifier les approches signifie également ne pas se contenter de cibler toujours le même groupe de candidats potentiels. Comme nous l'avons vu plus tôt, le marché du travail possède des bassins importants de travailleurs sans emploi ou sous-employés, qui pourraient être intégrés à la population active (Manpower, 2006). Ainsi, les jeunes chômeurs, les parents d'enfants en bas âge, les personnes handicapées, les jeunes retraités qui désirent conserver une certaine activité professionnelle ou les immigrants dont les diplômes ne sont pas reconnus en totalité, constituent autant de sources de candidats potentiels. Certes, ces candidats peuvent avoir des besoins spécifiques, comme une formation d'appoint ou une certaine flexibilité dans les horaires, mais ils n'en constituent pas moins une source intéressante de talents.

Les personnes qui ne sont pas activement à la recherche d'un emploi constituent un autre bassin de candidats potentiels souvent négligé. Ici encore, les activités de réseautage d'un recruteur peuvent lui permettre de rencontrer des personnes qui, même si elles ne sont pas intéressées à changer d'emploi à court terme, peuvent devenir des candidats par la suite.

Multiplier les bassins d'emploi non traditionnels peut également signifier, dans certains cas, étendre la zone géographique de recherche d'un candidat. Par exemple, plusieurs entreprises de l'Alberta, aux prises avec une pénurie importante de main-d'œuvre, recrutent dans les autres provinces de l'Ouest, voire en Ontario ou au Québec, ce qui aurait été impensable il y a quelques années. Ainsi, en 2005, plus de 1500 Québécois sont partis vers cette province en trois mois seulement. Toutefois, la migration internationale compense, pour les provinces visées, la perte de population active causée par la migration interprovinciale (Dubuc, 2006). Le recrutement international soutient donc l'expansion du marché de la main-d'œuvre. Nous y reviendrons au chapitre 9.

3.3 Le positionnement comme un employeur de choix

Adapter les méthodes de recrutement et de sélection ne constitue pas la panacée pour lutter contre la concurrence en matière de main-d'œuvre qualifiée. Dans un marché que certains n'hésitent pas à qualifier de « guerre des talents » (Chambers *et al.*, 1998 ; Woodruffe, 1999), les employeurs doivent se démarquer afin d'augmenter leur potentiel d'attraction de candidats. Comme nous le verrons dans le chapitre 3, se démarquer par la qualité de sa gestion des ressources humaines en devenant un employeur de choix est une stratégie de plus en plus adoptée par les entreprises.

Si une bonne compréhension du marché du travail est indispensable pour adopter des stratégies de dotation efficaces, un élément est encore plus important à connaître : l'encadrement juridique des activités de recrutement et de sélection. La dotation est en effet un domaine particulièrement soumis à des contraintes légales, qui feront l'objet du chapitre 2.

Ce qu'il faut retenir

- Le marché du travail est en pleine mutation, tant au Canada qu'ailleurs dans le monde.
- Tous les pays industrialisés, y compris le Canada, devront faire face à des pénuries de main-d'œuvre qualifiée.
- Les entreprises qui connaissent bien leur marché et développent des stratégies de dotation ciblées et innovatrices ont plus de chance d'attirer et de retenir des candidats de qualité.

Références

ALLAIN, Carol (2005). *Génération Y. L'enfant-roi devenu adulte*, Outremont, Les Éditions Logiques, 175 p.

BÉDARD Marcel et Louis GRIGNON (2000, novembre). « Aperçu de l'évolution du marché du travail au Canada de 1940 à nos jours », [en ligne], *Direction générale de la recherche appliquée, Développement des ressources humaines Canada*, 40 p. [réf. du 14 mai 2006]. <www11.hrsdc.gc.ca>.

BÉLANGER, Paul *et al.* (2004). *Les adultes en formation : les logiques de participation*, Québec, Ministère de l'Emploi et de la Solidarité sociale, 434 p.

BERGERON, Louis-Philippe *et al.* (2004, octobre). « Perspectives du marché canadien du travail pour la prochaine décennie, 2004-2013 », [en ligne], *Ressources humaines et développement des compétences Canada, Direction de la recherche en politiques et coordination*, 72 p. [réf. du 13 septembre 2006]. <www11.hrsdc.gc.ca>.

BOURGEOIS, Andreea et Aneliese DEBUS (2006, avril). « Du travail à revendre : les postes vacants à long terme posent un défi majeur aux PM », [en ligne], *FCEI*, 6 p. [réf. du 1er juin 2006]. <www.cfib.ca>.

BROWNING, Martin, Stephen JONES et Peter KUHN (1996, février). « Emploi et politique du marché du travail : survol stratégique des recherches à portée internationale », [en ligne], Rapport de l'Université McMaster SP-AH014F-04-96, *Développement des ressources humaines Canada, Évaluation et développement des données* [réf. du 14 mai 2006]. <www11.hrdc-drhc.gc.ca>.

BUREAU INTERNATIONAL DU TRAVAIL (2006, janvier). « Global employment trends », [en ligne], *Organisation internationale du Travail*, 12 p. [réf. du 31 juillet 2006]. <www.ilo.org>.

BUREAU INTERNATIONAL DU TRAVAIL (2004, janvier). « Tendances mondiales de l'emploi », [en ligne], *Organisation internationale du Travail*, 41 p. [réf. du 3 août 2006]. <www.ilo.org>.

CENTRE SYNDICAL ET PATRONAL DU CANADA (2004, mai). « Guide du CSPC sur l'immigration et les pénuries de compétences », [en ligne], *Centre syndical et patronal du Canada*, 40 p. [réf. du 28 juillet 2006]. <www.clbc.ca>.

CHAMBERS, Elizabeth G. *et al.* (1998). « The war for talent », [en ligne], *The McKinsey Quarterly*, n° 3, p. 44-57 [réf. du 22 août 2006]. <www.mckinseyquarterly.com>.

COMMISSION EUROPÉENNE (2006, 8 février). « La libre circulation des travailleurs a eu des effets positifs depuis l'élargissement de 2004 », [en ligne], *Emploi, affaires sociales et égalité des chances* [réf. du 31 juillet 2006]. <http://ec.europa.eu>.

COMMISSION EUROPÉENNE (2004). « The social situation in the European Union 2004 », [en ligne], *Commission européenne*, 189 p. [réf. du 31 juillet 2006]. <http://ec.europa.eu>.

COUSINEAU, Marie-Ève (2003, décembre). « 50 pistes pour comprendre l'économie du Québec en 2004 », *Commerce*, vol. 104, n° 12, p. 52.

DUBUC, André (2006, 15 avril). « La ruée vers l'or albertain a commencé : Près de 1500 Québécois sont partis en Alberta au cours des trois derniers mois de 2005 », *Les Affaires*, Immobilier, p. 45.

ESCHUK, Craig (2003, juillet). « Nouvelles formes d'organisation du travail, compétences et formation », [en ligne], *Développement des ressources humaines Canada*, 52 p. [réf. du 3 août 2006]. <www11.hrsdc.gc.ca>.

ETWAREEA, Ram (2005, 25 janvier). « L'Inde, futur géant de la biotechnologie », [en ligne], *Le Temps*, p. 2-3 [réf. du 1er juin 2006]. <www.tks-teknosoft.com>.

GALE, H. Frederick Jr., Timothy R. WOJAN et Jennifer C. OLMSTED (2002, janvier). « Skills, flexible manufacturing technology, and work organization », *Industrial Relations*, vol. 41, n° 1, p. 48-79.

GOUVERNEMENT DU CANADA (s. d.). « Concepts économiques : Taux de chômage », [en ligne], *L'économie canadienne à votre portée, Gouvernement du Canada* [réf. du 14 mai 2006]. <http://economiecanadienne.gc.ca>.

GOUVERNEMENT DU CANADA (2005, mai). « Travail indépendant », [en ligne], *Bulletin trimestriel sur la petite entreprise, Industrie Canada*, vol. 7, n° 1 [réf. du 15 mai 2006]. <http://strategis.ic.gc.ca>.

GOUVERNEMENT DU CANADA (2001a). « Profil des groupes désignés 2001 », [en ligne], *Ressources humaines et développement des compétences Canada* [réf. du 28 juillet 2006]. <www.hrsdc.gc.ca>.

GOUVERNEMENT DU CANADA (2001b, hiver/ printemps). « Pressions sur le marché du travail découlant du vieillissement de la population au Canada », [en ligne], *Bulletin de la recherche appliquée, Développement social Canada*, vol. 7, n° 1, p. 18-21 [réf. du 18 août 2006]. <www.dsc.gc.ca>.

GOUVERNEMENT DU CANADA (2000a, hiver/ printemps). « Plus du tiers des chômeurs n'ont pas occupé d'emploi depuis plus de 12 mois. Qui sont-ils ? », [en ligne], *Bulletin de la recherche appliquée, Développement social Canada*, vol. 6, n° 1, p. 11-14 [réf. du 15 mai 2006]. <www.dsc.gc.ca>.

GOUVERNEMENT DU CANADA (2000b, hiver/ printemps). « Participation des femmes au marché du travail : le rattrapage tire à sa fin », [en ligne], *Bulletin de la recherche appliquée, Développement social Canada*, vol. 6, n° 1, p. 14-16 [réf. du 15 mai 2006]. <www.dsc.gc.ca>.

GOUVERNEMENT DU CANADA (1999, été). « Pénurie de main-d'œuvre véritable ou phénomène cyclique ? », [en ligne], *Bulletin de la recherche appliquée, Développement social Canada*, vol. 5, n° 1, p. 9-12 [réf. du 3 août 2006]. <www.dsc.gc.ca>.

GOUVERNEMENT DU CANADA (1997a, été/ automne). « Tendances de l'emploi au sein de l'économie de l'information », [en ligne], *Bulletin de la recherche appliquée, Développement social Canada*, vol. 3, n° 2, p. 1-3 [réf. du 15 mai 2006]. <www.dsc.gc.ca>.

GOUVERNEMENT DU CANADA (1997b, avril). « Changement structurel et emploi au Canada : le savoir prime », [en ligne], *Bulletin de la recherche appliquée, Développement social Canada,* vol. 3, n° 1, p. 22-24 [réf. du 15 mai 2006]. <www.sdc.gc.ca>.

GOUVERNEMENT DU CANADA (1997c, avril). « L'écart de taux de chômage entre le Canada et les États-Unis », [en ligne], *Bulletin de la recherche appliquée, Développement social Canada,* vol. 3, n° 1, p. 9-13 [réf. du 15 mai 2006]. <www.sdc.gc.ca>.

GOUVERNEMENT DU CANADA (1996, hiver). « La prévision des déséquilibres dans le marché du travail : Une contribution de SPPC », [en ligne], *Bulletin de la recherche appliquée, Développement social Canada,* vol. 2, n° 1, p. 3-5 [réf. du 3 août 2006]. <www.sdc.gc.ca>.

HÉBERT, Nathalie (2005, 13 septembre). « Y : Portrait d'une génération », [en ligne], *La Toile des recruteurs, jobWings* [réf. du 28 juillet 2006]. <www.latoiledesrecruteurs.com>.

KAPUR, Devesh et John McHALE (2005). *Give Us Your Best and Brightest : The Global Hunt for Talent and Its Impact on the Developing World,* Washington, Center for Global Development, 246 p.

LEIGH, Duane E. et Kirk D. GIFFORD (1999, avril). « Workplace transformation and worker upskilling : The perspective of individual workers », *Industrial Relations,* vol. 38, n° 2, p. 174-191.

LYNCH, Lisa M. et Sandra E. BLACK (1998, octobre). « Beyond the incidence of employer-provided training », *Industrial & Labor Relations Review,* vol. 52, n° 1, p. 64-81.

MAJID, Nomman (2005). « Employment Strategy Paper : On the evolution of employment structure in developing countries », [en ligne], *Organisation internationale du Travail,* n° 18, 38 p. [réf. du 31 juillet 2006]. <www.ilo.org>.

MANPOWER (2006, 21 février). « Livre blanc de Manpower sur la pénurie de talents », [en ligne], *Manpower,* 13 p. [réf. du 1er avril 2006]. <www.ca.manpower.com>.

OCDE (2006a). « OECD Factbook 2006 », [en ligne], *Organisation de coopération et de développement économiques* [réf. du 3 août 2006]. <www.oecd.org>.

OCDE (2006b). « Labour market statistics – DATA », [en ligne], *Organisation de coopération et de développement économiques* [réf. du 30 juillet 2006]. <www.oecd.org>.

OCDE (2005a). « Les services et la croissance économique : Emploi, productivité et innovation », [en ligne], Réunion du Conseil de l'OCDE au niveau ministériel de 2005, *Organisation de coopération et de développement économiques,* 26 p. [réf. du 28 juillet 2006]. <www.oecd.org>.

OCDE (2005b). *Regards sur l'éducation. Les indicateurs de l'OCDE 2005,* Paris, Organisation de coopération et de développement économiques, 463 p.

OCDE (2004). « Perspectives de l'emploi de l'OCDE », [en ligne], *Organisation de coopération et de développement économiques,* 357 p. [réf. du 29 mai 2006]. <www.oecd.org>.

RONA (2006, 2 mars). « RONA lance le mois de l'emploi et ouvre les portes de tous ses magasins à grande surface le 9 mars pour recevoir des candidatures », [en ligne], *Rona,* 2 p. [réf. du 2 août 2006]. <www.rona.ca>.

STATISTIQUE CANADA (2006a). « Tableau CANSIM 282-0002 : Enquête sur la population active (EPA), estimations selon le sexe et le groupe d'âge détaillé, données annuelles », [en ligne], *Statistique Canada* [réf. du 3 août 2006]. <http://cansim2.statcan.ca>.

STATISTIQUE CANADA (2006b). « Tableau CANSIM 282-0047 : Enquête sur la population active (EPA), estimations de la durée du chômage selon le sexe et le groupe d'âge, non désaisonnalisées, données mensuelles », [en ligne], *Statistique Canada* [réf. du 29 mai 2006]. <http://cansim2.statcan.ca>.

STATISTIQUE CANADA (2006c). « Population active, occupée et en chômage, et taux d'activité et de chômage par province », [en ligne], *Statistique Canada* [réf. du 15 mai 2006]. <www.statcan.ca>.

STATISTIQUE CANADA (2006d). « Tableau CANSIM 282-0008 : Enquête sur la population active (EPA), estimations selon le Système de classification des industries de l'Amérique du Nord (SCIAN), le sexe et le groupe d'âge, données annuelles », [en ligne], *Statistique Canada* [réf. du 29 mai 2006]. <http://cansim2.statcan.ca>.

STATISTIQUE CANADA (2006e). « Tableau CANSIM 282-0080 : Enquête sur la population active (EPA), estimations du nombre d'employés selon la permanence de l'emploi, le système de classification des industries de l'Amérique du Nord (SCIAN), le sexe et le groupe d'âge, données annuelles », [en ligne], *Statistique Canada* [réf. du 3 août 2006]. <http://cansim2.statcan.ca>.

STATISTIQUE CANADA (2006f). « Tableau CANSIM 282-0004 : Enquête sur la population active (EPA), estimations selon le niveau de scolarité atteint, le sexe et le groupe d'âge, données annuelles », [en ligne], *Statistique Canada* [réf. du 1er juin 2006]. <http://cansim2.statcan.ca>.

STATISTIQUE CANADA (2006g). « Naissances et taux de natalité, par province et territoire », [en ligne], *Statistique Canada* [réf. du 15 mai 2006]. <www40.statcan.ca>.

STATISTIQUE CANADA (2006h). « Rapport sur l'état de la population du Canada : 2003 et 2004 », [en ligne], *Statistique Canada,* 129 p. [réf. du 31 juillet 2006]. <www.statcan.ca>.

STATISTIQUE CANADA (2004a). « Regard sur le marché du travail canadien 2003 », [en ligne], *Statistique Canada,* 117 p. [réf. du 3 août 2006]. <www.statcan.ca>.

STATISTIQUE CANADA (2004b). « Femmes au Canada : une mise à jour du chapitre sur le travail 2003 », [en ligne], *Statistique Canada,* 23 p. [réf. du 3 août 2006]. <www.statcan.ca>.

STATISTIQUE CANADA (2003a). « Recensement de 2001 : série "Analyses" : Profil changeant de la population active du Canada », [en ligne], *Statistique Canada,* 47 p. [réf. du 3 août 2006]. <www12.statcan.ca>.

STATISTIQUE CANADA (2003b, 1er octobre). « Recensement 2001, tableaux thématiques : Activité (8), plus haut niveau de scolarité atteint (12), fréquentation scolaire (4), statut d'immigrant et période d'immigration (10C), groupes de minorités visibles (14), sexe (3) et groupes d'âge (11A) pour la population de 15 ans et plus, pour le Canada, les provinces et les territoires, recensements de 1991 à 2001 – Données-échantillon (20%), n°97F0012XCB2001041 », [en ligne], *Statistique Canada* [réf. du 3 août 2006]. <www12.statcan.ca>.

STATISTIQUE CANADA (2003c). « Recensement de 2001 : série "Analyses" : Portrait ethnoculturel du Canada : une mosaïque en évolution », [en ligne], *Statistique Canada,* 65 p. [réf. du 3 août 2006]. <www12.statcan.ca>.

STATISTIQUE CANADA (2003d). « Les professions hautement qualifiées qui requièrent habituellement une formation universitaire ont mené la croissance des années 1990 », [en ligne], *Statistique Canada* [réf. du 3 août 2006]. <www12.statcan.ca>.

STATISTIQUE CANADA (2001). « Population des minorités visibles, par province et territoire (Recensement de 2001) », [en ligne], *Statistique Canada* [réf. du 1er juin 2006]. <www40.statcan.ca>.

UNESCO (2006). « Tableaux statistiques d'éducation », [en ligne], *Institut statistique de l'UNESCO* [réf. du 25 novembre 2006]. <http://stats.uis.unesco.org/reportfolders/reportfolders.aspx>.

UNESCO (2005). « Recueil de données mondiales sur l'éducation 2005 : Statistiques comparées sur l'éducation dans le monde », [en ligne], *Institut statistique de l'UNESCO,* 157 p. [réf. du 2 août 2006]. <www.uis.unesco.org>.

UNITED NATIONS (2006). « Social indicators, Indicators on child-bearing : Total fertility rate, 2000-2005 », [en ligne], *United Nation Statistics Division* [réf. du 2 août 2006]. <http://unstats.un.org>.

UNITED NATIONS (2002). « Population ageing 2002 », [en ligne], *United Nations, Population division, Department of Economic and Social Affairs,* 1 p. [réf. du 3 août 2006]. <www.un.org>.

U.S. BUREAU OF LABOR STATISTICS (2005). « Unemployment rates in nine countries, civilian force basis, approximating U.S. concepts, seasonally adjusted, 1995-2006 », [en ligne], *Washington, U.S. Department of Labor* [réf. du 19 mai 2006]. <ftp://ftp.bls.gov>.

VALLERAND, Nathalie (2006, 13 mai). « Le profil des nouveaux ingénieurs change : Être un collègue de travail agréable à vivre est aussi important qu'être polyvalent », *Les Affaires,* Convergence-Emplois, p. 31.

WOODRUFFE, Charles (1999). *Winning the talent war: a strategic approach to attracting, developing and retaining the best people,* Chichester, J. Wiley, 192 p.

CHAPITRE **2**

L'encadrement juridique des activités de dotation

Objectifs du chapitre

Ce chapitre a pour objectifs de :

- familiariser le lecteur avec les lois et règlements encadrant les activités de dotation au Canada et au Québec ;
- comprendre l'impact de ces dispositions légales sur les activités de dotation.

1. La compétence législative en matière de droit du travail au Canada

À part quelques exceptions, le droit du travail relève de la compétence provinciale.

Au Canada, le Parlement fédéral et les assemblées législatives des provinces ont le pouvoir d'adopter des lois sur le travail. Cependant, la compétence de chaque ordre de gouvernement en la matière est définie par la Loi constitutionnelle de 1867 (Gouvernement du Canada, 1867). Les articles 91 et 92 de celle-ci attribuent la compétence législative à l'un des deux ordres de gouvernement. Cependant, les relations de travail ne sont pas expressément visées dans ces articles, de sorte que la compétence législative en ce domaine a été définie par les tribunaux. Ceux-ci ont octroyé aux provinces la compétence législative exclusive en matière de droit du travail, mais accordent au gouvernement fédéral le droit de légiférer en matière de travail dans le cas de certaines activités économiques.

Il importe donc, avant de passer en revue les différentes dispositions légales entourant la dotation, de comprendre comment déterminer la compétence législative, provinciale ou fédérale, dont relève une organisation.

C'est la nature des activités habituelles d'une entreprise qui détermine son assujettissement à la législation provinciale ou fédérale. Ainsi, le fait qu'une entreprise soit incorporée en vertu de la Loi sur les corporations canadiennes (Gouvernement du Canada, 1970) ou de la Loi sur les compagnies du Québec (Gouvernement du Québec, 1964) ne détermine pas de quelle compétence elle relève en matière de droit du travail. Plus précisément, l'article 92 de la Loi constitutionnelle de 1867 (Gouvernement du Canada, 1867), repris par le Code canadien du travail (Gouvernement du Canada, 1985a), identifie les «installations, ouvrages, entreprises ou secteurs d'activité» qui relèvent de la compétence législative du Parlement fédéral, en citant notamment:

- Les activités interprovinciales ou internationales reliant une province à une autre province ou à un autre pays; par exemple, les réseaux de téléphone, de télégraphe et de câble, les chemins de fer, le transport routier, les pipelines, les bacs transbordeurs, les tunnels, les ponts, les canaux, ainsi que tout transport maritime et ses services connexes, comme l'arrimage et le débardage.
- Le transport aérien, incluant les aéronefs et les aéroports.
- Les domaines de la radiodiffusion, de la télédiffusion et de la câblodistribution.
- Les banques constituées en vertu de la Loi sur les banques (Gouvernement du Canada, 1991), excluant les caisses populaires.
- Certaines opérations d'entreprises particulières déclarées par le Parlement comme étant à l'avantage général du Canada ou de plusieurs provinces, par exemple les moulins à farine, les usines de nettoyage des graines de semence, les élévateurs à grain, ainsi que l'extraction et la transformation de l'uranium.

- La plupart des sociétés ou des agences d'État fédérales, comme la Société canadienne des postes, la Société canadienne d'hypothèques et de logement et l'Administration de la voie maritime du Saint-Laurent.
- Les entreprises auxquelles s'appliquent les lois fédérales au sens de la Loi sur les océans (Gouvernement du Canada, 1996a).

Canadien Pacifique
www.cpr.ca

Ainsi, si une activité économique ne peut être considérée comme relevant de la compétence législative du Parlement fédéral, elle est automatiquement soumise à la compétence provinciale en matière de droit du travail. Cependant, dans la mesure où l'activité économique détermine l'assujettissement à l'une ou l'autre des compétences juridiques, une entreprise qui exerce plusieurs activités économiques distinctes peut être soumise aux lois fédérales pour une partie de ses activités, et aux lois provinciales pour le reste. Ainsi en était-il, par exemple, du Canadien Pacifique dont les différentes filiales exerçaient anciennement plusieurs activités économiques: chemin de fer, navigation et hôtellerie. Les deux premières activités, liées au transport, figuraient dans la liste citée précédemment et étaient donc clairement sous juridiction fédérale. En revanche, l'activité d'hôtellerie, qui ne faisait pas partie de la liste d'exceptions, était couverte par les législations provinciales. À ce jour, le Canadien Pacifique n'est plus soumis à ces particularités juridiques puisque, depuis le 3 octobre 2001, la compagnie s'est scindée en cinq entreprises distinctes.

Au Québec, environ 7 % de la main-d'œuvre est assujettie aux lois fédérales.

Ainsi, le Code canadien du travail encadre les emplois sous juridiction fédérale et s'applique à environ 10 % de la main-d'œuvre au Canada (Confédération des syndicats nationaux, 2005), le reste de la population active relevant de la juridiction des provinces et des territoires. Bien évidemment, la proportion de travailleurs embauchés par des entreprises soumises à la juridiction fédérale varie d'une province à l'autre. Par exemple, au Québec, environ 7 % des emplois sont assujettis aux lois fédérales (Bloc québécois, 2004).

Ministère fédéral des ressources humaines
www.rhdcc.gc.ca

Les dispositions légales entourant les activités de dotation sont différentes selon la compétence législative à laquelle est soumise l'entreprise. Cependant, dans plusieurs domaines, tels que la protection des droits de la personne, la promotion de l'équité en emploi ou la protection de la vie privée, les dispositions légales fédérales et provinciales se ressemblent. Les sections suivantes détaillent les principales dispositions légales susceptibles d'influencer la dotation, pour les entreprises sous juridiction fédérale ou québécoise, ainsi que leurs conséquences pour ces entreprises.

2. La protection des droits individuels

Au Canada, les assemblées législatives fédérale, provinciales et territoriales ont toutes adopté des dispositions protégeant les droits individuels. Dans les lignes qui suivent, nous détaillerons plus spécifiquement les dispositions contenues

**Commission canadienne
des droits de la personne**
www.chrc-ccdp.ca

*Les personnes vivant au Canada sont protégées
contre la discrimination.*

dans la Loi canadienne sur les droits de la personne (Gouvernement du Canada, 1985b) et dans la Charte des droits et libertés de la personne du Québec (Gouvernement du Québec, 1975), qui visent à éliminer la **discrimination**.

2.1 Les dispositions légales visant à lutter contre la discrimination

La Loi canadienne sur les droits de la personne

La Loi canadienne sur les droits de la personne protège quiconque vit au Canada contre la discrimination, définie comme le fait de réserver à un individu un traitement différent, négatif ou défavorable, de celui réservé aux autres. Plus spécifiquement, la Loi interdit la discrimination basée sur un ou l'autre des 11 motifs suivants :

- La race, la couleur, l'origine nationale ou ethnique : ces trois motifs de discrimination sont reliés et sont souvent tous mentionnés dans une plainte, car on peut rarement établir des distinctions claires entre eux. Ils renvoient fréquemment au problème social du racisme ou de la xénophobie. Soulignons que la citoyenneté ne constitue pas en soi un motif de discrimination en vertu de la Loi canadienne sur les droits de la personne.

- L'âge : l'âge peut être considéré comme l'âge réel d'une personne, son appartenance à un groupe d'âge particulier (par exemple, le groupe des 45 à 50 ans ou le groupe des plus de 60 ans) ou à une désignation générale de l'âge (par exemple, trop vieux, trop vieille ou trop jeune).

- La religion : ce motif de discrimination ne fait pas référence à ce qui constitue une religion, mais à une croyance sincère de nature religieuse, qu'elle soit ou non reconnue officiellement comme une religion.

- Le sexe : le sexe d'une personne désigne sa qualité d'homme ou de femme, mais la Loi canadienne sur les droits de la personne considère aussi que la discrimination découlant de la grossesse ou de l'accouchement est fondée sur le sexe.

- L'orientation sexuelle : ajouté à la Loi en 1996, ce motif de discrimination comprend l'hétérosexualité, l'homosexualité et la bisexualité.

- L'état matrimonial et la situation de famille : l'état matrimonial d'une personne est sa situation de célibataire, de personne légalement mariée, de conjoint de fait, de veuf ou de divorcé. La situation de famille fait plutôt référence aux relations qui découlent des liens du mariage, de la consanguinité ou de l'adoption. Ainsi, si une personne se dit victime de discrimination parce qu'elle travaille avec son conjoint, sa plainte relève de deux motifs : la situation de famille et l'état matrimonial.

- La déficience : ce motif comprend la déficience physique ou mentale, présente ou passée, permanente ou temporaire, et inclut la dépendance à l'alcool ou aux drogues.

- L'état de personne graciée : il s'agit d'une personne ayant obtenu une réhabilitation légale et dont la condamnation a été effacée.

Les entreprises sous juridiction fédérale sont soumises à l'application de la Loi canadienne sur les droits de la personne. Au Québec, des dispositions semblables sont contenues dans la Charte des droits et libertés de la personne (Gouvernement du Québec, 1975), détaillée dans la section suivante.

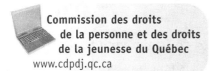

Commission des droits de la personne et des droits de la jeunesse du Québec
www.cdpdj.qc.ca

Au Québec, c'est la Charte des droits et libertés de la personne qui interdit la discrimination.

La Charte des droits et libertés de la personne du Québec

En vigueur depuis 1976, la Charte des droits et libertés de la personne protège les droits et libertés fondamentaux de toute personne vivant au Québec. Elle s'applique à toute personne et à toute organisation sous juridiction provinciale. Bien qu'elle touche à plusieurs domaines de la vie, comme le droit au secours, au logement ou à l'éducation, nous détaillerons ici les dispositions sur la discrimination touchant plus particulièrement les entreprises.

L'article 10 de la Charte énumère les caractéristiques personnelles qui constituent les motifs de discrimination interdite :

- L'âge : des exceptions prévues dans certaines lois peuvent cependant ne pas être discriminatoires, comme le fait de fixer l'âge légal du travail à 14 ans, tel que le prévoit l'article 156 du Code civil du Québec (Gouvernement du Québec, 1991).
- La condition sociale : il s'agit de la position particulière occupée dans la société en raison de faits ou de circonstances donnés (revenu, occupation, scolarité) ; par exemple, les bénéficiaires de l'aide sociale, les sans-abri ou les personnes soumises à une retenue sur leur salaire.
- Les convictions politiques : ce motif comprend les convictions fermes exprimées par l'adhésion manifeste à une idéologie politique, le militantisme en politique partisane ou dans un groupe de revendication sociale, la participation à des actions d'un syndicat comme groupe de pression sociale, mais n'inclut pas, comme tel, le fait d'appartenir à un syndicat.
- L'état civil : il fait référence au célibat, au mariage, à l'union civile, à l'adoption, au divorce, à l'appartenance à une famille monoparentale ainsi qu'aux liens de parenté ou d'alliance.
- La grossesse : ce motif inclut le congé de maternité.
- Le handicap ou le moyen pour pallier un handicap : la notion de « handicap » est ici définie comme un désavantage, réel ou présumé, lié à une déficience, soit une perte, une malformation ou une anomalie d'un organe, d'une structure ou d'une fonction mentale, psychologique, physiologique ou anatomique. L'utilisation d'un fauteuil roulant, d'un chien-guide, ou d'une prothèse sont inclus dans ce motif sous l'appellation « moyen pour pallier le handicap ».
- La langue : ce motif fait référence à la langue parlée, incluant les accents, mais le statut du français comme langue officielle du Québec n'est pas discriminatoire en lui-même.
- L'orientation sexuelle : elle fait référence à l'hétérosexualité ou à l'homosexualité.

- La possession d'un dossier judiciaire : ce motif ne peut être invoqué que si l'infraction n'a aucun lien avec l'emploi ou si la personne en a obtenu le pardon.
- La race, la couleur, l'origine ethnique ou nationale : ce motif s'applique quels que soient le pays d'origine ou la couleur de la peau.
- La religion : le fait d'appartenir ou non à une confession religieuse, de pratiquer une religion ou de n'en pratiquer aucune.
- Le sexe : le fait d'être de sexe féminin ou masculin, ou d'être transsexuel.

La Loi canadienne et les Chartes provinciales couvrent à peu près les mêmes motifs de discrimination.

Les motifs prohibés de discrimination ne sont donc pas exactement les mêmes sous les juridictions fédérale et québécoise. Par exemple, la langue et la condition sociale, motifs prohibés de discrimination au Québec, n'apparaissent pas dans la Loi canadienne. Cependant, dans la grande majorité des cas, la Loi canadienne et la Charte québécoise, de même que les autres Chartes provinciales, couvrent les mêmes motifs. Par exemple, alors que la dépendance à une drogue est clairement identifiée comme un motif illégal de discrimination par le gouvernement fédéral, elle n'est couverte qu'implicitement, sous le vocable handicap, au Québec. Le tableau 2.1 récapitule les motifs prohibés de discrimination au Canada et dans les provinces et territoires.

2.2 L'application des dispositions visant à lutter contre la discrimination

Les répercussions sur les activités de dotation

Si les dispositions des lois, tant canadiennes que québécoises, touchent de nombreux domaines de la vie en société, y compris le droit au logement ou à l'éducation, leur application dans le milieu de travail a des répercussions sur les activités de recrutement, de sélection et d'embauche. Le tableau 2.2 résume les principales répercussions des lois antidiscrimination sur les étapes de la dotation.

La Loi canadienne sur les droits de la personne et la Charte des droits et libertés de la personne du Québec interdisent donc le fait de baser une décision de dotation sur un des motifs prohibés de discrimination. C'est l'utilisation de ces motifs comme justification de la décision qui est ici en cause.

Ainsi, il est illégal d'exiger explicitement que le candidat possède une caractéristique réputée discriminatoire, par exemple, on ne peut demander des candidats âgés entre 25 et 45 ans. Il est également illégal de rédiger une annonce d'emploi qui sous-entend que les candidats doivent posséder une exigence discriminatoire. Par exemple, les titres d'emploi doivent être rédigés de façon neutre (comme directeur/trice), afin de ne pas laisser croire que l'organisation recherche un homme ou une femme. Dans certains cas, le titre apparaît au masculin pour alléger le texte, mais une mention précise que le poste s'adresse autant aux hommes qu'aux femmes. Une annonce telle que celle présentée à l'encadré 2.1 est illégale.

TABLEAU 2.1   Motifs de distinction illicite au Canada

Motifs prohibés	Fédéral	Alberta	Colombie-Britannique	Île-du-Prince-Édouard	Manitoba	Nouveau-Brunswick	Nouvelle-Écosse	Nunavut	Ontario	Québec	Saskatchewan	Terre-Neuve-et-Labrador	Territoires du Nord-Ouest	Territoire du Yukon
Âge	•	•	•	•	•	•	•	•	•	•	•	•	•	•
Appartenance à une association				•	•	•	•			•				•
Ascendance ou lieu d'origine		•	•		•	•			•	•	•		•	•
Casier judiciaire			•	•						•				•
Cession, saisie-arrêt ou saisie de salaire										•		•		
Condition sociale ou origine sociale										•		•		
Convictions politiques			•	•	•		•			•		•		•
Déficience physique ou mentale/Handicap	•	•	•	•	•	•	•	•	•	•	•	•	•	•
Dépendance à l'alcool ou aux drogues	•	•	•	•	•	•	•	•	•		•	•		
État de personne graciée	•		•					•	•	•			•	
État matrimonial	•	•	•	•	•	•	•	•	•	•	•	•	•	•
Langue									•	•		•		•
Orientation sexuelle	•	•	•	•	•		•	•	•	•	•	•		
Origine nationale ou ethnique (incluant les antécédents linguistiques)	•			•	•		•	•	•	•	•	•	•	•
Race ou couleur	•	•	•	•	•	•	•	•	•	•	•	•	•	•
Religion ou foi	•	•	•	•	•	•	•	•	•	•	•	•	•	•
Sexe (incluant la grossesse ou l'accouchement)	•	•	•	•	•	•	•		•	•	•	•	•	•
Situation de famille	•	•	•	•	•		•	•	•	•	•		•	•
Source de revenu		•		•	•		•		•	•	•			

Sources : CCH Canadian Limited, 2005.
Commission canadienne des droits de la personne, 1998.

TABLEAU 2.2	Répercussion des lois antidiscrimination sur les étapes de la dotation
Étape de la dotation	**Application des dispositions légales**
Recrutement	• Une annonce d'emploi ne peut pas imposer une exigence discriminatoire sans lien avec l'emploi (voir encadré 2.1). • Un formulaire de demande d'emploi ne peut demander au candidat de fournir des informations sur un motif illégal de discrimination. • La réception, la classification ou le traitement des candidatures ne peuvent être basées sur un motif illégal.
Sélection	• Aucune décision de sélection ne peut être basée sur un motif illégal de discrimination. • Aucune question lors d'une entrevue ne peut porter sur un motif illégal (voir annexe A). • Les tests doivent permettre de différencier les candidats uniquement sur les exigences de l'emploi.
Embauche	• L'embauche, la période de probation, la formation professionnelle, les conditions de travail ou le statut d'emploi ne peuvent pas être basés sur un motif illégal de discrimination.

ENCADRÉ 2.1 Exemple d'annonce discriminatoire

10 septembre 2004

M. XYZ **Assistante administrative**

Nous sommes, **M. XYZ**, une firme de communication visuelle qui offre des services d'imprimé, de multimédia et d'identité graphique. Présentement, nous recherchons une **assistante administrative.**

Le titulaire de ce poste aura quatre responsabilités principales au sein de l'entreprise. Il sera responsable de la tenue des livres comptables et de la paie. Il devra aussi faire l'analyse de la rentabilité et le suivi budgétaire. De plus, nous nous attendons à ce que cette personne s'occupe de quelques tâches cléricales.

Qualifications requises
- Formation en administration ou comptabilité
- Communication orale/écrite en anglais
- Communication orale/écrite en français
- Microsoft Office (Word, Excel)
- Simple comptable
- Expérience souhaitable

Les candidats peuvent faire parvenir leur c.v. et leur lettre de présentation à emploi@mr-xyz.com.

Il est illégal de recueillir des informations sur les motifs de discrimination pendant la sélection.

Cependant, les tribunaux ont étendu leur protection des droits individuels pour empêcher les organisations, non seulement d'utiliser ces motifs comme base de décision, mais également de recueillir des informations sur ces motifs. Ainsi, il est illégal de poser à un candidat des questions sur un des motifs prohibés, comme sa religion ou son statut civil, même si la décision d'embauche subséquente ne se base pas sur les réponses obtenues. De la même façon, il n'est pas nécessaire de prouver la dimension volontaire de la discrimination pour que celle-ci soit jugée illégale. C'est plutôt le résultat, l'effet de la mesure, qui importe. Ainsi, un employeur qui, en toute bonne foi, demanderait à un candidat l'origine de son accent, sans pour autant baser sa décision d'embauche sur cette information, serait passible de poursuite pour discrimination illégale.

Un employeur doit donc être extrêmement prudent dans les questions qu'il pose à un candidat. Aucune question ou demande d'information ne peut toucher, de près ou de loin, un des motifs prohibés de discrimination. Il est cependant légal d'obtenir certaines de ces informations après la décision d'embauche, afin de finaliser le dossier de l'employé nouvellement embauché. L'annexe A présente des exemples de questions à ne pas poser et, dans les cas où c'est possible, offre des formulations alternatives.

Les différentes formes de discrimination

La discrimination peut être : – directe ; – indirecte ; – systémique.

Ainsi, les gouvernements, tant fédéral que provinciaux, ont identifié les motifs pour lesquels il était interdit de défavoriser un individu. Cependant, le motif n'a pas à être explicite pour que la discrimination soit jugée illégale. En fait, tant la Commission canadienne des droits de la personne que la Commission des droits de la personne et des droits de la jeunesse du Québec reconnaissent que la discrimination peut être directe ou non. On distingue généralement trois formes de discrimination :

Discrimination directe
▶ *Direct discrimination*
Fait d'utiliser explicitement un motif de discrimination prohibé.

- La **discrimination directe** provient d'une pratique ou d'une règle qui utilise de façon explicite un des motifs prohibés (Gouvernement du Québec, 1975). Une annonce d'emploi exigeant une femme pour un poste d'éducateur en garderie est un exemple de discrimination directe. Dans un tel cas, le motif de refus d'embauche est clair, le sexe, et apparaît explicitement parmi les motifs prohibés de discrimination, que ce soit dans la Loi canadienne sur les droits de la personne ou dans les législations provinciales.

Discrimination indirecte
▶ *Indirect discrimination*
Utilisation d'une règle neutre en apparence, mais qui a un effet discriminatoire pour un motif prohibé.

- La **discrimination indirecte,** en revanche, se produit lorsqu'un employeur adopte une règle ou une norme qui est neutre à première vue, mais qui a un effet discriminatoire pour un motif prohibé sur un employé ou un groupe d'employés. Ainsi, dans le cas Commission ontarienne des droits de la personne c. Simpsons-Sears (Cour suprême du Canada, 1985), la plaignante s'est vu refuser un poste à temps plein, car sa religion prescrit l'observance stricte du sabbat et lui interdit donc de travailler le samedi. L'obligation de travailler le samedi ne fait pas partie des motifs prohibés de discrimination :

il n'y a donc pas de discrimination directe. Cependant, la règle du travail le samedi, bien que neutre en apparence, a un effet néfaste sur les employés dont la pratique religieuse requiert l'observance du sabbat. Or, la pratique religieuse fait bel et bien partie des motifs prohibés de discrimination. Ainsi, bien que neutre à première vue, l'obligation de travailler le samedi a pour résultat de défavoriser un groupe de personnes caractérisées par un motif prohibé de discrimination. Il s'agit donc de discrimination indirecte.

- La troisième forme de **discrimination,** dite «**systémique**», découle de modes de gestion et de pratiques d'emploi pouvant sembler neutres en apparence, mais qui ont pour effet de rejeter un nombre disproportionné de candidats d'un groupe protégé. La discrimination systémique résulte donc de l'application de méthodes de recrutement, d'embauche ou de promotion, dont aucune n'a été conçue pour promouvoir la discrimination, mais dont le cumul a des effets préjudiciables sur un groupe de personnes (Cour suprême du Canada, 1987). Par exemple, l'utilisation, au moment de la sélection, de tests standardisés dont la formulation et le contenu des questions reflètent la culture du groupe majoritaire peut avoir pour effet d'éliminer les personnes issues des minorités ethniques ou visibles (Commission ontarienne des droits de la personne, 2005). Contrairement à la discrimination directe ou indirecte, il n'est donc pas nécessaire d'identifier le motif du rejet d'une candidature. Ce sont plutôt les résultats du processus de sélection qui sont examinés, comme le montre l'exemple présenté dans l'encadré 2.2.

ENCADRÉ 2.2 **Jurisprudence: un cas de discrimination systémique**

Compagnie des chemins de fer nationaux du Canada c. Action travail des femmes (1987)

Malgré les grands pas franchis dans le domaine des droits de la femme, les Chemins de fer nationaux (CN) n'embauchent que très peu de femmes [en 1987. En effet, à cette époque], les femmes ne comptent que pour 0,7 % de la main-d'œuvre non spécialisée du CN, bien qu'elles représentent 41 % de la main-d'œuvre totale du Canada. C'est ici qu'entre en action l'organisme Action travail des femmes, groupe de pression militant en faveur des droits de la femme. Le groupe porte plainte auprès de la Commission canadienne des droits de la personne, affirmant que le CN viole l'article 10 de la Loi canadienne sur les droits de la personne et qu'il est coupable de discrimination systémique. [...] En bout de ligne, le Tribunal ordonne au CN de mettre en place un programme d'équité en matière d'emploi. Le CN refuse et porte sa cause devant la Cour suprême du Canada. Résultat ? Le CN déraille. La Cour suprême décrète que, en vertu de l'article 41(2)a) de la Loi canadienne sur les droits de la personne, la Commission a le droit d'imposer la mise en place d'un programme d'équité en matière d'emploi pour rompre le cycle de discrimination systémique qui comporte des politiques d'exclusion en matière de recrutement et de promotion, de même que le harcèlement des employés. [...]

[...] Dans cette affaire, la Cour suprême du Canada a conclu que l'ensemble des pratiques de recrutement, d'embauche et de promotion ainsi que les pratiques de gestion en cours d'emploi, combinées à des attitudes négatives du personnel masculin et des surveillants, ont empêché et découragé les femmes d'occuper des

»

emplois manuels. Cette décision relève les exemples suivants de discrimination systémique à l'embauche : tests d'aptitude mécanique ayant un impact négatif pour les femmes sans être justifiés par les aptitudes requises pour les emplois, système limité de diffusion des renseignements relatifs aux emplois disponibles, bureau du personnel où on ne disait pas aux femmes qui sollicitaient un emploi quelles étaient les conditions à remplir pour obtenir les emplois manuels disponibles, contremaîtres ayant le pouvoir de refuser d'embaucher des personnes acceptées par le bureau d'embauche, sans directive, ni moyen de contrôler la décision du contremaître… La Cour souligne aussi des exemples de discrimination systémique en cours d'emploi : conditions d'apprentissage différentes pour les femmes (comme leur enseigner plusieurs choses à la fois, en parlant rapidement), antipathie masculine exprimée publiquement à l'égard des femmes (contribuant ainsi à un taux élevé de roulement de personnel), désavantage marqué pour les femmes dans la mesure où les promotions dépendent des évaluations de surveillants masculins défavorables, risques plus élevés d'être mises à pied en raison du fait qu'elles avaient peu d'ancienneté, etc.

Sources : Commission canadienne des droits de la personne, 1987.
Commission des droits de la personne et des droits de la jeunesse du Québec, 2003a.

Peu importe la raison invoquée pour rejeter une candidature, on considère généralement qu'il y a discrimination systémique lorsque le taux de sélection d'un groupe minoritaire est inférieur à quatre cinquièmes (soit 80 %) du taux de sélection du groupe majoritaire (Gouvernement du Canada, 2004). Par exemple, un processus de sélection qui retient 20 % des candidatures masculines, mais seulement 12 % des candidatures féminines, peut être qualifié de discriminatoire envers les femmes, car le taux de sélection des femmes (12 %) ne représente que 60 % du taux de sélection des hommes (12 % / 20 % = 60 %). Cependant, si le taux de sélection des femmes atteint 18 %, on ne peut qualifier le processus de discriminatoire, car ce taux de 18 % représente plus de 80 % du taux de sélection des hommes (18 % / 20 % = 90 %).

L'évolution du concept de discrimination pour inclure les notions de discrimination indirecte et systémique a permis au fil des ans d'étendre les situations dans lesquelles les droits individuels étaient protégés. Cette évolution a emprunté deux voies. D'une part, les motifs explicites de discrimination ont été interprétés plus libéralement au cours du temps, par exemple, le sexe, tel que défini dans la Charte des droits et libertés de la personne, inclut désormais la transsexualité. D'autre part, des lois plus proactives ont été promulguées, par exemple, il n'est plus nécessaire que la discrimination soit intentionnelle ou fondée sur un critère explicitement formulé à l'article 10 de la Charte québécoise. C'est le cas, notamment, de la taille, dont fait état l'encadré 2.3.

Cependant, la législation ne protège pas les candidats dans toutes les circonstances ; plusieurs situations d'emploi constituent ainsi des exceptions dans l'application de la loi.

Supposons que 90 % des gens travaillant pour une grande société de logiciels mesurent plus de 1,85 m. Or, dans la population générale, seulement 30 % des gens sont de cette taille. On peut donc croire que si la société n'utilisait pas le critère de la taille dans l'embauche, environ 30 % des employés mesureraient plus de 1,85 m. Le fait que 90 % des employés soient grands laisse supposer que la société favorise indûment les gens de grande taille. Si deux personnes, une grande et une petite, posent leur candidature, la société choisit presque toujours la plus grande. Cela constitue donc une forme de discrimination systémique envers les gens de petite taille.

Source : Commission canadienne des droits de la personne, 1987.

2.3 Les exceptions

Dans certains cas, une distinction basée sur un des motifs prohibés n'est pas discriminatoire.

Tant la Charte des droits et libertés de la personne du Québec, dans son article 20, que la Loi canadienne sur les droits de la personne prévoient que, dans certains cas, une distinction, une exclusion ou une préférence basée sur un des motifs prohibés n'est pas discriminatoire. Par exemple, on ne saurait évoquer la discrimination basée sur l'âge pour embaucher des enfants de moins de 14 ans, car les lois régissant le droit du travail des enfants s'appliquent en dépit des chartes. En matière de dotation, les deux exceptions les plus fréquemment invoquées sont les exigences professionnelles et les caractéristiques particulières de l'employeur à but non lucratif.

La notion d'exigence professionnelle justifiée

Dans certains cas, l'absence ou la présence d'une caractéristique personnelle définie comme un motif de discrimination constitue une qualité ou une aptitude objectivement requise par un emploi. Ainsi, une personne ayant une perte de vision partielle pourra être exclue, à cause de ce handicap, d'un poste de chauffeur d'autobus, mais pas nécessairement d'un poste de professeur (Commission des droits de la personne et des droits de la jeunesse du Québec, 1987).

L'exigence professionnelle justifiée doit avoir un lien direct avec l'emploi.

C'est à l'employeur qu'il incombe de prouver l'existence d'une exigence professionnelle justifiée. En particulier, il doit établir que la norme :

- est directement reliée à l'exécution des fonctions ou du service dispensé ;
- a été adoptée honnêtement et de bonne foi ;
- est raisonnablement nécessaire (Commission canadienne des droits de la personne, 2002).

Le caractère objectif et direct du lien entre l'emploi et l'exigence fondée sur les qualités ou aptitudes a été souligné par les tribunaux à plusieurs reprises. Par exemple, la Cour supérieure du Québec a rejeté l'argument que le sexe puisse être une aptitude pour enseigner l'histoire et a jugé discriminatoire l'embauche d'un homme de préférence à une femme comme professeur d'histoire (Cour supérieure du Québec, 1981). L'employeur doit donc démontrer que le motif de l'exclusion constitue une caractéristique nécessaire pour exécuter le travail.

Cependant, un employeur peut invoquer le risque pour le travailleur ou pour autrui afin de justifier le refus ou l'exclusion d'un employé sur la base d'une exigence professionnelle justifiée. Dans la décision du cas Etobicoke (Cour suprême du Canada, 1982), la Cour suprême devait décider si l'imposition de l'âge de la retraite à 60 ans pour les pompiers constituait une exigence professionnelle justifiée. Le jugement précise que l'exigence professionnelle doit « se rapporter objectivement à l'exercice de l'emploi en question, en étant raisonnablement nécessaire pour assurer l'exécution efficace et économique du travail, sans mettre en danger l'employé, ses compagnons de travail et le public en général ». Ainsi, le danger dans l'exécution du travail peut justifier le rejet d'une candidature qui se baserait sur un des motifs prohibés de discrimination.

En revanche, les objections discriminatoires, voire les menaces de griefs, de la part d'autres employés ne peuvent être invoquées pour justifier une discrimination basée sur une exigence professionnelle. De façon similaire, les préférences, réelles ou supposées, de la clientèle ne constituent pas une exigence professionnelle justifiée. La jurisprudence indique clairement que les pertes économiques encourues lorsque les préférences de la clientèle ne sont pas respectées ne sont pas une justification acceptable pour faire une distinction fondée sur un des motifs prohibés (Tribunal des droits de la personne du Québec, 1994). Ainsi, il serait illégal de refuser d'embaucher un candidat d'origine africaine comme serveur dans un restaurant chinois sous le seul prétexte que les clients préfèreraient être servis par du personnel d'origine asiatique.

Dans l'affaire Meiorin, l'arrêt de la Cour suprême du Canada (1999) a instauré une méthode en trois étapes pour déterminer si une norme, discriminatoire à première vue, est une exigence professionnelle justifiée. Cette cause, devenue célèbre, opposait le British Columbia Government and Service Employees' Union, syndicat agissant au nom d'une de ses membres, Mme Tawney Meiorin, au gouvernement de la Colombie-Britannique. Embauchée comme pompière forestière par cette province, Mme Meiorin a été congédiée après trois ans de services satisfaisants, à la suite de l'adoption par le gouvernement d'une nouvelle série de tests d'évaluation de la condition physique des pompiers forestiers. Bien qu'elle ait réussi trois de ces tests, elle a échoué le quatrième, destiné à vérifier si elle respectait la norme aérobique du gouvernement : elle a en effet excédé de 49,4 secondes le délai maximal prescrit pour franchir à la course une distance de 2,5 kilomètres. Son syndicat a déposé un grief en son nom, alléguant que le congédiement était irrégulier, car les tests étaient discriminatoires. La preuve déposée devant l'arbitre établissait qu'en raison de différences physiologiques, la plupart des femmes ont une capacité aérobique moindre que celle de la plupart des hommes. Même en s'entraînant, la plupart des femmes sont incapables d'accroître leur capacité aérobique au niveau requis par la norme aérobique, bien que l'entraînement puisse permettre à la plupart des hommes de le faire. Par ailleurs, il n'y avait aucune preuve crédible que la capacité aérobique prescrite était nécessaire pour exécuter le travail de pompier forestier de façon satisfaisante. Au contraire, Mme Meiorin avait bien fait son travail dans le passé, sans présenter de risque apparent pour elle-même, pour ses collègues ou pour le public.

Dans son jugement, rendu en faveur de Mme Meiorin, la Cour suprême a proposé une méthode permettant d'évaluer ce qui constitue une exigence professionnelle justifiée. Cette méthode impose à l'employeur d'établir: 1) qu'il a adopté la norme dans un but rationnellement lié à l'exécution du travail en cause; 2) qu'il a adopté la norme particulière en croyant sincèrement qu'elle était nécessaire pour réaliser ce but légitime lié au travail; et 3) que la norme est raisonnablement nécessaire pour réaliser ce but légitime lié au travail. L'encadré 2.4 précise ces étapes.

ENCADRÉ 2.4 **Étapes de détermination d'une exigence professionnelle justifiée**

Première étape

La première étape à franchir pour évaluer si l'employeur a réussi à établir une défense d'exigence professionnelle justifiée consiste à identifier l'objet général de la norme contestée et à décider s'il est rationnellement lié à l'exécution du travail en cause. Il faut d'abord déterminer ce que vise à réaliser de manière générale la norme contestée. La capacité de travailler de manière sûre et efficace est l'objet le plus fréquemment mentionné dans la jurisprudence, mais il peut bien y avoir d'autres raisons d'imposer des normes particulières dans le milieu de travail. [...] L'employeur doit démontrer l'existence d'un lien rationnel entre l'objet général de la norme contestée et les exigences objectives du travail. [...] Lorsque l'objet général de la norme est d'assurer l'exécution sûre et efficace du travail – un élément essentiel de tout métier – il ne sera vraisemblablement pas nécessaire de consacrer beaucoup de temps à cette étape. Lorsque l'objet est plus restreint, une partie importante de l'analyse peut bien lui être consacrée. À cette première étape, l'analyse porte, non pas sur la validité de la norme particulière en cause, mais plutôt sur la validité de son objet plus général. Cet examen est nécessairement plus général que lorsqu'il s'agit de déterminer s'il existe un lien rationnel entre l'exécution du travail et la norme particulière qui a été choisie [...].

Deuxième étape

Une fois établie la légitimité de l'objet plus général visé par l'employeur, ce dernier doit franchir la deuxième étape, qui consiste à démontrer qu'il a adopté la norme particulière en croyant sincèrement qu'elle était nécessaire à la réalisation de son objet, et sans qu'il ait eu l'intention de faire de preuve de discrimination envers le demandeur. Il est alors question de l'élément subjectif du critère [...]. Si l'imposition de la norme n'était pas jugée raisonnablement nécessaire ou était motivée par une animosité discriminatoire, elle ne saurait alors constituer une exigence professionnelle justifiée. [...]

»

Troisième étape

Le troisième et dernier obstacle que doit franchir l'employeur consiste à démontrer que la norme contestée est raisonnablement nécessaire pour qu'il puisse atteindre l'objet qu'elle vise, dont le lien rationnel avec l'exécution du travail a été démontré. L'employeur doit établir qu'il lui est impossible de composer avec le demandeur et les autres personnes lésées par la norme sans subir une contrainte excessive. [...] Le juge Wilson a abordé les facteurs qui peuvent être pris en considération en évaluant l'obligation d'un employeur de composer avec un employé tant qu'il n'en résulte pas pour lui une contrainte excessive. Parmi les facteurs pertinents, il y a le coût de la méthode d'accommodement possible, l'interchangeabilité relative des employés et des installations, de même que la perspective d'atteinte réelle aux droits d'autres employés. [...]

Parmi les questions importantes qui peuvent être posées au cours de l'analyse, il y a les suivantes :

a) L'employeur a-t-il cherché à trouver des méthodes de rechange qui n'ont pas d'effet discriminatoire, comme les évaluations individuelles en fonction d'une norme qui tient davantage compte de l'individu ?

b) Si des normes différentes ont été étudiées et jugées susceptibles de réaliser l'objet visé par l'employeur, pourquoi n'ont-elles pas été appliquées ?

c) Est-il nécessaire que <u>tous</u> les employés satisfassent à la norme unique pour que l'employeur puisse réaliser l'objet légitime qu'il vise, ou est-il possible d'établir des normes qui reflètent les différences et les capacités collectives ou individuelles ?

d) Y a-t-il une manière moins discriminatoire d'effectuer le travail tout en réalisant l'objet légitime de l'employeur ?

e) La norme est-elle bien conçue pour que le niveau de compétence requis soit atteint sans qu'un fardeau excessif ne soit imposé à ceux qui sont visés par la norme ?

f) Les autres parties qui sont tenues d'aider à la recherche de mesures d'accommodement possibles ont-elles joué leur rôle ? [...] La tâche de déterminer la manière de composer avec des différences individuelles peut aussi imposer un fardeau à l'employé et, dans les cas où il existe une convention collective, au syndicat.

Si la norme discriminatoire à première vue n'est pas raisonnablement nécessaire pour que l'employeur en réalise l'objet légitime ou, autrement dit, s'il est possible de composer avec des différences individuelles sans que l'employeur subisse une contrainte excessive, la norme n'est pas alors une exigence professionnelle justifiée. [...] À l'inverse, si l'objet général de la norme est rationnellement lié à l'exécution du travail en cause, si la norme particulière a été imposée avec la conviction sincère qu'elle était nécessaire et si son application sous sa forme existante est raisonnablement nécessaire pour permettre à l'employeur d'en réaliser l'objet légitime sans subir une contrainte excessive, la norme est une exigence professionnelle justifiée.

Source : Cour suprême du Canada, 1999.

Outre l'exigence professionnelle justifiée, il existe d'autres situations où une distinction basée sur un des motifs prohibés n'est pas discriminatoire. Ainsi, certaines organisations qui desservent exclusivement un groupe ethnique peuvent invoquer cette caractéristique pour embaucher sur la base de l'origine ethnique. Il s'agit d'un deuxième type d'exception : celui des organisations à but non lucratif (OBNL).

Le cas des institutions à but non lucratif

L'article 20 de la Charte des droits et libertés de la personne du Québec prévoit qu'une distinction basée sur un motif prohibé peut être justifiée par le caractère charitable, philanthropique, religieux, politique ou éducatif d'une institution à but non lucratif ou qui est vouée exclusivement au bien-être d'un groupe ethnique. Par exemple, un organisme voué à la défense des droits des femmes peut justifier d'accorder une préférence à l'embauche des femmes.

Dans le cas des OBNL, le motif de discrimination doit être lié à la nature de l'institution.

Toutes les institutions à but non lucratif ne peuvent cependant se prévaloir de cette exception. Le motif de discrimination (dans l'exemple précédent, le sexe) doit être objectivement lié à la nature de l'institution (ici, la promotion des droits des femmes). Ainsi, une école à but non lucratif ayant un caractère catholique peut embaucher exclusivement des enseignants de cette religion. La Charte autorise l'employeur, dans un tel cas, à requérir d'un candidat des renseignements sur sa religion. Par contre, une école sans caractère religieux, où la religion n'est enseignée que comme une matière parmi d'autres, ne pourrait pas invoquer cette exception pour n'embaucher que des professeurs catholiques. De la même façon, une école catholique ne pourrait pas invoquer l'article 20 de la Charte pour refuser d'embaucher des personnes appartenant à une minorité visible.

L'obligation d'accommodement

L'employeur doit prendre des mesures d'accommodement raisonnables.

Quel que soit le motif de discrimination, la Loi canadienne sur les droits de la personne prévoit également l'obligation pour l'employeur de prendre des mesures d'adaptation ou d'accommodement raisonnables. En premier lieu consacrée au Canada dans une affaire de discrimination religieuse (Cour suprême du Canada, 1985), cette obligation a été reconnue au Québec, dans diverses décisions du Tribunal des droits de la personne, comme découlant du droit à l'égalité.

L'obligation d'accommodement prévoit que l'employeur prenne des mesures spéciales ou modifie certaines règles en faveur des personnes dont les besoins spécifiques sont protégés par les dispositions antidiscrimination. Par exemple, obliger les employés à porter un uniforme peut être un obstacle pour quelqu'un dont la pratique religieuse exige une certaine tenue vestimentaire. L'employeur devra donc analyser si l'obligation peut être assouplie, ou si l'uniforme peut être modifié pour répondre aux obligations religieuses de l'employé. Dans le cas d'employés handicapés, les mesures d'adaptation peuvent consister à construire une rampe d'accès pour les fauteuils roulants ou à fournir un écran d'ordinateur conçu pour une personne aveugle. L'adaptation des horaires de travail ou l'aménagement des tâches d'un employé peuvent également constituer des mesures d'ajustement, comme le montre le cas présenté à l'encadré 2.5.

ENCADRÉ 2.5 **Accommodement: responsabilité de l'employeur et du syndicat**

Central Okanagan School District No. 23 c. Renaud (1992)

L'employé, dont la religion était l'adventisme du septième jour, était un gardien syndiqué qui travaillait du lundi au vendredi pour le conseil scolaire. L'horaire de travail, qui faisait partie de la convention collective, comportait un quart de soirée le vendredi. Toutefois, la religion de l'employé lui interdisait de travailler pendant le sabbat de l'Église, soit du coucher du soleil le vendredi au coucher du soleil le samedi.

L'employé et un représentant du conseil scolaire ont examiné un certain nombre de solutions de rechange en vue de permettre au gardien de ne pas travailler le vendredi soir. La seule solution pratique était de créer un quart s'étalant du dimanche au jeudi, mais cette mesure d'accommodement comportait une exception à la convention collective et nécessitait le consentement du syndicat. Or, ce dernier a exigé l'annulation de cette proposition et a menacé de déposer un grief de principe. À la suite de vaines tentatives pour s'entendre avec l'employé, le conseil scolaire l'a finalement congédié en raison de son refus de compléter son quart de nuit normal du vendredi.

Dans cette affaire, il a été conclu que le syndicat a contribué à perpétuer la discrimination en refusant la mesure d'accommodement proposée par l'employeur, qui était non seulement raisonnable, mais encore la solution la plus raisonnable en l'espèce. Ainsi, aucune partie ne s'est acquittée de son obligation d'accommodement et pour cette raison, elles ont toutes deux été tenues de remédier à leurs effets préjudiciables.

Source: Cour suprême du Canada, 1992.

Cependant, l'accommodement demandé doit avoir un caractère raisonnable. Si l'employeur estime que l'ajustement demandé crée une contrainte excessive qui gêne la conduite de ses affaires, il n'est pas tenu de prendre une mesure d'adaptation. Il n'y a pas de définition juridique précise de la contrainte excessive ni de la notion d'«accommodement raisonnable», mais le paragraphe 15(2) de la Loi canadienne sur les droits de la personne, identifie trois facteurs à prendre en compte pour déterminer si une mesure d'adaptation crée une contrainte excessive: la santé, la sécurité et les coûts (Commission canadienne des droits de la personne, 2004). Les tribunaux ont également énuméré d'autres facteurs pouvant être considérés, comme la nature du travail effectué, la taille de l'entreprise, la situation financière de l'employeur, le caractère interchangeable des fonctions du poste, les répercussions de l'accommodement sur une convention collective ou sur le moral des employés, ou encore la possibilité d'intégrer graduellement d'importantes mesures d'adaptation.

Si le facteur des coûts est facile à saisir, celui des risques pour la santé ou pour la sécurité peut être plus ambigu. Ainsi, il importe d'évaluer d'une part l'ampleur du risque, et, d'autre part, les personnes qui pourraient en être victimes (Canadian Human Rights Reporter, 1992). Si le risque est assumé entièrement par la personne qui demande la mesure d'adaptation, on peut alors en accepter un degré plus élevé. Cependant, l'employeur doit informer pleinement l'employé de la nature de ce risque, de sorte que la personne puisse décider si elle l'accepte ou non. Par exemple, un employé qui porte un turban peut être dispensé de porter un casque protecteur sur les lieux de travail. En pareil cas, l'employé subit un risque plus élevé de blessure, mais c'est un risque qu'il est seul à prendre. En revanche, lorsque le risque a des répercussions sur d'autres employés ou sur des clients, il est justifié que l'employeur tolère un risque beaucoup moins élevé.

Statistique Canada
www.statcan.ca

2.4 Les résultats de la lutte contre la discrimination

Ainsi, la législation tant québécoise que canadienne a permis de faire des avancées significatives en matière de lutte à la discrimination, comme le montrent les figures 2.1 et 2.2. Ces diagrammes indiquent la progression des taux d'emploi des femmes et des Autochtones, deux groupes historiquement victimes de discrimination sur le marché du travail.

Ces résultats demeurent toutefois insuffisants pour corriger à la source les inégalités dont sont victimes certains groupes de personnes, comme les femmes, les minorités visibles et les Autochtones. Pour ces groupes, la discrimination, loin d'être un acte isolé, tire son origine dans des systèmes, des pratiques et des règles qui ont pour effet de les maintenir dans une situation d'inégalité. La définition plus large de la discrimination, avec l'introduction de la notion de « discrimination systémique », a constitué un premier pas vers l'élimination de cette forme de discrimination.

Pourtant, l'examen des salaires, des professions, des profils de carrière, des taux de chômage et des taux de participation à la population active révèle un large écart entre, d'une part, l'expérience du marché du travail des femmes, des Autochtones, des personnes handicapées et des membres des minorités visibles et, d'autre part, celle des autres personnes en âge de travailler. À titre d'exemple, les figures 2.1 et 2.2 montrent que, malgré la diminution des écarts, les femmes et les Autochtones ont un taux d'emploi moins élevé que les hommes et les non Autochtones respectivement.

Afin de corriger ces inégalités, les gouvernements, tant fédéral que provinciaux, ont adopté des mesures législatives visant à corriger les iniquités vécues par les membres des groupes minoritaires. Ces lois, qui font la promotion de la diversité en emploi, ont évidemment des conséquences sur les activités de dotation. Les prochaines sections détaillent la Loi sur l'équité en matière d'emploi du gouvernement fédéral ainsi que les dispositions similaires adoptées au Québec.

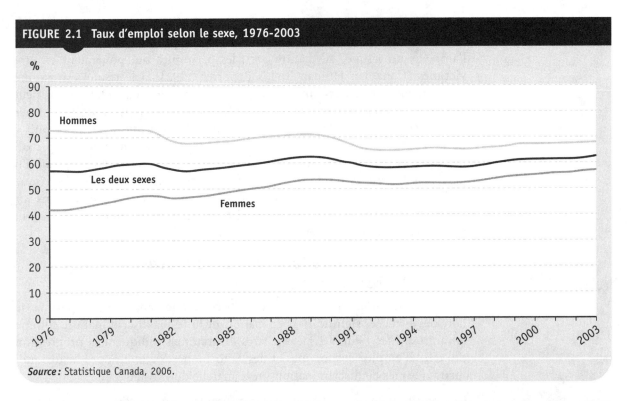

FIGURE 2.1 Taux d'emploi selon le sexe, 1976-2003

Source : Statistique Canada, 2006.

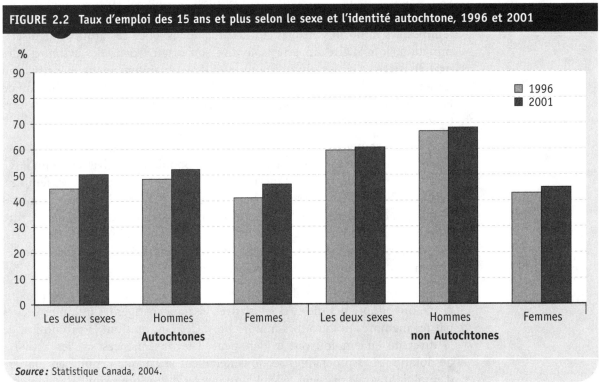

FIGURE 2.2 Taux d'emploi des 15 ans et plus selon le sexe et l'identité autochtone, 1996 et 2001

Source : Statistique Canada, 2004.

3. La promotion de l'équité en emploi

3.1 Les dispositions légales

La législation fédérale

Au niveau fédéral, c'est la Loi sur l'équité en matière d'emploi (Gouvernement du Canada, 1995) qui vise à assurer une représentation équitable aux femmes, aux Autochtones, aux personnes handicapées et aux membres des minorités visibles dans les milieux de travail. Elle touche tous les employeurs de compétence fédérale ayant 100 employés ou plus, l'ensemble de l'administration publique fédérale ainsi que les employeurs signant des contrats d'une valeur minimum de 200 000 $ avec le gouvernement fédéral.

La Loi sur l'équité en matière d'emploi impose aux employeurs d'analyser leur effectif ainsi que leurs politiques et leurs pratiques en matière d'emploi en vue d'élaborer un programme d'équité en emploi. Pour ce faire, elle préconise plusieurs étapes :

1. Effectuer une enquête sur l'effectif, c'est-à-dire collecter des données sur l'appartenance des employés à l'un des quatre groupes désignés.

2. Effectuer une analyse de l'effectif, c'est-à-dire analyser la représentation des membres des groupes désignés dans l'effectif de l'employeur et la comparer à leur représentation dans les segments appropriés de la population active canadienne.

3. Effectuer une étude des systèmes d'emploi, c'est-à-dire examiner les politiques et les pratiques en matière de ressources humaines, pour éliminer celles qui ont un effet discriminatoire ; l'encadré 2.6 détaille les systèmes à analyser.

4. Élaborer et mettre en œuvre un plan visant à corriger les inégalités révélées par l'analyse de l'effectif et l'étude des systèmes d'emploi. Le plan doit comprendre les éléments suivants :
   ° des politiques et des pratiques susceptibles d'accélérer l'intégration des membres des groupes désignés dans l'effectif de l'employeur ;
   ° des mesures visant à supprimer les obstacles à l'emploi décelés dans l'étude des systèmes d'emploi ;
   ° un échéancier pour la mise en œuvre ;
   ° des objectifs numériques à court et à long terme.

5. Surveiller la mise en œuvre du plan et le réviser, si nécessaire.

Les entreprises assujetties à la Loi sur l'équité en matière d'emploi doivent fournir au gouvernement un rapport annuel faisant état des mesures prises pour promouvoir l'équité, des progrès réalisés ainsi que des objectifs à atteindre.

Étude des systèmes, règles et usages en matière d'emploi

[...]

8. Lorsque l'analyse de l'effectif effectuée conformément à l'article 6 révèle une sous-représentation des membres de groupes désignés dans des catégories professionnelles de son effectif, l'employeur procède à l'étude de ses systèmes, règles et usages d'emploi afin de déterminer si ceux-ci constituent des obstacles à l'emploi des personnes faisant partie des groupes désignés.

9. **(1)** Sous réserve de l'article 10, pour déterminer si ses systèmes, règles et usages d'emploi constituent des obstacles à l'emploi aux termes de l'article 8, l'employeur étudie les systèmes, règles et usages d'emploi applicables à chacune des catégories professionnelles dans lesquelles il y a sous-représentation, quant aux questions suivantes :

   a) la recherche, la sélection et le recrutement des salariés ;

   b) la formation et le perfectionnement des salariés ;

   c) l'avancement des salariés ;

   d) le maintien et la cessation de fonctions des salariés ;

   e) les mesures d'adaptation raisonnables compte tenu des besoins spéciaux des membres des groupes désignés.

   (2) Si, à la suite de l'étude effectuée aux termes du paragraphe (1), l'employeur met en œuvre de nouveaux systèmes, règles et usages d'emploi touchant les questions qui y sont mentionnées, il en fait alors l'étude relativement aux mêmes questions.

10. L'employeur qui, avant l'entrée en vigueur du présent règlement, a déjà fait l'étude de ses systèmes, règles et usages d'emploi quant aux questions mentionnées au paragraphe 9(1) pour la totalité ou pour une partie de son effectif, n'est pas tenu de procéder à une nouvelle étude à l'égard des mêmes questions si les résultats de l'étude précédente sont vraisemblablement les mêmes que ceux que permettrait d'obtenir une étude menée en application du paragraphe 9(1).

Source : Gouvernement du Canada, 2006.

La législation québécoise

Au Québec, trois textes de loi encadrent l'équité en emploi.

Au Québec, plusieurs textes de loi font la promotion de l'équité en emploi. D'une part, la partie III de la Charte des droits et libertés de la personne, entrée en vigueur en juin 1985, encadre l'élaboration et l'implantation de programmes d'accès à l'égalité dans les entreprises et les organisations québécoises. En vertu de la Charte, des programmes d'accès à l'égalité peuvent être établis sur une base volontaire, par toute entreprise ou organisation qui le désire. Cependant, l'établissement d'un tel programme est obligatoire si, à la suite d'une enquête, la Commission des droits de la personne et des droits de la jeunesse du Québec le recommande. Les programmes d'accès à l'égalité sont également imposés aux entreprises de plus de 100 employés qui obtiennent du gouvernement provincial un contrat ou une subvention de 100 000 $ et plus.

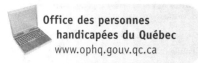
Office des personnes handicapées du Québec
www.ophq.gouv.qc.ca

D'autre part, la Loi sur l'accès à l'égalité en emploi dans les organismes publics (Gouvernement du Québec, 2000a), entrée en vigueur en avril 2001, institue un cadre particulier d'accès à l'égalité dans l'ensemble des organismes publics du Québec. Cette Loi s'applique à tous les organismes publics employant 100 personnes et plus, incluant, entre autres, les organismes municipaux, scolaires et ceux du secteur de la santé et des services sociaux.

Contrairement au gouvernement fédéral qui a identifié quatre groupes cibles (les femmes, les Autochtones, les personnes handicapées et les membres des minorités visibles), le gouvernement du Québec en a retenu trois qui doivent bénéficier d'un programme d'accès à l'égalité selon la Charte des droits et libertés de la personne et selon la Loi sur l'accès à l'égalité en emploi dans des organismes publics : les femmes, les Autochtones (Indiens, Inuits et Métis du Canada) et les membres des minorités visibles ou ethniques. Ce dernier groupe comprend les personnes membres d'une minorité en raison de leur race ou de la couleur de leur peau, ou dont la langue maternelle n'est ni le français, ni l'anglais. Les personnes handicapées n'ont pas été retenues comme cible en raison de l'introduction, dans la Loi assurant l'exercice des droits des personnes handicapées en vue de leur intégration sociale, professionnelle et scolaire (Gouvernement du Québec, 1978), de l'obligation pour les entreprises de 50 salariés ou plus d'élaborer des plans d'embauche à leur intention afin de leur assurer une représentation équitable. Cette Loi constitue donc une troisième disposition légale visant à promouvoir l'équité en emploi au Québec.

Tout comme au gouvernement fédéral, les programmes d'accès à l'égalité établis en vertu de la législation québécoise comportent une série d'étapes pour atteindre les objectifs de représentation équitable (Commission des droits de la personne et des droits de la jeunesse du Québec, 2003b) :

- Les organisations doivent d'abord procéder à l'analyse de leurs effectifs afin de déterminer le nombre de personnes faisant partie de chacun des groupes visés par la Loi.
- Elles doivent ensuite transmettre à la Commission leur rapport d'analyse d'effectifs. La Commission établit alors s'il y a sous-représentation des groupes visés par la Loi dans certains types d'emplois, comme l'illustre l'encadré 2.7. Pour montrer qu'il y a sous-représentation, il faut établir la proportion de personnes membres de chacun des groupes visés qui, dans la région, possèdent les compétences objectives minimales pour occuper l'emploi ; c'est ce que l'on appelle le taux de disponibilité. Ces données sont extraites de diverses banques statistiques, dont celles du recensement canadien et de la Classification nationale des professions. La sous-représentation correspond à l'écart entre le taux de disponibilité des membres des groupes visés et leur taux de représentation au sein des effectifs de l'entreprise.

La sous-représentation est l'écart entre le taux de disponibilité et le taux de représentation dans l'entreprise.

> ### ENCADRÉ 2.7 Exemple de sous-représentation
>
> Pour déterminer s'il y a sous-représentation des groupes visés par la Loi dans un organisme, la Commission compare, pour chaque type d'emploi, les données soumises par l'organisme dans son analyse d'effectifs avec les données les plus récentes sur la représentation, dans la zone appropriée de recrutement, des personnes compétentes et aptes à acquérir la compétence pour occuper cet emploi.
>
> Par exemple, pour un emploi de technicien ou technicienne en informatique dans la région de Montréal, s'il y a 7 % de femmes occupant un tel emploi dans un organisme, mais qu'il y a 19 % de femmes compétentes pour occuper un tel emploi dans la région, l'écart de 12 % constitue le pourcentage de sous-représentation.
>
> *Source :* Commission des droits de la personne et des droits de la jeunesse du Québec, 2006.

- En cas de sous-représentation, les organisations sont tenues d'élaborer un programme de redressement et de le transmettre à la Commission. Le programme d'équité en emploi, également appelé « programme d'accès à l'égalité », peut inclure des objectifs quantitatifs par type d'emploi ou par regroupement de types d'emploi, des mesures de redressement temporaires fixant des objectifs de recrutement et de promotion, des mesures d'égalité de chances, des mesures de soutien pour éliminer les pratiques de gestion discriminatoires et un échéancier pour l'implantation des mesures proposées et l'atteinte des objectifs fixés. Par la suite, les organisations doivent remettre un rapport à la Commission tous les trois ans afin de faire le point sur l'implantation de leurs programmes.
- Lorsqu'il n'y a pas de sous-représentation, les organismes n'ont pas à élaborer de programme. Cependant, ils doivent veiller au maintien d'une représentation des groupes visés par la Loi, représentation équivalente à leur disponibilité sur le marché du travail.

Les dispositions légales favorisant l'équité en emploi, que ce soit sous juridiction fédérale ou québécoise, vont donc plus loin qu'une simple interdiction de la discrimination. Dans les faits, elles imposent aux organisations l'adoption de mesures proactives pour rétablir une représentation équitable des groupes historiquement désavantagés sur le marché de l'emploi. Bien que ces dispositions touchent l'ensemble des pratiques de gestion des ressources humaines, notamment les promotions, elles ont des répercussions particulièrement importantes sur les activités de dotation.

3.2 Les répercussions des lois visant l'équité en emploi sur les activités de dotation

En premier lieu, les lois favorisant l'équité en emploi exigent des organisations qu'elles révisent leurs processus de sélection pour éliminer toutes les pratiques discriminatoires. Par exemple, les services de police de l'Ontario ont progressivement éliminé, au cours des années 1990, les exigences relatives au poids et à la taille, critères qui ne constituaient pas une exigence professionnelle justifiée et qui avaient pour effet de discriminer de façon indirecte les femmes et les membres de certaines communautés ethniques (Niemi, 2004).

Cette révision des processus de sélection a essentiellement pour effet d'éliminer les discriminations directe et indirecte. Mais les programmes d'équité en emploi exigent également que soit éliminée la discrimination systémique. Pour ce faire, les organisations soumises à un programme d'accès à l'égalité doivent collecter des données sur l'appartenance de leurs employés à l'un des groupes désignés. Ainsi, l'employeur demande à chaque employé de déclarer, de façon volontaire, son groupe d'appartenance. L'annexe B présente le questionnaire de déclaration volontaire qu'utilise l'Agence de gestion des ressources humaines de la fonction publique du Canada afin de gérer ses pratiques de dotation, tel que l'illustre l'encadré 2.8.

Alliance de la fonction publique du Canada
www.spac.com

ENCADRÉ 2.8 **AFPC : une annonce d'emploi qui fait sursauter certains intéressés**

Dans une [annonce] d'emploi qu'elle vient de faire paraître sur son site Internet, l'Alliance de la fonction publique du Canada est à la recherche d'un représentant régional bilingue pour une durée déterminée dans la région de Gatineau. D'ores et déjà, le syndicat annonce que le ou la candidat(e) retenu(e) sera « une personne raciale visible qualifiée ». L'[annonce] a évidemment fait sursauter certains intéressés qui ont pu ainsi croire en un cas typique de discrimination envers ceux qui ne sont pas des minorités visibles. Malgré les apparences, cette [annonce] d'emploi n'a absolument rien de discriminatoire. Au contraire, elle respecte en tout point la Loi sur l'équité en matière d'emploi qui requiert, outre un traitement identique des personnes, des mesures spéciales et des aménagements adaptés aux différences pour des personnes qui font partie de groupes spécifiques comme les minorités visibles, les femmes, les Autochtones ou les personnes handicapées. À l'AFPC, un responsable au service des ressources humaines a expliqué [...] au Droit que l'assemblée générale a adopté sa politique en 1992, et qu'elle a depuis mis en œuvre un programme d'action affirmative visant l'équité en matière d'emploi au sein de son personnel pour les divers groupes désignés par la Loi. Deux fois par année, l'AFPC fait une mise à jour de son personnel et de la représentativité des groupes désignés par la Loi. Lorsqu'elle constate des écarts, elle décide alors de privilégier de façon active les groupes qui sont sous-représentés. Dans le cas présent, l'AFPC a constaté en septembre dernier que les minorités visibles, qui représentent 13,8 % des employés professionnels au Canada, ne représentent que 8,3 % au sein de son personnel qui compte 320 employés à travers le pays.

Une question d'équité

Dans le cadre de sa politique d'équité en matière d'emploi, il a donc été décidé d'offrir de façon active ce poste à une personne raciale visible qualifiée afin de réduire l'écart constaté de 5,3 %. Contrairement aux ministères fédéraux ou d'autres grandes organisations, l'AFPC affiche dans l'[annonce] d'emploi qu'elle souhaite retenir les services d'une personne d'un groupe désigné afin de s'assurer, nous a-t-on expliqué, que les objectifs d'équité seront atteints. Dans les ministères fédéraux, une telle précision n'est pas faite aussi clairement dans [les annonces] d'emploi, mais les responsables s'assurent que des représentants des groupes désignés feront partie des candidats.

Source : Gaboury, 2005.

La proportion des membres des groupes désignés au sein de l'organisation est ensuite comparée à leur taux de représentation dans le bassin de main-d'œuvre pertinent, parfois appelée représentation externe. La détermination du bassin de main-d'œuvre aux fins de comparaison tient compte de la catégorie professionnelle, de la région géographique et de critères de compétence ou d'admissibilité. Ainsi, un programme d'équité en emploi exige d'une organisation qu'elle compare la proportion de membres des groupes désignés dans son effectif à celle de la main-d'œuvre disponible pour l'emploi.

Afin d'aider les employeurs à établir les données relatives à la représentation externe, plusieurs organismes publics mettent à la disposition des employeurs des renseignements sur la disponibilité des membres des groupes visés. Ainsi, la Commission canadienne des droits de la personne et le ministère des Ressources humaines et du Développement social du Canada fournissent aux entreprises sous juridiction fédérale des données sur la présence des femmes, des minorités visibles, des personnes handicapées et des Autochtones sur le marché du travail. Ces données, qui proviennent du plus récent recensement du Canada et de l'Enquête sur la santé et les limitations d'activités, sont fournies par le Rapport statistique sur l'équité en matière d'emploi (Gouvernement du Canada, 1996b). Au Québec, la Commission des droits de la personne et des droits de la jeunesse du Québec offre aux employeurs un service d'analyse de disponibilités adapté aux besoins particuliers de chaque organisation.

Service de police de la Ville de Montréal
www.spvm.qc.ca

Par exemple, le tableau 2.3 présente le bilan de l'analyse comparée effectuée par le Service de police de la Ville de Montréal (SPVM). Le taux de disponibilité des membres de groupes désignés a été calculé par la Commission des droits de la personne et des droits de la jeunesse du Québec en tenant compte des critères de scolarité et d'âge, conformément à la Loi sur la police (Gouvernement du Québec, 2000b). Ce tableau montre que les femmes, les membres des minorités visibles et, dans une moindre mesure, les Autochtones, sont sous-représentés (ou sous-utilisés) dans les effectifs policiers de la Ville de Montréal.

TABLEAU 2.3 Analyse de l'effectif policier du SPVM (2005)

Groupes	Taux de disponibilité	Taux de présence	Sous-utilisation
Autochtones	0 %	0,4 %	Nulle
Minorités ethniques	6 %	7 %	Nulle
Femmes	43 %	32 %	11 %
Minorités visibles	8 %	6 %	2 %

Source : Service de police de la Ville de Montréal, 2005.

Mais les répercussions des programmes d'accès à l'égalité sur les activités de dotation ne se limitent pas à l'identification des groupes sous-représentés. Les employeurs doivent également établir des objectifs, définir une stratégie de dotation et mettre en place des actions spécifiques pour favoriser l'embauche des membres des groupes sous-représentés. Ces actions peuvent prendre diverses formes.

Un recrutement ciblé

Un recrutement ciblé permet d'augmenter le nombre de candidats venant des groupes visés.

Pour augmenter le nombre de nouvelles recrues issues des groupes désignés par les programmes d'accès à l'égalité, il faut commencer par accroître le nombre de candidats provenant de ces groupes. Par exemple, une organisation ne peut pas espérer embaucher des femmes s'il n'y a que des hommes parmi les candidats. En revanche, un recrutement ciblé auprès des groupes visés par les lois sur l'équité en emploi permet d'accroître le nombre de candidats issus de ces groupes, et augmente donc les chances que ces candidats soient embauchés.

Ainsi, une entreprise peut faire paraître une annonce pour un poste dans un journal lu par les membres d'une communauté ethnique, ou dans le journal local d'un quartier multiculturel. Traduire les annonces d'emploi dans la langue d'une communauté culturelle, ou préciser dans ces annonces que l'employeur favorise la diversité en emploi, sont d'autres moyens d'augmenter la proportion de candidats issus des groupes désignés. Les employeurs peuvent également s'adresser à des organismes communautaires, par exemple des associations d'aide aux immigrants ou aux femmes, afin de leur demander de publiciser une annonce d'emploi auprès de leurs bénéficiaires. Lorsqu'elles participent à des salons ou à des foires d'emploi, les entreprises peuvent veiller à être représentées par des employés issus des groupes cibles, ce qui envoie un message positif en matière d'accès à l'égalité. À titre d'exemple, l'encadré 2.9 offre un aperçu de certaines activités de recrutement ciblées réalisées par le Service de police de la Ville de Montréal pour atteindre ses objectifs de représentation des groupes cibles.

Une attention particulière lors de la sélection

Néanmoins, augmenter le nombre de candidats féminins, autochtones ou issus des minorités visibles ou des minorités ethnoculturelles ne suffit pas pour atteindre l'équité en emploi; encore faut-il que ces candidats soient retenus. Pour cela, un programme d'accès à l'égalité exige qu'une attention particulière soit portée aux activités de sélection.

Air Canada
www.aircanada.com

Les critères de sélection doivent être définis avec soin en fonction des compétences requises pour exercer l'emploi. Mais cela n'est pas toujours suffisant, comme Air Canada l'a appris à ses dépens. En préparation à l'ouverture de lignes aériennes vers l'Asie, Air Canada a lancé, dans les années 1990, une vaste campagne de recrutement d'agents de bord parlant mandarin et cantonais. Bien entendu, les candidatures générées provenaient en grande majorité de personnes issues de la communauté chinoise.

1) *Tenue de kiosques de recrutement :*
   - Kiosque de recrutement lors de la Semaine de la police ;
   - Kiosque de recrutement au parc Kent lors d'un tournoi de soccer de la communauté marocaine ;
   - Kiosque de recrutement ciblé lors de la Fête coréenne à Lachine ;
   - Kiosque de recrutement au tournoi de soccer de la communauté haïtienne au parc Marquette, des cartes postales de recrutement ont été distribuées ;
   - Kiosque de recrutement dans le cadre de la célébration du Nouvel An chinois à l'Hippodrome.

2) *Conférences/rencontres :*
   - Conférence MABPP (Montreal Association of black persons and professionals) au Mosonik Hall ;
   - Conférence au Secrétariat du Conseil du Trésor du Canada.

3) *Documentation adressée aux policiers issus de minorités visibles et aux agents sociocommunautaires du SPVM :*
   - Lettre distribuée à tous les policiers issus du groupe des minorités visibles ainsi qu'aux agents sociocommunautaires, dans le but de solliciter leur participation dans le recrutement de policiers conventionnels ;
   - Lettre explicative sur le programme des policiers conventionnels envoyée à 181 agents issus du groupe des minorités visibles et à 92 agents sociocommunautaires, dans le but de démystifier le recrutement des policiers conventionnels ;
   - Pochettes adressées aux commerçants, incluant des informations sur le recrutement des policiers, distribuées aux agents sociocommunautaires du secteur Rivière-des-Prairies ;
   - Lot de 100 cartes postales distribué à différents organismes communautaires par les agents sociocommunautaires du secteur Rivière-des-Prairies.

4) *Affichage dans les bureaux d'Accès Montréal et dans les bureaux des arrondissements de la Ville de Montréal.*

5) *Annonce relative au recrutement des policiers sur des sites Internet.*

6) *Diffusion dans les Publi-Sacs dans un quartier ciblé à forte concentration ethnique.*

7) *Publication d'un article sur la nouvelle approche de recrutement dans l'*Heure Juste.

8) *Affichage dans les voitures de métro de la STM* (400 affiches apposées dans les voitures de métro).

9) *Entrevues accordées par la conseillère en recrutement :*
   - Entrevue accordée à une journaliste du journal étudiant de l'Université de Montréal *Quartier libre*. L'entrevue portait sur l'ensemble du recrutement des minorités visibles ;
   - Entrevue accordée à un représentant du MRCI (ministère des Relations avec les citoyens et de l'Immigration). L'entrevue portait, entre autres, sur le recrutement de policiers asiatiques ;
   - Entrevue accordée à un professeur de sociologie de l'Université de Montréal. L'entrevue portait sur le recrutement des candidats issus du groupe des minorités visibles du SPVM ;
   - Quatre entrevues accordées à la radio haïtienne (CPAM).

10) *Publication dans les journaux locaux et nationaux.*

11) *Publication dans les universités, les associations étudiantes, etc. :*
   - Annonce sur le recrutement de policiers envoyée à 32 associations étudiantes universitaires ;
   - Affiches, dépliants et articles promotionnels envoyés à 159 associations communautaires ;
   - Publication dans le cahier *Images interculturelles* dans le cadre de la Semaine contre le racisme.

Faits saillants : Inscription de 15 candidats à l'AEC en octobre 2003, dont 14 sont issus du groupe des minorités visibles.

Source : Service de police de la Ville de Montréal, 2004.

Parmi les critères de sélection figurait la confiance en soi, évaluée lors d'entrevues effectuées par un comité de sélection. Les résultats des entrevues furent très décevants : une proportion importante des candidats étaient refusés, car ils ne répondaient pas au critère de confiance en soi. Il s'avère que les membres du comité de sélection, issus de la majorité, accordaient une grande importance au fait que le candidat les regarde dans les yeux, et jugeaient comme timide et peu assuré un candidat qui détournait le regard. Or, dans la culture asiatique, détourner le regard est une marque de respect, tandis que soutenir le regard de son interlocuteur est au contraire considéré comme arrogant.

Cet exemple illustre bien que le simple fait de définir les compétences requises (ici, la confiance en soi) ne garantit pas que le processus de sélection sera exempt de discrimination systémique. Il faut aussi porter une attention particulière à la façon dont ces critères seront mesurés, surtout dans le cas de critères pouvant être influencés par l'origine ou le sexe des candidats. Nous reviendrons sur ces principes au chapitre 11.

La façon dont les critères de sélection sont mesurés doit être exempte de biais.

L'exemple d'Air Canada montre également l'importance de sensibiliser les membres des comités de sélection aux efforts déployés pour atteindre l'équité en emploi. Les actions entreprises pour augmenter le nombre de candidats issus des groupes cibles resteront vaines si ces candidats sont par la suite évalués sur des critères mal compris ou mal mesurés.

La création d'un climat de travail valorisant la diversité

Finalement, au-delà des activités spécifiques de recrutement et de sélection des candidats, les employeurs ont tout intérêt à créer un climat de travail valorisant la diversité afin d'encourager l'arrivée de nouveaux employés issus des groupes cibles. Les pratiques d'accueil, d'intégration et de socialisation, qui sont abordées dans un chapitre ultérieur de cet ouvrage, participent pleinement à créer un milieu de travail favorable à l'atteinte des objectifs de diversité. D'ailleurs, la Commission des droits de la personne et des droits de la jeunesse du Québec (2003b) inclut l'accueil et l'intégration à l'organisation dans les éléments du système d'emploi à analyser pour éliminer la discrimination.

Banque Nationale du Canada
www.bnc.ca

Il existe plusieurs stratégies pour créer un climat favorable à la diversité. Par exemple, la Banque Nationale du Canada a organisé en 2005 une semaine de la diversité, au cours de laquelle plusieurs activités étaient proposées : kiosques d'information sur différentes cultures, musique internationale, démonstration de chien guide de la Fondation Mira, etc. En 2003, la même institution avait sensibilisé ses employés en les invitant à monter une rampe d'accès en fauteuil roulant, à manger les yeux bandés ou à marcher accompagnés d'un chien guide (Banque Nationale du Canada, 2003). Mais plus que ces actions symboliques, c'est la représentation réelle de tous les groupes de la société au sein d'une entreprise qui favorise réellement une modification de la culture de l'organisation.

Au-delà des actions pour protéger les droits et libertés des individus en matière d'accès à l'emploi, les gouvernements ont aussi adopté des lois encadrant l'utilisation des informations qu'un employeur détient concernant ses employés ou ses candidats. Ces dispositions font l'objet de la section suivante.

4. La protection de la vie privée

4.1 Les dispositions légales

Commissariat à la protection de la vie privée du Canada
www.privcom.gc.ca

Le Canada compte deux lois sur la protection des renseignements personnels : la Loi sur la protection des renseignements personnels (Gouvernement du Canada, 1985c), qui s'applique aux ministères et aux organismes fédéraux, et la Loi sur la protection des renseignements personnels et les documents électroniques (Gouvernement du Canada, 2000), à laquelle sont assujetties les organisations du secteur privé sous juridiction fédérale. L'une et l'autre encadrent la collecte, l'utilisation et la communication de renseignements personnels, notamment ceux qui ont trait à leurs employés. Le Commissariat à la protection de la vie privée du Canada est chargé de la vérification de l'application de ces deux lois fédérales.

En outre, chaque province et chaque territoire a promulgué des lois sur la protection des renseignements personnels qui régissent la collecte, l'utilisation et la communication de renseignements personnels détenus par des organismes gouvernementaux. Cependant, la Colombie-Britannique, l'Alberta et le Québec sont les seules provinces à avoir étendu ces lois à l'ensemble des entreprises et des organisations du secteur privé. Au Québec, ces lois s'appuient sur les articles 35 à 41 du Code civil (Gouvernement du Québec, 1991).

Commission d'accès à l'information du Québec
www.cai.gouv.qc.ca

Au Québec, la Commission d'accès à l'information administre donc deux lois : d'une part, la Loi sur l'accès aux documents des organismes publics et sur la protection des renseignements personnels (Gouvernement du Québec, 1982), à laquelle sont assujetties toutes les organisations provinciales et municipales ; d'autre part, la Loi sur la protection des renseignements personnels dans le secteur privé (Gouvernement du Québec, 1993), qui s'adresse à toute entreprise privée sous juridiction provinciale.

Ces lois, que ce soit d'ordre fédéral ou provincial, ont pour but d'assurer la protection des renseignements personnels détenus par les organisations privées et publiques. Elles ont donc des conséquences sur l'ensemble de la vie des citoyens. Cependant, dans la section qui suit, nous nous contenterons d'examiner leur impact sur les activités de dotation, en limitant notre analyse aux aspects des lois relatifs aux employés des organisations publiques ou privées.

4.2 Les répercussions sur les activités de dotation

Les dispositions légales, au Québec comme au Canada, établissent deux points fondamentaux : d'une part, les personnes ont droit à la protection de leurs renseignements personnels; d'autre part, les organisations ont besoin de recueillir, d'utiliser et de communiquer des renseignements personnels sur leurs candidats ou leurs employés. Afin de concilier ces deux réalités, les employeurs doivent respecter un certain nombre de principes qui garantissent que les renseignements personnels ne seront recueillis, utilisés ou communiqués qu'à des fins acceptables. Ces principes touchent notamment:

- La responsabilité: l'employeur est responsable des renseignements personnels dont il a la gestion.
- Les buts de la collecte des renseignements: l'employeur doit spécifier les fins auxquelles des renseignements personnels sont recueillis avant la collecte ou au moment de celle-ci.
- Le consentement: l'employé doit être informé de toute collecte, utilisation ou communication de renseignements personnels qui le concernent et y consentir.
- La limitation de la collecte: l'employeur ne peut recueillir que les renseignements personnels nécessaires aux fins déterminées.
- La limitation de l'utilisation, de la communication et de la conservation: à moins que l'employé concerné n'y consente ou que la loi ne l'exige, l'employeur ne doit pas utiliser ou communiquer les renseignements personnels à des fins autres que celles auxquelles il les a recueillis et il ne doit les conserver qu'aussi longtemps que nécessaire pour la réalisation des fins déterminées.
- L'exactitude: les renseignements personnels concernant les employés doivent être exacts, complets et à jour.
- Les mesures de sécurité: les renseignements personnels doivent être protégés au moyen de mesures de sécurité appropriées.
- La transparence: l'employeur doit faire connaître à son personnel ses politiques et ses pratiques en matière de renseignements personnels.
- L'accès aux renseignements personnels: l'employé doit avoir accès aux renseignements personnels qui le concernent et doit pouvoir constater l'exactitude et l'intégralité de ces renseignements. Le cas échéant, l'employé a le droit d'exiger la rectification des informations inexactes, incomplètes ou équivoques le concernant. L'encadré 2.10 illustre ce principe.

Ces principes s'appliquent autant aux employés recrutés qu'aux candidats. Ainsi, un candidat peut raisonnablement s'attendre à ce que les renseignements personnels collectés au sujet de sa candidature ne servent pas à d'autres fins, et qu'ils seront détruits dans un délai raisonnable si sa candidature n'est pas retenue. Il arrive cependant qu'une organisation souhaite conserver un dossier, par exemple dans le cas où le candidat ne correspond pas exactement aux besoins du poste, mais qu'il pourrait convenir pour un autre poste. Dans ce cas, la loi exige que l'employeur obtienne le consentement du candidat pour conserver son dossier.

ENCADRÉ 2.10 Exemple de cas d'accès aux renseignements personnels

Deux employés ont déposé une plainte au Commissariat à la protection de la vie privée du Canada, prétendant que leur employeur, une autorité aéroportuaire, a refusé de leur communiquer les résultats d'un concours auquel ils avaient été candidats.

Les deux candidats avaient participé, sans succès, à un concours pour obtenir le même poste à l'aéroport. Chacun d'entre eux a écrit par la suite à l'aéroport afin d'obtenir une copie de son dossier, précisant que les évaluations pour le poste en question devait être incluses. Après plusieurs semaines d'attente sans réponse, chacun d'entre eux a déposé une plainte auprès du Commissariat. Plus de cinq mois après leur demande initiale, l'aéroport a finalement permis aux plaignants d'examiner leurs renseignements personnels relativement à leurs candidatures au concours. Le commissaire a établi que l'aéroport avait dérogé à la loi, car il n'avait communiqué aux plaignants leurs renseignements personnels que bien après le délai de 30 jours prescrit par la Loi sur la protection des renseignements personnels et des documents électroniques.

Source: Gouvernement du Canada, 2002.

Les dispositions légales relatives à la protection des renseignements personnels encadrent également la vérification des antécédents ou des références d'un candidat. En effet, ces informations constituent des renseignements personnels au sens de la loi, et elles ne peuvent donc être vérifiées sans l'accord écrit du candidat. L'encadré 2.11 présente un modèle de formulaire de consentement à l'examen des antécédents que l'employeur potentiel doit faire remplir par les candidats et leur faire signer. Sinon, il devra se contenter, pour la vérification des antécédents, d'informations d'ordre public comme l'inscription dans un ordre professionnel.

ENCADRÉ 2.11 Exemple de formulaire de consentement à l'examen des antécédents

J'autorise ....

de .... (entreprise/organisme)

à communiquer avec les personnes nommées ci-dessous, afin d'obtenir des données factuelles ainsi que des opinions sur mon travail à chacun de ces endroits.

Nom : ....

Titre : ....

Entreprise : ....

Téléphone : ....

Contexte de la relation : ....

Dates et durée de la relation : ....

Source: Emploi-Québec, 2001.

On ne peut vérifier les références sans l'accord écrit du candidat.

Il est à noter que la loi protège autant la collecte de renseignements que leur détention et leur divulgation. La même règle de consentement s'applique donc aux personnes qui sont contactées pour fournir des références au sujet d'une candidature. Ainsi, un ancien employeur devrait exiger d'obtenir une copie du formulaire de consentement signé par le candidat avant de divulguer quelque information que ce soit.

Toutes les dispositions légales examinées précédemment couvrent l'ensemble des travailleurs, en fonction du domaine d'application de chaque loi. Cependant, à ces dispositions légales s'ajoutent, en milieu syndiqué, certaines clauses de conventions collectives. La section suivante détaille l'impact des conventions collectives sur les activités de dotation.

5. Les conventions collectives

En principe, les activités de sélection relèvent des droits de la direction. Cependant, une convention collective signée entre un employeur et le syndicat représentant ses employés peut encadrer ce droit de gérance. Bien que chaque convention collective soit unique, les clauses touchant les activités de dotation traitent principalement de la priorité donnée aux employés à l'interne, et de la priorité donnée à l'ancienneté. Le tableau 2.4 illustre l'importance de l'ancienneté dans l'attribution des promotions et des postes vacants dans les conventions collectives au Québec.

TABLEAU 2.4	Importance de l'ancienneté dans l'attribution des promotions et des postes vacants			
	Nombre de salariés visés	Pourcentage des salariés visés (%)	Nombre de conventions collectives analysées	Pourcentage des conventions collectives analysées (%)
Aucune disposition	10 861	4,77	45	7,34
Ancienneté seulement	823	1,06	10	0,56
Ancienneté prime à la condition que les qualifications soient suffisantes	104 163	74,89	707	70,40
Ancienneté prime lorsque les qualifications sont équivalentes	21 156	12,29	116	14,30
Ancienneté est un facteur parmi d'autres	6 103	1,69	16	4,12
Autre disposition	4 853	5,30	50	3,28
Total	147 959	100,00	944	100,00

Source : Gouvernement du Québec, 2004

5.1 La priorité aux employés de l'organisation

Il arrive souvent qu'une convention collective précise que lorsqu'un poste devient vacant, il est offert en priorité aux employés actuels de l'organisation. Par exemple, une convention collective peut exiger que l'employeur n'aille recruter à l'externe que lorsqu'il aura évalué et rejeté toutes les candidatures des employés de l'organisation.

D'autres clauses stipulent uniquement la durée et le mode d'affichage du poste à l'interne, mais la priorité n'est pas donnée aux employés de l'organisation. Dans ce cas, l'employeur pourra afficher le poste à l'externe après l'avoir annoncé à l'interne, mais toutes les candidatures retenues seront ensuite examinées en même temps, quelle que soit leur provenance.

5.2 La priorité donnée à l'ancienneté

Les clauses d'ancienneté privilégient les candidats les plus anciens lors de l'attribution de postes.

Les clauses dites « d'ancienneté » peuvent affecter différentes pratiques de gestion des ressources humaines en contexte syndiqué. Par exemple, dans une société de transport, les meilleurs horaires et les routes les plus agréables seront attribués aux chauffeurs ayant le plus d'ancienneté.

En matière de dotation, les clauses d'ancienneté s'appliquent lors de l'octroi d'un poste à un candidat de l'interne. Il existe deux types de clauses d'ancienneté : « à compétences minimales » et « à compétences égales ».

Une clause d'ancienneté à compétences minimales privilégie le candidat le plus ancien, à condition qu'il ait les compétences minimales pour exercer l'emploi, comme l'illustre l'encadré 2.12. Dans ce cas, la personne chargée de la dotation examinera en premier lieu la liste d'ancienneté des candidats jusqu'à ce qu'elle trouve quelqu'un qui, en plus d'une grande ancienneté, possèdera la compétence minimale nécessaire pour accomplir immédiatement les tâches liées au poste (Gérin-Lajoie, 2004).

Dans le cas d'une clause d'ancienneté à compétences égales, le processus est inverse. La personne chargée de la dotation examinera en premier lieu les compétences des candidats et choisira celui qui est le plus compétent, même si

---

ENCADRÉ 2.12   **Exemple de clause d'ancienneté à compétences minimales**

Convention collective de travail entre Abitibi Consolidated inc. et les Métallurgistes unis d'Amérique 1999-2004

27.07   Affichage

[…]

b) Le choix d'un candidat est fait selon l'ancienneté parmi les salariés réguliers qui ont soumis leur candidature et qui possèdent les aptitudes et les qualifications requises. La liste des candidats épuisée, la Compagnie comble le poste à son gré.

Source : Négothèque, s. d.

Abitibi Consolidated
www.abitibiconsolidated.com

Métallurgistes unis d'Amérique
www.uswa.org

ses compétences excèdent ce qui est minimalement requis par l'emploi. Ce n'est que dans le cas où deux candidats seraient évalués comme ayant des compétences égales que l'ancienneté serait considérée pour les départager. L'encadré 2.13 propose un exemple de clause d'ancienneté libellée de cette façon, tandis que l'encadré 2.14 présente une clause dans laquelle l'ancienneté n'est pas absolue, c'est-à-dire que certains postes sont pourvus par l'ancienneté à compétences minimales, tandis que d'autres postes le sont par le seul critère des compétences.

ENCADRÉ 2.13 **Exemple de clause d'ancienneté à compétences égales**

Convention collective entre la Société Radio-Canada et la Guilde canadienne des médias
22 novembre 2001 – 31 mars 2004

Article 110

EMBAUCHAGE ET PROMOTION

110.1

Lorsque la Société pourvoit un poste vacant ou un nouveau poste, elle engage la personne qui répond le mieux aux qualités et critères fixés dans l'avis du poste à pourvoir et dans l'énoncé des qualités (annexe O). Si elle a à choisir entre deux (2) candidats internes qui satisfont à peu près au même degré aux qualités et critères fixés, elle accordera la préférence au candidat ayant le plus d'ancienneté.

Source : Négothèque, s. d.

Société Radio-Canada
www.radio-canada.ca

Guilde canadienne des médias
www.cmg.ca

ENCADRÉ 2.14 **Exemple de clause d'ancienneté non absolue**

Convention collective entre TUAC et IGA, Alimentation de la Seigneurie inc., 2002-2008

Article 5

ANCIENNETÉ

[...]

5.10 A) Dans tous les cas de promotion ou de poste vacant et/ou fonction disponible que l'Employeur entend combler, la préférence sera accordée au salarié qui a le plus d'ancienneté, en autant que le salarié puisse remplir les exigences normales de la tâche.

Nonobstant ce qui est stipulé ci-dessus, s'il s'agit de poste de boucher, de poissonnier, de responsable et d'assistant-gérant, l'Employeur accorde le poste à la personne qui possède les qualifications pour remplir le poste, selon les besoins de l'entreprise.

Source : Négothèque, s. d.

Travailleurs et travailleuses unis de l'alimentation et du commerce
www.tuac-canada.ca/fr

IGA
www.iga.net

Il est donc indispensable, dans un milieu syndiqué, que la personne responsable des activités de dotation connaisse de façon approfondie les clauses des conventions collectives susceptibles d'influencer le recrutement ou la sélection. Le non-respect d'une telle clause peut entraîner l'annulation du processus de dotation, l'attribution du poste à un autre candidat ou le versement de dommages au candidat lésé. L'encadré 2.15 en donne un exemple.

ENCADRÉ 2.15 **Respect de la clause d'ancienneté dans l'attribution de poste**

Union des employés et employées de service, section locale 800 c. Intertape Polymer inc.

L'Union des employés et employées de service conteste la procédure suivie par l'employeur afin de combler un poste, notamment en raison du manque de respect de la clause 13.6, paragraphe 2, qui se lit comme suit:

> 13.6, § 2. [...] Dans le cas d'un poste vacant de cinq (5) jours et plus, ce poste est offert par ancienneté à un salarié qui devient pour cette période un salarié remplaçant. À la fin du remplacement, le salarié retourne à son poste.

En janvier 2003, lorsque le détenteur du poste d'opérateur de la coupeuse n° 2 a été congédié, le poste a été affiché pendant quelques heures à l'interne et octroyé à M. Denis Fortier. Celui-ci occupait alors le poste d'assistant opérateur sur cette coupeuse et était à l'emploi de la compagnie depuis sept à huit ans. M. Alain Cornish, qui comptait 18 ans d'ancienneté dans la compagnie, avait également postulé. Au moment des faits, il occupait le poste d'assistant opérateur sur la coupeuse n° 1, mais il n'avait jamais travaillé sur la coupeuse n° 2. Devant le tribunal, le superviseur de production a témoigné que la coupeuse n° 2 fonctionne différemment des autres machines et que M. Cornish ne pouvait pas la faire fonctionner sans recevoir, au préalable, une formation.

L'employeur, pour sa part, alléguait que le congédiement du titulaire du poste était définitif, de sorte que le poste était vacant au sens de la convention collective (clause 13.6, paragraphe 1). Conformément à la convention, le poste aurait été octroyé à M. Fortier, car ce dernier était le mieux qualifié pour l'exercer.

> 13.6, § 1. Dans le cas d'un poste de travail vacant d'une façon permanente ou nouvellement créé (plus d'un mois) que l'employeur désire combler, la procédure suivante s'applique:
>
> (a) Le poste est affiché pendant trois (3) jours mentionnant le titre d'emploi, le salaire et l'horaire de travail à titre informatif, et ce, à l'intérieur du mois suivant la vacance ou la création. [...]
>
> (c) Le salarié le mieux qualifié pour exécuter le travail a le poste. Lorsque les qualifications et capacités pour faire le travail sont égales, le salarié ayant le plus d'ancienneté a le poste; dans ces cas, l'employeur a le fardeau de la preuve.

Dans ce cas, le tribunal a jugé que le poste était temporairement dépourvu de titulaire pendant que l'employeur procédait à l'affichage du poste; ce sont donc les critères prévus au paragraphe 13.6 (2) qui s'appliquaient. Or, le paragraphe 13.6 (2) de la convention ne fait aucune mention de la capacité à faire le travail, à la compétence ou encore aux qualifications nécessaires pour obtenir le poste. Pour ces raisons, le tribunal a tranché en faveur de M. Cornish et a ordonné à l'employeur de lui rembourser le salaire perdu, avec intérêts.

Source: Conférence des arbitres du Québec, 2003.

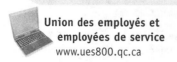
Union des employés et employées de service
www.ues800.qc.ca

Intertape Polymer
www.intertapepolymer.com

Ainsi, les activités de dotation sont très strictement encadrées sur le plan juridique. Les dispositions des différentes lois, chartes, règlements et conventions collectives doivent être présentes à l'esprit des recruteurs à toutes les étapes du processus. Nous aurons l'occasion d'y revenir dans les prochains chapitres de ce livre.

Ce qu'il faut retenir

- Il est interdit de prendre des décisions de dotation basées sur l'un des motifs illégaux de discrimination ; il est également interdit de recueillir des informations sur ces motifs.
- Cependant, les exigences professionnelles objectives ou la nature de l'organisation peuvent justifier l'utilisation des motifs illégaux de discrimination.
- La discrimination n'a pas besoin d'être intentionnelle pour être illégale.
- Les programmes d'accès à l'égalité obligent les employeurs à identifier les groupes sous-représentés et à prévoir des mesures de rattrapage.
- Les professionnels en ressources humaines doivent protéger les informations recueillies au cours du processus de dotation.
- En milieu syndiqué, les conventions collectives peuvent encadrer les activités de dotation.

Références

BANQUE NATIONALE DU CANADA (2003). « Bilan social 2003 », [en ligne], *Banque Nationale du Canada*, 28 p. [réf. du 3 mai 2006]. <www.bnc.ca>.

BLOC QUÉBÉCOIS (2004, 4 octobre). « 38e législature, 1re session », [en ligne], propos de Carole Lavallée, hansard no 37, *Travaux des chambres, Parlement du Canada* [réf. du 3 mai 2006]. <www.parl.gc.ca>.

CANADIAN HUMAN RIGHTS REPORTER (1992). *Woolverton c. BC Transit operating Handy DART*, 19 C.H.R.R. D/200.

CCH CANADIAN LIMITED (2005). *Canadian Master Labour Guide*, 19th edition, Toronto, CCH Canadian Limited, 1325 p.

COMMISSION CANADIENNE DES DROITS DE LA PERSONNE (2004). « Prévenir la discrimination : Outils et ressources », [en ligne], *Commission canadienne des droits de la personne* [réf. du 3 mai 2006]. <www.chrc-ccdp.ca>.

COMMISSION CANADIENNE DES DROITS DE LA PERSONNE (2002). « Exigences professionnelles justifiées et motifs justifiables dans la Loi canadienne sur les droits de la personne : Incidences des arrêts Meiorin et Grismer », [en ligne], *Commission canadienne des droits de la personne* [réf. du 3 mai 2006]. <www.chrc-ccdp.ca>.

COMMISSION CANADIENNE DES DROITS DE LA PERSONNE (1999). « Guide de présélection et de sélection des employés », [en ligne], *Commission canadienne des droits de la personne* [réf. du 3 mai 2006]. <www.chrc-ccdp.ca>.

COMMISSION CANADIENNE DES DROITS DE LA PERSONNE (1998, décembre). « Motifs de distinction illicite au Canada », [en ligne], *Commission canadienne des droits de la personne* [réf. du 3 mai 2006]. <www.chrc-ccdp.ca>.

COMMISSION CANADIENNE DES DROITS DE LA PERSONNE (1987, 25 juin). « Faire respecter les lois afférentes à l'équité en matière d'emploi », [en ligne], *Commission canadienne des droits de la personne* [réf. du 3 mai 2006]. <www.chrc-ccdp.ca>.

COMMISSION DES DROITS DE LA PERSONNE ET DES DROITS DE LA JEUNESSE DU QUÉBEC (2006). « Programmes pour les organismes publics : Quand y a-t-il sous-représentation des groupes visés par la Loi ? », [en ligne], *Commission des droits de la personne et des droits de la jeunesse du Québec* [réf. du 3 mai 2006]. <www.cdpdj.qc.ca>.

COMMISSION DES DROITS DE LA PERSONNE ET DES DROITS DE LA JEUNESSE DU QUÉBEC (2003a, février). « Guide pour l'analyse du système d'emploi », [en ligne], *Commission des droits de la personne et des droits de la jeunesse du Québec*, 66 p. [réf. du 3 mai 2006]. <www.cdpdj.qc.ca>.

COMMISSION DES DROITS DE LA PERSONNE ET DES DROITS DE LA JEUNESSE DU QUÉBEC (2003b, mai). « Guide d'élaboration d'un programme d'accès à l'égalité en emploi », [en ligne], *Commission des droits de la personne et des droits de la jeunesse du Québec*, 39 p. [réf. du 3 mai 2006]. <www.cdpdj.qc.ca>.

COMMISSION DES DROITS DE LA PERSONNE ET DES DROITS DE LA JEUNESSE DU QUÉBEC (1996, juin). *Les formulaires de demande d'emploi et les entrevues relatives à un emploi*, Québec, 33 p.

COMMISSION DES DROITS DE LA PERSONNE ET DES DROITS DE LA JEUNESSE DU QUÉBEC (1987, septembre). « Les qualités et aptitudes requises par un emploi : l'article 20 et le handicap », [en ligne], Étude de la Direction de la recherche, *Commission des droits de la personne et des droits de la jeunesse du Québec*, 32 p. [réf. du 3 mai 2006]. <www.cdpdj.qc.ca>.

COMMISSION ONTARIENNE DES DROITS DE LA PERSONNE (2005). « Dimensions systémiques ou institutionnelles », [en ligne], *Commission ontarienne des droits de la personne* [réf. du 3 mai 2006]. <www.ohrc.on.ca>.

CONFÉDÉRATION DES SYNDICATS NATIONAUX (2005, octobre). « Révision de la partie III du Code canadien du travail », [en ligne], Mémoire soumis à la Commission sur l'examen des normes du travail fédérales, *Commission sur l'examen des normes du travail fédérales* [réf. du 3 mai 2006]. <www.fls-ntf.gc.ca>.

CONFÉRENCE DES ARBITRES DU QUÉBEC (2003, 8 octobre). « Union des employés et employées de service, section locale 800 c. Intertape Polymer inc. 2003 IIJCan 52194 (QC A.G.) », [en ligne], *Institut canadien d'information juridique* [réf. du 3 mai 2006]. <www.canlii.org>.

COUR SUPÉRIEURE DU QUÉBEC (1981). « Commission des droits de la personne du Québec c. Collège de Sherbrooke, C.S. 1083 », [en ligne], *Institut canadien d'information juridique* [réf. du 3 mai 2006]. <www.canlii.org>.

COUR SUPRÊME DU CANADA (1999, 9 septembre). « Colombie-Britannique (Public Service Employee Relations Commission) c. BCGSEU, 3 R.C.S. 3, 1999 IIJCan 652 (C.S.C.) », [en ligne], *Institut canadien d'information juridique* [réf. du 3 mai 2006]. <www.canlii.org>.

COUR SUPRÊME DU CANADA (1992, 24 septembre). « Central Okanagan School District No. 23 c. Renaud, [1992] 2 R.C.S. 970, 1992 IIJCan 81 (C.S.C.) », [en ligne], *Institut canadien d'information juridique* [réf. du 3 mai 2006]. <www.canlii.org>.

COUR SUPRÊME DU CANADA (1987). *Compagnie des chemins de fer nationaux du Canada c. Canada (Commission des droits de la personne)*, 1 R.C.S., p. 1135.

COUR SUPRÊME DU CANADA (1985). « Commission ontarienne des droits de la personne c. Simpsons-Sears », [en ligne], LeXUM [réf. du 3 mai 2006]. <www.lexum.umontreal.ca>.

COUR SUPRÊME DU CANADA (1982). *Ontario Human Rights Commission v. The Borough of Etobicoke*, 1 R.C.S., p. 202.

EMPLOI-QUÉBEC (2001). « Les outils de travail », *Recruter et garder son personnel : trois guides pour sélectionner, rémunérer et intégrer le personnel que vous lancez dans la course au championnat*, Québec, Éditeur officiel du Québec, 3 fascicules brochés de 126 p. et 34 feuillets non reliés.

GABOURY, Paul (2005, 11 janvier). « AFPC : une offre d'emploi qui fait sursauter certains intéressés », *Le Droit*, p. 7.

GÉRIN-LAJOIE, Jean (2004). *Les relations de travail au Québec*, 2e édition, Montréal, Gaëtan Morin éditeur, 338 p.

GOUVERNEMENT DU CANADA (2006, 21 février). «Règlement sur l'équité en matière d'emploi, DORS/96-470», [en ligne], *Ministère de la Justice Canada* [réf. du 6 avril 2006]. <http://lois.justice.gc.ca>.

GOUVERNEMENT DU CANADA (2004, 17 mars). «Décision du comité d'appel: dossier 03-EXT-01044», [en ligne], *Direction générale des recours, Commission de la fonction publique du Canada* [réf. du 3 mai 2006]. <www.psc-cfp.gc.ca>.

GOUVERNEMENT DU CANADA (2003, 19 février). «Formulaire d'auto-identification», [en ligne], *Agence de gestion des ressources humaines de la fonction publique du Canada* [réf. du 3 mai 2006]. <www.hrma-agrh.gc.ca>.

GOUVERNEMENT DU CANADA (2002, 22 octobre). «Résumé de conclusions d'enquête en vertu de la LPRPDÉ n° 87: Des employés prétendent que leur employeur a refusé de leur communiquer les résultats d'un concours», [en ligne], Conclusions de la Commissaire, *Commissariat à la protection de la vie privée au Canada* [réf. du 3 mai 2006]. <www.privcom.gc.ca>.

GOUVERNEMENT DU CANADA (2000). «Loi sur la protection des renseignements personnels et les documents électroniques, chap. 5», [en ligne], *Ministère de la Justice Canada* [réf. du 3 mai 2006]. <http://lois.justice.gc.ca>.

GOUVERNEMENT DU CANADA (1996a). «Loi sur les océans, chap. 31», [en ligne], *Ministère de la Justice Canada* [réf. du 3 mai 2006]. <http://lois.justice.gc.ca>.

GOUVERNEMENT DU CANADA (1996b). «Rapport statistique sur l'équité en matière d'emploi 1996», [en ligne], *Ressources humaines et Développement social Canada* [réf. du 3 mai 2006]. <www.rhdcc.gc.ca>.

GOUVERNEMENT DU CANADA (1995). «Loi sur l'équité en matière d'emploi, chap. 44», [en ligne], *Ministère de la Justice Canada* [réf. du 3 mai 2006]. <http://lois.justice.gc.ca>.

GOUVERNEMENT DU CANADA (1991). «Loi sur les banques, chap. 46», [en ligne], *Ministère de la Justice Canada* [réf. du 3 mai 2006]. <http://lois.justice.gc.ca>.

GOUVERNEMENT DU CANADA (1985a). «Code canadien du travail, L.R. 1985, chap. L-2», [en ligne], *Ministère de la Justice Canada* [réf. du 3 mai 2006]. <http://lois.justice.gc.ca>.

GOUVERNEMENT DU CANADA (1985b). «Loi canadienne sur les droits de la personne, L.R. 1985, chap. H-16», [en ligne], *Ministère de la Justice Canada* [réf. du 3 mai 2006]. <http://lois.justice.gc.ca>.

GOUVERNEMENT DU CANADA (1985c). «Loi sur la protection des renseignements personnels, L.R. 1985, chap. P-21», [en ligne], *Ministère de la Justice Canada* [réf. du 3 mai 2006]. <http://lois.justice.gc.ca>.

GOUVERNEMENT DU CANADA (1970). «Loi sur les corporations canadiennes, S.R. 1970, chap. C-32», [en ligne], *Ministère de la Justice Canada* [réf. du 3 mai 2006]. <http://lois.justice.gc.ca>.

GOUVERNEMENT DU CANADA (1867, 29 mars). «Loi constitutionnelle de 1867», [en ligne], *Lois constitutionnelles de 1867 à 1982, Ministère de la Justice Canada* [réf. du 3 mai 2006]. <http://lois.justice.gc.ca>.

GOUVERNEMENT DU QUÉBEC (2004). «Portrait statistique des conventions collectives analysées en 2003 au Québec», [en ligne], *Direction des données sur le travail, Ministère du Travail, Travail Québec*, 171 p. [réf. du 3 mai 2006]. <www.travail.gouv.qc.ca>.

GOUVERNEMENT DU QUÉBEC (2000a). «Loi sur l'accès à l'égalité en emploi dans les organismes publics, L.R.Q., chap. A-2.01», [en ligne], *Publications Québec* [réf. du 3 mai 2006]. <www2.publicationsduquebec.gouv.qc.ca>.

GOUVERNEMENT DU QUÉBEC (2000b). «Loi sur la police, L.R.Q., chap. P-13.1», [en ligne], *Publications Québec* [réf. du 3 mai 2006]. <www2.publicationsduquebec.gouv.qc.ca>.

GOUVERNEMENT DU QUÉBEC (1993). «Loi sur la protection des renseignements personnels dans le secteur privé, L.R.Q., chap. P-39.1», [en ligne], *Publications Québec* [réf. du 3 mai 2006]. <www2.publicationsduquebec.gouv.qc.ca>.

GOUVERNEMENT DU QUÉBEC (1991). «Code civil du Québec, L.R.Q., chap. C-1991», [en ligne], *Publications Québec* [réf. du 3 mai 2006]. <www2.publicationsduquebec.gouv.qc.ca>.

GOUVERNEMENT DU QUÉBEC (1982). «Loi sur l'accès aux documents des organismes publics et sur la protection des renseignements personnels, L.R.Q., chap. A-2.1», [en ligne], *Publications Québec* [réf. du 3 mai 2006]. <www2.publicationsduquebec.gouv.qc.ca>.

GOUVERNEMENT DU QUÉBEC (1978). « Loi assurant l'exercice des droits des personnes handicapées en vue de leur intégration scolaire, professionnelle et sociale, L.R.Q., chap. E-20.1 », [en ligne], *Publications Québec* [réf. du 3 mai 2006]. <www.ophq.gouv.qc.ca>.

GOUVERNEMENT DU QUÉBEC (1975). « Charte des droits et libertés de la personne, L.R.Q., chap. C-12 », [en ligne], *Publications Québec* [réf. du 3 mai 2006]. <www2.publicationsduquebec.gouv.qc.ca>.

GOUVERNEMENT DU QUÉBEC (1964). « Loi sur les compagnies : Dispositions préliminaires, L.R.Q., chap. C-38 », [en ligne], *Publications Québec* [réf. du 3 mai 2006]. <www2.publicationsduquebec.gouv.qc.ca>.

NÉGOTHÈQUE (s. d.) [base de données en ligne], *Négothèque* [réf. du 3 mai 2006]. <http://206.191.16.137>.

NIEMI, Fo (2004, décembre). « Article du colloque sur la politique raciale : Les obstacles systémiques à des autorités policières représentatives au plan racial », [en ligne], *Commission ontarienne des droits de la personne* [réf. du 3 mai 2006]. <www.ohrc.on.ca>.

SERVICE DE POLICE DE LA VILLE DE MONTRÉAL (2004). *Bilan des réalisations du programme d'accès à l'égalité pour le personnel policier du service de police de la Ville de Montréal – mai 2003-avril 2004*, Montréal, SPVM, 24 p.

SERVICE DE POLICE DE LA VILLE DE MONTRÉAL (2005), communication personnelle.

STATISTIQUE CANADA (2006). « Tableau CANSIM 282-0002 : Enquête sur la population active (EPA), estimations selon le sexe et le groupe d'âge détaillé, données annuelles », [en ligne], *Cansim, Statistique Canada* [réf. du 3 août 2006]. <http://cansim2.statcan.ca>.

STATISTIQUE CANADA (2004). « Graphique 79 : Taux d'emploi des 15 ans et plus selon le sexe et l'identité autochtone, 1996 et 2001 », [en ligne], *Regard sur le marché du travail canadien 2003, Statistique Canada*, 117 p. [réf. du 23 août 2006]. <www.statcan.ca>.

TRIBUNAL DES DROITS DE LA PERSONNE DU QUÉBEC (1994, 24 mars). « C.D.P. c. Les Entreprises L.D. Skelling inc. *et al.*, T.D.P.Q. Montréal, 1994, IIJCan 1791 (QC T.D.P.) », [en ligne], *Institut canadien d'information juridique* [réf. du 3 mai 2006]. <www.canlii.org>.

ANNEXE A | Exemples de questions à éviter dans les formulaires ou en entrevue

Sujet	Questions conformes à la Charte*	Question/motif à éviter*
Adresse	Quelle est votre adresse actuelle ou la plus récente et depuis quand y habitez-vous ?	Avez-vous une adresse à l'extérieur du Canada ?
Âge	– Aucune, sauf si une loi ou un règlement fixe un âge minimal pour occuper un emploi donné. – Avez-vous le droit de travailler en vertu des dispositions législatives canadiennes concernant les limites d'âge ?	– Quelle est votre date de naissance ? – Quel âge avez-vous ? – Quel est votre numéro d'assurance maladie ? – Quel est le numéro de votre permis de conduire ? – Demander de joindre un certificat de naissance ou un baptistère à la demande d'emploi.
	Commentaires : • Il est interdit d'employer un élève durant les heures de classe alors qu'il est assujetti à l'obligation de fréquentation scolaire. Dans ces cas, une question sur l'âge peut être posée en entrevue. • Une preuve d'âge peut être exigée après l'embauche, entre autres s'il est nécessaire de le connaître aux fins des régimes d'avantages sociaux ou à d'autres fins légitimes.	
Condition sociale	Pourriez-vous disposer d'une automobile si nécessaire pour l'emploi ou pour vous rendre au travail ?	– Possédez-vous une automobile ? – Êtes-vous locataire ou propriétaire ?
	Commentaires : • Certaines personnes ne possèdent pas d'automobile, mais pourraient en acheter une ou en louer une si elles obtiennent l'emploi. • Le fait d'être locataire ou propriétaire entraîne souvent des perceptions distinctes quant à la condition sociale d'une personne.	
Convictions politiques	Aucune, sauf si l'emploi requiert objectivement l'adhésion à une formation politique.	– Quelle est votre affiliation politique ? – Pratiquez-vous des activités politiques ?
État civil/ État matrimonial/ Situation de famille	– Seriez-vous disponible pour voyager dans le cadre de vos fonctions ? – Est-ce que des circonstances pourraient vous empêcher d'accomplir un nombre minimum d'années de service ? – Pourrez-vous travailler pendant le nombre d'heures requises et, au besoin, faire des heures supplémentaires ?	– Mme ou Mlle. – Nom de jeune fille. – Célibataire, marié(e), séparé(e), divorcé(e), fiancé(e), veuf ou veuve, vit en union de fait. – Nom et occupation du conjoint ou de la conjointe et son accord éventuel en cas de mutation nécessitant un déménagement. – Est-ce que votre conjoint peut être muté ? – Des renseignements sur l'emploi du conjoint. – Nombre d'enfants ou de personnes à charge. – Arrangements relatifs à la garde de personnes à charge. – Lien de parenté avec une personne déjà à l'emploi de l'entreprise ou de l'organisme, sans autre précision.

»

Sujet	Questions conformes à la Charte*	Question/motif à éviter*
État civil/ État matrimonial/ Situation de famille (*suite*)	**Commentaires :** • L'usage permet qu'on s'adresse à une femme en l'appelant Madame, quel que soit son état civil. • Si l'employeur a une politique anti-népotisme, il pourrait en faire état dans son formulaire de demande d'emploi ou lors de l'entrevue et poser une question sur l'existence de liens de parenté qui pourraient placer le candidat ou la candidate en situation de conflit d'intérêts. • Par ailleurs, certaines questions à éviter sur l'état civil dans un formulaire ou une entrevue peuvent être posées après l'embauche aux fins, entre autres, de fiscalité ou d'avantages sociaux. • On peut aussi, après l'embauche, demander le lien de parenté avec une personne à prévenir en cas d'urgence. • Des renseignements sur les personnes à charge peuvent être obtenus, au besoin, après la sélection.	
État d'une personne graciée	Si le poste exige un cautionnement, demander si le candidat est admissible.	– Avez-vous déjà été condamné ? – Avez-vous déjà été arrêté ? – Avez-vous un casier judiciaire ?
	Commentaires : Il est déconseillé de demander des renseignements sur les condamnations et le casier judiciaire, sauf si ces renseignements ont trait aux fonctions du poste.	
Grossesse	Aucune.	– Êtes-vous présentement enceinte ? – Avez-vous l'intention d'avoir des enfants ? – Avez-vous déjà eu des problèmes de santé reliés à une grossesse ? – Combien de temps prévoyez-vous demeurer sur le marché du travail ? – Comment faites-vous garder vos enfants ?
Handicap/ Déficience/ Renseignements médicaux	– Est-ce que quelque chose pourrait vous limiter dans votre capacité d'exercer les fonctions du poste ? – L'employeur doit requérir le consentement des candidats à subir un examen médical préalable à l'embauche. – L'employeur qui met en œuvre un plan d'embauche de personnes handicapées en vertu de la Loi assurant l'exercice des droits des personnes handicapées en vue de leur intégration sociale, professionnelle et scolaire (L.R.Q. c. E-20.1) peut inclure dans son formulaire une note comme celle-ci : Pour bien faire valoir votre candidature, vous pouvez nous faire part de tout handicap qui nécessiterait l'adaptation de nos méthodes de sélection (entrevues, tests, etc.) à votre situation.	– État de santé. – Liste de déficiences, problèmes de santé ou limitations de la personne. – Hospitalisation ou traitements médicaux antérieurs ou actuels, y compris pour problèmes de santé mentale. – Nom du médecin de famille. – Compensation pour lésion professionnelle antérieure. – Avez-vous déjà participé à un programme de désintoxication ? – Buvez-vous de l'alcool ? – Consommez-vous de la drogue ? – Avez-vous déjà reçu des soins psychiatriques ? – Avez-vous déjà été hospitalisé pour des troubles affectifs ? – Êtes-vous en counseling ou en thérapie ? – Avez-vous déjà été indemnisé pour un accident de travail ?

Sujet	Questions conformes à la Charte*	Question/motif à éviter*

Handicap/ Déficience/ Renseignements médicaux (*suite*)	**Commentaires :**
	• L'employeur devrait adapter ses méthodes de sélection pour toute personne handicapée qui le demande.
	• L'employeur ne peut tenir compte d'une déficience que si elle limite les aptitudes d'une personne à accomplir les tâches essentielles de l'emploi.
	• Si une personne, en raison d'une déficience, éprouve certaines difficultés à accéder à un lieu de travail ou à accomplir certaines tâches, l'employeur doit tenter d'adapter les lieux, les équipements ou l'organisation du travail pour cette personne, à moins que l'adaptation ne représente pour lui une contrainte excessive.
	• L'examen médical devrait faire suite à une offre d'embauche conditionnelle à son résultat et se limiter à établir si la personne est apte ou non à accomplir les tâches de l'emploi, avec ou sans restriction.
	• L'employeur n'est pas en droit d'exclure une personne apte au travail pour la seule raison qu'elle ne peut être admissible à l'assurance collective en vigueur dans l'organisation.
	• On considère que la déficience limite la capacité d'exécuter les fonctions d'un poste uniquement si :
	  ○ elle menace la sécurité du candidat ou de la candidate, des collègues ou du public ;
	  ○ elle empêche le candidat ou la candidate d'accomplir son travail de façon sécuritaire et adéquate même si des efforts raisonnables ont été faits pour en tenir compte.	

Langue	On peut demander aux candidats s'ils peuvent comprendre, parler, lire ou écrire la langue ou les langues requises par l'emploi.	– Langue maternelle. – Lieu d'acquisition des connaissances linguistiques.
	Commentaires : • L'employeur ne peut exiger la connaissance d'une langue autre que celle(s) requise(s) par l'emploi. • L'utilisation du niveau de connaissance ou d'aisance linguistiques pour évaluer les candidatures n'est permise que si ces aptitudes sont requises par l'emploi.	
Nom		– Est-ce que votre changement de nom découle d'une ordonnance de la Cour, d'un mariage ou d'une autre raison ?
	Commentaires : Au besoin, poser cette question après la sélection pour vérifier les emplois antérieurs ou les études.	
Orientation sexuelle	Aucune.	– Quelle est votre orientation sexuelle ?
	Commentaires : On peut se renseigner après la sélection sur les personnes à joindre en cas d'urgence ou sur les personnes à charge ; l'identité de ces personnes peut alors indiquer l'orientation sexuelle.	
Origine ethnique ou nationale	Êtes-vous légalement autorisé à travailler au Canada ?	– Lieu de naissance ou nationalité. – Êtes-vous né au Canada ? – Lieu de naissance ou nationalité du conjoint, des parents ou des ancêtres. – Adresses antérieures. – Expérience canadienne ou québécoise, à moins qu'un type d'expérience déterminé ne soit objectivement requis par l'emploi, auquel cas la nature de l'expérience doit être précisée. – Preuve de citoyenneté, statut de résident permanent ou possession d'un permis de travail. – Numéro d'assurance sociale.

»

Sujet	Questions conformes à la Charte*	Question/motif à éviter*
Origine ethnique ou nationale (*suite*)	**Commentaires :** • Le droit de travailler au Canada est reconnu aux personnes ayant la citoyenneté canadienne, le statut de résident permanent ou un permis de travail. • Le permis de travail ou, si nécessaire pour l'emploi, une preuve de citoyenneté, de statut de résident permanent ou tout autre document établissant le droit de travailler (papiers d'identité, visas, etc.) peuvent être exigés avant l'embauche, une fois la sélection faite. • On ne doit demander le numéro d'assurance sociale qu'après l'embauche, puisque ce numéro peut, dans certains cas, fournir de l'information relative à l'origine nationale.	
Poids et taille	**Commentaires :** Ne les demander que s'ils constituent des exigences professionnelles justifiées.	
Race/couleur	Aucune.	– Toute demande de précision reliée à la race ou à la couleur, y compris la couleur des yeux, de la peau ou des cheveux. – Demande de joindre une photographie à la demande d'emploi ou devoir en remettre une avant un test d'aptitudes ou une entrevue.
	Commentaires : Une photographie peut être demandée après l'embauche aux fins d'identification.	
Religion	– Aucune, sauf si l'adhésion à une religion donnée constitue une qualité requise par l'emploi ou justifiée par le caractère religieux d'une institution à but non lucratif. – Expliquer l'horaire de travail au candidat ou à la candidate et demander si cela lui pose problème.	– Adhésion à une religion ou pratiques religieuses (confession, assiduité de fréquentation, etc.). – Disponibilité pour travailler un jour de fête religieuse spécifique. – Références d'un membre du clergé ou d'un chef religieux.
	Commentaires : • Si une personne éprouve des difficultés à respecter un horaire de travail donné en raison de ses pratiques religieuses, l'employeur doit tenter d'adapter l'horaire de cette personne, à moins que l'adaptation ne représente pour lui une contrainte excessive. • L'employeur doit tenir compte des croyances religieuses de ses employés.	
Service militaire	Lorsque la préférence en matière d'emploi doit, d'après la loi, être accordée aux anciens combattants, demander à la personne si elle a servi dans les Forces canadiennes.	– Avez-vous fait votre service militaire à l'étranger ?
Sexe	– Aucune, sauf si le sexe constitue une exigence professionnelle justifiée. – Pourrez-vous satisfaire aux normes de présence ?	– M., Mme ou Mlle. – Des formulaires différents ou différemment codés pour les hommes et les femmes.
	Commentaires : Le prénom d'une personne indique la plupart du temps son sexe, mais cela n'a pas pour effet de rendre une telle question illégale.	
Références	**Commentaires :** Les restrictions concernant les questions d'entrevue s'appliquent également aux demandes de références.	

* Ces lignes directrices peuvent comporter des exceptions. Dans un tel cas, le fardeau de la preuve incombe à l'employeur.

Sources : Commission canadienne des droits de la personne, 1999.

Commission des droits de la personne et des droits de la jeunesse du Québec, 1996.

(Confidentiel une fois rempli)

- Ce formulaire vise à recueillir des renseignements sur la composition de l'effectif de la fonction publique, afin de satisfaire aux exigences de la législation en matière d'équité en emploi et de faciliter la planification et la mise en œuvre d'activités relatives à l'équité en matière d'emploi. Votre collaboration est *facultative* et vous pouvez vous identifier à plus d'un groupe désigné.

- Les renseignements que vous fournissez seront utilisés pour établir des statistiques sur l'équité en matière d'emploi dans la fonction publique fédérale. Avec votre accord (voir la partie E), ils pourront aussi être utilisés par le coordonnateur de l'équité en emploi de votre ministère aux fins de gestion des ressources humaines. Cela pourrait permettre, par exemple, de présenter des candidats à des activités de formation et à des affectations de perfectionnement et, dans le cas de personnes handicapées, d'installer les aménagements requis au travail.

- Les renseignements sur l'équité en emploi seront conservés dans la Banque de données sur l'équité en emploi (BDEE) du Secrétariat du Conseil du Trésor et leur confidentialité est assurée en vertu de la Loi sur la protection des renseignements personnels. Vous avez le droit d'examiner et de corriger toute information qui vous concerne. Vous avez l'assurance qu'elle ne sera pas utilisée à des fins non autorisées.

- Si vous avez besoin de précisions ou d'aide pour remplir ce formulaire, veuillez communiquer avec le coordonnateur de l'équité en emploi de votre ministère.

Étape 1 : Remplissez les parties A à E. Pour les parties B, C et D, consultez les définitions fournies.

Étape 2 : Signez, datez et retournez sous scellés, le formulaire à la personne responsable de l'équité en emploi de votre ministère ou organisme.

Merci de votre collaboration

A.

Nom de famille   Prénom usuel et initiale

Ministère ou organisme/Direction générale

N° de téléphone (bureau)   Code d'identification de dossier personnel (CIDP)

○ Femme   ○ Homme

B. Une personne handicapée est une personne qui :

a) a une déficience durable ou récurrente de sa capacité physique, mentale ou sensorielle, ou d'ordre psychiatrique ou en matière d'apprentissage ;

b) considère qu'elle a des aptitudes réduites pour exercer un emploi ;

c) pense qu'elle risque d'être classée dans cette catégorie par son employeur ou par d'éventuels employeurs en raison d'une telle déficience.

La présente définition vise également les personnes dont les limitations fonctionnelles liées à leur déficience font l'objet de mesures d'adaptation pour leur emploi ou dans leur lieu de travail.

»

ÊTES-VOUS UNE PERSONNE HANDICAPÉE ?

○ Non

○ Oui, veuillez cocher le cercle approprié

11 ○ Coordination ou dextérité (difficulté à se servir des mains ou des bras, par exemple pour saisir ou utiliser une agrafeuse ou pour travailler au clavier)

12 ○ Mobilité (difficulté à se déplacer d'un local à l'autre, à monter ou à descendre les escaliers, etc.)

16 ○ Cécité ou malvoyance (incapacité ou difficulté à voir)

19 ○ Surdité ou malentendance (incapacité ou difficulté à entendre)

13 ○ Élocution (incapacité ou difficulté à parler et à se faire comprendre)

23 ○ Autre handicap (difficultés d'apprentissage ou de développement et tout autre type de handicap) (Veuillez préciser) [   ]

C. Un Autochtone est une personne faisant partie du groupe des Indiens de l'Amérique du Nord ou des Premières Nations, ou qui est Métis ou Inuit.

Les termes «Indiens de l'Amérique du Nord» et «Premières Nations» signifient les Indiens inscrits, les Indiens non inscrits et les Indiens couverts par un traité.

ÊTES-VOUS AUTOCHTONE ?

○ Non   ○ Oui, veuillez cocher le cercle approprié

03 ○ Indien de l'Amérique du Nord/Premières Nations

02 ○ Métis

01 ○ Inuit

D. Un membre d'une minorité visible au Canada est une personne (autre qu'un Autochtone défini en C) qui n'est pas de race ou de couleur blanche, peu importe le lieu de sa naissance.

ÊTES-VOUS MEMBRE D'UNE MINORITÉ VISIBLE ?

○ Non

○ Oui, veuillez cocher le cercle qui décrit le mieux le groupe auquel vous appartenez

41 ○ Noir

45 ○ Chinois

51 ○ Philippin

47 ○ Japonais

48 ○ Coréen

56 ○ Asiatique du Sud/Indien de l'Est (Indien de l'Inde, Bangladais, Pakistanais, Indien de l'Est originaire de la Guyane, de la Trinité, de l'Afrique orientale, etc.)

58 ○ Asiatique du Sud-Est (Birman, Cambodgien, Laotien, Thaïlandais, Vietnamien, etc.)

57 ○ Asiatique de l'Ouest non blanc, Nord-Africain non blanc ou Arabe (Égyptien, Libyen, Libanais, Iranien, etc.)

42 ○ Latino-Américain non blanc (Amérindiens de l'Amérique centrale et de l'Amérique du Sud, etc.)

44 ○ Personne d'origine mixte (dont l'un des parents provient de l'un des groupes ci-dessus)

59 ○ Autre minorité visible (Veuillez préciser) [   ]

E. 99 ○ Les renseignements fournis peuvent servir aux fins de gestion des ressources humaines.

29 Signature [   ]   Date (JJ/MM/AAAA) [   ]

Source : Gouvernement du Canada, 2003.

CHAPITRE 3

Se positionner comme un employeur de choix

Objectif du chapitre

Confrontés à une forte concurrence sur le marché du travail et aux nombreuses dispositions légales encadrant les activités de dotation, les employeurs doivent se démarquer pour attirer et retenir les candidats de qualité. Ce chapitre a pour objectif de :

- présenter une approche du recrutement et de la sélection du personnel, empruntée du marketing, qui amène les employeurs à mieux se positionner pour répondre adéquatement aux attentes des candidats qu'ils ciblent.

Comme nous l'avons vu dans le premier chapitre de ce livre, le marché du travail dans les économies industrialisées est caractérisé par une pénurie de talents qui alimente une forte concurrence pour des ressources humaines rares. Par ailleurs, les dispositions légales que nous avons exposées au chapitre 2 contraignent les activités de dotation, par exemple en rendant nécessaire la constitution d'un large bassin de candidats pour éviter la discrimination systémique. La coexistence de ces deux réalités amène les employeurs potentiels à devoir se démarquer afin d'augmenter leur potentiel d'attraction de candidats.

Une façon de se démarquer est de considérer le recrutement d'employés comme une opération de marketing, au même titre que l'attraction de nouveaux clients. On voit clairement l'emprunt au marketing dans deux courants actuels des écrits sur la dotation: le positionnement comme employeur de choix et la mise en marché de ce positionnement par l'adoption d'une marque d'employeur.

1. Le positionnement comme employeur de choix

Watson Wyatt
www.watsonwyatt.com

Un sondage de la firme Watson Wyatt auprès de hauts dirigeants d'entreprises provenant de six pays indique que les ressources humaines sont la troisième source d'avantage compétitif en importance, derrière la satisfaction de la clientèle et les nouveaux produits (Wyatt, 1995). Pourtant, la volonté de consacrer du temps, de l'argent et des ressources à leurs employés varie énormément d'un répondant à l'autre. Or, investir dans ses ressources humaines est précisément la voie qui mène au positionnement comme employeur de choix.

Hewitt et associés
www.hewittassociates.com

Le terme «employeur de choix», ou «employeur de référence», est apparu dans les années 1980 aux États-Unis et désignait alors les entreprises offrant un environnement de travail facilitant l'équilibre travail-famille (Axel, 1996). En parallèle se sont développés les classements périodiques des meilleurs employeurs ou des compagnies pour lesquelles il fait bon travailler. Par exemple, le tableau 3.1 présente les résultats du palmarès annuel 2006 des employeurs de choix au Canada, établi par Hewitt & Associés, une firme internationale en gestion et en impartition de gestion des ressources humaines.

Working Mother
www.workingmother.com

Certains de ces classements, comme celui de Hewitt & Associés, sont basés sur des critères généraux tels que le taux de satisfaction des employés ou le leadership des dirigeants. D'autres, en revanche, visent plus spécifiquement certains groupes de la population. C'est le cas du classement des 100 meilleures compagnies pour les mères de famille qui travaillent, effectué par le magazine américain *Working Mother* (voir tableau 3.2).

	TABLEAU 3.1	Employeurs de choix au Canada en 2006			
Rang dans la catégorie	Organisation	Siège social	Site Internet	Rang global
Catégorie des grandes organisations (1500 employés et plus)				
1	Cintas Canada Ltd.	Mississauga, ON	www.cintas-corp.com	1
2	Les Services G & K Canada inc.	Mississauga, ON	www.gkservices.com	4
3	Edward Jones Canada	Mississauga, ON	www.edwardjones.com	10
4	La famille canadienne des compagnies Johnson & Johnson	nd	www.jnj.com	11
5	Delta Hotels	Toronto, ON	www.deltahotels.com	16
6	Starwood Hotels & Resorts Worldwide inc. (Canada)	Toronto, ON	www.starwoodhotels.com	20
7	Wal-Mart Canada Corp.	Mississauga, ON	www.walmart.com	21
8	GlaxoSmithKline	Mississauga, ON	www.gsk.ca	24
9	The Co-operators	Guelph, ON	www.cooperators.ca	25
10	Groupe Robert inc.	Rougemont, QC	www.robert.ca	32
Catégorie des moyennes organisations (de 300 à 1499 employés)				
1	Wellington West Capital inc.	Winnipeg, MB	www.wellwest.ca	2
2	EllisDon Corporation	London, ON	www.ellisdon.com	3
3	BC Biomedical Laboratories Ltd.	Surrey, BC	www.bcbio.com	5
4	Bennett Jones LLP	Calgary, AB	www.bennettjones.ca	6
5	Microsoft Canada Co.	Mississauga, ON	www.microsoft.com	7
6	PCL Constructors inc.	Edmonton, AB	www.pcl.com	8
7	Envision Financial	Langley, BC	www.envisionfinancial.ca	9
8	Financement agricole Canada	Régina, SK	www.fcc-fac.ca	12
9	Sleep Country Canada	Toronto, ON	www.sleepcountry.ca	13
10	S.C. Johnson & fils, limitée	Brantford, ON	www.scjohnson.ca	14

nd : donnée non disponible

Source : Vincent et McDougall, 2005.

Il ne fait aucun doute qu'être qualifié d'employeur de choix par un concours ou un classement contribue à attirer des candidats (Cousineau, 2005). Devant la recrudescence de tels palmarès et de leur influence positive sur l'image projetée par les entreprises qui y sont bien classées, il importe de comprendre ce qu'est un employeur de choix. Le terme relève-t-il uniquement d'une opération de relations publiques visant à attirer l'attention des employés et des clients potentiels ou reflète-t-il, au contraire, une évolution des attentes des employés ?

TABLEAU 3.2	Classement des dix meilleures compagnies 2005 du magazine *Working Mother*, États-Unis		
Rang	Compagnie	Siège social	Site Internet
1	Bristol-Myers Squibb Company	New York, NY	www.bms.com
2	Eli Lilly and Company	Indianapolis, IN	www.lilly.com
3	General Mills	Minneapolis, MN	www.generalmills.com
4	Hewlett-Packard Company	Palo Alto, CA	www.hp.com
5	IBM	Armonk, NY	www.ibm.com
6	JFK Medical Center	Atlantis, FL	www.jfkmc.com
7	PricewaterhouseCoopers Llp.	New York, NY	www.pwc.com
8	Prudential Financial	Newark, NJ	www.prudential.com
9	S.C. Johnson & Son	Racine, WI	www.scjohnson.com
10	Schering-Plough Corporation	Kenilworth, NJ	www.schering-plough.com

Source : *Working Mother*, 2005.

1.1 Les caractéristiques d'un employeur de choix

Il existe plusieurs définitions d'un employeur de choix. Pour certains, une compagnie peut être classée comme tel dès lors que sa bonne réputation sur le marché du travail lui permet de recruter du personnel sans avoir à déployer d'efforts pour convaincre les candidats (Clarke, 2001 ; Herman et Gioia, 2000 ; Lee, 2000). Selon ce point de vue, la notion d'employeur de choix serait donc un « résultat » : une entreprise plus attirante pour les candidats potentiels. Pour d'autres, au contraire, être un employeur de choix relève du « processus », qui consiste à développer une culture d'entreprise forte et centrée sur l'être humain (Chaminade, 2003). Dans cette optique, le fait d'être attirant pour les candidats ne serait donc qu'une conséquence parmi d'autres d'une série de décisions de gestion qui placent l'employé au cœur des préoccupations de l'organisation.

> Pour être considéré comme un employeur de choix, il faut investir dans la gestion des ressources humaines.

Mais peu importe la définition que l'on donne au terme « employeur de choix », tous les auteurs s'entendent pour identifier des caractéristiques communes à ces organisations : devenir un employeur de choix demande une amélioration de l'ensemble des domaines de la gestion des ressources humaines, de la rémunération à la gestion des compétences en passant par la dotation (Clarke, 2001). Ainsi, tel que le montre l'encadré suivant, une organisation peut se positionner comme employeur de référence en proposant une rémunération globale comparable ou supérieure à celle des concurrents ; en reconnaissant, de façon monétaire ou non, les contributions de ses employés ; en offrant des possibilités de développement personnel et professionnel ; ou encore en accordant de l'importance à la conciliation entre vie privée et vie professionnelle (Anderson et Pulich, 2000 ; Rankin, 2000 ; Tremblay et Simard, 2005).

Ernst & Young continue de se distinguer comme l'un des meilleurs employeurs du pays, car la Société vient de recevoir un hommage du Great Place to Work Institute qui l'a classée au treizième rang des 30 organisations composant son palmarès 2006 des employeurs de choix au Canada. Le palmarès est publié dans le numéro du 10 avril du *Canadian Business Magazine*. «Ce titre est une solide indication que nous sommes sur la bonne voie quant à notre engagement de placer les gens d'abord, déclare Lou Pagnutti, président et chef de la direction d'Ernst & Young, et je suis très fier de cette réalisation.»

Cette reconnaissance est la toute dernière d'une liste de prix qui ne cesse de s'allonger et qui témoigne de la culture conviviale d'Ernst & Young et de son milieu de travail positif. Parmi ces prix, mentionnons les suivants:

- palmarès 2006 des dix meilleures sociétés pour lesquelles travailler au Canada du *Financial Post*;
- palmarès 2006 des 100 meilleurs employeurs du Canada du magazine *Maclean's* (Ernst & Young est la seule société des Quatre Grands à avoir figuré sur la liste à six reprises);
- classement en 2005 parmi les dix employeurs les plus favorables à la famille par le magazine *Today's Parent*.

La culture «Les gens d'abord» d'Ernst & Young repose sur la conviction que le succès est important dans la vie personnelle comme dans la vie professionnelle. C'est pourquoi l'entreprise s'efforce de créer un milieu souple, englobant et qui répond aux besoins des parents. Le Great Place to Work Institute est l'organisme qui établit le palmarès des 100 meilleures sociétés pour lesquelles travailler du magazine *Fortune*, sur lequel Ernst & Young États-Unis figure depuis huit ans.

Source: Ernst & Young, 2006.

Ernst & Young
www.ey.com

Fait important à noter, le positionnement comme employeur de choix n'est pas réservé aux grandes et prospères compagnies qui peuvent se permettre d'investir des sommes importantes dans les salaires. En fait, il s'avère que le climat de travail, la nature intéressante des tâches et la capacité de développement personnel sont des éléments de toute première importance pour les candidats. Ainsi, Lowe et Schellenberg (2002) rapportent-ils que la caractéristique d'un emploi considérée comme la plus importante par les Canadiens est le fait d'être traité avec respect. Viennent ensuite, comme le montre la figure 3.1, l'intérêt du travail, le sentiment d'accomplissement et la bonne communication avec les collègues.

Se positionner comme employeur de choix n'entraîne donc pas nécessairement des coûts directs faramineux, puisqu'il ne s'agit pas d'une stratégie à court terme d'augmentation des salaires pour attirer davantage de candidats. Il s'agit en revanche d'une stratégie de longue haleine, qui prend en considération à la fois la rémunération globale, la nature de l'emploi et le développement de

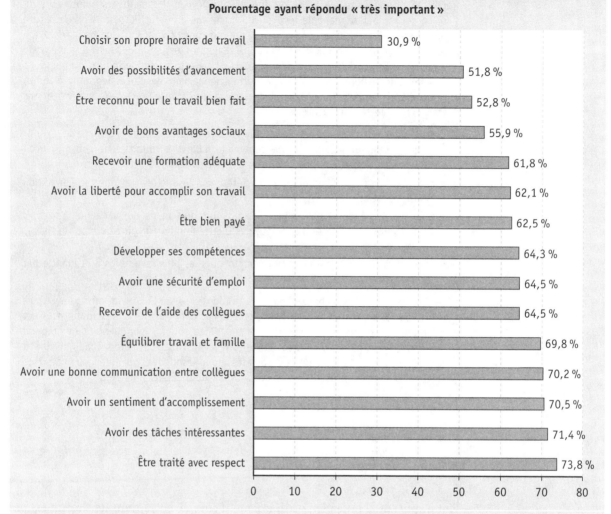

FIGURE 3.1   Caractéristiques d'un emploi considérées «très importantes» par les Canadiens

Pourcentage ayant répondu « très important »

Caractéristique	%
Choisir son propre horaire de travail	30,9 %
Avoir des possibilités d'avancement	51,8 %
Être reconnu pour le travail bien fait	52,8 %
Avoir de bons avantages sociaux	55,9 %
Recevoir une formation adéquate	61,8 %
Avoir la liberté pour accomplir son travail	62,1 %
Être bien payé	62,5 %
Développer ses compétences	64,3 %
Avoir une sécurité d'emploi	64,5 %
Recevoir de l'aide des collègues	64,5 %
Équilibrer travail et famille	69,8 %
Avoir une bonne communication entre collègues	70,2 %
Avoir un sentiment d'accomplissement	70,5 %
Avoir des tâches intéressantes	71,4 %
Être traité avec respect	73,8 %

Source : Lowe et Schellenberg, 2002.

l'employabilité des individus, pour offrir à ces derniers une expérience de travail de qualité (Chaminade, 2003 ; Woodruffe, 2001). La figure 3.2 résume ces trois dimensions.

Plus que l'aspect purement monétaire, l'accent est donc mis sur l'ensemble de l'expérience de travail proposée à un candidat et sur l'ancrage de cette expérience dans les valeurs de la compagnie. En effet, il ne s'agit pas d'une simple opération de relations publiques déconnectée du vécu des employés, mais bien d'une affirmation de la place fondamentale qu'occupent les salariés d'une organisation (Barrow et Mosley, 2005 ; Herman et Gioia, 2000). Se positionner comme un employeur de choix est donc une décision stratégique très exigeante, puisqu'elle touche à l'ensemble des pratiques de gestion des ressources

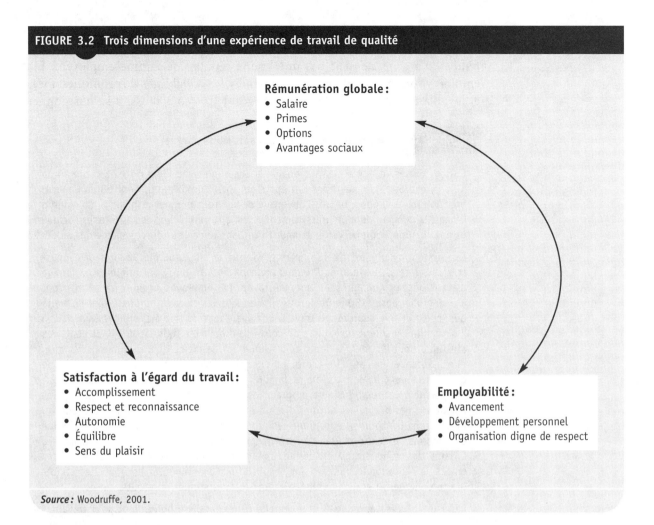

FIGURE 3.2 Trois dimensions d'une expérience de travail de qualité

Rémunération globale :
- Salaire
- Primes
- Options
- Avantages sociaux

Satisfaction à l'égard du travail :
- Accomplissement
- Respect et reconnaissance
- Autonomie
- Équilibre
- Sens du plaisir

Employabilité :
- Avancement
- Développement personnel
- Organisation digne de respect

Source : Woodruffe, 2001.

humaines et qu'elle ne livre de résultats qu'à long terme. Or, seule une fraction des entreprises sont en mesure de se démarquer de leurs concurrents au plan des ressources humaines. À cet égard, Gosselin (2003) remarque que s'il était facile de devenir un employeur de choix, tout le monde le ferait et ce ne serait alors plus une source d'avantage concurrentiel durable.

Offrir une expérience de travail de qualité est une décision stratégique.

Un employeur de choix jouit donc d'une culture qui valorise une expérience de travail de qualité, centrée autour du respect et du développement de l'individu. Mais cette expérience s'inscrit dans un ensemble de contraintes qui constituent l'environnement de l'entreprise et qu'il ne s'agit pas de masquer. Par exemple, le fait qu'une entreprise œuvre dans un secteur d'activité peu réputé ou encore dans une région peu attrayante ne signifie pas qu'elle doit renoncer à se positionner comme employeur de choix. En revanche, les entreprises aux prises avec un tel environnement doivent en prendre conscience pour compenser les aspects moins attrayants de leur offre de travail par des caractéristiques plus avantageuses (Axel, 1996).

L'expérience de Costco présentée dans l'encadré 3.2 en est un exemple : l'industrie du commerce de détail, surtout dans le domaine des magasins à prix réduits, n'a généralement pas une bonne réputation comme employeur. Les emplois y sont habituellement peu qualifiés, les possibilités de promotion rares et les salaires peu élevés. Pourtant, le géant Costco a réussi à se positionner

---

ENCADRÉ 3.2 **Costco, un employeur qui sait se démarquer !**

Costco Wholesale, cette institution qui a fusionné avec Club Price il y a environ 12 ans, exploite 477 magasins entrepôts en Amérique du Nord, dont 68 au Canada, incluant 16 au Québec. Depuis l'ouverture de son tout premier magasin il y a environ 22 ans, la compagnie a progressivement offert à ses employés des avantages sociaux et une rémunération des plus compétitives dans le secteur du commerce de détail.

Le salaire moyen y est de 45 % plus élevé que la moyenne des salaires de l'industrie. Outre cela, les salariés à temps plein payés à l'heure sont éligibles au régime d'avantages sociaux après 90 jours de travail. Les employés à temps partiel peuvent en bénéficier après 180 jours de travail alors que les salariés réguliers sont couverts dès leur première journée de travail. Les avantages offerts à l'employé, mais aussi à sa famille, incluent un régime de couverture pour les frais médicaux et dentaires ainsi que pour les médicaments et les lunettes, de même qu'un régime de retraite, une assurance en cas d'invalidité et une assurance vie. Un service téléphonique d'aide à la conciliation travail et famille et un service d'aide aux employés sont également proposés. Plusieurs programmes de récompenses existent aussi pour les employés : des bonis, des options d'achat d'actions et des rabais sur la marchandise. De surcroît, l'entreprise encourage les promotions à l'interne : elle comble 90 % de ses emplois de gestionnaires de cette façon. Costco incite également ses employés à faire des suggestions et donne aux gestionnaires des départements et des magasins l'autonomie dont ils ont besoin afin d'expérimenter de nouvelles stratégies en vue de faire augmenter les ventes et de diminuer des coûts.

Le résultat ? Les candidats à la recherche d'un emploi se bousculent pour travailler chez Costco et une fois embauchés, ils y restent. Le taux de roulement annuel pour les employés qui travaillent depuis plus d'un an à temps plein et à temps partiel n'est que de 6 %, alors que la moyenne de l'industrie s'élève à 59 %.

Le secret de la réussite de Costco ? Le recrutement est laissé aux gestionnaires lors de l'ouverture d'un nouveau magasin, moment où les candidats affluent par milliers afin de soumettre leur candidature. En outre, Costco reçoit suffisamment de candidatures spontanées sur son site Internet pour recruter en cas de besoin.

Sources : Traduit et adapté de Costco, 2006.
La Presse Canadienne, 2006.
Rafter, 2005.

Costco
www.costco.com

comme un employeur incontournable dans ce secteur d'activité, ce qui lui permet d'attirer plusieurs milliers de candidats lors de chaque ouverture de magasin et de jouir d'un taux de roulement enviable de 6 % au sein d'une industrie où la moyenne est de 59 %. Le secret de Costco repose non seulement sur des salaires parmi les plus élevés du commerce de détail, mais également sur d'autres formes de reconnaissance comme les primes, les promotions internes, la possibilité de faire des suggestions ainsi qu'une grande autonomie laissée aux gestionnaires de départements (Rafter, 2005).

Coalition pour la promotion des professions en assurance de dommages
http://chad.ca

L'exemple de Costco n'est pas un cas unique. Ainsi, pour lutter contre l'image un peu désuète du métier d'assureur, trop souvent assimilé à «l'homme à la mallette», les compagnies canadiennes d'assurance ont amélioré les conditions de travail qu'elles offraient à leurs employés et ont mis sur pied, en 2002, la Coalition pour la promotion des professions en assurance de dommages (Cousineau, 2005). Cette Coalition a pour mission d'intéresser davantage de candidats aux carrières offertes dans cette industrie et de revaloriser l'image des professionnels œuvrant en assurance de dommages. L'encadré 3.3 présente l'ensemble des activités qui ont été menées en 2005-2006 afin d'atteindre ces objectifs.

Ainsi, se positionner comme employeur de choix consiste à mettre les employés et les candidats au centre des préoccupations, tout en restant réaliste quant à la nature de l'organisation ou de l'emploi. Respecter les promesses qui sont faites aux candidats pendant le processus de recrutement et de sélection est un élément crucial du positionnement comme employeur de choix.

1.2 Les éléments du positionnement

Une organisation doit identifier les domaines dans lesquels elle excelle.

Pour réussir à offrir une expérience de travail de qualité tout en reconnaissant les contraintes liées au contexte de l'organisation, il importe que l'employeur se connaisse et soit réaliste quant à ce qu'il peut offrir. Un employeur ne peut pas être le meilleur dans tous les secteurs, mais chaque organisation peut identifier un ou plusieurs domaines dans lesquels elle excelle. Pour certaines compagnies, c'est la stabilité financière qui constitue l'attrait principal pour les candidats. Pour d'autres, l'ambiance familiale de travail ou encore la réputation en tant qu'entreprise socialement responsable sont les principaux facteurs de différenciation par rapport à la concurrence (Herman et Gioia, 2000 ; Turban et Greening, 1996). D'autres encore misent sur leur envergure internationale et leur capacité à offrir à leurs employés des assignations à l'étranger. Quelle que soit l'organisation, elle peut identifier au moins une caractéristique qui la rend unique et attrayante pour des candidats potentiels. À cet égard, l'existence de plusieurs classements des meilleurs employeurs, qui se basent sur des critères de choix différents, indique qu'il n'existe pas de recette miracle pour devenir un employeur de référence.

1. **Tournée des conseillers en information scolaire et professionnelle dans plusieurs régions du Québec**

   Six rencontres ont eu lieu et près d'une centaine de conseillers en information scolaire et professionnelle y ont participé. De plus, une nouvelle formation en assurance de dommages est maintenant offerte au Collège Vanier, ce qui permettra de former la communauté anglophone de Montréal.

2. **Opérations de relations publiques afin d'obtenir davantage de visibilité**

   Plus de 21 médias ont traité de la pénurie de main-d'œuvre et/ou de la Coalition.

3. **Salons et événements liés à l'emploi et concours iPod lors de salons de l'emploi**

   La Coalition a participé à une quinzaine d'événements liés à l'emploi. En tout, 782 personnes ont participé aux tirages. Plus de 500 demandes d'information ont été reçues par téléphone ou par courriel.

4. **Cahier spécial Gesca inséré dans sept quotidiens du groupe Gesca**

   Le cahier a été distribué à toutes les directions régionales d'Emploi-Québec, ainsi qu'aux 2500 conseillers en information scolaire et professionnelle du Québec.

5. **Journée portes ouvertes en entreprise**

   Dix-huit personnes en réorientation de carrière et sept intervenants de l'industrie ont pris part à l'événement afin de partager leurs expériences. La deuxième partie de la rencontre a permis aux participants de discuter avec les agents en assurance de dommages.

6. **Opération 1er mars**

   La Coalition a agi comme commanditaire majeur de l'Opération 1er mars organisé par Septembre éditeur afin d'aider les élèves de cinquième secondaire à explorer les possibilités de carrière. Cela a accru la visibilité de la Coalition sur le site Internet de l'Opération, dans les sept quotidiens du groupe Gesca, dans les écoles et dans le Palmarès des carrières d'avenir 2006.

7. **Production d'outils promotionnels**

   Quatre mille cédéroms et vidéos de la Coalition ont été distribués, de même que 4000 règles aux couleurs de la Coalition, 6500 protège-cartes et 12 000 brochures visant à promouvoir les possibilités de carrière.

8. **Jeu Internet (www.kambriolage.com) mis en ligne afin d'attirer l'attention des étudiants en période d'inscription**

   Le nombre de visites dans la portion Carrières en assurance de dommages du site Internet de la ChAD a fait un bond considérable: 23 645 visites ont été enregistrées en 2005-2006, comparativement à 17 252 visites en 2004-2005, ce qui correspond à une augmentation globale de 37%.

9. **Bulletin Internet et *La CHADPresse***

   Dix numéros du bulletin ont été envoyés à quelque 3000 personnes. Ce bulletin permet aux abonnés de connaître les nouvelles de la Coalition et les activités à venir.

10. **Avis de fin de cohorte**

    Cet avis permet aux employeurs de connaître les dates de fin d'études des étudiants en assurance de dommages d'un établissement. En 7 mois, la Coalition a reçu 17 demandes provenant de 12 cégeps différents et a transmis quelque 2200 avis aux employeurs de 9 régions différentes.

11. **Sondage sur les profils des candidats recherchés**

    Le sondage a permis d'apprendre que la majorité des employeurs recherchent des candidats de niveau collégial, formés en assurance de dommages, et ce, tant en assurance des particuliers qu'en assurance des entreprises.

Source: Coalition pour la promotion des professions en assurance de dommages, 2006.

Mais la seule connaissance de ses forces ne suffit pas. L'élément essentiel pour être perçu comme un employeur de choix est de communiquer clairement et de façon réaliste ce que l'organisation propose à ses employés actuels et futurs (Champagne, 2005 ; Salmon, 2006). Et ce n'est pas toujours chose facile. En effet, le vice-président des ressources humaines de Bombardier Aéronautique confiait récemment à une journaliste que la direction a observé, lors d'un sondage annuel effectué auprès du personnel, que ses priorités stratégiques étaient peu connues des employés (Cousineau, 2005). Or, la communication est la base de l'établissement d'un contrat psychologique qui scelle, de façon informelle, les attentes réciproques de l'employé et de l'employeur (Rousseau, 1995). Par exemple, une organisation qui se positionne comme un bon citoyen corporatif soucieux de son image sociale attirera des candidats qui valorisent la responsabilité sociale.

L'encadré 3.4 propose des exemples de questions auxquelles un employeur peut répondre pour cerner les éléments sur lesquels il peut miser pour établir son positionnement.

ENCADRÉ 3.4 Exemples de questions visant à établir un positionnement comme employeur de choix

Questions relatives au secteur d'activité ou au secteur géographique :
Le secteur d'activité (ou la profession) a-t-il une bonne réputation ?
Le secteur d'activité a-t-il vécu des crises au cours des dernières années ?
Le secteur d'activité est-il reconnu comme un secteur d'avenir ?
Existe-t-il des organismes ou des regroupements de gens d'affaires visant à promouvoir le secteur d'activité ?
Le secteur d'activité a-t-il connu une hausse ou une baisse de ses effectifs au cours des dernières années ?
Quels sont les principaux obstacles au développement du secteur d'activité ?
Quelles sont les particularités de la région ? La région est-elle en croissance démographique ?
Quelles sont les infrastructures régionales ?

Questions relatives à l'organisation dans son ensemble :
L'organisation est-elle reconnue dans son secteur d'activité ?
Est-elle reconnue pour la qualité de ses produits ? Pour sa capacité à innover ?
Quels sont les atouts de l'organisation ? Quelles sont ses faiblesses ?
Quels sont les facteurs clés de sa performance ?
Quelles sont les évolutions techniques et technologiques prévues à court et à moyen termes ? Quels en seront les impacts sur l'emploi ?
L'organisation est-elle impliquée dans la communauté ? Est-elle impliquée dans un réseau d'affaires ?
Quelles sont les valeurs des dirigeants ? Comment ces valeurs se concrétisent-elles ?
L'organisation a-t-elle connu des crises au cours des dernières années ?
L'organisation est-elle souvent citée dans les journaux ? Si oui, en quels termes est-elle présentée ?

»

Questions relatives aux pratiques de gestion des ressources humaines :

L'organisation a-t-elle adopté des pratiques de ressources humaines innovatrices ? Si oui, lesquelles ?

Quelle est la place des ressources humaines dans la stratégie de l'organisation ?

Les employés participent-ils à la gestion de l'entreprise ? Si oui, de quelle manière ?

L'organisation a-t-elle un programme de planification des effectifs ? De gestion de la relève ?

L'organisation offre-t-elle une rémunération et des conditions de travail comparables à celles de ses concurrents ?

Quel est le taux de roulement par poste ? Quel est le taux de roulement des personnes nouvellement embauchées ?

Mais identifier ses forces et les utiliser pour se positionner comme employeur de choix ne suffit pas pour résoudre les problèmes de recrutement et de rétention de la main-d'œuvre. Encore faut-il communiquer ce positionnement par l'adoption d'une marque d'employeur clairement identifiable (Chaminade, 2003 ; Conference Board, 2001).

2. L'adoption d'une marque d'employeur

Une marque d'employeur permet de faire la promotion de l'image d'employeur de choix.

La notion de marque d'employeur est directement empruntée au monde du marketing et permet de faire le lien entre le positionnement comme employeur de choix et la capacité à attirer des candidats. La marque d'employeur fait en effet référence à la stratégie de communication qu'une organisation utilise pour établir son identité en tant qu'employeur, se distinguer de ses concurrents et faire la promotion de l'expérience de qualité qu'elle entend offrir à ses employés (Conference Board, 2001 ; Sullivan, s. d. ; van Leeuwen, Pieters et Crawford, 2005). Outre la connaissance de ce que l'organisation peut offrir, qui s'inscrit dans son positionnement comme employeur de choix, l'adoption d'une marque d'employeur repose sur la compréhension de ce que désirent les employés recherchés, la cohérence entre le discours et l'action, et le choix d'une stratégie de communication ciblée.

2.1 La connaissance des candidats recherchés

Comme nous l'avons vu plus tôt, se faire une idée réaliste de ce que l'on est en mesure d'offrir à ses employés et mettre l'accent sur la qualité de l'expérience de travail offerte dans ce contexte sont les prémisses d'un positionnement comme employeur de choix. Mais pour attirer des employés de qualité, encore faut-il que l'expérience proposée réponde aux attentes des candidats recherchés. De la même façon que le marketing d'un produit est issu des besoins du consommateur, l'image d'un employeur doit avoir pour origine les préoccupations des employés, actuels ou potentiels. D'ailleurs, selon un sondage du Conference Board (2001), les professionnels en ressources humaines estiment que leur marque d'employeur cible les employés actuels dans une proportion de 93 %, et les employés potentiels dans 82 % des cas. Le même sondage demandait aux cadres d'indiquer les facteurs de succès de l'établissement d'une marque d'employeur : le fait de cibler les attentes des employés, actuels ou potentiels, est arrivé en tête de liste.

Les éléments importants de la marque d'employeur varient en fonction du groupe ciblé.

Or, comme il est impossible de plaire à tous, la première étape de l'adoption d'une marque d'employeur consiste à cibler les catégories de personnes que l'on cherche à attirer ou à retenir en priorité (Mathieu, 2001 ; Michaels, Handfield-Jones et Axelrod, 2001). Cela permet de promouvoir une image qui s'adresse en particulier à ce groupe. Par exemple, nous avons vu au chapitre 1 que l'arrivée de la génération Y sur le marché du travail modifie les attentes des candidats envers les entreprises. Une organisation cherchant à attirer des jeunes de cette génération doit donc comprendre leurs aspirations et leur proposer une expérience de travail qui les satisfasse. La créativité, la reconnaissance, le travail d'équipe, l'autonomie, les défis et la possibilité de progresser dans sa carrière sont autant de valeurs prônées par les jeunes de la génération Y (Giroux, 2005).

Dans le même ordre d'idées, Clarke (2001) relate le tournant pris par l'entreprise Deloitte & Touche dans les années 1990 : réalisant, d'une part, que les décideurs avec qui l'entreprise transigeait étaient de plus en plus souvent des femmes et, d'autre part, que plus de la moitié des diplômés universitaires en comptabilité étaient également de sexe féminin, la compagnie a mis en place une stratégie visant spécifiquement la rétention et l'avancement des femmes. Appliquée autant aux candidates qu'aux employées, la notion d'expérience de travail de qualité incluait notamment un programme de développement en gestion, des initiatives de soutien à l'équilibre emploi-famille et une stratégie de communication adressée à l'ensemble des employés.

Il n'est pas toujours facile de découvrir les attentes des candidats recherchés. Selon Cousineau (2005), seul le fait de recentrer son attention sur les personnes permet de découvrir les aspirations et les ambitions des employés. Cependant, les attentes de ces derniers ne sont pas toujours identiques à celles des candidats. Comme l'illustre l'expérience de Philips relatée dans l'encadré 3.5, interroger à la fois les employés et les candidats potentiels permet de cibler davantage les dimensions de l'organisation à promouvoir lors des actions de recrutement.

Comme le montre l'expérience de Philips, les attentes des candidats ne portent pas nécessairement sur les conditions de travail ni même sur les pratiques de gestion des ressources humaines. Dans certains cas, le fait de travailler pour une compagnie qui sauve des vies ou qui participe à la construction d'un monde meilleur peut être une motivation suffisante pour attirer des candidats de qualité (Sullivan, s. d.). Par ailleurs, même si les différents groupes de candidats potentiels n'ont pas les mêmes attentes, il est indispensable d'identifier un message fort qui convient à tous, afin de créer une image de marque uniforme.

Royal Philips Electronics, compagnie néerlandaise plus connue sous le nom de Philips, est une des plus grandes entreprises d'électronique grand public et professionnelle au monde. Avec des ventes de 30,3 milliards d'euros en 2004 et 161 500 employés répartis dans plus de 60 pays, elle se positionne comme chef de file dans des domaines comme l'imagerie médicale, l'éclairage, les semi-conducteurs ou la télévision.

En 2002, dans un contexte de concurrence accrue pour attirer des talents, Philips s'est lancée dans une vaste recherche visant à promouvoir son image de marque en tant qu'employeur. Avec l'aide de consultants, l'entreprise a conduit 29 groupes de discussion totalisant 250 employés dans 8 pays différents. Elle a également interrogé, au moyen d'un sondage, 3500 de ses employés répartis de par le monde. Une opération similaire de groupes de discussion suivis d'un sondage a également été menée auprès d'étudiants et de personnes ne travaillant pas chez Philips.

Ces données ont permis de dresser un portrait très riche de l'image que l'entreprise projetait, ainsi que des attentes des employés et des candidats potentiels. De façon intéressante, Philips a découvert que les attentes variaient en fonction des différents groupes de la population interrogée. Ainsi, parmi les candidats potentiels, les étudiants et les diplômés universitaires récents considèrent comme prioritaire le fait de travailler sur des projets comportant des défis, au sein d'une entreprise internationale au succès reconnu ; en revanche, les personnes détentrices d'un emploi ou possédant une expérience de travail substantielle sont plus sensibles à leurs possibilités d'évolution professionnelle, au climat de travail, au style de gestion et à leur développement personnel.

Cette recherche a mené à une meilleure définition du positionnement de Philips, qui se résume dans le slogan utilisé internationalement : *Touch lives every day*. En outre, une «boîte à outils» disponible sur Internet a été créée afin de communiquer, de façon uniforme, cette image de marque qui s'adresse autant aux clients de l'entreprise qu'à ses employés et à ses candidats futurs.

Source : Van Leeuwen, Pieters et Crawford, 2005.

Philips
www.philips.fr

De la même façon, il n'est pas nécessaire d'œuvrer dans un secteur d'activité en vogue ou d'être une entreprise internationale pour développer une marque d'employeur susceptible de séduire des candidats de qualité. Comme le montre l'encadré 3.6, le secteur de la restauration peut développer une stratégie de marque en dépit des conditions de travail souvent difficiles.

Si la première étape de l'adoption d'une marque d'employeur consiste à comprendre les attentes des candidats potentiels, agir en conséquence en est la suite incontournable. En effet, dans ce domaine, les actions parlent plus fort que les mots.

Au menu, trio de bruschetta, bouchées d'olives *fritti* et pizza *al salmone affumicato*, c'est-à-dire garnie de saumon fumé et de câpres. Avec, bien sûr, du vin et de l'eau de source naturelle en bouteille à volonté. «Comme en Italie!» dit Pierre Marc Tremblay, président et chef de la direction des Restaurants Pacini. Difficile de taxer la chaîne d'«italo-américaine»: ses recettes ont été mises au point par un chef italien à l'Académie culinaire Pacini, située à proximité de Venise, et plusieurs produits, dont son huile d'olive, sont importés d'Italie. À la mi-octobre, Pacini lancera même un menu sans gras trans.

C'est grâce à sa nouvelle stratégie de marque que Pacini a traversé sa crise de main-d'œuvre. Lorsque, en octobre 2000, Pierre Marc Tremblay est arrivé à la tête de cette bannière, les jeunes candidats boudaient ses restaurants. À salaire plus ou moins égal, ils préféraient vendre du café chez Starbucks plutôt que d'être associés à un bar à pains...

Pierre Marc Tremblay n'a pas supprimé le populaire bar à pains dans ses 25 restaurants, dont les premiers ont été lancés en 1983. Mais il a entrepris un virage italien par souci d'authenticité, valeur prônée par la génération Y. «Nos 900 employés sont fiers de travailler chez nous, parce qu'on sert des plats typiques de l'Italie», dit le propriétaire de 42 ans, grand amoureux de ce pays. Afin d'alimenter ce sentiment d'appartenance, il a élaboré un programme de reconnaissance qui, depuis 2002, a notamment permis à 70 employés de visiter l'Italie pendant une semaine. Karine Sagala, serveuse de 25 ans, a participé au dernier séjour en Sicile. «C'était mon premier voyage outre-mer, dit cette employée qui travaille chez Pacini depuis quatre ans (dont deux à temps plein). Et c'en a été tout un!» En plus de visiter des maisons de vins, elle s'est délectée de fruits de mer de la région.

Depuis 2002, Pacini a divisé par trois son taux de roulement. [...]

Source: Cousineau, 2005.

Pacini
www.pacini.ca

2.2 La cohérence entre le discours et les actions

Toute réputation est basée à la fois sur les actions et sur le discours (Hepburn, 2005). La marque d'employeur ne fait pas exception à cette règle. C'est pourquoi, une fois identifiés les éléments constitutifs de cette marque, c'est-à-dire les éléments centraux du message diffusé aux différents groupes cibles, la cohérence entre ce discours et les actions est indispensable pour que se bâtisse, à long terme, une marque d'employeur (Bellan, 2004; Herman et Gioia, 2000; Salmon, 2006). Cette cohérence entre le discours et les actions fait souvent défaut dans les entreprises: la marque d'employeur devient alors une opération de relations publiques creuse et dénuée de sens.

La cohérence entre les actions et le discours est indispensable pour que s'établisse une marque d'employeur.

Pourtant, que ce soit dans le domaine des marques de produits ou dans celui des marques d'employeurs, une réputation se construit lentement, mais peut s'effondrer en un clin d'œil. Or, à l'ère d'Internet, il est de plus en plus facile à des employés ou à des candidats insatisfaits de diffuser au monde entier leur propre perception de l'expérience qu'ils ont vécue chez tel ou tel employeur. Ainsi, plusieurs blogues dénonçant les pratiques d'employeurs ont retenu l'attention des médias (Parsley, 2005). La naissance d'un « syndicat virtuel » au sein de la compagnie Ubisoft en est un exemple récent (encadré 3.7).

Créer et diffuser une marque d'employeur consiste donc à rendre cohérente avec sa nature l'image que l'organisation projette auprès de la population ciblée (Bellan, 2004). Il reste alors à faire la promotion de cette marque d'employeur.

ENCADRÉ 3.7 **Ubi Free : le syndicat virtuel de Ubisoft**

« Ubisoft, l'un des plus gros producteurs et distributeurs français de jeux vidéo, n'a pas de direction des ressources humaines, pas de comité d'entreprise, pas de syndicat, pas de représentants du personnel. Ubisoft emploie à Montreuil plus de 400 personnes dont la moyenne d'âge est de 26 ans, qui ne peuvent ni s'exprimer, ni se syndiquer, ni défendre leurs droits [...] Pour répondre à ces pratiques, les employés lancent aujourd'hui le premier syndicat virtuel : Ubi Free. » Le 15 décembre, tous les employés d'Ubisoft-France et des filiales du Québec, du Maroc, de Roumanie et de Chine reçoivent via Internet un message annonçant le lancement de ce mouvement social inédit. Les sept fondateurs d'Ubi Free, tous en contrat précaire, ont pris leurs précautions pour rester anonymes sur le réseau, persuadés que s'ils étaient démasqués, les représailles seraient rudes.

Malgré tout, ils ne cherchent pas à dramatiser à outrance. Leur site se veut humoristique, avec des illustrations pastel évoquant les CD-ROM pour moins de six ans, et des rubriques intitulées *Les couleurs du pays joyeux* ou *La tribune des enfants heureux*. Mais, derrière la façade de dérision, Ubi Free a rassemblé un dossier expliquant en détails l'histoire de la société et sa politique en matière d'embauche, de salaires et de conditions de travail. Ils accusent les cinq frères Guillemot, fondateurs et patrons du groupe, d'avoir une conception « féodale » de leur métier, fondée sur le paternalisme, l'arbitraire et la précarité érigée en système.

En une nuit, Ubi Free reçoit des dizaines de messages de soutien, émanant d'employés et d'internautes travaillant pour d'autres sociétés du secteur, où la situation est comparable. La direction réagit d'abord en bloquant l'accès au site depuis ses locaux, et en menant des recherches pour retrouver les coupables. Mais dès le lendemain, Yves Guillemot, l'un des cinq frères, s'adresse aux employés et à la presse sur un ton conciliant. Il se dit choqué d'avoir été traité de « monarque » et d'avoir trouvé sur Ubi Free de « fausses informations », mais il admet avoir « pris une bonne claque » et assure que le message est bien reçu : « Il faut que nous réfléchissions tous ensemble pour voir comment améliorer les choses pour les personnes mécontentes. »

Les fondateurs d'Ubi Free ne souhaitent pas sortir de l'ombre. Ils considèrent qu'ils ont ouvert un lieu de débat et « tendu la perche » aux autres salariés, qui doivent à présent prendre le relais en menant des actions différentes, à visage découvert.

Source : Eudes, 1998.

 **Ubisoft**
www.ubi.com

 **Ubi Free**
http://membres.lycos.fr/ubifree

2.3 La promotion de la marque d'employeur

Une stratégie de communication doit permettre de promouvoir l'image de marque d'employeur.

L'élément final de l'adoption d'une marque d'employeur consiste à en faire la promotion à l'aide d'une campagne de communication appropriée (Mathieu, 2001). Comme nous le verrons au chapitre 8, la période de recrutement pour pourvoir des postes est un moment privilégié pour communiquer l'image de marque d'un employeur. Mais pour véritablement tirer parti de son positionnement comme employeur de choix, une organisation ne doit pas attendre la période des annonces de poste pour faire la promotion de son image de marque. En fait, tout l'avantage d'un tel positionnement consiste à promouvoir une image forte avant les campagnes de recrutement, afin d'en tirer les bénéfices au moment de celles-ci.

L'Oréal
www.loreal.ca

La stratégie de communication choisie pour promouvoir la marque employeur varie en fonction des populations ciblées. Ainsi, certaines entreprises privilégient-elles des compétitions ou des concours destinés à des étudiants ou à de jeunes diplômés universitaires (Bellan, 2004; Cousineau, 2005). C'est le cas de l'entreprise L'Oréal qui, depuis quelques années, organise des jeux d'entreprise en ligne, dont la durée varie de deux à six mois. Ainsi, en 2005, plus de 36 000 étudiants provenant de 125 pays ont pris part à la simulation marketing L'Oréal Brandstorm et à la simulation d'affaires L'Oréal e-Strat Challenge (Cousineau, 2005). Ces concours ne sont pas toujours spécifiquement destinés au recrutement et tous les participants ne reçoivent pas une offre d'emploi de l'entreprise organisatrice. Mais ils permettent à cette dernière de voir évoluer des candidats potentiels dans un contexte proche de la réalité du travail. Ainsi, l'entreprise gagne-t-elle en notoriété. Elle peut également repérer des talents et, dans bien des cas, leur faire une proposition d'embauche. À titre d'exemple, l'encadré 3.8 présente quelques-uns de ces concours.

ENCADRÉ 3.8 **Exemples de concours s'adressant à des étudiants**

- L'Oréal Brandstorm : simulation du métier de chef de produit, visant notamment une stratégie de marketing international ; s'adresse à des étudiants en marketing provenant du monde entier. www.brandstorm.loreal.com

- L'Oréal e-Strat Challenge : simulation d'affaires sur Internet consistant à gérer une entreprise de produits de beauté ; s'adresse à des étudiants en gestion provenant du monde entier. www.estrat.loreal.com

- L'Oréal Ingenius Contest : simulation d'un projet industriel ; s'adresse à des étudiants en ingénierie provenant du monde entier. www.ingenius-contest.loreal.com

- Concours de la Fondation pour la formation en charpentes d'acier : conception d'une structure en acier (en 2006, un pont piétonnier) ; s'adresse aux étudiants des écoles canadiennes d'architecture. www.ssef-ffca.ca

- Concours des Ambassadeurs de l'énergie : réalisation d'un projet destiné à la promotion de l'économie d'énergie ; s'adresse aux étudiants d'universités canadiennes. http://oee.rncan.gc.ca

》

- Concours québécois en entrepreneuriat: concours récompensant l'entrepreneuriat étudiant et la création d'entreprise; s'adresse aux élèves et aux étudiants, du primaire à l'université. www.concours-entrepreneur.org
- Euromanager: simulation de gestion d'entreprise; s'adresse à des gestionnaires et à des étudiants provenant du monde entier. www.euromanager.fr

Club Med
www.clubmed.ca

Bien évidemment, une telle stratégie de promotion ne convient qu'à des entreprises cherchant à recruter des diplômés universitaires. Une stratégie différente est requise pour conquérir d'autres marchés cibles. À titre d'exemple, le Club Med, misant sur sa grande notoriété, a récemment adopté une approche terrain en sillonnant les rues des grandes villes de France pour distribuer des dépliants présentant les possibilités de carrière dans cette entreprise (Bellan, 2004). D'autres entreprises en quête de candidats préfèrent promouvoir la qualité de leurs processus de production en affichant une banderole indiquant qu'elles ont obtenu une certification ISO… et qu'elles embauchent.

Mais quel que soit le contenu de la marque d'employeur créée et la stratégie choisie pour la diffuser, s'engager dans un positionnement comme employeur de choix a des répercussions sur les activités de recrutement et de sélection.

3. Les implications pour les activités de recrutement et de sélection

Se positionner comme employeur de choix est une stratégie de dotation à long terme.

Nous l'avons dit, une réputation d'employeur de choix se construit lentement, dans les actions plutôt que dans le seul discours. Il s'agit donc d'une stratégie de longue haleine, qui nécessite que les décisions de recrutement et de sélection du personnel soient planifiées suffisamment longtemps à l'avance. Reprenons l'exemple des concours destinés aux diplômés universitaires. Il faut plusieurs années pour qu'un concours gagne suffisamment en notoriété et en prestige pour que les meilleurs étudiants y participent. Et ceux-ci ne sont pas toujours immédiatement prêts à joindre le marché du travail. De tels concours ne mènent donc pas instantanément à l'embauche de personnel. Pourtant, avec le temps, ils créent un intérêt pour les entreprises qui les organisent, de sorte qu'ils attirent de plus en plus de participants talentueux et intéressés par une carrière dans l'entreprise organisatrice.

Se positionner comme un employeur de choix est une stratégie globale parce qu'elle requiert que les départements de relations publiques, de marketing et de ressources humaines travaillent étroitement ensemble (Ritson, 2002). Dans une telle optique, lancer un nouveau produit devient une occasion de faire connaître l'entreprise dans son ensemble, y compris les possibilités de carrière qui y existent. Cette stratégie ne donne pas nécessairement de résultats à court terme. Mais une fois le positionnement établi, les entreprises qui jouissent d'une bonne réputation attirent de bons candidats, en grand nombre.

Dans le contexte de concurrence féroce pour attirer les talents, les employeurs de choix se doivent d'être constamment à l'affût de nouveaux talents (Rankin, 2000). Cependant, identifier ces nouveaux talents ne suffit pas. Pour construire sa marque d'employeur, il faut attirer des employés talentueux qui, en outre, possèdent les mêmes valeurs que celles prônées par l'entreprise. En adhérant à celles-ci, les employés seront plus enclins à se mobiliser au travail, ce qui risque d'influencer positivement la marque d'employeur dans le futur.

Ainsi, pour devenir un employeur de choix, toutes les pratiques de gestion des ressources humaines doivent se compléter et s'orienter vers le même objectif. En ce qui concerne les activités de dotation, cela implique, d'une part, que les recruteurs connaissent le marché dans lequel ils opèrent et, d'autre part, que l'organisation sache en permanence quels sont ses besoins futurs, à la fois en ce qui concerne les effectifs, les compétences et les valeurs. Les prochains chapitres seront consacrés à cette préparation de la dotation.

Ce qu'il faut retenir

- La concurrence pour attirer des candidats de talents incite de plus en plus d'organisations à se positionner comme employeur de choix.
- Devenir employeur de choix nécessite de mettre les ressources humaines au centre des préoccupations des dirigeants.
- Un positionnement comme employeur de choix va au-delà du discours. Il nécessite une réelle cohérence entre les actions et les paroles.

Références

ANDERSON, Peggy et Marcia PULICH (2000). « Retaining good employees in tough times », *The Health Care Manager*, vol. 19, n° 1, p. 50-58.

AXEL, Helen (1996). « Competing as an Employer of Choice », *HR Executive Review*, vol. 3, n° 4, p. 3-17.

BARROW, Simon et Richard MOSLEY (2005). *The Employer Brand : Bringing the Best of Brand Management to People at Work*, Chichester, New York, Toronto, Brisbane, Singapour, John Wiley and Sons, 232 p.

BELLAN, Marie (2004, 21 septembre). « Une "marque employeur" pour séduire les jeunes salariés », *Les Échos*, Dossier Management, p. 8.

CHAMINADE, Benjamin (2003). *Guide de l'employeur de référence*, Saint-Denis, AFNOR, 283 p.

CHAMPAGNE, Stéphane (2005, 23 décembre). « Abbott Canada, 50e position. Nous vous écoutons », *La Presse*, Cahier Affaires, p. 2.

CLARKE, Kenneth F. (2001). « What businesses are doing to attract and retain employees – Becoming an employer of choice », *Employee Benefits Journal*, vol. 26, n° 1, p. 21-23.

COALITION POUR LA PROMOTION DES PROFESSIONS EN ASSURANCE DE DOMMAGES (2006). « Bilan annuel des activités 2005-2006 : Exercice financier se terminant le 28 février 2006 », [en ligne], *Chambre de l'assurance de dommages*, 19 p. [réf. du 1er août 2006]. <http://chad.ca>.

CONFERENCE BOARD (2001). *Engaging employees through your brand*, New York, Conference Board, 37 p.

COSTCO (2006). « Costco has great benefits », [en ligne], *Costco Wholesale Corporation* [réf. du 1er août 2006]. <www.costco.com>.

COUSINEAU, Marie-Ève (2005, octobre). « L'année de tous les défis », *Les Affaires Plus*, vol. 28, n° 10, p. 32.

ERNST & YOUNG (2006, 11 avril). « Ernst & Young nommée de nouveau employeur de choix au Canada », [en ligne], Communiqué de presse, *CNW Telbec* [réf. du 2 août 2006]. <www.cnw.ca>.

EUDES, Yves (1998, 18 décembre). « perso.club-internet.fr/ubifree/home.htm : Un "syndicat virtuel" pour protester contre l'absence de dialogue social dans une entreprise », *Le Monde*, p. 30.

GIROUX, André (2005, 14 septembre). « La génération Y arrive ! », [en ligne], *JobWings La Toile des recruteurs* [réf. du 5 août 2006]. <www.latoiledesrecruteurs.com>.

GOSSELIN, Alain (2003). « Préambule », dans Benjamin CHAMINADE, *Guide de l'employeur de référence*, Saint-Denis, AFNOR, p. IX-XII.

HEPBURN, Simon (2005). « Creating a winning employer reputation », *Strategic HR Review*, vol. 4, n° 4, p. 20-23.

HERMAN, Roger E. et Joyce L. GIOIA (2000). *How to become an employer of choice*, Winchester, Oakhill Press, 242 p.

LA PRESSE CANADIENNE (2006, 20 juin). « Costco ouvre une deuxième-station service », *Le Devoir*, Économie, p. B3.

LEE, David (2000). « Becoming a talent magnet », *Executive Excellence*, vol. 17, n° 6, p. 10-11.

LOWE, Graham S. et Grant SCHELLENBERG (2002). « Employees' basic value proposition : Strong HR strategies must address work values », *Canadian HR Reporter*, vol. 15, n° 13, p. 18-23.

MATHIEU, Alain (2001, novembre/décembre). « Employeurs de choix, employés de talent », *Effectif*, vol. 4, n° 5, p. 44-48.

MICHAELS, Ed, Helen HANDFIELD-JONES et Beth AXELROD (2001). *The war for talent*, McKinsey & Company, Boston, Harvard Business School Press, 200 p.

PARSLEY, Andy (2005, 11 mai). « Is the end of the employer brand in sight ? », [en ligne], *Management Issues* [réf. du 5 juin 2006]. <www.management-issues.com>.

RAFTER, Michelle (2005). « Welcome to the club », *Workforce Management*, vol. 84, n° 4, p. 40-46.

RANKIN, M. J. (2000). « Winning the war for talent : how to become an employer of choice », *Trusts & Estates*, vol. 139, n° 4, p. 54-57.

RITSON, Mark (2002, 24 octobre). « Marketing and HR collaborate to harness employer brand power », *Marketing*, p. 18.

ROUSSEAU, Denise M. (1995). *Psychological Contracts in Organizations : Understanding Written and Unwritten Agreements*, Thousand Oaks, Sage Publications, 246 p.

SALMON, Michel (2006, 3 mars). « Être un employeur de choix », [en ligne], *Experts, Les Affaires.com* [réf. du 6 septembre 2006]. <www.lesaffaires.com>.

SULLIVAN, John (s. d.). « Markruitment : Brand Your Company as a Great Place to Work », [en ligne], *Employment Trends, Monster.co.uk recruitment centre* [réf. du 30 mai 2006]. <http://monster.ebay.co.uk>.

TREMBLAY, Michel et Gilles SIMARD (2005). « La mobilisation du personnel : l'art d'établir un climat d'échanges favorable basé sur la réciprocité », *Gestion*, vol. 30, n° 2, p. 60-68.

TURBAN, Daniel et Daniel W. GREENING (1996). « Corporate social performance and organizational attractiveness to prospective employees », *Academy of Management Journal*, vol. 40, n° 3, p. 658-672.

VAN LEEUWEN, Brenda, Jo PIETERS et Tom CRAWFORD (2005). « Building Philips' employer brand from the inside out », *Strategic HR Review*, vol. 4, n° 4, p. 16-19.

VINCENT, Wendy et Marcia McDOUGALL (2005, 23 décembre). « Hewitt & Associés présente le palmarès des 50 Employeurs de choix au Canada : Les employeurs de choix savent comment retenir les employés clés », [en ligne], *Hewitt & Associés, Éditions Yvon Blais*, p. 6 [réf. du 31 juillet 2006]. <www.editionsyvonblais.qc.ca>.

WOODRUFFE, Charles (2001, juin). « Becoming an employer of choice : The new HR imperative », *Training Journal*, p. 8-13.

WORKING MOTHER (2005). « 100 Best Companies : Best of the Best Top 10 », [en ligne], *Working Mother Media : Working Mother Magazine, Working Mother* [réf. du 31 juillet 2006]. <www.workingmother.com>.

WYATT (1995, 20 février). *1994 Global Management Survey : Final data tables*, Non publié.

PARTIE

2

La préparation
de la dotation

CHAPITRE 4

La planification des ressources humaines

Objectifs du chapitre

La planification opérationnelle des ressources humaines est le processus par lequel une organisation prévoit ses besoins et ses disponibilités en matière de ressources humaines. Les objectifs de ce chapitre sont :

• d'explorer les différentes méthodes de planification des ressources humaines ;

• d'identifier les actions à prendre pour combler les écarts entre les besoins et les disponibilités de main-d'œuvre. La dotation fait partie de ces actions.

Avant d'entamer un processus de recrutement et de sélection, il est important de s'assurer que la dotation répond bien aux besoins de l'organisation. Une analyse organisationnelle s'avère donc nécessaire pour répondre aux questions suivantes :

- Quels sont les besoins en ressources humaines ?
- La dotation est-elle l'approche appropriée pour répondre à ces besoins ?

Planification des ressources humaines
▶ *Human resources planning*
Prévision des besoins et des disponibilités en personnel.

Plus spécifiquement, la **planification des ressources humaines,** parfois appelée « gestion prévisionnelle des ressources humaines », est l'exercice par lequel une organisation prévoit ses besoins et ses disponibilités en ressources humaines et élabore des plans d'action pour combler les écarts entre les besoins et les disponibilités de main-d'œuvre (Kerlan, 2000). Ce processus, détaillé dans les pages qui suivent, est représenté à la figure 4.1.

FIGURE 4.1 Vue d'ensemble de la planification des ressources humaines

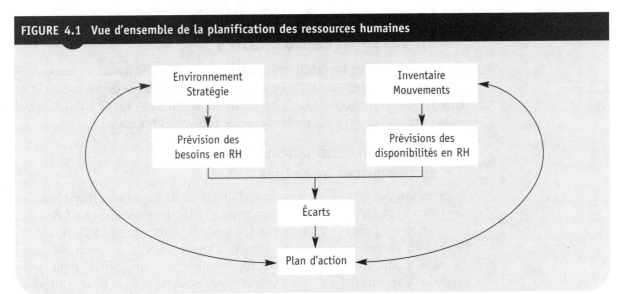

La planification des ressources humaines a pour but de s'assurer que l'organisation dispose du nombre suffisant d'employés qualifiés et motivés, au bon poste et au bon moment. Elle a donc des répercussions sur les activités de dotation, mais aussi sur d'autres activités de gestion de la main-d'œuvre, comme la formation ou la gestion des carrières. Plus spécifiquement, la planification des ressources humaines a pour objectifs de :

- Prévoir les surplus et les pénuries de main-d'œuvre afin de les limiter.
- Réduire les coûts liés aux surplus et aux pénuries de main-d'œuvre.
- Anticiper les coûts de certaines pratiques de gestion des ressources humaines, comme la dotation ou la formation.
- Fournir des informations pour l'élaboration de programmes de gestion des ressources humaines, comme des programmes de gestion des carrières, de développement des compétences, etc.

La planification opérationnelle des ressources humaines permet de faire des prévisions à court terme.

La planification des ressources humaines peut avoir une perspective globale, à long terme, et être intégrée à la planification stratégique de l'entreprise : on parle alors de « planification stratégique des ressources humaines » (Belcourt et McBey, 2004 ; Wils, Le Louarn et Guérin, 1991). Mais la planification des ressources humaines peut également s'intéresser aux prévisions à court terme ou à moyen terme dans le but de mettre en œuvre les plans d'actions qui permettront à l'entreprise d'atteindre ses objectifs (Cascio, Thacker et Blais, 1999) : c'est ce qu'on appelle la « planification opérationnelle des ressources humaines », qui fait l'objet de ce chapitre. Il s'agit donc d'une planification des besoins prévus pour la prochaine ou les deux prochaines années.

1. La prévision des besoins en ressources humaines

La première étape de la planification opérationnelle est la prévision des besoins en ressources humaines, c'est-à-dire l'évaluation du nombre de personnes et de leur qualification nécessaire à l'atteinte des objectifs de l'organisation. Ces besoins sont parfois appelés la « demande de ressources humaines ».

1.1 Les facteurs influençant les besoins en ressources humaines

La prévision des besoins est fonction, d'une part, de la production de biens et services prévue et, d'autre part, de la productivité des individus. La figure 4.2 schématise les facteurs influençant les besoins. Pour simplifier, prévoir les besoins en ressources humaines consiste à répondre à la question suivante : « Combien faut-il d'employés, et quelles compétences doivent-ils avoir, pour produire la quantité désirée de biens et services, compte tenu de leur productivité individuelle ? »

FIGURE 4.2 Prévision des besoins en ressources humaines

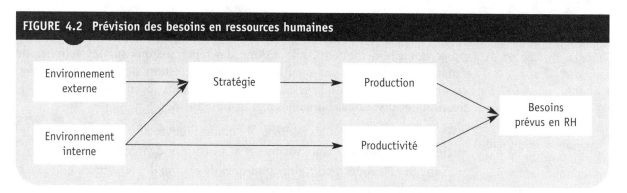

Les facteurs influençant le volume de production prévu

Le volume de production prévu dépend de l'analyse qu'une organisation fait de son environnement externe et interne, et de la stratégie qu'elle décide de mettre en place pour répondre aux menaces et aux opportunités de cet environnement.

Cette analyse stratégique peut faire à elle seule l'objet d'un livre entier (par exemple, voir Belcourt et McBey, 2004). Dans les lignes qui suivent, nous reviendrons brièvement sur les éléments importants à considérer.

Le volume de production dépend des choix stratégiques de l'organisation.

L'analyse de l'environnement externe a pour but d'identifier les menaces et les opportunités auxquelles une organisation est confrontée. Elle permet de recueillir des informations sur l'état de l'économie, la transformation de la concurrence, l'évolution des parts de marché, l'émergence ou la disparition de certains produits, les changements en matière de réglementation, les préférences des consommateurs, l'arrivée de nouvelles technologies, etc. Certaines composantes de l'environnement externe touchent plus particulièrement la main-d'œuvre : taux de chômage et taux d'activité, pyramide des âges, répartition des hommes et des femmes sur le marché du travail, proportion d'immigrants, niveau d'instruction (Belcourt et McBey, 2004 ; Wils, Le Louarn et Guérin, 1991). Dans un processus de planification stratégique, ces éléments sont intégrés à l'analyse de l'environnement et participent à l'élaboration de la stratégie d'affaires de l'entreprise : c'est ce qu'on appelle la « gestion stratégique des ressources humaines » (Belcourt et McBey, 2004 ; Wils, Le Louarn et Guérin, 1991). Dans le contexte plus traditionnel de planification opérationnelle des ressources humaines, ces éléments sont surtout pris en compte à l'étape de l'élaboration du plan d'action.

Institut Fraser
www.fraserinstitute.ca
Conference Board of Canada
www.conferenceboard.ca

Notons avant tout qu'il existe de nombreuses sources d'information sur l'environnement externe : la presse écrite, générale ou spécialisée ; les associations professionnelles ; les consultants ; les organismes spécialisés, comme l'Institut Fraser ou le Conference Board of Canada ; les agences gouvernementales ; les conférences ou les séminaires.

L'analyse de l'environnement interne, pour sa part, tourne son attention vers le fonctionnement de l'organisation. Elle s'intéresse, d'une part, aux forces de l'entreprise, ce qu'elle fait bien ou ce qui la distingue des concurrents, et, d'autre part, à ses faiblesses, ce qu'elle fait médiocrement ou ce qu'elle doit améliorer. L'environnement interne inclut la mission de l'entreprise, sa vision, la cohésion au sein de son équipe de direction, sa structure et sa situation financière. Les éléments de l'environnement interne qui touchent plus précisément le personnel, comme la pyramide des âges au sein de l'entreprise, seront surtout considérés à l'étape de l'analyse des disponibilités en ressources humaines.

L'analyse de l'environnement conduit à la formulation d'une stratégie.

L'analyse des environnements interne et externe conduit à la formulation d'une stratégie pour l'organisation. Par exemple, une situation financière précaire coïncidant avec l'arrivée d'un nouveau président peut conduire une entreprise à une décision de rationalisation des opérations pour pouvoir se recentrer sur ses compétences de base. Dans un autre cas, une organisation qui prévoit l'arrivée sur le marché de plusieurs concurrents importants peut décider de se diversifier en lançant une nouvelle ligne de produits. L'une ou l'autre de ces stratégies aura un impact sur la production de biens et services. Cependant, l'impact sur les besoins en ressources humaines n'est pas immédiat, car il dépend de la productivité des employés. En effet, si la diversification des activités est jumelée avec une hausse de productivité ou avec une réorganisation du travail, il est possible qu'elle n'entraîne pas de nouveaux besoins de main-d'œuvre.

Les facteurs influençant la productivité

Plusieurs éléments dans l'environnement interne d'une organisation ont une influence sur la productivité de la main-d'œuvre. Par exemple, l'évolution de la technologie permet à une entreprise de se doter d'équipements de plus en plus performants. La productivité peut également varier en fonction de la nature des contrats ou de la complexité des tâches à exécuter. Certains des facteurs influençant la productivité sont spécifiques aux ressources humaines, comme les compétences du personnel ou sa motivation.

L'environnement interne influence la productivité.

Il est à noter que certaines des informations obtenues lors de l'analyse de l'environnement interne d'une organisation sont également pertinentes pour étudier sa productivité. Par exemple, la santé financière de l'entreprise détermine les investissements qui peuvent être faits en matière de technologie, d'équipement ou de formation du personnel. Les dimensions « production » et « productivité » sont donc en partie interdépendantes.

1.2 Les méthodes de prévision des besoins en ressources humaines

Plusieurs techniques peuvent être utilisées pour extraire des prévisions en matière de ressources humaines de l'analyse de l'environnement. Par exemple, la projection des tendances ou l'analyse de Markov sont des méthodes objectives ou quantitatives de prévision des besoins. Ces techniques se révèlent parfois très complexes. Elles ne sont utilisées que lorsqu'il existe suffisamment d'informations quantifiables sur le marché, et que l'on suppose que les tendances observées par le passé sont susceptibles de se reproduire. Dans la réalité, ces conditions sont rarement réunies: les informations nécessaires sont difficiles (ou coûteuses) à obtenir, elles ne sont pas toujours quantifiables (par exemple, la motivation des employés) et les incertitudes sur la capacité du passé à prédire les tendances futures sont nombreuses. Dans ces circonstances, les gestionnaires ont plutôt tendance à utiliser des méthodes subjectives, ou une combinaison de méthodes subjectives et objectives, dont les plus utilisées sont détaillées dans les pages suivantes. Ces méthodes peuvent être placées sur un continuum en fonction de leur degré de subjectivité, comme le montre la figure 4.3.

L'opinion des experts

L'opinion des experts est très utilisée pour prévoir les besoins en ressources humaines.

La méthode subjective la plus couramment utilisée consiste à réunir plusieurs experts, par exemple, des consultants externes, des gestionnaires de l'entreprise ou encore des économistes travaillant pour une agence gouvernementale, et à leur demander de formuler des prévisions (Ward, 1996). La discussion permet ensuite de parvenir à un consensus.

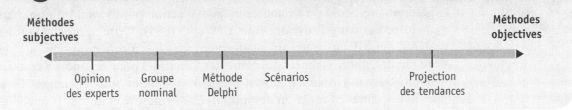

FIGURE 4.3 Classement des méthodes de prévision des besoins en ressources humaines

Méthodes subjectives — Méthodes objectives

Opinion des experts · Groupe nominal · Méthode Delphi · Scénarios · Projection des tendances

Cette méthode présente l'avantage d'être simple, peu coûteuse et facilement applicable, y compris dans les PME qui disposent rarement des ressources pour mener à bien de vastes études. Cependant, elle repose sur le jugement des individus plus que sur les faits, de sorte que les prévisions manquent de précision et sont peu étayées. Par ailleurs, le consensus issu de la discussion peut refléter davantage la force de conviction des experts ou les jeux de pouvoir que la connaissance du domaine.

La technique du groupe nominal

Cette deuxième approche constitue un compromis entre l'opinion des experts et la méthode Delphi (Andersen et Fagerhaug, 2000 ; Belcourt et McBey, 2004) présentée ci-après, puisqu'il s'agit là encore de demander l'avis d'un groupe de spécialistes. Dans un premier temps, les experts effectuent leurs prévisions de façon individuelle. Par la suite, et contrairement à la méthode Delphi, ces personnes se rencontrent et discutent de chacune des prévisions. Celles-ci deviennent alors la propriété du groupe et sont évaluées de façon neutre, sans que quiconque ne se sente obligé de défendre son analyse initiale. Cette appropriation par le groupe de l'ensemble des prévisions individuelles constitue une deuxième différence par rapport à la méthode Delphi. Les prévisions finales sont déterminées par un vote secret.

La méthode Delphi

La méthode Delphi s'apparente à l'opinion des experts, mais elle est plus structurée et systématique, et elle intègre des avis indépendants d'experts (Luthans, 1992). Elle consiste à recueillir individuellement les opinions d'experts qui présentent leurs hypothèses, leurs prévisions et la justification de leurs conclusions, mais sans jamais se rencontrer ou en discuter entre eux. Les estimations individuelles sont ensuite distribuées à tous les experts consultés, à qui on demande ensuite de réviser leurs propres prévisions et de justifier leurs révisions. Le processus recommence jusqu'à ce que l'on obtienne une convergence des estimations.

Même si cette méthode souffre des limites inhérentes aux approches subjectives, notamment le fait qu'elle repose sur des opinions plutôt que sur des faits, elle constitue une amélioration par rapport aux discussions entre experts. En effet, la méthode Delphi réduit les inconvénients liés à la dynamique de groupe (pressions, jeux de pouvoir, etc.) et permet d'obtenir des prévisions plus précises et mieux justifiées.

L'approche des scénarios

L'approche par scénario est une autre méthode, basée sur le jugement des gestionnaires, qui vise à élaborer un plan d'action pour répondre à un changement précis dans l'environnement (Wack, 1985). Cette approche consiste à signaler et à documenter un changement anticipé, à concevoir des indicateurs de mesure, puis à élaborer des plans (ou scénarios) pour répondre à ce changement. Dans un premier temps, plusieurs scénarios sont envisagés. Ils sont ensuite évalués en fonction des indicateurs de mesure et de leur probabilité de réalisation. Les plans d'action sont enfin affinés pour parvenir à un ou à quelques scénarios finaux.

Les deux principaux points forts de l'approche par scénario sont, d'une part, sa capacité à intégrer à la fois des données qualitatives et des informations quantitatives et, d'autre part, la possibilité de tenir compte d'un ensemble de changements simultanés dans l'environnement. Cette approche permet en outre de prédire les coûts associés à chaque scénario, ce qui facilite l'établissement d'un budget. Cependant, le processus peut paraître lourd pour les gestionnaires, surtout si les scénarios semblent éloignés de leur réalité concrète.

La projection des tendances

Contrairement aux deux méthodes décrites précédemment, la projection des tendances est une méthode objective, qui ne s'appuie pas sur le jugement d'individus, mais plutôt sur des données et des comportements passés. En effet, la projection de tendances cherche à projeter dans le futur une situation observée dans le passé.

Le principe de base de cette méthode réside dans le fait que les besoins en ressources humaines, que l'on cherche à prédire, sont influencés par un certain nombre de facteurs appelés « indicateurs ». Il s'agit donc de déterminer la relation passée entre les indicateurs et les besoins en ressources humaines, puis d'extrapoler pour prédire les besoins futurs. L'encadré 4.1 fournit un exemple d'utilisation de la projection des tendances.

ENCADRÉ 4.1 Exemple de prévision des besoins en professeurs

Imaginons qu'une école détermine que le nombre de postes de professeurs (variable à prédire) dépend uniquement du nombre d'étudiants (indicateur). Elle peut ainsi collecter des informations sur le ratio professeur/étudiants au cours des dernières années.

Année	Nombre d'étudiants	Ratio professeur/étudiants	Nombre de professeurs
2007	2000	1/25	80
2006	1975	1/25	79
2005	1900	1/25	76

Si l'école prévoit accueillir 2100 étudiants en 2008 et qu'elle souhaite maintenir son ratio professeur/étudiants identique, elle aura donc besoin de 2100 X 1/25 = 84 postes de professeurs.

L'exemple précédent est bien évidemment simplifié. Dans les faits, la projection des tendances s'appuie sur un grand nombre d'indicateurs repérés par une analyse de l'entreprise durant plusieurs années, et sur des méthodes statistiques pouvant être relativement sophistiquées, comme la régression multiple. En outre, les projections statistiques sont ajustées en fonction d'éléments tels que la productivité au travail ou la courbe d'apprentissage.

La projection des tendances présente l'avantage de se baser sur des données quantitatives et de pouvoir inclure un grand nombre d'indicateurs, ce qui donne des prévisions précises et justifiées. Cependant, elle peut s'avérer compliquée, d'une part, car les indicateurs peuvent être difficiles à définir et, d'autre part, parce que les calculs statistiques s'avèrent d'autant plus complexes que le nombre d'indicateurs est élevé. En outre, cette approche tient pour acquis que les tendances passées se reproduiront, ce qui constitue une source d'erreur en soi puisqu'il est possible que les tendances changent. Par ailleurs, le fait de se fier aux tendances passées ne permet pas d'anticiper un changement brusque dans l'environnement.

Les résultats de l'analyse des besoins en ressources humaines

Puisque aucune méthode de prévision des besoins en ressources humaines n'est exempte de lacunes, les gestionnaires qui se lancent dans ces analyses utilisent généralement une combinaison d'approches quantitatives et qualitatives. Mais, quelle que soit la méthode choisie, l'analyse des besoins en ressources humaines fournit, pour chaque fonction de l'entreprise, des informations sur :

1) le nombre de postes nécessaires, calculé en tenant pour acquis que le titulaire travaille à temps complet ;
2) les responsabilités liées à ces postes ;
3) le moment où ces postes sont requis.

Il convient ici de définir le vocabulaire utilisé pour décrire les besoins en ressources humaines, car il existe une certaine confusion sur les différences entre les emplois, les postes, les tâches et les fonctions. En effet, l'analyse des besoins permet d'identifier le nombre de postes à temps plein nécessaire pour chaque fonction de l'entreprise.

- Une « fonction », ou une « catégorie d'emplois », est un titre d'emploi auquel correspond une description de tâches et de responsabilités et une liste de compétences requises. Par exemple, « ingénieur en aéronautique » est une fonction.
- Un « poste » est un emploi. Il peut y avoir plusieurs postes pour une même fonction. Ainsi, l'encadré 4.1 nous indique que l'école a besoin de 84 postes dans la fonction « professeur » pour l'année 2008. Parce qu'ils appartiennent tous à la même fonction, tous ces postes ont, en principe, la même description de tâches et les mêmes exigences.
- Un poste peut être vacant ou être occupé par une personne qui travaille à temps plein, ou encore être occupé par deux personnes qui travaillent à mi-temps. Ainsi, les 84 postes de professeurs de l'encadré 4.1 peuvent être pourvus par 84 individus travaillant à temps plein, mais ils peuvent également être occupés par 80 professeurs à temps plein et 8 professeurs à mi-temps.

- La planification des besoins en ressources humaines se fait toujours sur la base de postes occupés à temps plein, communément appelés « équivalent temps complet », « équivalent temps plein (ETP) » ou encore « année-personne ». Cependant, les calculs de planification n'aboutissent pas toujours à des résultats entiers. Ainsi, si on reprend le calcul de l'encadré 4.1 en envisageant 2080 étudiants au lieu de 2100 pour l'année 2008, le résultat obtenu est de 83,2 postes de professeurs. Cela signifie, par exemple, qu'un professeur occupera 20 % d'un poste (ce qui équivaut à une journée de travail par semaine), ou encore que deux professeurs auront un contrat de 60 % d'un poste (soit trois journées par semaine).

> L'analyse des besoins indique :
> – le nombre de postes nécessaires ;
> – leurs responsabilités ;
> – le moment où ils sont requis.

Ainsi, l'analyse des besoins permet de déterminer le nombre de postes (en équivalent temps complet) dont une entreprise pense avoir besoin pour mener à bien ses activités. En revanche, elle ne donne aucune information sur le nombre de personnes qui seront requises, et encore moins sur les activités de dotation nécessaires. Pour obtenir ces informations, il est nécessaire de procéder à l'analyse des disponibilités en ressources humaines, qui constitue la deuxième étape du processus de planification.

2. L'analyse des disponibilités en ressources humaines

L'analyse des disponibilités en ressources humaines permet de prédire, à partir de l'inventaire des ressources humaines actuelles et des prévisions de mouvements de main-d'œuvre, le nombre de personnes disponibles pour occuper des postes dans chacune des fonctions visées. Ce processus est représenté à la figure 4.4.

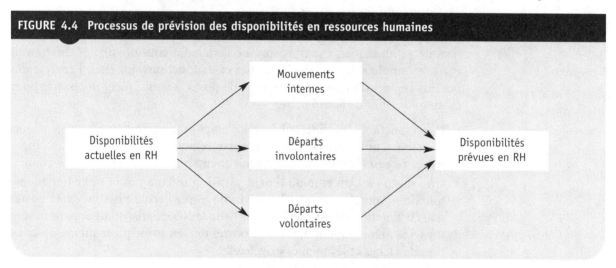

FIGURE 4.4 Processus de prévision des disponibilités en ressources humaines

Ainsi, la première étape du processus de planification des disponibilités consiste à faire un inventaire des ressources humaines actuellement disponibles dans l'organisation.

2.1 L'inventaire des effectifs

L'inventaire des effectifs consiste à dresser le portrait de la main-d'œuvre actuelle.

L'inventaire des effectifs consiste à dresser le portrait le plus précis et complet possible de la main-d'œuvre à l'emploi de l'entreprise. Tous les employeurs disposent de cette information, ne serait-ce que pour la rémunération : tous ne l'utilisent cependant pas comme un outil de planification. Dans le cas de grandes entreprises, cette information est généralement informatisée et répertoriée dans une banque de données plus vaste sur le personnel, elle-même incluse dans un système informatisé de gestion des ressources humaines.

L'inventaire par fonction

L'inventaire des ressources humaines par fonction, c'est-à-dire le nombre de personnes en équivalent temps complet pour chaque fonction, est la méthode la plus couramment utilisée. Cependant, dans un but de prévision des ressources disponibles, la distribution du personnel en fonction de l'âge est souvent utile pour anticiper les départs à la retraite et les problèmes éventuels de relève. Ces prévisions sont généralement compilées sous forme de pyramide des âges ou de tableau, comme le montre le tableau 4.1.

TABLEAU 4.1	Répartition des employés selon l'âge, pour le poste de représentant senior – service à la clientèle d'une institution financière	
	Nombre de personnes	**Proportion (%)**
Moins de 26 ans	97	7,20
26-29 ans	91	6,75
30-35 ans	126	9,35
36-39 ans	142	10,53
40-45 ans	310	23,00
46-49 ans	276	20,47
Plus de 50 ans	306	22,70
Total	**1348**	**100,00**
Moyenne d'âge	**42**	–

D'autres caractéristiques démographiques peuvent compléter ce portrait des ressources disponibles : la répartition des employés par fonction selon le sexe (voir figure 4.5), le groupe visé par un programme d'équité en emploi (voir figure 4.6), l'appartenance ethnique (voir tableau 4.2) ou le fait d'être handicapé. Toutes ces informations sont indispensables à une entreprise dès qu'elle souhaite se doter d'un programme d'accès à l'égalité en emploi. Ces informations, même si elles ne sont pas directement utiles à la prévision des disponibilités futures en ressources humaines, pourront être prises en compte lors de l'élaboration d'un plan d'action pour réconcilier les besoins et les disponibilités de main-d'œuvre.

FIGURE 4.5 Répartition des employés selon le sexe pour deux postes de directeur d'une institution financière

Directeur, services financiers

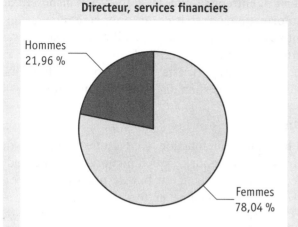

Hommes
21,96 %

Femmes
78,04 %

Directeur, services aux grandes entreprises

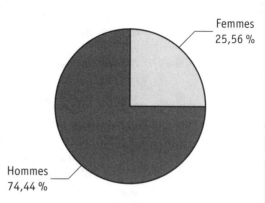

Femmes
25,56 %

Hommes
74,44 %

FIGURE 4.6 Répartition des agents permanents selon le groupe visé, Service de police de la Ville de Montréal

Répartition selon l'appartenance ethnique, SPVM

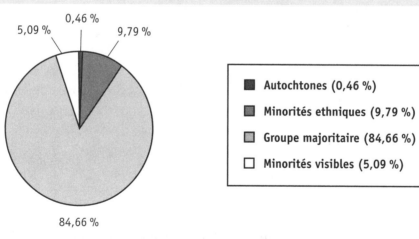

5,09 %

0,46 %

9,79 %

84,66 %

■ Autochtones (0,46 %)

■ Minorités ethniques (9,79 %)

■ Groupe majoritaire (84,66 %)

□ Minorités visibles (5,09 %)

Source : Service de police de la Ville de Montréal, 2004.

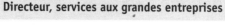

Service de police de la Ville de Montréal
www.spvm.qc.ca

TABLEAU 4.2 Répartition des agents permanents selon le groupe-cible des minorités ethniques, Service de police de la Ville de Montréal

Origine ethnique	Femme	Homme	Total	Pourcentage (%)
Allemande	2	5	7	2,53
Autrichienne	–	2	2	0,72
Basque	–	1	1	0,36
Belge	3	2	5	1,81
Espagnole	4	11	15	5,42
Grecque	3	17	20	7,22
Hollandaise	1	–	1	0,36
Hongroise	1	4	5	1,81
Italienne	32	126	158	57,04
Juive	1	2	3	1,08
Lithuanienne	1	–	1	0,36
Néerlandaise	–	2	2	0,72
Polonaise	3	9	12	4,33
Portugaise	8	19	27	9,75
Roumaine	–	1	1	0,36
Russe	–	2	2	0,72
Slovaque	2	–	2	0,72
Suédoise	–	1	1	0,36
Suisse	1	2	3	1,08
Tchèque	–	1	1	0,36
Ukrainienne	–	3	3	1,08
Yougoslave	1	4	5	1,81
Total	**63**	**214**	**277**	**100,00**
	22,70 %	**77,30 %**	**100,00 %**	

Source : Service de police de la Ville de Montréal, 2004.

L'inventaire des compétences

Emploi-Québec
http://emploiquebec.net

Dans un contexte de pénurie de main-d'œuvre qualifiée, certains employeurs ont également pris conscience de l'importance de dresser un inventaire des compétences de leur personnel. Deux phénomènes ont accru cette préoccupation. D'une part, au Québec, la promulgation de la Loi favorisant le développement de la formation de la main-d'œuvre (Gouvernement du Québec, 2005) oblige les employeurs dont la masse salariale dépasse 1 000 000 $ à investir 1 % de cette masse salariale en formation. Or, un investissement optimal de ces sommes passe par une planification des besoins de formation, ce qui nécessite l'identification systématique des compétences détenues par les employés.

Connaissance tacite
▶ *Tacit knowledge*
Connaissance acquise par l'expérience et qui n'est pas formalisée.

D'autre part, de plus en plus de gestionnaires se disent préoccupés par le fait que les baby-boomers, qui sont proches de la retraite, ont acquis des **connaissances tacites,** ou savoir-faire, que nul autre dans l'organisation ne possède. Cette préoccupation, qu'on appelle le «transfert générationnel des savoirs», donne lieu, dans certaines entreprises, à un inventaire précis des connaissances tacites et explicites, préalable à l'élaboration d'un programme formel de transfert des connaissances. L'encadré 4.2 relate la façon dont Hydro-Québec dresse la cartographie de ses compétences clés, dans un but de transfert.

ENCADRÉ 4.2 **Méthode de cartographie des compétences clés chez Hydro-Québec**

En répondant à des questions telles que «Quelles sont nos compétences clés?», «Quelles sont nos forces et nos faiblesses dans chacun de nos domaines d'expertise?», «Combien y a-t-il de spécialistes par secteur?», «De quoi sont-ils capables?», Hydro-Québec produit une cartographie explicite des compétences clés d'un secteur ou d'un domaine donné. Cette cartographie est ensuite soumise à une analyse de vulnérabilité. Les compétences clés sont ainsi classées en fonction de critères factuels (par exemple, niveau de spécialisation, de rareté ou de fragilité du savoir) et stratégiques (par exemple, adéquation des compétences avec les orientations stratégiques de l'organisation ou d'une unité).

Ainsi, la cartographie des connaissances et l'analyse de leur vulnérabilité permettent, d'une part, de déterminer les domaines de compétences les plus pertinents et ceux qui doivent être repositionnés et, d'autre part, d'identifier les risques de perte ou de manque de connaissance et les priorités de transfert.

Source: Bourhis, Dubé et Jacob, 2004.

Hydro-Québec
www.hydroquebec.com

Les inventaires des compétences du personnel se présentent sous deux formes: les fiches individuelles ou les répertoires. Les fiches individuelles regroupent, pour chaque employé, l'ensemble des données relatives aux compétences détenues. Les informations répertoriées permettent de faire un portrait précis de chaque employé: diplômes obtenus, certifications, formations suivies en cours d'emploi, expérience prise chez un autre employeur, expérience acquise

www.cheneliere.ca

dans l'entreprise, langues parlées ou comprises, maîtrise d'équipements spécialisés, appartenance à un ordre professionnel, détention de cartes de compétences, etc. Un exemple de fiche individuelle de compétences est présenté à la figure 4.7.

FIGURE 4.7 Exemple de fiche individuelle de compétences

Évaluation du transfert des connaissances
Département expédition

Nom de l'employé :......................   Nom du formateur :......................   Date :...................

Compétence	Niveau de maîtrise	Compétence	Niveau de maîtrise
1. Respect des règles et des procédures de sécurité Port de l'équipement de protection personnelle	●	6. Connaissance de File Maker	○
2. Application des notions de qualité apprises et des procédures	●	7. Habiletés à exécuter des rapports UDMS	◉
3. Conduite du chariot élévateur	◖	8. Connaissance de base de Excel	○
4. Connaissance de MK	○	9. Connaissance de l'ensemble des procédures d'expédition	●
5. Connaissance de la logistique de coordination	◖	10. Bilinguisme (Base dans les deux langues)	○

Maîtrise de la tâche	Niveau de maîtrise
Qualité générale des pièces	●
Rapidité de production	●
Niveau général de maîtrise de la tâche	◖

○ : Agit dans l'ombre d'un autre membre de l'équipe, observe la tâche ou l'apprend.

○ : Peut accomplir la tâche sous surveillance.

◖ : Peut accomplir la tâche de façon autonome.

● : Expert. Agit comme personne-ressource pour cette tâche.

Source : CMP Solutions Métalliques Avancées, 2005.

Ces informations peuvent également être agrégées au niveau de l'entreprise ou d'un service, sous forme de répertoire des compétences également appelé « matrice collective des compétences ». Un tel répertoire présente les compétences individuelles de chaque employé, comme en témoigne la figure 4.8. Nous reviendrons sur les différences entre les notions de « compétences », « connaissances » et « savoir-faire » au chapitre 6 de ce livre.

FIGURE 4.8 Répertoire de compétences d'un département de service à la clientèle

Nom de l'employé	AB	CD	EF	GH
Connaissances				
C1 – Connaître la politique d'acceptation de l'entreprise	N3	N2	N3	N3
C2 – Connaître la doctrine de l'entreprise, le marché des taux (différents types, historique, structure des coûts d'un client, tableaux d'amortissement, calculette financière), le marché du refinancement, le cadre juridique, la fiscalité, la législation, les principes du score	N2	N2	N3	N3
C3 – Connaître la politique tarifaire (dérogations)	N3	N3	N3	N4
C4 – Connaître la gestion du commissionnement	N3	N3	N3	N4
C5 – Connaître le secteur (ventilation par marché, potentiel global, projets et environnement économique)	N3	N3	N3	N2
C6 – Connaître les réseaux (groupements, leaders, mode de fonctionnement, poids, comptabilité)	N3	N3	N3	N2
C7 – Connaître l'ensemble des produits de la gamme de l'entreprise et leurs caractéristiques, leurs avantages et leurs bénéfices	N3	N3	N3	N3
C8 – Connaître tous les produits liés aux investisseurs et leurs caractéristiques	N2	N2	N2	N4
C9 – Connaître le fonctionnement opérationnel de l'entreprise (rouages, acteurs) qui permettent d'accélérer la satisfaction des réseaux	N2	N3	N3	N3
Savoir-faire				
SF1 – Être capable d'analyser les données économiques disponibles et de construire une stratégie centrée sur un volume de clients potentiels ciblés et rentables pour l'entreprise	N2	N2	N3	N3
SF2 – Être capable de construire des argumentaires commerciaux à transmettre au réseau	N3	N2	N3	N3
SF3 – Être capable de proposer des solutions à tous les problèmes courants du réseau et de les mettre en œuvre de manière autonome	N2	N2	N3	N3

Légende :
N1 (niveau 1) : la compétence est à acquérir.
N2 (niveau 2) : la compétence est en voie d'acquisition.
N3 (niveau 3) : la compétence est bien maîtrisée.
N4 (niveau 4) : la compétence est complètement maîtrisée et peut être transmise à d'autres.

Source : Flück, 2001.

L'inventaire du potentiel

Non contentes d'évaluer les compétences de leur personnel, certaines entreprises tentent également d'identifier le potentiel de leurs employés, c'est-à-dire la capacité d'un individu à assumer dans le futur un emploi différent, comportant généralement plus de responsabilités. Il est évalué par une batterie d'outils allant des tests psychométriques et cognitifs aux entrevues, qui permettent de classer les individus en fonction de leur potentiel et de leur performance. La figure 4.9 fournit un exemple de classification.

FIGURE 4.9 Classification des employés selon leur potentiel

		Potentiel	
		Faible	*Élevé*
Performance actuelle	*Élevée*	Citoyens solides	Étoiles
	Faible	Bois mort	Étoiles montantes

Source : Ference, Stoner et Warren, 1977.

L'évaluation de potentiel est une pratique onéreuse qui est généralement réservée à certaines catégories d'emplois clés, notamment pour des postes de cadres et de professionnels. Elle présente l'avantage de fournir des informations utiles dans une optique de mouvements de main-d'œuvre, mais son inconvénient principal, outre son coût élevé, est de créer des attentes en matière de carrière chez les employés identifiés comme des hauts potentiels. C'est une pratique qui a surtout cours dans les grandes entreprises.

2.2 La prévision des mouvements de main-d'œuvre

Une fois que l'inventaire des employés actuels de l'organisation est terminé, cette dernière doit prévoir les mouvements de main-d'œuvre afin d'en déduire les ressources qui seront disponibles dans le futur. En effet, la main-d'œuvre disponible correspond à la main-d'œuvre actuelle, ajustée en fonction des mouvements prévus. Il existe trois grands types de mouvements de main-d'œuvre :

- les mouvements internes,
- les départs involontaires,
- les départs volontaires.

Les types de mouvements de main-d'œuvre

Les mouvements internes désignent les changements de poste à l'intérieur de l'organisation.

Les mouvements internes de main-d'œuvre désignent les changements de poste à l'intérieur de l'organisation. Ils regroupent les promotions, les rétrogradations, les transferts (ou mutations), de même que les absences temporaires.

Les transferts sont des mouvements latéraux, c'est-à-dire que le nouveau poste est situé au même niveau hiérarchique que l'ancien, par exemple, un conseiller en rémunération qui devient conseiller en relations de travail. Un transfert peut s'effectuer au sein du même établissement (par exemple, dans la même usine ou dans la même succursale) ou d'un établissement à un autre. Par exemple, un préposé à la clientèle dans un magasin situé à Lévis qui est transféré comme préposé à la clientèle dans un magasin de Québec.

Pour leur part, les promotions et les rétrogradations sont des mouvements verticaux. Dans le cas d'une promotion, le nouveau poste comprend plus de responsabilités que l'ancien. Par exemple, il peut impliquer un plus grand nombre de personnes à superviser, un budget plus important, des mandats plus délicats. Au contraire, une rétrogradation signifie que le nouveau poste occupé comporte moins de responsabilités. Ce type de mouvement est rare et constitue généralement une mesure disciplinaire.

À ces changements de postes s'ajoutent des départs temporaires, comme les congés non payés, les congés parentaux ou les années sabbatiques, qui résultent généralement d'un accord entre l'employeur et l'employé. Bien que la personne quitte alors l'organisation, il est prévu qu'elle y retourne, de sorte que ces situations sont généralement comptabilisées parmi les mouvements internes de main-d'œuvre.

Lors d'un départ involontaire, la personne quitte son lien d'emploi contre sa volonté.

La deuxième catégorie de mouvements de main-d'œuvre inclut les départs involontaires de l'organisation. Dans ce cas, la personne quitte non seulement son poste, mais également son lien d'emploi avec l'entreprise. Le terme *involontaire* doit être ici compris comme « involontaire pour l'individu », c'est-à-dire que la décision est prise par l'entreprise et qu'elle est subie par l'employé. Les départs involontaires les plus courants sont les mises à pied (ou mises à disponibilité), les licenciements et les congédiements. Dans les deux premières situations, la personne perd son emploi pour des raisons économiques, par exemple lorsqu'une compagnie cesse toutes ses activités ou une partie d'entre elles, ou encore qu'un poste est aboli. La mise à pied est une perte d'emploi temporaire, tandis que le licenciement est permanent. Quant au congédiement, il fait référence à une perte d'emploi pour des raisons imputables à l'employé, notamment des raisons disciplinaires. Une dernière forme de départ involontaire, heureusement peu fréquente, est le décès de l'employé ou son incapacité permanente.

Les démissions et les retraites sont les formes les plus courantes de départs volontaires.

Les départs volontaires forment la troisième catégorie de mouvements de main-d'œuvre : ce sont les situations où les salariés décident, de leur propre chef, de quitter l'organisation. On compte généralement deux formes de départs volontaires : la démission, par laquelle un employé met fin volontairement et de façon définitive à son contrat de travail, et la retraite, par laquelle le salarié met fin à son activité professionnelle.

Les méthodes de prévision des mouvements de main-d'œuvre

La plupart des mouvements de main-d'œuvre sont difficiles à prévoir, car ils ne dépendent pas toujours de la volonté du salarié, ni de celle de l'employeur. Cependant, certains outils de gestion permettent de faire des prévisions.

La méthode la plus simple pour prévoir les départs à la retraite est d'effectuer une projection des effectifs en fonction de l'âge. Les pyramides des âges compilées lors de l'inventaire des ressources disponibles s'avèrent fort utiles. Au Canada, cette méthode ne permet pas de prévoir de façon parfaite qui prendra sa retraite, car les lois protégeant les droits individuels (voir chapitre 2) interdisent la discrimination en fonction de l'âge, de sorte qu'il n'existe pas d'âge obligatoire pour prendre sa retraite. Cependant, les projections en fonction des âges permettent d'identifier des tendances. Cette prévision des départs à la retraite peut s'accompagner d'un plan de relève (ou plan de succession) qui consiste à trouver, pour chaque poste, les personnes susceptibles d'assurer la succession. Ces plans de relève peuvent figurer au dossier de chaque employé ou être synthétisés dans des tableaux de remplacement, comme celui présenté à la figure 4.10.

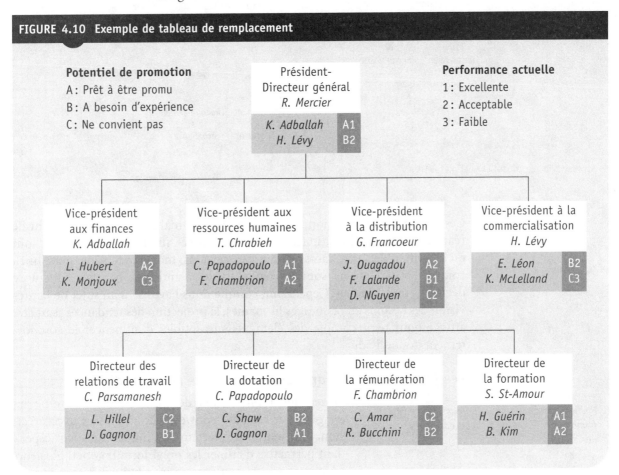

FIGURE 4.10 Exemple de tableau de remplacement

La représentation schématique du système de main-d'œuvre, c'est-à-dire des flux de personnel qui entre et qui sort de chaque fonction, fournit également un outil pour prédire les mouvements internes (Wils, Le Louarn et Guérin, 1991). Cette représentation, dont la figure 4.11 fournit un exemple, permet d'évaluer l'importance relative des différents mouvements et d'en extrapoler des prévisions.

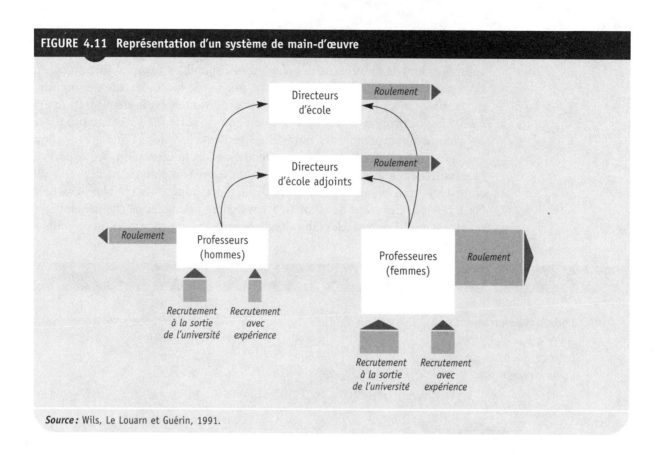

FIGURE 4.11 Représentation d'un système de main-d'œuvre

Directeurs d'école — *Roulement*

Directeurs d'école adjoints — *Roulement*

Roulement — Professeurs (hommes)

Recrutement à la sortie de l'université

Recrutement avec expérience

Professeures (femmes) — *Roulement*

Recrutement à la sortie de l'université

Recrutement avec expérience

Source : Wils, Le Louarn et Guérin, 1991.

Ces méthodes de prévision des mouvements de main-d'œuvre permettent de réaliser des projections, mais elles restent basées sur le jugement et ne font qu'identifier des tendances. En outre, certains mouvements de personnel, comme les démissions, sont souvent difficiles à anticiper, car ils résultent de décisions individuelles. Cependant, comme nous l'avons vu au sujet de la prévision des besoins en ressources humaines, la projection des tendances peut être affinée pour tenir compte des éléments susceptibles d'influencer le comportement des individus.

Les facteurs influençant les mouvements de main-d'œuvre

Plusieurs pratiques de gestion des ressources humaines influencent les mouvements de personnel.

Si certains mouvements de main-d'œuvre, comme les congés pour maladie, sont difficiles à prévoir avec précision, une analyse des facteurs les influençant peut cependant permettre d'affiner les prévisions. En effet, plusieurs politiques de gestion des ressources humaines sont susceptibles d'influencer les mouvements de personnel. Ainsi, certaines mesures telles que l'augmentation des salaires et la réduction des heures de travail peuvent être mises en place afin d'inciter les travailleurs à rester au travail, plutôt que d'avoir recours à la retraite anticipée. Tel que le précisait Gagné (2005),

[…] plusieurs pays redoutent que le départ à la retraite d'un trop grand nombre de gens ne réduise l'activité économique, en plus de provoquer des pénuries de main-d'œuvre. L'Italie, la Norvège, l'Espagne, la Finlande et la France ont ainsi réduit les possibilités de retraite anticipée. L'Autriche, la Suisse et la Belgique ont augmenté l'âge légal de départ à la retraite. En Belgique, on a déjà réduit les charges sociales des entreprises pour les travailleurs de plus de 57 ans. Au Japon, on subventionne désormais l'embauche des plus de 60 ans.

Au contraire, offrir des conditions financières avantageuses aux individus qui partent en retraite de façon anticipée est un moyen d'augmenter les départs, tel que l'illustre l'encadré 4.3.

ENCADRÉ 4.3   **Effets de l'offre de retraite anticipée dans le secteur public québécois**

Après la saignée sans précédent d'employés syndiqués qui se sont prévalus en nombre considérable de l'offre de retraite anticipée du gouvernement, voilà que les cadres du secteur public emboîtent le pas à leur tour, dépassant eux aussi les prévisions du gouvernement. Près de 1900 cadres du secteur public ont accepté ou sont sur le point d'accepter l'offre de retraite anticipée du gouvernement. Ces chiffres émanent du Conseil du trésor, qui avait plutôt prévu de perdre 1400 de ses cadres afin de récupérer 95 millions de dollars au sein de cette catégorie d'employés. La majorité des départs ont pris place dans le réseau de la santé, où 789 cadres ont quitté le 30 septembre dernier, pendant que 276 autres attendent une réponse du gouvernement à leur demande d'évaluation de rente. Compte tenu de l'ambiance dans le secteur de la santé et de la qualité de l'offre du gouvernement, la majorité du second groupe devrait également tirer sa révérence, estime Réal Cloutier, président de l'Association des gestionnaires des établissements de services de santé et de services sociaux.

Dans le secteur scolaire, 600 départs ont été effectués, dont 80 touchent le secteur collégial. La grande majorité de ceux qui ont quitté étaient soit des directeurs d'école, soit des cadres de service des écoles primaires et secondaires. [...] Ces derniers départs font partie de la plus importante opération minceur jamais entreprise par le gouvernement du Québec. Avant eux, quelque 30 000 syndiqués – enseignants, personnel hospitalier, etc. – se sont prévalus d'une offre de départ anticipé. Ce chiffre a dépassé les espérances du gouvernement, si on peut dire, lequel s'attendait à ce que 15 000 syndiqués quittent leur emploi pour toujours.

Source : Rivières, 1997.

 Association des gestionnaires des établissements de services de santé et de services sociaux
www.agesss.qc.ca

Comme l'illustre l'encadré 4.3, il est important d'être vigilant avec le recours à de telles pratiques, puisque ces dernières peuvent créer des départs de main-d'œuvre plus importants que prévu, pouvant être néfastes à moyen ou à long terme pour une entreprise ou pour un secteur donné. L'encadré 4.4 rappelle les effets inattendus des plans de retraite anticipée proposés par le gouvernement du Québec dans le secteur de la santé en 1997.

Proposer une aide financière aux employés qui désirent démarrer leur propre entreprise est un autre moyen d'inciter les départs volontaires et de limiter les mises à pied ou les licenciements. Les politiques relatives aux congés non payés, aux congés de perfectionnement ou aux congés parentaux sont également à prendre en compte dans l'estimation des mouvements de personnel.

Effets inattendus des plans de retraite anticipée dans le secteur de la santé au Québec

Près de quatre ans après le départ de 4200 infirmières, le réseau de la santé ne se remet toujours pas de la saignée subie en 1997. Les infirmières sont aussi rares que les trèfles à quatre feuilles et les hôpitaux rivalisent d'astuces pour attirer des candidates. Avec son récent plan de planification de la main-d'œuvre, Québec tente de recoller les pots cassés, après des années de gestion des effectifs à la pièce.

Le défi est grand. Après avoir poussé vers la sortie quelque 4200 infirmières avec ses plans de retraite anticipée, le gouvernement a créé un vide incommensurable dans le réseau de la santé, dont on commence à peine à mesurer les effets. On estime qu'il manque 1500 infirmières dans le réseau de la santé et le fossé continuera de se creuser chaque année si rien n'est fait pour renverser cette tendance. D'ici à 2015, pas moins de 28 000 infirmières auront pris leur retraite, dont le quart pour d'autres raisons que la retraite. Épuisement au travail, conditions difficiles, horaires de travail éclatés et manque de ressources : les motifs ne manquent pas pour convaincre ces battantes de quitter le navire. Si la tendance se maintient, il pourrait donc manquer jusqu'à 17 500 infirmières dans le réseau dans 15 ans.

À moins d'un coup de barre, le nombre de départs, qui a atteint le chiffre astronomique de 1200 par an en 1999, grimpera à 2000 par année et se maintiendra jusqu'en 2015. Pour éviter ce scénario-catastrophe, il faudrait engager 100 infirmières de plus chaque année et réussir à retenir toutes celles qui sont en poste. Or, à l'heure actuelle, les diplômées sont en nombre à peine suffisant pour combler le vide laissé par celles qui partent. De quoi décourager tous les employeurs de la province.

Source : Paré, 2001.

Dans certaines industries où le taux d'accidents du travail est élevé, les politiques de prévention en matière de santé et sécurité constituent des éléments importants dans la planification des ressources disponibles. Un investissement dans des programmes de prévention peut diminuer les accidents et ainsi augmenter le nombre d'employés disponibles. Dans d'autres cas, des pratiques de conciliation entre la vie professionnelle et la vie personnelle sont utilisées afin de fidéliser les employés et donc d'accroître les ressources humaines disponibles, comme l'illustre la figure 4.12.

Outre les politiques précises de gestion des ressources humaines, la culture de l'entreprise et le climat de travail influencent les mouvements de main-d'œuvre. Un climat de travail difficile, caractérisé par des conflits ou des tensions, va généralement de pair avec une proportion élevée de démissions, comme ce qui a été observé dans le réseau de la santé au Québec (voir encadré 4.4). Malheureusement pour les organisations, ce sont généralement les employés les plus talentueux qui partent les premiers. Faire un audit du climat organisationnel, par exemple par le biais d'un sondage de satisfaction des employés, peut devenir un outil de planification des ressources humaines.

Finalement, l'environnement externe a une influence sur les mouvements de main-d'œuvre, en particulier sur les départs. Comme nous l'avons vu plus tôt, une entreprise est soumise à un environnement économique qui influence les

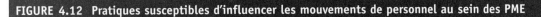

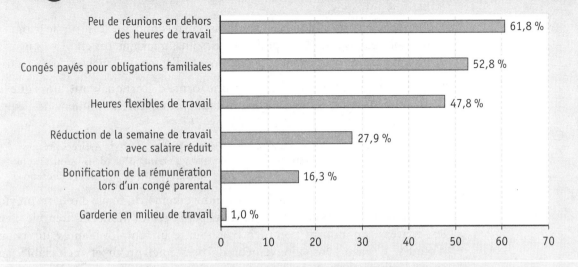

FIGURE 4.12 Pratiques susceptibles d'influencer les mouvements de personnel au sein des PME

Source : Benoit, 2001.

décisions de mises à pied et de licenciements. La situation du marché du travail est également un élément à considérer : dans un contexte de faible niveau de chômage, les employés sont plus enclins à démissionner, car les probabilités de se trouver un nouvel emploi sont bonnes. L'arrivée d'un concurrent qui offre de meilleures conditions de travail ou les rumeurs concernant de mauvais résultats financiers de l'employeur actuel sont également des éléments à surveiller, car ils peuvent influencer les départs volontaires.

On le voit, la détermination des besoins et des disponibilités de main-d'œuvre n'est pas chose aisée, car elle dépend de l'interprétation, parfois subjective, que font les gestionnaires de nombreux facteurs dans leur environnement interne ou externe. Malgré ces incertitudes, le but de la planification est de fournir les projections les plus précises possible afin de déterminer les catégories d'emplois dans lesquelles on prévoit un grand écart entre les besoins et les disponibilités de main-d'œuvre.

3. La réconciliation des besoins et des disponibilités

On distingue trois types d'écarts :
– les pénuries ;
– les surplus ;
– les inadéquations de la qualification.

À l'issue de l'exercice de planification, le gestionnaire dispose des informations nécessaires pour identifier, pour chaque fonction, les écarts entre les besoins et les disponibilités de main-d'œuvre. On distingue généralement trois types d'écarts :

- une pénurie de main-d'œuvre est observée lorsque l'on prévoit des besoins en ressources humaines supérieurs aux disponibilités ;

- un surplus de main-d'œuvre correspond à la situation inverse, soit des ressources humaines disponibles en trop grand nombre par rapport aux besoins anticipés;
- une inadéquation des qualifications correspond au cas où le nombre d'employés disponibles répond aux besoins, mais que ces employés ne disposent pas des compétences déterminées à l'étape de l'analyse des besoins.

L'inadéquation de la qualification est une forme d'écart qualitatif, alors que les deux autres types d'écarts sont quantitatifs. Ces derniers résultent de l'équation suivante:

$$\text{Main-d'œuvre prévue} = \text{Main-d'œuvre actuelle} - \text{Départs prévus (de la fonction ou de l'organisation)} + \text{Arrivées prévues (dans la fonction ou dans l'organisation)}$$

À ce stade, ne sont comptés que les mouvements de main-d'œuvre prévus, indépendamment des actions entreprises par l'organisation. Par exemple, dans les arrivées, on pourra compter le retour d'un employé après un congé d'études. Il s'agit d'un mouvement de personnel prévu et inéluctable, sur lequel l'organisation ne peut agir. Mais on ne comptabilisera pas les personnes que l'on pense embaucher, car la décision de dotation ne sera prise qu'après l'examen des écarts entre les besoins et les disponibilités de main-d'œuvre. En effet, en fonction de ces écarts, plusieurs actions peuvent être prises pour concilier les besoins en ressources humaines avec leurs disponibilités, mais la dotation n'est pas toujours la stratégie privilégiée.

3.1 Les actions de diminution des écarts

L'objectif de tout le processus de planification des ressources humaines est de mettre en place, le plus tôt possible, des actions qui diminueront les écarts entre l'offre et la demande, ou en limiteront les impacts négatifs. Le tableau 4.3 résume ces actions.

TABLEAU 4.3 Diminution des écarts entre les besoins et les disponibilités de main-d'œuvre

Type d'écart	Actions possibles sur les besoins	Actions possibles sur les disponibilités
Pénurie	• Réorganisation du travail • Augmentation de la productivité	• Embauche de personnel • Promotions et transferts • Politiques de rétention • Augmentation des heures de travail • Emplois temporaires
Surplus	• Réduction du temps de travail • Partage du travail	• Incitatifs au départ • Mises à pied, licenciements • Transferts • Congés
Inadéquation des compétences	• Réorganisation du travail • Choix des équipements	• Formation et développement des compétences • Promotions et transferts • Embauche de personnel

La gestion des pénuries anticipées

Dans une situation de pénurie anticipée de main-d'œuvre, la dotation par des recrues venant de l'extérieur de l'entreprise semble une action à privilégier. Ce n'est cependant pas la seule avenue possible. Une entreprise peut également modifier ses politiques pour diminuer les départs volontaires, par exemple en offrant des primes de rétention ou en favorisant un haut niveau de satisfaction chez les employés. Comme nous l'avons vu au chapitre 3, c'est la solution de prédilection de plusieurs compagnies qui cherchent à se distinguer en tant qu'employeurs de choix. L'externalisation, c'est-à-dire le fait de confier certaines activités à des sous-traitants, est également une solution de plus en plus fréquente (Quélin, 2005).

La dotation n'est pas la seule solution à une pénurie de main-d'œuvre.

Lorsque la pénurie anticipée ne touche que certaines fonctions, on peut également envisager de promouvoir ou de transférer du personnel de l'interne vers ces fonctions. Cela pose cependant le problème de déplacer la pénurie vers les fonctions quittées, et implique parfois de former les personnes nouvellement promues ou transférées. Cependant, de tels mouvements internes peuvent participer à la satisfaction du personnel, puisqu'ils offrent aux employés un avancement dans leur carrière.

Dans les cas où la pénurie anticipée est de courte durée, par exemple chez des entreprises dont l'activité est saisonnière, des stratégies à court terme sont privilégiées : temps supplémentaire, limitation des congés pendant la période de pénurie, voire embauche de travailleurs temporaires.

Les stratégies citées précédemment (dotation, transfert, réduction des départs) ont pour but d'augmenter les disponibilités en ressources humaines. Mais un plan d'action peut également agir sur la réduction des besoins. Modifier l'organisation du travail ou augmenter la productivité grâce à un équipement plus performant sont autant d'exemples d'actions qui peuvent être entreprises pour réduire les besoins de personnel et ainsi diminuer les écarts entre l'offre et la demande en cas de pénurie de main-d'œuvre.

La gestion des surplus anticipés

Agir sur les besoins en ressources humaines peut également devenir une stratégie dans un cas de surplus anticipé de main-d'œuvre. Plusieurs syndicats négocient le partage ou la réduction du temps de travail comme moyen pour reclasser les employés en surplus, comme l'illustre l'encadré 4.5. Malheureusement, une telle stratégie a des limites, puisqu'elle ne permet d'absorber que des surplus de faible ampleur. Dans le cas où le surplus de main-d'œuvre est important, les organisations doivent souvent agir pour diminuer les disponibilités en ressources.

Dans un premier temps, une organisation aux prises avec un surplus de main-d'œuvre tentera d'inciter les employés à quitter volontairement, par exemple à l'aide de primes de départ ou de politiques de départ à la retraite anticipée, afin d'éviter les mises à pied, voire les licenciements. Des congés, pour une formation, par exemple, peuvent également être envisagés. Finalement, si une organisation prévoit un surplus de main-d'œuvre dans une fonction et une pénurie dans une autre, les transferts, avec ou sans formation, peuvent représenter une solution envisageable. L'encadré 4.6 présente l'expérience de l'entreprise CMP Solutions Mécaniques Avancées qui a mis en œuvre une série d'actions pour gérer une crise majeure en diminuant le plus possible le recours aux mises à pied.

La gestion des inadéquations des compétences

Finalement, des écarts qualitatifs sont anticipés lorsque les compétences détenues par le personnel disponible ne correspondent pas aux compétences requises pour répondre aux besoins. Dans une telle situation, une réorganisation du travail ou l'utilisation de nouveaux équipements peuvent modifier les compétences nécessaires. Mais les entreprises agiront le plus souvent sur les compétences disponibles, soit par des actions de formation et de développement des compétences, soit en procédant à des mouvements internes.

Prise dans la tourmente des difficultés financières de Nortel, son principal client, l'entreprise CMP Solutions Mécaniques Avancées a vécu une année 2001 fort difficile. Au retour du congé des Fêtes de 2000, Nortel annule tous ses contrats d'approvisionnement avec CMP. L'entreprise familiale de Châteauguay perd plus de 60 % de son chiffre d'affaires.

Ne sachant combien de temps durera la crise, les dirigeants de l'entreprise refusent d'abandonner les pratiques de gestion des ressources humaines dans lesquelles ils ont investi et décident que les licenciements seront la dernière option envisagée. Commence alors une période de gestion de crise articulée autour de trois grands objectifs : la réorganisation du travail, l'investissement dans la formation du personnel et la mobilisation des ressources. CMP commence par mettre fin aux contrats des employés temporaires et rapatrie les tâches confiées jusqu'alors à des fournisseurs externes. À ces efforts de réorganisation s'ajoutent la suppression des heures supplémentaires, un gel des salaires et une campagne de réduction des fournitures.

Mais c'est la formation qui constitue la pièce maîtresse du plan d'action de CMP. Contrairement à ce que font la plupart des entreprises en décroissance, CMP accroît son investissement dans les activités de formation et de développement. L'équipe de vente reçoit une formation intensive afin de mettre en place des stratégies commerciales plus agressives ; les employés de production voient leur polyvalence augmenter grâce à l'apprentissage du fonctionnement de plusieurs machines. Dernier élément du plan d'action, la mobilisation des ressources passe par un plan de communication complet.

Malheureusement, ce plan d'action n'a pas été suffisant pour garantir du travail à tous les employés pendant la crise. En mai 2001, le comité de direction doit se résoudre à mettre à pied de façon temporaire 130 personnes ; elles sont suivies par 50 autres en juillet. Grâce à un programme d'aide financière du ministère du Développement des ressources humaines du Canada, les employés perçoivent 90 % de leur salaire et leurs avantages sociaux sont maintenus. En septembre, 50 employés sont licenciés, suivis de 70 en novembre, et les indemnités des employés mis à pied temporairement sont réduites à 70 % du salaire. Même si les licenciements permanents n'ont pas pu être évités, le plan d'action de CMP a permis de les retarder de neuf mois et d'amoindrir les conséquences des mises à pied temporaires.

Un an après le début de la crise, CMP amorce la relance de ses activités et retrouve rapidement un chiffre d'affaires comparable à celui qu'elle avait avant la crise. Un bon nombre des personnes mises à pied sont progressivement rappelées au travail et de nouveaux employés sont embauchés pour faire face à la demande de nouveaux produits. Au total, CMP aura perdu 20 % de ses employés permanents, mais seulement 1 % des plus talentueux. Un sondage indépendant, mené par la firme Watson Wyatt pour le compte de la revue *Affaires Plus* en 2002, révèle que plus de 90 % des employés sont fiers de travailler pour cette entreprise et ont l'intention d'y rester.

Source : Bourhis, 2004.

CMP Solutions Mécaniques Avancées
http://cmpdifference.com/

Une stratégie de dotation sera privilégiée si les compétences en demande ne sont pas disponibles dans l'organisation et qu'elles sont trop complexes pour être acquises rapidement par une formation.

3.2 Les facteurs influençant le plan d'action

De multiples actions peuvent donc être envisagées simultanément pour réduire les écarts entre les besoins en ressources humaines et la disponibilité du personnel. Le choix de ces actions dépend de plusieurs éléments :

- La philosophie de gestion : dans le cas de CMP présenté à l'encadré 4.6, il est clair que la philosophie des propriétaires de l'entreprise, centrée sur l'investissement dans les ressources humaines, a grandement influencé les décisions concernant la gestion de la crise.
- Les ressources financières : certaines des actions envisageables entraînent des investissements plus importants que d'autres. Encore une fois, le cas de CMP présenté plus tôt est très instructif. La famille Zimmermann, propriétaire de l'entreprise, a accepté d'essuyer des pertes financières pendant plus d'un an pour mettre en place le plan de gestion de la crise envisagé. Toutes les entreprises ne peuvent pas se le permettre.
- Les délais : une stratégie de formation du personnel, surtout lorsqu'il s'agit de compétences complexes, prend généralement plus de temps que l'acquisition de ressources compétentes provenant de l'externe.
- Les relations de travail : certains syndicats ont négocié des clauses dites « de plancher d'emploi » encadrant les actions à prendre en cas de surplus envisagé de main-d'œuvre (voir encadré 4.7). Dans toutes les entreprises, qu'elles soient syndiquées ou non, les choix pris par la direction, en particulier pour la gestion d'un surplus de main-d'œuvre, ont des répercussions sur le climat et les relations de travail.
- L'environnement externe : les plans d'actions impliquant l'acquisition de personnel sont soumis aux contraintes du marché du travail. Ainsi, si les compétences recherchées sont très rares sur le marché, une solution de formation du personnel interne ou de réorganisation du travail peut être préférable. Une bonne connaissance de l'environnement externe est donc indispensable à l'élaboration d'un plan d'action pertinent.
- Les objectifs en matière de diversité : nous l'avons vu au chapitre 2, certaines entreprises se sont fixé des objectifs à atteindre en matière de représentativité de leur main-d'œuvre. Dans cette optique, les stratégies de développement des compétences et de promotion du personnel peuvent être préférables à des mises à pied qui viseraient en priorité les employés embauchés plus récemment.

Les choix faits en matière de plan d'action ont, à leur tour, une influence sur la stratégie de l'entreprise et sur ses politiques. Ainsi, face à la réalisation d'écarts importants entre les besoins et les disponibilités de main-d'œuvre, une entreprise peut envisager de revoir sa stratégie ou de modifier ses pratiques de gestion des ressources humaines. Par exemple, dans le cas de CMP présenté à

**Convention collective de travail entre Barry Callebaut Canada inc.
et le Syndicat des salariés de Barry Callebaut Canada inc.
Usine de Saint-Hyacinthe (CSN)
23 juin 1997 au 23 juin 2004**

Plancher d'emploi

La Compagnie convient de maintenir pour la durée de la Convention collective à Saint-Hyacinthe, un plancher global minimum de deux cent deux (202) emplois couvrant les salariés réguliers les plus anciens, détenteurs d'un poste régulier au 7 décembre 1997, et qui ont complété leur période de probation à cette date.

Ce plancher d'emploi s'adresse à tous les salariés quel que soit le secteur d'activité où ils sont affectés au 7 décembre 1997. Ainsi, lors d'attritions, de prises de retraite ou de départs, pour quelque motif que ce soit, de salariés couverts par ce plancher d'emploi, le nombre minimum sera comblé en fonction de la liste d'ancienneté par les autres salariés réguliers, détenteurs d'un poste régulier au 7 décembre 1997.

La Compagnie et le Syndicat reconnaissent la place importante du marché d'exportation pour l'usine de Saint-Hyacinthe et la vulnérabilité de cette position. S'il advenait que des événements mettent en danger de façon importante la position concurrentielle de l'entreprise, et que ces événements aient un effet sur l'emploi, les parties s'entendent pour établir conjointement un nouveau plancher d'emploi convenable.

Ainsi, en cas de perte(s) de contrat(s) majeur(s), d'imposition substantielle de barrières tarifaires, d'interdiction totale ou partielle d'exporter, ou lorsque les variations de facteurs macro-économiques sont telles qu'elles remettent en question de façon importante la position concurrentielle de l'entreprise sur ses marchés ou lorsque survient un événement de force majeure (*Act of God*), l'employeur peut demander la réouverture du plancher d'emploi en suivant la procédure de réouverture prévue à cette entente. Toutefois, à cette occasion, les parties pourront étudier et s'entendre sur toutes autres mesures qui pourraient amoindrir les impacts sur le plancher d'emploi.

Source: Négothèque, s. d.

Barry Callebaut Canada
www.barry-callebaut.com

**Syndicats des salariés
de Barry Callebaut Canada**
www.ssbcc.com

l'encadré 4.6, le plan d'action mis en œuvre pour régler le surplus de main-d'œuvre a impliqué un changement de stratégie commerciale: les services marketing et ventes ont développé de nouveaux produits et de nouveaux marchés, afin d'éviter une trop grande dépendance à un seul client.

Ainsi, le but du processus de planification des ressources humaines est de fournir des prévisions quant aux besoins et aux disponibilités de la main-d'œuvre. Dans la mesure où de nombreux facteurs sont difficiles à anticiper, personne ne s'attend à ce que les résultats de ce processus soient toujours exacts, à un individu près. Cependant, la planification des ressources humaines doit permettre d'identifier, le plus précisément possible, les tendances à venir, et ce, afin que l'entreprise puisse s'y préparer. Le chapitre 18, à la fin de ce livre, revient sur l'évaluation du processus de dotation, et notamment sur les résultats de la planification.

Par ailleurs, même si la planification des ressources humaines peut mettre en évidence des écarts qualitatifs, son centre d'intérêt porte plus spécifiquement sur les besoins et les disponibilités en ce qui concerne le nombre d'employés. Le processus de planification doit donc être complété par une analyse plus approfondie des compétences requises pour chaque fonction. Ce processus, appelé «analyse de fonction», fait l'objet du chapitre suivant.

Ce qu'il faut retenir

- La planification des ressources humaines a pour but d'identifier les besoins et les disponibilités en ressources humaines.
- L'entreprise doit ensuite agir sur les écarts prévus entre les besoins en ressources humaines et les ressources disponibles.
- Quels que soient les écarts prévus, de multiples solutions sont envisageables. La dotation est une de ces solutions.

Références

ANDERSEN, Bjørn et Tom FAGERHAUG (2000, février). «The nominal group technique», *Quality Progress*, vol. 33, n° 2, p. 144-145.

BELCOURT, Monica et Kenneth J. McBEY (2004). *Strategic Human Resources Planning*, 2e éd., Toronto, Nelson, 378 p.

BENOIT, Jacques (2001, 21 mars). «PME: oui au prolongement du congé parental», *La Presse*, p. D5.

BOURHIS, Anne (2004, 1er novembre). «Miser sur le personnel en cas de crise», *La Presse*, Cahier affaires, p. 8.

BOURHIS, Anne, Line DUBÉ et Réal JACOB (2004, automne). «La contribution de la gestion des connaissances à la gestion de la relève: Le cas Hydro-Québec», *Gestion*, vol. 29, n° 3, p. 73-81.

CASCIO, Wayne F., James W. THACKER et René BLAIS (1999). *La gestion des ressources humaines*, Montréal, Chenelière/McGraw-Hill, 625 p.

CMP SOLUTIONS MÉTALLIQUES AVANCÉES (2005), communication personnelle.

FERENCE, Thomas P., James A. STONER et E. Kirby WARREN (1977, octobre). «Managing the career plateau», *Academy of Management Review*, vol. 2, n° 4, p. 602-612.

FLÜCK, Claude (2001). *Compétences et performances: une alliance réussie*, Paris, Demos, 192 p.

GAGNÉ, Jean-Simon (2005, 25 juillet). «Le stress constitue la principale cause de retraite anticipée», *La Presse Affaires*, p. 8.

GOUVERNEMENT DU QUÉBEC (2005). «Loi favorisant le développement de la formation de la main-d'œuvre, L.R.Q., chap. D-7.1», [en ligne], *Publications Québec* [réf. du 10 mai 2006]. <www2.publicationsduquebec.gouv.qc.ca>.

GOUVERNEMENT DU QUÉBEC (2003, 29 octobre). «Négociations dans le secteur de la fonction publique: information complémentaire – dépôt patronal au SFPQ et au SPGQ», [en ligne], *Portail Québec* [réf. du 10 mai 2006]. <http://communiques.gouv.qc.ca>.

KERLAN, Françoise (2000). *Guide de la gestion prévisionnelle des emplois et des compétences*, Paris, Éditions d'Organisation, 157 p.

LUTHANS, Fred (1992). *Organizational Behavior*, 6e éd., New York, McGraw-Hill, 656 p.

NÉGOTHÈQUE (s. d.) [base de données en ligne], *Négothèque* [réf. du 10 mai 2006]. <http://206.191.16.137>.

PARÉ, Isabelle (2001, 12 mars). «Santé: Les hôpitaux à la recherche de solutions pour survivre à la pénurie. À la recherche de l'infirmière perdue», *Le Devoir*, p. B1.

QUÉLIN, Bertrand (2005, juin-août). «Pour réussir: bien gérer les aspects humains», *Effectif*, vol. 8, n° 3, p. 15-21.

RIVIÈRES, Paule (1997, 8 octobre). «L'offre de retraite anticipée: Le secteur public perdra 1900 cadres», *Le Devoir*, p. A4.

SERVICE DE POLICE DE LA VILLE DE MONTRÉAL (2004). *Bilan des réalisations du programme d'accès à l'égalité pour le personnel policier du Service de police de la Ville de Montréal, mai 2003 – avril 2004*, Montréal, SPVM, 24 p.

WACK, Pierre (1985, novembre/décembre). «Scenarios: shooting the rapids», *Harvard Business Review*, vol. 63, n° 6, p. 139-150.

WARD, Dan (1996). «Workforce Demand Forecasting Techniques», *Human Resource Planning*, vol. 19, n° 1, p. 54-55.

WILS, Thierry, Jean-Yves LE LOUARN et Gilles GUÉRIN (1991). *Planification stratégique des ressources humaines*, Montréal, Presses de l'Université de Montréal, 318 p.

CHAPITRE 5

L'analyse de fonction et la description de poste

Objectifs du chapitre

Une fois prise la décision de procéder à l'embauche de nouveau personnel, il importe de connaître les tâches et les responsabilités précises que les titulaires des postes auront à accomplir, afin de déterminer le profil du candidat idéal. Ces tâches et ces responsabilités sont identifiées grâce à une analyse de fonction. Ce chapitre a pour objectifs d'amener le lecteur à :

• comprendre comment se fait l'analyse de fonction ;

• utiliser cette analyse pour rédiger une description de poste réaliste.

Bien qu'elle comporte une dimension qualitative, la planification des ressources humaines (voir chapitre 4) a essentiellement pour but d'estimer les écarts quantitatifs entre le nombre de postes qui seront nécessaires à l'organisation et le nombre de personnes disponibles pour les occuper. Ce processus est important pour déterminer les actions à prendre en cas de surplus ou de pénurie de main-d'œuvre. Mais une fois prise la décision d'embauche ou de formation de personnel, il importe de connaître les tâches et responsabilités précises que les titulaires des postes auront à accomplir. Comprendre ces activités et les conditions dans lesquelles elles sont exécutées permet par la suite de déterminer le profil du candidat idéal. Les tâches et les responsabilités sont identifiées grâce à une analyse de fonction.

1. L'analyse de fonction

1.1 L'utilité de l'analyse de fonction

Analyse de fonction
▶ *Job analysis*
Collecte d'informations sur les tâches accomplies.

L'**analyse de fonction** est un processus systématique par lequel une organisation étudie une fonction afin de recueillir l'information pertinente, d'une part, sur les tâches et responsabilités qui lui sont propres et, d'autre part, sur le contexte de travail, incluant les conditions physiques de travail, l'équipement utilisé ou le positionnement hiérarchique. Ces informations sont ensuite synthétisées dans un document appelé « description de poste ».

Les informations fournies par l'analyse de fonction servent à décrire le poste et à identifier les compétences requises pour l'exercer.

Dans un contexte de dotation, l'analyse de fonction permet de décrire le poste à pourvoir et d'identifier les compétences requises chez un candidat (voir chapitre 6). Or, c'est à partir de ce profil de compétences que seront conçus les outils de sélection. Le fait de baser les questions posées en entrevue et les tests de sélection sur une analyse de fonction a pour but non seulement de sélectionner le candidat qui répond le mieux aux attentes du poste, mais aussi de limiter les risques de discrimination et de poursuites judiciaires (Catano *et al.,* 2001 ; Dipboye, 1994 ; Gatewood et Field, 1998 ; Williamson *et al.,* 1997).

L'analyse de fonction est une activité de base en gestion des ressources humaines, dont l'utilité dépasse grandement la dotation. En effet, les compétences requises par les titulaires de poste ne sont pas utilisées uniquement aux fins de sélection. Elles servent notamment à planifier des programmes de développement des compétences. De la même façon, les informations recueillies sur les tâches et les responsabilités d'un poste servent de base à la détermination des attentes en matière de performance, ainsi qu'à l'évaluation du poste aux fins de rémunération. Ces liens entre l'analyse de fonction et diverses pratiques de gestion des ressources humaines sont schématisés à la figure 5.1.

1.2 Les informations à recueillir

Le but de l'analyse de fonction est de connaître la fonction, mais également les comportements permettant d'obtenir une excellente performance dans cette dernière. Il importe donc de recueillir des informations afin de comprendre :

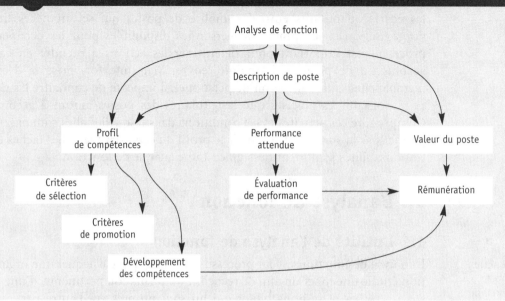

- le rôle de la fonction dans l'organisation ;
- la clientèle desservie ;
- le niveau et l'étendue des responsabilités ;
- le contexte dans lequel s'exercent ces responsabilités ;
- l'imputabilité inhérente à la fonction ;
- les activités principales et secondaires ;
- les compétences requises pour mener à bien ces activités ;
- les outils et les équipement utilisés.

Plus précisément, les informations recueillies doivent permettre de répondre aux questions présentées dans l'encadré 5.1. Cette liste d'informations doit être complétée par des données plus qualitatives sur la façon dont ces responsabilités ou activités doivent être menées à bien, afin d'obtenir un portrait de la fonction le plus complet possible. L'encadré 5.2 présente des exemples de responsabilités d'un gérant de succursale, ainsi qu'une description qualitative de l'exercice de ces responsabilités.

ENCADRÉ 5.1 **Questions auxquelles doit répondre l'analyse de fonction**

- Où se situe la fonction dans l'entreprise ?
- Quelles sont les activités liées à cette fonction ?
- À quelle fréquence l'employé accomplit-il chaque activité ?
- À quel moment l'employé accomplit-il chaque activité ?
- Pourquoi l'employé accomplit-il chaque activité ?
- Comment l'employé accomplit-il chaque activité ?
- Quel équipement doit être utilisé pour chaque activité ?
- Quels mouvements doivent être accomplis ?

»

- Avec qui l'employé doit-il accomplir chaque activité ?
- Pour qui doit-il accomplir chaque activité ?
- Quel est le déroulement/quelles sont les étapes dans l'accomplissement de chaque activité ?
- Quelle est la responsabilité de l'employé pour chaque activité ?
- L'employé a-t-il des responsabilités de supervision directe ?
- L'employé a-t-il des dépendants indirects ?
- L'employé a-t-il des responsabilités relatives à l'argent ?
- L'employé a-t-il des budgets à gérer ? Si oui, de quelle importance ?
- L'employé a-t-il des responsabilités relatives à l'équipement ?
- L'employé a-t-il des responsabilités relatives à la santé et à la sécurité d'autrui ?
- Quelles sont les décisions à prendre ?
- Quels sont les efforts physiques ou mentaux ?
- Quels sont les risques potentiels ?
- Un équipement de protection est-il requis ?
- Quelles sont les conditions physiques de travail ?
- Quelles sont les exigences liées à l'horaire ?
- Quels sont les résultats attendus ?
- Quelles sont les connaissances requises pour accomplir chaque activité ?
- Quelle est l'expérience requise pour accomplir chaque activité ?
- Quelles sont les habiletés requises pour accomplir chaque activité ?

ENCADRÉ 5.2 Exemples d'informations à recueillir lors de l'analyse de la fonction « Gérant de succursale »

Voici des exemples de responsabilités d'un gérant de succursale :
- Tenir le directeur de la division au courant des ventes et de l'inventaire des produits.
- Aider le directeur de la division à établir les budgets.
- Aider le propriétaire à organiser des visites du magasin et à offrir des séances d'information aux employés de la succursale.
- Échanger de l'information sur les ventes et les inventaires avec les autres succursales.
- Informer les employés de leur performance.
- Aider les employés à cerner leurs besoins en formation et en perfectionnement.

[...] Les critères d'évaluation d'un gérant offrant une performance supérieure peuvent être les suivants :
- Effectue des mises à jour régulières et exactes des ventes et des inventaires.
- Prévoit les écarts de budget et propose des mesures correctives.
- Anticipe la nécessité pour le propriétaire d'organiser des visites.
- Maintient un réseau de personnes-ressources dans les autres succursales.
- Aide les employés à résoudre les problèmes et à trouver des solutions.

Source : Gouvernement du Canada, 2005a.

Recueillir ces informations nécessite une étude systématique de toutes les facettes de la fonction. Selon les situations, diverses méthodes d'analyse sont à la disposition des professionnels en ressources humaines. Il n'est d'ailleurs pas rare que plus d'une méthode soit utilisée pour l'analyse d'une même fonction.

1.3 Les méthodes d'analyse

Il existe plusieurs méthodes d'analyse de fonction complémentaires.

Il n'y a pas de méthode d'analyse de fonction parfaite : chacune des méthodes présentées ci-dessous comporte des avantages et des inconvénients. Le choix de la méthode à privilégier doit d'abord prendre en considération le type de fonction à analyser. Néanmoins, les coûts et le délai d'analyse sont aussi des éléments à considérer, de même que les circonstances particulières propres à une entreprise, comme la localisation géographique des emplois ou encore les disponibilités de personnel pour effectuer l'analyse.

Les documents existants

Le point de départ de toute analyse de fonction devrait être les documents existant au sein de l'entreprise. Dans certains cas, une description de poste existe et l'analyse a pour but de s'assurer que celle-ci correspond toujours au travail que les employés effectuent réellement. Il arrive souvent qu'aucune description du travail à effectuer n'existe, mais le plan d'affaires ou la planification stratégique de l'entreprise peuvent alors constituer des ressources pour identifier de façon générale le positionnement de la fonction.

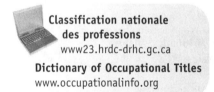

Classification nationale des professions
www23.hrdc-drhc.gc.ca
Dictionary of Occupational Titles
www.occupationalinfo.org

Il existe également des sources secondaires d'information sur les fonctions, comme la Classification nationale des professions au Canada, ou le *Dictionary of Occupational Titles* aux États-Unis. Ces documents fournissent des descriptions générales de fonctions et constituent un point de départ à ne pas négliger dans un processus d'analyse. Cependant, ces descriptions sont génériques et ne correspondent donc pas de façon précise aux responsabilités et aux conditions de travail d'une entreprise en particulier. Pour recueillir des informations sur les fonctions au sein de son entreprise, le gestionnaire doit donc avoir recours à des méthodes d'analyse plus spécifiques.

L'observation

Historiquement, l'observation des titulaires d'un poste est la première méthode d'analyse à avoir été utilisée, notamment dans le cadre des travaux de Frederick Taylor sur l'organisation scientifique du travail (Dolan *et al.*, 2002). Comme son nom l'indique, cette méthode consiste à observer l'employé pendant qu'il accomplit son travail et à noter de façon systématique tous les gestes posés, ainsi que la façon dont ils sont posés, leur fréquence et leur durée. L'observation peut être directe, c'est-à-dire que l'analyste est physiquement avec l'employé observé, ou indirecte, par exemple dans le cas où l'employé est filmé.

L'observation présente l'avantage de recueillir des faits, des fréquences de gestes ou des durées, et non les perceptions du titulaire du poste. Cependant, la simple présence de l'analyste peut provoquer des changements dans les comportements de l'employé qui se sait observé. Par ailleurs, l'observation est inefficace dans le cas d'un long cycle de travail, ou pour détecter des tâches qui sont peu fréquentes. Ce n'est pas non plus une méthode appropriée pour étudier des fonctions dans lesquelles une grande partie du travail relève de la réflexion, ce qui le rend difficile à observer. Les emplois qui exigent de fréquents déplacements, comme celui de représentant ou de chauffeur routier, sont également difficiles à observer. Compte tenu de ces contraintes, l'observation est traditionnellement réservée aux postes de production, dans lesquels le travail effectué s'observe facilement.

L'entrevue

Lorsque la fonction se prête mal à l'observation, une entrevue avec un ou plusieurs titulaires de poste peut s'avérer une option intéressante. L'entrevue est structurée, c'est-à-dire que l'analyste pose une série de questions précises sur les tâches effectuées par les titulaires. Une liste de questions appropriées dans un tel contexte est présentée à l'encadré 5.3. Cette méthode présente l'avantage de moins perturber le cycle de production que ne le fait l'observation, mais elle est plus subjective, puisqu'elle repose sur les perceptions des titulaires et dépend de la qualité de la relation qui s'instaure entre l'analyste et le répondant.

ENCADRÉ 5.3 **Exemples de questions à poser lors de l'entrevue d'analyse de fonction**

- En quoi consiste votre travail ?
- Quelle est l'importance de votre travail ?
- Quelles sont les règles spécifiques dans votre [fonction] (sécurité, exigences, etc.) ?
- Quelle est votre relation avec vos supérieurs (les comptes à rendre, etc.) ?
- Quelles sont les responsabilités dans votre travail ?
- Quelles sont les aptitudes requises pour exercer votre travail ?
- Quels sont les outils utilisés dans votre travail ?
- Quels sont les termes spécialisés utilisés dans votre travail ?
- Quels sont vos contacts avec les autres employés dans votre milieu de travail ?
- Quelles sont les conditions de travail dans cette [fonction] (heures de travail, milieux de travail, etc.) ?
- Quelle est la formation exigée pour exercer cette [fonction] ?

Source : Groupe provincial de soutien pour une approche orientante à l'école, s. d.

Une façon de limiter la subjectivité de l'entrevue est d'utiliser cette méthode pour interroger successivement le titulaire d'un poste et son superviseur. Ainsi, l'information fournie par l'un est corroborée par l'autre. Cependant, mener des entrevues dans ce contexte exige deux fois plus de temps.

Les questionnaires

Lorsque plusieurs postes existent au sein d'une même fonction, l'analyste souhaite obtenir des informations provenant d'un échantillon de titulaires afin d'identifier les comportements typiques de la fonction, et non les particularités d'un individu. Or, les méthodes de l'observation et de l'entrevue exigent du temps. Il est donc peu réaliste de les utiliser pour recueillir l'information fournie par un grand nombre de personnes.

Dans ces situations, l'utilisation d'un questionnaire peut être une solution appropriée. Typiquement, les questionnaires sont structurés et les répondants n'ont qu'à cocher ou à encercler des réponses sur une échelle de notation préconçue. Les annexes A et B présentent respectivement le questionnaire suggéré par Santé Canada dans le cadre de son programme de santé au travail et de sécurité du public, et celui qui est utilisé par l'École Polytechnique de Montréal.

Ministère fédéral des Ressources humaines
www.rhdcc.gc.ca

L'avantage principal de l'utilisation d'un questionnaire structuré est de permettre de recueillir rapidement des informations fournies par un grand nombre de titulaires de postes. Ces données peuvent ensuite être colligées pour calculer des moyennes et pour identifier les caractéristiques typiques de la fonction. C'est également une méthode très utile lorsque les titulaires des postes sont éparpillés géographiquement : il est alors impossible de les observer ou de les rencontrer individuellement. Le questionnaire peut également comporter une section pour le titulaire du poste et une autre pour le superviseur, afin de réduire les risques de subjectivité.

Cependant, la structure même du questionnaire peut devenir son principal défaut : la méthode ne convient guère pour des fonctions moins structurées, comme celles qui sont nouvellement créées ou dont les tâches ne sont pas répétitives. Pour ces cas-là, les notes prises par les titulaires ou les incidents critiques peuvent être des solutions intéressantes.

Les notes prises par les titulaires

Les fonctions difficiles à observer ou peu structurées peuvent être analysées au moyen de notes prises par le titulaire du poste. Ce procédé consiste à demander à la personne qui occupe le poste de noter, à intervalles réguliers, les tâches qu'elle accomplit. Cette méthode, appropriée pour des postes dans lesquels les titulaires sont habitués à écrire, demande beaucoup de temps et de discipline de la part des employés et est soumise à la subjectivité de ces derniers. Par exemple, les titulaires se contentent souvent d'énumérer leurs tâches plutôt que de décrire la façon dont ils les effectuent ou les résultats qu'ils obtiennent. Prendre en note des incidents critiques plutôt que des tâches effectuées peut constituer une variante de cette méthode d'analyse de fonction. Cependant, compte tenu de l'ampleur des efforts requis par les titulaires de poste, cette méthode d'analyse est relativement rare.

1.4 Quelques mises en garde

L'analyse de fonction ne constitue pas en elle-même une activité très complexe et elle est souvent confiée à des professionnels ayant peu d'expérience. Elle doit cependant être faite avec rigueur, puisque les résultats qui en découlent constituent la pierre angulaire de nombreuses pratiques de gestion des ressources humaines. Il convient donc de rappeler quelques principes de base.

- Bien qu'elle se base sur des informations provenant des employés, l'analyse de fonction constitue une évaluation des tâches et non des individus. L'analyste doit donc distinguer ce qui est propre au poste, par exemple l'utilisation d'un équipement, de ce qui relève du titulaire, comme l'utilisation d'une méthode de travail de préférence à une autre.

- Toute méthode d'analyse de fonction comporte le risque d'accorder trop d'importance au comportement isolé d'un individu. Idéalement, l'analyste doit observer ou interroger plusieurs titulaires de poste afin de ne garder que les comportements ou les gestes qui sont similaires d'une personne à l'autre.

- Afin de pouvoir comparer les réponses d'un individu à l'autre et en dégager les tâches et responsabilités typiques, il est préférable d'utiliser la même (ou les mêmes) méthode d'analyse pour tous les postes d'une même fonction.

- La description faite par chacun des titulaires étant toujours subjective, la multiplication des sources de données est généralement une bonne pratique. Par exemple, comparer les réponses des titulaires d'un poste à celles de leur superviseur et aux observations de l'analyste permet d'avoir une vue d'ensemble complète et peu biaisée de la situation. Cependant, la multiplication des sources est coûteuse et requiert du temps.

- Les gestionnaires et les professionnels de la gestion des ressources humaines sont souvent tentés de décrire les postes tels qu'ils les imaginent dans le meilleur des mondes. Or, l'analyse a justement pour but de recueillir des informations sur la fonction, telle qu'elle est. Il est donc primordial que l'analyse de fonction se base sur les informations recueillies auprès des employés afin de rester ancrée dans la réalité.

- L'analyse de fonction a essentiellement pour but de recueillir des informations sur les tâches et les responsabilités assumées par les employés. Mais les méthodes d'analyse permettent également d'identifier les compétences requises pour exercer ces tâches et responsabilités. Le questionnaire de l'École Polytechnique présenté à l'annexe B comporte par exemple une partie sur les compétences requises par les tâches et une autre sur l'initiative créatrice. Ces renseignements seront utilisés pour dresser un profil de compétences, dont nous parlerons au chapitre 6.

- Finalement, les fonctions évoluent avec le temps. Il est donc indispensable d'en faire régulièrement l'analyse afin de mettre à jour les documents qui en découlent (description de poste, profil de compétences, etc.).

L'analyse de fonction est un processus de collecte d'informations. Pour que celles-ci soient utilisées de façon appropriée dans les activités de gestion des ressources humaines, il est nécessaire de les colliger et de les organiser sous forme de documents. La description de poste résulte de ces efforts d'analyse de fonction.

2. La description de poste

La **description de poste,** dont un exemple est présenté à l'annexe C, est l'un des deux documents utilisés en dotation et qui découlent de l'analyse de fonction. L'autre est le profil de compétences et fera l'objet du chapitre suivant. Il est important de noter, cependant, que de nombreuses organisations fusionnent la description de poste et le profil de compétences en un seul et même document, ce qui crée une certaine confusion. Pour des raisons de clarté, nous distinguerons ici clairement ces deux écrits.

On peut rédiger une description de fonction ou une description de poste.

La description de poste consiste à mettre par écrit, de façon structurée, la synthèse des informations recueillies à l'étape de l'analyse de fonction. Ce document comprend une description détaillée des tâches et des responsabilités inhérentes au poste, mais également des conditions et des méthodes de travail.

Nous l'avons vu au chapitre précédent, une fonction est un titre d'emploi auquel correspondent des tâches et des responsabilités spécifiques. Dans une entreprise, il peut exister un ou plusieurs postes au sein d'une même fonction. En principe donc, tous les postes d'une même fonction ont la même description. Il peut cependant y avoir, entre les postes d'une même fonction, quelques différences. Par exemple, tous les postes ne se rattachent pas à la même direction, ou ne sont pas situés géographiquement au même endroit. Pour tenir compte de ces différences, les organisations rédigent généralement une description pour chaque poste, et non pas une description générique pour toute la fonction.

CDEC CDN/NDG
www.cdeccdnndg.org

Prenons l'exemple de la Corporation de développement économique communautaire de l'arrondissement Côte-des-Neiges / Notre-Dame-de-Grâce (CDEC CDN/NDG). Cet organisme à but non lucratif a pour mission de soutenir le démarrage, la consolidation et le développement des entreprises sur son territoire, et de faciliter l'intégration des personnes sans emploi au marché du travail. La CDEC compte 14 postes à temps plein, donc l'équivalent de 14 emplois. Ces 14 postes sont répartis en 8 fonctions, comme le montre le tableau 5.1.

La description de poste est utilisée dans plusieurs activités de gestion des ressources humaines.

Les trois analystes financiers ont exactement les mêmes tâches et responsabilités, de sorte qu'il y a une description unique pour les trois postes de cette fonction. En revanche, les quatre agents de développement économique ont des responsabilités un peu différentes, parce qu'ils ne s'occupent pas des mêmes clientèles et ne gèrent pas les mêmes programmes de subvention. Pour cette fonction, il y a donc quatre descriptions de poste distinctes.

2.1 L'utilité de la description de poste

Comme la figure 5.1 le résume brièvement, la description de poste est utile à plusieurs activités de gestion des ressources humaines. Elle apporte à l'entreprise la structure nécessaire pour comprendre les emplois et s'assurer que les activités et les responsabilités relèvent clairement d'un poste. Sans description de poste, le titulaire ne peut pas vraiment s'engager à exercer ses activités ou être tenu responsable de son travail. Par ailleurs, la description de poste

TABLEAU 5.1	Postes et fonctions à la CDEC CDN/NDG
Fonction	**Nombre de postes**
Directeur	1
Comptable	1
Secrétaire réceptionniste	1
Analyste financier	3
Agent de développement économique	4 • Conseiller aux entreprises • Concertation avec le milieu • Jeunes promoteurs et entrepreneuriat féminin • Économie sociale
Agent d'accueil et de référence	1
Agent de concertation en employabilité	2
Agent aux initiatives locales	1

garantit une certaine uniformité des tâches et responsabilités au sein d'une même fonction, et limite donc l'interprétation parfois arbitraire que pourraient faire les employés ou l'employeur ; c'est un instrument de référence essentiel en cas de litige entre un employé et son superviseur.

La description de poste permet également de préciser les attentes de l'organisation à l'égard de l'employé et offre ainsi un point de référence neutre et objectif lors de l'évaluation de la performance. Elle est également utilisée comme outil de base au développement des compétences et à la planification du cheminement de carrière.

En matière de rémunération, la description de poste est utilisée pour structurer de façon équitable et logique les échelles salariales. En effet, le salaire doit refléter la valeur du poste, qui est fonction de ses tâches et responsabilités. Toute modification importante à une description de poste doit donc se traduire en une réévaluation de la valeur de ce poste.

Dans une optique de dotation, la description de poste est essentielle pour le recrutement, la sélection et l'intégration de la recrue. À l'étape du recrutement, elle permet aux candidats de se faire une bonne idée du poste et de ses responsabilités. Une description bien faite devient un instrument utile pour cibler le recrutement, c'est-à-dire pour attirer des candidats correspondant au profil recherché tout en décourageant les candidatures non pertinentes.

En ce qui concerne la sélection, la description de poste sert de base à l'identification des compétences critiques pour occuper le poste. L'entrevue et les tests de sélection sont ensuite conçus pour mesurer ces compétences et s'assurer que le candidat retenu possède les qualités requises par l'emploi. Enfin, la description de poste est l'un des premiers documents que la nouvelle recrue reçoit lors de son embauche, ce qui permet de clarifier les attentes dès son arrivée en poste.

2.2 Le contenu de la description de poste

La description de poste permet d'identifier les compétences clés pour occuper le poste.

La rédaction d'une description de poste commence toujours par une analyse de fonction. Mais comme nous l'avons vu plus tôt dans ce chapitre, l'analyse de fonction peut générer beaucoup d'informations, qu'il est ensuite nécessaire de synthétiser et de structurer.

Pour ce faire, l'analyste doit déterminer la raison d'être du poste ou son objectif principal, parfois également appelé « résumé » ou « sommaire du poste ». Par la suite, l'analyste doit regrouper toutes les activités exercées par le titulaire du poste en responsabilités plus générales. Par exemple, pour un poste de secrétaire de production, la responsabilité « Transcription et acheminement des rapports des superviseurs » peut regrouper les activités suivantes (Pharand, 2001) :

- compile des données de productivité : volume, rejets, accidents, etc. ;
- tient des formulaires pour le comité de la qualité ;
- saisit des rapports du conseil de contrôle de la qualité ;
- saisit des lettres, des notes de service, des rapports des superviseurs.

Une fois ces regroupements d'activités effectués, l'analyste de poste doit classer chaque responsabilité selon le temps consacré, la fréquence, ou encore selon les conséquences pour l'organisation. Cette évaluation permet de distinguer les responsabilités essentielles de celles qui sont marginales, et de s'assurer que tous les aspects importants du poste sont couverts. Pour toutes les responsabilités essentielles, les résultats attendus du titulaire peuvent figurer dans la description de poste. La mention « toute autre tâche connexe » est généralement utilisée à la fin de l'énumération des principales responsabilités afin de regrouper les activités marginales ou occasionnelles.

Finalement, figurent à la description de poste toutes les conditions particulières comme les horaires de travail, les conditions physiques, la localisation géographique, etc. La date de rédaction de la description est également essentielle dans une optique de révision régulière des documents. L'encadré 5.4 résume les principaux éléments figurant dans une description de poste.

ENCADRÉ 5.4 Contenu d'une description de poste

- Titre du poste ;
- Nom de l'organisation ;
- Service ;
- Place du poste dans l'organisation : titre du superviseur ou position dans l'organigramme ;
- Responsabilité de supervision : nombre d'employés à superviser et titre de leurs postes ;
- Objectif du poste : raison d'être du poste ou résumé des principales responsabilités (trois ou quatre phrases au plus) ;
- Responsabilités : liste des responsabilités essentielles à l'atteinte des objectifs du poste, évaluées sur le plan de l'importance ou de la fréquence ;

»

- Tâches ou responsabilités détaillées : liste des tâches à effectuer pour chaque responsabilité et description de la façon d'effectuer ces tâches. Chaque énoncé doit commencer par un verbe d'action permettant de décrire l'activité ;
- Conditions de travail particulières : par exemple, lieu de travail, type de clientèle, conditions physiques de travail ;
- Mode de rémunération : cette information n'est pas indispensable, mais peut figurer à la description de poste, en particulier si la rémunération est variable (par exemple, commission sur les ventes) ;
- Informations administratives : date de la révision et nom de la personne ayant rédigé la description.

Les descriptions de poste doivent être rédigées dans un style clair et concis, c'est-à-dire avec des phrases courtes et précises. Elles utilisent des verbes d'action, comme ceux présentés dans le tableau 5.2, pour décrire les activités du titulaire du poste.

TABLEAU 5.2 Exemples de verbes d'action à utiliser dans une description de poste

Verbes pour exprimer des actions								
Adapte	Clarifie	Contrôle	Développe	Étudie	Implante	Négocie	Planifie	Répond
Analyse	Compare	Coordonne	Distribue	Évalue	Informe	Observe	Préside	Simplifie
Anime	Complète	Décide	Effectue	Forme	Justifie	Obtient	Projette	Supervise
Assure	Compose	Définit	Élabore	Fournit	Met à jour	Organise	Réalise	Surveille
Augmente	Conçoit	Détermine	Établit	Gère	Modifie	Participe	Recueille	Vérifie

www.cheneliere.ca

Un exemple de description de poste est présenté à l'encadré 5.5.

ENCADRÉ 5.5 Exemple de description de poste

1. Identification

Titre :	*Directeur ou directrice d'usine*
Direction, secteur ou service :	*Usine de Montréal, secteur habillement*
Nom du titulaire :	*(lorsque recruté)*
Nom du supérieur immédiat :	*Étienne Beausoleil*
Titre du supérieur immédiat :	*Président-directeur général*

Personnel relevant du titulaire de la fonction :

Titre de chaque poste	Nombre d'employés
Superviseur	*3*
Opérateurs et manutentionnaires	*87*

2. Sommaire/Raison d'être du poste (rôle global dévolu au titulaire)

Compte tenu des objectifs de production fixés (innovation, qualité et compétitivité), mettre en place et activer de nouveaux processus d'opération modulaires visant à assurer l'utilisation efficace des matériaux, de la main-d'œuvre et des technologies.

≫

3. Principales responsabilités

Domaines clés où des résultats doivent être atteints	% du temps consacré
1. Vision, orientation et développement de l'usine en fonction de la mission et des objectifs de l'entreprise	*10*
2. Leadership, gestion du changement et des ressources humaines	*40*
3. Planification et organisation des activités de l'usine	*30*
4. Assurance de la qualité et contrôle de l'efficacité	*20*

4. Détail des responsabilités

Pour chaque domaine clé, les responsabilités à assumer	Ordre d'importance
1. Vision, orientation et développement des opérations	*4*

1.1 Siège à titre de membre du comité de direction de l'entreprise

1.2 Dirige les réunions de gestion de l'usine

1.3 Préside le comité de formation

1.4 Collabore étroitement avec les services de marketing et de mise en marché

2. Leadership, gestion du changement et des ressources humaines	*1*

2.1 Communique clairement aux employés les nouvelles orientations et exigences

2.2 Encadre les superviseurs et gère leur formation

2.3 Aide les superviseurs

2.4 Organise et anime des réunions périodiques pour des échanges avec le personnel

3. Planification et supervision des activités de l'usine	*2*

3.1 Gère les processus et les systèmes automatisés de production

3.2 Supervise les modifications des machines et de l'équipement

3.3 Établit les calendriers de production, d'entretien et de réparation des équipements

3.4 Forme les employés aux nouveaux processus de travail et aux équipements

3.5 Établit le budget de l'usine

4. Assurance de la qualité et contrôle de l'efficacité	*3*

4.1 Supervise la mise en place d'un programme d'assurance de la qualité

4.2 Donne son appui à l'implantation des normes ISO

4.3 Participe à la mise en place d'un système de gratification du personnel lié au programme de qualité

Source : Pharand, 2001.

Il existe plusieurs sites Internet gratuits pour aider les gestionnaires à rédiger des descriptions de poste. L'encadré 5.6 identifie les principaux.

ENCADRÉ 5.6 **Sites de référence gratuits pour la rédaction de descriptions de poste**

- *CarrièreTex*, Industrie canadienne du textile (profils d'emploi dans le secteur) : <www.careertex.ca/main.asp>.
- *Compétences et CCHA*, Agence de gestion des ressources humaines de la fonction publique du Canada (traite de la définition des deux termes) : <www.hrma-agrh.gc.ca/research/personnel/comp_ksao_f.asp>.

»

- *CPM Job Evaluation Process*, York University (anglais seulement, questionnaire de référence pour faire l'évaluation des emplois) : <www.yorku.ca/hr/compensation/cpmjobe.html>.
- *CUPE/UBC Job Evaluation Manual*, The University of British Columbia (anglais seulement, guide pour faire l'évaluation des emplois manuels) : <www.hr.ubc.ca/comp/job_evaluation/jesp_manual.html>.
- École de la fonction publique du Canada (descriptifs de cours pouvant aider à rédiger les descriptions de poste) : <www.myschool-monecole.gc.ca/main_f.html>.
- *Information sur le marché du travail – Descriptions d'emploi*, Service Canada (particularités des professions : fonctions, tâches, scolarité, compétences) : <http://lmi-imt.hrdc-drhc.gc.ca/standard.asp ?ppid=60&lcode=F>.
- *Job Description Writer*, America's Career InfoNet (anglais seulement, particularités des professions : outil de rédaction de descriptions de poste) : <www.acinet.org/acinet/JobWriter/default.aspx>.
- *Job Descriptions – Writing job descriptions and examples, job descriptions duties, directors responsabilities* (anglais seulement, conseils pour la rédaction de descriptions de poste) : <www.businessballs.com/jobdescription.htm>.
- *La description de poste – ne partez pas sans elle !*, Banque de développement du Canada (conseils) : <www.bdc.ca/fr/about/events_publications/profits/2002-22-02/15.htm ?iNoC=1>.
- *Les compétences essentielles*, Ressources humaines et Développement des compétences Canada (définitions et conseils relatifs aux compétences essentielles) : <www.rhdcc.gc.ca/asp/passerelle.asp ?hr=fr/pip/prh/competences_essentielles/ competences_essentielles_index.shtml&hs=sxc>.
- *L'Organisation pour les carrières en environnement* (ECO, profils d'emplois dans le secteur) : <www.eco.ca/>.
- *L'Urbanisme comme carrière*, Institut canadien des urbanistes (profils d'emploi dans le secteur) : <www.cip-icu.ca/French/aboutplan/career.htm>.
- *Modèle d'analyse d'emploi* (questionnaire pour analyser les emplois) : <http://campus.servicesged.gc.ca/images/hiring_job_analysis_f.pdf>.
- *Modèle de profil de compétences professionnelles (MPCP)*, Conseil des ressources humaines du logiciel (outil de référence en ressources humaines pour les postes en technologies de l'information) : <www.shrc.ca/francais/ospm/>.
- *Normes de compétences nationales*, Conseil canadien des ressources humaines en tourisme (outil de référence en ressources humaines pour le développement des compétences, profil du secteur) : <www.emerit.ca/fra/page.aspx?_id=national_occupational_standards.htm>.
- *Options pour le recrutement et l'embauche*, Gouvernement du Canada (sites pertinents en dotation) : <www.gestionrh.gc.ca/gol/hrmanagement/site.nsf/fr/hr05166.html>.
- *Préparer une offre d'emploi*, Emploi-Québec (conseils) : <http://emploiquebec.net/francais/entreprises/recrutement/placement/offre.htm>.

2.3 Quelques conseils en matière de description de poste

On reproche parfois aux descriptions de poste d'être rigides et de limiter la flexibilité des organisations, ou encore de ne pas refléter fidèlement le contenu de l'emploi (Grant, 1998). Afin de maximiser l'utilité des descriptions de poste, il est donc important de retenir quelques conseils de base :

- L'environnement changeant des organisations nécessite de plus en plus de flexibilité de la part des titulaires d'emploi. Les descriptions de poste peuvent refléter cette flexibilité en intégrant des dimensions, telles que l'autonomie dans l'exercice des tâches et responsabilités.

- Pour les postes requérant beaucoup d'autonomie, il est possible de rédiger des descriptions moins rigides, qui font ressortir les objectifs du poste ou les résultats à atteindre, plutôt qu'une liste de tâches à accomplir. L'encadré 5.7 présente une annonce d'emploi basée sur des objectifs à atteindre.

- Les descriptions de poste doivent être revues et mises à jour régulièrement. La dotation du poste est souvent un moment approprié pour le faire, puisque cette activité nécessite un profil de compétences précis et à jour. Mais il est recommandé de ne pas attendre d'avoir à pourvoir le poste pour s'assurer que la description est toujours adéquate. Idéalement, les descriptions devraient être revues tous les deux ans.

ENCADRÉ 5.7   **Exemple d'une annonce d'emploi basée sur des objectifs à atteindre**

Date	Fonction	Secteur	Lieu	N°
21/07/2005	Responsable de l'organisation	Banque	Bretagne	10500073416

Entreprise
Banque régionale de premier plan recherche, dans le cadre de sa croissance, une organisatrice ou un organisateur.

Poste
ORGANISATEUR (H/F), Type de contrat : Contrat à durée indéterminée
Au sein d'une équipe de dix collaborateurs, vous êtes rattaché(e) au responsable de l'organisation.
En relation fonctionnelle avec les équipes du siège et les filiales du groupe, vous menez des missions transversales dans le cadre de gestion de projets (création de la banque à distance, lancement de produits, etc.).

Vos principales missions consistent à :

- Études d'organisation, du diagnostic à la mise en œuvre effective des recommandations : optimisation de processus, lancement de nouvelles activités ;

- Assistance à la maîtrise d'ouvrage : rédaction du cahier des charges et animation du comité de projet ;

- Surveillance de la pertinence des outils et des méthodes du groupe.

Profil
Vous êtes diplômé(e) de l'enseignement supérieur (École de commerce, DESS,...) et justifiez d'une expérience similaire de 2 à 3 ans minimum dans une banque.
Candidat(e) évolutif(ve), à potentiel, vous aimez travailler en équipe et justifiez de grandes capacités d'écoute et de rédaction.

Source : Cadremploi.fr, 2005.

Ainsi, l'analyse de fonction et la description de poste permettent de compléter la planification opérationnelle des ressources humaines, en fournissant des informations sur les tâches et responsabilités qui seront octroyées au titulaire d'un emploi. Comme nous le verrons au prochain chapitre, ces données serviront de base à l'élaboration du profil du candidat idéal.

Ce qu'il faut retenir

- L'analyse de fonction a pour but de comprendre les tâches et responsabilités propres à une fonction, ainsi que le contexte dans lequel le travail s'effectue.
- Les informations recueillies à l'étape de l'analyse sont colligées dans une description de poste.
- La description de poste est un document à la base de nombreuses pratiques de gestion des ressources humaines.

Références

CADREMPLOI.FR (2005). «Offre n° 10500073416», [en ligne], *Cadremploi.fr* [réf. du 27 juillet 2005]. <www.cadremploi.fr>.

CATANO, Victor M. *et al.* (2001). *Recruitment and Selection in Canada*, 2e édition, Toronto, Nelson, 480 p.

DIPBOYE, Robert L. (1994). «Structured and unstructured selection interviews: Beyond the job-fit model», *Research in Personnel and Human resource Management*, vol. 12, p. 79-123.

DOLAN, Shimon *et al.* (2002). *La gestion des ressources humaines*, 3e édition, Montréal, ERPI, 713 p.

ÉCOLE POLYTECHNIQUE DE MONTRÉAL (2003, 19 février). «Questionnaire d'analyse (V19FÉV03)», [en ligne], *Le Groupe Hay, École Polytechnique de Montréal*, 7 p. [réf. du 17 mai 2006]. <www.polymtl.ca>.

GATEWOOD, Robert D. et Hubert S. FIELD (1998). *Human Resource Selection*, 4e édition, Fort Worth, (TX), Dryden, 708 p.

GOUVERNEMENT DU CANADA (s. d.). «Norme de classification – HM – PE – Gestion du personnel», [en ligne], *Agence de gestion des ressources humaines de la fonction publique du Canada* [réf. du 17 mai 2006]. <www.hrma-agrh.gc.ca>.

GOUVERNEMENT DU CANADA (2005a). «Dossier ressources humaines: Le processus d'embauche, étapes 1 et 2», [en ligne], *Gestion des ressources humaines – Centre de formation* [réf. du 17 mai 2006]. <http://campus.servicesged.gc.ca>.

GOUVERNEMENT DU CANADA (2005b). «Programme de santé au travail et de sécurité du public – Lignes directrices concernant l'analyse des tâches», [en ligne], *Santé Canada* [réf. du 23 juin 2006]. <www.hc-sc.gc.ca>.

GRANT, Philip C. (1998). «Why job descriptions are not used more», *Supervision,* vol. 59, n° 4, p. 10-13.

GROUPE PROVINCIAL DE SOUTIEN POUR UNE APPROCHE ORIENTANTE À L'ÉCOLE (s. d.). «L'entrevue d'information», [en ligne], *Groupe de soutien pour une approche orientante à l'école,* 17 p. [réf. du 17 mai 2006]. <http://gpsao.educ.usherbrooke.ca>.

PHARAND, Francine (2001). «Le recrutement et la sélection», *Recruter et garder son personnel: trois guides pour sélectionner, rémunérer et intégrer le personnel que vous lancez dans la course au championnat*, Québec, Éditeur officiel du Québec, 64 p.

WILLIAMSON, Laura G. *et al.* (1997). «Employment Interview on Trial: Linking Interview Structure with Litigation Outcomes», *Journal of Applied Psychology*, vol. 82, n° 6, p. 900-912.

ANNEXE A | Formulaire d'analyse de tâches

Santé Canada, programme de santé au travail et de sécurité du public

I. Titre du poste _____

    Ministère _____

Santé Canada
www.hc-sc.gc.ca

II. Degré d'effort requis   **S L M I C**
    (encerclez)   (voir la section qui suit pour l'explication des lettres)

III. Efforts physiques (poids)	Sans objet	O	F	C	Décrire les points cotés d'un F ou d'un C
1. Se tenir debout	O	O	O	O	
2. Marcher	O	O	O	O	
3. Demeurer assis	O	O	O	O	
4. Soulever	O	O	O	O	
5. Transporter (_____)	O	O	O	O	
6. Pousser (_____)	O	O	O	O	
7. Tirer (_____)	O	O	O	O	
8. Grimper	O	O	O	O	
9. Garder son équilibre	O	O	O	O	
10. Se pencher	O	O	O	O	
11. S'agenouiller	O	O	O	O	
12. S'accroupir	O	O	O	O	
13. Ramper	O	O	O	O	
14. Étendre les bras	O	O	O	O	
15. Manipuler	O	O	O	O	
16. Faire du classement	O	O	O	O	
17. Manier avec les doigts	O	O	O	O	
18. Dactylographier	O	O	O	O	
19. Photocopier	O	O	O	O	
20. Palper	O	O	O	O	
21. Parler	O	O	O	O	
22. Entendre	O	O	O	O	
23. Goûter	O	O	O	O	
24. Sentir	O	O	O	O	
25. Acuité visuelle rapprochée	O	O	O	O	
26. Acuité visuelle éloignée	O	O	O	O	
27. Vision stéréoscopique	O	O	O	O	
28. Accommodation visuelle	O	O	O	O	
29. Perception des couleurs	O	O	O	O	
30. Champ de vision	O	O	O	O	
31. Conduire	O	O	O	O	
32. Autres	O	O	O	O	

»

IV. Efforts d'ordre mental	Sans objet	O	F	C	Décrire les points cotés d'un F ou d'un C
1. Rester constamment vigilant ou concentré	○	○	○	○	_____
2. Résoudre des problèmes, prendre des décisions, organiser	○	○	○	○	_____
3. Assimiler d'importantes quantités de renseignements	○	○	○	○	_____
4. Négocier, servir d'intermédiaire	○	○	○	○	_____

V. Conditions de travail	Sans objet	O	F	C	Décrire les points cotés d'un F ou d'un C
1. Exposé à la température	○	○	○	○	_____
2. Très grande chaleur	○	○	○	○	_____
3. Très grand froid	○	○	○	○	_____
4. Trempé/humidité	○	○	○	○	_____
5. Bruit	○	○	○	○	_____
6. Vibrations	○	○	○	○	_____
7. Conditions atmosphériques	○	○	○	○	_____
8. Poussière, vapeurs, odeurs	○	○	○	○	_____
9. Autres	○	○	○	○	_____

VI. Dangers potentiels	Sans objet	O	F	C	Décrire les points cotés d'un F ou d'un C
1. Déplacement de pièces mécaniques	○	○	○	○	_____
2. Chocs électriques	○	○	○	○	_____
3. Mal abrité, endroits exposés	○	○	○	○	_____
4. Explosifs	○	○	○	○	_____
5. Rayonnement ionisant	○	○	○	○	_____
6. Rayonnement non ionisant	○	○	○	○	_____
7. Brûlures	○	○	○	○	_____
8. Insecticides/pesticides	○	○	○	○	_____
9. Exposition à des infections	○	○	○	○	_____
10. Contact avec des patients	○	○	○	○	_____
11. Objets tranchants	○	○	○	○	_____
12. Manutention des déchets	○	○	○	○	_____
13. Utilisation d'un ordinateur	○	○	○	○	_____
14. Mouvements répétitifs	○	○	○	○	_____
15. Postures prolongées	○	○	○	○	_____
16. Violence physique	○	○	○	○	_____
17. Produits chimiques	○	○	○	○	_____
18. Autres	○	○	○	○	_____

»

VII. Exigences liées à l'horaire	Sans objet	O	F	C	Décrire les points cotés d'un F ou d'un C
1. Jours de travail prolongé, heures supplémentaires	○	○	○	○	
2. Travail par quart, rotation ou autre	○	○	○	○	
3. Travail sur demande	○	○	○	○	
4. Déplacements	○	○	○	○	
5. Rythme de travail	○	○	○	○	
6. Monotonie	○	○	○	○	
7. Dates limites	○	○	○	○	

VIII. Exigences d'ordre social et émotionnel	Sans objet	O	F	C	Décrire les points cotés d'un F ou d'un C
1. Travailler dans l'isolement	○	○	○	○	
2. Travailler étroitement avec le public ou avec d'autres détenus	○	○	○	○	
3. Interagir avec des personnes possiblement anxieuses	○	○	○	○	
4. Travailler avec des personnes possiblement souffrantes ou en détresse	○	○	○	○	
5. Travailler dans des situations de crise ou d'urgence	○	○	○	○	
6. Être exposé à un risque de violence physique	○	○	○	○	
7. Devoir utiliser une force meurtrière	○	○	○	○	
8. Superviser d'autres personnes	○	○	○	○	

IX. Équipement et vêtements de protection requis (énumérer tout ce qui est pertinent) :

_____
_____
_____

X. Conduite de véhicules automobiles :   ○ Oui   ○ Non

Précisez le genre de véhicule concerné :

_____
_____

XI. Porter une arme individuelle :   ○ Oui   ○ Non

XII. Commentaires :

_____
_____
_____

Rempli par :_____   **Date :** _____

»

Pour remplir le formulaire d'analyse des tâches :

Sections I et II

1. Inscrire le titre de l'emploi et encercler la lettre décrivant le mieux le travail ou l'effort physique requis :

S = Sédentaire = demeurer surtout assis/soulever au maximum 10 lbs

L = Léger = soulever au maximum 20 lbs et soulever ou
transporter fréquemment au maximum 10 lbs

M = Moyen = soulever au maximum 50 lbs et soulever ou
transporter fréquemment au maximum 25 lbs

I = Important = soulever au maximum 100 lbs et soulever ou
transporter fréquemment au maximum 50 lbs

C = Considérable = soulever des objets de plus de 100 lbs et soulever
ou transporter fréquemment plus de 50 lbs

Section III

1. Cocher tous les efforts physiques qui **ne constituent pas** des exigences essentielles de l'emploi.

2. Cocher tous les efforts physiques qui constituent des exigences essentielles de l'emploi ainsi que les termes qui caractérisent le mieux la fréquence de ces efforts :

O = Occasionnels = 0 à 33 % du quart de travail

F = Fréquents = 34 à 66 % du quart de travail

C = Constants = 67 à 100 % du quart de travail

3. Décrire tous les efforts physiques fréquents ou constants, par exemple, *n° 1* « rester debout pour tenir le système de classement » ou *n° 4* « soulever des patients avec l'aide de collègues (poids : 50 à 200 lbs) », et préciser :

- la façon dont les tâches sont accomplies (méthodes, outils, équipement, techniques, etc.) ;
- le temps nécessaire pour accomplir ces tâches ;
- la possibilité d'obtenir de l'aide.

Sections IV à VIII :

1. Cocher les éléments pertinents et remplir tel qu'expliqué à la section III.

2. Dresser la liste de l'équipement et des vêtements de protection requis pour exercer l'emploi.

Section XII :

1. Ajouter les observations nécessaires pour expliquer ou décrire les exigences de l'emploi.

2. Inscrire la date et le nom en lettres moulées.

Activités physiques

Efforts :

Soulever : Lever ou baisser un objet d'un plan à un autre (comprend le fait de hisser un objet).

Transporter : Porter un objet, habituellement en le tenant dans les mains ou les bras, ou sur l'épaule.

Pousser : Exercer une force sur un objet de façon à l'éloigner (comprend le fait de claquer, frapper, pousser du pied et utiliser une pédale).

Tirer : Exercer une force sur un objet de façon à le rapprocher (comprend le fait de secouer).

Grimper et/ou se tenir d'aplomb : l'accent est mis sur l'agilité dans le premier cas et sur l'équilibre dans le second.

Grimper : Monter ou descendre au moyen d'échelles, d'escaliers, d'échafauds, de rampes, de poteaux, de cordes, etc., en utilisant ses pieds et/ou ses mains et ses bras.

Se tenir d'aplomb : Se tenir en équilibre pour éviter de tomber en marchant, en se tenant debout, en s'accroupissant ou en courant sur des surfaces étroites, glissantes ou instables ; ou se tenir en équilibre en accomplissant des mouvements de gymnastique.

Habileté physique : Capacité d'utiliser ses membres avec adresse.

Se pencher : Se pencher en avant en pliant le dos au niveau de la ceinture.

S'agenouiller : Plier les jambes au niveau des genoux pour s'appuyer sur un ou deux genoux.

S'accroupir : Se pencher en avant en pliant les jambes et le dos.

Ramper : Se déplacer sur les mains et les genoux ou sur les mains et les pieds.

Parler, entendre, voir :

Parler : Exprimer ou échanger des idées au moyen du langage parlé. L'expression verbale est importante pour les activités exigeant de communiquer de vive voix de l'information aux clients ou au grand public ou de communiquer des directives détaillées et importantes à d'autres employés avec précision.

Entendre : Distinguer les sons perçus par l'oreille. Le fait d'entendre est important pour les activités exigeant d'obtenir de l'information détaillée au moyen de la communication verbale ou de faire une distinction auditive subtile.

Voir : Percevoir au moyen de l'œil la forme, la taille, la distance, le mouvement, la couleur ou d'autres caractéristiques d'un objet. Aux fins de la Classification nationale des professeurs (CNP), on présume une vision normale. Les exigences à cet égard sont classées PA:7 (vision) seulement dans le cas où les éléments suivants sont considérés comme importants :

Acuité visuelle éloignée : Netteté de vision à 20 pieds ou plus ;

Acuité visuelle rapprochée : Netteté de vision à 20 pouces ou moins ;

Vision stéréoscopique : Vision de profondeur. Capacité d'évaluer les distances et la position dans l'espace de façon à percevoir les objets là où ils sont réellement ;

Accommodation visuelle : Ajustement du cristallin de façon à focaliser sur un objet précis. Cet élément est spécialement important pour effectuer un travail minutieux à des distances variables de l'œil ;

Perception des couleurs : Capacité de déterminer et de distinguer les couleurs ;

Champ de vision : Espace pouvant être distingué en haut et en bas ou à droite et à gauche lorsque les yeux sont fixés sur un point précis.

Source : Gouvernement du Canada, 2005b.

ANNEXE B | Questionnaire d'analyse, École Polytechnique de Montréal (V19FÉV03)

ÉCOLE POLYTECHNIQUE
M O N T R É A L

École Polytechnique de Montréal
www.polymtl.ca

Directives

Le questionnaire comprend six parties :

Partie I – Nature du travail

Partie II – Compétence

Partie III – Initiative créatrice

Partie IV – Finalité

Partie V – Conditions de travail

Partie VI – Signatures

Au sujet du questionnaire

Le présent questionnaire a été conçu pour recueillir de l'information sur les emplois occupés par les gestionnaires et les professionnels de l'École Polytechnique de Montréal. Ce questionnaire d'analyse servira à produire une description de poste concise et représentative, et celle-ci permettra de mesurer la juste valeur de votre poste à partir d'une méthode d'évaluation fiable et rigoureuse.

Il est important de comprendre que le questionnaire porte sur les exigences de votre poste, et non sur vous personnellement.

Pourquoi votre poste existe et quels en sont les résultats clés ?

Quelles sont les aptitudes et les connaissances requises pour exécuter le travail avec compétence ?

Quel est le degré de réflexion nécessaire au travail et le type de défis et de problèmes éprouvés ?

Dans quelle mesure votre poste est-il imputable des résultats et quelle est l'importance de ces derniers ?

Les conditions dans lesquelles le travail est exécuté.

Indiquant que vous et votre supérieur immédiat avez discuté et convenu de l'information contenue dans le questionnaire.

Après avoir rempli le questionnaire, veuillez le signer et le remettre à votre supérieur pour commentaires et ratification. Le document sera ensuite acheminé au Service des ressources humaines.

Nom de famille	Prénom
Titre du poste	Service
Supérieur immédiat : nom/titre	Date

PARTIE I – NATURE DU TRAVAIL

A) Dans la case intitulée *Raison d'être principale du poste*, veuillez décrire la raison d'être principale de votre poste et comment il contribue à la mission de votre service.

B) Veuillez décrire les cinq responsabilités les plus importantes et les résultats attendus. Veuillez estimer le pourcentage de temps consacré à chacune des responsabilités.

A) Raison d'être principale du poste

La raison d'être principale du poste est de :

B) Responsabilités clés du poste (Veuillez décrire jusqu'à cinq de vos responsabilités les plus importantes.)

Responsabilité : _____ % du temps

Responsabilité : _____ % du temps

Responsabilité : _____ % du temps

Responsabilité : _____ % du temps

Responsabilité : _____ % du temps

PARTIE II – COMPÉTENCE

La compétence est l'ensemble des aptitudes et des connaissances qui, indépendamment de leur mode d'acquisition, permettent au titulaire de donner un rendement pleinement satisfaisant et de répondre aux besoins pratiques, techniques ou scientifiques du poste.

Connaissances pratiques et techniques

Veuillez décrire brièvement les connaissances ou les aptitudes pratiques, techniques et scientifiques requises pour exécuter le travail ainsi que le niveau de scolarité (ou expérience équivalente) requis. Ajouter toutes les exigences essentielles (reconnues) du poste.

Organisation du travail

Veuillez décrire le rôle selon que le titulaire exécute, coordonne, contrôle, planifie, supervise ou dirige une ou plusieurs activités/mandats.

Compétence portant sur la communication

Veuillez décrire brièvement la nature et la fréquence des communications requises pour votre poste, auprès de divers intervenants (par exemple : subordonnés, collègues, supérieurs hiérarchiques, clients ou fournisseurs, etc.).

PARTIE III – INITIATIVE CRÉATRICE – Défis et problèmes

L'initiative créatrice correspond au degré et à la nature de la réflexion nécessaire pour analyser, raisonner, évaluer, innover, créer, etc.

Amélioration des processus de travail et résolution de problèmes

Veuillez décrire brièvement les aspects de votre travail où vous pouvez apporter des changements, des améliorations ou des transformations aux processus de travail auxquels vous contribuez et décrire le niveau de difficulté des problèmes à résoudre.

Recherche, analyse et innovation

Veuillez décrire brièvement les aspects créatifs de l'emploi, c'est-à-dire les éléments innovateurs que vous devez développer. De plus, indiquer le degré de recherche et d'analyse, imposé par certaines situations, si applicable.

Assistance et encadrement

Veuillez décrire brièvement l'assistance dont vous disposez dans la recherche de solutions à des problèmes qui influencent vos résultats. Nous faisons référence ici aux outils de travail, aux méthodes et aux procédures de travail, aux règles professionnelles et aussi à l'aide et au soutien provenant de votre entourage.

PARTIE IV – FINALITÉ ET CONTRIBUTION À D'AUTRES POSTES

La finalité est reliée à la possibilité, pour un poste, de permettre la réalisation de certains résultats, ainsi qu'à l'importance et à l'impact de ceux-ci au succès global de l'École. Le degré de liberté d'action du titulaire sera généralement lié à la mesure à laquelle le titulaire doit rendre compte (est imputable) de ses résultats.

Liberté d'action et impact du poste sur les résultats finaux de l'organisation

Veuillez décrire brièvement le type de contribution attendue de votre poste au sein de l'organisation. Nous faisons ici référence aux éléments suivants : rôle d'exécution, de maintien, de contrôle, de gestion ou de direction générale. Veuillez fournir des exemples illustrant votre liberté d'action et votre impact sur les résultats, lesquels serviront à établir votre niveau d'imputabilité envers l'organisation.

Données administratives connexes :

a) Gestion d'effectifs :
(Nombre d'employés)

	Gestionnaires	Professionnels	Autres	Total
Permanents				
Temporaires				
Total (ETC)				

Note : Convertir le nombre d'employés temporaires ou occasionnels en équivalence d'employés à temps complet (ETC) et inscrire le résultat entre parenthèses.

IMPORTANT : Veuillez joindre un organigramme de votre direction, département ou service, qui illustre le positionnement de votre poste.

b) Gestion financière :
(Année : _____)

Budget de fonctionnement :	$ _____
Budget (salaires seulement) :	$ _____
Dépenses d'immobilisations :	$ _____
Budget de recherche : (selon SIRU-2001)	$ _____

PARTIE V – CONDITIONS DE TRAVAIL

Les conditions de travail mesurent l'intensité, la fréquence et la durée des exigences physiques, environnementales, sensorielles ou psychologiques imposées au titulaire dans l'exercice de ses fonctions. Cette section du questionnaire traite des conditions de travail et permet d'assurer la conformité de notre système d'évaluation des emplois aux exigences de la Loi sur l'équité salariale du Québec.

Identification du niveau d'inconvénients :

Pour chacun des facteurs suivants, veuillez cocher le niveau qui reflète le mieux les conditions générales ou d'inconvénients observables pour votre poste.

A) Effort physique :

Les différents degrés d'activité physique inhérente aux exigences du poste qui varient en *intensité, durée et fréquence, ou l'une ou l'autre,* et qui entraînent un stress physique et de la fatigue.

Par exemple, le fait de soulever du poids, de manutentionner des objets ou du matériel, de s'étirer, de tirer, de pousser, de grimper, de marcher, de transporter, d'être assis ou debout et (ou) de travailler dans des positions anormales ou dans d'autres situations inhabituelles.

1. ○ Légère fatigue et faible stress physique
2. ○ Fatigue moyenne ou stress physique moyen
3. ○ Grande fatigue ou fort stress physique
4. ○ Fatigue ou stress physique extrême

B) Environnement :

Les différents degrés d'exposition, d'intensité variable, à des facteurs matériels et environnementaux inévitables et qui augmentent les risques d'accidents, de maladie et d'inconfort.

Par exemple, l'exhalaison de fumée, de gaz ou de vapeur, le degré de température, le bruit, les vibrations, la saleté, la poussière et l'exposition inévitable aux substances, aux équipements ou aux situations dangereuses.

1. ○ Léger inconfort ou risque minime d'accident ou de maladie
2. ○ Grand inconfort ou risque moyen d'accident ou de maladie
3. ○ Très grand inconfort ou risque sérieux d'accident ou de maladie
4. ○ Inconfort extrême ou risque très élevé d'accident ou de maladie

Justifications :

Décrire des situations/exemples qui justifient le niveau retenu et qui prennent en compte l'intensité, la durée et la fréquence de ces inconvénients.

PARTIE V – CONDITIONS DE TRAVAIL *(suite)*

C) Attention sensorielle :

Les différents degrés d'attention sensorielle (la vue, l'ouïe, l'odorat, le goût, le toucher) inhérente aux fonctions du poste et qui varient en intensité, en durée ou en fréquence.

Par exemple, la vérification, l'inspection, l'opération de machines, la classification de données sous forme de tableaux, la surveillance de terminaux à écran de visualisation, la correction d'épreuves, la recherche et la réparation de pannes d'ordre technique, les manipulations, l'attention à différents niveaux sonores.

1. ○ Faible attention sensorielle
2. ○ Attention sensorielle moyenne
3. ○ Grande attention sensorielle
4. ○ Attention sensorielle extrême avec pas ou peu d'interruption

D) Stress psychologique :

Les différents degrés d'exposition, d'intensité variable, à des facteurs inhérents au travail ou à l'environnement qui augmentent les risques de tension ou d'anxiété. (À ne pas confondre avec les facteurs propres à l'élément Environnement.)

Par exemple, les perturbations dans le style de vie causées par les horaires de travail, les voyages d'affaires, l'ennui résultant d'un travail répétitif, le manque de contrôle sur le rythme du travail parce qu'il est irrégulier ou réglé mécaniquement, la privation émotive causée par l'isolement ou le manque d'intimité, l'exposition à des situations troublantes au point de vue émotif.

1. ○ Faible stress psychologique
2. ○ Stress psychologique moyen
3. ○ Grand stress psychologique
4. ○ Stress psychologique extrême

PARTIE VI – SIGNATURES

Le présent questionnaire dûment rempli est une représentation fidèle et complète des principales responsabilités de ce poste.

Signature du ou des titulaires　　　　　**Date**　　　　　**Signature du supérieur**　　　　　**Date**

Source : École Polytechnique de Montréal, 2003.

ANNEXE C | Exemple de description de poste

Titre descriptif : Agent de formation et de perfectionnement du personnel
Organisation : Agence de la gestion des ressources humaines de la fonction publique du Canada
Superviseur : Chef de la formation et du perfectionnement
Résumé : Sous la supervision du chef de la formation et du perfectionnement des employés, planifier, coordonner et présenter divers cours de formation offerts par le ministère ; participer à l'élaboration des cours et aux projets d'évaluation ; administrer l'aide à l'éducation ainsi que les programmes de formation et de perfectionnement externes ; remplir des tâches connexes.

Responsabilités	% du temps
1. Planifier, coordonner et présenter des cours de formation administrative, d'orientation professionnelle et de préparation à la retraite, offerts à l'administration centrale ou dans les bureaux régionaux, en vue d'accroître l'efficacité et la productivité des employés et d'assurer au ministère les moyens de réaliser les objectifs opérationnels et de service, c'est-à-dire : • déterminer et analyser les besoins de formation et les objectifs des cours, de concert avec les collègues et les gestionnaires axiaux ; • mettre sur pied, choisir ou adapter les modules de formation et préparer des plans de conférences, d'ateliers ou d'étude ; • faire le nécessaire pour obtenir les personnes-ressources voulues, soit à l'extérieur du ministère ou au sein de celui-ci, pour participer à la prestation des cours de formation ; • désigner les candidats admis aux cours et confirmer leur admission et veiller aux arrangements de voyage, de logement et de prestation des cours ; • participer, en tant que coordonnateur, conférencier ou chef de groupe de discussion, à la prestation des cours et des séances d'atelier.	50
2. Participer à l'élaboration des cours et des projets d'évaluation de la formation, en vue de s'assurer que les programmes de formation du ministère répondent aux besoins des employés et satisfont aux exigences opérationnelles d'une manière efficace et économique, c'est-à-dire : • examiner les plans opérationnels avec les gestionnaires, en vue de déterminer les besoins de nouvelles compétences ou de nouvelles procédures ; • consulter les collègues des organismes centraux et des autres ministères, ainsi que les représentants des services de formation, des institutions d'enseignement et des fournisseurs de matériel, en vue de déterminer la disponibilité, la pertinence et le coût des programmes et des ressources venant de l'extérieur ; • établir des descriptions détaillées des plans de conférences, des sujets d'atelier et des modules de formation et rédiger des propositions concernant l'utilisation des personnes-ressources, les aides de formation et les services extérieurs ; • consulter les participants des cours précédents ainsi que les gestionnaires pour obtenir des suggestions sur les modifications à apporter aux cours ou les additions à y faire ; • étudier avec les gestionnaires les appréciations de rendement et les statistiques sur la productivité, en vue de déterminer l'efficacité de la formation relative aux compétences.	20
3. Administrer les programmes d'aide à l'éducation et de perfectionnement professionnel concernant les secteurs du ministère assignés, en vue de favoriser la connaissance des possibilités de formation et de perfectionnement et de s'assurer que les dépenses et les nominations sont conformes aux directives des organismes centraux et aux politiques du ministère, c'est-à-dire : • faire circuler périodiquement des avis de cours de formation ou de perfectionnement, offerts au ministère ou à l'extérieur, qui sont susceptibles d'intéresser les employés ;	20

»

Responsabilités	% du temps

- informer les gestionnaires et les employés au sujet de leurs droits, des sources, des coûts, de la disponibilité et des exigences d'admission à la formation, à l'aide à l'éducation et aux programmes de perfectionnement professionnel;
- examiner et approuver les demandes de remboursement des frais d'études jusqu'à concurrence de 200 $, en vue d'assurer l'observation de la politique du ministère et la disponibilité des fonds;
- rédiger des présentations au Conseil du Trésor au sujet des allocations aux employés en congé d'études et soumettre à la Commission de la fonction publique des recommandations au sujet des candidats aux programmes de formation et de perfectionnement professionnel.

4. Remplir des tâches connexes. Entre autres, coordonner les conférences et les séminaires du ministère; tenir des listes des services de formation offerts à l'extérieur, des personnes-ressources et des candidats aux programmes de formation et de perfectionnement; assister aux conférences et aux séminaires.	10

Données générales: Le ministère compte 8 000 années-personnes (8 300 postes) à l'administration centrale et dans les cinq régions; tous les postes, sauf 870, sont attribués à la catégorie du soutien administratif ou aux niveaux subalternes et intermédiaires de la catégorie de l'administration et du service extérieur. Environ 500 employés participent chaque année aux programmes de formation du ministère, au coût annuel de 260 000 $. La formation est administrée par un service central, à l'administration centrale du ministère; toutefois, les cours sont aussi donnés dans les régions. Les cours embrassent, entre autres sujets, les compétences en supervision, l'appréciation du rendement, l'établissement du budget, la classification des postes, la rédaction de rapports et le fonctionnement de l'équipement de bureau, ainsi que les programmes d'orientation et de la préparation à la retraite. Les programmes de formation et de perfectionnement sont administrés par un personnel de six agents de formation et de perfectionnement du personnel.

Prise de décisions: Le travail oblige le titulaire à déterminer le type et le niveau de formation et de perfectionnement requis, à élaborer des cours pour satisfaire à ces besoins, à choisir les participants et le personnel-ressource et à faire des recommandations sur l'utilisation des cours offerts en dehors du ministère. Il doit user de jugement pour évaluer l'efficacité des cours et recommander les ajustements indiqués par cette évaluation. Ses décisions et recommandations influent sur le rendement des stagiaires; elles ont un effet cumulatif, à long terme, sur l'efficacité des opérations du ministère.

Responsabilité de gestion: Les décisions concernant l'approbation du remboursement des frais de cours et les recommandations sur l'utilisation des personnes-ressources de l'extérieur amènent le ministère à engager des fonds. Il faut obtenir la coopération et l'aide des gestionnaires du ministère et des collègues des organismes centraux et des autres ministères pour mettre en œuvre les cours de formation, faire appel à des personnes-ressources compétentes et veiller au choix des employés qui suivent les cours donnés à l'extérieur ou les programmes de perfectionnement.

Source: Gouvernement du Canada, s. d.

CHAPITRE **6**

Le profil de compétences et les critères de sélection

Objectifs du chapitre

Comme nous l'avons vu au chapitre 5, l'analyse de fonction donne lieu à deux documents utilisés en dotation : d'une part, la description de poste, qui offre un portrait des tâches et des responsabilités inhérentes au poste, ainsi que des conditions et des méthodes de travail ; d'autre part, le profil de compétences, qui identifie les qualités requises du titulaire du poste. Ce chapitre a pour objectifs de :

- détailler ce qu'est le profil de compétences ;
- montrer au lecteur comment dresser la liste des critères sur lesquels les candidats seront évalués, et ce, à partir du profil de compétences.

1. Le profil de compétences

L'utilisation de profils de compétences en gestion des ressources humaines n'est pas une pratique nouvelle. Kierstead (1998) rapporte que déjà, dans la Rome antique, on établissait une certaine forme de profil de compétences pour décrire en détail les qualités d'un «bon soldat romain». Popularisée par McClelland (1973) et Boyatsis (1982), l'approche par compétences est désormais largement adoptée en gestion des ressources humaines, que ce soit aux fins de dotation ou dans un but de gestion de carrière, d'évaluation de performance ou encore de rémunération.

1.1 Que sont les compétences?

Il y a plusieurs moyens d'aller chercher les compétences

Commission de la fonction publique du Canada
www.psc-cfp.gc.ca

Compétence
▶ *Competency*
Qualité propre à générer une bonne performance au travail.

L'utilisation du terme **compétences** a évolué avec le temps et il existe encore aujourd'hui plusieurs définitions; toutes, cependant, désignent les qualités d'une personne propres à générer une bonne performance au travail. Ces qualités peuvent être des traits de personnalité, mais aussi des connaissances, des aptitudes ou des capacités. Par exemple, la fonction publique fédérale inclut huit éléments dans sa définition des qualités requises par un emploi (Gouvernement du Canada, s. d.a):

- les connaissances; *qui s'acquièrent par la formation*
- les capacités/compétences;
- les aptitudes;
- les qualités personnelles;
- l'expérience;
- les études;
- l'attestation professionnelle;
- la compétence linguistique en matière de langues officielles.

Les compétences regroupent trois sortes de savoirs: 1) les connaissances ou savoirs; 2) les habiletés ou savoir-faire; 3) les attitudes ou savoir-être.

CHA

Il est cependant rare que les compétences soient ainsi découpées en huit catégories. Généralement, les qualités requises par l'emploi, ou compétences, regroupent plutôt trois sortes de savoirs: les connaissances, les habiletés et les attitudes, parfois complétées par une catégorie «autres» (Pettersen, 2000). *qui s'acquièrent par le livre*

↓ c'est une savoir faire qu'on peut aussi apprendre à l'école ou au travail EX: poser une antenne

Le travail en équipe EX: être ouvert au changement collaboration team work

Les connaissances, c'est-à-dire les savoirs, couvrent l'ensemble des renseignements acquis par une activité mentale. Il s'agit donc d'une compétence plutôt théorique. Par exemple, la connaissance des règles d'orthographe, de grammaire ou encore de mathématiques est une compétence nécessaire pour occuper la fonction d'enseignant à l'école primaire.

Cependant, cette connaissance n'est pas suffisante pour faire d'un individu un bon enseignant. Encore faut-il qu'il sache utiliser ses connaissances, les mettre en application et les traduire en un comportement ou un produit observable. On parle alors d'habileté, ou de savoir-faire, c'est-à-dire de la mise en œuvre du savoir dans l'exercice de l'activité professionnelle. Les habiletés sont donc des compétences pratiques. Par exemple, les qualités pédagogiques, la capacité à rendre vivantes les explications, la facilité à communiquer avec les enfants, sont autant d'habiletés nécessaires à l'exercice du métier d'enseignant. Les habiletés peuvent être manuelles, comme la dextérité ou la rapidité d'exécution, intellectuelles, comme la capacité d'analyse ou de prise de décision, ou encore relationnelles, comme la facilité à communiquer par écrit.

Un autre type de savoir complète ce tableau des compétences : les attitudes, également appelées « savoir-être ». Cette appellation désigne les qualités intrinsèques ou la conduite personnelle appropriée à l'emploi. Par exemple, l'empathie, la patience ou le dynamisme sont des attitudes devant figurer parmi les compétences requises d'un enseignant au primaire.

Les trois types de compétences – connaissances, habiletés, attitudes – sont généralement désignés par leurs initiales : CHA. À cela s'ajoute parfois une catégorie « autres caractéristiques », qui regroupe certains éléments indispensables à la pratique d'une profession, mais qui ne relève ni de savoirs, ni de savoir-faire, ni de savoir-être. Par exemple, l'obligation de détenir un permis de conduire ou d'appartenir à un ordre professionnel peut figurer dans cette catégorie. Bien que ce ne soit pas réellement des compétences, de tels éléments sont cependant mentionnés dans le profil lorsqu'ils sont indispensables à l'exercice de la fonction. L'encadré 6.1 précise certaines de ces caractéristiques additionnelles.

ENCADRÉ 6.1 **Caractéristiques additionnelles pouvant figurer dans le profil de compétences**

- Vérification de casier judiciaire.
- Permis de conduire, de port d'arme, etc.
- Titre professionnel (ingénieur, par exemple).
- Accréditation professionnelle.
- Capacité physique requise pour soulever des objets lourds, travailler dans des situations exténuantes, etc.
- Déclaration de consentement (pour travailler dans des endroits où il y a du bruit et de la poussière, par exemple).

Source : Gouvernement du Canada, s. d.b.

La confusion qui existe quant à la définition des compétences est en partie attribuable au fait que certaines personnes considèrent qu'une compétence est avant tout un aspect d'un emploi, tandis que d'autres soutiennent que la compétence est principalement une qualité de la personne (Kierstead, 1998). Dans la réalité, l'approche par compétences consiste à faire coïncider les compétences requises par un poste à celles détenues par un titulaire. Aux fins de dotation, le but du profil de compétences est de déterminer les qualités requises par l'emploi. Par la suite, à l'étape de la sélection, le recruteur se basera sur ce profil pour identifier le candidat possédant les compétences lui permettant d'exceller dans l'emploi.

Ainsi, les compétences tiennent compte à la fois des qualités d'une personne, qui sont habituellement transférables d'un emploi à l'autre, et de sa capacité à exercer ces qualités dans le contexte d'un emploi particulier. Pour distinguer les compétences générales de celles qui sont plus particulièrement propres à un emploi, on parle de compétences génériques ou spécifiques.

1.2 Les compétences génériques ou spécifiques

Compétence générique
▶ *Generic competency*
Compétence fondamentale qui permet l'acquisition d'autres compétences.

Les **compétences génériques,** parfois appelées « compétences essentielles » ou « compétences transversales », sont des compétences fondamentales qui permettent l'acquisition de toutes les autres et ne sont pas propres à un poste en particulier. Elles font plutôt référence aux compétences présentes dans l'ensemble des processus de travail. Les compétences génériques peuvent être des connaissances, par exemple le calcul, des habiletés, telles que la résolution de problèmes, ou encore des attitudes, comme la capacité à travailler en équipe.

Ministère fédéral des ressources humaines
www15.hrdc-drhc.gc.ca

Par exemple, à la suite d'une vaste étude nationale sur les compétences essentielles, le gouvernement du Canada a dressé la liste de compétences auxquelles font appel plus de 200 emplois. Cette liste compte neuf compétences essentielles : la lecture de textes, l'utilisation de documents, le calcul, la rédaction, la communication verbale, l'informatique, la capacité de raisonnement, le travail d'équipe et la formation continue (Gouvernement du Canada, 2004a). Cette étude montre que, même si les niveaux de maîtrise de chaque compétence sont différents selon les postes, tous requièrent un niveau minimal. Par exemple, l'encadré 6.2 présente la définition de la compétence générique « rédaction » ; par la suite, il montre le niveau de complexité des tâches de rédaction pour un poste d'assistant dentaire et indique la fréquence d'utilisation de cette compétence dans ce poste.

Certaines organisations souhaitent que tous leurs employés, quel que soit leur poste, possèdent certaines caractéristiques. On parlera alors de compétences génériques propres à cette organisation. Par exemple, une entreprise dont les valeurs sont très axées sur l'innovation et la création peut faire figurer, pour tous les postes, la compétence « innovation ». Une autre organisation, qui œuvre dans un domaine en constante mutation, peut souhaiter que la capacité à faire face au changement soit incluse dans tous les postes. L'encadré 6.3 fournit des exemples de compétences génériques propres à une organisation.

Compétence spécifique
▶ *Specific competency*
Compétence propre à un poste ou à une fonction.

En parallèle à ces compétences génériques, figurent les **compétences spécifiques,** qui sont propres à un poste ou à une fonction en particulier. Généralement, les compétences spécifiques sont des compétences techniques, professionnelles ou scientifiques, qui ont été acquises dans le cadre d'une formation formelle.

Par exemple, TechnoCompétences, le comité sectoriel de main-d'œuvre en technologies de l'information et des communications, a dressé les profils de compétences spécifiques et génériques de 14 professions dans le domaine du multimédia. L'encadré 6.4 en présente un exemple.

[annotations manuscrites : « référentiels par mesures : on part à neuf et déterminer par le terrain quels sont les compétences. Je pourrais faire des entrevues avec les étudiants et voir ça avec les comportements. » « de compétences »]

La rédaction comprend : la rédaction de textes et l'inscription des documents (par exemple, des formulaires) ; la rédaction sur un support autre que le papier (par exemple, la saisie de texte sur un clavier d'ordinateur).

Exemples de tâches	Niveau de complexité[1]
• Noter, dans le dossier dentaire de chaque patient, les traitements effectués ce jour-là et ceux prévus lors de la prochaine visite.	1
• Remplir des feuilles de présentation afin de diriger des patients vers des spécialistes pour consultation ou aux fins de traitements spécifiques (quotidiennement).	1
• Écrire des notes dans un carnet de commandes en y inscrivant les fournitures requises (fréquemment).	1
• Écrire, à l'intention de patients, des notes décrivant les traitements effectués et des consignes relatives à des médicaments et à d'autres soins postopératoires (occasionnellement).	2

[1] Les tâches de rédaction sont cotées selon une échelle de cinq niveaux de complexité. La complexité se rapporte à la longueur, à la spécialisation du contenu ou à la structure de la présentation.

- Niveau 1 : Produire des documents écrits ayant une structure préétablie et nécessitant un texte très court. Rédiger des textes courts et informels. Au niveau 1, les textes font moins d'un paragraphe.
- Niveau 2 : Rédiger des documents sur des sujets répétitifs.
- Niveau 3 : Produire des documents écrits sur divers sujets dans le but d'informer.
- Niveau 4 : Produire des documents écrits sur divers sujets dans le but de convaincre ou de présenter une analyse, des comparaisons, une évaluation ou une critique.
- Niveau 5 : Création littéraire.

Profil de rédaction :

Longueur	Objectifs de la rédaction						
	Organiser, retenir	Tenir un dossier, documenter	Informer, obtenir des renseignements	Persuader, justifier une demande	Présenter une analyse ou une comparaison	Évaluer ou critiquer	Divertir
Textes comportant moins d'un nouveau paragraphe	✓✓✓	✓✓✓	✓✓✓	0	0	0	0
Textes comportant rarement plus d'un paragraphe	0	0	✓	0	0	0	0
Textes plus longs	0	0	0	0	0	0	0

✓✓✓　La plupart des titulaires utilisent cette compétence

✓✓　　Quelques titulaires utilisent cette compétence

✓　　　Peu de titulaires utilisent cette compétence

0　　　Aucun titulaire n'utilise cette compétence

Source : Gouvernement du Canada, s. d.c.

Les critères de base communs à tous les postes sont:
- la maîtrise du français (parlé et écrit);
- une bonne connaissance de l'anglais – pour certains postes le bilinguisme (anglais/français, parlé et écrit) sera nécessaire et une 3ᵉ langue, un atout;
- une expérience pertinente au poste visé dans un milieu connexe;
- une formation adéquate;
- d'excellentes aptitudes au travail d'équipe;
- une grande flexibilité;
- des capacités reconnues à gérer de multiples priorités;
- une facilité à s'adapter à des échéanciers serrés et changeants.

Source: L'Équipe Spectra, 2006.

L'Équipe Spectra
www.equipespectra.ca

Compétences spécifiques

Dimension technique
- Connaissance des usages des technologies de l'Internet et du multimédia, de leurs possibilités et de leurs limites
- Compréhension des approches utilisées pour développer, intégrer et implanter un site Web
- Capacité d'apprendre et de s'adapter rapidement à de nouveaux outils informatiques
- Connaissance des différentes plateformes (PC, Mac ou Unix)
- Capacité d'évaluer et d'analyser des problèmes opérationnels et de les résoudre
- Capacité d'évaluer la faisabilité technique et graphique du projet
- Capacité d'optimiser les médias en fonction de la diffusion
- Capacité de démontrer de l'autonomie dans la mise à jour des connaissances liées à la technologie
- Capacité de faire de l'édition et de la rédaction de scripts
- Capacité de réaliser le contrôle de la qualité
- Compréhension de base des techniques et des outils des systèmes utilisés pour le développement et la planification des applications
- Connaissance de chacune des étapes de production
- Connaissance des langages de programmation, des bases de données, de leurs capacités et de leurs limites techniques
- Connaissance des logiciels d'édition, des innovations technologiques et de leur intégration dans le processus de production
- Connaissance sommaire des outils de création pour le multimédia dans les environnements PC, Mac ou Unix

Dimension des contenus
- Capacité de faire la recherche d'information, de documentation et d'images
- Capacité d'adapter son site Web aux besoins et aux habitudes des usagers et aux tendances du marché
- Capacité de communiquer et d'organiser l'information à l'aide d'indices visuels (par exemple, icônes) universellement reconnaissables
- Capacité de concevoir et d'adapter l'interactivité des pages
- Capacité de gérer une partie d'un projet et d'un plan de travail

»

- Capacité de vulgariser l'information à diffuser
- Connaissance des notions de base en communication
- Connaissance des principes de l'apprentissage autonome chez les internautes
- Connaissance de l'ergonomie des nouveaux médias
- Capacité d'imaginer des situations interactives qui maintiennent l'attention des utilisateurs
- Capacité d'évaluer la qualité de la relation entre le contenu et le design de l'interface
- Capacité de structurer l'information de manière cohérente
- Capacité d'utiliser l'interactivité dans la communication

Compétences génériques
- Autonomie
- Capacité d'adaptation
- Capacité de prendre des décisions
- Communication orale et écrite
- Esprit d'analyse, de synthèse et de conceptualisation
- Leadership
- Capacité de négocier
- Orientation vers le service à la clientèle
- Souci du détail
- Capacité de travailler en équipe

Source : TechnoCompétences, 2000.

TechnoCompétences
www.technocompetences.qc.ca

1.3 Les niveaux de compétences

Dans un profil, figure le niveau de compétences requis.

Quelle que soit la compétence considérée, il existe plusieurs niveaux de maîtrise. À titre d'exemple, en matière linguistique, on identifie 4 domaines de compétence (écoute, expression, lecture, écriture) et 12 niveaux de maîtrise pour chacun de ces domaines (Gouvernement du Canada, 1996). Le seul fait de mentionner «bilinguisme français et anglais» comme compétence requise pour un poste ne suffit donc pas. Un poste peut exiger la maîtrise parfaite du français oral et écrit, mais seulement la capacité à tenir une conversation courante en anglais.

Dans un profil de compétences doit donc figurer non seulement la compétence, mais également le niveau requis en fonction des tâches à exécuter. Le tableau 6.1 illustre les niveaux de complexité de la compétence essentielle «calcul monétaire», telle que définie par le gouvernement du Canada.

Ce tableau présente une définition très précise des niveaux de complexité pour la compétence. Dans les faits, l'indication du niveau de compétence n'a pas besoin d'être aussi détaillée, mais elle doit cependant permettre d'identifier le minimum requis de maîtrise de la compétence. Ce niveau minimum peut être indiqué par des adverbes ou par des adjectifs. Par exemple, on peut demander la «maîtrise parfaite» d'une compétence ou seulement une «connaissance de base».

TABLEAU 6.1	Exemples de niveaux pour la compétence « calcul monétaire »		
Niveau de complexité	Définition	Exemples de tâches	Exemples de fonction
1	Seules les opérations les plus simples sont nécessaires, et celles-ci sont clairement indiquées. Un seul type d'opération mathématique est utilisé.	• Entrer des montants dans une caisse enregistreuse. • Faire le total d'une facture simple. • Rendre la monnaie. • Recevoir des paiements.	Les *boutiquiers* entrent le montant des achats de leurs clients dans la caisse enregistreuse, reçoivent les paiements et remettent la monnaie.
2	Seules des opérations relativement simples sont nécessaires. Les opérations précises auxquelles il faut procéder peuvent ne pas être clairement indiquées. Les tâches nécessitent un ou deux types d'opération mathématique. Les étapes à suivre pour le calcul sont peu nombreuses.	• Faire le total d'une facture et calculer l'un des éléments suivants : rabais simple, taxes, intérêt, etc. • Approuver le paiement d'une facture. • Manipuler des devises dans une transaction au comptant. • Calculer le taux de change des devises. • Calculer des prix à l'aide d'une formule (par exemple, prix régulier moins pourcentage de démarque).	Les *accompagnateurs* vérifient et autorisent le paiement des comptes qui seront directement facturés à leur agence pour l'hébergement à l'hôtel, les repas, etc. À cette fin, ils doivent multiplier le nombre de personnes par le coût unitaire de la chambre ou du repas, calculer les taxes applicables, puis faire le total.
3	Les tâches peuvent nécessiter un agencement d'opérations ou de multiples applications d'une seule opération. Il faut suivre plusieurs étapes pour faire le calcul.	• Faire le total d'une facture et calculer au moins deux des éléments suivants : rabais, taxes, intérêt, etc. • Approuver le paiement d'une facture de ce type. • Préparer les chèques de paie selon les taux de rémunération, les barèmes de déduction, les calculs de primes, etc.	Les *caissiers* qui louent des coffrets de sûreté aux personnes du troisième âge calculent les frais annuels au prorata et appliquent le rabais pour personnes âgées.
4	De multiples étapes sont requises pour faire le calcul inhérent aux tâches.	• Faire des calculs mentaux qui exigent un effort de transposition considérable, très rapidement et avec exactitude.	Les *croupiers* calculent la somme remportée par chaque gagnant selon l'emplacement des jetons, les diverses chances des mises et la valeur attribuée aux jetons sans valeur ainsi que la valeur des jetons joués.
5	De multiples étapes sont requises pour faire le calcul inhérent aux tâches. Des techniques mathématiques avancées peuvent s'avérer nécessaires.	• Prévoir les prix lorsque les facteurs critiques doivent être estimés d'après une analyse des indicateurs passés et une projection des tendances futures.	Les *analystes en placements* calculent le prix futur des actions d'après les taux d'intérêts en vigueur et les autres facteurs du marché.

Source : Gouvernement du Canada, 2000.

1.4 La pondération des compétences

L'évaluation des compétences requises pour chaque poste se fait généralement lors de l'analyse de la fonction (voir chapitre 5). Ainsi, comme nous l'avons vu à l'encadré 5.1, l'analyste doit recueillir des informations sur les connaissances, l'expérience et les habiletés requises pour exercer les activités propres à l'emploi. À l'issue de l'analyse de fonction, le gestionnaire dispose donc d'une liste de compétences génériques et spécifiques nécessaires pour faire preuve d'une bonne performance dans l'emploi. Cependant, toutes les compétences n'ont pas la même importance. Il est donc nécessaire de procéder à une pondération des compétences, c'est-à-dire de distinguer les compétences indispensables de celles qui sont importantes ou qui constituent des atouts.

www.cheneliere.ca

La pondération des compétences tient compte de deux facteurs : l'importance de chacune des tâches et des responsabilités contenues dans la description de poste et l'importance de la compétence pour chaque tâche. Le tableau 6.2 fournit un outil permettant de pondérer des compétences associées à un poste.

TABLEAU 6.2   Outil de pondération des compétences

Tâches de la fonction	A	Compétence 1		Compétence 2		Compétence 3		Compétence 4		Compétence 5	
		X	Y	X	Y	X	Y	X	Y	X	Y
Tâche 1											
Tâche 2											
Tâche 3											
Tâche 4											
Tâche 5											
Tâche 6											
Importance pondérée totale des compétences	Z =										

A = Cote d'importance des tâches :
- 1 : Tâche peu fréquente et/ou peu importante ; tâche ayant un impact indirect ou moindre sur l'efficacité et la qualité du travail
- 2 : Tâche fréquente et/ou importante ; tâche influant de façon significative l'efficacité et la qualité du travail
- 3 : Tâche très fréquente et/ou très importante ; tâche influant directement l'efficacité et la qualité du travail

X = Cote d'importance des compétences :
- 0 : Compétence sans importance pour la tâche
- 1 : Compétence peu importante pour la tâche
- 2 : Compétence moyennement importante pour la tâche
- 3 : Compétence importante pour la tâche
- 4 : Compétence très importante pour la tâche
- 5 : Compétence indispensable pour la tâche

Y = X multiplié par A

Z = Somme de tous les Y d'une même colonne

L'utilisation de cet outil est simple : dans la colonne de gauche sont listées les tâches propres au poste et identifiées lors de l'analyse de fonction. Chaque tâche est ensuite évaluée en fonction de son importance ou de sa fréquence (colonne des A). Sur la deuxième ligne du tableau sont indiquées les compétences identifiées lors de l'analyse de fonction. Chaque compétence est ensuite évaluée selon son importance pour chacune des tâches (colonne des X). Prenons l'exemple d'un poste de vendeur dans le commerce de détail : la compétence « connaissance des produits » sera indispensable à la tâche « conseille les clients », mais sera sans importance au moment de recevoir le paiement du client. Pour chaque tâche, on obtiendra donc un résultat correspondant au produit de l'importance de la tâche par l'importance de la compétence (colonne des Y). La pondération de chaque compétence sera la somme de ces résultats.

L'encadré 6.5 illustre comment cet outil peut être utilisé pour calculer la pondération des compétences pour un poste de secrétaire/réceptionniste dans un organisme communautaire.

Une fois le résultat obtenu pour chacune des compétences, on peut répartir celles-ci en trois groupes : les compétences indispensables, les compétences importantes et les atouts. Cette classification est illustrée à l'encadré 6.6.

Les compétences indispensables sont celles qui obtiennent une cote pondérée (Z) située dans le quart supérieur. Dans l'exemple présenté à l'encadré 6.5, ce sont les deux compétences qui obtiennent un résultat entre 39 et 44 points : la capacité à travailler avec le public et la capacité à travailler en équipe (voir encadré 6.6). Un titulaire doit absolument posséder ces compétences, de sorte qu'elles seront généralement mesurées à plusieurs reprises, et de multiples façons, lors du processus de sélection.

Les compétences importantes se situent autour de la moyenne dans le tableau de pondération. Ce sont des compétences qu'un titulaire doit posséder, mais dont la maîtrise parfaite n'est pas obligatoire. Ces compétences seront mesurées lors du processus de sélection, mais de façon moins approfondie que les compétences indispensables.

Finalement, les compétences qualifiées d'atouts sont celles dont la cote pondérée se situe dans le quart inférieur des compétences identifiées. Ces compétences sont souhaitables et pourront être vérifiées pour départager certains candidats dont les compétences importantes et indispensables seraient similaires. Cependant, elles ne constituent pas la base de la décision de sélection.

1.5 Les caractéristiques du profil de compétences

L'exercice d'identification et de pondération des compétences produit donc une liste pondérée des compétences. Avant d'utiliser cette liste pour la dotation ou pour d'autres activités de gestion des ressources humaines, il importe de s'assurer que le profil de compétences ainsi dressé n'est ni déficient, ni contaminé, ni biaisé et qu'il est réaliste.

Description du poste :

Tâches	Fréquence
1. Reçoit et dirige les appels téléphoniques, récupère les messages téléphoniques de la boîte vocale et les transmet aux personnes concernées.	Très fréquent
2. Accueille les visiteurs, répond aux demandes d'information concernant les services de l'organisme et réfère les individus aux personnes ou aux services appropriés.	Très fréquent
3. Reçoit, trie et distribue le courrier, incluant le courriel.	Très fréquent
4. Assure la transcription ou la mise en page de divers documents.	Fréquent
5. Assure la prise de notes pendant les réunions du conseil d'administration et assure la rédaction des procès-verbaux.	Fréquent
6. Assure un lien avec les membres en tenant à jour la liste des membres et en téléphonant ou en envoyant des lettres de rappel pour le renouvellement de l'adhésion.	Occasionnel
7. Soutient les professionnels dans l'organisation de réunions et d'activités spéciales à l'extérieur.	Occasionnel

Pondération des compétences :

Tâches de la fonction	A	1. Maîtrise du traitement de texte et du courriel		2. Excellente maîtrise du français écrit		3. Excellente maîtrise du français parlé		4. Capacité à travailler avec le public		5. Capacité à travailler en équipe	
		X	Y	X	Y	X	Y	X	Y	X	Y
1. Appels téléphoniques	3	1	3	0	0	5	15	5	15	4	12
2. Accueil des visiteurs	3	0	0	0	0	5	15	5	15	4	12
3. Courrier	3	2	6	0	0	0	0	0	0	3	9
4. Transcription ou mise en page	2	5	10	5	10	0	0	0	0	3	6
5. Prise de notes et rédaction de PV	2	5	10	5	10	0	0	2	4	0	0
6. Lien avec les membres	1	2	2	4	4	3	3	4	4	0	0
7. Organisation de réunions	1	0	0	0	0	0	0	4	4	5	5
Importance pondérée totale des compétences	Z =		31		24		33		42		44

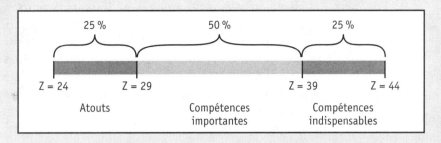

Atouts	Compétences importantes	Compétences indispensables
Maîtrise du français écrit	Maîtrise de l'informatique Maîtrise du français parlé	Capacité à travailler avec le public Capacité à travailler en équipe

Profil non déficient
▶ *Comprehensive profile*
Profil complet.

Un **profil non déficient** est un profil complet qui tient compte de toutes les compétences nécessaires à l'ensemble des dimensions du poste. Par opposition, un profil qui ne tiendrait compte que d'une partie des tâches à accomplir serait qualifié de déficient. Pour cela, la liste des compétences requises doit s'appuyer sur une analyse complète et récente de la fonction, conformément à ce qui a été décrit au chapitre 5.

Le profil de compétences ne doit inclure que les seules compétences nécessaires à l'emploi. Dans ce cas, le **profil** est dit « **non contaminé** ». L'utilisation de l'outil de pondération des compétences présenté au tableau 6.2 devrait garantir au gestionnaire que seules celles qui sont pertinentes aux tâches identifiées dans la description de poste figureront dans le profil.

Profil non contaminé
▶ *Job-related profile*
Profil ne comprenant que les compétences nécessaires au poste.

Profil non biaisé
▶ *Unbiased profile*
Profil exempt de discrimination systémique.

Un **profil** de compétences **non biaisé** est un profil exempt de discrimination systémique (voir chapitre 2). En d'autres termes, il s'agit d'un profil établi en fonction de la qualification professionnelle requise, et qui ne conduit pas à l'élimination systématique des membres de certains groupes démographiques (groupes d'âge, groupes ethniques, etc.). Ainsi, conformément à ce qui a été précisé au chapitre 2, il faut éviter des exigences de taille et de poids, qui ont pour effet d'exclure la majorité des femmes ainsi qu'une forte proportion de personnes originaires de certaines régions du globe. Ces exigences ont long-temps été utilisées lors de l'embauche d'agents de bord, de policiers ou de pompiers, mais ne sont plus en usage de nos jours. De même, l'exigence d'un nombre excessif d'années d'expérience dans les emplois ou les secteurs dont les femmes ont été historiquement exclues est susceptible d'avoir un effet discriminatoire (Commission des droits de la personne et des droits de la jeunesse du Québec, 2003).

Profil réaliste
▶ *Realistic profile*
Profil correspondant aux exigences de l'emploi.

Finalement, le **profil** doit être **réaliste,** c'est-à-dire que tant la liste des compétences que le niveau de maîtrise exigé doivent correspondre à ce qui est requis par l'emploi, ni plus, ni moins. Par exemple, la Commission de la fonction publique du Canada a établi en juin 2003 un profil de 15 compétences en leadership devant être maîtrisées par les sous-ministres adjoints, les directeurs généraux, les directeurs, les gestionnaires et les superviseurs. Ce profil de compétences a été par la suite jugé irréaliste, puisqu'il « renfermait trop de compétences, que plusieurs d'entres elles étaient répétitives, et qu'elles devaient être regroupées. De plus, le profil n'incluait pas toutes les compétences requises par un gestionnaire de la fonction publique dans le contexte actuel » (Gouvernement du Canada, 2004b). Si le niveau des compétences est trop élevé, le poste sera difficile à pourvoir. Le titulaire finalement sélectionné sera trop qualifié pour les tâches à accomplir et risquera de s'ennuyer rapidement dans son emploi. En revanche, si le niveau des compétences est trop bas, les titulaires ne seront pas en mesure d'accomplir correctement leur travail.

Un profil basé sur une solide analyse de fonction a plus de chances d'être non déficient, non contaminé, non biaisé et réaliste.

La meilleure façon de définir un profil de compétences réaliste, non biaisé, non contaminé et non déficient est de se baser sur une solide analyse de la fonction. Lors de cette analyse, il faut veiller à ne pas évaluer les compétences des titulaires actuels du poste, mais bel et bien celles qui sont requises par les tâches à effectuer. Il est toujours pertinent de s'assurer de l'exactitude du profil de compétences en demandant les commentaires d'un expert de contenu (titulaire du poste ou superviseur) ou d'un groupe de discussion composé par exemple d'un titulaire du poste, d'un représentant du syndicat et d'un professionnel en ressources humaines.

Parmi les compétences du profil, seules certaines seront exigées des candidats.

Le profil de compétences fournit la liste complète des connaissances, des habiletés, des attitudes et des autres caractéristiques requises de la part d'un employé pour qu'il effectue avec succès les tâches liées à son emploi. Cependant, certaines de ces compétences se développent avec l'expérience dans le poste ou dans l'entreprise, de sorte qu'elles ne sont pas exigées des candidats avant leur entrée en poste. Prenons l'exemple d'une entreprise ayant développé son propre système informatique de gestion des inventaires. Elle ne peut s'attendre à ce que des candidats venant de l'extérieur maîtrisent ce système, bien que les employés, une fois en poste, soient appelés à l'utiliser fréquemment. L'entreprise sait qu'elle devra former les recrues à l'utilisation de ce système. Dans ce cas, même si le profil de compétences considère la maîtrise de ce système informatisé comme une compétence indispensable, ce ne sera pas un critère de choix d'un candidat pour le poste. Par contre, la maîtrise de l'informatique peut être une compétence générique indispensable à l'apprentissage de ce système spécifique. Les candidats pourront donc être évalués sur leur maîtrise de l'informatique. Cet exemple illustre que le profil de compétences ne peut pas être systématiquement utilisé intégralement aux fins de dotation. Il faut extraire de ce profil de compétences les éléments qui seront exigés des candidats. Ces éléments sont les critères de sélection, parfois appelés « exigences » ou « qualification requise ».

2. Les critères de sélection

Critère de sélection

▶ *Selection criterion*
Compétence exigée
des candidats.

Dresser la liste des **critères de sélection** revient à choisir, à partir du profil de compétences, celles qui seront utilisées aux fins de sélection, puis à déterminer comment elles seront mesurées.

2.1 Les compétences exigées des candidats

Pour déterminer les compétences exigées des candidats, ou les critères de sélection, il importe de se poser trois types de questions au sujet de chacune des compétences :

- La compétence est-elle importante ?
- La compétence est-elle nécessaire dès l'entrée en fonction ?
- La compétence permet-elle d'évaluer les candidatures ?

Si la compétence est peu importante ou ne l'est pas du tout, ou si elle n'est pas nécessaire dès l'entrée en fonction, elle peut figurer sur la liste des critères de sélection, mais cela n'est pas indispensable, car les candidats pourront être formés ultérieurement. Si elle est nécessaire dès l'entrée en fonction, il faut alors se demander si cette compétence peut être évaluée durant le processus de sélection. Si ce n'est pas possible de l'évaluer, la recrue devra être formée immédiatement après son embauche. En revanche, si la compétence est nécessaire dès l'entrée en fonction et qu'elle peut être évaluée lors de la sélection, elle doit figurer parmi les critères de sélection. La figure 6.1 résume ce raisonnement.

FIGURE 6.1 Choix des compétences à inclure dans les critères de sélection

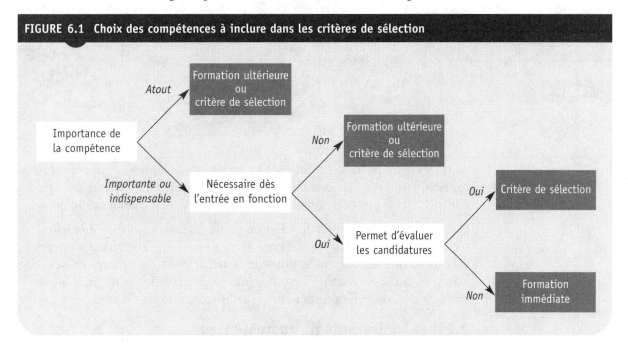

Voyons comment cet arbre de décision s'applique à un exemple précis de fonction. Le tableau 6.3 illustre comment l'on peut déterminer les critères de sélection pour un poste de conseiller en ressources humaines. Dans cet exemple, deux des compétences sont liées à une connaissance approfondie de l'organisation :

la connaissance des politiques de ressources humaines de l'entreprise et celle de la structure organisationnelle. Or, on ne peut s'attendre à ce que des candidats extérieurs à l'organisation possèdent ces connaissances. Il est donc impossible de faire figurer ces compétences dans les critères de sélection. En revanche, la connaissance des lois relatives à la gestion des ressources humaines, de même que les compétences informatiques, pourront être mesurées lors du processus de sélection.

www.cheneliere.ca

TABLEAU 6.3	Exemples de critères de sélection pour le poste de conseiller en ressources humaines			
Compétence	**Importance de la compétence dans la réalisation des tâches**	**Cette compétence est-elle indispensable dès l'entrée en fonction ?**	**Cette compétence permet-elle d'évaluer les candidatures à ce poste ?**	**Décision**
Connaissance des politiques de ressources humaines de l'entreprise	Indispensable	Oui	Non	Formation immédiate
Connaissance de la structure organisationnelle	Importante	Non	Non	Formation ultérieure
Connaissance des lois dans le domaine de la GRH	Indispensable	Oui	Oui	Critère de sélection
Compétences informatiques	Atout	Oui	Oui	Critère de sélection

Source : Schuler et Jackson, 1996.

Ainsi, les critères de sélection sont les compétences requises qui peuvent être utilisées pour évaluer les candidatures. L'importance de chacun des critères dépendra de la pondération accordée ultérieurement à chaque compétence.

Dresser la liste des critères de sélection permet de savoir quelles sont les caractéristiques des candidats que l'on mesurera à l'étape de la sélection. Cependant, cela ne donne aucune indication sur la façon dont ces critères de sélection seront mesurés. À ce stade, il est donc nécessaire d'identifier des indicateurs de chacune des compétences figurant sur la liste des critères de sélection.

2.2 Les indicateurs de compétences

Indicateur
▶ *Indicator*
Façon dont la compétence est mesurée.

Les **indicateurs** représentent la façon dont chaque compétence est mesurée. Il existe plusieurs façons de mesurer la plupart des compétences et le travail d'un recruteur est de déterminer les meilleurs indicateurs qui lui permettront d'évaluer les compétences détenues par chaque candidat, avec le moins d'erreur possible et au moindre coût possible.

Par exemple, la maîtrise d'un logiciel de traitement de texte est une compétence indispensable pour la fonction de secrétaire : c'est une compétence attendue des candidats qui postulent pour un tel poste, donc c'est un critère de sélection. Pour mesurer cette compétence, un recruteur peut concevoir un exercice ou un test utilisant ce logiciel. Ou encore, il peut estimer que posséder un diplôme de secrétariat ou bénéficier d'une expérience à titre de secrétaire sont de bons indicateurs de la maîtrise de ce type de logiciel.

Ainsi, un diplôme ou une expérience ne sont pas, en soi, des compétences. Ce sont plutôt des indicateurs de compétences. Au risque de simplifier, on estime habituellement qu'être titulaire d'un diplôme d'enseignement général est un indicateur que l'individu possède certaines connaissances, tandis que détenir un diplôme d'enseignement technique ou compter plusieurs années d'expérience sont aussi des indicateurs de connaissances, mais surtout d'habiletés.

On pourrait imaginer qu'un recruteur évalue lui-même chacune des compétences figurant parmi les critères de sélection. Ainsi, pour le poste de webmestre figurant à l'encadré 6.4, le recruteur devrait évaluer, entre autres, la connaissance des langages de programmation, des bases de données ainsi que de leurs capacités et de leurs limites techniques ; la connaissance des logiciels d'édition, des innovations technologiques et de leur intégration dans le processus de production ; la connaissance des usages des technologies de l'Internet et du multimédia, de leurs possibilités et de leurs limites ; et la connaissance sommaire des outils de création pour le multimédia dans les environnements PC, Mac ou Unix. Il est évident qu'il s'agit là d'un travail fastidieux qu'il est impossible de mener à bien pour chacun des postes à pourvoir. Par ailleurs, ce travail serait d'autant plus inutile que ces quatre compétences ont été acquises par les études : le meilleur indicateur de ces compétences est donc la détention d'un diplôme spécialisé en informatique.

Afin d'identifier les indicateurs, le recruteur doit donc examiner la liste finale des compétences (ou critères de sélection) pour déterminer de quelle façon elles pourraient être acquises par les études, par l'expérience ou encore par une formation en cours d'emploi. Pour ce faire, il peut être utile de tenir compte des antécédents des excellents employés occupant ce genre de poste, et de bien connaître l'environnement externe de l'entreprise, notamment en ce qui a trait aux institutions d'enseignement. Il est également important de considérer les combinaisons d'études, de formation continue et d'expérience. L'encadré 6.7 présente la liste des questions à se poser pour déterminer les indicateurs des connaissances, des habiletés et des attitudes (CHA).

Même si plusieurs combinaisons d'études, de formation et d'expérience sont possibles, les indicateurs de compétences doivent être le plus précis possible, puisqu'ils doivent permettre de départager les candidats. Ainsi, la mention « deux années d'expérience pertinente » n'est guère utile, puisqu'elle ne définit pas ce qui constitue une expérience pertinente. Il est donc nécessaire de préciser le type d'expérience (par exemple, expérience de supervision d'une équipe, expérience de vente au détail).

Les études, l'expérience ou la formation ne permettent cependant pas toujours de mesurer toutes les compétences figurant sur la liste des critères de sélection.

- L'acquisition des CHA se fait-elle dans le cadre d'une formation reconnue ? Si tel est le cas, quel certificat ou permis est délivré ?
- Le cours s'inscrit-il dans le cadre d'un programme conduisant à l'obtention d'un grade, d'un diplôme ou d'un certificat ? Si tel est le cas, lequel ?
- Combien d'années d'études faut-il pour acquérir ces CHA ?
- Combien d'heures de cours sont généralement nécessaires pour acquérir ces CHA ?
- Peut-on acquérir ces CHA en cours d'emploi ? Dans quelle mesure et lesquelles ?
- Peut-on raisonnablement acquérir ces CHA par une autoformation ? Dans quelle mesure et lesquelles des CHA ?
- Quel autre genre de formation permet d'acquérir ces CHA ?
- Quel genre d'expérience de travail permet d'acquérir ces CHA sans formation ?
- Quel genre de bénévolat permet d'acquérir ces CHA ?
- Des expériences de vie permettent-elles de les acquérir ?
- Quelles réalisations (tâches, projets, études) peuvent démontrer l'acquisition de ces CHA ?

Source : Gouvernement du Canada, s. d.b.

C'est pourquoi, le recruteur devra concevoir des outils (par exemple, des tests ou des questions d'entrevue) pour mesurer les critères de sélection pour lesquels il ne dispose d'aucun autre indicateur, ou pour lesquels il souhaite effectuer plusieurs mesures. En outre, les compétences jugées indispensables feront généralement l'objet de multiples mesures. Ces outils de mesure des compétences seront développés au fur et à mesure des besoins de dotation et seront abordés dans la partie 4 de ce livre, qui traite de la sélection.

Ainsi, le recruteur doit avoir en main, au moment de procéder à la dotation en personnel, quatre types d'informations : la description de poste, le profil de compétences, les critères de sélection et leurs indicateurs. Dans la réalité, il arrive souvent que la description des tâches et la liste de compétences requises soient fusionnées et présentées dans un même document intitulé « Description de poste ». De la même façon, les profils de compétences incluent souvent les critères de sélection et leurs indicateurs. Il est cependant indispensable pour un recruteur de faire la distinction entre ces concepts.

Ce qu'il faut retenir

- L'analyse de fonction et la description de poste permettent de dresser la liste des compétences requises pour occuper un emploi. Cette liste est appelée « profil de compétences ».
- Les compétences peuvent être des connaissances (savoirs), des habiletés (savoir-faire) ou des attitudes (savoir-être).
- Le profil doit préciser le niveau de compétence requis, ainsi que l'importance des compétences.
- À partir de ce profil, le recruteur détermine d'abord les critères de sélection, c'est-à-dire les compétences exigées des candidats, et ensuite les indicateurs de ces compétences, c'est-à-dire la façon de les mesurer.

Références

BOYATZIS, Richard E. (1982). *The Competent Manager: a Model for Effective Performance*, New York, Wiley, 308 p.

COMMISSION DES DROITS DE LA PERSONNE ET DES DROITS DE LA JEUNESSE DU QUÉBEC (2003, février). « Guide pour l'analyse du système d'emploi », [en ligne], *Commission des droits de la personne et des droits de la jeunesse du Québec,* 66 p. [réf. du 17 mai 2006]. <www.cdpdj.qc.ca>.

GOUVERNEMENT DU CANADA (s. d.a). « Normes de sélection de l'évaluation », [en ligne], *Commission de la fonction publique du Canada* [réf. du 17 mai 2006]. <www.psc-cfp.gc.ca>.

GOUVERNEMENT DU CANADA (s. d.b). « Dossier ressources humaines : Le processus d'embauche », [en ligne], *Gestion des ressources humaines – Centre de formation* [réf. du 16 octobre 2006]. <www.gestionrh.gc.ca/>.

GOUVERNEMENT DU CANADA (s. d.c). « Compétences essentielles – Assistants/assistantes dentaires », [en ligne], *Ressources humaines et Développement des compétences Canada* [réf. du 16 octobre 2006]. <http://srv108.services.gc.ca>.

GOUVERNEMENT DU CANADA (2004a, juillet). « Qu'entend-on par compétences essentielles ? », [en ligne], *Ressources humaines et Développement des compétences Canada* [réf. du 16 octobre 2006]. <http://srv108.services.gc.ca>.

GOUVERNEMENT DU CANADA (2004b, mai). « Projet des gestionnaires – rapport final », [en ligne], *Agence de gestion des ressources humaines de la fonction publique du Canada* [réf. du 17 mai 2006]. <www.hrma-agrh.gc.ca>.

GOUVERNEMENT DU CANADA (2000). « Guide d'interprétation des profils de compétences essentielles », [en ligne], *Ressources humaines et Développement des compétences Canada* [réf. du 16 octobre 2006]. <http://srv108.services.gc.ca>.

GOUVERNEMENT DU CANADA (1996). « Les niveaux de compétence linguistique canadiens : L'anglais langue seconde (ALS) pour les adultes et l'anglais langue seconde (ALS) pour les apprenants débutants », [en ligne], *Citoyenneté et immigration Canada* [réf. du 18 mai 2006]. <www.cic.gc.ca>.

KIERSTEAD, James (1998). « Compétences et CCHA », [en ligne], *Agence de gestion des ressources humaines de la fonction publique du Canada,* 9 p. [réf. du 18 mai 2006]. <www.hrma-agrh.gc.ca>.

L'ÉQUIPE SPECTRA (2006). « Compétences, secteurs et profils recherchés », [en ligne], *L'Équipe Spectra* [réf. du 17 mai 2006]. <www.equipespectra.ca>.

McCLELLAND, David C. (1973). « Testing for Competence Rather than for Intelligence », *American Psychologist*, vol. 28, n° 1, p. 1-14.

PETTERSEN, Normand (2000). *Évaluation du potentiel humain dans les organisations*, Sainte-Foy, Presses de l'Université du Québec, 374 p.

SCHULER, Randall S. et Susan E. JACKSON (1996). *Human Resource Management : Positioning for the 21st Century*, 6e éd., St. Paul, West Publishing, 777 p.

TECHNOCOMPÉTENCES (2000). « Multimédia : 14 profils de compétences/Addition de 3 nouveaux profils », [en ligne], *TechnoCompétences,* 30 p. [réf. du 17 mai 2006]. <www.technocompetences.qc.ca>.

CHAPITRE 7

La planification des activités de dotation

Objectif du chapitre

La dernière étape de la préparation de la dotation consiste à planifier les activités de recrutement et de sélection. Ce chapitre a pour objectif de :

• fournir au lecteur les outils nécessaires à cette planification, tant sur le plan du budget et du calendrier que sur celui des ressources humaines.

3 étapes de la préparation
à la dotation

1 – déterminer les besoins de dotation
2 – Établir le profil du candidat
3 – planifier les activités de recrutement
et de sélection.

Une fois les besoins de dotation déterminés et le profil du candidat idéal établi, la dernière étape de la préparation de la dotation consiste à planifier les activités de recrutement et de sélection. Autrement dit, il s'agit de déterminer quelles seront les étapes suivantes du processus de dotation, qui en sera responsable et quelles ressources y seront allouées. Cette planification a pour but d'assurer une utilisation optimale des ressources et du temps consacrés à la dotation. Elle devra cependant être affinée en cours de processus. Par exemple, si la planification initiale des activités prévoit que le recrutement s'étalera sur deux semaines, mais que les candidatures générées à l'issue de cette période ne sont pas de qualité suffisante, le calendrier devra être révisé afin d'allonger la période de recrutement.

À ce stade, deux types d'activités sont à planifier de façon prioritaire :

Tant les activités de recrutement que les activités de sélection doivent être planifiées.

- les activités de recrutement, qui permettent la constitution d'un bassin de candidats de qualité ;
- les activités de sélection, qui ont pour but d'évaluer les candidats afin de choisir celui qui correspond le mieux aux exigences de l'entreprise.

1. La planification des activités de recrutement

Comme nous le verrons au chapitre 8, il existe de nombreuses façons de procéder au recrutement de candidats. Cependant, on ne peut planifier en détail ces activités sans d'abord examiner attentivement les avantages et les inconvénients de chaque méthode et de chaque source de recrutement. Cet examen constitue déjà en soi une activité de recrutement pour laquelle il importe de désigner un responsable.

1.1 Les responsabilités en matière de recrutement

La première décision consiste à désigner les responsables du recrutement.

Généralement, c'est au service des ressources humaines qu'incombe la responsabilité de déterminer les meilleures sources et méthodes de recrutement et de mener à bien le recrutement à proprement parler. Cependant, les gestionnaires peuvent être mis à contribution, par exemple pour participer à des salons de l'emploi. Une partie des activités de recrutement peut également être sous-traitée, comme la rédaction ou la publication de l'annonce d'emploi (voir chapitre 10). Ainsi, la première décision de planification des activités de recrutement consiste à en désigner les responsables.

Les responsabilités en matière de recrutement peuvent être synthétisées sous forme de tableau, comme le montre le tableau 7.1.

1.2 Le calendrier de recrutement

Établir un calendrier permet de minimiser le temps de vacance du poste.

Par la suite, un calendrier prévisionnel du recrutement doit être établi afin de minimiser le temps pendant lequel le poste restera vacant. Le tableau 7.2 fournit un exemple d'un tel calendrier. Ce dernier doit allouer une période suffisamment longue pour générer des candidatures de qualité, tout en restant réaliste quant aux besoins de l'organisation.

| TABLEAU 7.1 | Exemple de répartition des responsabilités en matière de recrutement |

Poste à combler : _____   Service : _____
R = responsable ; S = soutien au responsable

	Directeur de l'entreprise	Superviseur du poste	Responsable de la dotation/ Service des RH	Consultant/ Ressource externe
1. Planification du processus				
• Analyse des besoins	S	R	S	
• Analyse de fonction		S	R	
• Description du poste		S	R	
• Identification du profil de compétences		S	R	
• Identification des critères de sélection		S	R	
• Établissement du budget de recrutement	S	S	R	
2. Recherche de candidatures				
• Inventaire des sources de recrutement		S	R	
• Choix des méthodes de recrutement		S	R	
• Participation à des salons ou à des foires		S	R	
• Rédaction de l'annonce		S	R	S
• Publication de l'annonce			R	S

Source : Pharand, 2001.

Cependant, à ce stade-ci, les choix d'activités de recrutement ne sont pas encore faits (voir chapitre 8), c'est pourquoi le calendrier devra parfois être ajusté. Prenons l'exemple où un recruteur décide d'annoncer un poste dans une revue spécialisée publiée mensuellement. Ces contraintes de parution risquent de retarder l'ensemble du processus, de sorte que le calendrier devra être établi à nouveau. S'il n'est pas possible de modifier le calendrier de recrutement, par exemple dans le cas où le poste doit impérativement être pourvu de toute urgence, les délais constitueront une contrainte dans le choix des activités de recrutement.

| TABLEAU 7.2 | Exemple de calendrier des activités de recrutement |

Poste à pourvoir : _____

	Personne responsable	Échéance	Date de réalisation
1. Planification du processus			
• Analyse des besoins			
• Analyse de fonction			
• Description du poste			
• Identification du profil de compétences			
• Identification des critères de sélection			
• Établissement du budget de recrutement			
2. Recherche de candidatures			
• Inventaire des sources de recrutement			
• Choix des méthodes de recrutement			
• Participation à des salons ou à des foires			
• Rédaction de l'annonce			
• Publication de l'annonce			

Ainsi, le calendrier et le choix des activités de recrutement sont deux décisions qui ne peuvent pas toujours être prises de façon séquentielle, l'une à la suite de l'autre. On établit généralement un calendrier provisoire, qui influence le choix des activités de recrutement, mais qui peut également être modifié en fonction de ces activités, comme l'illustre la figure 7.1.

Prenons un nouvel exemple pour illustrer cette interaction entre le calendrier et le choix d'activités de recrutement. Une entreprise pharmaceutique souhaite embaucher une personne possédant un doctorat en biochimie et un MBA ou ayant une expérience significative en gestion, afin de pourvoir un poste de responsable de la recherche et du développement. Imaginons que son calendrier initial prévoie un délai d'un mois pour le recrutement. Pendant cette période, le poste peut être affiché sur Internet ou dans les journaux, mais il ne

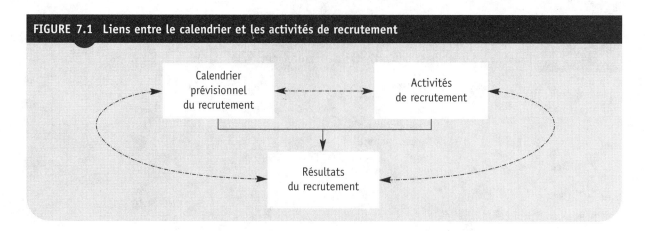

FIGURE 7.1 Liens entre le calendrier et les activités de recrutement

pourra pas être annoncé lors d'un congrès scientifique si aucun n'a lieu au cours de ce mois-là. Il est alors possible de modifier la période de recrutement ou de prévoir d'autres méthodes de recrutement, comme faire appel à une firme spécialisée dans le recrutement de personnel scientifique.

1.3 Le budget de recrutement

Le budget doit tenir compte des activités de recrutement et de la capacité de payer.

La dynamique d'interaction entre le calendrier et les activités de recrutement se répète au sujet du budget de recrutement, comme le démontre la figure 7.2. En effet, il est important d'établir un budget prévisionnel qui tient compte de la capacité de l'organisation à payer (Pharand, 2001). Ce budget contraindra le choix des activités de recrutement. Par exemple, le recours à une firme privée de recrutement, méthode de recrutement généralement onéreuse, ne sera envisageable que si le budget le permet.

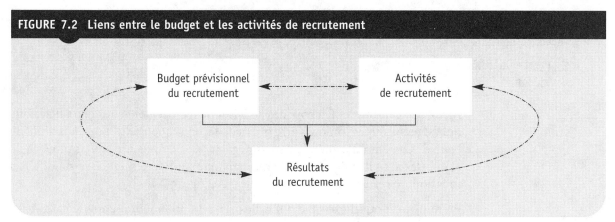

FIGURE 7.2 Liens entre le budget et les activités de recrutement

Tout comme l'identification des responsabilités en matière de recrutement, la planification du budget doit donner lieu à un tableau comparable au tableau 7.3. Il est à noter que le temps consacré au recrutement par les employés de l'organisation doit être comptabilisé dans ce budget, puisque ce sont des heures de travail rémunérées.

| TABLEAU 7.3 | Exemple d'un tableau de planification du budget de recrutement |

Poste à combler : _____   Service : _____

	Dépenses				Temps consacré par les ressources internes
	Appels interurbains	Frais de participation à des salons	Frais de rédaction et de publication	Honoraires	
1. Planification du processus					
• Analyse des besoins					
• Analyse de fonction					
• Description du poste					
• Identification du profil de compétences					
• Identification des critères de sélection					
• Établissement du budget de recrutement					
2. Recherche de candidatures					
• Inventaire des sources de recrutement					
• Choix des méthodes de recrutement					
• Participation à des salons ou à des foires					
• Rédaction de l'annonce					
• Publication de l'annonce					

Source : Pharand, 2001.

Comme dans le cas du calendrier, des compromis doivent être faits entre le budget et les activités de recrutement. Ainsi, s'il est établi que la seule façon efficace de contacter les candidats est de faire appel à une firme privée de recrutement, le budget devra être établi en conséquence. En revanche, si le budget ne peut pas être modifié, les professionnels en ressources humaines devront choisir des méthodes moins onéreuses, quitte à ce qu'ils élargissent leurs critères de sélection pour attirer des candidats moins traditionnels.

1.4 Le cas particulier du recrutement en milieu syndiqué

Plusieurs clauses de convention collective peuvent toucher le recrutement.

En milieu syndiqué, il arrive que la priorité soit donnée aux candidats de l'interne (voir chapitre 2). Dans ce cas, la planification des activités de recrutement commence par la vérification de l'existence d'une liste d'employés admissibles, ce qui relève généralement du service des ressources humaines (Gouvernement du Canada, 2004). S'il existe effectivement une liste d'employés à considérer en priorité pour le poste, le processus de recrutement s'arrête là et on entre alors dans la phase de sélection afin de choisir la personne la plus appropriée pour le poste. Comme nous l'avons vu au chapitre 2, cette sélection peut être basée sur l'ancienneté, sur la compétence ou sur une combinaison de ces deux facteurs. L'encadré 7.1 présente un extrait d'une convention collective instituant une liste d'admissibilité.

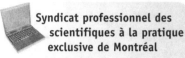

Syndicat professionnel des scientifiques à la pratique exclusive de Montréal
www.spspem.org

ENCADRÉ 7.1 **Exemple d'une convention collective instaurant une liste d'admissibilité**

Convention collective de travail entre la Ville de Montréal et le Syndicat professionnel des scientifiques à pratique exclusive de Montréal, en vigueur jusqu'au 31 décembre 2006

16.01   Postes vacants

Si aucun scientifique en disponibilité n'a été relocalisé dans un poste devenu vacant que l'Employeur décide de combler, ou dans un poste nouvellement créé, l'Employeur doit, à moins qu'une liste d'éligibilité ne soit valide, afficher un avis de concours interne et/ou externe dans un délai de quinze (15) mois de la date à laquelle le poste fut créé ou est devenu vacant.

16.04 à 16.12   Mécanismes [d'attribution des postes]

16.04   Sous réserve des dispositions ci-après prévues, lorsque la liste d'admissibilité est constituée, conformément aux modalités prévues au présent article, la Commission de la fonction publique tient un concours. Le candidat ayant réussi le concours voit son nom inscrit sur la liste d'éligibilité.

Le scientifique permanent occupant un poste de la même fonction, qui désire être muté et qui s'est porté candidat, voit son nom inscrit sur la liste d'éligibilité; il en est de même pour le scientifique permanent qui veut rétrograder et qui s'est porté candidat en autant qu'il puisse remplir les exigences normales du poste à combler.

Lorsqu'en application du paragraphe précédent, l'Employeur constate qu'un ou plusieurs scientifiques désirent être mutés ou rétrogradés, un ou des représentants du Service ou de l'arrondissement concerné doit, dans les soixante (60) jours de la fin de l'affichage dudit avis de concours, le ou les recevoir en entrevue avant que la Commission de la fonction publique ne tienne les examens nécessaires.

À cette étape, le représentant autorisé du Service ou de l'arrondissement peut retenir un candidat compétent pour combler le poste vacant; dans ce cas, la Commission de la fonction publique ne tient pas le concours et les candidats inscrits sur la liste d'admissibilité sont informés de cette décision. Si le poste, plusieurs ou tous les postes faisant l'objet du concours n'a ou n'ont pas été comblés, la Commission de la fonction publique tient alors un concours.

16.05   Si, après application de l'alinéa 16.04, le poste, plusieurs ou tous les postes ayant fait l'objet du concours n'a ou n'ont pas été comblés, le choix du scientifique se fait parmi les noms apparaissant sur la liste d'éligibilité en retenant, selon les étapes suivantes:

a) Le candidat le plus compétent.

b) Le scientifique qui, à compétence équivalente:

   1) jouit du privilège mentionné à l'alinéa 9.01;

   2) a le plus d'ancienneté;

»

3) veut ou doit muter ou rétrograder ;

4) agit à titre de scientifique provisoire ou d'employé de la Ville et a, dans son groupe d'origine, acquis sa permanence.

c) Si le représentant autorisé du Service n'a pu faire un choix judicieux et envisage de recourir aux autres candidats, il procède au choix du candidat le plus compétent, et à compétence égale, en retenant selon les étapes suivantes :

1) le scientifique permanent-projet,

2) le scientifique occasionnel qui a accumulé le plus grand nombre de jours de travail à ce titre,

3) le candidat de l'externe.

d) Lorsque le poste à combler en est un de fonction supérieure au groupe de traitement 2, une liste d'admissibilité est constituée des scientifiques permanents ou à l'essai à la Ville qui se sont portés candidats. Le scientifique ayant réussi le concours voit son nom inscrit sur la liste d'éligibilité et le représentant autorisé du Service ou de l'arrondissement procède au choix du scientifique le plus compétent à même la liste ainsi constituée. À compétence équivalente, l'Employeur procède, selon les étapes suivantes, d'abord au choix du scientifique qui jouit du privilège mentionné à l'alinéa 9.01, puis du scientifique qui veut ou doit être muté ou rétrogradé.

Si, par ce procédé, le poste est comblé, les autres candidats sont avisés de telle décision. Si, au contraire, le poste est toujours vacant, la liste d'admissibilité des autres postulants est constituée et la Commission de la fonction publique tient le concours et les paragraphes a), b) et c) s'appliquent.

16.06 La liste d'éligibilité résultant d'un concours demeure valide pour vingt-quatre (24) mois et l'Employeur fixe son choix dans les soixante (60) jours de l'émission de la liste.

Source : Négothèque, s. d.

Ville de Montréal
http://ville.montreal.qc.ca

Dans le cas où il n'existe pas de liste d'admissibilité, les activités de recrutement, de même que le calendrier, peuvent être dictés par la convention collective, comme l'illustre l'encadré 7.2. La planification du calendrier et du budget est donc moins importante dans un contexte syndiqué que dans un milieu non syndiqué, puisque les activités sont déjà en grande partie prévues.

ENCADRÉ 7.2 **Exemple de convention collective précisant le processus de recrutement en l'absence d'une liste d'admissibilité**

Convention collective de travail entre la Société Radio-Canada et l'Association des professionnels et superviseurs, en vigueur du 1ᵉʳ juillet 2002 au 30 juin 2005

ARTICLE 13
AFFICHAGE DE POSTES VACANTS
13.1.
Lorsqu'au sein de l'unité de négociation, des postes de nature continue devront être comblés, la Société s'engage à appliquer les procédures de dotation établies, plus spécifiquement celles décrites dans le protocole d'entente Politique I – Dotation. Les parties conviennent qu'exceptionnellement la Politique I – Dotation fait partie de cette convention collective et est clarifiée et/ou modifiée par les dispositions suivantes.

»

13.2.

Lorsqu'au sein de l'unité de négociation des postes contractuels devront être comblés, la Société appliquera la procédure normale de dotation, sauf que l'affichage ne sera que de cinq (5) jours ouvrables. Cet affichage sera national pour les contrats de un (1) an et plus et il sera local pour ceux de moins de un (1) an. En procédant à l'affichage national, la Société n'est pas automatiquement responsable de défrayer les frais de transport et de réinstallation du candidat choisi. Ces frais seront remboursés uniquement à la discrétion de la Société et cela, sans créer de précédent.

13.3.

Les parties reconnaissent qu'exceptionnellement il y a des motifs pour nommer des employés dans des postes vacants sans affichage et concours de sélection. Par exemple, pour des raisons de retour de congés autorisés de toutes sortes ou à la suite des résultats d'un processus d'évaluation du rendement. La Société procédera à des consultations préliminaires avec l'Association pour ces raisons ou toute autre raison et fournira tous les détails, lors des comités conjoints. [...]

– POLITIQUE I –
DOTATION

OBJET

Le succès de la Société Radio-Canada tient avant tout à sa capacité d'attirer, de former et de garder à son emploi les personnes les plus compétentes pour l'aider à réaliser les objectifs à court et à long termes associés à son mandat. Au fur et à mesure que des postes deviennent disponibles, la Société accordera la priorité aux candidatures d'employé-e-s qualifié-e-s, à l'interne. Elle recrutera des candidat-e-s à l'externe lorsque cette pratique s'avérera nécessaire pour garantir un bassin suffisant de candidat-e-s qualifié-e-s.

La Société souscrit entièrement aux principes d'équité en matière d'emploi et de programmation. En vue de garantir la composition d'un effectif diversifié, la Société s'engage à constituer une banque de candidat-e-s qualifié-e-s comprenant des membres des groupes désignés (femmes, personnes atteintes d'une déficience, Autochtones et membres de minorités visibles) tel que précisé dans la Loi fédérale sur l'équité en matière d'emploi.

Lorsqu'elle examine la candidature de postulant-e-s de l'externe, la Société accordera la préférence aux membres qualifiés d'un des groupes désignés. Pour permettre aux candidat-e-s qualifié-e-s de travailler le plus efficacement possible, la Société procédera à tout ajustement raisonnable des lieux de travail.

APPLICATION

Cette politique s'applique aux employé-e-s de la Société qui sont visées par la convention collective de l'APS. La Société respecte les dispositions de ses conventions collectives; lorsqu'elles diffèrent de la politique en cours, ce sont les dispositions des conventions collectives qui prévalent.

MODALITÉS

1. Recrutement

La Société fera appel aux méthodes suivantes pour solliciter des candidatures:

a) Affichage des postes à combler

Après avoir obtenu la permission de combler un poste, le/la superviseur-e responsable de l'embauche élaborera, en collaboration avec les Ressources humaines, un profil de sélection, en précisant les qualifications et les compétences nécessaires.

Le service des Ressources humaines aura ensuite recours au Système d'affichage des postes vacants pour faire part aux employé-e-s des postes à combler.

b) Programmes de réaffectation

Le personnel des Ressources humaines responsable des programmes de réaffectation identifiera et orientera, en consultation avec les cadres hiérarchiques, les demandes d'employé-e-s de retour d'une affectation ou d'un congé et qui désirent réintégrer un poste.

»

Ce procédé concernera les employé-e-s affecté-e-s par des changements technologiques ou opérationnels, ainsi que ceux qui doivent être réaffectés pour cause de santé ou d'invalidité. Ces employé-e-s seront considéré-e-s au même titre que les autres candidat-e-s pourvu qu'ils/elles aient les compétences voulues pour combler le poste.

c) Recrutement à l'extérieur

Lorsque le recrutement à l'interne ne permet pas d'identifier un nombre suffisant de candidat-e-s aptes à répondre aux exigences du poste, la Société pourra procéder au recrutement à l'extérieur. La liste de candidatures retenues comprendra les noms de membres des groupes désignés qui manifestent les compétences nécessaires pour combler le poste. Ce genre de recrutement pourra faire appel à un ou plusieurs des procédés suivants :

(i) Inventaire des candidatures à l'externe.

(ii) Annonces dans les médias. Toute annonce publiée par les bureaux à demande importante doit paraître dans les deux langues officielles.

(iii) Experts-conseils ou agences de placement du personnel.

Source : Négothèque, s. d.

Société Radio-Canada
http://radio-canada.ca

Association des professionnels et superviseurs de Radio-Canada
www.apscbcsrc.org

Une fois les activités de recrutement planifiées, il importe de se pencher sur les étapes suivantes du processus de dotation, à savoir la sélection des candidats. Ici encore, plusieurs activités méritent de faire l'objet d'une planification.

2. La planification des activités de sélection

Comme nous le verrons dans la partie 4 de ce livre, il existe de nombreuses façons d'évaluer les candidats afin de choisir celui qui correspond le mieux au profil recherché. Ce choix des outils ou des activités de sélection peut être effectué dès que sont connus les critères sur lesquels les candidats seront évalués, c'est-à-dire les critères de sélection.

Dans un contexte idéal, seuls les critères de sélection guident le choix des outils. Ces décisions ont ensuite une influence sur le budget et le calendrier de sélection, de même que sur la distribution des responsabilités. Mais comme nous le verrons dans les pages suivantes, la réalité est généralement plus complexe et ces différents éléments s'influencent mutuellement.

2.1 Les outils de sélection

Les critères de sélection déterminent les outils (par exemple, les entrevues ou les tests) qui seront utilisés pour mesurer les compétences des candidats. En effet, si l'on exclut les contraintes de budget ou de calendrier, une organisation doit choisir les outils de sélection qui lui permettront d'évaluer le mieux possible chacune des compétences identifiées dans les critères de sélection (voir chapitre 6). Chacun de ces outils doit par ailleurs respecter les principes de validité, de fiabilité, d'utilité et d'absence de biais qui sont décrits au chapitre 11.

Les outils de sélection dépendent en priorité des compétences à mesurer.

Puisque le choix des outils de sélection dépend des critères à mesurer, la question à se poser est la suivante : « Quelle est la meilleure façon de mesurer chaque compétence ? » Par ailleurs, comme nous l'avons vu au chapitre précédent, certaines compétences sont plus importantes que d'autres pour le poste. C'est ce que l'on a appelé des compétences indispensables, par comparaison aux compétences importantes ou aux atouts. Puisque ces compétences sont davantage garantes de la réussite en emploi que les autres, l'organisation ne peut se permettre de se tromper lors de leur évaluation. Les compétences indispensables seront donc évaluées à plusieurs reprises durant le processus de sélection et, si possible, de plusieurs façons.

L'exercice d'identification des outils de sélection les plus appropriés conduit à la création d'un tableau semblable au tableau 7.4. Dans cet exemple, les critères de sélection les plus importants pour le poste d'aide-enseignant dans une école primaire seront évalués au moins deux fois, par deux méthodes différentes (entrevue et test psychométrique), tandis que les critères moins importants feront l'objet d'une seule évaluation durant le processus de sélection.

www.cheneliere.ca

TABLEAU 7.4   **Exemple d'identification des outils de sélection**

Poste à combler : Aide-enseignant dans une école primaire

Critères de sélection	Importance du critère (*)	Examen du CV et du dossier	Entrevue de présélection	1re entrevue	Test psycho-métrique	2e entrevue	Vérification des références
Capacité à lire des textes courts	3			✓			✓
Capacité à rédiger des textes courts	3	✓		✓			✓
Capacité à effectuer des calculs simples	3			✓			✓
Communication verbale	3		✓	✓		✓	
Capacité à résoudre des problèmes	3				✓	✓	
Travail d'équipe	3				✓		✓
Attention envers les enfants	3				✓	✓	
Patience envers les enfants	3				✓	✓	
Capacité physique (porter des enfants, déplacer des meubles légers)	3		✓				✓
Capacité à planifier et à organiser son travail	2						✓
Connaissance de l'informatique	1			✓			
Créativité	1				✓		

(*) 3 = compétence indispensable ; 2 = compétence importante ; 1 = atout.

Source : Gouvernement du Canada, s. d.

Même si l'identification des outils de sélection doit être guidée en premier lieu par les critères de sélection, il importe cependant de ne pas trop allonger le processus de sélection, afin de ne pas décourager les candidats. On estime généralement que deux entrevues, parfois trois, sont suffisantes si elles sont conçues de manière adéquate (Lemieux, 2005).

Par ailleurs, le monde idéal dans lequel les critères de sélection seraient les seuls éléments à considérer n'existe malheureusement pas ; les contraintes de budget et de temps doivent donc être prises en considération.

2.2 Le budget et le calendrier de sélection

Des considérations de budget et de calendrier peuvent influencer la sélection.

Tout comme les activités de recrutement, le budget et le calendrier des activités de sélection doivent être planifiés, puisque ces deux éléments influencent le choix des outils et le déroulement de l'ensemble du processus. Par exemple, le recours à une firme externe spécialisée dans l'administration et l'interprétation de tests psychométriques est relativement coûteux. En outre, comme l'administration de tels tests se fait sur rendez-vous uniquement et que leur interprétation peut prendre quelques semaines, il peut s'écouler un laps de temps relativement long entre la décision de faire appel à une firme externe et la réception des résultats des tests (voir chapitre 14). Il est donc indispensable de dresser un tableau établissant un budget prévisionnel des activités de sélection, comme le montre le tableau 7.5.

Par ailleurs, lorsque les entrevues sont effectuées par un comité de sélection plutôt que par un évaluateur unique (voir chapitre 13), les agendas de l'ensemble des membres du comité doivent être considérés afin de s'assurer de la disponibilité de chacun. Il est donc indispensable de prévoir les entrevues suffisamment longtemps à l'avance pour que tous les membres du jury soient disponibles. Tout comme pour le recrutement, l'établissement d'un calendrier de sélection, tel que celui qui est proposé au tableau 7.6, est capital.

2.3 Les responsabilités en matière de sélection

Finalement, comme nous l'avons vu pour les activités de recrutement, il est important d'identifier les personnes responsables des activités de sélection. Généralement, la sélection est coordonnée par le service des ressources humaines, mais comme nous le verrons dans la partie 4 de ce livre, le superviseur du poste est également très impliqué dans cette activité, de même que certains experts provenant de l'organisation ou de l'externe. Les responsabilités de dotation peuvent être résumées sous forme de tableau, comme illustré au tableau 7.7.

La planification des activités de recrutement et de sélection conclut la préparation de la dotation. Une fois cette dernière étape réalisée, le recruteur a donc en main tous les outils nécessaires pour procéder à la recherche des meilleurs candidats. Les étapes et les activités du recrutement font l'objet des trois prochains chapitres de ce livre.

TABLEAU 7.5 Exemple d'un tableau de planification du budget de sélection

Poste à combler : _____   Service : _____

| | Dépenses | | | | | | Temps consacré par les ressources internes |
| | Frais de déplacement | | | Frais de location de salle | | | |
	Appels interurbains	Candidats	Comité de sélection	Frais de location de salle	Honoraires	Autres frais	
1. Présélection							
• Réception des CV							
• Rédaction de la grille de présélection							
• Choix des CV pertinents							
• Convocation aux entrevues ou aux tests							
2. Entrevues et tests de sélection							
• Choix des outils de sélection							
• Choix du comité de sélection							
• Rédaction des grilles d'entrevue							
• Rédaction des grilles d'évaluation							
• Formation du comité de sélection							
• Accueil des candidats							
• Réalisation des entrevues							
• Réalisation des tests de performance							
• Réalisation des tests psychométriques							
• Évaluation globale des candidats							
• Suivi auprès des candidats							
3. Vérification des antécédents							
• Obtention du consentement écrit							
• Rédaction de la grille de vérification							
• Examen des références							
• Vérification des autres antécédents							
4. Prise de décision finale et offre							
• Choix final							
• Rédaction d'une offre							
• Présentation et négociation de l'offre							
• Rédaction de la lettre d'engagement							

Source : Pharand, 2001.

| TABLEAU 7.6 | Exemple de calendrier des activités de sélection |

Poste à combler : _____   Service : _____

	Personne responsable	Échéance	Date de réalisation
1. Présélection			
• Réception des CV			
• Rédaction de la grille de présélection			
• Choix des CV pertinents			
• Convocation aux entrevues ou aux tests			
2. Entrevues et tests de sélection			
• Choix des outils de sélection			
• Choix du comité de sélection			
• Rédaction des grilles d'entrevue			
• Rédaction des grilles d'évaluation			
• Formation du comité de sélection			
• Accueil des candidats			
• Réalisation des entrevues			
• Réalisation des tests de performance			
• Réalisation des tests psychométriques			
• Évaluation globale des candidats			
• Suivi auprès des candidats			
3. Vérification des antécédents			
• Obtention du consentement écrit			
• Rédaction de la grille de vérification			
• Examen des références			
• Vérification des autres antécédents			
4. Prise de décision finale et offre			
• Choix final			
• Rédaction d'une offre			
• Présentation et négociation de l'offre			
• Rédaction de la lettre d'engagement			

TABLEAU 7.7 Exemple de répartition des responsabilités en matière de sélection

Poste à combler : _____ Service : _____

R = responsable ; S = soutien au responsable

	Directeur de l'entreprise	Superviseur du poste	Responsable de la dotation/ Service des RH	Comité de sélection (*)	Consultant/ Ressource externe
1. Présélection					
• Réception des CV			R		
• Rédaction de la grille de présélection		S	R		
• Choix des CV pertinents		S	R		
• Convocation aux entrevues ou aux tests			R		
2. Entrevues et tests de sélection					
• Choix des outils de sélection		S	R		
• Choix du comité de sélection		S	R		
• Rédaction des grilles d'entrevue		S	R		
• Rédaction des grilles d'évaluation		S	R		
• Formation du comité de sélection		S	R		
• Accueil des candidats		S	R	S	
• Réalisation des entrevues		R	S	R	
• Réalisation des tests de performance		R	S	R	
• Réalisation des tests psychométriques		R	S	R ou	R
• Évaluation globale des candidats		R	S	R	
• Suivi auprès des candidats		S	R	S	
3. Vérification des antécédents					
• Obtention du consentement écrit			R		
• Rédaction de la grille de vérification			R		
• Examen des références		S	R		
• Vérification des autres antécédents					R
4. Prise de décision finale et offre					
• Choix final	S	R			
• Rédaction d'une offre	S	S	R		
• Présentation et négociation de l'offre	S		R		
• Rédaction de la lettre d'engagement			R		

(*) : Le superviseur immédiat du poste fait habituellement partie du comité de sélection.

Source : Pharand, 2001.

Ce qu'il faut retenir

- Il est nécessaire de planifier les activités de recrutement et de sélection afin d'assurer une utilisation optimale des ressources et du temps consacrés à la dotation.
- La planification doit établir les responsabilités en matière de recrutement et de sélection.
- Un budget et un calendrier de recrutement et de sélection doivent également être établis.

Références

GOUVERNEMENT DU CANADA (s. d.). «Compétences essentielles – Aides-enseignants/aides-enseignantes aux niveaux primaire et secondaire», [en ligne], *Ressources humaines et Développement social Canada* [réf. du 19 mai 2006]. <http://hrdc-drhc.gc.ca>.

GOUVERNEMENT DU CANADA (2004, mars). «Guide de dotation et de recrutement à l'intention des gestionnaires», [en ligne], *Commission de la fonction publique du Canada* [réf. du 17 mai 2006]. <www.psc-cfp.gc.ca>.

LEMIEUX, Sylvie (2005, 25 juin). «L'art de mener une bonne entrevue d'embauche», *Les Affaires*, Management, p. 33.

NÉGOTHÈQUE (s. d.) [base de données en ligne], *Négothèque* [réf. du 19 mai 2006]. <http://206.191.16.137>.

PHARAND, Francine (2001). «Le recrutement et la sélection», Emploi-Québec, *Recruter et garder son personnel: trois guides pour sélectionner, rémunérer et intégrer le personnel que vous lancez dans la course au championnat*, Québec, Éditeur officiel du Québec, 64 p.

CARRIÈRES ET EMPLOIS

PARTIE

3

Le recrutement

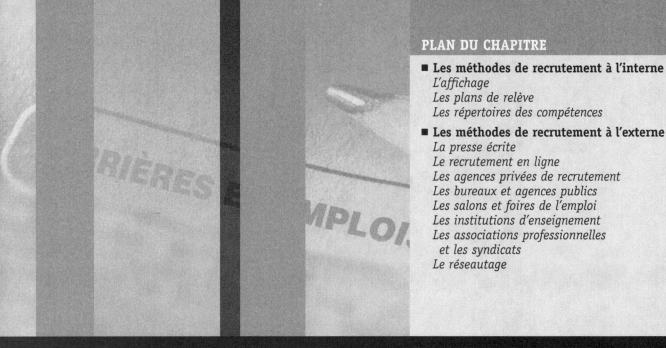

CHAPITRE 8

Les méthodes de recrutement

Objectif du chapitre

Le recrutement est le processus qui consiste à solliciter, de façon ciblée, les candidatures d'employés potentiels. Ce chapitre a pour objectif :

• d'examiner les différentes méthodes de recrutement afin de choisir les plus appropriées à chaque contexte d'entreprise.

Le **recrutement** est l'ensemble des pratiques qui consistent à faire savoir à des candidats potentiels qu'un poste est disponible dans une organisation, et à les inviter à poser leur candidature. Il constitue donc une étape importante dans le processus de dotation, puisqu'il permet de créer un bassin de candidats au sein duquel l'employeur tente de trouver la recrue idéale.

L'objectif d'un employeur dans ses démarches de recrutement est double : d'une part, obtenir un nombre suffisant de candidatures et, d'autre part, obtenir des candidatures de qualité. Examinons ces deux éléments.

- Un nombre suffisant de candidatures : on estime qu'un bon recrutement devrait générer entre deux et cinq candidatures pertinentes par poste à pourvoir. Ce ratio permet d'avoir suffisamment de candidats pour pouvoir réellement faire un choix, tout en évitant d'être submergé par un nombre important de candidatures qui prendraient du temps et de l'argent à examiner.

Le recrutement a pour but d'obtenir un nombre suffisant de candidatures de qualité.

- Des candidatures de qualité : le recrutement a pour but de solliciter des candidats, mais les recruteurs veulent éviter d'avoir à examiner des candidatures qui ne correspondent pas aux exigences du poste. Le défi consiste donc à cibler les candidats correspondant au profil recherché pour l'emploi, tout en décourageant les candidatures non pertinentes.

Pour atteindre ce double objectif de quantité et de qualité, un responsable de la dotation doit prendre deux décisions qui ont, l'une comme l'autre, des répercussions sur la capacité de l'organisation à attirer des candidatures pertinentes.

- Dans un premier temps, où aller chercher les candidats ? Cette question touche aux sources de recrutement. On distingue généralement deux sources principales : les sources internes, c'est-à-dire les individus déjà à l'emploi de l'organisation, et les sources externes, c'est-à-dire le public en général. Évidemment, au sein de ces deux grandes catégories, il existe plusieurs sous-groupes qui nécessiteront une stratégie de recrutement différente.
- La deuxième décision à prendre traite justement de la stratégie de recrutement et répond à la question : « Comment communiquer avec ces candidats ? » On parle ici de méthodes de recrutement, c'est-à-dire des choix d'outils de communication pour entrer en contact avec les candidats potentiels.

Dans les pages suivantes, nous détaillerons donc les méthodes de recrutement utilisées pour les sources internes puis externes. Cependant, nous n'insisterons pas dans ce chapitre sur le contenu du message transmis aux candidats potentiels. Cela fera l'objet du chapitre 10, *La rédaction d'une annonce*.

1. Les méthodes de recrutement à l'interne

Un poste disponible peut intéresser les individus qui sont déjà à l'emploi de l'entreprise, par exemple parce que ce poste constitue une promotion, ou encore parce que ces employés désirent obtenir une mutation ou un transfert, ou qu'ils craignent que le poste qu'ils occupent actuellement ne disparaisse. En fait, une récente étude indique que près de 40 % des postes vacants dans les entreprises américaines sont pourvus à l'interne (Crispin et Melher, 2004).

Comme le montre le tableau 8.1, le fait de recruter à l'interne présente plusieurs avantages pour une organisation, notamment parce qu'elle connaît déjà bien les candidats et qu'elle est donc en mesure de les évaluer correctement. Le recrutement interne permet aussi de réaliser des économies importantes de temps et d'argent et envoie le signal clair que l'entreprise valorise le développement de ses employés. Enfin, le fait que les employés connaissent bien l'organisation diminue leur temps d'apprentissage et limite le risque qu'ils aient des attentes irréalistes face à leur nouvel emploi.

Malgré ces avantages, il est rare qu'une organisation ait uniquement recours au recrutement à l'interne, ne serait-ce que parce qu'elle doit pourvoir le poste laissé vacant par l'employé promu ou muté. Ainsi, les postes d'entrée (c'est-à-dire les postes en bas de la hiérarchie d'une entreprise) sont pratiquement toujours pourvus par des candidats de l'externe. Favoriser les candidatures externes est également la stratégie privilégiée quand l'organisation veut se renouveler et amener des idées originales, ou quand le poste exige des compétences particulières que les candidats de l'interne ne possèdent pas. En outre, choisir un employé de l'interne peut créer des jalousies parmi les collègues qui n'ont pas été mutés ou promus, ce qui risque de limiter la capacité du candidat à établir sa crédibilité.

TABLEAU 8.1 Avantages et inconvénients du recrutement interne	
Avantages	**Inconvénients**
• Recrutement moins coûteux • Délais de recrutement plus courts • Meilleure connaissance du candidat, donc diminution du risque de faire une erreur de sélection • Augmentation du niveau de satisfaction au travail de l'employé promu ou muté • Démonstration aux autres employés que l'entreprise valorise l'excellence • Réduction du temps de formation et d'adaptation, car le candidat connaît déjà les produits et les services de l'entreprise	• Absence d'idées nouvelles • Nécessité de pourvoir le poste laissé vacant par l'employé promu ou muté • Étendue des compétences moins vaste • Risques de tension avec les employés non retenus

Afin d'éviter les risques de tension entre les candidats de l'interne, il est important de fixer, dès le début du processus de recrutement, des règles de choix claires afin d'éliminer le plus possible le favoritisme, réel ou perçu. Ainsi, les critères de sélection des candidats et la façon dont ils seront mesurés devraient être connus dès le début du processus de recrutement.

Dans un milieu syndiqué, les clauses de la convention collective touchant à la dotation doivent naturellement être scrupuleusement respectées. Par exemple, dans un contexte de réduction d'effectifs, une clause peut prévoir qu'un poste vacant sera offert en priorité à un employé dont le poste a été aboli dans l'entreprise ou encore, plus rarement, dans une autre entreprise de la région, comme le montre l'exemple présenté à l'encadré 8.1.

Modifications à la convention collective de travail entre C.S. Brooks Canada inc. et le Syndicat catholique des ouvriers du textile de Magog inc., 1999-2000, Situations particulières avec la compagnie Dominion Textile inc. (Usine de tissage Magog)

[...] II Demande de mutation de la compagnie Dominion Textile inc. (Usine de tissage Magog) à la compagnie C.S. Brooks Canada (Imprimerie Magog) :

Dans le cas de fermeture complète et permanente de l'Usine de Tissage Magog de la compagnie Dominion Textile inc., les employés qui étaient à l'emploi de Dominion Textile en date du 18 janvier 1990 et qui sont affectés par une telle fermeture pourront demander au directeur des ressources humaines de la compagnie C.S. Brooks Canada (Imprimerie Magog) ou à son assistant d'inscrire leur nom sur la liste de rappel de l'usine.

En cas de vacance d'emploi et après que tous les employés de l'atelier ou de la compagnie C.S. Brooks Canada inc. (Imprimerie Magog) auront utilisé leurs droits, la compagnie accordera, en tenant compte de l'ancienneté parmi les employés nécessitant peu ou pas d'entraînement et par la suite par ancienneté parmi les autres employés, le droit d'être considérés en priorité à titre de nouvel employé advenant qu'il soit nécessaire pour celui-ci de procéder à une embauche pour combler une telle vacance d'emploi, et ce, sujet aux conditions suivantes :

- avoir effectivement fait une demande écrite au service des ressources humaines de la compagnie C.S. Brooks Canada inc. (Imprimerie Magog) ; les personnes qui seront embauchées ne conserveront aucune ancienneté acquise chez Dominion Textile inc. (Usine de Tissage Magog) sauf s'ils conservent leurs années de service accumulées pour l'application des bénéfices marginaux et/ou avantages sociaux prévus à la convention collective de la compagnie C.S. Brooks Canada inc. (Imprimerie Magog) ;

- advenant que plus d'un (1) employé soient embauchés la même journée, l'ancienneté accumulée chez Dominion Textile inc. (Usine de Tissage Magog) déterminera l'ordre de leur ancienneté ;

- un employé qui refusera un poste vacant ne sera plus sujet aux dispositions de ce qui précède ;

- les présentes particularités de l'entente seront effectives pour une période de deux (2) ans suivant la date officielle de la fermeture. [...]

Source : Négothèque, s. d.

Une fois prise la décision de recruter à l'interne, il importe d'identifier les méthodes choisies pour contacter les candidats potentiels. Plusieurs choix s'offrent alors à l'organisation.

1.1 L'affichage

L'affichage est probablement la méthode de recrutement interne la plus répandue.

L'affichage est probablement la méthode de recrutement interne la plus répandue, car elle est simple et peu coûteuse. Il s'agit d'apposer la description du poste à pourvoir sur un babillard ou un tableau prévu à cet effet, généralement installé dans un endroit passant comme la salle de repos des employés. Dans certaines organisations, l'affichage interne se fait au moyen d'un babillard électronique, d'une lettre adressée à l'ensemble du personnel ou encore d'une annonce dans le journal de l'entreprise. Dans les entreprises syndiquées, le mode et la durée de l'affichage sont souvent prévus dans la convention collective. Un exemple de convention collective précisant les modalités d'affichage est présenté à l'encadré 8.2.

ENCADRÉ 8.2 **Exemple de modalités d'affichage**

Convention collective de travail entre Produits forestiers Alliance inc. et Le Syndicat des travailleurs forestiers du Québec, 1999-2005

[...] ARTICLE 28 – AFFICHAGE

28.01

Toute occupation nouvelle ou vacante pour plus de quatre (4) semaines, sauf pour remplacement d'un employé régulier dans les cas de maladie, accident, vacances, absences autorisées et surcroît périodique de travail sera affichée sur les tableaux pour une période de cinq (5) jours ouvrables consécutifs, à l'exception des occupations forfaitaires. Dans le cas de surcroît périodique de travail, l'affichage ne se fera que si ce travail est d'une durée prévue de plus de six (6) semaines.

Seules les applications reçues en dedans de cette période de cinq (5) jours seront considérées par la Compagnie. Les avis officiels de la Compagnie seront affichés au bureau de Dolbeau-Mistassini et dans les camps.

Une occupation sera affichée s'il n'y a plus d'employé classifié sur cette occupation sur la liste de rappel et, s'il n'y a pas d'employé déjà à l'emploi dont cette occupation est reconnue à la liste d'ancienneté, et pour qui ce serait une promotion. Si une personne déjà à l'emploi refuse, par écrit, une telle promotion, elle verra cette occupation biffée de la liste d'ancienneté.

28.02

L'avis fournit les renseignements suivants :

A) Le titre de l'emploi ;
B) Un résumé des fonctions à remplir ;
C) Les exigences normales pour remplir le poste ;
D) L'endroit. [...]

Source : Négothèque, s. d.

Quel que soit le média utilisé, le principe de l'affichage interne consiste à faire savoir à l'ensemble des employés de l'entreprise qu'un poste est disponible, à les informer des compétences recherchées et à les inviter à poser leur candidature. Puisqu'il s'adresse à l'ensemble des employés, l'affichage interne peut générer de trop nombreuses candidatures. Deux autres méthodes de recrutement interne permettent donc de cibler davantage les candidats auxquels on s'adresse.

1.2 Les plans de relève

Comme nous l'avons vu au chapitre 4, les plans de relève permettent de raffiner la planification des ressources humaines en identifiant, pour chaque poste, les personnes susceptibles d'en assurer la succession (voir figure 4.10). Ces plans de relève peuvent figurer au dossier de chaque employé ou être synthétisés dans des tableaux de remplacement (Wils, Le Louarn et Guérin, 1991). Dans les grandes organisations, ces informations sont souvent numérisées et centralisées dans un système informatisé de ressources humaines.

Quelle que soit la forme prise par les plans de relève, leur utilisation en matière de recrutement interne est la même : on invite les personnes identifiées dans le plan de relève à poser leur candidature pour le poste vacant. Si le plan de relève choisit deux successeurs potentiels, mais indique que l'un est davantage prêt à être promu que l'autre, il arrive que seul ce candidat soit considéré pour le poste. Il arrive aussi qu'un plan de relève s'accompagne d'un programme de développement des compétences. Il s'agit alors d'une stratégie de recrutement à long terme, puisque les individus choisis ne sont pas immédiatement prêts à être promus. L'encadré 8.3 détaille le plan de relève conçu par l'aluminerie Alcan.

Alcan
www.alcan.com

ENCADRÉ 8.3 **Plan de relève d'Alcan : le GR/PC**

Ayant reconnu que la compétence de ses employés est essentielle à sa viabilité et à son succès à long terme, Alcan a conçu un processus de gestion de la relève et de perfectionnement des cadres (GR/PC) dans toute l'entreprise afin d'acquérir avec le temps des dirigeants de haute qualité. Ce processus étant considéré comme une priorité par l'entreprise, la haute direction a demandé aux gestionnaires de tous les niveaux de l'organisation de le prendre en charge et de promouvoir sa mise en œuvre dans leurs milieux respectifs. [...] Étant donné qu'Alcan est une entreprise très décentralisée, [...] des lignes directrices [ont été définies] afin de veiller à ce que tous les secteurs utilisent des processus semblables tout en tenant compte de leur contexte culturel et organisationnel. [...] [Les employés sont informés du processus GR/PC et] les rôles et responsabilités des [intervenants sont] énoncés de façon claire et détaillée. [...] Les gestionnaires sont évalués et récompensés pour leurs efforts en développement des compétences [et leur appui au perfectionnement de leur personnel]. [...]

Le processus GR/PC comporte dix étapes :

1) Le perfectionnement des dirigeants et la gestion de la relève sont tous deux fondés sur un processus d'évaluation axé sur les compétences.

2) Le rendement de l'employé est évalué par son supérieur immédiat au moins une fois par année en fonction d'un ensemble d'objectifs déterminés et d'un profil de compétences de base. Cette évaluation est considérée comme l'élément clé du processus et sert à constituer une base de données qui sera utilisée dans les autres composantes du système.

3) L'employé est tenu au courant de ses possibilités d'avancement et de ses perspectives de carrière.

4) L'employé fait connaître ses intérêts professionnels, ses aspirations, sa mobilité, etc. Au moins une fois par an, son superviseur aura avec lui une discussion officielle et écoutera ce que ce dernier a à dire quant à son perfectionnement professionnel.

5) Un plan de perfectionnement spécifique est alors déterminé en fonction de discussions antérieures sur la carrière de l'employé.

6) L'information provenant d'un examen de la gestion du rendement [...] est partagée lors de l'« exercice des groupes sur les aptitudes » qui se fait au niveau de l'unité ou de l'usine jusqu'à la direction ; [...] les gestionnaires se réunissent avec un représentant de la haute direction et partagent des renseignements sur le rendement de leurs subordonnés. Ce processus permet à des employés prometteurs d'être portés à l'attention de chaque échelon et même jusqu'à la haute direction. [...]

7) Les décisions sur les plans d'action en gestion de la relève et en formation des dirigeants sont prises dans le cadre du processus des groupes sur les aptitudes. Les gestionnaires peuvent soumettre un plan de perfectionnement pour un employé précis et le groupe sur les aptitudes discutera alors du cas et

»

décidera de mesures particulières, d'un transfert à une date prédéterminée, d'un emploi à l'étranger, d'une inscription au prestigieux Programme de perfectionnement de la direction de l'entreprise ou de toute autre activité de perfectionnement [jugée pertinente]. [...]

8) Un processus informatique assure le suivi des employés au moyen de profils détaillés, d'un enregistrement de leurs réalisations et de leurs compétences, ainsi que d'un plan de perfectionnement. [Toutes les divisions d'Alcan] ont accès à ces données. [...] L'ensemble du processus GR/PC est présenté en détail dans le réseau interne de l'entreprise (Intranet), accessible à l'échelle mondiale.

9) Un processus continu, au moins trimestriel, d'examen des ressources humaines de la haute direction est en place dans toutes les unités ou entreprises exploitées. Un « comité consultatif sur les ressources humaines » prend une journée par trimestre pour faire le suivi des décisions prises et les mettre en œuvre.

10) Dans le cadre de l'examen annuel du plan d'affaires [...], un plan de développement des ressources humaines (DRH) est présenté au directeur général [...] [et analysé selon les données des entreprises d'Alcan à l'échelle mondiale. Dès lors, des plans de relève pour l'ensemble des postes sous sa responsabilité directe sont proposés.]

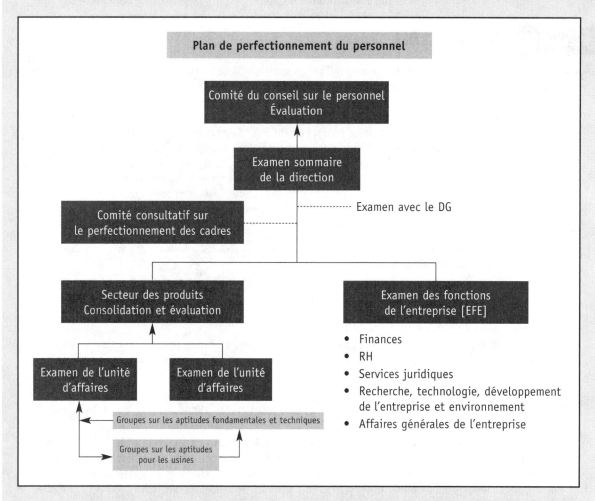

Plan de perfectionnement du personnel

Comité du conseil sur le personnel
Évaluation

Examen sommaire
de la direction

Examen avec le DG

Comité consultatif sur
le perfectionnement des cadres

Secteur des produits
Consolidation et évaluation

Examen des fonctions
de l'entreprise [EFE]

- Finances
- RH
- Services juridiques
- Recherche, technologie, développement de l'entreprise et environnement
- Affaires générales de l'entreprise

Examen de l'unité
d'affaires

Examen de l'unité
d'affaires

Groupes sur les aptitudes fondamentales et techniques

Groupes sur les aptitudes
pour les usines

[...] Diverses mesures sont utilisées pour mesurer l'efficacité du processus GR/PC, notamment le pourcentage de postes comblés à l'interne [...], le pourcentage d'employés prometteurs ayant des plans de perfectionnement particuliers [et le nombre de départs et de promotions parmi les employés prometteurs]. [...]

Source : Duxbury, Dyke et Lam, 1999.

Les plans de relève constituent donc une méthode de recrutement basée sur une connaissance approfondie d'un petit nombre de candidats et qui est beaucoup plus ciblée que la méthode de l'affichage. L'utilisation des plans de relève est privilégiée pour les postes de cadre ou de cadre supérieur et pour les candidats déterminés par l'organisation comme ayant un fort potentiel (Rothwell, 1994). Son inconvénient majeur est le manque de transparence, puisque les employés de l'organisation qui n'ont pas été choisis dans le plan de relève ne peuvent accéder à ces postes.

Les plans de relève constituent une méthode de recrutement beaucoup plus ciblée que celle de l'affichage.

L'usage des plans de relève est généralement limité aux grandes entreprises. En effet, cet outil de gestion est particulièrement utile lorsque la taille de l'organisation rend impossible la connaissance, par une seule et même personne, de tous les successeurs potentiels de tous les cadres. Dans une PME, la relève est moins nombreuse, donc plus facile à gérer de façon informelle. Par ailleurs, la mise en place d'un plan de relève peut être coûteuse, ce qui limite encore son utilisation par les PME. Cependant, l'utilisation des plans de relève aux fins de recrutement peut être remplacée par l'usage d'un répertoire des compétences.

1.3 Les répertoires des compétences

L'arrivée sur le marché des systèmes d'information en ressources humaines, de même que la pression croissante mise sur le développement des compétences des employés, a favorisé l'émergence des répertoires des compétences du personnel (voir chapitre 4). Un tel répertoire regroupe, sous forme de fiches individuelles, l'ensemble des données relatives aux compétences détenues par les employés de l'organisation.

Les répertoires des compétences permettent de cibler efficacement les candidats sur la base des compétences recherchées.

Ces répertoires permettent de repérer rapidement les employés qui possèdent des compétences spécifiques dans le but de pourvoir un poste. Une fois identifiés, ces candidats potentiels sont approchés individuellement et sont invités à poser leur candidature. Il s'agit donc d'une méthode rapide qui permet de cibler efficacement les candidats à contacter sur la base des compétences recherchées. Contrairement aux plans de relève, les répertoires de compétences peuvent inclure l'ensemble du personnel et sont assez fréquemment utilisés par les PME.

Malgré tous les efforts déployés pour identifier les talents parmi ses employés, il arrive fréquemment qu'une entreprise ne puisse pas, ou ne souhaite pas, concentrer ses efforts de recrutement uniquement à l'interne. Elle se tourne alors vers les membres de la population active, qu'ils soient ou non à la recherche d'un emploi.

2. Les méthodes de recrutement à l'externe

Alors que le recrutement interne s'adresse à un groupe limité d'individus – les employés de l'organisation –, le recrutement externe vise l'ensemble de la population active, qu'elle soit à la recherche d'un emploi ou non. Il s'agit donc d'un groupe à la fois étendu et diversifié. Pourtant, comme nous l'avons expliqué dans l'introduction de ce chapitre, le recrutement se doit d'être ciblé pour éviter les candidatures non pertinentes et en nombre trop important. C'est le choix des méthodes utilisées pour communiquer avec les candidats potentiels qui permet de cibler ces derniers… et en matière de communication, les gestionnaires ont l'embarras du choix ! La figure 8.1 présente la proportion de recrutements externes effectués au moyen de différentes méthodes aux États-Unis. Celles-ci sont détaillées dans les pages qui suivent.

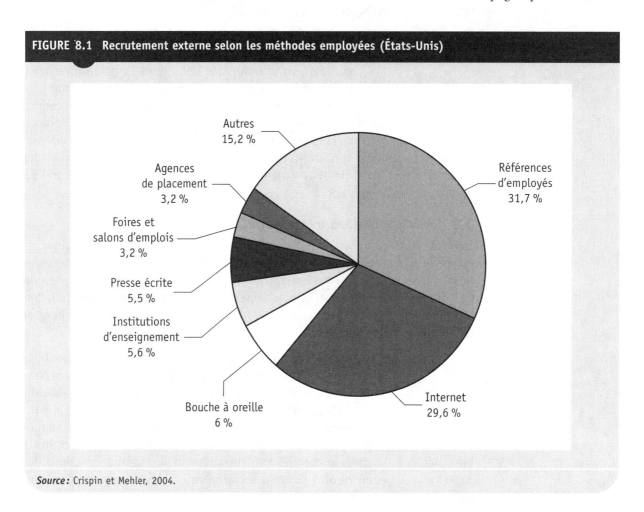

FIGURE 8.1 Recrutement externe selon les méthodes employées (États-Unis)

- Autres 15,2 %
- Agences de placement 3,2 %
- Foires et salons d'emplois 3,2 %
- Presse écrite 5,5 %
- Institutions d'enseignement 5,6 %
- Bouche à oreille 6 %
- Références d'employés 31,7 %
- Internet 29,6 %

Source : Crispin et Mehler, 2004.

Le choix d'une méthode de recrutement doit être guidé en tout premier lieu par les exigences de l'emploi et par le profil de compétences recherché. Les questions de budget et de délai de recrutement sont également des critères à considérer. Notons que ces méthodes ne sont pas mutuellement exclusives et qu'il arrive souvent qu'une entreprise utilise conjointement plusieurs méthodes.

2.1 La presse écrite

Faire paraître une annonce d'emploi dans la presse écrite est une méthode de recrutement très utilisée par des entreprises de toute taille. Cependant, la forme que peut prendre une telle annonce est très variable, car il existe différentes publications, allant des quotidiens nationaux aux hebdomadaires locaux, en passant par les magazines spécialisés. Le média et le type d'annonce devront donc être choisis avec soin en fonction du profil du poste à pourvoir et des contraintes de l'organisation.

Le choix du média

Le premier critère qui influence le choix du média est le profil du candidat recherché, qui détermine la taille et la localisation du bassin de candidats à contacter. Comme les postes peu spécialisés sont généralement pourvus par une main-d'œuvre locale, les hebdomadaires régionaux constituent un bon choix pour diffuser une annonce. En revanche, un poste plus spécialisé attirera un nombre plus restreint de candidatures provenant d'une zone géographique plus étendue. Dans ce cas, un quotidien national ou une revue spécialisée sont à privilégier. Pour un poste qui exige des compétences très techniques ou spécialisées, les candidats potentiels sont souvent dispersés géographiquement. Il est alors nécessaire de publier l'annonce dans un magazine spécialisé national ou international. À titre d'exemple, un hôpital utilisera les journaux locaux pour recruter des infirmiers, fera appel aux journaux nationaux pour pourvoir les postes de gestionnaires, et publiera des annonces dans des revues spécialisées internationales pour attirer des chercheurs de premier plan.

Outre la localisation du bassin de candidats potentiels, le choix d'utiliser un média local, national ou international dépend du lieu de travail du poste à pourvoir. Ainsi, une entreprise qui cherche un gestionnaire pour sa succursale de Paris augmentera ses chances de recrutement en faisant paraître une annonce dans les journaux nationaux français, voire dans les journaux parisiens. Ces questions seront abordées en détail dans le chapitre suivant qui détaillera les stratégies de recrutement international.

Par ailleurs, le budget alloué aux activités de recrutement constitue un troisième critère important à considérer dans le choix d'un média. Faire paraître une annonce dans un journal national, comme *La Presse,* est beaucoup plus coûteux que de publier une annonce dans un journal local. Le tableau 8.2 fournit des données comparatives à ce sujet. En outre, aux coûts reliés à la préparation et à la parution de l'annonce s'ajoutent les frais de transport et d'hébergement engendrés par la rencontre de candidats habitant à l'extérieur de la ville.

D'autres contraintes, comme le délai requis pour pourvoir le poste, peuvent également influencer le choix d'un média. Par exemple, les revues spécialisées ont parfois une fréquence de publication mensuelle, ce qui risque de retarder inutilement le processus de dotation. Dans ce cas, on préférera un média hebdomadaire moins spécialisé ou une autre méthode de recrutement, comme Internet.

Notons finalement que le choix d'un média peut être influencé par les objectifs de diversité d'une organisation, comme y faisait allusion le chapitre 2. Ainsi, une entreprise qui souhaite améliorer la représentation de certains groupes minoritaires parmi ses employés peut choisir d'annoncer ses postes dans des journaux lus spécifiquement par les membres d'une communauté. Il arrive même qu'une organisation traduise ses annonces d'emploi pour les publier dans des journaux s'adressant à un public allophone.

TABLEAU 8.2 **Coûts comparatifs d'affichage de poste dans divers journaux nationaux**

Journal	Coût d'affichage d'une annonce professionnelle de 30 à 60 lignes, section carrière (samedi) Prix (hors taxes)	Coût d'affichage d'une annonce classée de 4 lignes, section petites annonces (samedi) Prix (hors taxes)
Journal de Montréal	270,00 $	33,79 $
Jobboom (Internet seulement)	550,00 $	
Jobboom Extra (Internet et *Journal de Montréal*)	638,88 $	
La Presse	1108,80 $	34,72 $
The Gazette	1508,00 $	64,72 $
Voir – Montréal	196,50 $	30,00 $
Le Soleil	187,20 $	12,64 $
The Globe and Mail – National*	2812,60 $	199,24 $
The Globe and Mail – Central (Québec et Ontario)*	2629,00 $	187,00 $
Les Affaires	295,00 $	78,00 $
Le Droit	108,00 $	12,31 $
Le Devoir	151,20 $	35,00 $

* Affichage minimal de 3 jours.
Prix en vigueur en juin 2006.

La diversité des types de publications exige donc qu'un responsable de la dotation connaisse très bien la presse écrite, notamment les journaux locaux, nationaux et internationaux ainsi que les revues spécialisées desservant des régions géographiques ou des groupes d'intérêt particuliers. La sélection du média doit tenir compte de son tirage et du profil des lecteurs.

Le type d'annonce

Les annonces classées conviennent surtout à des postes peu spécialisés.

Il y a deux types d'annonces de recrutement dans les journaux : les annonces classées et les annonces professionnelles. Les annonces classées ne sont pas limitées aux annonces d'emploi. Elles couvrent une vaste gamme de produits et services, allant de l'immobilier aux annonces personnelles. Les annonces classées sont courtes et conviennent surtout à des postes peu spécialisés dont la description peut se faire aisément de façon concise. Même si les annonces d'emploi publiées dans la section annonces classées peuvent manquer de visibilité, il s'agit d'un moyen peu coûteux de recruter des candidats pour des postes peu spécialisés.

Les annonces professionnelles, publiées dans la section carrière, offrent au contraire une grande visibilité et constituent une occasion de faire à la fois la promotion du poste et celle de l'entreprise. De plus grande taille que les annonces classées, elles permettent de donner davantage de détails sur les tâches et les responsabilités reliées au poste, incluant les compétences, les connaissances et l'expérience exigées. Elles sont donc essentiellement utilisées pour annoncer des postes spécialisés. Cependant, leur préparation peut souvent prendre plusieurs jours et elles peuvent être assez coûteuses, selon leur taille et leur emplacement dans le journal.

Compte tenu du temps et de l'argent investis, il est important que l'annonce professionnelle ait un maximum de visibilité. Quelques principes permettent d'augmenter l'impact de ces annonces :

Les annonces professionnelles sont utilisées pour annoncer des postes spécialisés.

- Choisir le jour de publication : le lectorat des quotidiens varie en fonction des jours de publication. Une annonce parue dans la section carrière du samedi a plus de chance d'être remarquée qu'une annonce de même taille publiée un autre jour.
- Viser les endroits stratégiques, comme la première ou la dernière page du cahier carrière et la partie supérieure de la page.
- Préférer faire paraître l'annonce en janvier ou en août : les personnes à la recherche d'un emploi prennent souvent la résolution de trouver un nouvel employeur en début d'année ou au retour des vacances d'été.
- Éviter de placer une annonce avant le début d'une longue fin de semaine ou pendant les congés : la plupart des gens se préoccupent alors davantage de leurs déplacements ou de leurs activités familiales que de leur recherche d'emploi.

De plus, pour aider les entreprises, certaines agences se spécialisent dans la préparation et la soumission d'annonces professionnelles de recrutement dans des journaux sélectionnés. Elles peuvent rédiger l'annonce, corriger une annonce déjà rédigée ou encore aider leurs clients à réaliser leur maquette. Pour ces services, ces agences facturent un montant fixe ou demandent une commission calculée en fonction du salaire offert pour le poste à pourvoir. Nous reviendrons plus en détail au chapitre 10 sur le contenu d'une annonce.

2.2 Le recrutement en ligne

Comme les autres méthodes de recrutement, Internet doit être utilisé de façon ciblée.

Avec la croissance d'Internet, le recrutement en ligne est de plus en plus populaire (La Toile des recruteurs, 2004). Généralement, Internet offre facilement et rapidement une visibilité importante auprès de nombreux candidats, et ce, à une fraction des coûts des méthodes plus traditionnelles (Galanaki, 2002). Malgré les avantages évidents du recrutement en ligne, sa facilité d'utilisation pour les chercheurs d'emploi peut également se traduire par un déluge de candidatures pas toujours adaptées à la qualification requise. Ainsi, tout comme les autres méthodes de recrutement, Internet doit être utilisé de façon ciblée.

Il existe essentiellement trois formes de recrutement en ligne (Galanaki, 2002) : l'annonce sur le site Web de l'entreprise, les sites gouvernementaux de banques d'emplois et les sites privés ou spécialisés.

Le site d'entreprise

Créer un bon site Web est un atout commercial pour une entreprise ; dans un contexte de recrutement, il peut également devenir un atout pour les ressources humaines. Selon un récent sondage, 94 % des compagnies de la liste *Global 500*, dressée par le magazine *Fortune*, avaient une section carrière sur leur site Web d'entreprise, une pratique en croissance exponentielle depuis 1998 (iLogos Research, 2003). Une autre étude indique que les firmes de la liste de *Fortune* affichent jusqu'à trois fois plus de postes sur leur site d'entreprise que sur les sites Web d'annonces d'emploi, comme ceux dont il sera question plus loin dans ce chapitre (iLogos Research, 2002).

> Créer un bon site Web d'entreprise est un atout dans un contexte de recrutement.

L'utilisation du site d'entreprise comme méthode de recrutement dépend cependant de la taille de l'organisation, du secteur d'activité dans lequel elle évolue et des postes à pourvoir (Hausdorf et Duncan, 2004). Ainsi, seules 21 % des 300 plus importantes PME du Québec ont un site d'entreprise qui inclut une section carrière (La Toile des recruteurs, 2002a). Et seulement 41 % des plus importantes compagnies américaines dans le secteur du commerce de détail utilisent leur site Web d'entreprise pour recruter des employés non cadres (iLogosResearch, 2004).

Pour une entreprise qui possède déjà un site Web, installer un lien sur les perspectives de carrière à partir de la page d'accueil entraîne un coût minime. De plus, contrairement aux annonces publiées dans la presse écrite, le site Web restreint peu la taille de l'annonce. Toutes les informations que l'entreprise juge pertinentes peuvent donc y figurer : assurance collective, possibilités d'actionnariat, horaires, code vestimentaire, etc. Cette méthode permet donc à la fois de cibler les candidats qui connaissent l'entreprise et s'y intéressent, et de promouvoir les caractéristiques de l'entreprise.

Selon les organisations, la section du site Web consacrée à la dotation est plus ou moins développée. Certaines entreprises se contentent d'afficher la liste des postes disponibles et d'indiquer aux candidats la procédure à suivre pour postuler. D'autres possèdent un site Web plus élaboré qui permet aux candidats de postuler en ligne, soit en envoyant leur curriculum vitæ par courriel, soit en remplissant un formulaire en ligne. Ces curriculum vitæ électroniques sont ensuite compilés dans une base de données au sein de laquelle les recruteurs peuvent faire des recherches par mots-clés (Mohamed, Orife et Wibowo, 2002 ; Noël, 2001). L'encadré 8.4 présente l'évaluation faite par la Toile des recruteurs de plusieurs sites Web d'entreprise, tandis que l'encadré 8.5 résume les principaux conseils pour rédiger la section carrière d'un tel site.

Même si le site Web de l'entreprise présente de nombreux avantages, il ne remplace pas les autres méthodes traditionnelles pour faire la publicité d'un poste vacant. Il arrive souvent que des candidats fassent une demande d'emploi par Internet après avoir pris connaissance du poste à pourvoir dans les annonces professionnelles du journal local. Une étude indique que 94 % des candidats se disent susceptibles ou très susceptibles de visiter le site de l'entreprise après avoir vu une annonce sur un site d'annonces d'emploi (Stevens, 2005), et les deux tiers des candidats qui postulent le font alors sur le site de l'entreprise. Seules les compagnies extrêmement connues et convoitées peuvent se contenter de leur site Web comme unique méthode de recrutement. Il existe cependant plusieurs autres possibilités que le site Web d'entreprise.

ENCADRÉ 8.4 **Points forts de certains sites Web d'entreprise**

Métro → www.metro.ca

La section carrière détient une place importante; l'entreprise fait preuve de crédibilité et de convivialité; les avantages d'y travailler sont bien spécifiés; les annonces d'emploi sont présentées de façon sobre et efficace; la date de fin d'affichage est clairement identifiée; il est simple de soumettre sa candidature.

La Queue de Cheval → www.queuedecheval.com

Une fois dans la section carrière, il n'y a pas de perte de temps; les postes sont affichés les uns sous les autres; l'ambiance de travail est bien vendue par l'entremise de la présentation de l'équipe; le formulaire en ligne est simple à utiliser; les exigences spécifiques du poste sont décrites plutôt que le poste en lui-même.

Ubi Soft → http://jobs.ubisoft.ca/fr/

Le site fait la promotion de la compagnie; présente les atouts du Québec et de Montréal pour attirer les candidats; met en avant les avantages concrets offerts aux employés; permet l'accès immédiat aux annonces; utilise des photos et des témoignages; le dépôt des candidatures se fait par courriel.

Cascades → www.cascades.com

Le site est facile à lire; utilisation de photos; présentation des avantages de travailler pour Cascades; moteur de recherche pour consulter les annonces; possibilité de mettre à jour sa candidature; les étudiants ont leur espace pour les annonces de stages; possibilité de recevoir les nouvelles annonces d'emploi via l'Alerte-Emploi.

Le Cirque du Soleil → www.cirquedusoleil.com

Charte graphique d'une qualité rare; images et illustrations; soumission de candidature en ligne qui se fait de façon simple et efficace; possibilité de soumettre son profil en tout temps; présente la durée approximative pour soumettre son profil; annonces présentées les unes sous les autres; moteur de recherche pour trouver des annonces selon le profil.

Hydro-Québec → www.hydroquebec.com

La section carrière est bien mise de l'avant; page portail; navigation rapide; contenu clair et précis; présentation des avantages de joindre Hydro-Québec; annonces d'emploi facilement accessibles; soumission de candidature en ligne; possibilité de modifier son profil en tout temps; présente les étapes du recrutement; nombreuses rubriques (Emplois et stages, Carrières d'avenir, etc.).

Sources: La Toile des recruteurs, 2002b; 2002c; 2002d; 2002e; 2002f; 2002h.

Les sites gouvernementaux

Les gouvernements du Canada et du Québec offrent gratuitement aux entreprises et aux particuliers des banques d'emplois accessibles par Internet. L'annexe A fournit les adresses de ces sites gouvernementaux. Ces derniers, qui bénéficient d'une grande visibilité, permettent aux organisations de publier leurs annonces d'emploi, de jumeler les candidats et les postes à l'aide de mots-clés, d'effectuer le suivi du recrutement en ligne et de recevoir régulièrement par courriel les nouvelles candidatures qui correspondent à leurs critères.

Emploi Québec
http://placement.emploiquebec.net

Guichet Emplois
www.guichetemplois.gc.ca

Outre les sites généraux, les gouvernements ont également mis en place des sites plus spécialisés de placement destinés à une clientèle spécifique. Par exemple, Emploi Québec et Guichet Emplois, sites respectifs du gouvernement provincial et du gouvernement fédéral, publient tous les deux des annonces d'emploi destinées à la population étudiante, ainsi que des candidatures d'étudiants à la recherche d'un emploi.

Bien que les sites gouvernementaux soient accessibles à tous les chercheurs d'emploi, les postes qui y sont affichés sont généralement peu qualifiés, exigeant rarement plus que des études collégiales. Il s'agit donc là d'excellentes méthodes de recrutement pour pourvoir des postes peu spécialisés, mais les sites privés sont à privilégier pour recruter des candidats plus qualifiés.

Les sites privés ou spécialisés

Outre les sites gouvernementaux, des milliers de sites se spécialisent dans le recrutement du personnel. Bien que certains offrent l'affichage d'un poste gratuitement, la plupart sont payants mais, contrairement à la presse imprimée, les **prix de la publication des annonces sont fixes** et non pas variables en fonction de la taille ou du nombre de mots. Les tarifs débutent généralement aux alentours de 200 dollars canadiens pour les employeurs, mais la grande majorité des sites permettent aux chercheurs d'emploi d'afficher leur curriculum vitæ gratuitement. L'annexe A répertorie les principaux sites privés et le tableau 8.3 dresse le bilan de leur notoriété auprès du public.

Tout comme sur les sites gouvernementaux, les services de jumelage recueillent les curriculum vitæ des chercheurs d'emploi et les associent à des employeurs potentiels. Les candidats peuvent soumettre leur curriculum vitæ anonymement, ce qui leur permet de postuler sans avoir peur de subir des représailles de la part de leur employeur actuel. C'est alors à l'employeur potentiel de contacter le chercheur d'emploi qui choisira de donner suite ou non à sa candidature.

TABLEAU 8.3	Étude de notoriété des principaux sites de recrutement au Québec et au Canada auprès du public			
Québec		**Canada**		
Monster	47 %	Monster	35 %	
La Presse	34 %	Jobbank	17 %	
Careermosaic Québec	15 %	Careermosaic Canada	14 %	
Activeemploi	14 %	Workopolis	14 %	
Viasite	13 %	Globecareer	11 %	
Jobboom	10 %	Careerclick	11 %	

Source : Millward Brown, 2000.

L'utilisation des sites privés de recrutement permet aux recruteurs de gagner du temps grâce au jumelage des curriculum vitæ. Cependant, ces sites sont parfois victimes de leur succès : ils attirent un très grand, parfois un trop grand, nombre de candidats. Comme les sites généraux connaissent une grande popularité, le curriculum vitæ d'un même candidat peut être envoyé à plusieurs employeurs en même temps, et il arrive fréquemment qu'un candidat reçoive plusieurs invitations à la fois pour passer une entrevue.

Pour éviter cette affluence, les sites spécialisés par profession ou par secteur d'activité sont une option intéressante (voir annexe A). Ils permettent un recrutement plus ciblé, faisant donc économiser temps et argent aux recruteurs. D'ailleurs, un récent sondage indique que 88 % des entreprises placent l'utilisation d'un site spécialisé parmi les trois méthodes les plus efficaces pour recruter du personnel en technologies de l'information et des communications ; 79 % des entreprises interrogées citent également les sites généralistes de recrutement dans le trio de tête des méthodes efficaces (Bossut, 2006).

Lorsqu'une entreprise publie une annonce sur un site privé ou spécialisé dans le recrutement, ce dernier se contente de jumeler l'employeur à des curriculum vitæ envoyés par des personnes à la recherche d'un emploi. Les sites ne font pas de recherche active de candidats auprès de personnes qui ne songent pas réellement à changer d'emploi, et ne rencontrent pas les candidats potentiels avant de les référer aux employeurs. Une entreprise qui souhaite bénéficier de ce genre de service doit s'adresser à une agence privée de recrutement.

2.3 Les agences privées de recrutement

Les agences privées sont des intermédiaires entre employeurs et chercheurs d'emploi.

Les agences privées sont des compagnies qui jouent le rôle d'intermédiaire entre employeurs et personnes désireuses de se trouver un emploi. En plus de fournir à leurs clients **une banque de candidatures** qui leur permet de consulter des curriculum vitæ, les agences privées peuvent également **chercher et sélectionner** des candidats en fonction d'attentes spécifiques. Puisqu'elles font une recherche active de candidats, elles peuvent contacter directement des individus plutôt que d'attendre que ceux-ci postulent.

Ces agences permettent donc de sous-traiter une partie des activités de dotation, ce qui peut être utile pour des entreprises dont le service des ressources humaines est surchargé ou embryonnaire. Dans un contexte où le délai de recrutement est court, ces agences permettent à l'organisation d'économiser du temps, car elles présélectionnent les candidats et peuvent, au besoin, leur faire passer des tests ou vérifier leurs références. Comme elles fournissent une **analyse objective** du poste, du contexte et des candidatures, les agences privées sont particulièrement recommandées pour des entreprises qui ont peu l'habitude de recruter.

Cependant, le recours à des agences privées de recrutement coûte cher. Comme les modalités du contrat et le coût du service dépendent du type d'agence, il est important d'examiner les différents types d'agences et les services qu'elles proposent.

Les agences de placement

Lorsqu'un candidat est engagé par l'intermédiaire d'une agence de placement, l'employeur doit payer des honoraires.

Ces entreprises desservent une variété de professions et de domaines, allant d'emplois de bureau à des postes techniques et professionnels. La première étape du travail de l'agence de placement consiste à recueillir des renseignements sur l'entreprise cliente ainsi que sur le poste à pourvoir. Cela lui permet de comprendre la nature des besoins pour sélectionner et recommander avec compétence des candidats adéquats.

L'agence de placement trouve ensuite des candidats correspondant au profil recherché. Les agences tiennent à jour des banques de données de candidats potentiels, mais elles peuvent également faire passer des annonces pour attirer de nouveaux candidats ou utiliser leur réseau de connaissances pour contacter des personnes qu'elles jugent intéressantes.

Selon les besoins de l'organisation cliente, l'agence peut effectuer, par la suite, tout le processus de sélection du candidat ou une partie de celui-ci, mais la décision finale d'embauche revient toujours à l'employeur. Lorsqu'un candidat est engagé par l'intermédiaire d'une agence de placement, l'employeur doit payer à celle-ci des honoraires établis d'après le type et le niveau hiérarchique du poste. Elles reçoivent habituellement un pourcentage (allant de 10 % à 30 %) du salaire annuel de base du candidat sélectionné, mais elles peuvent aussi recevoir un montant forfaitaire. Un employeur peut confier un même mandat de recrutement à plusieurs agences, mais seule celle qui aura trouvé le candidat finalement engagé sera rémunérée. Par ailleurs, l'agence garantit habituellement la satisfaction du client pendant une période allant de un à six mois. Si les candidats ne conviennent pas ou s'ils quittent leur poste de leur propre chef pendant cette période, il est habituel que l'agence trouve un nouveau candidat sans frais additionnels.

La plupart des agences de placement se spécialisent dans un domaine ou un type de poste particulier. Il est donc nécessaire pour l'organisation de s'adresser à l'agence la plus qualifiée dans le domaine ciblé, et cela afin de maximiser l'efficacité de cette méthode. Certaines agences sont spécialisées dans le placement temporaire. Elles constituent une autre méthode de recrutement à considérer.

Les agences de placement temporaire

Associées auparavant à des postes d'employé de bureau, les agences de placement temporaire œuvrent aujourd'hui dans divers domaines tels que la comptabilité, les services de santé, le commerce, les technologies de l'information et les ventes. Comme leur nom l'indique, ces agences sont utilisées pour pourvoir des postes qui sont temporairement vacants.

Dans le cas du placement temporaire, la personne recrutée fait partie du personnel de l'agence.

Tout comme les agences de placement décrites précédemment, les agences de placement temporaire s'assurent de bien comprendre les besoins en personnel de l'entreprise cliente et lui proposent le candidat répondant le mieux à ses attentes. Cependant, dans le cas du placement temporaire, la personne recrutée fait partie du personnel de l'agence, et non pas de l'organisation dans laquelle elle travaille. L'organisation cliente reçoit périodiquement une facture comprenant le salaire de l'employé et des frais de service qui varient généralement de 40 % à 100 % du salaire de l'employé temporaire.

Les affectations peuvent varier d'une journée à une année mais, quelle que soit la durée du contrat, l'employé temporaire demeure à l'emploi de l'agence. Il n'est cependant payé que pour les heures travaillées dans l'entreprise cliente. Il arrive que certains contrats autorisent l'organisation cliente à embaucher l'employé, mais elle doit alors verser un montant supplémentaire en dédommagement à l'agence de placement temporaire.

Les agences de recrutement de cadres

L'agence de recrutement de cadres contacte directement les candidats potentiels.

Les recruteurs de cadres, sans doute mieux connus sous le nom de « chasseurs de têtes », sont experts, comme leur nom l'indique, dans le recrutement de personnel pour des postes de cadre intermédiaire ou supérieur. Comme il s'agit de postes extrêmement spécialisés, ces agences n'ont pas de banque de candidats, mais elles identifient les candidats potentiels grâce au réseautage et à leur connaissance du marché. L'agence de recrutement de cadres contacte directement et en toute confidentialité les candidats potentiels : dans la plupart des cas, ceux-ci occupent déjà un poste et ne sont pas à la recherche active d'un emploi. L'agence se charge généralement de la présélection et ne retient qu'un ou deux candidats qu'elle présente à l'employeur pour la suite du processus de sélection. L'agence peut aussi se charger de coordonner les autres étapes du processus et de vérifier les références des candidats.

Comme il s'agit de services très spécialisés, les agences de recrutement de cadres coûtent cher. Elles facturent un pourcentage du salaire annuel du candidat recruté, généralement autour de 30 %, et garantissent le remplacement sans frais du candidat si celui-ci ne convient pas ou quitte son poste au cours de la première année. Les agences de recrutement de cadres offrent également une politique de protection du client qui définit la période de temps pendant laquelle elles s'abstiendront de contacter le candidat pour un autre poste. Si une agence a travaillé pour une entreprise pendant une période de temps raisonnable, elle garantit généralement une période pendant laquelle elle n'approchera aucun employé de l'entreprise afin de trouver un candidat pour un autre client.

2.4 Les bureaux et agences publics

Centre local d'emploi
www.formulaire.gouv.qc.ca

Au Québec, le gouvernement a mis en place un réseau de centres locaux d'emploi (CLE) qui proposent de l'aide et des outils aux demandeurs d'emploi pour faciliter leur recherche. Les CLE offrent gratuitement aux employeurs des services d'affichage d'annonces d'emploi. Ainsi, la clientèle des centres locaux a-t-elle accès non seulement au site Web d'affichage de postes d'Emploi Québec, décrit plus tôt dans ce chapitre, mais aussi au babillard où l'affichage des postes peut se faire directement. Il s'agit donc d'une solution intéressante pour un employeur qui souhaite recruter rapidement sans toutefois obtenir un aussi grand nombre de candidatures que s'il annonçait le poste sur Internet. Cependant, les CLE génèrent en général des candidatures relativement peu qualifiées.

Carrefour jeunesse-emploi
www.formulaire.gouv.qc.ca

Par ailleurs, les carrefours jeunesse-emploi (CJE) sont des organismes à but non lucratif, financés principalement par Emploi Québec, qui ont pour mandat d'offrir des services d'accompagnement aux jeunes dans leur cheminement vers l'emploi. Les CJE offrent aux employeurs la possibilité d'afficher gratuitement les postes vacants. C'est une méthode de recrutement appropriée pour les entreprises qui cherchent une main-d'œuvre peu qualifiée ou des jeunes à embaucher comme apprentis.

2.5 Les salons et foires de l'emploi

Parmi toutes les méthodes de recrutement disponibles, les salons et foires de l'emploi sont les seules à permettre aux employeurs d'établir, en quelques jours, un contact direct avec un grand nombre de candidats potentiels. Mais la participation à ces salons nécessite un effort plus grand que l'affichage d'un poste sur Internet ou dans la presse.

Les salons et foires de l'emploi permettent aux employeurs d'établir un contact direct avec les candidats potentiels.

Tout d'abord, il est important de bien choisir le salon en fonction des besoins de l'organisation. Les éléments les plus importants à considérer sont le profil de la clientèle qui sera présente au salon, la portée géographique de l'événement et son thème. Comme le montre l'annexe C, il existe plusieurs types de salons de l'emploi qui attirent différentes clientèles, bien que leur dénominateur commun soit de rassembler des entreprises à la recherche de nouveaux employés.

Les salons de l'emploi sur les campus

Les salons de l'emploi organisés sur les campus universitaires ou collégiaux sont très populaires auprès des étudiants et des nouveaux diplômés. Ils constituent une stratégie idéale pour les entreprises procédant au recrutement pour des postes d'entrée, des stages, des programmes d'enseignement coopératif et pour des emplois d'été ou à temps partiel. Les universités les plus importantes tiennent souvent plusieurs salons de l'emploi, chacun axé sur une discipline universitaire ou professionnelle spécifique.

Les salons de l'emploi dans la collectivité

Ce type de salon est de nature générale et ne vise pas des compétences ou des professions spécifiques. Un large échantillon d'entreprises peut y participer, dont le point commun est la proximité géographique et non le secteur industriel. Puisque ces salons visent essentiellement une main-d'œuvre locale, ils sont surtout appropriés pour recruter pour des emplois peu qualifiés ou techniques.

Les salons de l'emploi spécialisés

Comme leur nom l'indique, ces salons visent des groupes particuliers de spécialité, par exemple un salon de l'emploi technique ou un salon de l'emploi pour les professions médicales. Parce qu'ils sont spécialisés, ces salons attirent généralement un moins grand nombre de candidats, mais ces derniers possèdent tous la même spécialité. Il s'agit donc d'un outil extrêmement ciblé de recrutement.

Quel que soit le salon choisi, celui-ci offre aux entreprises qui y participent une grande visibilité. Encore faut-il que l'entreprise sache se démarquer de ses concurrents par un kiosque qui retiendra l'attention des candidats éventuels. Le choix des animateurs présents au salon est également à considérer soigneusement : ils doivent être accueillants, souriants et connaître parfaitement l'entreprise. Par exemple, une organisation qui souhaite municiper son programme d'accès à l'égalité peut veiller à ce que certains animateurs soit issus des groupes cibles.

Le coût de la participation à un salon varie de quelques centaines à quelques milliers de dollars, en fonction de l'envergure de l'événement. À la location de l'espace dans le salon, s'ajoutent les coûts du kiosque et de ses équipements, des brochures et autres outils promotionnels, et du personnel présent.

2.6 Les institutions d'enseignement

Idéales pour recruter des étudiants ou des jeunes diplômés, les institutions d'enseignement universitaire, collégial ou professionnel possèdent habituellement un service de placement. La bonne réputation de ces établissements est étroitement liée au taux d'embauche de leurs diplômés, d'où leur intérêt à offrir aux employeurs un service de qualité. Certains établissements fournissent uniquement un babillard aux entreprises pour qu'elles puissent afficher des annonces d'emploi gratuitement ou à des coûts modestes. D'autres identifient des curriculum vitæ en fonction de la qualification recherchée par l'entreprise, ou réalisent les entrevues de présélection. Plusieurs établissements offrent également leurs services aux diplômés, quelle que soit la date de fin de leurs études.

Sur certains campus, un employeur peut réserver des locaux pour faire passer des entrevues à des candidats potentiels. Dans ce cas, le service de placement se charge de publier l'annonce d'emploi, de faire la promotion des entrevues et de présélectionner les étudiants.

Les institutions d'enseignement peuvent également permettre de recruter des stagiaires ou des employés d'été. Pour une entreprise, c'est un moyen intéressant pour mieux connaître un individu à qui elle pourra, à la fin de ses études, faire une offre d'emploi permanent. Certaines entreprises n'hésitent pas à commanditer des événements étudiants ou à offrir des bourses d'études afin de découvrir, le plus tôt possible, les étudiants prometteurs. Ces stratégies sont à privilégier pour un recrutement à long terme.

2.7 Les associations professionnelles et les syndicats

La plupart des ordres professionnels et des syndicats possèdent un service de placement ou un site Web.

Lorsque l'on cherche des candidats avec une qualification professionnelle particulière, les associations, les ordres professionnels et les syndicats peuvent constituer des partenaires intéressants. Il est même indispensable de les contacter lorsque l'appartenance à un ordre professionnel est une condition d'embauche, comme pour les médecins, les infirmiers ou les ingénieurs. L'annexe B fournit la liste des ordres professionnels du Québec.

La plupart du temps, ces organismes possèdent un service de placement ou un site Internet d'annonces d'emploi. Bien souvent, ils distribuent également à leurs membres des bulletins ou des revues comportant une section carrière. Ce mode de recrutement est cependant contraint par les délais de publication.

2.8 Le réseautage

Plusieurs emplois disponibles ne sont jamais annoncés : les postes sont pourvus par réseautage.

Malgré toutes les méthodes possibles pour afficher un poste (journaux, Internet, associations, agences, etc.), plusieurs emplois disponibles ne sont jamais annoncés : les postes sont pourvus par réseautage. Il s'agit là d'une méthode de recrutement peu coûteuse, puisqu'il n'y a aucun intermédiaire, mais qui s'avère risquée si elle ne permet pas d'attirer des candidats de qualité. Certaines pratiques, détaillées dans les lignes qui suivent, permettent cependant de raffiner le réseautage pour améliorer à la fois la quantité et la qualité des candidats recrutés.

Les recommandations du personnel

Un programme de recommandation d'employés représente une ressource importante et valable pour découvrir de nouveaux candidats talentueux. En vertu d'un tel programme, les employés d'une entreprise sont informés des postes vacants et sont invités à recommander des candidats. Afin de rendre cette invitation plus attrayante, les employés reçoivent une gratification, sous forme de prime en espèces ou de cadeau, si un de leurs candidats est embauché par l'entreprise et y demeure un certain temps.

Les programmes de recommandation permettent de recruter, à des coûts modestes, des candidats de qualité. En effet, les employés mettent leur propre réputation en jeu lorsqu'ils recommandent quelqu'un, de sorte qu'ils appuient les candidatures de personnes ayant des valeurs semblables aux leurs. Par ailleurs, de tels programmes sont particulièrement intéressants pour le recrutement d'une main-d'œuvre spécialisée, car les employés ont tendance à connaître des personnes spécialisées dans le même domaine qu'eux, par exemple d'anciens collègues d'études.

Il ne faut pas non plus négliger le fait que les programmes de recommandation procurent une reconnaissance et des encouragements qui peuvent accroître la satisfaction des employés envers leur employeur. Les employés préfèrent travailler avec des gens qu'ils connaissent, il est donc normal de les encourager à recommander leurs amis. Cependant, pour cette même raison, un programme de recommandation risque d'engendrer la formation de clans dans l'entreprise, et ne devrait donc pas être la seule méthode de recrutement.

Les candidatures spontanées

Comme nous l'avons évoqué au chapitre 3, certaines entreprises sont réputées pour être des employeurs de choix. Il n'y a, pour s'en convaincre, qu'à lire les différents palmarès publiés fréquemment par les revues spécialisées. Ces entreprises reçoivent spontanément des quantités importantes de candidatures, qu'elles aient ou non des postes vacants. Le développement des sites Web d'entreprise a accentué cette tendance, puisque l'envoi d'un curriculum vitæ peut se faire facilement, d'un simple clic.

Les candidatures spontanées semblent un moyen peu coûteux de recrutement, mais l'examen de centaines, voire de milliers de candidatures peut s'avérer long, fastidieux… et, en définitive, coûteux. C'est une méthode qui doit donc être réservée essentiellement pour pourvoir rapidement des postes d'entrée. Ainsi, lorsqu'un tel poste devient vacant, regarder la pile des candidatures spontanées reçues récemment est toujours une bonne option avant d'initier d'autres actions de recrutement.

Le bouche à oreille

Les candidatures spontanées émergent généralement du bouche à oreille : la réputation d'un employeur le précède et lui permet d'attirer des candidats. Le bouche à oreille peut cependant être initié par l'employeur lui-même, par une forme de réseautage plus systématique. Ce réseau devient même primordial pour recruter le candidat idéal pour un poste difficile à pourvoir.

La meilleure façon de mettre sur pied un réseau est de commencer avec les collègues rencontrés à l'occasion de réunions avec les gens de l'industrie, comme des salons professionnels et des conférences. Les anciens employés, les clients, la famille, les amis, les voisins, sont autant de personnes qui peuvent devenir elles-mêmes des candidats intéressants, ou encore connaître un candidat intéressant.

Ainsi, il existe de nombreuses méthodes de recrutement, tant externes qu'internes. Le choix d'une ou plusieurs de ces méthodes doit tenir compte de divers critères afin d'assurer une efficacité maximale aux actions de recrutement, notamment le type de poste, la réputation de l'entreprise, le budget disponible et les délais à respecter. Nous l'avons vu, les activités de recrutement peuvent coûter cher. Mais les organisations ne doivent pas uniquement se préoccuper de ce coût immédiat. En effet, un recrutement mal fait génère des candidatures peu intéressantes, ce qui entrave la capacité de l'organisation à trouver le candidat idéal pour le poste. Les économies de temps ou d'argent réalisées à l'étape du recrutement risquent donc de conduire, en fin de compte, à de mauvaises décisions. C'est la raison pour laquelle les entreprises doivent se préoccuper de la façon dont leur temps et leur argent sont investis dans les activités de recrutement. Nous aurons l'occasion, au chapitre 18, de revenir sur l'évaluation de ces activités.

Ce qu'il faut retenir

- Il existe de nombreuses méthodes de recrutement qui sont plus ou moins appropriées selon le contexte.
- Afin d'éviter les candidatures non pertinentes et en nombre trop important, le recruteur doit cibler ses activités de recrutement.
- Le choix des méthodes doit être guidé, en premier lieu, par les exigences de l'emploi et le profil de compétences recherché.

Références

BOSSUT, Dimitri (2006, 16 mars). «Chiffres clés du 16 mars 2006», [en ligne], *La Toile des recruteurs* [réf. du 16 mai 2006]. <www.latoiledesrecruteurs.com>.

CRISPIN Gerry et Mark MEHLER (2004). «CareerXroads 4th Annual – Sources of Hire: CareerXroads: Staffing Strategies for a Networked World», [en ligne], *CareerXroads*, 14 p. [réf. du 8 juin 2006]. <www.careerxroads.com>.

DUXBURY, Linda, Lorraine DYKE et Natalie LAM (1999, janvier). «Le perfectionnement professionnel dans la fonction publique fédérale: Constituer un effectif de qualité mondiale», [en ligne], *Secrétariat du Conseil du Trésor du Canada*, 226 p. [réf. du 8 juin 2006]. <www.tbs-sct.gc.ca>.

GALANAKI, Eleanna (2002). «The decision to recruit online: a descriptive study», *Career development international*, vol. 7, n° 4, p. 243-251.

HAUSDORF, Peter A. et Dale DUNCAN (2004). «Firm size and Internet recruiting in Canada: A preliminary investigation», *Journal of Small Business Management*, vol. 42, n° 3, p. 325-334.

ILOGOSRESEARCH (2004). *We're Always Accepting Applications: Hourly Job Application Methods at Top 100 Retailers*, [en ligne], San Francisco, Taleo, 22 p. [réf. du 8 juin 2006]. <www.ilogos.com/en/ilogosreports/>.

ILOGOSRESEARCH (2003). *Global 500 Web Site Recruiting, 2003 Survey*, [en ligne], San Francisco, Taleo, 16 p. [réf. du 8 juin 2006]. <www.ilogos.com>.

ILOGOSRESEARCH (2002). *Where the Jobs Are*, [en ligne], San Francisco, Taleo, 64 p. [réf. du 14 juillet 2005]. <www.ilogos.com>.

LA TOILE DES RECRUTEURS (2004, 6 octobre). «Chiffres clés: 8,5 millions de Canadiens ont utilisé Internet lors de leur dernière recherche d'emploi», [en ligne], *La Toile des recruteurs* [réf. du 8 juin 2006]. <www.latoiledesrecruteurs.com>.

LA TOILE DES RECRUTEURS (2002a). *Le recrutement sur Internet des PME québécoises*, document hors série, Les Affaires.

LA TOILE DES RECRUTEURS (2002b, 4 octobre). «Banc d'essai – La Queue de Cheval», [en ligne], *La Toile des recruteurs* [réf. du 8 juin 2006]. <www.latoiledesrecruteurs.com>

LA TOILE DES RECRUTEURS (2002c, 5 septembre). « Banc d'essai – Le site corporatif de Métro : une recette gagnante », [en ligne], *La Toile des recruteurs* [réf. du 8 juin 2006]. <www.latoiledesrecruteurs.com>.

LA TOILE DES RECRUTEURS (2002d, 5 juillet). « Banc d'essai – Un site carrière très convaincant, le site d'Ubi Soft », [en ligne], *La Toile des recruteurs* [réf. du 8 juin 2006]. <www.latoiledesrecruteurs.com>.

LA TOILE DES RECRUTEURS (2002e, 7 juin). « Banc d'essai – Cascades dévoile son nouveau site carrières », [en ligne], *La Toile des recruteurs* [réf. du 8 juin 2006]. <www.latoiledesrecruteurs.com>.

LA TOILE DES RECRUTEURS (2002f, 3 mai). « Banc d'essai – Encirquez-vous ? », [en ligne], *La Toile des recruteurs* [réf. du 8 juin 2006]. <www.latoiledesrecruteurs.com>.

LA TOILE DES RECRUTEURS (2002g, 26 mars). « Dossier : Les 10 règles d'or de la section carrière de votre site Internet ! », [en ligne], *La Toile des recruteurs* [réf. du 8 juin 2006]. <www.latoiledesrecruteurs.com>.

LA TOILE DES RECRUTEURS (2002h, 22 mars). « Banc d'essai – La section carrière d'Hydro-Québec », [en ligne], *La Toile des recruteurs* [réf. du 8 juin 2006]. <www.latoiledesrecruteurs.com>.

MOHAMED, A. Amin, John N. ORIFE et Kustim WIBOWO (2002). « The legality of key word search in a personnel selection tool », *Employee Relations*, vol. 24, n° 5, p. 516-522.

NÉGOTHÈQUE (s. d.) [base de données en ligne], *Négothèque* [réf. du 8 juin 2006]. <http://206.191.16.137>.

NOËL, Kathy (2001, 31 mars). « Trouver le candidat idéal dans Internet », *Les Affaires*, p. 27.

ROTHWELL, William (1994). *Effective Succession Planning*, New York, AMACOM, 313 p.

STEVENS, Laura (2005). « Job-Posting Boards drive traffic to Corporate Sites », [en ligne], *CareerJournal.com* [réf. du 8 juin 2006]. <www.careerjournal.com>.

WILS, Thierry, Jean-Yves LE LOUARN et Gilles GUÉRIN (1991). *Planification stratégique des ressources humaines*, Montréal, Presses de l'Université de Montréal, 317 p.

ANNEXE A | Quelques sites Internet spécialisés de recrutement

Sites spécialisés pour les emplois et stages étudiants :

– Affaires étrangères Canada, Jeunes professionnels à l'international	www.dfait-maeci.gc.ca/ypi-jpi/program-fr.asp
– Affaires indiennes et du Nord Canada, Stratégie d'emploi pour les jeunes Inuits et des Premières Nations	www.ainc-inac.gc.ca/ps/ys/index_f.html
– Agence canadienne de développement international, ACDI – Programme de stages internationaux pour les jeunes	www.acdi-cida.gc.ca/CIDAWEB/acdicida.nsf/Fr/ JUD-121483217-HV
– Agence canadienne d'inspection des aliments, Programme objectif carrière à l'ACIA	www.inspection.gc.ca/francais/hrrh/carcarf.shtml
– Agriculture et Agroalimentaire Canada, Programme objectif carrière à Agriculture et Agroalimentaire Canada	http://res2.agr.gc.ca/ado/program/kit_f.htm
– Avantage Carrière, Stages offerts aux diplômés dans tous les domaines	www.avantage.org
– Compétences Canada	www.skillscanada.com/fr/
– Conseil national de recherches Canada, Programmes de la Stratégie emploi jeunesse	http://irap-pari.nrc-cnrc.gc.ca/youthinitiatives_f.html
– Cyberjeunes Canada International	www.netcorps-cyberjeunes.org/francais/main_f.htm
– Emploi Québec, Placement étudiant du Québec	http://emploietudiant.qc.ca/fr/accueil.html
– Environnement Canada, Programme de stages d'Environnement Canada pour les jeunes	www.ec.gc.ca/sci_hor/findex.html
– Environnement Canada, Service écojeunesse international	www.ec.gc.ca/etad/default.asp?lang=Fr&n=B1DC0937-11
– Gouvernement du Canada, Jeunesse Canada au travail	www.canadianheritage.gc.ca/ycw-jct/html/ welcome_f.htm#005
– Industrie Canada, Programme des ordinateurs pour les écoles	http://cfs-ope.ic.gc.ca/default.asp?lang=fr&id=9
– Office franco-québécois pour la jeunesse, Programmes de stages ou projets	www.ofqj.gouv.qc.ca
– Ressources naturelles Canada, Programme de stages en sciences et en technologie	www.nrcan.gc.ca/css/hrsb/st/intern-f.htm#013
– Service Canada, Guichet Emplois (emplois étudiants)	www.guichetemplois.gc.ca/Search_fr.asp?Student=true
– Société canadienne d'hypothèques et de logement, Initiative de stages en habitation pour les jeunes des Premières Nations et les jeunes Inuit	www.cmhc-schl.gc.ca/fr/au/hano/hano_007.cfm

Sites privés ou spécialisés en recrutement du personnel :

- Bel Job : www.beljob.ca
- Club de recherche d'emploi : www.cre.qc.ca
- CVthèque Réseau : www.cvtheque.com
- Jobboom : www.jobboom.com
- Jobs.ca : www.jobs.ca
- Look4CV : www.look4cv.com

- Monster : www.monster.ca
- Multijobs : www.multijobs.com
- Repères-emploi : www.reperes-emplois.com
- Vous.net emploi : www.travaillez.vous.net
- Workopolis : www.workopolis.com

»

Sites spécialisés par profession ou par secteur d'activité :

– Bois de sciage – secteur industriel	www.boisdesciage.qc.ca
– Caoutchouc – secteur industriel	www.caoutchouc.qc.ca
– Chimie, pétrochimie et raffinage – secteur industriel	www.chimie.qc.ca
– Commerce de détail – secteur industriel	www.sectorieldetail.qc.ca
– Commerce de l'alimentation – secteur industriel	www.csmoca.org
– Communications graphiques – secteur industriel	www.impressionsgraphiques.qc.ca
– Conseil canadien de l'entretien des aéronefs – secteur de l'entretien des aéronefs et de la construction aérospatiale au Canada	www.camc.ca
– CV Automobile – secteur transport et manufacture	www.cvautomobile.com
– Emploi Dentaire – secteur santé	www.emploidentaire.com
– Environnement – secteur industriel	www.csmoe.org
– Grenier aux emplois – secteur des communications (marketing, graphisme, relations publiques, etc.)	www.grenier.qc.ca/emplois/
– Infopressejobs – secteur des communications	www.infopressejobs.com
– ISARTA emploi – secteur du marketing, communications et vente	www.isarta.com
– Isocrate Recruteur-conseil – professionnels et cadres	www.isocrate-recruteur.com
– Job Wings – secteur de la finance, de la comptabilité et gestion de niveau intermédiaire à senior	www.jobwings.com
– La Toile des recruteurs – secteur des ressources humaines	www.latoiledesrecruteurs.com
– Lien multimédia – secteur du multimédia	www.lienmultimedia.com/emploi/
– Pêches maritimes – secteur industriel	www.csmopm.qc.ca
– Pigiste Québec – secteur de la télévision, de la vidéo et du cinéma	www.pigiste-quebec.com
– Plasturgie – secteur industriel	www.plasticompetences.ca
– PMjobs.ca – secteur de la gestion de projets	www.pmjob.ca
– Pro-drivers PDJ – secteur transport et manufacture	www.prodriverspdj.com
– Production agricole – secteur industriel	www.emploiagricole.ca
– Project Management Institute (PMI) – secteur de la gestion de projets	www.pmimontreal.org/pmi/ site/index.jsp
– Services automobiles – secteur industriel	www.csmo-auto.com
– Technogénie ressources inc. – secteur des ressources humaines techniques	www.technogenie.com/Francais/ Html/Index1.asp
– Textile – secteur industriel	www.comitesectorieltextile.qc.ca
– Transformation alimentaire – secteur industriel	www.csmota.qc.ca
– Transport routier – secteur industriel	www.camo-route.com
– Transweb.ca – secteur transport et manufacture	http://transweb.ca/index_fr.htm

Ordre des acupuncteurs du Québec	www.ordredesacupuncteurs.qc.ca
Ordre des administrateurs agréés du Québec	www.adma.qc.ca
Ordre des agronomes du Québec	www.oaq.qc.ca
Ordre des architectes du Québec	www.oaq.com
Ordre des arpenteurs-géomètres du Québec	www.oagq.qc.ca
Ordre des audioprothésistes du Québec	www.ordreaudio.qc.ca
Barreau du Québec	www.barreau.qc.ca
Ordre des chimistes du Québec	www.ocq.qc.ca
Ordre des chiropraticiens du Québec	www.chiropratique.com
Ordre des comptables agréés du Québec	www.ocaq.qc.ca/default.asp
Ordre des comptables généraux licenciés du Québec	www.cga-online.org/qc
Ordre des comptables en management accrédités du Québec	www.cma-quebec.org
Ordre des conseillers et conseillères d'orientation et des psychoéducateurs et psychoéducatrices du Québec	www.occoppq.qc.ca
Ordre des conseillers en ressources humaines et en relations industrielles agréés du Québec	www.orhri.org
Ordre des dentistes du Québec	www.ordredesdentistesduquebec.qc.ca
Ordre des denturologistes du Québec	www.odq.com
Ordre professionnel des diététistes du Québec	www.opdq.org
Ordre des ergothérapeutes du Québec	www.oeq.org
Ordre des évaluateurs agréés du Québec	www.oeaq.qc.ca
Ordre des géologues du Québec	www.ogq.qc.ca
Chambre des huissiers de justice du Québec	www.huissiersquebec.qc.ca
Ordre des hygiénistes dentaires du Québec	www.ohdq.com
Ordre des infirmières et infirmiers du Québec	www.oiiq.org
Ordre des infirmières et infirmiers auxiliaires du Québec	www.oiiaq.org
Ordre des ingénieurs du Québec	www.oiq.qc.ca
Ordre des ingénieurs forestiers du Québec	www.oifq.com
Ordre professionnel des inhalothérapeutes du Québec	www.opiq.qc.ca
Collège des médecins du Québec	www.cmq.org
Ordre des médecins vétérinaires du Québec	www.omvq.qc.ca
Chambre des notaires du Québec	www.cdnq.org
Ordre des opticiens d'ordonnances du Québec	www.oodq.qc.ca
Ordre des optométristes du Québec	www.ooq.org
Ordre des orthophonistes et audiologistes du Québec	www.ooaq.qc.ca
Ordre des pharmaciens du Québec	www.opq.org
Ordre professionnel de la physiothérapie du Québec	www.oppq.qc.ca
Ordre des podiatres du Québec	www.ordredespodiatres.qc.ca
Ordre des psychologues du Québec	www.ordrepsy.qc.ca
Ordre des sages-femmes du Québec	www.osfq.org
Ordre des techniciennes et techniciens dentaires du Québec	www.ottdq.com
Ordre professionnel des technologistes médicaux du Québec	www.optmq.org
Ordre des technologues professionnels du Québec	www.otpq.qc.ca
Ordre des technologues en radiologie du Québec	www.otrq.qc.ca
Ordre des traducteurs, terminologues et interprètes agréés du Québec	www.ottiaq.org
Ordre professionnel des travailleurs sociaux du Québec	www.optsq.org
Ordre professionnel de la physiothérapie du Québec	www.oppq.qc.ca
Ordre des urbanistes du Québec	www.ouq.qc.ca

Baie-Comeau	Salon de l'emploi au stade Médard-Soucy du Cégep de Baie-Comeau : événement visant le recrutement de travailleurs adaptés aux réalités de la Côte-Nord.
Côte-Nord	Salon Horizon Emploi de la Manicouagan.
Drummondville	Défi emploi Drummond : face-à-face engageants où l'on trouve plus de 1000 emplois proposés.
Gaspé	Rendez-vous de l'emploi, de la formation et de l'entreprenariat de la Gaspésie : plus de 600 emplois offerts dans la région gaspésienne.
Gatineau	Salon Accès Emploi de l'Outaouais : plus de 2400 postes sont proposés.
La Sarre	Foire de l'emploi d'Abitibi-Ouest : occasion à saisir pour rencontrer divers employeurs de l'Abitibi-Témiscamingue.
Lanaudière	Marathon de l'emploi, <www.marathonemploi.com> : journée consacrée à la recherche collective d'emploi et de stage.
Laval	Salon emploi Laval, <salonemploilaval.com> : plus de 70 entreprises offrant plusieurs centaines de postes aux chercheurs d'emploi.
Mirabel	Salon des carrières en aérospatiale, <www.aerosalon.ca> : première édition en 2006, plus de 40 exposants, PME, grandes entreprises de l'aérospatiale et maisons d'enseignements sur place.
Montérégie	Salon de l'emploi de Vaudreuil-Soulanges, <www.salonemploivs.com> : salon proposant des emplois spécialisés et semi-spécialisés, nombreux exposants et témoignages de chercheurs d'emploi qui ont déniché un emploi après avoir visité l'événement. Salon Priorité Emploi de Granby : plus de 40 entreprises et organismes sur place, déjeuners-conférences. Opération Emploi Suroît, <www.emploi-suroit.com> : emplois offerts dans la région du Suroît-Sud.
Montréal	Salon Emploi-Formation, <www.emploiformation.com> : plus de 600 spécialistes des ressources-humaines, de l'emploi, de la formation et près de 20000 candidats. Salon Éducation Formation Carrière, <www.saloneducation.com> : un événement, deux volets, soit le Salon Éducation s'adressant principalement aux étudiants du secondaire et le Salon Formation Carrière dont les contenus rejoignent plus spécifiquement les étudiants de niveau collégial et universitaire et les adultes. Salon de l'emploi de l'Ouest-de-l'Île. Feu vert à l'emploi : salon de l'emploi de Côte-des-Neiges — Notre-Dame-de-Grâce. Salon de l'emploi de Saint-Laurent. Salon de l'emploi du commerce de détail, <www.sectorieldetail.qc.ca/salon2006/index.asp> : plus de 1500 visiteurs.

»

Notre-Dame-du-Lac	Foire de l'emploi, Un emploi au Témiscouata, pourquoi pas ? : plus de 300 emplois proposés.
Québec	Foire de l'emploi, <www.foireemploi.com> : grand rassemblement visant à mettre en contact les chercheurs d'emploi et les employeurs, nombreux services et activités liés à la recherche d'emploi, témoignages.
	Salon Éducation Emploi au Centre de Foires de Québec, <www.saloneducationemploi.com> : événement majeur sur l'éducation et l'emploi au Québec regroupant plus de 200 exposants et 16 000 visiteurs.
Richelieu	Salon de l'emploi de la MRC de Rouville : 25 employeurs sur place, nombreuses conférences permettant aux visiteurs de maximiser leur recherche d'emploi.
Rimouski	Foire de l'emploi à l'Hôtel Rimouski : activité qui s'adresse aux chercheurs d'emploi de la région de Rimouski-Neigette et ses environs.
Rivière-du-Loup	Foire de l'emploi, Mon marché de l'emploi, <www.foiredelemploi.org> : plus grand événement de l'emploi de la région de Rivière-du-Loup où plus de 200 emplois permanents de qualité sont offerts, plus de 1000 candidats et visiteurs chaque année.
Saint-Constant	Salon de l'emploi : près de 800 emplois proposés aux 1900 visiteurs par 72 entreprises des régions de Roussillon et Jardins-de-Napierville, toutes deux situées sur la Rive-Sud de Montréal.
Saint-Hyacinthe	Foire de l'emploi : plus de 500 postes offerts aux chercheurs d'emploi.
Shawinigan	Salon de la formation professionnelle et technique de la Mauricie, <www.salonformation.ca> : regroupement valorisant la formation professionnelle et technique de la région, plus de 11 500 visiteurs par année.
Sherbrooke	Salon Priorité-Emploi, <www.prioriteemploi.qc.ca> : plus de 1800 emplois offerts dans la région de l'Estrie grâce à la présence d'environ 62 exposants, plus de 175 occupations, métiers et professions.

CHAPITRE **9**

Le recrutement international

Objectifs du chapitre

Les activités de recrutement s'inscrivent dans le contexte culturel du pays où elles sont menées. Or, de plus en plus d'entreprises canadiennes, aux prises avec des pénuries de main-d'œuvre sur le marché local du travail, cherchent à attirer des candidats de l'étranger. Ce chapitre, consacré au recrutement international, a pour objectifs :

• d'offrir un aperçu du marché international du travail ;

• de décrire globalement les pratiques de recrutement ayant cours
à l'étranger.

Pour attirer des candidats étrangers, il importe de comprendre les habitudes de dotation dans le monde.

Nous avons vu au chapitre précédent qu'il existe au Canada plusieurs méthodes pour attirer des candidats. Mais l'ensemble des activités de dotation s'inscrit dans un contexte culturel et légal qui varie d'un pays à l'autre. Les habitudes de recrutement, tout comme les préférences des candidats, diffèrent selon que l'on se trouve en Amérique, en Europe, en Afrique ou en Asie. Or, les entreprises canadiennes cherchent de plus en plus à attirer des candidats de l'étranger, que ce soit pour venir travailler au Canada ou pour pourvoir des postes dans leurs filiales internationales. Les habitudes de recrutement international, de même que les dispositions légales encadrant l'embauche de travailleurs étrangers au Canada, méritent donc que l'on s'y attarde.

Ce chapitre n'a pas pour objectif d'étudier de façon approfondie l'ensemble des systèmes de recrutement de tous les pays de la planète ; un livre complet suffirait à peine à la tâche. Il offre cependant une vue d'ensemble sur les différences pouvant exister entre les méthodes de recrutement nord-américaines et celles des pays dans lesquels, pénurie oblige, le Canada doit recruter.

1. Le marché international du travail

La pénurie de main-d'œuvre qualifiée peut être observée à l'échelle mondiale.

Selon une récente étude, 66 % des employeurs canadiens éprouvent de la difficulté à trouver des candidats qualifiés. Ils ne sont cependant pas les seuls sur la planète : 78 % des employeurs mexicains et 58 % des employeurs japonais, pour ne prendre que ces exemples, déclarent faire face à des pénuries de main-d'œuvre qualifiée. C'est en Inde que la pénurie de talents semble être la moins problématique, puisque seulement 13 % des employeurs ont déclaré éprouver des difficultés à pourvoir les postes qualifiés (Manpower, 2006c). Les trois professions qui connaissent la pénurie la plus prononcée sont identiques en Amérique du Nord et en Asie : les représentants de commerce arrivent en tête de liste, suivis des ingénieurs et des techniciens.

Manpower
www.manpower.com

Comme nous l'avons vu au chapitre 1, les explications à cette pénurie de main-d'œuvre qualifiée sont multiples. Dans les pays industrialisés comme les États-Unis, le Canada, le Japon ou les pays d'Europe de l'Ouest, la stagnation, voire le déclin des taux de natalité, entraîne une diminution du nombre de jeunes qui entrent sur le marché du travail. Le même phénomène affecte la Chine, pays en pleine croissance économique : les politiques de contrôle des naissances instaurées à la fin du XXe siècle pèsent aujourd'hui lourdement sur le marché du travail (Manpower, 2006d).

Au sein des pays en développement, dont la population croît, les conditions économiques précaires incitent de nombreuses personnes en âge de travailler à s'expatrier pour trouver un emploi. De nombreux jeunes quittent également leur pays pour étudier à l'étranger et n'y retournent pas systématiquement une fois leur diplôme obtenu, aggravant ainsi la fuite des cerveaux (Manpower, 2006d). Or, à mesure que leur économie gagne en vigueur, ces pays auront besoin d'une main-d'œuvre qualifiée pour répondre à leurs propres besoins. Manpower (2006d) et Farrell et Grant (2005) soulignent à cet égard que, à mesure que les salaires augmenteront dans les pays en développement, les employeurs des pays industrialisés ayant délocalisé leurs activités feront face à une concurrence croissante des employeurs locaux pour attirer les talents.

Malgré cette pénurie de talents, l'enquête de Manpower (2006a) sur le marché de l'emploi mondial indique que les employeurs de la plupart des pays sondés souhaitent procéder à des embauches dans les prochains mois, les plus optimistes étant les employeurs japonais et allemands. Le Canada n'est pas en reste, puisque 34 % des 1700 employeurs canadiens interrogés projettent d'engager du personnel (Manpower, 2006b).

Dans un tel contexte, la guerre pour attirer les talents dépasse largement les frontières d'un pays. Confrontés à une réduction de leur population active, les pays industrialisés se tournent de plus en plus vers des candidats étrangers, qu'ils recrutent pour venir travailler chez eux ou pour gérer des unités d'affaires délocalisées. Dans un cas comme dans l'autre, ces candidats sont habitués aux méthodes de recrutement de leur pays d'origine. Les attirer requiert donc une bonne connaissance de leur marché du travail et de leurs pratiques de dotation.

2. Les meilleures pratiques pour recruter à l'étranger

Comme nous l'avons vu au chapitre 8, les méthodes de recrutement sont nombreuses et exigent de la part des recruteurs une connaissance approfondie du marché du travail afin de repérer, par exemple, les associations professionnelles ou encore les institutions et les programmes d'enseignement. La même exigence s'impose au recruteur intéressé par des candidats internationaux. En effet, il doit connaître les caractéristiques du marché du travail mondial afin de répertorier, d'une part, les pays les plus appropriés pour recruter des candidats répondant à chaque profil de compétences et, d'autre part, les acteurs clés de la dotation dans chaque pays ciblé.

2.1 La première étape : cibler la région ou le pays

Dans une étude réalisée pour le compte de la compagnie McKinsey, les auteurs Farrell, Laboissière et Rosenfeld (2005) font l'inventaire des diplômés universitaires dans divers pays du monde. Les résultats sont fascinants : l'Inde compte presque autant d'ingénieurs que les États-Unis, tandis que la Chine en dénombre deux fois plus ; dix fois plus de professionnels des domaines de la finance et de la comptabilité ont été recensés en Russie qu'en Allemagne ; et les Philippines forment 380 000 diplômés universitaires par année et connaissent un surplus de comptables ayant étudié selon les normes américaines.

Tous les pays n'offrent pas le même potentiel de main-d'œuvre qualifiée.

Mais ces chiffres, qui semblent faire de certains pays de bons bassins de candidats potentiels, cachent une réalité moins positive. Selon Farrell *et al.* (2005), seuls 13 % de ces professionnels pourraient effectivement exercer leur métier dans une entreprise multinationale. La maîtrise imparfaite des langues, l'inadéquation de la formation ou encore les barrières culturelles sont autant d'obstacles qui limitent l'accessibilité de ces diplômés universitaires au marché du travail des pays industrialisés. Par exemple, Farrell et Grant (2005) observent que la formation universitaire dispensée en Chine est essentiellement axée sur la théorie et offre aux étudiants peu d'occasions de développer leurs habiletés pratiques et le travail en équipe. Or, ces compétences sont particulièrement recherchées par les firmes multinationales.

L'adaptation des diplômés aux exigences du marché international varie selon les professions et les pays. La figure 9.1 illustre les perceptions des professionnels en ressources humaines de multinationales à l'égard des diplômés étrangers. Elle indique que les compétences des candidats en provenance de l'Europe de l'Est sont évaluées de façon plutôt positive par les compagnies étrangères, mais celles des candidats venant d'Asie ou d'Amérique latine sont jugées moins attrayantes pour les firmes internationales.

FIGURE 9.1 Perception de l'adéquation des diplômés étrangers par les recruteurs des multinationales

« Sur 100 diplômés universitaires détenteurs du bon diplôme, combien pourriez-vous en embaucher si vous aviez suffisamment de postes disponibles ? »

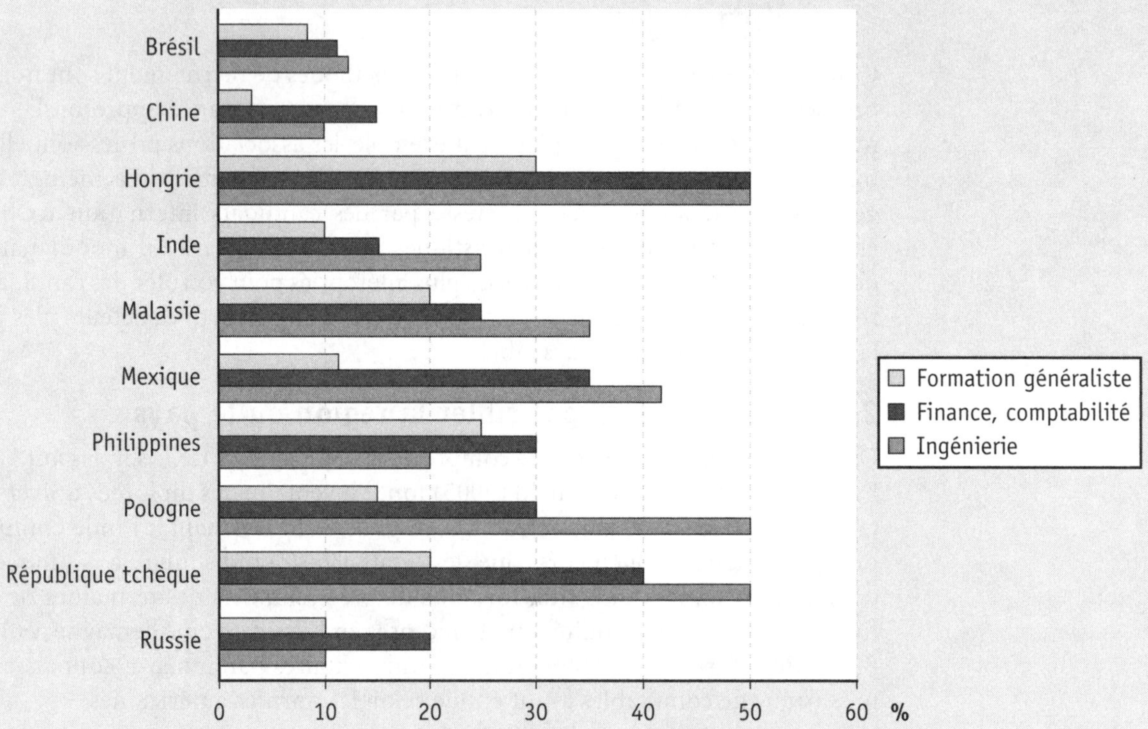

Légende :
- Formation généraliste
- Finance, comptabilité
- Ingénierie

Source : Farrell *et al.,* 2005.

L'employabilité des diplômés étrangers dépend en grande partie de la qualité de la formation qu'ils ont reçue. Un recruteur désireux d'attirer des candidats internationaux doit donc se renseigner sur les caractéristiques du système d'éducation du pays visé afin de repérer les universités ou les institutions d'enseignement les plus prestigieuses. De fait, le classement international des universités présenté au tableau 9.1 montre que, contrairement aux perceptions parfois négatives véhiculées par certains gestionnaires, plusieurs institutions d'enseignement d'Amérique latine et d'Asie offrent des programmes d'excellente qualité.

TABLEAU 9.1	Classement international des universités	
Rang	**Université**	**Pays**
87	Tokyo University	Japon
117	University of Sao Paulo	Brésil
153	University National Autonoma de Mexico	Mexique
181	Charles University	République tchèque
190	National Taiwan University	Taiwan
239	Beijing University	Chine
242	Budapest University of Technology and Economics	Hongrie
285	University of Ljubjana	Slovénie
660	Indian Institute of Science Bangalore	Inde
766	Warsaw University of Technology	Pologne

Source: Webometrics Ranking of World Universities, 2006.

Par ailleurs, une large proportion des diplômés universitaires des pays en développement vivent loin d'aéroports internationaux, ce qui rend leur recrutement plus difficile. Tous ne sont pas prêts, non plus, à déménager pour poursuivre leur carrière à l'étranger, ce qui diminue d'autant le bassin de candidats potentiels pour les compagnies internationales. La figure 9.2 illustre ce phénomène.

Toutes les régions du monde ne s'équivalent donc pas en matière de qualification et de disponibilité de la population active. Les informations concernant ces deux caractéristiques de la main-d'œuvre concourent à choisir un pays ou une région à cibler pour le recrutement. Une fois cette décision prise, le recrutement peut réellement commencer.

2.2 La deuxième étape : connaître les pratiques de recrutement

Les pratiques de recrutement varient d'un pays à l'autre.

Repérer les pays propices au recrutement de main-d'œuvre ne suffit pas ; encore faut-il être capable d'attirer ces candidats potentiels. Or, les pratiques de recrutement

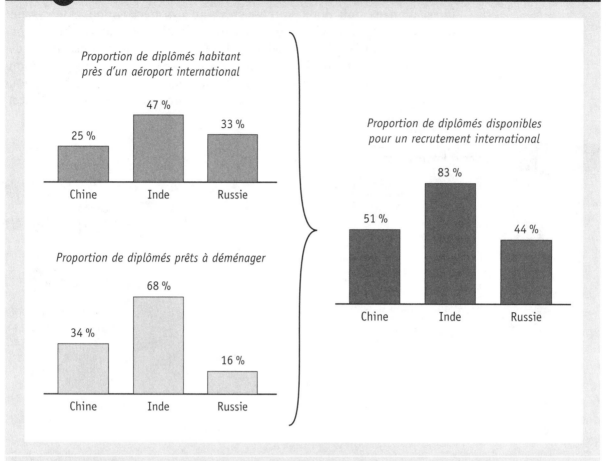

Proportion de diplômés habitant près d'un aéroport international

Proportion de diplômés disponibles pour un recrutement international

Proportion de diplômés prêts à déménager

Source : Farrell *et al.*, 2005.

varient énormément d'un pays à l'autre, de sorte qu'un recruteur averti doit connaître les méthodes susceptibles de donner de bons résultats en fonction du pays et du poste ciblés. À titre d'illustration, les pages suivantes présentent les caractéristiques des méthodes de recrutement dans quelques pays.

La France : préséance du réseautage

Le marché du travail est depuis longtemps une préoccupation importante en France. Avec un taux de chômage de 9,7 %, la France se situe au 19e rang des pays de l'Union européenne. À l'exception de la Grèce et de l'Espagne, la France ne devance que les pays en transition de l'ancienne zone d'influence soviétique (figure 9.3).

Par ailleurs, comme l'indique la figure 9.4, le taux de chômage diminue à mesure qu'augmente le niveau de scolarité des individus. En ce qui concerne les diplômés universitaires, hommes et femmes confondus, il se situe aux alentours

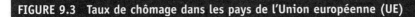

FIGURE 9.3 Taux de chômage dans les pays de l'Union européenne (UE)

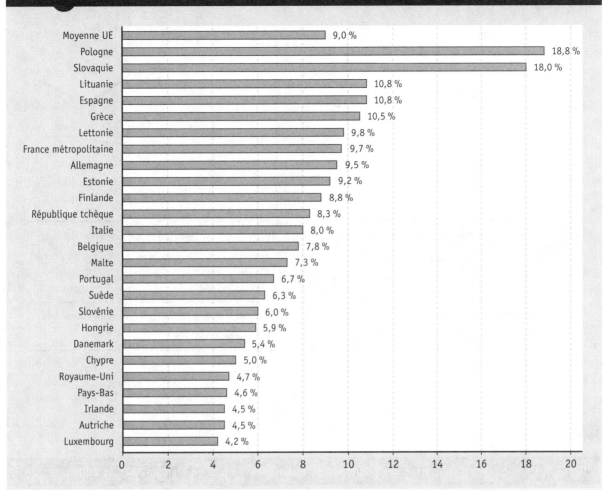

Moyenne UE	9,0 %
Pologne	18,8 %
Slovaquie	18,0 %
Lituanie	10,8 %
Espagne	10,8 %
Grèce	10,5 %
Lettonie	9,8 %
France métropolitaine	9,7 %
Allemagne	9,5 %
Estonie	9,2 %
Finlande	8,8 %
République tchèque	8,3 %
Italie	8,0 %
Belgique	7,8 %
Malte	7,3 %
Portugal	6,7 %
Suède	6,3 %
Slovénie	6,0 %
Hongrie	5,9 %
Danemark	5,4 %
Chypre	5,0 %
Royaume-Uni	4,7 %
Pays-Bas	4,6 %
Irlande	4,5 %
Autriche	4,5 %
Luxembourg	4,2 %

Source : INSEE, 2006.

de 5 % à 6 %. Le nombre de diplômés universitaires disponibles pour travailler n'est donc pas très élevé. Ainsi, la France offre un bassin de main-d'œuvre qualifiée, qui peut être particulièrement attrayant pour des compagnies multinationales, mais dans lequel la concurrence est vive. Les multinationales doivent déployer des efforts importants de recrutement pour se démarquer.

La recherche d'emploi en France s'est traditionnellement appuyée sur le réseautage et les relations personnelles, mais l'arrivée d'Internet bouleverse les habitudes. Alors que les sites de recrutement n'arrivaient qu'au cinquième rang des méthodes de recherche d'emploi privilégiées par les Français en 2001, Internet était, en 2005, le troisième outil utilisé, après les relations personnelles et les candidatures spontanées (TNS Sofres, 2001 ; TNS Sofres, 2006). La figure 9.5 résume ces résultats.

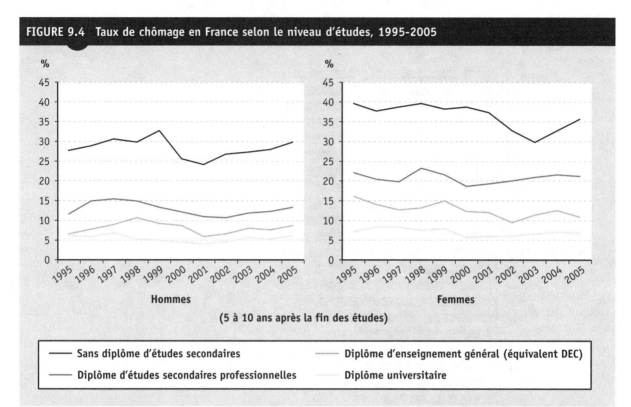

FIGURE 9.4 Taux de chômage en France selon le niveau d'études, 1995-2005

Hommes

Femmes

(5 à 10 ans après la fin des études)

— Sans diplôme d'études secondaires

...... Diplôme d'enseignement général (équivalent DEC)

— Diplôme d'études secondaires professionnelles

— Diplôme universitaire

Source : INSEE, 2004.

Institut national de la statistique et des études économiques
www.insee.fr

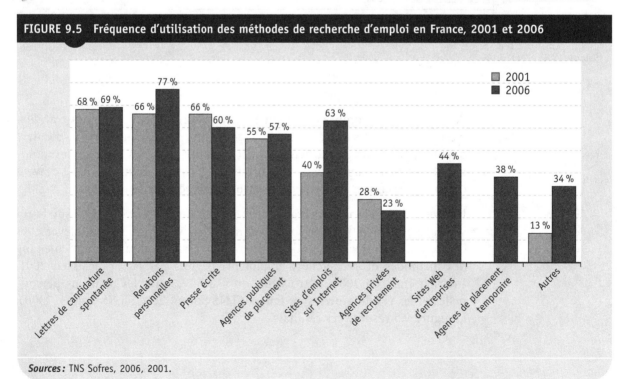

FIGURE 9.5 Fréquence d'utilisation des méthodes de recherche d'emploi en France, 2001 et 2006

Sources : TNS Sofres, 2006, 2001.

Malgré la progression d'Internet, il n'en demeure pas moins que les principales méthodes de recrutement en France demeurent les relations personnelles et les candidatures spontanées. Pour tirer avantage de ces pratiques, les entreprises ont de plus en plus fréquemment recours au recrutement sur les campus universitaires, en prenant soin de se faire représenter par des employés eux-mêmes diplômés de cette université. Les étudiants et les diplômés développent alors une relation professionnelle, presque d'égal à égal, qui favorise ensuite le recrutement. L'encadré 9.1 illustre le travail de ces *campus managers*.

ENCADRÉ 9.1 **Recrutement sur les campus en France**

Les grands frères des campus

En ce mercredi 12 octobre au matin, le soleil brille généreusement sur Paris. Le Jardin d'acclimatation est pris d'assaut par les enfants qui affluent vers les manèges. Mais ils ne sont pas les seuls à se masser dans ce coin bucolique du XVIe arrondissement. Une centaine de cadres de Danone s'y pressent aussi. Ils filent le long du lac, en direction du pavillon des oiseaux. Un chapiteau blanc entouré d'un jardinet, où le géant de l'agroalimentaire a réuni ses *campus managers* – les chargés des relations avec les écoles – pour un séminaire. [...]

Micro à la main, Philippe-Loïc Jacob, secrétaire général de Danone, est en verve : « Vous avez un rôle déterminant à jouer, lance-t-il à l'assistance. Vous devez faire naître des vocations et attirer les meilleurs candidats. [...] Si j'avais aujourd'hui en face de moi un jeune, je lui dirais : "Venez chez nous, vous serez fier de travailler dans une entreprise qui n'empoisonne pas, une entreprise où l'on donne à manger à ceux qui ont faim, où l'on s'occupe de la santé des gens à travers leur alimentation." » Au bout de vingt minutes d'argumentaire, il quitte le chapiteau sous les applaudissements d'une salle galvanisée.

Gonflés à bloc, les ambassadeurs du groupe sont prêts à porter haut les couleurs de leur employeur sur les campus. L'an dernier, ils ont déjà écumé 36 forums et tissé des liens étroits avec 45 écoles cibles ! Soit, pour chacun d'eux, un investissement qui peut aller jusqu'à une ou deux journées par mois. [...]

« Les entreprises ont compris qu'il était plus efficace de dépêcher des sortes de "grands frères" plutôt que des quinquas ou des quadras qui jouent les parrains », analyse Bernard Jean, responsable des relations avec les entreprises à l'École centrale de Lyon. Peu enclins à se projeter dans vingt ans, les futurs diplômés sont préoccupés par leur avenir immédiat et cherchent des infos sur le début de carrière. « Les *campus managers* n'ont que quelques années de plus que les élèves et ont souvent suivi le même cursus. Du coup, la confiance s'installe, le tutoiement aussi », poursuit Bernard Jean. Quant aux questions d'argent et de carrière, elles sont abordées plus librement. [...]

Les *campus managers* parlent aussi le même langage que les étudiants, et partagent le même esprit de corps. « Toutes les semaines, je reçois un ou deux mails d'étudiants, raconte Laurent, qui a laissé ses coordonnées aux élèves de l'Essec. L'un cherche un contact. L'autre s'inquiète de n'avoir toujours pas reçu de réponse à sa candidature et se demande s'il doit relancer, etc. » Alors ce tout juste trentenaire épaule et oriente les petits nouveaux. Côté écoles, on apprécie aussi ce système. « Avec les *campus managers*, nous disposons d'un relais dans l'entreprise, apprécie Bernard Jean. Un interlocuteur facilement accessible. » [...]

Source : Wesfreid, 2006.

L'Allemagne : croissance d'Internet comme mode d'affichage des postes

L'unification de l'Allemagne en 1990 a provoqué de profonds bouleversements structurels dont les effets se font encore sentir sur le marché du travail. Dans les provinces de l'Est, le passage de l'économie planifiée socialiste à l'économie de marché a entraîné la suppression d'une multitude d'emplois. À l'Ouest, l'unification a eu initialement des répercussions positives sur le marché du travail, mais cette évolution a été de courte durée (Ministère fédéral des affaires étrangères, s. d.). À titre d'illustration, la figure 9.6 présente l'évolution du taux de chômage en Allemagne. Elle indique que la situation ne s'améliore pas à l'Est où le taux de chômage, très élevé, continue de croître. Ainsi, alors que le taux de chômage moyen dans l'Allemagne réunifiée s'établissait à 10,5 % de la population active en 2003, il était de 8,4 % à l'Ouest contre 18,5 % à l'Est.

FIGURE 9.6   Taux de chômage en Allemagne, 1960-2004

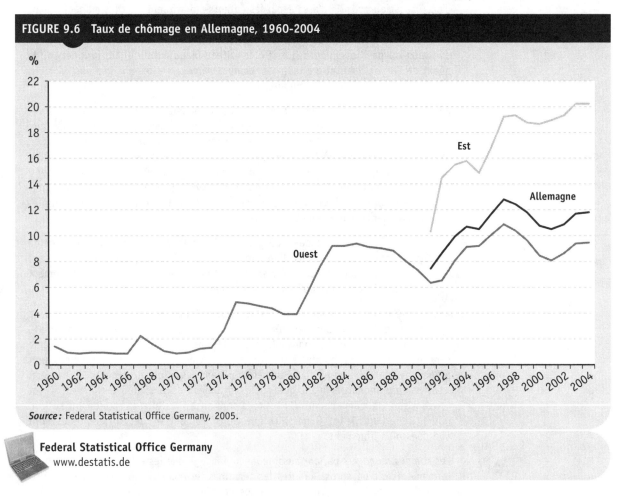

Source : Federal Statistical Office Germany, 2005.

Federal Statistical Office Germany
www.destatis.de

Dans un tel contexte, les efforts d'embauche et de création d'emplois sont considérables. Mais ceux-ci sont intimement liés à la formation de la main-d'œuvre. En effet, à l'Est comme à l'Ouest, moins une personne possède de qualification, plus sa position sur le marché du travail est précaire. Ainsi, près de 35 % des chômeurs allemands n'ont aucun diplôme professionnel.

En revanche, pour les personnes titulaires d'un diplôme universitaire et vivant dans les provinces de l'Ouest, on peut pratiquement parler de plein emploi (Ministère fédéral des affaires étrangères, s. d.).

Le système scolaire allemand se caractérise par une combinaison de formation théorique dispensée dans les institutions d'enseignement et d'apprentissage pratique en entreprise (Windolf et Wood, 1988). Ainsi, une fois leur scolarité terminée, la plupart des jeunes Allemands – environ 70 % d'une classe d'âge – apprennent un métier dans un système de formation par alternance : l'apprenti passe trois à quatre jours par semaine dans l'entreprise et un à deux jours à l'école professionnelle (Ministère fédéral des affaires étrangères, s. d.). Les employeurs allemands compliment ce système d'apprentissage pour son adéquation constante aux exigences du marché du travail, mais le perçoivent également comme un processus de socialisation permettant aux jeunes d'acquérir des normes sociales, telles que la loyauté, la responsabilité et la ponctualité. En conséquence, ils préfèrent embaucher des candidats qui ont participé à ce programme d'apprentissage (Windolf et Wood, 1988).

L'Allemagne se distingue également par la place qu'elle accorde aux syndicats et aux salariés dans les processus de recrutement. La législation sur l'organisation sociale des entreprises, amendée en 2001, régit la coopération entre les employeurs, le personnel, le comité d'entreprise, les syndicats et les associations patronales. Cette loi vise la participation du comité d'entreprise, composé de représentants du personnel, aux décisions de gestion. Ce droit de cogestion prévoit que le personnel puisse exercer une influence sur la gestion de l'entreprise par l'entremise de ses représentants au conseil de surveillance. Or, ce conseil a beaucoup d'influence, notamment parce qu'il nomme les membres de la direction de l'entreprise (Ministère fédéral des affaires étrangères, s. d.). En matière de dotation, cela se traduit par une forte implication des représentants du personnel dans le processus de recrutement et de sélection. Par exemple, la loi oblige les employeurs à annoncer un poste à l'interne avant de l'afficher à l'externe si le comité d'entreprise le demande (Windolf et Wood, 1988).

Comme dans plusieurs pays européens, les méthodes de recrutement en Allemagne ont évolué dans la foulée du développement d'Internet. La publication d'annonces dans la presse écrite, autrefois le moyen de recrutement privilégié (Windolf et Wood, 1988), a fait place à l'utilisation des sites d'entreprises ou des sites privés de recrutement. Ainsi, un sondage réalisé auprès des 1000 plus grandes entreprises allemandes indique que 80 % d'entre elles utilisent très fréquemment leur site Web pour des activités de recrutement, alors que seulement 54 % indiquent utiliser très fréquemment la presse écrite. La figure 9.7 illustre ces résultats, qui montrent la popularité des sites d'entreprises par rapport aux sites privés ou publics de recrutement (Färber, Weitzel et Keim, 2003 ; Keim, Färber et Weitzel, 2003). Cependant, les gestionnaires allemands interrogés dans l'étude demeurent sceptiques quant à l'efficacité d'Internet.

La même étude nous apprend que les entreprises allemandes adoptent une attitude relativement traditionnelle quant à l'utilisation d'Internet : il s'agit essentiellement d'un moyen d'afficher les postes, comme l'était autrefois la

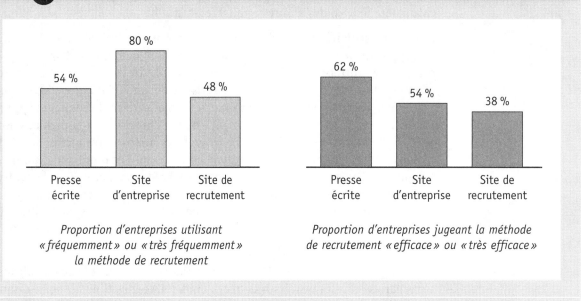

Proportion d'entreprises utilisant
« fréquemment » ou « très fréquemment »
la méthode de recrutement

Proportion d'entreprises jugeant la méthode
de recrutement « efficace » ou « très efficace »

Source : Färber, Weitzel et Keim, 2003.

presse écrite. Comme le montre la figure 9.8, les gestionnaires interrogés n'utilisent pas à leur plein potentiel les possibilités offertes par le recrutement via Internet : seules 53 % des entreprises sondées en profitent pour présenter leur profil d'entreprise, une minorité (44 %) utilisent les sites de recrutement pour chercher des curriculum vitæ (plutôt que simplement pour afficher un poste) et seulement 12 % des organisations demandent que les candidatures soient envoyées de façon électronique.

FIGURE 9.8 Utilisation des possibilités du recrutement par Internet

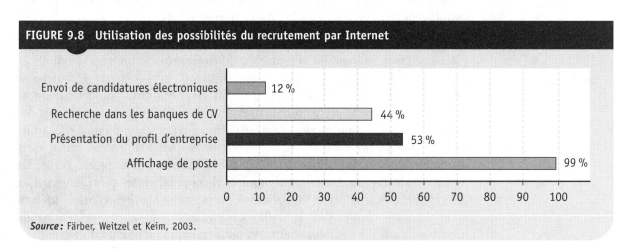

Source : Färber, Weitzel et Keim, 2003.

La Grande-Bretagne : prédominance des méthodes traditionnelles de recrutement

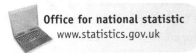

Office for national statistic
www.statistics.gov.uk

Avec un taux de chômage qui a oscillé entre 4,5 % et 5,5 % au cours des cinq dernières années (Office for national statistics, 2006), on pourrait croire que les employeurs britanniques sont obligés de déployer des trésors d'imagination pour attirer les candidats potentiels. Pourtant, une récente étude (Forna et Bacon, 2003) nous apprend que les méthodes traditionnelles de recrutement, par exemple la publication d'une annonce dans les journaux ou l'utilisation des services d'une agence privée, continuent à obtenir la faveur des employeurs. Les méthodes informelles basées sur les recommandations d'amis ou de membres de la famille sont également utilisées de façon assez fréquente, comme en fait foi la figure 9.9.

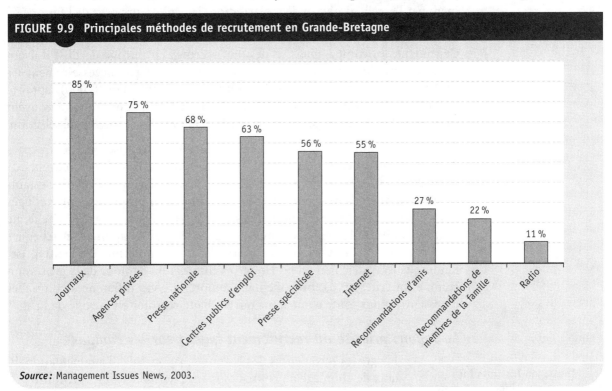

FIGURE 9.9   Principales méthodes de recrutement en Grande-Bretagne

Source : Management Issues News, 2003.

Malgré le nombre croissant d'internautes en Grande-Bretagne, le recrutement en ligne n'y est pas encore aussi développé que dans d'autres pays européens. Mais la tendance dans ce domaine est d'améliorer la qualité des services offerts aux candidats, ce qui, selon certains experts, laisse entrevoir un avenir prometteur pour ce mode de recrutement (Research and Markets, 2005).

L'Europe de l'Est : préférence pour les candidats locaux

Les coûts de main-d'œuvre élevés dans les pays d'Europe de l'Ouest ont attiré l'attention d'un nombre croissant de recruteurs vers les pays d'Europe de l'Est. Selon un sondage de la firme Mercer, la Belgique est le pays européen où les coûts de main-d'œuvre sont les plus élevés, suivie par la Suisse et l'Allemagne. Dans ces trois pays, le coût moyen total d'un employé s'élève annuellement à plus de 50 000 EUR, soit près de 72 000 $ CA. En revanche, ce coût s'élève à moins de 10 000 EUR (un peu plus de 14 000 $ CA) en moyenne en Hongrie, en République tchèque, en Pologne, en Estonie, en Slovaquie et en Lituanie (Barber, Ruffles et Sullivan, 2005). Or, la Pologne possède autant d'ingénieurs qualifiés que la Russie, pourtant beaucoup plus peuplée (Farrell, Laboissière et Rosenfeld, 2005).

Les pays d'Europe de l'Est constituent donc un bassin de recrutement de choix pour les entreprises européennes, nord-américaines ou multinationales qui préfèrent de plus en plus pourvoir les postes de gestion par des candidats locaux, plutôt que par des expatriés (Fine, 2006). Cette tendance s'explique notamment par l'excellent niveau de scolarisation dans plusieurs pays de l'Europe de l'Est (voir chapitre 1).

Cependant, les compagnies qui désirent recruter en Europe de l'Est doivent tenir compte du fait que les candidats ne partagent pas nécessairement les valeurs ou les façons de faire de l'Occident. Par exemple, Fine (2006) rapporte que les candidats de l'Europe de l'Est, qui valorisent l'humilité, éprouvent souvent de la difficulté à se mettre en valeur pendant les entrevues de sélection.

En 2006, la compagnie Hewitt a interrogé 205 entreprises de quatre pays d'Europe centrale et d'Europe de l'Est pour établir la liste des employeurs de choix dans cette région du monde (Szijjártó, Veres et Palamarz, 2006). Certains critères, comme les relations entre la direction et les employés, ont été jugés aussi importants par les employés des quatre pays. D'autres, en revanche, ne sont pas universellement reconnus. Ainsi, les employés polonais et tchèques accordent-ils une importance primordiale à la réputation de l'entreprise, tandis que les Autrichiens et les Hongrois considèrent l'amour de la profession comme un critère plus fondamental. Comprendre ces différences culturelles est essentiel pour toute compagnie qui souhaite recruter en Europe de l'Est.

Le Japon : priorité au recrutement massif sur les campus

The Japan Institute for Labour Policy and Training
www.jil.go.jp

Malgré les turbulences de l'économie japonaise et l'augmentation du taux de chômage au cours des quinze dernières années (Ministry of Health, Labour and Welfare, 2004), le système d'emploi à vie continue d'être la norme acceptée au Japon, comme l'illustre la figure 9.10 (The Japan Institute for Labour Policy and Training, 2004). Ainsi, les entreprises embauchent les recrues à leur sortie des institutions d'enseignement et les gardent jusqu'à leur retraite, à moins d'événements majeurs tels qu'une crise. Les promotions, les mutations et les augmentations de salaire sont octroyées sur la base de l'ancienneté (Gross, 1999). La réforme de ce système d'emploi, souhaitée par certains, n'est pas encore d'actualité bien que plusieurs compagnies aient accru l'embauche de travailleurs temporaires, non soumis à ce régime : ils constituent aujourd'hui plus de 27 % de la main-d'œuvre japonaise (The Japan Institute for Labour Policy and Training, 2004).

Dans ce contexte, une partie importante des activités de dotation sont consacrées au recrutement, essentiellement par les grandes entreprises, de groupes de

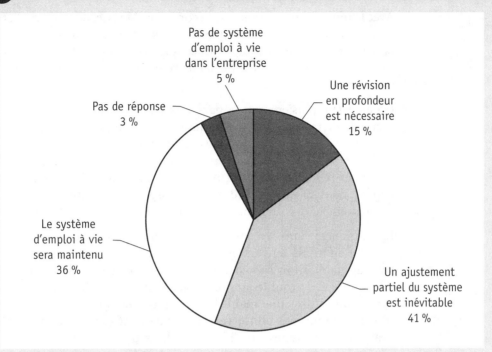

Pas de système
d'emploi à vie
dans l'entreprise
5 %

Pas de réponse
3 %

Une révision
en profondeur
est nécessaire
15 %

Le système
d'emploi à vie
sera maintenu
36 %

Un ajustement
partiel du système
est inévitable
41 %

Source : The Japan Institute for Labour Policy and Training, 2004.

diplômés du secondaire ou de l'université. Le recrutement a lieu essentiellement sur les campus, souvent à la suite d'une recommandation d'un professeur. Les recrues sont généralement embauchées après deux ou trois entrevues, parfois précédées d'un examen. Depuis peu, Internet est également devenu un outil de recrutement important pour les grandes entreprises. Elles l'utilisent principalement pour attirer les jeunes diplômés, mais s'en servent également dans leur quête d'employés d'expérience. Pour ce groupe, les agences publiques de placement constituent cependant la méthode de recrutement privilégiée, suivie par les annonces dans la presse écrite et le réseau de contacts (The Japan Institute for Labour Policy and Training, 2004). Le tableau 9.2 précise la fréquence d'utilisation de chaque méthode.

TABLEAU 9.2   Méthodes de recrutement au Japon

Jeunes diplômés (école secondaire ou université)		Candidats d'expérience	
Recommandation par un professeur	38,4 %	Agences publiques de placement	59,6 %
Foire d'emploi sur un campus	32,9 %	Annonce dans la presse écrite	31,3 %
Recherche sur Internet	29,8 %	Réseau de contacts personnels	22,9 %

Source : The Japan Institute for Labour Policy and Training, 2004.

La Chine : croissance d'Internet aux dépens du réseautage politique

Avec la montée en puissance de l'économie chinoise, de plus en plus de compagnies internationales voient dans ce pays une source de candidats potentiels, tant pour leurs installations locales que pour des postes à travers le monde. Mais le recrutement en Chine demeure souvent un défi pour les organisations occidentales.

Comme dans plusieurs autres pays d'Asie, les recommandations constituent une méthode de recrutement très communément employée. Mais dans le contexte chinois, les personnes sont souvent recommandées en raison de leur réseau politique plus que de leurs compétences, ce qui rend les firmes internationales méfiantes (Gross, 1997 ; Overman, 2001). La banque Citigroup l'a appris à ses dépens : dans les années 1980, elle a dû suspendre un parent du premier ministre chinois, embauché sur la base de fausses informations (Butcher, 2004).

Les annonces dans les journaux sont une autre avenue intéressante pour recruter en masse du personnel relativement peu qualifié (Gross, 1997). Si les frais de publication sont peu élevés, en revanche les délais sont longs, un à deux mois, et surtout les annonces génèrent un nombre très élevé de candidatures. Pour attirer une main-d'œuvre plus qualifiée, les compagnies internationales se tournent plutôt vers le recrutement sur les campus universitaires, pratique en croissance en Chine (Méril, 2006 ; Overman, 2001).

Un autre phénomène grandissant est le retour dans leur pays d'origine de Chinois vivant à l'étranger, retour encouragé depuis peu par leur gouvernement (China Internet Information Center, 2006). Ayant acquis une formation et une expérience de travail en Occident, ces personnes constituent des candidats de premier choix pour les multinationales installées sur le territoire chinois (Gross, 1997). Mais leur recrutement n'est pas chose facile, car ces candidats sont difficiles à retrouver. Deux méthodes sont alors privilégiées : l'usage d'une agence privée de recrutement spécialisée dans cette clientèle (Gross, 1997) ou l'utilisation de sites Web spécialisés (Méril, 2006). À cet égard, Fécherolle (2005) note qu'en dépit d'un faible niveau d'équipement informatique dans les ménages, la Chine compte de très nombreux sites de recherche d'emplois. Les plus importants rassemblent plus d'un million de curriculum vitæ.

L'Inde : croissance du recrutement en ligne

Certains considèrent l'Inde comme la capitale mondiale de la délocalisation, c'est pourquoi elle a reçu beaucoup d'attention dans les médias occidentaux pour sa main-d'œuvre peu qualifiée et bon marché. Mais l'Inde est aussi, depuis plusieurs années, un fournisseur de main-d'œuvre qualifiée pour plusieurs compagnies multinationales. Oracle, Microsoft, Accenture, Dell, Google, sont autant d'entreprises qui ont recruté récemment des professionnels indiens en grand nombre (JDN, 2006a ; JDN, 2006b). En effet, l'Inde compte à elle seule près de 30 % de la main-d'œuvre qualifiée des pays émergents. Et contrairement aux ressortissants de plusieurs de ces pays, les diplômés indiens parlent anglais couramment, ce qui les rend particulièrement attrayants pour le marché mondial (Farrell *et al.*, 2005). À titre d'illustration, l'encadré 9.2 présente quelques comparaisons entre l'Inde et les États-Unis.

Face à l'augmentation de cette demande venant de l'international, les méthodes de recrutement indiennes sont en pleine transformation. De façon traditionnelle, les postes peu qualifiés sont pourvus par la distribution d'annonces dans la rue ou par le bouche à oreille. Les candidatures spontanées, suivies d'une entrevue immédiate (ou *walk-in interview*), sont une pratique de recrutement courante nécessaire dans les régions où l'envoi d'un curriculum vitæ par la poste ou par courriel est impossible en raison du manque de développement de ces moyens de communication (Laurant, 1997).

La publication d'une annonce dans la presse nationale ou régionale est toujours une option, mais elle coûte cher, jusqu'à 2500 $ US (près de 2800 $ CA) pour une annonce de taille moyenne dans les plus grands journaux économiques (New Zealand Trade and Enterprise, 2003). Ces coûts élevés ont favorisé le développement du recrutement sur Internet, particulièrement adapté pour une main-d'œuvre qualifiée (Fécherolle, 2005). L'industrie du recrutement en ligne croît de 80 % à 90 % annuellement pour satisfaire les besoins des 8,8 millions d'Indiens par mois qui visitent des sites de recherche d'emploi (Onrec.com, 2004).

Comme on peut le voir dans les paragraphes précédents, les moyens déployés pour attirer des candidats varient d'un pays à l'autre et d'un type de poste à l'autre. En outre, au sein d'un même pays, ils évoluent rapidement. Par exemple, le phénomène des blogues, outils interactifs d'échanges menés par un individu ou une entreprise, a envahi depuis peu la sphère du travail nord-américaine (Giroux, 2006). Bien que les blogues reliés à l'emploi n'en soient qu'à leurs premiers balbutiements, certains experts croient que cette méthode de recrutement est appelée à se développer (Giroux, 2006). En France, c'est plutôt la téléphonie mobile qui se développe comme méthode de recrutement (Cousin, 2006).

Devant ces incessants développements, il est impossible pour un recruteur de connaître toutes les particularités d'un marché du travail donné, à un moment donné. Il est donc préférable, pour recruter à l'étranger, de trouver un partenaire local.

2.3 La troisième étape : trouver un partenaire local

S'adjoindre les services d'un partenaire local est une saine pratique de gestion.

Devant la complexité du marché du travail mondial, faire affaire avec une agence locale spécialisée dans le recrutement est généralement la meilleure solution (Hamm, 2004). Le partenaire local est non seulement habitué aux nuances du marché du travail, mais également à la législation en vigueur, de même qu'à la réputation des institutions d'enseignement et à l'influence des associations professionnelles. Il est également en mesure de vérifier les antécédents des candidats.

Le choix du partenaire est crucial au bon déroulement des activités de dotation. Celui-ci doit à la fois connaître les méthodes de sélection appropriées pour le type de candidats recherchés, mais il doit également comprendre les exigences de l'employeur international. Se renseigner sur la réputation des agences locales de placement ou faire affaire avec les bureaux délocalisés d'agences mondialement reconnues sont de saines pratiques de gestion (Hamm, 2004). Par ailleurs, travailler avec un partenaire local ne signifie pas que toutes les décisions de dotation lui sont abandonnées. La décision finale est habituellement prise par la compagnie internationale. Comme nous l'avons vu au chapitre 8, les agences privées de recrutement ne se contentent pas d'effectuer l'étape du recrutement, elles procèdent généralement à une première sélection parmi les candidats. Les agences internationales n'agissent pas autrement : la compagnie qui souhaite embaucher du personnel délègue les décisions de recrutement ainsi que le premier tri des candidatures. L'agence présente ensuite au recruteur un nombre réduit de candidats, qu'il ira habituellement rencontrer sur place. La décision finale d'embauche revient à la compagnie internationale, souvent après une visite du candidat étranger sur les lieux de l'entreprise.

Les entreprises canadiennes qui recrutent à l'étranger cherchent habituellement à pourvoir deux types de postes : un poste situé dans le pays où elles recrutent, pour lequel elles préfèrent embaucher une main-d'œuvre locale, ou un poste situé au Canada qu'elles n'arrivent pas à pourvoir sur le marché canadien du travail. Dans ce dernier cas, l'employeur doit tenir compte des règles de l'immigration.

3. L'embauche de travailleurs étrangers au Canada

Plusieurs règles d'immigration encadrent l'embauche de travailleurs étrangers au Canada.

En abolissant les frontières au recrutement, Internet a rendu extrêmement aisée l'embauche de candidats venant de partout dans le monde. Mais les règles de l'immigration n'ont pas disparu pour autant, de sorte que l'embauche d'un candidat étranger demande plus de préparation que celle d'un Canadien.

Dans un premier temps, l'employeur doit demander un avis sur le marché du travail auprès du ministère canadien des Ressources humaines et du Développement social. Le ministère évalue la demande en prenant en considération les impacts que cette embauche peut avoir sur le marché du travail canadien. Par exemple, une offre d'emploi dont le salaire serait inférieur à ceux versés aux Canadiens qui exercent cette profession serait immédiatement refusée. L'encadré 9.3 précise les différents critères d'évaluation d'une offre d'emploi. Il est à noter que, pour les emplois au Québec, l'employeur doit également soumettre au ministère québécois de l'Immigration et des Communautés culturelles une demande de certificat d'acceptation.

ENCADRÉ 9.3 Critères d'évaluation d'une offre d'emploi

Avant de confirmer une offre d'emploi, le ministère canadien des Ressources humaines et du Développement social examine si :

- l'offre d'emploi est authentique ;
- le salaire et les conditions de travail sont comparables à ceux offerts aux Canadiens exerçant cette profession ;
- les employeurs ont fait des efforts raisonnables pour embaucher ou former des Canadiens afin qu'ils occupent cet emploi ;
- l'embauche du travailleur étranger vient aider à répondre à une pénurie de main-d'œuvre ;
- l'embauche du travailleur étranger aura pour effet direct de créer de nouvelles possibilités d'emploi ou de permettre à des Canadiens de conserver leur emploi ;
- le travailleur étranger transférera de nouvelles compétences et connaissances aux Canadiens ;
- l'embauche du travailleur étranger n'aura pas d'incidence sur un conflit de travail ni sur l'emploi de tout travailleur canadien en cause dans un tel conflit.

Source : Ressources humaines et Développement social du Canada, 2003.

Une fois l'offre d'emploi acceptée par le ou les ministères concernés, l'employeur peut informer le candidat étranger qu'il doit demander un permis de travail pour que le processus d'embauche se poursuive. La demande est déposée au ministère de la Citoyenneté et de l'Immigration du Canada qui décide d'accorder ou non un permis de travail au travailleur étranger.

Il est à noter que ces procédures d'immigration sont simplifiées dans le cas de certaines professions pour lesquelles une pénurie a été constatée au Canada. C'est le cas, par exemple, des universitaires, des travailleurs dans le domaine des spectacles et de la production de films ou encore des spécialistes du domaine des technologies de l'information. D'autres catégories de travailleurs bénéficient également de règles d'exception en vertu de l'Accord de libre échange nord-américain (ALÉNA) ou de l'Accord général sur les tarifs douaniers et le commerce (General Agreement on Tariffs and Trade, ou GATT). Dans un tel contexte, une entreprise qui souhaite embaucher des travailleurs étrangers a tout intérêt à s'adresser à un spécialiste de l'immigration pour s'assurer qu'elle entreprend correctement les démarches nécessaires.

Le fait de recruter dans un autre pays, que ce soit pour pourvoir des postes à l'étranger ou au Canada, requiert donc une préparation plus importante que les activités de recrutement locales. Devant la complexité des règles et procédures, mais aussi devant l'existence des différences culturelles, une saine pratique de gestion consiste à s'adjoindre les services d'un expert spécialisé dans ce type de recrutement.

Ce qu'il faut retenir

- Le recrutement international est plus complexe que le recrutement local.
- Le recruteur doit cibler le type de poste qu'il souhaite pourvoir ainsi que le pays dans lequel il souhaite recruter.
- Les activités de recrutement et d'embauche devraient être menées en partenariat avec un expert local.

Références

BARBER, Jackie, Lydia RUFFLES et Mark SULLIVAN (2005, 11 avril). « European survey of employment costs », [en ligne], *Mercer Human Resource Consulting* [réf. du 15 août 2006]. <www.mercerhr.com>.

BUTCHER, Sarah (2004, 3 août). « Les banques intensifient leur recrutement en Chine », [en ligne], *eFinancialCareers.fr* [réf. du 14 août 2006]. <http://actu.efinancialcareers.fr>.

CHINA INTERNET INFORMATION CENTER (2006, 28 février). « Chine : recrutement à l'étranger de personnes compétentes et qualifiées », [en ligne], *China.org.cn* [réf. du 14 août 2006]. <www.china.org.cn>.

COUSIN, Marie (2006, 12 janvier). « Marché du travail : Un mobile pour recruter », [en ligne], *L'Express,* n° 2845 [réf. du 14 août 2006]. <www.lexpress.fr>.

FÄRBER, Frank, Tim WEITZEL et Tobias KEIM (2003). « An Automated Recommendation Approach to Selection in Personnel Recruitment », [en ligne], *IWI Chair of Business Administration esp. Information Systems,* 11 p. [réf. du 14 août 2006]. <www.wi-frankfurt.de>.

FARRELL, Diana *et al.* (2005). *The emerging global labor market*, McKinsey Global Institute, Sydney, McKinsey & Company, 48 p.

FARRELL, Diana et Andrew J. GRANT (2005). « China's looming talent shortage », [en ligne], *The McKinsey Quarterly,* n° 4 [réf. du 14 août 2006]. <www.mckinseyquarterly.com>.

FARRELL, Diana, Martha LABOISSIÈRE et Jaeson ROSENFELD (2005). « Sizing the emerging global talent market », [en ligne], *The McKinsey Quarterly,* n° 3 [réf. du 14 août 2006]. <www.mckinseyquarterly.com>.

FÉCHEROLLE, Olivier (2005, 30 mai). « La Chine et l'Inde, les deux futurs géants du e-recrutement », [en ligne], *Focus RH* [réf. du 15 août 2006]. <www.focusrh.com>.

FEDERAL STATISTICAL OFFICE GERMANY (2005). « Registered unemployed, Unemployment rate », [en ligne], *Statistisches Bundesamt Deutschland* [réf. du 14 août 2006]. <www.destatis.de>.

FINE, Victoria E. (2006, juillet). « HR management trends in Central Europe », [en ligne], *Expatica* [réf. du 15 août 2006]. <www.expatica.com>.

FORNA, Memuna et Julia BACON (2003). « Discrimination payouts could rise unless employers change their recruitment practices says new Work Foundation survey », [en ligne], *The Work Foundation* [réf. du 16 août 2006]. <www.theworkfoundation.com>.

GIROUX, André (2006, 31 mars). « Le blogue, outil de recrutement de l'avenir? », [en ligne], *La Toile des recruteurs, JobWings* [réf. du 14 août 2006]. <www.latoiledesrecruteurs.com>.

GROSS, Ames (1999, novembre). « New Trends in Japan's Recruiting Practices », [en ligne], *SHRM International Update, Bethesda, Pacific Bridge* [réf. du 15 août 2006]. <www.pacificbridge.com>.

GROSS, Ames (1997, hiver). « Recruiting in Asia », [en ligne], *Benefits & Compensation International, Bethesda, Pacific Bridge* [réf. du 14 août 2006]. <www.pacificbridge.com>.

HAMM, Jennifer (2004, juin). « Best international recruitment practices », [en ligne], *Expatica* [réf. 14 août 2006]. <www.expatica.com>.

INSEE (2006). « Chômage dans l'Union européenne », [en ligne], *Tableaux de l'économie française, Édition 2005-2006, Institut national de la statistique et des études économiques* [réf. du 4 août 2006]. <www.insee.fr>.

INSEE (2004). *Femmes et Hommes: Regards sur la parité*, Édition 2004, Paris, Institut national de la statistique et des études économiques, 176 p.

JDN (2006a, 2 avril). « Google a lancé une importante campagne de recrutement en Inde », [en ligne], *Journal du Net Solutions, Benchmark Group* [réf. du 14 août 2006]. <www.journaldunet.com>.

JDN (2006b, 31 janvier). « Dell va recruter 5000 personnes en Inde », [en ligne], *Journal du Net Solutions, Benchmark Group* [réf. du 14 août 2006]. <http://solutions.journaldunet.com>.

KEIM, Tobias, Frank FÄRBER et Tim WEITZEL (2003). « Enhancing Partner Matching with Recommendation Systems », [en ligne], *IWI Chair of Business Administration esp. Information Systems*, 6 p. [réf. du 14 août 2006]. <www.wi-frankfurt.de>.

LABRECQUE, Michel (2006, 6 mars). « Une puissance informatique à la conquête du monde – Inde: le réveil d'un géant », [en ligne], *Les affaires et la vie, Radio-Canada.ca* [réf. du 14 août 2006]. <www.radio-canada.ca>.

LAURANT, Dode (1997, janvier). « Recrutements sur le terrain: Petit manuel à l'usage des responsables de programme », [en ligne], *Inter Aide* [réf. du 14 août 2006]. <www.interaide.org>.

MANAGEMENT ISSUES NEWS (2003, mars). « Discrimination payouts could rise unless employers change their ways », [en ligne], *Management-Issues* [réf. du 14 août 2006]. <www.management-issues.com>.

MANPOWER (2006a, 14 mars). « Global Manpower Employment Outlook Survey Reveals Robust Hiring Activity Ahead in Japan, and a Return to Optimism Among German Employers: U.S. Hiring to Continue Rolling Along, as China Slows the Pace from Last Year », [en ligne], *Manpower* [réf. du 14 août 2006]. <www.manpower.com>.

MANPOWER (2006b, 14 mars). « L'enquête de Manpower sur les perspectives d'emploi prévoit un climat de recrutement actif au Canada pour le deuxième trimestre de 2006 », [en ligne], *Manpower* [réf. du 14 août 2006]. <www.ca.manpower.com>.

MANPOWER (2006c, 21 février). « Un sondage de Manpower sur la pénurie de talents révèle que 66 % des employeurs au Canada ont du mal à trouver des candidats qualifiés », [en ligne], *Manpower* [réf. du 14 août 2006]. <www.ca.manpower.com>.

MANPOWER (2006d, 21 février). « Le livre blanc de Manpower: Pénurie de talents », [en ligne], *Manpower*, 13 p. [réf. du 14 août 2006]. <www.ca.manpower.com>.

MÉRIL, Emmanuel (2006, 22 mars). « Recruter en Chine, une affaire simple », [en ligne], *La Tribune* [réf. du 15 août 2006]. <www.latribune.fr>.

MINISTÈRE FÉDÉRAL DES AFFAIRES ÉTRANGÈRES (s. d.). « Allemagne: Faits et réalités », [en ligne], *Allemagne Faits et réalités* [réf. du 14 août 2006]. <www.tatsachen-ueber-deutschland.de>.

MINISTRY OF HEALTH, LABOUR AND WELFARE (2004). « Part I : Trends and features of the labour economy in 2004, Chapter 1 : Employment and Unemployment Trends », [en ligne], *Ministry of health, labour and welfare, Japan,* 4 p. [réf. du 14 août 2006]. <www.mhlw.go.jp>.

NEW ZEALAND TRADE AND ENTERPRISE (2003, juillet). « Estimated costs of setting up an office in India », [en ligne], *Exporter information tools, Marketnewzealand.com,* 4 p. [réf. du 14 août 2006]. <www.marketnewzealand.com>.

OFFICE FOR NATIONAL STATISTICS (2006, mars). « Employment and Unemployment Trends Data », [en ligne], *Labour Market Statistics, National Statistics* [réf. du 14 août 2006]. <www.statistics.gov.uk>.

ONREC.COM (2004, 25 mai). « Monster Worldwide buys India's JobsAhead.com for $ 9.6 mn », [en ligne], *Online Recruitment* [réf. du 14 août 2006]. <www.onrec.com>.

OVERMAN, Stéphanie (2001, mars). « Recruiting in China », *HR Magazine,* vol. 46, n° 3, p. 87-93.

RESEARCH AND MARKETS (2005, juin). « E-Recruitment : Market Assessment 2005 », [en ligne], *Research and Market* [réf. du 16 août 2006]. <www.researchandmarkets.com>.

RESSOURCES HUMAINES ET DÉVELOPPEMENT SOCIAL DU CANADA (2003). « Embaucher des travailleurs étrangers au Canada », [en ligne], *Ressources humaines et développement social du Canada* [réf. du 14 août 2006]. <www.rhdcc.gc.ca>.

SZIJJÁRTÓ, Noémi, Rita VERES et Katarzyna PALAMARZ (2006, 14 juin). « Central Eastern European Lansdscape : Optimistic Czech and Pessimistic Polish Employees », [en ligne], *Hewitt Associates,* 5 p. [réf. du 16 août 2006]. <www.hewittassociates.com>.

THE JAPAN INSTITUTE FOR LABOUR POLICY AND TRAINING (2004, mars). « Labour situation in Japan and analysis 2004/2005 », [en ligne], *The japan institute for labour policy and training,* 116 p. [réf. du 14 août 2006]. <www.jil.go.jp>.

TNS SOFRES (2006, 24 janvier). « Emploi et Internet : Stratégies de recherche », [en ligne], *Étude réalisée pour le compte de l'Association des professionnels pour la promotion de l'emploi sur Internet,* 32 p. [réf. du 4 août 2006]. <www.appei.net>.

TNS SOFRES (2001, septembre). « L'emploi et Internet », [en ligne], *Étude réalisée pour le compte de l'Association des professionnels pour la promotion de l'emploi sur Internet,* 13 p. [réf. du 4 août 2006]. <www.tns-sofres.com>.

WEBOMETRICS RANKING OF WORLD UNIVERSITIES (2006, janvier). « World Universities' ranking on the Web : Top 3000 World Ranking », [en ligne], *Webometrics ranking of world universities* [réf. du 17 août 2006]. <www.webometrics.info>.

WESFREID, Marcelo (2006, 26 janvier). « Recrutement : Les grands frères des campus », *L'Express,* n° 2847, p. 108.

WINDOLF, Paul et Stephen WOOD (1988). *Recruitment and selection in the labour market : a comparative study of Britain and West Germany,* Avebury, Aldershot, 222 p.

CHAPITRE **10**

La rédaction
d'une annonce

Objectif du chapitre

Quelle que soit la méthode de recrutement choisie, la rédaction d'une annonce s'avère presque toujours nécessaire. Ce chapitre a pour objectif:

• d'expliquer comment rédiger une annonce accrocheuse, en insistant tant sur le contenu que sur la forme. De nombreuses annonces tirées de sites Internet illustrent les propos.

Comme nous l'avons vu au chapitre 8, les activités de recrutement ont pour objectif d'attirer un nombre suffisant de candidatures de qualité. Pour ce faire, les recruteurs ont recours à diverses méthodes de recrutement, parmi lesquelles figure souvent la publication ou l'affichage d'une annonce. Cette annonce constitue, dans bien des cas, le premier contact du candidat avec l'employeur potentiel. C'est donc l'occasion pour ce dernier de créer une bonne première impression, de retenir l'attention des candidats et de se démarquer des concurrents.

> *L'annonce doit respecter l'acronyme AIDA: attention, intérêt, désir, action.*

Pour atteindre leurs objectifs, les professionnels en ressources humaines doivent approcher le recrutement comme une opération de marketing. L'utilisation de l'acronyme AIDA (attention, intérêt, désir, action), tel que défini par Ray *et al.* (1973, cité dans Strauss *et al.,* 2006), résume les objectifs de l'annonce. Dans un premier temps, elle doit attirer l'attention des candidats potentiels. Elle doit ensuite susciter leur intérêt pour le poste en établissant clairement le profil du candidat idéal et en cernant le secteur d'activité. Puis, l'annonce doit attiser le désir des candidats de postuler et leur fournir les informations nécessaires à l'action (Chapman, 2004).

Ainsi, l'annonce poursuit plusieurs desseins. Elle fournit des informations sur le poste et la compagnie afin de cibler les candidats qualifiés et leur donner envie de postuler. En même temps, la description du poste doit être suffisamment explicite pour décourager les candidatures ne correspondant pas au profil recherché. Une troisième intention peut être de donner une image positive de l'entreprise et de contribuer à bâtir sa réputation comme employeur de choix.

Pour atteindre ces objectifs, le recruteur peut agir à la fois sur le contenu de l'annonce et sur son apparence. Tout comme le choix des sources et des méthodes de recrutement doit être ciblé (voir chapitre 8), l'annonce doit être adaptée aux candidats visés et à la situation du marché de l'emploi. Or, certains experts du marché du travail (Francisci, 2003) estiment que la plupart des annonces « sont rédigées de telle façon que n'importe quel candidat qui connaît [Microsoft] Office, qui parle anglais et qui considère avoir un bon entregent peut estimer qu'il a suffisamment le profil pour y répondre ». Rédiger des annonces à la fois attrayantes, spécifiques et personnalisées ne s'improvise pas. C'est ce que nous allons détailler dans les pages qui suivent.

Offre d'emploi
▶ *Job offer*
Proposition d'embauche faite au candidat choisi.

Annonce d'emploi
▶ *Job advertisement*
Texte invitant les candidats potentiels à postuler.

Cependant, avant de passer en revue les éléments essentiels à l'écriture d'une annonce, une précision terminologique s'impose : l'annonce utilisée en recrutement est souvent appelée « **offre d'emploi** ». Pourtant ce terme prête à confusion, car il désigne également l'offre faite à un candidat à l'issue du processus de sélection pour lui proposer un poste. Pour éviter cette confusion, nous privilégierons ici l'appellation « annonce » ou « **annonce d'emploi** ». Dans ce livre, ces termes désignent autant les annonces parues dans la presse écrite que celles affichées sur des babillards ou postées sur un site Internet.

1. Le contenu du message

Au Canada, aucune loi ni aucun règlement ne fixent un contenu obligatoire à une annonce d'emploi. En théorie, l'employeur n'est donc pas tenu d'indiquer la qualification du candidat recherché, la rémunération offerte ou encore le lieu ou les horaires de travail du poste concerné. Nous verrons toutefois plus loin que certaines de ces informations doivent nécessairement figurer dans l'annonce pour assurer un recrutement de qualité, tandis que d'autres sont laissées à la discrétion du recruteur.

Mais l'apparente liberté laissée à l'employeur dans la rédaction des annonces n'est pas totale : plusieurs mentions sont spécifiquement interdites.

1.1 Les interdits

Une annonce ne peut contenir aucune mention discriminatoire.

Conformément à la législation en vigueur au Canada et dans ses provinces (voir chapitre 2), une annonce ne peut contenir aucune information ni aucune exigence relatives à l'un des critères illégaux de discrimination. Ainsi, il est interdit de fixer une limite d'âge ou encore de favoriser, dans la dénomination de l'emploi, un sexe plutôt qu'un autre.

Il est illégal, par exemple, d'annoncer un poste d'infirmière. Deux solutions s'offrent alors à l'employeur potentiel. Tel que l'illustre l'encadré 10.1, ce dernier peut utiliser une formulation incluant les deux sexes (par exemple, infirmier/infirmière ou encore infirmier/ère). S'il préfère, il peut également employer la forme masculine en indiquant, en bas de l'annonce, que celle-ci inclut les hommes et les femmes, ou encore que l'annonce s'adresse à égalité aux hommes et aux femmes. L'encadré 10.2 présente un exemple d'annonce répondant à cette exigence.

Bien entendu, des informations susceptibles de constituer des motifs illégaux de discrimination peuvent être stipulées dans l'annonce si elles s'inscrivent dans l'un des cas d'exceptions mentionnés au chapitre 2 : exigences professionnelles justifiées, institutions à but non lucratif ou programmes d'équité en emploi. Rappelons que dans ces cas, le fardeau de la preuve incombe à l'employeur. L'encadré 10.3, présenté plus loin, illustre le cas d'une exigence professionnelle justifiée.

Bien que ces interdits soient très clairs, au Canada comme ailleurs, ils ne sont pas toujours respectés. Ainsi, une enquête menée en 2004 par l'Observatoire des discriminations indique que près de 20 % des annonces publiées dans les journaux français pour un poste de commercial exigent une limite d'âge ou un candidat « jeune » (Amadieu, 2004). Or, depuis la loi de 2001 (République française, 2001), la mention de l'âge est tout autant interdite en France qu'au Canada. D'ailleurs, au Canada et au Québec, il arrive également que la législation relative à l'âge soit bafouée. La Commission des droits de la personne et des droits de la jeunesse du Québec (2004) traite environ 80 dossiers d'enquête pour discrimination en emploi dont le motif allégué est l'âge. De son côté, pour la seule année 1999, la Commission canadienne des

Commission des droits de la personne et des droits de la jeunesse du Québec
www.cdpdj.qc.ca

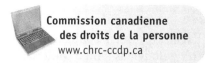

Commission canadienne des droits de la personne
www.chrc-ccdp.ca

droits de la personne a mené à terme l'examen de 197 plaintes de discrimination fondées sur l'âge, ce qui démontre que ce problème est encore d'actualité malgré la législation visant à le limiter (Commission canadienne des droits de la personne, 1999).

ENCADRÉ 10.1 **Exemple d'annonce dont le titre d'emploi inclut les deux sexes**

Le CHVO a de beaux défis à relever. Pour ce faire, il recherche du personnel dynamique et professionnel dont l'engagement contribuera à l'amélioration de la qualité des soins et à son rayonnement professionnel au travail.

N° de référence: 04-01-b
Renseignements sur l'employeur

CSSS de Gatineau – Centre hospitalier des Vallées-de-l'Outaouais
www.chvo.qc.ca
Téléphone: 819 561-8100
Télécopieur: 819 561-8306

Renseignements sur l'affichage

INFIRMIER AUXILIAIRE (TITRE RÉSERVÉ)*/DIPLÔMÉ EN SERVICE DE LA SANTÉ/INFIRMIÈRE AUXILIAIRE (TITRE RÉSERVÉ)*/ DIPLÔMÉE EN SERVICE DE LA SANTÉ (Groupe 324)

Poste ouvert: 05 octobre 2004 au 15 novembre 2005
Durée: Liste de rappel (TPO)
Salaire: Salaire hebdomadaire de 560,43 $ à 735,88 $

Description:
Personne qui participe à l'administration d'un ensemble de procédés diagnostiques, thérapeutiques et préventifs. Elle donne des soins infirmiers et de bien-être requis par le bénéficiaire. Elle exécute certains examens et prescriptions. Elle collabore avec les autres professionnels lors d'examens et de traitements. Elle doit détenir un diplôme de fin d'études secondaires avec spécialisation en Santé, assistance et soins infirmiers ou en Service de la santé (infirmier/infirmière auxiliaire) d'une école reconnue par le ministère de l'Éducation ou détenir un diplôme d'une école alors reconnue par la Commission des gardes-malades auxiliaires de la province de Québec ou par l'A.I.I.P.Q. ou, le cas échéant, par le ministère de l'Éducation ou dont l'équivalence en compétence était reconnue par l'A.I.I.P.Q. Les infirmiers ou infirmières auxiliaires ou auxiliaires diplômés(es) de la région de Québec, qui bénéficiaient au 5 décembre 1969 d'un différentiel de deux dollars (2,00 $) de plus par semaine que le salaire prévu à leur échelle, conserveront ce différentiel. Il est entendu d'autre part, que l'échelle de salaires prévue à la convention collective s'applique pour tous les autres infirmiers ou infirmières auxiliaires ou diplômés(es) en service de la santé de la région de Québec.

* Pour utiliser ce titre réservé, la personne doit être membre de l'Ordre professionnel des infirmières et infirmiers auxiliaires du Québec. À la demande de l'employeur, la personne concernée fournit la preuve de son appartenance au dit Ordre.

Scolarité: Diplôme d'études professionnelles en Santé Assistance et soins infirmiers

Langue requise: Français

Type de poste: Syndiqué

Contact:
CSSS de Gatineau – Centre hospitalier des Vallées-de-l'Outaouais
Hôpital de Hull
116, boul. Lionel-Émond
Gatineau (secteur Hull) J8Y 1W7

Téléphone: 819 595-6070
Télécopieur: 819 595-6041
Courriel: 07_chvo_recrutement_chvo@ssss.gouv.qc.ca

Beaucoup de postes et remplacements toutes catégories d'emploi sont disponibles actuellement au sein du CHVO. De plus, pour certains titres d'emploi, nous offrons une aide financière afin de faciliter votre installation en Outaouais (maximum de 1000 $).

Source: Centre hospitalier des Vallées de l'Outaouais, 2005.

Centre de santé et de services sociaux de Gatineau
www.chvo.qc.ca

ASSURETOUT

ASSURETOUT

Expert en sinistres – Niveau 2

Type d'emploi : Temps plein
Lieu : Montréal (Québec, Canada)
Catégorie d'emploi : Assurance
Secteur d'activité : Assurance multirisque
Nombre d'années d'expérience : 3
Date d'affichage : 7 décembre 2006

La compagnie Assuretout est présentement à la recherche d'un **expert en sinistres** niveau 2.

Relevant du chef d'équipe, l'expert en sinistres a pour principale responsabilité le traitement de nouveaux sinistres automobiles tout en offrant un service rapide et de qualité à nos courtiers et à nos assurés.

Responsabilités particulières :
- Répondre aux appels des clients et des courtiers au sujet des nouveaux dossiers de réclamation.
- Offrir les services d'urgence à la clientèle.
- Établir un premier contact auprès de l'assuré.
- Répondre aux questions et expliquer le processus de règlement de sinistre à l'assuré.
- Assigner des experts en sinistres.
- Assigner les estimateurs en automobile ou diriger les assurés vers un de nos ateliers de réparation privilégiés.
- Répondre aux questions provenant de courtiers.
- Reconnaître les dossiers ayant un potentiel important afin d'en alerter les personnes en autorité.
- Effectuer des enquêtes selon leur niveau de compétence.

Qualification requise :
- Certificat d'expert en sinistres délivré par l'Autorité des marchés financiers.
- Diplôme d'études secondaires et 3 années d'expérience de travail dans le domaine des assurances.
- Bilinguisme tant à l'oral qu'à l'écrit.

Aptitudes et qualités personnelles :
- Vous êtes professionnel, amical et courtois dans toutes vos interactions, autant auprès des clients que de vos collègues.
- Vous effectuez bien vos tâches dans un contexte très chargé et conservez votre calme sous pression.
- Vous faites preuve d'esprit d'équipe et vous vous adaptez bien à un milieu en évolution.
- Vous avez des aptitudes à la saisie de données et maîtrisez l'art de naviguer d'un écran à l'autre de façon rapide et efficace.

Assuretout pratique l'équité en matière d'emploi. Nous communiquerons seulement avec les personnes dont les candidatures seront retenues. Afin de faciliter la lecture, nous avons employé le masculin comme genre neutre pour désigner aussi bien les femmes que les hommes.

Les candidats peuvent nous faire parvenir leur CV par télécopieur au 514 555-5555.

AIR CANADA JAZZ

Agent de bord

Type d'emploi : Temps plein
Secteur d'activité : Industrie aérospatiale
Site Web de la compagnie : www.flyjazz.ca
Date d'affichage : 2 septembre 2005

Deuxième transporteur en importance au Canada, Air Canada Jazz dessert actuellement 67 destinations au Canada et aux États-Unis grâce à un parc aérien composé de jets régionaux et d'avions à turbopropulseurs. Elle exploite plus de 600 vols par jour et transporte quelque six millions de passagers annuellement. Ayant son siège à Halifax, Jazz est dotée d'un effectif de 3400 employés et offre un environnement de travail professionnel ainsi que des possibilités d'avancement.

Air Canada Jazz pratique l'équité en matière d'emploi.

Air Canada Jazz accepte présentement les candidatures pour des postes d'agents de bord. Jazz recherche des personnes qui font preuve d'excellence en matière de service à la clientèle et qui sauront offrir un service de grande qualité, conforme à la réputation de Jazz.

Les candidats doivent **PARLER L'ANGLAIS ET LE FRANÇAIS COURAMMENT**, et satisfaire aux critères suivants :

- Citoyenneté canadienne ou statut d'immigrant reçu au Canada et passage des contrôles de sécurité.
- État de santé répondant à nos exigences.
- Avoir au moins 19 ans.
- Diplôme d'études secondaires, ou l'équivalent.
- Deux années d'expérience sur le marché du travail en matière de service à la clientèle.
- Excellentes aptitudes en communications interpersonnelles et en service.
- Mesurer, au maximum, 1,80 m (5 pi 11 po) (avec des talons de 2,5 cm (1 po)) (en raison de la taille de certains de nos avions).
- Entregent, grande résistance et tenue soignée.

Les bases d'affectation des agents de bord d'Air Canada Jazz sont situées à Montréal, Toronto, Calgary et Vancouver. Nous recrutons actuellement des candidats et candidates pour la base de Toronto.

Nous vous remercions à l'avance de poser votre candidature. Nous communiquerons uniquement avec les candidats retenus pour une entrevue.

Veuillez ne pas téléphoner.

Source : Workopolis, 2005a.

Air Canada Jazz
www.flyjazz.ca

Comme nous l'avons vu au chapitre précédent, les habitudes de recrutement et la législation varient d'un pays à l'autre. Un employeur qui souhaite publier une annonce dans un pays étranger a donc tout intérêt à consulter un juriste spécialisé en droit du travail afin de s'assurer qu'il ne contrevient pas à la législation locale. Un examen attentif des annonces publiées dans le pays ciblé sera également nécessaire pour comprendre les habitudes locales.

Même si, comme nous l'avons mentionné, aucune loi ne fixe le contenu d'une annonce, certaines informations semblent indispensables à l'atteinte de l'objectif d'attraction de candidats de qualité. Nous les détaillerons dans les pages qui suivent. Notons que le choix d'inclure ou non certaines informations dans les annonces peut être régi par les règles internes de l'organisation. Par exemple, le gouvernement du Canada s'est doté de lignes directrices concernant le contenu de ses annonces, comme en fait foi l'annexe A.

1.2 Les informations devant toujours figurer dans l'annonce

La présentation générale de l'entreprise ou du secteur d'activité

La présentation du secteur d'activité ou de l'entreprise est indispensable.

La description générale de l'organisation ou de son secteur d'activité permet aux candidats potentiels de cibler le type d'entreprises à qui ils envoient leur curriculum vitæ. C'est donc une information incontournable dans l'annonce, surtout dans le cas d'entreprises peu connues du public. Un exemple d'une telle annonce est présenté dans l'encadré 10.4.

Cependant, certaines annonces n'indiquent pas le nom de l'entreprise qui recrute. En fait, comme nous le verrons un peu plus loin, il existe d'excellentes raisons pour garder secrète l'identité de l'annonceur. Cependant, même dans ce cas, il est nécessaire d'intéresser le lecteur en lui indiquant le secteur d'activité ou la position concurrentielle de l'entreprise. Par exemple, une organisation pourra se présenter comme un « chef de file dans son domaine », ou encore comme une « grande entreprise internationale ». Si l'employeur potentiel ne souhaite pas dévoiler son nom, la présentation générale du secteur d'activité ou de l'entreprise permet tout de même de cibler les candidats et de susciter leur intérêt. Tout en étant réaliste, cette brève présentation doit être dynamique et mettre en valeur les avantages du secteur ou de l'entreprise. On parlera par exemple d'un « domaine en pleine expansion », d'une entreprise « fidèle à sa réputation de qualité » ou encore « respectueuse de l'environnement et des personnes ».

Le titre du poste

Le titre du poste doit figurer clairement dans l'annonce.

Le titre du poste offert étant généralement la première information à attirer le regard, il doit être clair et précis afin de retenir l'attention du candidat. Cette recommandation est particulièrement importante pour les postes affichés sur Internet, puisque le titre de l'emploi est généralement la seule information immédiatement disponible pour le lecteur. En effet, une annonce publiée dans la presse écrite peut aisément être parcourue d'un coup d'œil alors que, pour lire les détails d'une annonce affichée sur Internet, il faut nécessairement cliquer sur le titre du poste (Francisci, 2004a). Celui-ci doit donc être à la fois attrayant et informatif.

BELODOR CANADA

Directeur des comptes, Québec

Type d'emploi : Temps plein
Lieu : Montréal (Québec, Canada)
Catégorie d'emploi : Ventes
Nombre d'années d'expérience : 5
Nombre de postes : 1
Date d'affichage : 22 août 2005

Directeur/directrice des comptes, Québec

Belodor Canada, un développeur, un fabricant et un fournisseur de premier plan d'arômes pour l'industrie alimentaire et l'industrie pharmaceutique est à la recherche **d'un directeur ou d'une directrice des comptes** pour le Québec. Belodor Canada fait partie du groupe Belodor International, un des plus gros fournisseurs mondiaux d'arômes, de fragrances et de colorants utilisés dans la fabrication d'une panoplie d'aliments, de boissons, de produits pharmaceutiques, de cosmétiques, de produits de soins personnels et domestiques, de produits d'imprimerie et d'imagerie spécialisés, d'imagerie par ordinateur et de colorants techniques dans plus de 60 pays.

Relevant du directeur des ventes et du marketing, le directeur ou la directrice des comptes fait partie intégrante de l'équipe de gestion commerciale. Le ou la titulaire sera responsable du développement, de la mise en œuvre et de la gestion des stratégies spécifiques aux différents comptes, qui permettront d'atteindre les objectifs de vente avec les clients du Québec.

La candidate ou le candidat idéal doit posséder un minimum de cinq années fructueuses d'expérience en vente, de préférence dans l'industrie des saveurs, des ingrédients ou des produits chimiques. Un baccalauréat en administration est exigé. Une communication impeccable, autant verbale qu'écrite, en français et en anglais, de même que des compétences persuasives en négociation, ainsi qu'un sens de l'organisation développé sont également requis.

Nous offrons un programme d'avantages sociaux complet, un salaire concurrentiel et une automobile de compagnie. Seules les personnes qualifiées et retenues pour une entrevue seront contactées. Aucune aide de déménagement offerte.

Pour postuler, veuillez faire parvenir votre curriculum vitae à :

ressourceshumaines@belodor.ca
(S.V.P. pas d'appels téléphoniques).

Nous offrons des chances d'emploi égales à tous.

Or, on remarque une complexification des titres de poste, qui deviennent difficiles à décrypter, notamment en raison de l'ajout du numéro de référence ou du numéro du concours (Francisci, 2004a). Cette information, peu utile pour le candidat, complique sans raison l'annonce, tel que le montre l'encadré 10.5. Un titre simple qui décrit implicitement la fonction est donc à privilégier.

Si le titre officiel du poste est nébuleux, une brève description de la fonction doit être ajoutée pour attirer l'attention des candidats potentiels, tel que le démontre l'encadré 10.6.

ENCADRÉ 10.5 **Exemple d'annonce complexifiée par l'ajout d'un numéro de référence**

INSTRUCTEUR PLOMBIER (RÉPERTOIRE)

ATTENTION : Tous les renseignements doivent être fournis en ligne. Ne pas télécopier ou poster de documents papier car ceux-ci ne seront pas acceptés.

Nom du ministère : Service correctionnel du Canada
Lieux : Laval, Ste-Anne-des-Plaines et Joliette
Classification : GL - PIP - 09
Traitement : 27,69 $ l'heure
Date limite : N/A
Numéro de référence : PEN06J-005055-000021
Numéro du processus de sélection : N/A
Durée des fonctions : Un bassin de candidat(e)s qualifié(e)s sera créé suite à ce processus pour des nominations temporaires.
Postes à pourvoir : Nombre à être déterminé
Site web : Pour plus de renseignements sur le ministère, veuillez visiter Service correctionnel du Canada.

Qui est admissible :

Les personnes résidant ou travaillant dans les régions administratives suivantes : Lanaudière, Laurentides, Laval et Montréal sont admissibles. Vous devez indiquer clairement sur la demande électronique votre adresse de résidence ou de travail selon le cas, sinon votre candidature pourrait être rejetée.

Citoyenneté

La préférence sera accordée aux citoyens canadiens et citoyennes canadiennes. Veuillez vous assurer d'inclure dans votre demande d'emploi la raison vous permettant de travailler au Canada : la citoyenneté canadienne, le statut de résident permanent et résidente permanente ou un permis de travail.

Compétences linguistiques

Les postulants et postulantes doivent indiquer sur leur demande qu'ils ou qu'elles possèdent les critères de mérite suivants pour que leur candidature soit prise en considération.

Français essentiel

Scolarité requise

Diplôme d'études secondaires ou diplôme d'études professionnelles en plomberie-chauffage OU un agencement acceptable d'études, de formation et d'expérience.

Expérience requise

Expérience significative dans l'installation de réseaux et d'accessoires de plomberie dans des institutions publiques ou bâtiments commerciaux et industriels.

Énoncé des critères de mérite

Les candidats et les candidates qui satisfont aux critères ci-haut mentionnés seront également évalués en fonction de l'énoncé des critères de mérite de ce poste.

Autres exigences / Commentaires

- Être détenteur d'un certificat de compétence compagnon de la CCQ comme plombier valide.
- Posséder un permis de conduire valide classe 5.
- Cours de sécurité sur les chantiers de construction complété.

Renseignements à fournir :

Lorsque vous postulez, vous devez fournir les renseignements suivants sinon votre demande ne sera pas retenue :
- Votre curriculum vitæ.
- Afin d'être considéré lorsque vous postulez, assurez-vous de sélectionner au moins un type d'emploi : Durée des fonctions.

Source : Guichet Emploi, 2006.

Commission de la fonction publique du Canada
http://jobbank.gc.ca

LA SÉCURITÉ PAR L'INNOVATION

« Buildmaster »/Développeur InstallShield

Description du poste

Le Buildmaster/Développeur InstallShield a la responsabilité du contrôle des versions ainsi que de la génération et du déploiement des différents produits de VidéoSurveillance. Vous travaillerez conjointement avec les gestionnaires de projets ainsi que l'équipe d'assurance qualité afin de générer des versions de nos logiciels. Vous travaillerez également avec les chefs d'équipe de développement afin de déterminer, documenter et développer les améliorations à apporter au programme d'installation pour chacune des versions.

Rôles et responsabilités

- Concevoir, développer et exécuter un environnement automatisé de compilation et de gestion logicielle pour les différents produits de VidéoSurveillance.
- Superviser l'exécution quotidienne et sur demande des compilations des différents produits.
- Concevoir et développer les programmes d'installation (InstallShield).
- Développer et améliorer les outils automatisés de gestion logicielle et de compilation des produits.
- Intégrer les nouveaux projets logiciels à l'environnement de compilation et aux programmes d'installation.
- Concevoir et développer des tests automatisés au niveau système des différents produits.

Qualification

Critères généraux :

- Baccalauréat en informatique de gestion, en informatique, en génie informatique ou expérience équivalente.
- Deux années ou plus d'expérience en gestion de configuration logicielle.
- Bilinguisme (français et anglais).
- Excellentes habiletés de communication et organisationnelles.

Expertise technique :

- Solide connaissance et expérience avec :
  - Microsoft Visual Studio 6.0 (*débuggage* et compilation) ;
  - Microsoft Visual Studio.NET (*débuggage* et compilation) ;
  - InstallShield Developer et Windows Installer ;
  - Système de contrôle de version (Perforce, Microsoft Visual Source Safe) ;
  - Langages de scripts (Perl, VB Script, Javascript).
- Connaissance et expérience :
  - Langages de programmation (C, C++, C#, VB).

À propos de VidéoSurveillance

Si vous êtes prêts à faire partie d'une entreprise dynamique qui développe de la technologie de pointe, si vous aimez le défi et êtes à la recherche d'une entreprise qui favorise l'apprentissage, VidéoSurveillance vous offrira la possibilité d'atteindre vos objectifs tant professionnels que personnels. Les systèmes d'information VidéoSurveillance inc. est une entreprise privée canadienne incorporée depuis 1997. Une croissance bien gérée, un succès financier et des programmes de ressources humaines audacieux ont permis à VidéoSurveillance de remporter de nombreux prix d'entreprise.

Au sujet de notre équipe

Innovation et VidéoSurveillance vont de pair. Notre équipe dynamique composée d'employés hautement qualifiés développe la pensée créative. Axée sur les résultats, VidéoSurveillance favorise un environnement au sein duquel les employés peuvent exceller. Nous travaillons selon un horaire de travail flexible et avons accès aux outils de productivité les plus récents. Notre bureau est situé sur la voie de service ouest de l'autoroute Transcanadienne, à l'est du boulevard des Sources. Le stationnement est gratuit.

VidéoSurveillance Information Systems
1504 Autoroute Transcanadienne, Dorval, H9P 2V9
514 123-4567
www.vidéosurveillance.com

Source : VidéoSurveillance, 2005.

VidéoSurveillance
www.vidéosurveillance.com

La description du poste

Compte tenu des contraintes d'espace inhérentes à la publication d'une annonce, en particulier lorsque celle-ci apparaît dans la presse écrite, il n'est pas question de détailler toutes les tâches incluses dans la description de poste. Ces informations seraient de toute façon fastidieuses à lire et n'apporteraient que peu de renseignements pertinents au candidat. En revanche, l'annonce doit absolument décrire la nature générale du poste ou ses objectifs.

La description du poste doit rester brève.

Pour attirer le regard et susciter l'envie de postuler, cette description doit démontrer un certain dynamisme par l'utilisation de verbes d'action permettant de décrire l'activité : analyser, classer, encadrer, former, organiser, planifier, recommander, répondre, superviser, surveiller, vendre, vérifier, etc. (Gouvernement du Canada, 2004). L'annonce d'emploi présentée à l'encadré 10.7 en est un bon exemple.

Par ailleurs, pour éviter de surcharger l'annonce, il est possible de renvoyer le lecteur au site Internet de l'entreprise s'il désire obtenir plus d'informations sur le poste. Dans ce cas, l'annonce indiquera clairement l'adresse du site ou, dans le cas des annonces publiées sur Internet, un lien hypertexte (voir encadré 10.8).

Les compétences exigées

Comme nous l'avons vu au chapitre 6, seules certaines des compétences requises du titulaire d'un poste constituent des critères de sélection. Ceux-ci doivent être présentés de façon très claire dans l'annonce afin, d'une part, d'attirer des candidats qualifiés et, d'autre part, de dissuader les candidatures qui ne sont pas appropriées. Cependant, pour ne pas alourdir inutilement le texte, il arrive que l'annonce ne précise que les critères de sélection essentiels sans spécifier les compétences qui constituent des atouts.

Indiquer clairement les critères de sélection permet de cibler le recrutement.

À la réception des dossiers de candidature, la première analyse porte sur les critères tangibles de sélection comme le diplôme ou les années d'expérience (voir à ce sujet le chapitre 12). En effet, les critères de sélection plus subjectifs, comme les habiletés et les attitudes, sont difficiles à mesurer lorsque l'on a seulement le dossier en main : c'est pourquoi ils sont plutôt évalués lors des entrevues ou des tests. L'annonce doit donc être particulièrement précise quant aux critères objectifs de sélection. Par exemple, plutôt que d'indiquer uniquement le nombre d'années d'expérience « pertinente », il est préférable de préciser le type d'expérience. Ainsi, on mentionnera que l'on recherche un candidat possédant « cinq années d'expérience en gestion de projets d'ingénierie » ou encore « deux ans d'expérience de travail ou de bénévolat auprès de personnes âgées ». De la même façon, les noms des logiciels utilisés devraient toujours être indiqués pour préciser une exigence de « maîtrise de l'informatique », comme l'indique l'annonce d'emploi de VidéoSurveillance présentée plus tôt (voir encadré 10.6).

Le fait de préciser les critères de sélection ne doit cependant pas avoir pour conséquence de se priver de candidatures appropriées, surtout dans un contexte de pénurie de main-d'œuvre. Ainsi, le recruteur doit garder l'esprit ouvert dans

Représentant(e) Service Client

Autre langue : 🇬🇧
Localisation : Canada
Domaine : Logistique
Expérience requise : Moins de 3 ans

Disponibilité : À partir du 26/10/2005

Vous ne ressemblez à personne. Bien entendu, vous voulez intégrer une entreprise qui ne ressemble à aucune autre. Imaginez... une formidable aventure humaine partagée à travers le monde autour de la beauté, de l'innovation et de la conquête de nouveaux marchés. Imaginez... L'Oréal. Une entreprise reconnue pour son expertise dans tous les circuits de distribution ou de conseil qui propose des produits cosmétiques. Une stratégie d'expansion construite autour de 18 marques mondiales : L'Oréal Paris, Garnier, Maybelline New York, Ombrelle, Lancôme, Kiehl's since 1851, Biotherm, Giorgio Armani, Ralph Lauren, Cacharel, Guy Laroche, Paloma Picasso, L'Oréal Professionnel, Matrix, Redken, Kérastase, Laboratoire Vichy et La Roche-Posay.

En 2003 seulement : L'Oréal a déposé 515 brevets, lancé environ 450 nouveaux produits, vendu 100 produits à la seconde et a plus que triplé son chiffre d'affaires consolidé (22,5 milliards de dollars) en 10 ans... Mais avant tout, L'Oréal représente une formidable aventure humaine.

Imaginez encore que vous êtes un
Représentant(e) Service Client
Opérations, Saint-Laurent (Québec)
Les métiers des opérations vous offrent une compréhension globale du groupe et une forte implication dans nos affaires. En forte proximité avec les autres acteurs de l'entreprise, vous créez des outils pour agir sur notre organisation et améliorer ses performances. Grâce à votre expertise, vous menez des projets qui optimisent les partenariats avec nos clients. En prise directe avec notre activité, vous êtes prêts à relever des défis, à gérer des situations complexes et à imaginer des solutions.

Votre mission :

Sous la supervision du Chef, groupe logistique clients, vous serez la personne-ressource auprès des clients et des distributeurs des différentes marques de L'Oréal Canada. Vous serez responsable de la gestion complète de vos comptes clients (entrée – suivi des commandes, validation des quantités, prix des produits, date requise, demande vs prévision, etc.). Vous aurez aussi la responsabilité de créer divers rapports et de participer aux réunions liaison–marketing.

Votre profil :

Vous détenez un diplôme universitaire en administration et faites preuve de débrouillardise, d'autonomie et de flexibilité. Vous avez une excellente connaissance des logiciels MS Office (Word et Excel). La connaissance des logiciels Access et SAP constitue un atout. Vous maîtrisez les deux langues officielles à l'oral comme à l'écrit. Une personnalité qui fait la différence : vous êtes ouvert, rigoureux, diplomate et avez un bon esprit d'équipe et un réel tempérament d'entrepreneur.

L'Oréal accueille avant tout de fortes personnalités génératrices d'idées.

Faire partie de ceux qui imagineront L'Oréal demain : voici votre L'Oréalité !

Pour de plus amples informations, consultez notre site : www.loreal.ca

Source : L'Oréal, 2005.

L'Oréal
www.loreal.ca

Université Laval
www.ulaval.ca

la formulation des exigences, et indiquer par exemple si l'expérience peut remplacer le diplôme d'études demandé. Certains recruteurs estiment d'ailleurs que beaucoup d'annonces accordent trop d'espace aux exigences et pas assez aux défis du poste (Vallerand, 2002). Même si la précision des exigences a pour but de cibler les candidatures, elle ne doit pas se faire aux dépens du désir de postuler.

Le lieu de travail

L'indication du lieu de travail est une information importante pour les candidats.

Selon certains professionnels de la dotation (Francisci, 2004b), le lieu de travail est le critère le plus important pour les candidats à la recherche d'un emploi: il doit donc figurer de façon claire et précise dans l'annonce. Dans le cas des sites Internet d'affichage ou des sites d'entreprises, le lieu de travail est souvent la seule information qui accompagne le titre de l'emploi et qui est donc disponible immédiatement au lecteur. L'encadré 10.9 en fournit un exemple.

Certains employeurs situés en région éloignée hésitent parfois à préciser le lieu de travail, craignant que cette information ne décourage des candidats potentiels. Leur crainte est en partie justifiée: il est vrai que les personnes ne souhaitant pas déménager ne postuleront pas si elles ont connaissance du lieu de l'emploi. Cependant, ces candidatures n'auraient pas été intéressantes à considérer par l'employeur, car les postulants se seraient désistés plus tard dans le processus. Il est donc préférable de cibler les gens intéressés dès le début du recrutement, plutôt que de perdre du temps à traiter les candidatures de personnes peu motivées par le poste.

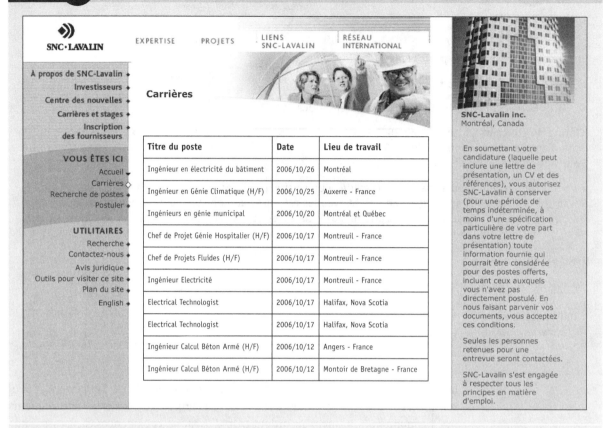

Carrières

SNC-Lavalin inc.
Montréal, Canada

Titre du poste	Date	Lieu de travail
Ingénieur en électricité du bâtiment	2006/10/26	Montréal
Ingénieur en Génie Climatique (H/F)	2006/10/25	Auxerre - France
Ingénieurs en génie municipal	2006/10/20	Montréal et Québec
Chef de Projet Génie Hospitalier (H/F)	2006/10/17	Montreuil - France
Chef de Projets Fluides (H/F)	2006/10/17	Montreuil - France
Ingénieur Electricité	2006/10/17	Montreuil - France
Electrical Technologist	2006/10/17	Halifax, Nova Scotia
Electrical Technologist	2006/10/17	Halifax, Nova Scotia
Ingénieur Calcul Béton Armé (H/F)	2006/10/12	Angers - France
Ingénieur Calcul Béton Armé (H/F)	2006/10/12	Montoir de Bretagne - France

En soumettant votre candidature (laquelle peut inclure une lettre de présentation, un CV et des références), vous autorisez SNC-Lavalin à conserver (pour une période de temps indéterminée, à moins d'une spécification particulière de votre part dans votre lettre de présentation) toute information fournie qui pourrait être considérée pour des postes offerts, incluant ceux auxquels vous n'avez pas directement postulé. En nous faisant parvenir vos documents, vous acceptez ces conditions.

Seules les personnes retenues pour une entrevue seront contactées.

SNC-Lavalin s'est engagée à respecter tous les principes en matière d'emploi.

Source : SNC-Lavalin, 2006.

SNC-Lavalin
www.snclavalin.com

L'emplacement du lieu de travail doit être suffisamment précis pour que seules les personnes intéressées postulent. Ainsi, lors des affichages nationaux, l'indication du nom de la ville et de celui de la province permet d'éviter les confusions (il existe par exemple une ville de Waterloo au Québec, mais aussi en Ontario et en Nouvelle-Écosse). Lorsqu'un poste est annoncé dans des médias internationaux, le pays devrait également figurer. Quant au cas où plusieurs postes sont à pourvoir dans des endroits différents, l'annonce doit le spécifier, comme l'illustre l'encadré 10.10.

La façon de postuler

L'annonce doit expliquer comment postuler.

La dernière étape du principe AIDA, l'invitation à l'action, consiste à fournir aux candidats toutes les informations nécessaires pour postuler. Là encore, la précision est de mise. Le recruteur doit préciser les documents à envoyer, généralement une lettre de motivation et un curriculum vitæ, mais il peut également exiger des lettres de référence ou une preuve d'appartenance à un ordre professionnel.

BANQUE LAURENTIENNE DU CANADA

Conseiller développement des affaires

Type d'emploi : Temps plein
Lieu : Montréal, Laval, Rive-Sud (Québec, Canada) ; Chicoutimi (Québec, Canada) ;
      Drummondville (Québec, Canada) ; Québec (Québec, Canada).
Catégorie d'emploi : Ventes, Finance
Secteur d'activité : Services bancaires et financiers
Site Web de la compagnie : www.blcdirect.banquelaurentienne.ca/
Nombre d'années d'expérience : 2
Nombre de postes : 10
Date d'affichage : 28 octobre 2005

Notre Banque offre des carrières passionnantes où vous aurez une influence, ferez la différence et contribuerez à bâtir une grande entreprise québécoise. Notre style entrepreneurial, audacieux et imaginatif fait de nous une banque différente.

À la Banque Laurentienne, nous mettons tout en œuvre pour donner à nos employés l'occasion de se réaliser pleinement. Cela se traduit par une structure simple, un environnement de travail enrichissant et un style de gestion valorisant. Nous privilégions l'autonomie d'action de notre personnel, valorisons les initiatives et l'entrepreneurship et encourageons nos employés à mettre en pratique leur sens des affaires. Notre structure nous permet par ailleurs d'offrir des possibilités d'avancement rapide, la reconnaissance du potentiel et la participation au processus de décision.

La Banque Laurentienne souscrit au principe d'équité en matière d'emploi.

Si le développement des affaires vous intéresse, les postes de conseillers développement des affaires sont faits pour vous. Ils ont pour rôle de solliciter, négocier et de conclure des ententes individuelles de produits et services auprès de différents groupes cibles potentiels.

Relevant directement du vice-président adjoint du marché local pour lequel ils sont assignés, ils ont comme responsabilités plus spécifiquement de :
- Déployer des stratégies optimales afin de développer, de négocier et de conclure des ententes individuelles et corporative de produits et services auprès des cibles définies.
- Établir des contacts auprès de différentes clientèles ciblées afin de promouvoir et de vendre les produits et services de la Banque.
- Préparer, coordonner et effectuer les présentations de services offerts aux différentes cibles de clients.
- Participer à l'élaboration de nouveaux produits et de stratégies marketing afin de rencontrer les besoins des partenaires d'affaires.

Qualification minimale
- Formation universitaire dans un domaine approprié et 2 ans et plus d'expérience en vente de produits et services.
Ou
- Diplôme d'études collégiales ;
- 5 ans et plus d'expérience ;
- Expérience dans le domaine bancaire serait un atout.

Environnement de travail
Le travail est généralement effectué sur la route. L'horaire de travail est variable et les conseillers peuvent être amenés à travailler le soir et les fins de semaine.

Source : Workopolis, 2005b.

Banque Laurentienne du Canada
www.banquelaurentienne.ca

Il est également impératif de spécifier la date limite pour soumettre les candidatures, ainsi que l'adresse municipale ou le numéro de télécopieur pour acheminer les documents.

Si l'annonce est affichée sur un site Internet, l'envoi des documents de candidature est souvent informatisé. Dans ce cas, il devient essentiel d'insérer dans l'annonce un lien hypertexte qui dirige les candidats vers le site de la compagnie pour soumettre la candidature en ligne ou vers une adresse de courriel afin d'envoyer les documents en pièces jointes.

Il est également fortement recommandé de préciser clairement que le recruteur ne répondra à aucun appel téléphonique ni ne prendra de rendez-vous pour la soumission des candidatures. Le cas échéant, on peut aussi spécifier que seuls les candidats convoqués en entrevue seront contactés. Finalement, il arrive que des agences de placement, plutôt que des individus, répondent à des annonces pour proposer leurs services. Anticipant cela, certaines entreprises ont pris l'habitude de spécifier dans leurs annonces que les réponses provenant d'agences de placement ne sont pas les bienvenues.

Les conditions de travail particulières

Préciser certaines conditions de travail rend souvent l'annonce plus attrayante.

Par son annonce de recrutement, l'entreprise doit se rendre attrayante auprès des candidats potentiels. À cette fin, les conditions ou l'environnement de travail peuvent figurer dans l'annonce s'ils contribuent à distinguer l'entreprise de ses concurrents. Par exemple, une entreprise qui offre une garderie sur le lieu de travail, propose des horaires flexibles ou adopte un style de gestion laissant place à l'initiative et à la créativité a tout intérêt à le mentionner dans son annonce (Vallerand, 2002).

L'entreprise doit ainsi trouver le moyen de mettre en valeur, dans le message de l'annonce, ce qui la distingue de ses concurrents. De la même façon, les entreprises situées en région peuvent offrir des conditions de travail ou de rémunération particulièrement avantageuses afin d'inciter les candidats potentiels à déménager pour occuper l'emploi. Ces éléments doivent tous figurer clairement dans l'annonce. L'encadré 10.1, présenté plus tôt, ainsi que l'encadré 10.11 en proposent des exemples.

L'annonce doit aussi dissuader les candidats qui ne sont pas motivés ou dont les attentes ne correspondent pas à la réalité de l'entreprise ou du poste. À cette fin, il est préférable d'être très honnête et d'indiquer si le poste comprend des conditions de travail moins attrayantes, comme un environnement bruyant, une clientèle violente ou encore des horaires coupés. Certes, ces précisions risquent de diminuer le nombre de candidatures soumises, mais elles garantissent que les personnes qui décident de postuler en dépit de ces conditions défavorables sont réellement motivées par l'emploi.

L'encadré 10.12 illustre le cas d'une annonce mettant en valeur le salaire et les avantages sociaux pour compenser d'autres caractéristiques du poste peut-être moins attrayantes, comme l'horaire à temps partiel le soir et les fins de semaine.

COMMISSION SCOLAIRE DE LA BAIE-JAMES

PSYCHOLOGUE
Type d'emploi: Temps plein
Secteur d'activité: Éducation
Nombre de postes: 1
Date d'affichage: 3 octobre 2005   3ᵉ concours

La Commission scolaire de la Baie-James désire pourvoir un poste de psychologue à temps plein (permanent) à Chibougamau

NATURE DU TRAVAIL
L'emploi de psychologue comporte plus spécifiquement l'analyse des aptitudes et des comportements des élèves en vue de les assister dans l'orientation de leur formation et aussi, selon les cas, en vue de recommander des programmes appropriés de rééducation ou de réadaptation et de collaborer à leur réalisation.

QUALIFICATION REQUISE
- Être membre de l'Ordre des psychologues du Québec;
- Posséder un diplôme universitaire terminal de premier cycle dans un champ de spécialisation approprié, notamment en psychologie;
- Détenir un permis de conduire valide et accepter de se déplacer seul, en automobile, sur le territoire de la Commission, à la demande de son supérieur.

Les conditions de travail sont régies par les conventions collectives en vigueur.

LIEU PRINCIPAL DE TRAVAIL
École secondaire La Porte-du-Nord, à Chibougamau.
Autres lieux de travail:
- Les écoles de Chapais et de Chibougamau.

La ville de Chibougamau est située dans la région Nord-du-Québec et compte près de 8000 habitants. Elle offre une gamme impressionnante de services et de loisirs à sa population locale et avoisinante. La clientèle scolaire de l'école secondaire La Porte-du-Nord est composée de près de 600 élèves, de secondaire 1 à 5.

Conditions de travail particulières
Prime d'éloignement: De 4869 $ sans personne à charge à 6962 $ avec personne(s) à charge.
Déménagement: Les frais de déménagement sont assumés par l'employeur pour un déménagement à plus de 50 kilomètres de la résidence de la personne recrutée.

Cet emploi est offert à toute personne ayant les compétences et capacités nécessaires pour le remplir.

Les personnes postulant sur ce poste doivent faire parvenir leur curriculum vitæ dans lequel on trouvera:
- leurs expériences;
- leurs relevés de notes et leurs diplômes;
- au moins trois (3) références de travail avec numéro de téléphone de la personne concernée.

Les personnes intéressées sont priées de faire parvenir leur curriculum vitæ **avant le 12 octobre 2005** à:

Madame Sandra Smith, directrice du Service des ressources humaines
Commission scolaire de la Baie-James
596, 4ᵉ Rue
Chibougamau (Québec) G8P 1S3
418 748-7621 (téléphone)
418 748-7581 (télécopieur)
ssmith@csbaiejames.qc.ca

La Commission scolaire de la Baie-James applique un programme d'accès à l'égalité en emploi et invite les femmes, les minorités visibles, les minorités ethniques et les autochtones à poser leur candidature. Nous remercions toutes les personnes ayant manifesté un intérêt pour ce poste, mais nous ne communiquerons qu'avec les personnes reçues en entrevue.

Source: Workopolis, 2005c.

Commission scolaire de la Baie-James
www.csbaiejames.qc.ca

ADECCO

Agent de recouvrement – poste permanent + avantages sociaux dès le 1er jour

Lieu : Montréal
Catégorie d'emploi : Finance
Secteur d'activité : Recrutement et dotation
Site Web de la compagnie : www.decouvrez.qc.ca
Date d'affichage : 6 septembre 2005

No	9121-5.6
Poste	Agent de recouvrement – poste permanent + avantages sociaux dès le 1er jour
Salaire	Salaire très compétitif
Statut	Permanent
Domaine	Télécommunication
Description	Nous sommes à la recherche d'agents de recouvrement pour notre client, une importante compagnie dans le domaine de la télécommunication. Les tâches comprennent de négocier des ententes de paiements en s'assurant que la clientèle connaît bien les politiques d'entreprise. Également, s'assurer de bien mesurer le niveau de risque et les sommes en souffrance de façon à protéger les intérêts de la compagnie. Faire de la prévention auprès des clients et traiter avec eux dans les délais prévus. Les postes sont permanents, vous bénéficierez de 3 semaines de vacances dès la première année, des avantages sociaux dès le premier jour et bien d'autres éléments...
Exigences	Des expériences en centres d'appels – *outbound* ou télémarketing (atout). Horaire variable de soir et de fins de semaine. Bilinguisme. Connaissance informatique de base.
Nombre	10
Horaire	Temps partiel de soir et le samedi
Ville (région)	Montréal
Responsable	Adecco Ventes et service clientèle

Postuler à cet emploi en ligne

Si vous avez des problèmes avec le lien ci-haut, vous pouvez envoyer votre curriculum vitae en mentionnant le numéro du poste à l'adresse suivante :
sac@adecco.qc.ca

Postuler à cet emploi par la poste ou en personne

Transmettre votre CV en inscrivant le numéro de poste sur l'enveloppe à l'adresse suivante :

Adecco Ventes et service clientèle

465, rue McGill

Rez-de-chaussée

Montréal (Québec) H2Y 2H1

Source : Workopolis, 2005d.

Adecco
www.adecco.qc.ca

1.3 Les informations pouvant être incluses dans l'annonce

Si le secteur d'activité de l'employeur, de même que le titre et la description du poste, les exigences, les conditions et le lieu de travail ainsi que la façon de postuler doivent absolument figurer dans l'annonce, d'autres informations peuvent également être présentes, sans que cela soit obligatoire. Ainsi, selon les circonstances, le nom de l'entreprise, le salaire ou l'existence d'un programme d'équité en emploi pourront être inclus dans une annonce.

Le nom de l'entreprise

Comme nous l'avons vu au chapitre 3, une entreprise qui a une bonne réputation comme employeur a tout intérêt à mettre de l'avant son nom ou sa marque de commerce dans les annonces. Cela accroît la probabilité que l'annonce attirera l'attention et sera lue. Par exemple, le tableau 10.1 présente la liste des entreprises jouissant d'une très bonne réputation auprès des futurs diplômés universitaires canadiens. Ces organisations ont avantage à se présenter dans leurs annonces d'emploi afin de recevoir des candidatures provenant de ce groupe de personnes. Évidemment, le nom de l'employeur est inutile dans les annonces publiées sur le site Web de l'entreprise.

TABLEAU 10.1	Classement des 50 « entreprises de rêve », selon les futurs diplômés

Nom de l'entreprise et son rang

1. Bombardier	15. KPMG	28. Quebecor	40. Natrel
2. Procter & Gamble	16. Ernst & Young	29. Telus	41. General Mills
3. Johnson & Johnson	17. Merck Frosst	30. Groupe CGI	42. Vidéotron
4. IBM Canada	18. Labatt	31. Banque Nationale du Canada	43. Les Compagnies Loblaws
5. L'Oréal Canada	19. Kraft		44. Groupe Jean Coutu
6. General Electric (GE)	20. Alcan	32. RBC Groupe financier	45. Microcell
7. Bell Canada	21. Danone	33. Mouvement des Caisses Desjardins	46. Gaz Métro
8. Hydro-Québec	22. Société des alcools du Québec (SAQ)		47. Loto-Québec
9. Pfizer Canada		34. Banque de Montréal	48. Pharmaprix
10. Pratt & Whitney Canada	23. Novartis	35. Aventis	49. Industrielle Alliance
11. Nestlé	24. Canadiens de Montréal	36. Air Canada	
12. Molson	25. Unilever	37. Nortel	50. Lise Watier
13. McKinsey	26. Cascades	38. Louis Garneau	
14. Cirque du Soleil	27. Via Rail Canada	39. Domtar	

Source : Noël, 2004.

Les employeurs préfèrent parfois ne pas se présenter.

Cependant, dans certaines situations particulières, il arrive qu'un employeur préfère ne pas divulguer son nom. C'est le cas si le candidat s'apprête à remplacer quelqu'un qui ne sait pas qu'il sera congédié ; si, comme cela arrive plus fréquemment, le poste a déjà été annoncé à plusieurs reprises dans un court laps de temps, ce qui peut nuire à la réputation de l'entreprise; ou, plus rarement, si le recrutement est tellement stratégique que l'employeur ne souhaite pas dévoiler ses plans à la concurrence.

Dans ce cas, la meilleure stratégie est de confier le recrutement à une agence privée qui se chargera, le cas échéant, de faire publier une annonce. Celle-ci comportera alors une description du secteur d'activité et un très bref portrait de l'entreprise, comme le montre l'exemple ci-dessous, mais les candidatures seront envoyées directement à l'agence privée de recrutement.

ENCADRÉ 10.13 Exemple d'annonce publiée pour une compagnie désirant rester anonyme

Adecco

ADECCO

Représentants des ventes JUNIOR (COMPAGNIE DE TABAC) – possibilité de carrière

Lieu: Montréal
Catégorie d'emploi: Ventes
Secteur d'activité: Recrutement et dotation
Site Web de la compagnie: www.decouvrez.qc.ca
Date d'affichage: 18 octobre 2005

No	428-5.215
Poste	Représentants des ventes JUNIOR (COMPAGNIE DE TABAC) – possibilité de carrière
Salaire	52 000,00 $
Statut	Temporaire
Domaine	Ventes
Description	Notre client, une importante compagnie de tabac, est présentement à la recherche de personnes dynamiques pour pourvoir des postes qui pourraient vous mener à des opportunités de carrière prometteuses. Poste temporaire (contrat d'un an) qui risque de devenir permanent. Vous débuterez à titre de représentant de territoire dans lequel vos habiletés de communication, de négociation et de conceptualisation, votre esprit d'analyse et votre autonomie seront maximisés pour analyser le marché, évaluer la compétition ainsi que trouver et appliquer de nouvelles stratégies conçues pour augmenter la présence et la visibilité des produits de la compagnie. Une formation sera offerte.
Exigences	Baccalauréat en marketing, administration, commerce ou domaine connexe ESSENTIEL. Posséder environ 1 à 2 ans d'expérience en ventes, service à la clientèle, marchandisage ou en analyse de marché. PARFAITEMENT BILINGUE.
Nombre	1
Horaire	Temps plein de jour (37,5 heures/semaine) de 8 h 30 à 17 h
Ville (région)	Île de Montréal
Responsable	Adecco Ventes et service clientèle

Source: Workopolis, 2005e.

La rémunération

Indiquer la rémunération n'est pas indispensable.

Il n'est pas indispensable d'indiquer le salaire dans une annonce d'emploi, car cette information peut nuire à d'éventuelles négociations salariales individuelles lors de l'embauche du candidat sélectionné. Par ailleurs, si la rémunération est la raison principale pour laquelle un candidat répond à une annonce, il est peu probable que celui-ci reste longtemps en poste, car il risque de quitter l'organisation à tout moment pour un autre emploi mieux rémunéré. Il ne s'agit donc pas d'un candidat très intéressant pour cette organisation. C'est pourquoi la décision d'inclure la rémunération dans l'annonce doit être prise avec précaution.

Lorsque le salaire est régi par une convention collective, les employeurs indiquent généralement la fourchette dans laquelle il se situe. C'est le cas, par exemple, pour les postes dans la fonction publique, tel qu'illustré à l'encadré 10.14.

ENCADRÉ 10.14 **Exemple d'annonce d'emploi avec fourchette de salaire**

QUÉBEC

L'Agence de développement de réseaux locaux de services de santé et de services sociaux de l'Estrie est à la recherche d'une personne pour pourvoir le poste suivant :

AGENT OU AGENTE RECHERCHE SOCIOSANITAIRE
(POSTE PERMANENT À TEMPS COMPLET)

PRINCIPAUX MANDATS

Sous la responsabilité du chef de service, l'agent ou l'agente de recherche sociosanitaire effectue la conception, l'étude et l'analyse de projets pour assurer la connaissance et la surveillance de la santé de la population. La personne élabore les méthodes statistiques permettant la détermination des problèmes de santé de la population et réalise des analyses épidémiologiques requises afin de supporter l'action dans différents secteurs de la santé, surtout en santé publique. Elle peut exécuter la collecte des données et la compilation selon des méthodes et techniques scientifiques. Elle manipule différentes banques de données. Elle peut traiter des données d'enquêtes. Elle valide et analyse les données et rédige les rapports afférents.

EXIGENCES

- Diplôme universitaire de premier cycle en sciences de la santé ou en sciences sociales.
- Diplôme universitaire terminal de deuxième cycle dans un domaine approprié. Une expérience appropriée significative dans le domaine de la connaissance/surveillance et de l'évaluation, jumelée à un diplôme universitaire terminal de premier cycle peuvent être considérés équivalents.
- Excellente connaissance des méthodes de recherche quantitative (analyses statistiques et épidémiologiques).
- **Bonne maîtrise du logiciel d'analyse statistique SPSS de l'environnement Windows et des logiciels Word et Excel.**
- Connaissance du réseau de la santé et des services sociaux, de ses problématiques et de ses établissements.
- Bonne maîtrise du français écrit et excellente capacité à rédiger.

RÉMUNÉRATION

L'échelle salariale se situe entre 34 509 $ et 65 424 $ par année.

Veuillez faire parvenir votre curriculum vitae **avant 16 h 30, le vendredi 23 septembre 2005,** à :

**L'Agence de développement de réseaux locaux
de services de santé et de services sociaux de l'Estrie
Service des ressources humaines
Madame Denise Lacharité-Roberge
300, rue King Est, bureau 300
Sherbrooke (Québec) J1G 1B1
Télécopieur : 819 569-8894
Courriel : recrutement.rr05@ssss.gouv.qc.ca**

Nous remercions tous les postulants et postulantes pour leur intérêt à l'égard de ce poste. Toutefois, nous ne communiquerons qu'avec les personnes retenues pour une entrevue.

Source : Workopolis, 2005f.

Agence de développement de réseaux locaux de services de santé et de services sociaux de l'Estrie
www.santeestrie.qc.ca

Au-delà du salaire, il peut être utile de préciser le mode de rémunération globale ; par exemple, les emplois dans le domaine de la vente comprennent souvent une rémunération basée sur les commissions. L'indication de conditions de rémunération particulières, comme les primes ou la fourniture d'une voiture de fonction, peut dans certains cas attirer des candidats. L'encadré 10.15 en donne un exemple.

ENCADRÉ 10.15 **Exemple d'annonce précisant des conditions de rémunération particulières**

BERRY TECHNOLOGIES LTD
Représentant pharmaceutique et chirurgical

Type d'emploi : Temps plein
Lieu : Montréal (Québec, Canada)
Catégorie d'emploi : Produits pharmaceutiques, Services médicaux, Ventes
Secteur d'activité : Produits pharmaceutiques
Nombre de postes : 1
Date d'affichage : 9 septembre 2005
Courrier électronique : yves.parent@berrytechnologies.ca

À cœur la Santé de la Femme

Nous sommes à la recherche d'un représentant pharmaceutique et d'équipement pour la grande région de Montréal. Suite à l'arrivée de nouveaux produits, nous recherchons un candidat énergique et très autonome pour pourvoir ce poste. La rémunération sera entièrement à la commission. Une allocation de dépenses est allouée.

Orienté vers le développement des ventes et une bonne gestion du territoire, le candidat représentera une ligne de produits auprès des obstétriciens-gynécologues, des plasticiens et des dermatologues. Le bilinguisme, une certaine expérience de vente ainsi qu'un permis de conduire valide sont nécessaires. En premier lieu, cet emploi remplacera [une représentante] pendant un congé de maternité et se transformera [ensuite] en position permanente.

Veuillez nous faire parvenir votre C.V. par courriel au plus tard le 30 septembre 2005.

Courrier électronique : yves.parent@berrytechnologies.ca

Source : Workopolis, 2005g.

Berry Technologies
www.berrytechnologies.ca

L'engagement envers l'équité en emploi

Mentionner les programmes d'équité augmente la visibilité de l'annonce auprès des groupes visés.

Lorsque, dans le cadre d'un programme d'accès à l'égalité en emploi, une entreprise s'adresse à un groupe démographique particulier, cette information doit être mise en évidence dans l'annonce afin d'attirer l'attention des candidats membres de ce groupe. On peut utiliser, par exemple, des formulations telles que « les candidatures des femmes à ce poste sont les bienvenues », « nous encourageons les candidatures issues des groupes ethnoculturels » ou encore « dans le cadre de notre programme d'accès, les candidats d'origine autochtone seront considérés en priorité » (voir par exemple les encadrés 10.8 et 10.11

présentés précédemment). Par ailleurs, l'appel à certains groupes de la population peut figurer dans l'annonce, même en l'absence d'un programme d'accès à l'égalité, comme en fait foi l'exemple présenté à l'encadré 10.16.

Magasin général

- **20 REPRÉSENTANT(E)S DES VENTES PAR TÉLÉPHONE**
  Salaire de base de 9,97 $/hre + commission. 20 h/semaine et plus.
  Envoyez votre CV à : **abcd@magasingeneral.ca**

- **12 REPRÉSENTANT(E)S DES VENTES PAR TÉLÉPHONE**
  Salaire fixe de 11,50 $/hre. 19 h/semaine et plus.
  Envoyez votre CV à : **efgh@magasingeneral.ca**

NOUS OFFRONS :
- poste permanent à temps partiel ;
- formation rémunérée ;
- prime de soir ;
- réduction d'employé ;
- horaires flexibles ;
- stationnement gratuit ;
- autobus à la porte (132 et 142).

NOUS CHERCHONS DES CANDIDAT(E)S :
- passionnés par la **VENTE** ;
- **parfaitement BILINGUES** ;
- ayant des connaissances en **INFORMATIQUE.**

Bienvenue aux retraité(e)s, préretraité(e)s ou aux personnes désirant retourner sur le marché du travail.

3007, boul. des Lilas, Saint-Laurent, H4R 1Y3
(derrière le centre commercial de la Place Saint-Laurent), autobus 132 ouest, à partir du métro Rosier
Télécopieur : 514 555-2222

En revanche, si le journal ou le site Internet indiquent clairement que toutes les annonces publiées s'adressent de façon égale aux hommes et aux femmes, il n'est pas nécessaire de préciser que les postes offerts respectent ce principe d'égalité. Cette indication s'avère d'autant moins essentielle si l'appellation neutre de l'emploi confirme ce message. Ainsi, lorsque l'espace disponible pour annoncer le poste est limité, comme dans le cas des publications dans la presse écrite, le rappel de l'engagement envers l'équité en emploi est superflu. Les entreprises qui souhaitent néanmoins rappeler cet engagement peuvent utiliser des formulations telles que : « Notre entreprise adhère aux principes d'égalité en emploi », « Nous nous engageons à constituer un effectif compétent et représentatif de notre population diversifiée », « L'équité en matière d'emploi fait partie de nos valeurs et de nos engagements », ou encore « Nous offrons des chances d'emploi égales à tous ».

Ainsi, les recruteurs disposent de beaucoup de flexibilité quant aux informations qu'ils souhaitent insérer dans leurs annonces d'emploi. Au-delà des renseignements à inclure obligatoirement, la décision d'ajouter ou non certaines informations doit prendre en compte :

- le degré d'intérêt de l'information pour les candidats potentiels ;
- la capacité que cette information aura d'attirer les candidatures pertinentes ;
- la clarté et la concision de l'annonce.

Cependant, le contenu de l'annonce n'est pas le seul élément sur lequel un recruteur peut s'appuyer pour attirer l'attention des candidats potentiels. L'apparence de l'annonce peut aussi lui permettre de se démarquer de la concurrence qui se trouve parfois dans la colonne d'à côté dans le journal !

2. La forme de l'annonce

Rappelons que le défi de l'annonce consiste à attirer l'attention des meilleurs candidats et à les faire réagir. Le recruteur souhaite qu'ils répondent immédiatement et qu'ils ne mettent pas l'annonce de côté. Comme pour une publicité, l'annonce doit, pour être efficace, se distinguer des autres tout en envoyant un message clair, adressé à un public ciblé.

2.1 Le style

Le style reflète l'image de l'entreprise.

Au-delà du contenu du message, le style de celui-ci reflète l'image de l'entreprise. Ainsi, la description de l'employeur, du secteur d'activité ou de l'environnement de travail doit utiliser des mots puissants comme « chef de file mondial », « esprit d'entreprise », « en pleine croissance » ou encore « occasions de carrière intéressantes ». Pour leur part, les responsabilités inhérentes au poste doivent être décrites par des verbes d'action pour démontrer le dynamisme de l'emploi. Par exemple, on utilisera des expressions telles que « diriger une équipe », « superviser des activités », « présider un comité » ou « gérer le portefeuille ».

De la même façon, les compétences recherchées, notamment celles qui relèvent des savoir-être, doivent être décrites de façon positive et expressive, en utilisant des adjectifs tels que « dynamique », « professionnel », « entreprenant », « passionné », « consciencieux », « accompli » ou « chevronné ». Attention cependant à rester réaliste et à limiter l'énumération des qualités recherchées chez les candidats.

Par ailleurs, les règles de style qui prévalent pour la rédaction de toute annonce publicitaire s'appliquent aussi aux annonces d'emploi. L'encadré 10.17 rappelle quelques consignes de rédaction.

2.2 L'apparence

Une image ou un logo permettent à une annonce de se démarquer.

Outre le style, l'apparence de l'annonce doit permettre à l'entreprise de se démarquer de la concurrence et de se mettre en valeur. En effet, lorsqu'elle est connue et admirée du public, elle doit absolument utiliser cette notoriété pour promouvoir ses postes, comme le fait, par exemple, L'Oréal (voir encadré 10.7). Dans ce cas, l'utilisation du logo ou du slogan permet de mettre de l'avant non pas uniquement un poste, mais la possibilité de faire carrière dans une entreprise qui jouit d'une excellente réputation. Si l'organisation ne possède pas de slogan publicitaire, elle peut utiliser des images ou travailler l'esthétisme de l'annonce pour créer un effet similaire, comme dans l'exemple présenté à l'encadré 10.18.

Dans le cas d'entreprises dont le nom est moins connu, la mise en évidence des produits peut servir à attirer l'attention des candidats potentiels. C'est le cas de l'annonce pour le poste de représentant des ventes présentée à l'encadré 10.19.

Par ailleurs, l'utilisation du site Web d'entreprise permet d'alléger l'annonce en y insérant moins de texte et en indiquant l'adresse Internet pour y diriger les candidats intéressés à en apprendre davantage (Vallerand, 2002) ; c'est ce qui est présenté à l'encadré 10.8. Dans ce cas, il est impératif que l'adresse soit correcte et qu'elle dirige les candidats vers la bonne page.

Ainsi, l'écriture d'une annonce d'emploi n'est pas toujours chose aisée. Le choix des informations à inclure dans l'annonce, tout comme le style ou l'utilisation d'image, doivent refléter les caractéristiques de l'entreprise et du poste à pourvoir, ainsi que celles des personnes ciblées par le recrutement.

Un nombre égal de femmes et d'hommes occupent des postes de direction

RBC investit tous les ans plus de 100 millions de dollars en formation de son personnel

80 % des employés profitent de programmes d'actionnariat pour se procurer des parts de RBC

Un site intranet exhaustif dédié à la diversité relie les employés du monde entier

25 % des employés de RBC accèdent chaque année à de nouvelles possibilités de carrière

Ce que je veux? C'est travailler pour une entreprise stimulante qui va reconnaître mon talent. Une entreprise d'envergure qui va mettre ses ressources à ma disposition pour m'encourager à me perfectionner. Un employeur pour qui je vais avoir envie de me donner à fond. Moi, je choisis RBC.

Numéro de référence :	43097
Unité opérationnelle :	RBC Banque – Produits et prestation des services
Titre du poste :	Agent à la Fraude, Centre des Cartes Visa, Mtl
Lieu du poste :	QC – Région métropolitaine de Montréal
Succursale/Département :	Centre des Cartes Visa, 4010 Tupper, Mtl
Type d'emploi :	Temps plein
Expérience pertinente :	Moins d'une année
Connaissances linguistiques requises :	Anglais/Français
Études requises :	Diplôme d'études secondaires/GED
Titre professionnel requis :	Non
Déplacements :	0 %
Date de fin d'affichage du poste :	19/09/2005

Aperçu du secteur :

Nos spécialistes travaillent de concert avec leurs collègues des divers secteurs de RBC Banque, afin de répondre aux besoins de nos clients, et de leur offrir une valeur ajoutée. Notre objectif est d'harmoniser les besoins de nos clients et les processus opérationnels qui soutiennent les directeurs de produits et services, de même que les représentants des succursales et des centres.

Aperçu du poste :

En partenariat avec le département de la Fraude au Centre des Cartes de l'Est, vous aurez la responsabilité de prendre les appels entrants ayant trait aux cartes perdues et volées, prévention de la fraude et pour toute situation de risque. La responsabilité première est de compléter les rapports de sécurité et de s'assurer que les cartes sont annulées afin de prévenir toute possibilité de pertes futures. Le Télé Centre des Risques est ouvert 7 jours/24 heures. Les candidats doivent être flexibles et être prêts à travailler les soirs, la nuit, et les fins de semaine. PARTICULIÈREMENT pour ce poste, le candidat doit être disponible pour les quarts de travail de soir en semaine, nuits et fins de semaine. Horaire de travail 37,5 heures. Le candidat DOIT ÊTRE DISPONIBLE 5 semaines à compter de lundi le 3 octobre de 8 h 30 à 5 h pour la période de formation, et ce, du lundi au vendredi. Les quarts de travail varient entre 5 h pm et 2 h 30 am.

Compétences requises :

Le candidat recherché doit être parfaitement bilingue. Expérience en centre d'appels. Bonne connaissance des systèmes informatiques. Aptitude au service à la clientèle. Volonté d'obtenir des résultats. Recherche d'information. Pensée analytique. Écoute, compréhension et réponse. Travail d'équipe.

Nous prônons la diversité des effectifs, souscrivons aux principes d'équité en matière d'emploi et adapterons, de façon raisonnable, les installations en fonction des besoins des personnes handicapées.

Source : RBC Banque Royale, 2005.

RBC Banque Royale
www.rbcbanqueroyale.com

La compagnie de Soins-santé grand public McNeil, le fabricant de l'acétaminophène Tylenol* et de l'ibuprofène Motrin*IB, est un membre du groupe Johnson & Johnson et est un chef de file dans la distribution et la fabrication de produits et services en vente libre au Canada.

La compagnie de Soins-santé grand public McNeil est située sur une propriété de 55 acres à Guelph, en Ontario. Notre siège social et notre installation de fabrication (qui fonctionne moyennant de multiples quarts de travail), sont dotés d'un centre de conditionnement physique et d'une salle à dîner. Un sentier de promenade de 2 km sillonne les lieux. Grâce à notre appartenance à la famille globale des entreprises de Johnson & Johnson, le travail s'accomplit dans un environnement familial qui vous permet de toucher directement à l'essentiel dans le cadre d'une entreprise à portée universelle, reconnue pour ses compétences de chef de file de qualité supérieure et ses réussites à l'échelle internationale.

DESCRIPTION :

Nous avons actuellement une ouverture d'un poste en tant que représentant(e) des ventes aux consommateurs à temps plein. Le/la candidat(e) devra couvrir les régions de Québec, de la Beauce, du Bas-du-fleuve, de la Côte-Nord et de la Mauricie.

Le poste implique l'exécution de stratégies de marketing et de vente supportant les produits en vente libre aux consommateurs dans les pharmacies. Votre premier mandat sera l'accroissement du volume des ventes. Les tâches principales incluent le développement et l'exécution de plans d'affaires spécifiques au territoire, des présentations de ventes informatives et persuasives aux professionnels de la pharmacie ainsi que la représentation de nos différents produits McNeil.

EXIGENCE :

Vous êtes une personne innovatrice et créative orientée par la croissance des affaires. Une expérience dans les ventes et dans l'industrie pharmaceutique est un atout.

Vous possédez de très bonnes aptitudes en communication, vous avez un esprit d'analyse marqué, de l'initiative et une habileté à travailler avec un minimum de supervision.

CONDITIONS DE TRAVAIL :

Poste à temps plein, salaire compétitif et formation de premier plan dans un environnement où l'innovation et la performance sont reconnues. Salaire de base plus boni. Auto fournie & allocation pour les repas. Excellents avantages sociaux.

ÉDUCATION ET EXPÉRIENCE

1. Un degré universitaire en Administration des affaires ou en Communication.
2. Grandes habiletés en communication et en relations interpersonnelles sont essentielles.
3. L'esprit d'analyse et de synthèse sont également très importants.
4. Connaissances avancées en informatique.
5. Prêt à voyager et possibilité d'être relocalisé si demandé.
6. Bonne maîtrise de la langue française et anglaise, oral et écrit.
7. Expérience minimum de 3 ans dans le domaine de la pharmacie au détail.

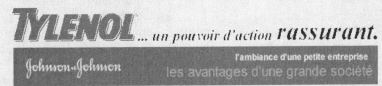

Source : Workopolis, 2005h.

McNeil Canada
www.mcneilcanada.com

Ce qu'il faut retenir

• L'annonce ne peut contenir aucune information discriminatoire ; en dehors de cette règle, le contenu est laissé au jugement du recruteur.

• L'annonce doit attirer l'attention et susciter l'intérêt des candidats ciblés par l'organisation.

• Toutes les informations nécessaires pour postuler ou obtenir des informations supplémentaires sur le poste doivent être incluses dans l'annonce.

• La forme doit être aussi soignée que le contenu.

Références

AMADIEU, Jean-François (2004, mai). « Enquête "testing" sur CV », [en ligne], *Observatoire du communautarisme*, 11 p. [réf. du 7 juin 2006]. <www.communautarisme.net>.

CENTRE HOSPITALIER DES VALLÉES DE L'OUTAOUAIS (2005). « Les emplois : Joignez notre équipe », [en ligne], *Centre hospitalier des Vallées de l'Outaouais* [réf. du 2 octobre 2005]. <www.chvo.qc.ca>.

CHAPMAN, Alan (2004). « Job adverts : How to design and write effective job advertisements – Tips and techniques », [en ligne], *Businessballs.com* [réf. du 7 juin 2006]. <www.businessballs.com>.

COMMISSION CANADIENNE DES DROITS DE LA PERSONNE (1999). « Rapport annuel 1999 : L'âge », [en ligne], *Commission canadienne des droits de la personne, Gouvernement du Canada*, 15 p. [réf. du 7 juin 2006]. <www.chrc-ccdp.ca>.

COMMISSION DES DROITS DE LA PERSONNE ET DES DROITS DE LA JEUNESSE DU QUÉBEC (2004). « Sessions publiques : Session 5 – L'âge, facteur de discrimination au travail », [en ligne], *Commission des droits de la personne et des droits de la jeunesse du Québec* [réf. du 7 juin 2006]. <www.cdpdj.qc.ca>.

FRANCISCI, Manuel (2004a, 6 octobre). « Lieu de travail : Divers », [en ligne], *La Toile des recruteurs* [réf. du 7 juin 2006]. <www.latoiledesrecruteurs.com>.

FRANCISCI, Manuel (2004b, 7 mai). « BLBR1116-MS-B86 rédacteur adjoint ou rédactrice adjointe à la rédaction de titre de poste difficile à lire (N-3*) – 542354... », [en ligne], *La Toile des recruteurs* [réf. du 7 juin 2006]. <www.latoiledesrecruteurs.com>.

FRANCISCI, Manuel (2003, 16 juillet). « À qui la faute ? », [en ligne], *La Toile des recruteurs* [réf. du 7 juin 2006]. <www.latoiledesrecruteurs.com>.

GOOGLE ADWORDS (2006). « Google AdWords : consignes de rédaction », [en ligne], *Google AdWords* [réf. du 7 juin 2006]. <https://adwords.google.fr>.

GOUVERNEMENT DU CANADA (2004). « Annonces : Conseils pour rédiger une annonce accrocheuse », [en ligne], *Service Canada* [réf. du 7 juin 2006]. <www.gestionrh.gc.ca>.

GOUVERNEMENT DU CANADA (1999, août). « Lignes directrices concernant la publicité de recrutement », [en ligne], *Commission de la fonction publique du Canada* [réf. du 7 juin 2006]. <www.psc-cfp.gc.ca>.

GUICHET EMPLOI (2006, 14 novembre). « Instructeur plombier », [en ligne], *Commission de la fonction publique du Canada* [réf. du 14 novembre 2006]. <http://jobbank.gc.ca>.

L'ORÉAL (2005). « Offres d'emploi au Canada : Représentant(e) service client », [en ligne], *L'Oréal Canada* [réf. du 28 octobre 2005]. <www.fr.loreal.ca>.

NOËL, Kathy (2004). « Sondage exclusif Léger marketing ; Jeune diplômé cherche entreprise de rêve », *Commerce*, vol. 105, n° 5, p. 31.

RAY, Michael L. *et al.* (1973). « Communication and the Hierarchy of Effects », dans CLARKE, Peter (ed.), *New Models for Mass Communication Research*, Beverly Hills, Sage Publications, p. 147-175.

RBC Banque Royale (2005). «Recherche d'emploi:
    Agent à la fraude», [en ligne], *RBC Banque
    Royale* [réf. du 19 septembre 2005].
    <www.rbcbanqueroyale.com>.
RÉPUBLIQUE FRANÇAISE (2001, 17 novembre).
    «Loi n° 2001-1066 du 16 novembre 2001
    relative à la lutte contre les discriminations»,
    [en ligne], *Legifrance, le Service public de la
    diffusion du droit* [réf. du 7 juin 2006].
    <www.legifrance.gouv.fr>.
SNC-LAVALIN (2006). [en ligne], *Page Carrières,
    SNC-Lavalin* [réf. du 5 novembre 2006].
    <www.snclavalin.com/careers/>.
STRAUSS, Judy, Adel EL-ANSARY et Raymond FROST
    (2006). *E-Marketing*, 4th ed., Upper Saddle
    River, Pearson Education, Prentice Hall, 456 p.
UNIVERSITÉ LAVAL (2005). «Faculté des sciences
    de l'éducation: Affichages», [en ligne],
    *Faculté des sciences de l'éducation de
    l'Université Laval* [réf. du 10 novembre 2005].
    <www.fse.ulaval.ca>.
VALLERAND, Nathalie (2002, 26 janvier).
    « Vos annonces de recrutement ont-elles
    du punch?», *Les Affaires*, p. 27.
WORKOPOLIS (2005a). «Recherche d'emploi:
    Agent de bord», [en ligne], *Workopolis.com*
    [réf. du 2 octobre 2005].
    <http://francais.workopolis.com>.
WORKOPOLIS (2005b). «Recherche d'emploi:
    Conseiller développement des affaires»,
[en ligne], *Workopolis.com* [réf. du
    28 octobre 2005].
    <http://francais.workopolis.com>.
WORKOPOLIS (2005c). «Recherche d'emploi:
    Santé», [en ligne], *Workopolis.com*
    [réf. du 18 octobre 2005].
    <http://francais.workopolis.com>.
WORKOPOLIS (2005d). «Recherche d'emploi:
    Agent de recouvrement», [en ligne],
    Workopolis.com [réf. du 22 août 2005].
    <http://francais.workopolis.com>.
WORKOPOLIS (2005e). «Recherche d'emploi:
    Sociétés qui embauchent, Adecco», [en
    ligne], *Workopolis.com* [réf. du 18 octobre
    2005]. <http://francais.workopolis.com>.
WORKOPOLIS (2005f). «Recherche d'emploi: Agent
    ou agente – recherche sociosanitaire», [en
    ligne], *Workopolis.com* [réf. du 19 septembre
    2005]. <http://francais.workopolis.com>.
WORKOPOLIS (2005g). «Recherche d'emploi:
    Représentant pharmaceutique et chirur-
    gical», [en ligne], *Workopolis.com* [réf.
    du 19 septembre 2005].
    <http://francais.workopolis.com>.
WORKOPOLIS (2005h). «Recherche d'emploi:
    Représentant des ventes», [en ligne],
    Workopolis.com [réf. du 19 septembre 2005].
    <http://francais.workopolis.com>.

VI. Éléments obligatoires de l'annonce

Pour uniformiser la présentation de nos annonces et respecter les lignes directrices du programme officiel de coordination de l'image de marque, tous les éléments suivants doivent obligatoirement figurer dans les annonces de recrutement externe.

Présentations graphiques

Voici les présentations graphiques française et bilingue que les ministères doivent maintenant utiliser pour publier leurs annonces. Cette présentation peut toutefois être modifiée dans certaines circonstances, avec l'approbation du directeur régional ou de la directrice régionale de la CFP.

Titre du poste

Le titre du poste doit être clair et compréhensible pour le grand public. En effet, bon nombre de lecteurs portent d'abord attention au titre du poste lorsqu'ils parcourent les annonces d'emplois. Il est parfois préférable d'utiliser une autre désignation que le titre normalement utilisé dans la description du poste pour que le public comprenne mieux en quoi cet emploi consiste.

Conformément aux lignes directrices de la CFP en matière de communications, l'emploi offert et les tâches à exécuter ne doivent jamais être spécialement définis comme s'ils convenaient uniquement aux hommes, aux femmes ou aux membres des groupes minoritaires. Cependant, si l'annonce de recrutement est publiée aux fins d'un programme approuvé d'équité en matière d'emploi, il est permis de limiter l'accès au concours aux membres d'un ou de plusieurs groupes cibles des programmes d'équité en matière d'emploi.

Pour les annonces publiées en français, il faut utiliser les deux genres dans le titre et le texte de l'annonce. Il faut, par exemple, employer le titre «Directeur ou Directrice» et éviter la tournure «Directeur(trice)». Toute question concernant les lignes directrices en matière de communications doivent être adressées au conseiller ou à la conseillère en communications de la CFP.

Énoncé sur l'équité en matière d'emploi

L'énoncé sur l'équité en matière d'emploi doit figurer dans toutes les annonces de la fonction publique. On peut, au choix, utiliser l'une des formules suivantes :

- Nous respectons l'équité en matière d'emploi.

- Nous souscrivons aux principes d'équité en matière d'emploi.

- Nous avons pris l'engagement de constituer un milieu de travail où les différences sont appréciées et respectées.

- La diversité fait notre force.

- Nous nous appliquons à réaliser l'équité.

- Diversité = créer une organisation dont nous pouvons tous être fiers.

- Nous avons pour mandat d'assurer que la population canadienne soit servie par une fonction publique hautement compétente, impartiale et représentative de l'ensemble de la société.

- L'équité en matière d'emploi fait partie intégrante de notre façon de faire affaire. Nous invitons toutes les personnes qualifiées, y compris les Autochtones, les personnes handicapées, les membres de minorités visibles et les femmes, à présenter leur candidature.

Énoncé sur les langues officielles

L'énoncé sur les langues officielles doit figurer dans toutes les annonces. Si l'annonce est publiée en français, l'énoncé doit être formulé comme suit : «This information is available in English.» Si l'annonce est publiée en anglais, il faut plutôt utiliser l'énoncé suivant : «Vous pouvez obtenir ces renseignements en français.»

>>

Il n'est pas nécessaire d'inclure l'énoncé sur les langues officielles si l'annonce est publiée simultanément en anglais et en français dans le même journal ou en version bilingue.

Exigences linguistiques

Il est indispensable d'inclure dans l'annonce les exigences linguistiques du ou des postes à pourvoir, en utilisant l'une des formules suivantes :

- La maîtrise du français est essentielle.

- La maîtrise de l'anglais est essentielle.

- La maîtrise du français ou de l'anglais est essentielle.

- La maîtrise du français et de l'anglais est essentielle. Veuillez noter qu'une formation linguistique pourrait être offerte.

- Les exigences linguistiques varient selon le poste à pourvoir.

- La maîtrise de l'anglais et du français est essentielle.

Appel de candidatures et date limite

L'annonce de recrutement doit se terminer par un paragraphe de clôture qui invite les membres du public visé à poser leur candidature et précise la date limite à laquelle toutes les candidatures doivent être reçues. Bien qu'il soit nettement préférable d'utiliser le formulaire électronique pour soumettre sa candidature «en direct», il est important d'inclure dans l'annonce une adresse complète pour les personnes qui choisissent plutôt de remplir la version papier du formulaire de demande d'emploi. Puisque l'adresse du site Web de la CFP est intégrée à la présentation graphique de l'annonce, il est inutile de la répéter dans le paragraphe de clôture. Voici un bon exemple de conclusion :

Si cette occasion d'emploi vous intéresse, n'hésitez pas à soumettre votre candidature en direct ou faites parvenir votre curriculum vitæ et un formulaire de Demande d'emploi PSC-3391 (aussi disponible dans tous les bureaux de la Commission de la fonction publique du Canada ou dans de nombreux centres de ressources humaines), en indiquant le numéro de référence XXX, au plus tard (date) à : (adresse).

Coordination de l'image de marque

Toutes les annonces de la fonction publique doivent contenir le mot-symbole «Canada». Le symbole du programme de l'image de marque de la CFP doit également être utilisé dans les annonces des ministères sans pouvoir de recrutement externe. Par contre, les ministères qui exercent des pouvoirs de recrutement externe peuvent utiliser le symbole du programme de coordination de l'image de marque qui les représente.

Source : Gouvernement du Canada, 1999.

PARTIE

4

La sélection

CHAPITRE 11

Les fondements de la mesure

Objectifs du chapitre

Le choix des bons outils de sélection des candidats (test, entrevue, etc.) est fondamental pour minimiser les risques d'erreurs à cette étape du processus. Or, pour choisir les meilleurs outils, un recruteur doit comprendre les principes fondamentaux de la mesure en gestion des ressources humaines. Ce chapitre a pour objectifs:

• d'étudier les caractéristiques liées aux instruments de mesure;

• d'analyser les caractéristiques relatives aux évaluateurs.

Une fois les activités de recrutement mises en œuvre, une organisation commence à recevoir des candidatures. C'est alors que débute le processus de sélection, c'est-à-dire le choix du meilleur candidat parmi ceux qui ont postulé. Pour ce faire, l'organisation doit mesurer les compétences de chaque candidat en se basant, dans un premier temps, sur son curriculum vitæ, puis en soumettant la personne à différentes épreuves, telles que l'entrevue ou les tests. Mais avant de détailler ces outils mis à la disposition des gestionnaires pour évaluer les candidats, il est important de bien comprendre en quoi consiste la mesure et quels en sont les fondements. La compréhension de ces principes de base permettra ensuite au responsable de la sélection de choisir le meilleur outil (ou instrument de mesure), c'est-à-dire l'outil le plus approprié au contexte de son organisation et du poste à pourvoir.

Les principes de la mesure s'appliquent à plusieurs domaines de la gestion des ressources humaines.

Dans ce chapitre, nous passerons donc en revue les fondements de la mesure (ou de l'évaluation) des individus. Ces principes peuvent se classer en deux catégories : les caractéristiques des instruments de mesure et celles des évaluateurs. Il est à noter que ces principes sont propres au processus de mesure et non pas au contexte spécifique de la sélection. Ils s'appliquent donc à plusieurs domaines de la gestion des ressources humaines, notamment à l'évaluation de performance ou à la mesure du potentiel. De la même façon, ces principes s'appliquent quels que soient les instruments utilisés : on recherche les mêmes qualités de mesure dans une entrevue que dans un test écrit ou un examen oral.

1. Les caractéristiques des instruments de mesure

Il est relativement facile de choisir le meilleur instrument pour mesurer une donnée concrète et factuelle. Par exemple, un ébéniste utilisera un niveau pour déterminer l'horizontalité d'une planche et un médecin se servira d'une balance pour connaître le poids d'un patient. L'un et l'autre savent que l'instrument choisi (le niveau ou le pèse-personne) mesure bel et bien ce qu'il est censé mesurer.

Malheureusement, lorsqu'il s'agit d'évaluer des dimensions plus abstraites ou plus subjectives, comme les connaissances ou les habiletés d'un individu, le choix d'un instrument ou d'un ensemble d'instruments est plus hasardeux. Pourtant, le principe évoqué précédemment s'applique : on cherche à utiliser un instrument qui mesure ce qu'il est censé mesurer. Pour cela, il faut que l'instrument de mesure soit fiable, valide, utile et exempt de biais. Les prochaines sections précisent ces caractéristiques. Notons cependant que nous ne détaillerons dans ce chapitre ni la définition statistique, ni le calcul des coefficients ; le lecteur intéressé à en savoir plus à ce sujet se référera aux ouvrages cités en bibliographie.

1.1 La fiabilité

Pour être utilisable, une mesure doit être fiable (ou fidèle), c'est-à-dire qu'elle doit produire des résultats analogues lorsqu'on la répète. Par exemple, lorsqu'un médecin cherche à connaître la taille d'un patient, il utilise une toise. Or, l'indication donnée par la toise est stable dans le temps; seule la croissance réelle du patient peut expliquer un changement dans la taille indiquée. La mesure de la taille d'un même patient prise à deux jours d'intervalle donnera les mêmes résultats. On peut donc en conclure qu'une toise est un outil de mesure fiable pour évaluer la taille d'un individu, c'est-à-dire qu'il donne des résultats constants, reflétant réellement la taille du patient et ne dépendant pas de facteurs externes comme le niveau de fatigue ou de compétence du médecin qui l'utilise.

Les résultats d'un test de sélection doivent varier uniquement selon les compétences des candidats.

On exige le même niveau de constance des instruments de mesure utilisés en gestion des ressources humaines. Ainsi, les résultats d'un candidat à une entrevue de sélection doivent varier uniquement en fonction de sa performance, et non pas de la personnalité du recruteur, de l'humeur du comité de sélection, de l'environnement physique dans lequel se sont déroulées les entrevues, ou de tout autre facteur étranger aux compétences du candidat. C'est ce qu'on appelle la **fiabilité** de l'instrument de mesure (Pettersen, 2000; Saks, 2000).

Fiabilité
▶ *Reliability*
Capacité d'un instrument à produire des résultats constants.

Erreur aléatoire
▶ *Random error*
Erreur due au caractère imprécis de l'instrument de mesure.

Une mesure fiable est une mesure qui ne comporte pas d'**erreur aléatoire** (erreur fortuite). Le tableau 11.1 en présente les principales sources liées au candidat, à la situation ou à l'instrument. Il offre également des pistes de solutions pour les contrôler. Notons que les erreurs attribuables à l'évaluateur seront traitées plus loin dans ce chapitre.

Puisque le but de la sélection est de comparer entre elles les compétences des candidats, il est important que la mesure reflète uniquement ces compétences et soit donc exempte de ces erreurs aléatoires. Le recruteur doit alors veiller à utiliser les mêmes outils d'évaluation pour tous les candidats et à les administrer dans les mêmes conditions. Cette recherche d'uniformisation sera très importante lors des entrevues et des tests de sélection qui seront abordés aux chapitres 13 et 14.

Si la fiabilité est importante pour s'assurer que l'outil de sélection mesure bien ce qu'il est censé mesurer, elle n'est pas suffisante. En effet, une dimension donnée peut être constamment mesurée de façon incorrecte. Imaginons l'exemple où un médecin, pour déterminer le poids d'un patient, mesurerait son tour de taille: il obtiendrait une mesure fiable, mais qui ne refléterait pas réellement le poids de la personne. La capacité d'un instrument d'évaluation à mesurer ce qu'il vise à mesurer ou à prédire ce qu'il vise à prédire est appelée la « validité » (Pettersen, 2000; Saks, 2000; Schmidt et Hunter, 1998).

TABLEAU 11.1 **Principales sources d'erreurs aléatoires en sélection**

Sources d'erreurs	Moyens de contrôle
Le candidat	
1. Tendance à répondre au hasard • Réponses à vue de nez, tentatives de deviner lorsque le candidat ne comprend pas la question ou ne connaît pas la réponse • Réponses par pur hasard, pour se débarrasser	○ Augmenter le nombre de questions ○ Motiver le répondant par divers moyens
2. État général, mais passager • Humeur du moment, état de fatigue ou de santé • Motivation à faire de son mieux ou au contraire manque d'intérêt à répondre aux questions • Réaction au stress • Préparation mentale, concentration	○ Remettre l'évaluation en cas d'indisposition du répondant ○ Prévoir une période d'adaptation, mettre le répondant à l'aise, adopter une ambiance détendue
3. Réactions spécifiques fortuites ou inhabituelles • Compréhension des directives • Trous de mémoire, oublis momentanés • Fautes d'inattention, distraction lors de la lecture ou de l'écoute des questions ou au moment de formuler ou d'inscrire la réponse	○ Formuler des directives claires ○ Donner du temps pour répondre lorsque c'est possible ○ Augmenter le nombre de questions
4. Interaction avec les caractéristiques de l'examinateur (sexe, âge, etc.)	
La situation	
5. Conditions d'administration non standardisées • Variation de la durée, du matériel disponible, de l'ambiance, de la température, de l'éclairage, du bruit, des distractions et autres conditions	○ Standardiser les conditions de mesure
L'instrument /outils	
6. Composantes non standardisées • Questions ou items non standardisés • Directives non standardisées	○ Standardiser les outils d'évaluation ○ Standardiser les directives
7. Ambiguïtés et insuffisances • Formulation ambiguë d'une question ou d'une directive • Outils d'évaluation mal compris des évaluateurs	○ Formuler des questions claires ○ Formuler des directives claires ○ Former les évaluateurs

Source : Pettersen, 2000.

1.2 La validité

Validité
▶ *Validity*
Capacité d'un instrument à mesurer ce qu'il vise à mesurer.

La mesure des individus n'échappe pas à cette obligation de **validité**. Par exemple, si l'on cherche à évaluer la capacité d'un individu à s'exprimer en espagnol, on devra lui faire passer un test mesurant uniquement ses compétences orales dans cette langue ; un test écrit de grammaire espagnole ne serait pas considéré comme valide dans cette situation.

Or, il existe trois formes de validité importantes en dotation : la validité de contenu, la validité apparente et la validité prédictive. Chacune doit être prise en compte pour améliorer la validité globale de l'instrument, c'est-à-dire sa capacité à mesurer bel et bien ce que l'on cherche à mesurer.

La validité de contenu

La validité de contenu désigne le fait que les résultats recueillis par un instrument de mesure sont représentatifs du domaine ou de la compétence à mesurer (Gruber, 2000 ; Kerlinger, 1986 ; Pettersen, 2000 ; Saks, 2000). Imaginons que l'on cherche à évaluer les compétences d'un candidat pour un poste de programmeur-analyste, dont la description inclut à la fois des tâches de programmation et d'analyse de système. Un test qui ne comprendrait que des questions de programmation aurait une faible validité de contenu pour ce poste, car il ne serait pas représentatif de l'ensemble des compétences à posséder.

La validité de contenu réfère à la représentativité des dimensions mesurées.

La validité de contenu est donc intimement liée à l'analyse de fonction et au profil d'exigences qui en découle (voir les chapitres 5 et 6). C'est pourquoi cette caractéristique des instruments de mesure est particulièrement importante aux yeux des gestionnaires qui connaissent le lien direct entre les compétences mesurées et les tâches et responsabilités propres à l'emploi.

La recrudescence des procédures judiciaires en matière de ressources humaines a également amené de plus en plus d'organisations à se soucier du lien entre le contenu de l'emploi et les instruments sur lesquels elles fondent leurs décisions (Pettersen, 2000). En effet, lorsqu'une décision d'embauche, de promotion ou de licenciement est contestée devant les tribunaux, ceux-ci examinent le lien entre, d'une part, les caractéristiques du candidat ou de l'employé qui ont été mesurées et, d'autre part, les tâches et responsabilités inhérentes au poste. Toutes les études indiquent qu'il est beaucoup plus facile pour une entreprise de se défendre si elle a mené une démarche de validation basée sur le contenu, c'est-à-dire si elle a démontré la validité de contenu de son instrument de mesure (Arvey et Faley, 1988). L'encadré 11.1 résume une décision récente du Tribunal des droits de la personne du Québec qui illustre l'importance de la démarche de validation du contenu des tests de sélection.

La validité de contenu des instruments de mesure étant primordiale, la question qui se pose est donc : « Comment l'améliorer ? ». Pour ce faire, trois stratégies peuvent porter fruit : l'analyse de fonction, l'utilisation d'experts de contenu et le choix d'instruments de mesure spécifiques.

C.D.P.D.J. (Arsenault) c. Institut Demers inc. et Groupe Conseil G.S.T. inc.

En janvier 1995, l'Institut Demers, un établissement d'enseignement privé situé à Montréal dont la clientèle est partiellement composée d'adultes, cherche à recruter un conseiller en placement. Mme Lacroix, adjointe à la direction de l'Institut, et Mme Guerroumi, directrice des études, sont responsables du processus de sélection. Elles font appel aux services au Groupe G.S.T., une entreprise spécialisée dans l'évaluation du profil psychologique des candidats à un emploi, pour administrer les tests de préembauche.

Mme Arsenault, alors gérante du département de l'électricité dans une importante entreprise de quincaillerie, pose sa candidature. Après trois entrevues initiales, elle est soumise, avec deux autres candidats, aux tests de préembauche administrés par le Groupe G.S.T. Mais après s'être fait refuser le poste convoité, Mme Arsenault allègue avoir été victime de discrimination basée sur le handicap en raison de ses résultats aux tests.

Le contenu des tests de sélection

Les tests que le Groupe G.S.T. a fait passer à Mme Arsenault sont constitués de trois épreuves écrites et d'une entrevue verbale. La lecture des questions des tests écrits permet de constater qu'ils ne sont aucunement orientés vers l'emploi ou les situations de travail. Le premier test écrit, conçu par le Groupe G.S.T., vise à vérifier des états émotifs liés à des mises en situation en matière d'emploi. Les deux autres tests, développés par les psychologues américains Friel et Kitchen, servent à mesurer le degré de codépendance et visent l'évaluation générale du profil psychologique de l'individu. La codépendance est un mode de fonctionnement caractérisé par une réaction exagérée à des phénomènes extérieurs à soi et une sous-réaction à ce que l'on ressent. Il s'agit d'une forme d'incapacité à réagir normalement à des situations données, d'immaturité émotive. Selon son degré de codépendance, une personne peut réagir de façon plus ou moins bizarre ou appropriée, selon des normes socialement acceptées, à des situations simples. La codépendance produirait ainsi des comportements inefficaces dans l'atteinte d'objectifs. Ce syndrome tire son origine principalement de la famille et de la culture. Plus précisément, il apparaît surtout chez les familles dysfonctionnelles ou comportant un parent alcoolique.

La décision

Le Tribunal conclut qu'il y a eu discrimination fondée sur le handicap. En effet, Mme Arsenault a été exclue de l'emploi parce l'Institut Demers a été amené à croire à l'existence d'une caractéristique psychologique favorisant son rejet du processus. Or, les tests n'étaient aucunement liés aux aptitudes requises pour exercer l'emploi de conseiller en placement. À ce sujet, le Tribunal écrit qu'« on ne saurait faire des résultats à un exercice aussi flou une qualité requise par l'emploi ». Ainsi, non seulement le Tribunal des droits de la personne a-t-il jugé que le droit de Mme Arsenault d'être traitée en toute égalité, sans discrimination fondée sur le handicap, avait été violé, mais la preuve a été faite que l'administration des tests de préembauche a porté atteinte au droit à la vie privée de la plaignante. L'Institut a été condamné à verser à Mme Arsenault les sommes de 7500 $ à titre de dommages moraux et de 7500 $ pour le préjudice subi, et à cesser d'utiliser les tests controversés.

Source: Tribunal droits de la personne du Québec, 1999.

Commission des droits de la personne et des droits de la jeunesse du Québec
www.cdpdj.qc.ca

Comme nous l'avons vu dans les chapitres précédents, l'analyse de fonction permet de déterminer avec précision les tâches et responsabilités qui incombent au titulaire d'un poste. Les compétences jugées importantes à l'issue de ce travail d'analyse de même que les critères de sélection qui en découlent sont donc en lien avec l'emploi.

Par ailleurs, demander à des experts de contenu (titulaire du poste, supérieur, subordonné) d'évaluer les compétences exigées est une étape supplémentaire pour s'assurer que les qualités requises sont bel et bien orientées vers l'emploi. Dans l'affaire opposant la Commission des droits de la personne et des droits de la jeunesse à l'Institut Demers présentée à l'encadré 11.1, la juge Rivet a rappelé que l'employeur peut «démontrer que tel ou tel emploi requiert des caractéristiques physiques ou psychologiques particulières», mais que l'utilisation de certains tests ou entrevues n'est pas nécessaire «à moins que l'employeur ne soit en mesure de démontrer qu'une telle atteinte à la vie privée d'un candidat ne soit justifiée par les exigences particulières de l'emploi». L'avis d'experts qui corroborent l'importance d'une compétence particulière est généralement suffisant pour faire cette démonstration.

Finalement, l'utilisation d'instruments de mesure conçus spécifiquement pour le domaine de compétence à mesurer augmente la validité de contenu. Par exemple, un poste de secrétaire médicale requiert une bonne connaissance du français et, plus particulièrement, des termes médicaux. Ainsi, un test d'orthographe incluant des termes tels que «paracentèse», «épisiotomie» ou «spondylolisthésis» aurait une bonne validité de contenu pour ce poste; il serait en revanche inapproprié pour un poste de secrétaire dans une école primaire. Dans un cas comme celui-ci, il ne faut pas comparer le contenu de l'examen au domaine du français écrit en général, mais plutôt au domaine du français écrit pour l'emploi considéré (Pettersen, 2000). D'ailleurs, un test de français comprenant des termes médicaux ou techniques serait probablement très mal perçu de la part des candidats à un poste de secrétaire dans une école. Cette perception des candidats constitue une deuxième forme importante de validité: la validité apparente.

La validité apparente

La validité apparente, ou validité de façade, est la perception qu'un profane a de l'instrument de mesure après l'avoir examiné superficiellement (Heneman et Judge, 2006; Pettersen, 2000); il s'agit donc d'une dimension qui fait appel au bon sens, à l'intuition. On dira qu'un instrument de mesure a une bonne validité apparente si les personnes qui l'utilisent, évaluateurs comme évalués, ont l'impression qu'il mesure bien ce qu'il devrait mesurer (Catano *et al.*, 2001).

La validité apparente porte sur la perception des répondants.

La validité apparente est très importante, car elle influence la motivation des utilisateurs, ce qui, comme nous l'avons vu dans le tableau 11.1, permet de diminuer les risques d'erreurs. Prenons l'exemple d'un test d'orientation professionnelle. Si les candidats ont l'impression que l'outil est équitable et précis, ils seront plus susceptibles de prendre le temps de le remplir avec soin et de donner des réponses réfléchies. Si, en revanche, ils ont le sentiment que le test ne leur rendra pas justice, ils risquent de ne pas y consacrer le soin et l'attention voulus (Gruber, 2000). Le même phénomène est observé lors du processus de sélection. Par exemple, si un candidat a l'impression que les questions posées en entrevue ne sont pas en lien avec l'emploi, le processus de sélection perdra toute crédibilité à ses yeux. Il est fort probable que ses réponses deviendront évasives et que le recruteur aura toutes les peines du monde à l'évaluer.

La validité de contenu est un des éléments à prendre en compte pour augmenter la validité apparente d'un outil de sélection, mais ce n'est pas le seul. La réputation d'une méthode de mesure ou la fréquence de son utilisation entrent également en ligne de compte dans la perception des usagers. Ainsi, les tests de graphologie, ou analyse de l'écriture, sont utilisés fréquemment comme outils de sélection en France (Newsletter HR One, 2005). Malgré le fait qu'ils n'aient aucun lien avec la performance future en emploi (voir à ce sujet le chapitre 14), ils jouissent en France d'une assez bonne validité apparente, car les candidats sont habitués à leur utilisation. En effet, selon une étude menée en 1989-1990 auprès de 102 organismes de recrutement français (60 cabinets de consultation et 42 entreprises), 93 % d'entre eux utilisent la graphologie pour sélectionner leurs candidats à l'embauche; de ce nombre, 55 % affirment le faire de façon systématique (Bruchon-Schweitzer et Ferrieux, 1991). Cette tendance a été confirmée en 1999, où une enquête auprès de 62 agences privées de recrutement françaises a établi que 95 % utilisaient la graphologie, dont 50 % systématiquement (Bruchon-Schweitzer, 2000). En revanche, en Amérique du Nord, où ces tests ne sont pratiquement jamais utilisés, leur validité apparente est très faible. Ainsi, aux États-Unis, seulement 2,8 % des entreprises utilisent encore la graphologie, en raison notamment du nombre croissant de procès intentés et gagnés par les candidats mettant en cause la capacité de l'analyse graphologique à prédire leur réussite professionnelle ultérieure (Bruchon-Schweitzer, 2000).

Ainsi, l'habitude d'utiliser un outil de mesure permet d'améliorer sa validité apparente. En matière de sélection de personnel, ce phénomène semble expliquer l'amélioration de la validité apparente des tests de personnalité: de plus en plus de candidats sont amenés à passer de tels tests, de sorte que leur validité de façade, autrefois considérée comme faible, s'améliore (Ambrose et Rosse, 2003).

Le tableau 11.2 présente le niveau de validité apparente des principaux outils de sélection utilisés en Amérique du Nord. Les chapitres 13 et 14 reviendront plus en détail sur ces outils.

Ainsi, il est important, lorsque l'on choisit un outil de mesure en gestion des ressources humaines, de s'assurer de sa validité de contenu et de sa validité de façade. Mais ces deux formes de validité ne suffisent pas pour certifier que l'instrument mesure réellement ce qu'il est censé mesurer. Par exemple, lorsqu'on cherche à mesurer le potentiel d'un individu, l'objectif ultime est de s'assurer que cette personne peut, dans le futur, assumer des responsabilités supplémentaires. De la même façon, dans un processus de sélection, on cherche à repérer les individus qui auront, plus tard, une bonne performance dans leur emploi. Il est donc important d'évaluer la capacité d'un instrument de mesure à prédire ce qu'il est censé prédire: c'est la troisième forme de validité, la validité prédictive.

TABLEAU 11.2 Validité apparente des principales méthodes de sélection

Méthode de sélection	*Légalement Défendu* (manuscrit)	Validité apparente	*Prédictive* (manuscrit)	*coût* (manuscrit)
Échantillons de travail	Très élevé	Très élevée	0.54	Mod à élevé
Tests d'habileté cognitive générale	Fai à Modéré	Faible	0.51	Fai à Mod
Entrevues structurées	Élevé à très élevé	Élevée à très élevée	0.51	Mod à élevé
Tests de connaissances	Très élevé	Très élevée	0.48	Modéré
Entrevues non structurées	Fai à modéré	Faible à modérée	0.38	Fai à Mod
Centres d'évaluation	Élevé à très élevé	Élevée à très élevée	0.37	Très élevé
Tests de personnalité	Faible à Modéré	Faible à modérée	0.31	Modéré
Vérification des références	Inconnu	Faible à modérée	0.26	Faibles
Nombre d'années d'expérience	Inconnu	Élevée	0.18	Faibles
Inventaires d'intérêts professionnels	Inconnu	Modérée à élevée	0.10	Fai à Modéré

Source: Pettersen, 2000.

La validité prédictive

La validité prédictive, parfois appelée «validité critériée» (Pettersen, 2000; Saks, 2000), désigne la capacité d'un instrument à prévoir un phénomène futur. Dans le cas de la sélection, le phénomène que l'on cherche à prédire est le rendement futur ou la performance en emploi. Si, par exemple, on démontre qu'une mesure des aptitudes mécaniques permet de prédire le rendement futur dans des emplois à vocation mécanique, on devra considérer que cet outil fait preuve d'une bonne validité prédictive (Gruber, 2000).

> La validité prédictive désigne la capacité à prévoir un phénomène futur.

La figure 11.1 montre comment la validité prédictive du processus de sélection peut être illustrée graphiquement. Le graphique de gauche représente le nuage de points lorsque les résultats obtenus lors de la sélection n'ont aucun lien avec la performance des individus; il s'agit donc d'un processus de sélection à faible validité prédictive. En revanche, à droite, il apparaît clairement que les individus ayant obtenu les meilleurs résultats lors de la sélection font preuve d'une très bonne performance, tandis que les individus ayant obtenu de faibles résultats lors de la sélection en ont une médiocre; le nuage de points peut alors être représenté par une ligne. Ce processus de sélection a une validité prédictive élevée, puisque le résultat obtenu permet de prédire le niveau futur de performance de l'employé.

Notons qu'un instrument de mesure peut prédire autre chose que la performance future en emploi. Par exemple, les services de ressources humaines demandent parfois aux employés de se soumettre à des tests afin de prédire leur réussite à un programme de formation. En fonction des résultats, un individu pourra être invité ou non à participer à cette formation.

FIGURE 11.1 Représentation graphique de la validité prédictive

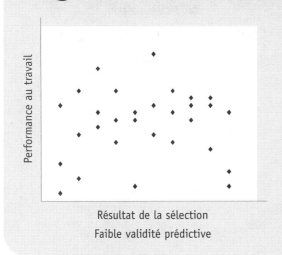

Performance au travail

Résultat de la sélection
Faible validité prédictive

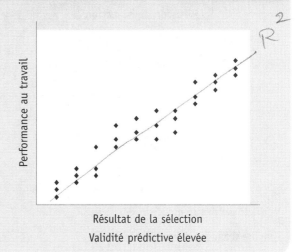

Performance au travail

Résultat de la sélection
Validité prédictive élevée

La meilleure façon d'augmenter la validité prédictive d'un outil de sélection est de s'assurer que les compétences mesurées sont réellement nécessaires à l'exercice futur des tâches et responsabilités du poste. Comme nous l'avons vu plus tôt, le recours à l'analyse de fonction et à l'avis des experts sont deux stratégies visant précisément à faire coïncider étroitement les dimensions mesurées et les compétences utilisées par la suite. On peut donc dire que la recherche d'une meilleure validité prédictive passe par une meilleure validité de contenu.

Par ailleurs, quelles que soient les dimensions mesurées, certaines méthodes de sélection sont plus efficaces que d'autres pour prédire la performance future en emploi. Pettersen (2000) dresse un tableau de la validité prédictive des principales méthodes de sélection, tous postes confondus (tableau 11.3). On considère généralement comme élevée une validité prédictive supérieure à 0,45; si elle se situe entre 0,25 et 0,45, on la jugera plutôt moyenne (Hermelin et Robertson, 2001).

Lors du choix d'un outil de sélection, le recruteur doit s'assurer de sa validité prédictive.

Au vu de ce tableau, il semble évident que certaines méthodes de sélection sont préférables à d'autres. Cependant, la prudence est de mise dans l'interprétation des calculs de validité. Le type d'emploi ou les caractéristiques des candidats influencent la validité prédictive d'un outil de sélection (Hermelin et Robertson, 2001). Par exemple, un test visant à mesurer la dextérité peut avoir une excellente validité prédictive pour un emploi manuel, mais une validité faible pour un poste de gestionnaire. Lorsqu'un recruteur choisit un outil de sélection, il doit donc s'assurer que sa validité prédictive a été testée pour un poste similaire et auprès d'une population semblable. Si, pour un test particulier, il n'existe aucune donnée relative à la validité ou que les données semblent limitées, il est préférable d'utiliser un autre instrument de mesure (Gruber, 2000).

Méthode de sélection	Validité prédictive
Échantillons de travail	0,54
Tests d'habileté cognitive générale	0,51
Entrevues structurées	0,51
Tests de connaissances	0,48
Entrevues non structurées	0,38
Centres d'évaluation	0,37
Tests de personnalité	0,31
Vérification des références	0,26
Nombre d'années d'expérience	0,18
Inventaires d'intérêts professionnels	0,10

TABLEAU 11.3 Validité prédictive des principales méthodes de sélection

Source : Pettersen, 2000.

Finalement, l'utilisation de plus d'une méthode de sélection permet d'améliorer la validité prédictive de l'ensemble du processus. Par exemple, la combinaison d'un test d'habileté cognitive et d'une entrevue structurée atteint une validité prédictive de 0,63 (Robertson et Smith, 2001), c'est-à-dire une validité supérieure à celle de chacun des deux outils pris séparément. Cependant, ajouter des outils de sélection dans l'espoir d'augmenter la validité prédictive du processus comporte des coûts parfois élevés. Se pose alors la question de l'apport additionnel d'un nouvel outil de sélection à la procédure existante : il s'agit de la notion d'utilité.

1.3 L'utilité

Utilité
▶ *Utility*
Comparaison des coûts et des bénéfices.

La notion d'**utilité** renvoie au gain économique estimé de l'utilisation d'un outil de mesure : elle résulte d'un calcul des coûts et bénéfices. S'il est relativement facile pour un gestionnaire d'évaluer les coûts d'utilisation d'un outil de sélection, les bénéfices, en revanche, sont plus hasardeux à mesurer. Ceux-ci ont trait à l'augmentation du rendement entraînée par la méthode de sélection. Mais comme de multiples facteurs influencent le rendement (par exemple, le soutien du superviseur, l'équipement utilisé ou la formation de l'employé en cours d'emploi), il est souvent difficile d'isoler la part du rendement qui est uniquement attribuable à la sélection (Pettersen, 2000).

Il existe plusieurs méthodes de calcul d'utilité, dont certaines sont si complexes qu'elles ont tendance à décourager les gestionnaires, de sorte que le calcul de l'utilité devient « une procédure rarissime dans la pratique » (Pettersen, 2000). Le propos de ce chapitre n'est pas de se livrer à une analyse approfondie de ces méthodes[1], mais plutôt de souligner les éléments d'utilité qui sont importants à considérer dans le choix d'une méthode de sélection.

Tout d'abord, le coût d'utilisation d'un outil de sélection doit nécessairement entrer en ligne de compte dans une réflexion sur l'utilité. Ce coût comprend notamment les frais de conception ou d'achat de l'outil, le nombre de personnes affectées à son utilisation, le temps de formation et d'utilisation consacré à cet instrument, et les frais liés au transport et à l'occupation des locaux. À cet effet, Pettersen (2000) dresse la liste des principales méthodes de sélection en fonction de leurs coûts d'utilisation (voir tableau 11.4).

TABLEAU 11.4 Coûts d'utilisation des principales méthodes de sélection

Méthode de sélection	Coûts d'utilisation
Échantillons de travail	Modérés à élevés
Tests d'habileté cognitive générale	Faibles à modérés
Entrevues structurées	Modérés à élevés
Tests de connaissances	Modérés
Entrevues non structurées	Faibles à modérés
Centres d'évaluation	Très élevés
Tests de personnalité	Modérés
Vérification des références	Faibles
Nombre d'années d'expérience	Faibles
Inventaires d'intérêts professionnels	Faibles à modérés

Source: Pettersen, 2000.

L'utilité d'un outil de sélection augmente lorsque le taux de sélection diminue.

Taux de sélection
▶ *Selection ratio*
Ratio du nombre de candidats sélectionnés sur le nombre total de candidats.

Les bénéfices de l'utilisation d'un outil peuvent être estimés par l'augmentation du pourcentage d'employés dont le rendement est satisfaisant parmi la main-d'œuvre de l'organisation. C'est l'approche dite «approche de Taylor-Russel» (Taylor et Russel, 1939). Elle prend en considération la validité prédictive de l'instrument de sélection évalué, la proportion de candidats susceptibles de convenir au poste parmi l'ensemble des candidats, et le **taux de sélection,** c'est-à-dire la proportion des candidats sélectionnés par rapport au nombre total de candidats. Taylor et Russel concluent que l'utilité d'un instrument de sélection augmente lorsque le taux de sélection est faible. En fait, même un outil dont la validité prédictive est faible peut donner des résultats intéressants si le nombre de candidatures est élevé. Il est donc particulièrement important pour les entreprises de choisir avec soin les méthodes de recrutement qui génèrent un nombre suffisant de candidatures.

---

1. Pour une discussion approfondie de ces méthodes, le lecteur se réfèrera à Pettersen, 2000.

Une autre conclusion de Taylor et Russel est le fait que l'utilité d'un instrument de sélection atteint son maximum lorsque la proportion de candidats intéressants est faible. Autrement dit, l'ajout d'outils de sélection ne permet pas d'améliorer significativement la décision de sélection si le bassin de candidats est composé de personnes parfaitement qualifiées pour le poste (Pettersen, 2000). Cette conclusion met à nouveau l'accent sur l'importance d'un processus de recrutement rigoureux et ciblé, car le fait d'avoir un bassin de candidats de qualité diminue par la suite la nécessité d'utiliser une multitude d'outils de sélection.

D'autres approches comme celles de Brogden, Cronbach et Gleser (Boudreau, 1991 ; Brogden, 1949 ; Cronbach et Gleser, 1965) ou de Cascio et Ramos (1986) ont cherché à quantifier en valeur monétaire le gain économique découlant de l'utilisation d'une méthode de sélection. Ces méthodes prennent elles aussi en compte la validité prédictive de l'outil de sélection, son coût d'utilisation, la variation du rendement au travail des employés sélectionnés et la valeur monétaire de ce rendement. Plus récemment, Schmidt, Mack et Hunter (1984) ont également démontré les avantages monétaires de l'utilisation de méthodes de sélection valides.

Même si les recherches permettent de raffiner les calculs d'utilité, ces méthodes restent extrêmement complexes et peu utilisées par les gestionnaires. En fait, les recherches menées par deux professeurs de l'Université de Toronto ont montré que, lors du choix d'un instrument de sélection, les gestionnaires étaient plus enclins à utiliser les informations relatives à la validité de l'outil plutôt que celles liées à son utilité (Latham et Whyte, 1994 ; Whyte et Latham, 1997). Il n'en demeure pas moins que la notion de rentabilité de l'investissement, ou d'utilité économique, préoccupe les gestionnaires. Sans nécessairement effectuer de calculs compliqués, les recruteurs doivent cependant être sensibles à la valeur ajoutée d'un outil de sélection par rapport à la décision finale.

Une autre source de coût à considérer peut être la justification, sur le plan légal, du choix d'une méthode de sélection. Or, en cas de contestation, certains instruments de sélection sont plus faciles à défendre légalement que d'autres, comme nous le verrons dans la section suivante. Un gestionnaire préférera donc choisir un instrument exempt de biais, donc plus facile à défendre.

1.4 Les biais

Biais
▶ *Bias*
Fait, pour un instrument, de défavoriser indûment un groupe précis.

Un instrument est biaisé lorsqu'il défavorise, de façon systématique, un groupe particulier de la population. Par exemple, les candidats issus de milieux défavorisés ont tendance à réussir moins bien que la moyenne de la population les tests d'aptitudes verbales. Comme on l'a vu au chapitre 2, cela constitue une discrimination systémique, qui est illégale à moins que les aptitudes verbales ne constituent une exigence professionnelle justifiée.

Certains outils de sélection semblent défavoriser les groupes minoritaires.

Or, les études, en particulier celles portant sur la discrimination basée sur le sexe et l'origine ethnique, ont montré que certains outils de sélection avaient tendance à désavantager certains groupes minoritaires dans la population. Par exemple, les tests d'habileté cognitive, majoritairement développés et validés auprès de populations d'hommes nord-américains blancs, sont culturellement biaisés, de sorte qu'ils défavorisent les femmes et les personnes issues de groupes ethniques minoritaires (Bobko, Roth et Potosky, 1999; McShane et Berry, 1988; Pettersen, 2000). Nous aurons l'occasion de revenir sur ce point au chapitre 14.

La validité prédictive et la validité de contenu d'un instrument de sélection tendent à diminuer les risques de biais. En effet, plus un outil est basé sur les compétences requises pour accomplir les tâches propres au poste, moins les caractéristiques démographiques des candidats influencent leurs résultats. Par ailleurs, en cas de contestation, l'organisation pourra plus facilement se défendre en avançant l'argument de l'exigence professionnelle justifiée si l'outil de sélection est basé sur une analyse de fonction et sur une liste claire de compétences requises par le poste. De façon similaire, les efforts visant à améliorer la fiabilité de la mesure – notamment la standardisation des outils d'évaluation, des conditions d'utilisation et des directives – facilitent la justification légale des décisions de sélection, puisque l'entreprise peut alors démontrer que tous les candidats ont été traités de la même façon.

Compte tenu de leurs caractéristiques métriques, certaines méthodes de sélection sont donc plus faciles à défendre en cas de contestation légale, comme en fait foi le tableau 11.5.

TABLEAU 11.5 **Facilité des principales méthodes de sélection à être défendues**

Méthode de sélection	Facilité à être défendue légalement
Échantillons de travail	Très élevée
Tests d'habileté cognitive générale	Faible à modérée
Entrevues structurées	Élevée à très élevée
Tests de connaissances	Très élevée
Entrevues non structurées	Faible à modérée
Centres d'évaluation	Élevée à très élevée
Tests de personnalité	Faible à modérée
Vérification des références	Inconnue
Nombre d'années d'expérience	Inconnue
Inventaires d'intérêts professionnels	Inconnue

Source: Pettersen, 2000.

Mise à part la méthode de sélection choisie, les conditions dans lesquelles on l'administre peuvent constituer une source de biais. Des mesures d'adaptation, qui visent à réduire au minimum l'impact des caractéristiques du sujet qui ne se rapportent pas directement à la dimension évaluée, peuvent alors être envisagées (American Educational Research Association, American Psychological Association et National Council on Measurement in Education, 1999). Ainsi, dans le cas des tests de sélection, la langue peut devenir problématique. Dans la mesure du possible, le test et son administration devraient s'effectuer dans la langue choisie par le candidat, ce qui, pour le Canada, ne se limite pas aux deux langues officielles (Gruber, 2000). Cependant, comme il arrive souvent qu'on ne dispose pas de versions du test dans d'autres langues, le recours à un interprète, l'utilisation de tests non verbaux, ou la mesure de la même dimension lors d'une entrevue constituent d'autres solutions envisageables. De la même façon, certains tests peuvent être adaptés pour accommoder les candidats handicapés. Par exemple, il est généralement possible de présenter à un candidat ayant une déficience visuelle un test écrit en gros caractères ou en braille (Gruber, 2000).

Commission de la fonction publique du Canada
www.psc-cfp.gc.ca

Rappelons que la Loi sur l'équité en matière d'emploi (Gouvernement du Canada, 1995) exige des employeurs qu'ils fassent un examen de leurs politiques, pratiques et systèmes d'emploi afin de s'assurer que ceux-ci ne comportent pas d'obstacles au traitement équitable des femmes, des Autochtones, des personnes handicapées et des membres des minorités visibles (voir le chapitre 2). Afin de respecter son engagement à l'égard de l'équité en matière d'emploi, la Commission de la fonction publique du Canada s'est donc récemment livrée à un exercice complet d'évaluation de ses propres outils de sélection. Ses conclusions sont présentées à l'encadré 11.2.

ENCADRÉ 11.2 **Étude de la Commission de la fonction publique du Canada (CFP) sur ses instruments d'évaluation**

Afin de répondre aux exigences de la Loi sur l'équité en matière d'emploi [...], la Commission de la fonction publique du Canada (CFP) est en train d'effectuer un certain nombre d'études de ses systèmes d'emploi. L'une de ces études, réalisée en 1998-1999, porte sur les instruments d'évaluation élaborés et administrés par le Centre de psychologie du personnel (CPP) de la CFP. Ces instruments d'évaluation utilisés aux fins de sélection, notamment les tests et les centres d'évaluation, sont des éléments importants des processus de recrutement et de promotion. [...] En tant qu'organisme central, la CFP participe à la sélection et à l'évaluation des fonctionnaires de deux façons distinctes mais reliées : (1) elle établit des normes de sélection et d'évaluation que les ministères et organismes de la fonction publique doivent appliquer dans leurs processus de sélection ; et (2) elle élabore et administre des tests et d'autres instruments d'évaluation que les ministères et organismes peuvent utiliser lors de leurs processus de sélection et d'évaluation, et qu'elle utilise elle-même dans le cadre de ses programmes de recrutement centralisés. Au sein de la CFP, le CPP a les responsabilités suivantes : élaborer les tests et autres instruments d'évaluation et surveiller leur utilisation ; fournir des lignes directrices

»

sur l'utilisation des instruments d'évaluation ; approvisionner les ministères et organismes en instruments d'évaluation ; et administrer et corriger les tests et autres instruments pour les ministères clients et pour la CFP. [...] La méthodologie de l'étude comportait deux principaux volets : une analyse du point de vue des intervenants et un examen technique d'instruments choisis du CPP. [...] Les instruments examinés ont été choisis en fonction de cinq critères : l'apparence d'un effet défavorable, la fréquence de l'utilisation, le caractère obligatoire ou non, la visibilité et le type de test. [...]

Principales constatations

L'étude a démontré que les dix instruments d'évaluation du CPP étaient généralement adéquats d'un point de vue technique. Ils étaient bien conçus selon les normes professionnelles, ne présentaient pas d'obstacles non reliés à l'emploi si on considère la disponibilité de mesures d'adaptation individuelles, et étaient utilisés de façon équitable. Toutefois, certains de ces instruments présentaient certains indices d'effet défavorable qui pourraient les rendre vulnérables et propices à des contestations d'un point de vue d'équité en matière d'emploi.

Quatre des instruments examinés étaient les plus à risque. Bien que ces tests du type papier-crayon soient des indicateurs de rendement au travail valides et fiables, ils tendent cependant à avoir un degré important d'effet défavorable, notamment à l'endroit des membres des minorités visibles et des Autochtones (et des femmes dans un cas). Trois de ces quatre instruments ne comportent pas d'obstacle comme tel, mais ne pourront se défendre que si on ne peut utiliser aucun autre instrument de prédiction sans effet défavorable ou avec un effet défavorable moindre. Pour ce qui est du quatrième, il ne peut se défendre que si l'employeur n'est pas en mesure d'offrir de formation raisonnable pour permettre aux personnes embauchées d'acquérir les connaissances pertinentes une fois en poste. Cinq autres instruments, axés sur l'évaluation du comportement, présentent un degré moindre d'effet défavorable. Ils reposent sur des principes d'évaluation éprouvés, mais nécessitent du travail additionnel de la part du CPP pour appuyer davantage leur fiabilité et leur absence de biais et réduire leur effet défavorable, notamment à l'endroit des membres des minorités visibles et des Autochtones. Finalement, un des instruments examinés a été jugé comme présentant peu ou pas de risque de contestation. Les ratios de taux de succès à ce test ne révèlent aucun effet défavorable à l'endroit de quelque groupe d'équité en matière d'emploi. L'instrument lui-même ne constitue pas un obstacle aux groupes désignés, bien que les membres de ces groupes aient exprimé certaines préoccupations en ce qui concerne l'accès au genre de formation nécessaire pour se qualifier à ce test.

Les résultats des consultations effectuées auprès des intervenants et de l'examen technique des dix instruments d'évaluation du CPP ont amené les responsables de l'étude à formuler neuf recommandations à la CFP. [...] [Entre autres, l'étude recommande d'envisager des solutions de remplacement pour des tests défavorables, d'entreprendre des études visant à déceler à quel point les biais pourraient intervenir lors de l'évaluation des comportements et d'offrir une gamme plus vaste d'instruments d'évaluation pour le recrutement à grande échelle.]

Source : Gouvernement du Canada, 1999.

Comme le montre l'étude présentée à l'encadré 11.2, la mesure des individus n'est pas chose aisée, car les être humains possèdent de multiples facettes souvent subjectives ou abstraites, donc difficiles à saisir. L'amélioration des caractéristiques des instruments de mesure est un premier pas vers l'augmentation de la qualité de l'appréciation des individus. L'utilisation d'outils fiables, valides, utiles et exempts de biais est partie prenante de cette recherche de qualité. Cependant, même les meilleurs instruments de mesure ne donnent pas de résultats valables s'ils sont mal utilisés. À ce propos, l'une des recommandations de l'étude de la Commission de la fonction publique du Canada porte précisément sur la nécessité de bien former les personnes qui effectuent les évaluations du comportement (Gouvernement du Canada, 1999). Il importe donc de comprendre les caractéristiques des évaluateurs susceptibles d'influencer les mesures.

2. Les caractéristiques des évaluateurs

Nous avons commencé la section précédente en donnant l'exemple de la toise comme instrument de mesure de la taille d'un individu. La toise cherche à évaluer une donnée objective, la taille, de sorte que le résultat ne dépend pas du médecin ou de l'infirmier qui prend la mesure. Il en va tout autrement de l'appréciation de la personnalité, des compétences, de la valeur ou encore de la performance des individus. Même si on tente de les définir de façon rationnelle et logique, ces dimensions, qui sont l'objet de mesure en gestion des ressources humaines, sont éminemment subjectives. Elles relèvent donc, du moins en partie, de la perception de l'évaluateur, c'est-à-dire de la façon dont il sélectionne, reçoit, organise et interprète les informations qui lui parviennent (Schermerhorn *et al.*, 1994). Dans ce contexte, on ne peut passer sous silence le fait que certains facteurs liés aux évaluateurs influencent la perception, et donc la mesure en gestion des ressources humaines.

2.1 Les stéréotypes et les préjugés

Stéréotype
▶ *Stereotype*
Généralisation visant à différencier les groupes de personnes.

Les **stéréotypes** sont des généralisations au sujet d'un groupe de personnes, qui ont pour effet de distinguer ce groupe par rapport aux autres (Myers et Lamarche, 1992). Par exemple, dire que les femmes sont bavardes constitue un stéréotype, et cela, sans égard à la véracité de l'affirmation. De telles généralisations présentent une certaine utilité, car elles permettent de regrouper les individus en fonction de caractéristiques évidentes et ainsi de simplifier la réalité. Dans la vie de tous les jours, nous avons tous recours, à de nombreuses reprises, à des stéréotypes. Par exemple, lorsqu'un propriétaire de voiture se rend au garage pour faire vidanger l'huile de son véhicule, il s'attend probablement à ce que le mécanicien soit un homme. La généralisation *mécanicien = homme* est un stéréotype basé sur le fait que la majorité des mécaniciens sont effectivement des hommes.

L'utilisation de stéréotypes conduit à juger un individu sur son appartenance à un groupe.

Cependant, l'utilisation de stéréotypes devient problématique lorsque ceux-ci sont inexacts ou excessifs, ou qu'ils conduisent à juger un individu non pas sur ce qu'il est, mais sur son appartenance à un groupe : le stéréotype masque alors les différences individuelles. Par exemple, imaginons que vous vous apprêtiez à rencontrer Paul, que vous savez végétarien et adepte des aliments biologiques. Vous allez peut-être vous représenter Paul comme étant un homme mince, portant des cheveux longs et une barbe, habillé avec des vêtements de plein air. Il est possible que ce stéréotype comporte un soupçon de vérité, mais il n'en demeure pas moins une généralisation excessive.

De ces stéréotypes découlent des **préjugés,** c'est-à-dire des attitudes négatives injustifiables envers un groupe d'individus et chacun de ses membres pris individuellement. Ainsi, le stéréotype que vous nourrissez à l'égard des adeptes d'aliments biologiques vous portera peut-être à juger Paul comme étant démodé, refusant les progrès du monde moderne. Et même s'il s'avère que Paul est un homme résolument moderne, habillé à la dernière mode et rasé de près, vous risquez de le considérer comme l'exception qui confirme la règle, c'est-à-dire votre préjugé (Myers et Lamarche, 1992).

Le sexe, l'âge ou l'appartenance ethnique d'une personne sont souvent des sources de stéréotypes négatifs qui conduisent à des comportements discriminatoires sur le marché du travail. Par exemple, selon un certain stéréotype, les femmes sont moins portées à rechercher le pouvoir que les hommes. Certains employeurs utilisent cette croyance pour refuser de considérer les candidatures féminines pour les postes de cadre supérieur.

Les préjugés et les stéréotypes sont souvent inconscients.

Certains préjugés sont conscients ; une personne qui s'affiche comme raciste, par exemple, sait qu'elle traite les gens de couleur de façon plus négative que les personnes d'origine européenne. Cependant, la plupart des stéréotypes et des préjugés sont inconscients : ils influencent le jugement ou la perception d'une personne sans que celle-ci ne s'en rende compte, ou sans qu'elle n'attribue sa décision à un stéréotype particulier. Or, tous sont susceptibles d'engendrer des erreurs de sélection, puisque les décisions ne sont alors pas prises en fonction des compétences du candidat, mais plutôt en fonction de son appartenance à un groupe, appartenance qui est rarement pertinente à l'emploi recherché.

Les décisions basées sur des préjugés, notamment en matière d'embauche, sont prohibées par plusieurs dispositions législatives au Québec comme au Canada (voir le chapitre 2 pour une discussion approfondie de ces mesures). Lorsque les stéréotypes sont utilisés de manière consciente pour défavoriser des individus en raison, par exemple, de leur sexe, de leur âge, de leur état de santé, de leur état civil ou de leur apparence, on parle de discrimination directe ou indirecte. En revanche, la discrimination systémique se produit plutôt lorsque les stéréotypes agissent de façon inconsciente, c'est-à-dire à l'insu du décideur. Par exemple, une récente étude a démontré que seuls 2,2 % des directeurs et directrices généraux des entreprises américaines de la liste de *Fortune 500* étaient blonds, alors que la population des États-Unis compte 20 % de personnes ayant les cheveux blonds (Takeda *et al.*, 2005). Les auteurs en concluent que le stéréotype de la blonde ou du blond incompétent et benêt porte préjudice aux personnes blondes lors des promotions en entreprise. Il est probable que les gestionnaires n'ont pas conscience de ce biais, mais il cause néanmoins des torts injustes à certaines personnes.

Les dispositions légales ont pour objet de prévenir la discrimination, c'est-à-dire les conséquences des préjugés ; cependant, il n'existe aucune loi empêchant les individus d'avoir de tels biais de perception. Par ailleurs, la Charte des droits et libertés de la personne du Québec (Gouvernement du Québec, 1975) et la Loi canadienne sur les droits de la personne (Gouvernement du Canada, 1985) définissent une liste de motifs illégaux de discrimination. L'encadré 11.3 montre un exemple de situation où l'utilisation d'un préjugé a été jugée discriminatoire en vertu d'un motif illégal de discrimination.

ENCADRÉ 11.3 Décision relative à un cas de stéréotypes et préjugés en entrevue

Syndicat des infirmières du Nord-Est québécois (F.I.I.Q.) et Sylvestre

La plaignante, une infirmière bachelière dans un CLSC, s'est vu refuser le droit de se présenter à l'entrevue de sélection pour des postes affichés alors qu'elle était absente pour cause de maladie (dépression) depuis le 6 octobre 1997. La date de son retour au travail a été indéterminée jusqu'au 12 décembre suivant, lorsque son médecin a envoyé une lettre à l'employeur proposant un retour au travail progressif. [...]

Dans le cas de la plaignante, il ne fait aucun doute qu'elle a subi un préjudice, puisque son espoir d'obtenir l'un des postes affichés a été anéanti dès le début. D'autre part, la direction a considéré qu'à cause de son état d'esprit, elle n'était pas en mesure de se présenter à l'entrevue. Or, rien dans son dossier médical ne permettait d'arriver à cette conclusion. La directrice des services administratifs ne pouvait, en l'absence d'indications précises en ce sens dans les rapports médicaux, se fonder sur sa propre appréciation de l'état de santé de la plaignante afin de lui refuser un droit prévu à la convention collective. Sa décision de l'écarter du processus de sélection en raison de son état dépressif reposait sur des stéréotypes et des préjugés qui n'avaient rien à voir avec sa capacité de défendre sa candidature lors de ce processus. Cette décision a porté atteinte à la dignité de la plaignante et est discriminatoire au sens des articles 10 et 16 de la Charte.

Source : Desrosiers, 2003.

Syndicat des infirmières du Nord-Est québécois
www.fiiq.qc.ca

Cependant, les dispositions légales n'interdisent pas l'utilisation d'autres préjugés, basés par exemple sur l'institution d'enseignement dont un candidat est diplômé, sur son apparence générale ou sur le type de voiture qu'il conduit. Par exemple, une enquête menée en France auprès de 973 travailleurs indique que 20 % d'entre eux ont déjà été victimes d'une discrimination en emploi basée sur l'apparence ; de ce nombre, un tiers indiquent qu'elle portait sur l'apparence générale, la façon de s'habiller ou de se présenter, le *look*, plutôt que sur des critères illégaux de discrimination, comme la couleur de la peau (Amadieu, 2003). Dans le même ordre d'idées, les études ont montré que les personnes au visage juvénile (*babyface*) sont souvent considérées comme étant naïves, chaleureuses, bienveillantes et honnêtes (Berry et McArthur, 1985). Il a été démontré que les candidats ayant un visage mature étaient favorisés pour occuper les emplois requérant des qualités de jugement et de leadership, alors que ceux ayant un visage juvénile étaient préférés pour occuper des emplois nécessitant des qualités de bienveillance et de soumission (Zebrowitz, Tenenbaum et Goldstein, 1991). Quel que soit leur âge réel, les personnes au visage juvénile étaient moins considérées pour occuper des postes de gestion. De tels préjugés conduisent à des décisions de sélection qui n'ont aucun lien avec les compétences requises pour exercer un emploi, même si l'apparente jeunesse du visage ne constitue pas, en soi, un motif illégal de discrimination.

Dans un contexte de sélection, il revient donc au recruteur de prendre conscience des biais qu'il nourrit, afin de s'efforcer de ne pas baser ses décisions d'embauche sur des caractéristiques non pertinentes à l'emploi. Une formation donnée aux recruteurs et aux gestionnaires qui participent à des décisions de sélection peut aider ces décideurs à découvrir leurs préjugés. Par ailleurs, l'utilisation d'outils non biaisés et basés sur les compétences requises peut limiter de telles erreurs de jugement.

2.2 La perception sélective et l'effet de halo

Perception sélective
▶ *Selective perception*
Fait de ne prendre en compte que certains éléments d'une situation.

La **perception sélective** est la tendance d'un individu à ne prendre en considération que les caractéristiques d'une personne ou d'une situation qui correspondent à ses propres valeurs ou croyances. Imaginons par exemple le cas d'une entreprise dont une grande partie de la production ne s'est pas vendue. Pour tenter de comprendre les causes de ce phénomène, le directeur des opérations aura tendance à examiner uniquement les étapes de la conception et de la production de ce bien. En revanche, le directeur du marketing se penchera plutôt sur celle de la mise en marché et n'abordera sa recherche de solutions que sous cet angle. Dans les faits, en se concentrant sur son domaine d'expertise, chacun fait fi d'une partie des informations pertinentes à l'analyse de la situation dans son intégralité. Ils sont l'un et l'autre victimes du biais de perception sélective (Schermerhorn *et al.*, 1994). La perception sélective est un problème fréquent en sélection. Par exemple, un gestionnaire expérimenté peut accorder beaucoup d'importance au fait qu'un candidat possède de l'expérience dans un poste similaire à celui pour lequel il postule, mais ne retiendra pas qu'il n'a aucune connaissance du secteur d'activité de l'entreprise.

La perception sélective est un problème fréquent en sélection.

Effet de halo
▶ *Halo effect*
Fait de laisser une dimension déteindre sur l'évaluation globale.

L'**effet de halo** s'apparente à la perception sélective : il s'agit de la tendance à juger une personne ou une situation en ne se fiant qu'à une seule de ses caractéristiques plutôt qu'à un ensemble de dimensions observables. Le terme « halo » illustre le fait que l'évaluation de cette caractéristique particulière déteint sur l'ensemble de l'évaluation (Schermerhorn *et al.*, 1994). Par exemple, un candidat volubile pendant une entrevue de sélection sera jugé comme étant chaleureux. Bien que ces caractéristiques ne soient pas nécessairement liées, la volubilité du candidat influence l'évaluation que fait le recruteur du « degré de chaleur » du postulant. À l'opposé, un candidat introverti est souvent évalué sévèrement sur des dimensions telles que le leadership ou le dynamisme ; dans ce cas également, l'évaluation d'une dimension (la volubilité) influence indûment le jugement porté sur une autre dimension (le dynamisme ou le leadership).

L'**effet de miroir** est un autre exemple de perception sélective. L'effet de miroir consiste, pour un évaluateur, à juger très positivement les candidats qui lui ressemblent. Ainsi, un recruteur aura-t-il tendance à accorder des notes très élevées à un candidat diplômé de la même université que lui. Peu importe la performance de ce candidat dans les autres parties de l'entrevue, la ressemblance avec l'évaluateur paraîtra dans toute l'évaluation.

Une façon de contrer ces diverses formes de biais perceptuel est de s'assurer que les outils de mesure utilisés lors de la sélection couvrent bien l'ensemble des dimensions importantes du poste et des qualités requises pour l'exercer. Une plus grande pondération peut également être accordée aux compétences jugées les plus importantes pour obliger les personnes en charge de la sélection à considérer à leur juste valeur chacune des caractéristiques du candidat.

Par ailleurs, ces erreurs de perception mettent en évidence l'importance de bien définir les compétences recherchées. Si, dans le contexte d'une entreprise, le dynamisme est défini comme « l'extraversion », il est normal que les deux dimensions soient jugées en parallèle. En revanche, s'il s'agit de deux caractéristiques distinctes, l'évaluation de l'une de ces dimensions ne doit pas déteindre sur la mesure de l'autre.

La formation d'un comité de sélection composé de plusieurs personnes a également pour effet de diminuer les erreurs de perception sélective et l'effet de halo. En effet, connaître l'opinion des autres et examiner les raisons des divergences revient à considérer – ou à reconsidérer – l'ensemble des facteurs à prendre en compte lors de la décision. La création d'un comité permet également de diminuer les erreurs de sélection attribuables aux attentes des recruteurs. Cette caractéristique fait l'objet de la section suivante.

2.3 Les attentes

Les **attentes** se définissent comme la disposition à trouver chez une personne ce que l'on attend d'elle (Schermerhorn *et al.*, 1994). Dans un contexte de sélection, la lecture du curriculum vitæ d'un candidat peut créer chez le recruteur certaines attentes : il imaginera par exemple que le candidat semble le plus qualifié pour le poste, ou encore que l'expérience qu'il décrit dans le document correspond exactement au profil recherché.

Les attentes peuvent entraver la neutralité du processus de sélection.

Or, le recruteur doit aborder l'étape suivante du processus de sélection (par exemple, l'entrevue) de façon neutre, afin d'être en mesure d'évaluer correctement si le candidat correspond bel et bien au profil recherché. Si le recruteur est influencé par les attentes formées à la lecture du curriculum vitæ, il risque d'omettre de vérifier certaines compétences, ou encore de les vérifier par des questions tendancieuses qui indiquent au candidat la réponse attendue. Par exemple, un recruteur persuadé que l'expérience antérieure du candidat l'a préparé aux défis du poste à pourvoir demandera peut-être à ce dernier : « J'imagine que les responsabilités que vous aviez dans ce poste vous ont permis de développer votre capacité à gérer des crises ? » plutôt que de lui poser la question plus neutre : « Pouvez-vous me dire quelles sont les principales qualités que cette expérience vous a permis de développer ? ».

Inversement, les attentes créées peuvent accroître les exigences du recruteur à l'égard d'un candidat. Imaginons le cas où le poste à pourvoir requiert une connaissance fonctionnelle de l'anglais oral. Un candidat indiquant sur son curriculum vitæ qu'il a étudié à l'Université de Colombie-Britannique sera peut-être perçu comme parfaitement bilingue, de sorte que le recruteur risque d'être déçu s'il constate que sa connaissance de l'anglais n'est pas parfaite. Dans ce cas, l'utilisation d'un outil de sélection basé sur les compétences requises par le poste permet d'éviter des erreurs. Plus encore, le profil de compétences recherchées doit faire clairement apparaître le niveau requis pour chacune d'elles, de façon réaliste, pour satisfaire adéquatement aux exigences du poste.

Le biais lié à la création d'attentes est souvent influencé par le contexte propre à la sélection. En effet, les candidats cherchent toujours à se présenter sous leur meilleur jour afin de maximiser leurs chances d'obtenir l'emploi. Or, cela contribue également à augmenter les attentes du recruteur, qui doit donc apprendre à décoder les efforts que le candidat déploie pour gérer les impressions.

2.4 La gestion des impressions

La **gestion des impressions** réfère à l'effort systématique déployé pour créer et maintenir l'impression souhaitée aux yeux d'autrui (Schermerhorn *et al.*, 1994). Dans un contexte de sélection, il s'agit donc du soin apporté par le candidat pour se présenter sous le meilleur jour possible. Le style, les vêtements, l'apparence, la communication verbale et non verbale sont autant d'éléments que le candidat peut modifier pour donner la meilleure impression de lui-même.

Le recruteur ne doit pas être indûment influencé par une première impression.

Il est tout à fait normal qu'un candidat désire donner la meilleure image possible de lui-même. Cependant, si le recruteur se laisse indûment impressionner par ces efforts, il risque de baser sa décision d'embauche sur de mauvais critères. Rappelons que le choix d'un candidat doit reposer sur les compétences requises par l'emploi. D'autres critères, comme l'impression générale laissée par le candidat, peuvent être utilisés pour départager des candidats dont les compétences sont identiques, mais ils ne doivent pas constituer le critère initial de choix.

L'utilisation d'outils de sélection développés en fonction des compétences requises s'avère à nouveau fort utile. Ces outils, qui seront détaillés dans les chapitres 13 et 14, permettent aux personnes en charge de la sélection de s'assurer que les candidats sont jugés avant tout sur leurs compétences. Mais pour que ces outils remplissent pleinement leur rôle, encore faut-il qu'ils soient bien utilisés. Les biais de clémence, de sévérité et de tendance centrale portent précisément sur l'usage qui est fait des instruments de mesure.

2.5 La clémence, la sévérité et l'erreur de tendance centrale

La clémence, la sévérité et l'erreur de tendance centrale surviennent lorsqu'un évaluateur ne peut différencier les individus.

Quelle que soit la dimension évaluée, la mesure en gestion des ressources humaines demande à un individu de porter un jugement sur une autre personne. Il s'agit d'attribuer une note par rapport à une norme attendue, ou de comparer des personnes entre elles. On attend donc de l'évaluateur qu'il soit en mesure de déterminer des différences entre les individus. Or, la clémence, la sévérité ou l'erreur de tendance centrale font référence à l'incapacité d'un évaluateur d'utiliser l'ensemble du continuum d'évaluation pour différencier les individus (Catano *et al.*, 2001). L'erreur de clémence survient lorsque l'évaluateur octroie des résultats très positifs à tous, sans égard à leur niveau de performance. Au contraire, l'erreur de sévérité décrit la situation où l'évaluateur n'attribue que des résultats négatifs. Finalement, l'erreur de tendance centrale caractérise une évaluation moyenne pour tous et survient lorsqu'un évaluateur n'ose pas prendre position en utilisant les valeurs extrêmes de l'échelle de notation. Dans tous ces cas, l'évaluation n'a que peu d'utilité, car elle ne permet pas de départager les candidats.

Commission de la fonction publique du Québec
www.cfp.gouv.qc.ca

Les recruteurs peu expérimentés ou les gestionnaires qui n'ont pas l'habitude de participer à des processus de sélection ont parfois du mal à porter un jugement sur les candidats et sont susceptibles d'être victimes de ces erreurs de perception. Leur donner une formation et utiliser plus d'un évaluateur sont des solutions limitant ces biais. À titre d'exemple, l'encadré 11.4 présente un extrait du formulaire d'évaluation d'une session de formation donnée à des recruteurs par la Commission de la fonction publique du gouvernement du Québec. Ce formulaire insiste sur la nécessité d'inclure les biais de perception (effet de halo, biais de sévérité, de clémence [tolérance] et de tendance centrale) dans la formation. Par ailleurs, la mise au point d'échelles de mesure adéquates pour évaluer les candidats permet de réduire les trois types de biais. Nous reviendrons sur ces échelles au chapitre 13.

ENCADRÉ 11.4 **Extrait d'évaluation d'un programme de formation pour les recruteurs**

Cette formation couvrait-elle une mise en garde contre les biais dans l'évaluation ?

- OUI (Lesquels ?) • NON **(Si NON), passez à la question 5.0**

- *L'effet de halo* : L'effet de halo se produit lorsque le correcteur se fait une idée globale (positive ou négative) de la personne candidate à partir d'un seul critère et que cette idée influe sur l'évaluation de ses autres qualités.

- *Biais de tolérance/sévérité* : Ce biais se traduit sous une forme d'exigence inférieure ou supérieure à ce qui est nécessaire de la part du correcteur ; il est soit trop généreux ou soit trop exigeant.

- *Biais de tendance centrale* : Il s'agit du biais commis par le correcteur qui a tendance à éviter les extrêmes d'une échelle de cotation et à ramener les évaluations aux valeurs centrales de l'échelle. Alors que cette mesure est valable si la prestation de l'individu se situe véritablement dans la moyenne, elle ne convient plus si le candidat mérite d'être coté plus haut ou plus bas.

- Autres biais (précisez) : _____

Source : Gouvernement du Québec, 2003.

Ainsi, la valeur d'un instrument de mesure n'est pas absolue : elle dépend de son contexte d'utilisation. Par exemple, un même instrument donnera des résultats plus fiables et plus valides s'il est utilisé convenablement. En outre, les gestionnaires sont parfois amenés à faire des compromis quant aux objectifs d'un outil d'évaluation et à en sacrifier la validité apparente au profit d'une meilleure validité prédictive.

Dans un domaine subjectif comme la gestion des ressources humaines, il est impossible d'éliminer totalement les erreurs d'évaluation. Cependant, certaines précautions peuvent être prises pour les réduire : définir avec précision le domaine de performance, construire un système de mesure adéquat et former les évaluateurs à son utilisation sont autant d'avenues à considérer afin de diminuer les erreurs de sélection. Les prochains chapitres examinent précisément les principaux outils utilisés en sélection.

Ce qu'il faut retenir

- Les instruments de mesure utilisés en sélection doivent être fiables, valides, utiles et exempts de biais.
- L'analyse de fonction et la détermination d'un profil de compétences précis sont des façons de s'assurer de la qualité des instruments de sélection.
- Les évaluateurs doivent être conscients de leurs biais et stéréotypes ; pour cela, une formation est fortement recommandée.

Références

AMADIEU, Jean-François (2003, 15 mai). « Les discriminations sur l'apparence dans la vie professionnelle et sociale », [en ligne], *Centre d'études et de recherches sur la gestion des organisations et des relations sociales, Université Paris 1 Panthéon-Sorbonne* [réf. du 12 juin 2006]. <http://cergors.univ-paris1.fr>.

AMBROSE, Maureen L. et Joseph G. ROSSE (2003). « Procedural Justice and personality testing », *Group & Organization Management,* vol. 28, n° 4, p. 502-526.

AMERICAN EDUCATIONAL RESEARCH ASSOCIATION, AMERICAN PSYCHOLOGICAL ASSOCIATION et NATIONAL COUNCIL ON MEASUREMENT IN EDUCATION (1999). *Standards for Educational and Psychological Testing,* Washington, American Psychological Association, 194 p.

ARVEY, Richard D. et Robert H. FALEY (1988). *Fairness in selecting employees*, 2nd ed., Reading, Addison-Wesley, 273 p.

BERRY, Diane S. et Leslie Z. McARTHUR (1985). « Some components and consequences of a babyface », *Journal of Personality and Social Psychology,* vol. 48, n° 2, p. 312-323.

BOBKO, Philip, Philip L. ROTH et Denise POTOSKY (1999). « Derivation and implications of a meta-analytic matrix incorporating cognitive ability, alternative predictors, and job performance », *Personnel Psychology,* vol. 52, n° 3, p. 561-590.

BOUDREAU, John W. (1991). « Utility analysis for decisions in human resource management », dans DUNNETTE, M. D. et L. M. HOUGH (ed.), *Handbook of industrial and organizational psychology,* 2nd ed., vol. 2, Palo Alto, Consulting Psychologists Press, p. 621-745.

BROGDEN, Hubert E. (1949). « When testing pays off », *Personnel Psychology,* vol. 2, n° 2, p. 171-183.

BRUCHON-SCHWEITZER, Marilou (2000). « La graphologie : un mal français », *Pour la science*, février 2000, n° 268, p. 60-64.

BRUCHON-SCHWEITZER, Marilou et Dominique FERRIEUX (1991). « Les méthodes d'évaluation du personnel utilisées pour le recrutement en France », *L'orientation scolaire et professionnelle*, vol. 20, n° 1, p. 71-88.

CASCIO Wayne F. et Robert A. RAMOS (1986). « Development and application of a new method for assessing job performance in behaviour/economic terms », *Journal of Applied Psychology*, vol. 71, n° 1, p. 20-28.

CATANO, Victor M. *et al.* (2001). *Recruitement and Selection in Canada*, 2nd ed., Scarborough, Nelson, 480 p.

CRONBACH, Lee J. et Goldine C. GLESER (1965). *Psychological tests and personnel decisions*, 2nd ed., Urbana, University of Illinois Press, 165 p.

DESROSIERS, Monique (2003, juillet). « La discrimination fondée sur le handicap et l'obligation d'accommodement qui incombe à l'employeur : où en sommes-nous ? », [en ligne], *La Dépêche* [réf. du 12 juin 2006]. <www.soquij.qc.ca/ladepeche>.

GOUVERNEMENT DU CANADA (1999, mai). « Examen externe d'instruments choisis du Centre de psychologie du personnel de la CFP », [en ligne], *Commission de la fonction publique du Canada* [réf. du 12 juin 2006]. <www.psc-cfp.gc.ca>.

GOUVERNEMENT DU CANADA (1995). « Loi sur l'équité en matière d'emploi, 1995, ch. 44 », [en ligne], *Ministère de la Justice Canada* [réf. du 12 juin 2006]. <http://lois.justice.gc.ca>.

GOUVERNEMENT DU CANADA (1985). « Loi canadienne sur les droits de la personne, L.R., 1985, ch. H-6 », [en ligne], *Ministère de la justice Canada* [réf. du 12 juin 2006]. <http://lois.justice.gc.ca>.

GOUVERNEMENT DU QUÉBEC (2003, juin). « Concours de recrutement réservés à certains employés occasionnels : Rapport de vérification », [en ligne], *Commission de la fonction publique du Québec*, [réf. du 12 juin 2006]. <www.cfp.gouv.qc.ca>.

GOUVERNEMENT DU QUÉBEC (1975). « Charte des droits et libertés de la personne, L.R.Q. ch. C-12 », [en ligne], *Publications Québec* [réf. du 12 juin 2006]. <www2.publicationsduquebec.gouv.qc.ca>.

GRUBER, Gerald P. (2000, mars). « Tests standardisés et orientation professionnelle aux fins de l'équité en emploi : analyse documentaire de six tests », [en ligne], *Commission de la fonction publique du Canada* [réf. du 12 juin 2006]. <www.psc-cfp.gc.ca>.

HENEMAN, Herbert G. III et Timothy A. JUDGE (2006). *Staffing Organizations*, 5th ed., New York, McGraw-Hill/Irving, 729 p.

HERMELIN, Eran et Ivan T. ROBERTSON (2001). « A critique and standardization of meta-analytic validity coefficients in personnel selection », *Journal of Occupational and Organizational Psychology*, vol. 74, n° 3, p. 253-277.

KERLINGER, Frederick N. (1986). *Foundations of Behavioral Research*, 3rd ed., New York, Holt, Rinehart and Winston, 890 p.

LATHAM, Gary P. et Glen WHYTE (1994). « The futility of utility analysis », *Personnel Psychology*, vol. 47, n° 1, p. 31-46.

MCSHANE, Damian et John W. BERRY (1988). « Native North Americans : Indian and Inuit Abilities », dans IRVINE, Sidney H. et John W. BERRY (dir.), *Human Abilities in Cultural Context,* Cambridge, Cambridge University Press, 610 p.

MYERS, David G. et Luc LAMARCHE (1992). *Psychologie sociale*, Montréal, McGraw-Hill, 550 p.

NEWSLETTER HR ONE (2005, 17 mars). « Revue de presse : Le recrutement en première ligne du système qualité dans les RH », [en ligne], *HR One Luxembourg HR Community* [réf. du 12 juin 2006]. <www.hrone.lu>.

PETTERSEN, Normand (2000). *Évaluation du potentiel humain dans les organisations*, Sainte-Foy, Presses de l'Université du Québec, 374 p.

ROBERTSON, Ivan T. et Mike SMITH (2001). « Personnel selection », *Journal of Occupational and Organizational Psychology*, vol. 74, n° 4, p. 441-472.

SAKS, Alan M. (2000). *Research, Measurement, and Evaluation of Human Resources*, Scarborough, Nelson, 411 p.

SCHERMERHORN, John R. *et al.* (1994). *Comportement humain et organisation*, Saint-Laurent, ERPI, 687 p.

SCHMIDT, Frank L. et John E. HUNTER (1998). « The validity of selection methods in personnel psychology : Practical and theoretical implications of 85 years of research findings », *Psychological Bulletin*, vol. 124, n° 2, p. 262-274.

SCHMIDT, Frank L., Murray J. MACK et John E. HUNTER (1984). « Selection utility in the occupation of U.S. Park Ranger for three modes of test use », *Journal of Applied Psychology*, vol. 69, n° 3, p. 490-497.

TAKEDA, Margaret B. *et al.* (2005). « Hair colour stereotyping and CEO selection : Can you name any blonde CEOs ? », *Equal Opportunities International*, vol. 24, n° 1, p. 1-13.

TAYLOR, H. C. et J. T. RUSSELL (1939). « The relationship of validity coefficients to the practical effectiveness of tests in selection : Discussion and tables », *Journal of Applied Psychology*, vol. 23, n° 5, p. 565-578.

TRIBUNAL DES DROITS DE LA PERSONNE DU QUÉBEC (1999, 14 septembre). « C.D.P.D.J. (Arsenault) c. Institut Demers inc. et Groupe Conseil G.S.T. inc., T.D.P.Q. Longueuil, 1999 IIJCan 51 (QC T.D.P.) », [en ligne], *Institut canadien d'information juridique* [réf. du 12 juin 2006]. <www.canlii.org>.

WHYTE, Glen et Gary P. LATHAM (1997). « The futility of utility analysis revisited : When even an expert fails », *Personnel Psychology*, vol. 50, n° 3, p. 601-615.

ZEBROWITZ, Leslie A., Daniel R. TENENBAUM et Lori H. GOLDSTEIN (1991). « The impact of job applicants' facial maturity, gender, and academic achievement on hiring recommendations », *Journal of Applied Social Psychology*, vol. 21, n° 7, p. 525-548.

CHAPITRE **12**

La présélection

Objectifs du chapitre

Une fois le poste vacant annoncé, que ce soit à l'interne ou à l'externe, l'organisation commence à recevoir des candidatures. Commence alors un premier tri, appelé «présélection», qui détermine qui sera invité à poursuivre le processus. Cette présélection s'appuie sur une analyse du dossier de candidature, généralement résumé sous forme de curriculum vitæ. Ce chapitre a pour objectifs:

- de recenser les formats de curriculum vitæ les plus fréquents sur le marché du travail;

- d'expliquer comment se déroule la présélection.

La présélection permet de diminuer le nombre de candidats.

Quelle que soit la méthode de recrutement utilisée, la parution d'une annonce sonne pour l'entreprise le début de l'étape de sélection. En effet, l'organisation commence alors à recevoir des curriculum vitæ (CV) accompagnés de lettres de présentation. Certains candidats semblent répondre parfaitement aux exigences de l'emploi, d'autres n'y correspondent pas du tout, tandis que d'autres, enfin, semblent posséder certaines des qualités requises. Or, l'entreprise ne peut se permettre de rencontrer tous ces candidats en entrevue, ni leur faire tous passer des tests. Une présélection est donc nécessaire pour diminuer le nombre de candidatures et ne garder, pour la suite du processus de sélection, que les quelques postulants les plus susceptibles de répondre aux besoins de l'entreprise.

La présélection consiste donc à comparer les renseignements fournis par le candidat et les critères de sélection définis par l'entreprise (Gouvernement du Canada, s. d.). Pour ce faire, le recruteur dispose toujours du curriculum vitæ et de la lettre de présentation du candidat. Cependant, il arrive qu'il ait besoin de plus de précisions pour faire une bonne évaluation ; il peut alors recueillir des informations complémentaires lors d'une entrevue téléphonique. Ce chapitre passera donc en revue les deux étapes de la présélection : le tri des curriculum vitæ et l'entrevue téléphonique. Il débutera par une brève description des différents types de curriculum vitæ que le recruteur peut recevoir.

1. Le curriculum vitæ

Le curriculum vitæ doit permettre d'obtenir une entrevue.

Le curriculum vitæ constitue un résumé de l'expérience et de la qualification du candidat. Il a pour but de convaincre le recruteur non pas d'embaucher le candidat, mais plutôt de le rencontrer en entrevue (Maillette, 2004). La lecture du curriculum vitæ et de la lettre de présentation qui l'accompagne doit donc persuader le recruteur que le candidat détient les exigences de base pour le poste offert.

Il existe de multiples façons de présenter un curriculum vitæ, mais toutes ont un point commun : elles cherchent à mettre en évidence les qualités du candidat. En effet, comme nous le verrons plus loin dans ce chapitre, un recruteur consacre généralement peu de temps (quelques minutes tout au plus) à la lecture et au tri des curriculum vitæ : l'information importante permettant de distinguer le candidat doit donc être immédiatement accessible. Or, la lecture d'un curriculum vitæ est plus efficace lorsque le recruteur sait où trouver l'information pertinente. C'est pourquoi un professionnel de la dotation doit se familiariser avec les différents types de curriculum vitæ. Mais quelle que soit la présentation choisie, les candidats doivent garder à l'esprit que si le recruteur éprouve des difficultés à saisir le cheminement présenté, il y a peu de chances que la candidature soit retenue pour une entrevue.

1.1 Le curriculum vitæ antichronologique

Le type de curriculum vitæ le plus couramment utilisé présente la formation et l'expérience professionnelle du candidat par ordre chronologique inverse, en commençant par le dernier poste occupé ou le dernier diplôme obtenu. Il insiste sur les expériences de travail acquises dans un même secteur d'activité ; ce format est donc habituellement utilisé par les candidats qui ont une expérience pertinente au domaine dans lequel ils cherchent un emploi (Emploi-Québec, 2003). L'encadré 12.1 en présente un exemple.

Le CV antichronologique présente l'information la plus récente en premier.

Comme il s'agit de la présentation la plus utilisée, les recruteurs la connaissent bien et peuvent donc repérer facilement les informations importantes à leurs yeux, ce qui les sécurise (Gouvernement du Canada, s. d.). Par ailleurs, le curriculum vitæ antichronologique souligne de façon cohérente l'évolution du parcours professionnel du candidat et permet de relier facilement les responsabilités ou les réalisations à un poste au sein d'une entreprise en particulier. Il offre également au recruteur la possibilité de repérer rapidement les périodes d'interruption du parcours professionnel, comme les périodes de chômage (Gouvernement du Canada, s. d.).

En revanche, ce type de curriculum vitæ ne permet pas de distinguer facilement les aptitudes et habiletés pertinentes des responsabilités et des réalisations professionnelles (Gouvernement du Canada, s. d.). La présentation antichronologique est donc particulièrement appropriée pour les candidats dont le parcours professionnel est cohérent et sans interruptions, et dont l'évolution des compétences peut être facilement associée aux expériences pertinentes pour le poste à pourvoir (Maillette, 2005d). Inversement, ce type de curriculum vitæ est peu approprié pour les candidats dont le parcours professionnel présente des interruptions ou une progression atypique. Ces personnes opteront plutôt pour un curriculum vitæ par compétences.

1.2 Le curriculum vitæ par compétences

Le CV par compétences souligne les compétences transférables.

Compétence transférable
▶ *Transferable competency*
Compétence utilisable dans un autre contexte de travail.

Comme son nom l'indique, le curriculum vitæ par compétences, également appelé « curriculum vitæ fonctionnel » ou « curriculum vitæ thématique », présente d'abord les **compétences transférables** que le candidat a acquises à l'occasion de ses diverses expériences plutôt que son parcours professionnel. Il fait ressortir ce que le candidat peut offrir et décrit ses compétences en commençant par celles qui ont un lien avec l'emploi postulé (Emploi-Québec, 2003). Les antécédents professionnels sont énumérés dans la section « Historique d'emploi », généralement placée en deuxième page du curriculum vitæ, mais les fonctions et les réalisations ne sont pas détaillées (Gouvernement du Canada, s. d. ; Maillette, 2005a). Un exemple de curriculum vitæ par compétences figure à l'encadré 12.2.

John ROCKEFELLER
1212, rue de la Richesse
New York (États-Unis) Z4Z 4Z4

Téléphone : 314 333-3333
Courriel : jrock@or.net
Langues : français, anglais

FORMATION

Baccalauréat en administration des affaires (Obtention : mai 2005)   2002-...
Spécialisation : marketing et gestion internationale
HEC Montréal

- Participation au **programme d'échanges internationaux,** 2004
  Session d'études à la Rotterdam School of Management, Erasmus University
- **Virtuose :** usage intensif de l'ordinateur portatif à des fins pédagogiques

Diplôme d'études collégiales   2000-2002
Sciences humaines
Collège Jean XII, Montréal

DISTINCTIONS

- Candidat au **Profil Mercure :** programme de reconnaissance des réalisations
  sur les plans scolaire, professionnel, communautaire et personnel
- Membre de l'équipe gagnante des **Jeux du Commerce,** 2003

EXPÉRIENCE PROFESSIONNELLE

Entreprise Joie de Vivre (stage supervisé en entreprise)   2003
Une entreprise de télémarketing employant 125 bénévoles, principalement au Québec.
Coordonnateur, service à la clientèle
Promouvoir les produits et veiller à la satisfaction de la clientèle. Superviser une équipe
de trois bénévoles et gérer un budget de 175 000 $.

Réalisations

- Maintient un excellent service à la clientèle, ce qui permet d'accroître l'achalandage
  aux heures de pointe et un dépassement de 10 % des objectifs de vente.
- Développe un programme de formation qui permet à l'équipe de bénévoles d'améliorer
  la qualité des interventions lors de la résolution de conflits.

Corvette, agence de communication (emploi d'été et à temps partiel)   2002
Assistant-stagiaire au financement
Responsable de coordonner la production d'une campagne publicitaire, de négocier avec
les fournisseurs les primes de concours et de rechercher d'autres partenaires.

Réalisation

- Coordonne des projets de présentation visuelle qui ont permis d'améliorer la qualité des
  brochures publicitaires et d'augmenter de 10 % les ventes de produits moins connus.

Le Club Vidéo Oscar   Été 2001
Commis
Accueillir, servir et conseiller la clientèle, effectuer le dépôt quotidien, superviser une équipe
de quatre personnes et préparer les commandes pour les différents produits en rupture de stock.

Réalisation

- Conçoit et implante un système permettant aux employés de connaître à l'avance leur horaire
  de travail, ce qui a permis de réduire les absences et les retards.

»

PROJET D'ÉTUDES

- Élaboration et exécution d'une enquête pour le compte du Service de placement et de gestion de carrière dans le cadre du cours de *Recherche commerciale*, 2004.

IMPLICATIONS

Vice-président de l'Association Marketing HEC Montréal   2003-2004
- Coordination d'une équipe de huit personnes.
- Responsable des relations publiques et de la recherche de commanditaires.

Réseau HEC Montréal
- Membre étudiant et participant au programme de parrainage.   2003

CONNAISSANCES INFORMATIQUES

Systèmes d'exploitation : Mac OS, Windows, DOS
Logiciels : Microsoft Word, Excel, PowerPoint, SPSS
Internet : Netscape 2.0 (www), FTP

Source : HEC Montréal, 2005.

HEC Montréal
www.hec.ca

ENCADRÉ 12.2 **Exemple de curriculum vitæ par compétences**

Marie Greenspan
2121, boulevard de l'Inflation
Québec (Québec) B3B 3B3
Tél. 418 523-5353
Langues : français, anglais

Principales compétences

Comptabilité
- *Effectue les conciliations bancaires et prend en charge la facturation.*
- *Prépare les dépôts et les paies pour une équipe de 10 employés.*
- *Met à jour les livres comptables et apporte les corrections appropriées.*

Analyse financière
- *Assiste les analystes financiers dans leurs tâches quotidiennes.*
- *Vérifie l'exactitude des transactions exécutées pour les fonds mutuels.*
- *Analyse les ratios financiers des clients à l'aide du logiciel Logisoft.*

Administration
- *Met à jour et améliore les bases de données sur Access.*
- *Modifie les prix des obligations dans le système informatique.*
- *Rédige des dossiers clients et contribue à l'émission des rapports trimestriels.*
- *Met en place le système de prix de revient.*

»

Réalisations/distinctions

Collabore à la recherche et à l'analyse des compagnies de pâtes et papiers au Québec en vue d'une acquisition potentielle. Recommande au client et participe à la fusion qui a eu pour impact d'augmenter le chiffre d'affaires de 1 000 000 $.

Apprentissage autodidacte de certains logiciels permettant d'aider les autres à régler les différents problèmes rencontrés lorsqu'ils effectuent leurs tâches informatiques.

Obtention d'une bourse pour l'excellence du dossier scolaire.

Historique professionnel

Banque Monopole de Montréal   2004-...
Assistante bancaire

Impôt et revenu Canada   2002-2003
Adjointe administrative

Organisme Vélo presto   2000-2002
Petite entreprise de 10 employés, organisation d'expéditions à vélo
Adjointe administrative

Formation

Baccalauréat en administration des affaires (B.A.A.)   2002-2005
Spécialisation : finance (obtention mai 2005)
HEC Montréal

Diplôme d'études collégiales en techniques administratives   2000-2002
Cégep Bois-de-Boulogne

Implications

Membre du conseil d'administration   2002-...
Entreprise Vélo presto
Recherche de financement, planification et vérification du budget et des activités annuelles

Élaboration d'un guide distribué aux étudiants pour les aider à faire leur déclaration d'impôt   2003-2004

Connaissances informatiques

Systèmes d'exploitation : Mac OS, Windows, DOS
Logiciels : Microsoft Word, Excel, PowerPoint, SPSS

Source : HEC Montréal, 2005.

Ce type de curriculum vitæ met en évidence les compétences et les habiletés du candidat, et témoigne des réalisations dans des domaines qui ne sont pas nécessairement des expériences professionnelles à proprement parler. Par exemple, un candidat peut faire valoir les compétences qu'il a développées au cours d'implications bénévoles (dans un curriculum vitæ antichronologique, ces expériences seraient reléguées en fin de document, dans une section souvent négligée). La présentation par compétences est donc particulièrement appropriée pour des candidats qui veulent changer de carrière ou réintégrer le marché du travail, ainsi que pour ceux qui viennent d'obtenir leur diplôme ou possèdent peu d'expérience professionnelle (Gouvernement du Canada, s. d.).

Le format par compétences est également utile pour les personnes qui ont occupé plusieurs emplois sans lien entre eux, ou pour les candidats qui souhaitent insister sur des talents qu'ils n'ont jamais mis en valeur dans un emploi (Emploi-Québec, 2003). Cependant, ce type de curriculum vitæ est généralement difficile à lire, car les liens entre les réalisations professionnelles et les postes occupés ne sont pas clairs. Comme aucune chronologie n'est associée à la présentation des champs de compétences, il est ardu pour le recruteur de déterminer ce que le candidat a récemment acquis. Par ailleurs, la durée de ses expériences professionnelles n'étant pas clairement indiquée, son parcours et son évolution manquent souvent de clarté (Maillette, 2005a). Le recruteur peut alors avoir l'impression que la personne cherche à masquer des failles dans son curriculum vitæ, ce qui porte atteinte à l'ensemble de sa candidature.

Une variante du curriculum vitæ par compétences est le curriculum vitæ par réalisations. Dans ce cas, les réalisations, plutôt que les compétences, sont mises de l'avant, tel que l'illustre l'encadré 12.3.

1.3 Le curriculum vitæ mixte

Pour pallier les lacunes des deux types de curriculum vitæ présentés plus tôt, certains candidats adoptent une présentation mixte qui expose les études et l'expérience professionnelle par ordre chronologique inversé, tout en indiquant les compétences transférables et les réalisations (Gouvernement du Canada, s. d.). Cette présentation, dont l'encadré 12.4 fournit un exemple, facilite la compréhension du parcours professionnel du candidat tout en tenant compte de son expérience professionnelle ou bénévole, ou encore des loisirs ou autres activités qui lui ont permis d'acquérir des compétences susceptibles d'être mises en application dans l'emploi recherché. Ainsi, ce format est utilisé par les candidats qui ont souvent changé d'emploi ou par ceux qui ont beaucoup d'expérience dans un domaine, mais qui ont travaillé pour plusieurs employeurs (Emploi-Québec, 2003).

Malgré l'attrait des curriculum vitæ mixtes, il reste que leur présentation avantage les candidats dont le parcours professionnel fait état d'une progression logique. Or, il arrive que l'emploi le plus récent ne convienne pas aux exigences du recruteur et que le candidat souhaite plutôt mettre en évidence une expérience plus ancienne, mais mieux adaptée au poste. Dans ce cas, le curriculum vitæ par secteur d'activité peut s'avérer une option intéressante.

Sébastien Péladeau
Courriel : spela@video.ca
Langues : français, anglais et espagnol

333, rue des Entrepreneurs
Montréal (Québec)   H7X 3V3
Tél./Télec. : 450 222-2222

Principales réalisations

- Supervise l'application des normes de santé et sécurité ayant eu comme impact une diminution de 20 % des accidents de travail.
- Prend en charge l'inventaire des pièces d'outillage en vue d'implanter le système SAP, ce qui a permis d'améliorer les normes de qualité.
- Élabore des procédures d'achat pour les matières premières, ce qui a réduit de moitié le taux de rupture de stock des trois derniers mois.
- Conçoit des bases de données afin d'améliorer les processus d'achats.
- Rédige un manuel d'utilisation qui a permis une meilleure utilisation des machines automatisées et un fonctionnement plus efficace de la chaîne de production.
- Participe à l'implantation d'équipes autonomes de travail, ce qui a eu pour impact d'augmenter le niveau de production et l'ensemble des ventes.

Expérience professionnelle

Walkraft   2002-2004
Usine de 3000 employés, fabrication de tiges d'aluminium
Superviseur de production

Latte ltée, multinationale   2001-2002
Industrie de l'alimentation (lait et autres produits dérivés)
Acheteur

Formation

Baccalauréat en administration des affaires   2004
Spécialisation : gestion des opérations et de la production
HEC Montréal

Implications

Vice-président communications, AEHEC, 2003
Comité de gestion des opérations et de la production, 2002

Source : HEC Montréal, 2005.

Judith Boucher
1234, rue Saint-Alphonse, app. 3
Saint-Anselme (Québec) J3F 5B8
Téléphone à domicile : 418 123-4567
Courriel : robert@sympatico.ca

OBJECTIF DE CARRIÈRE

Obtenir un emploi comme directrice de la fabrication dans une entreprise de confection de vêtements de qualité.

COMPÉTENCES PARTICULIÈRES

Spécialiste dans la confection de vêtements
Capacité à examiner les demandes du personnel, à aider à la sélection de nouveaux employés

---

ÉTUDES

2003	Certificat en administration École des hautes études commerciales (HEC), Montréal
2001	Diplôme d'études collégiales – Design de mode Collège LaSalle, Montréal
1998	Diplôme d'études secondaires Polyvalente de Jonquière, Jonquière

---

EXPÉRIENCE DE TRAVAIL

2003 à aujourd'hui **Directrice adjointe de la fabrication**
Louis-Garneau Sports
Saint-Augustin (Québec)

Fonctions
Remplacer le directeur au besoin ;
Aider à la planification, à l'organisation, au contrôle et à l'évaluation des activités de fabrication ;
Préparer les calendriers de production et tenir l'inventaire des matières premières et des produits finis ;
Gérer le système de contrôle de la qualité.

2001 à 2003 **Patronnière**
Vêtements de sport Gildan
Montréal (Québec)

Fonctions
Étudier les croquis, les modèles d'essai et les dessins pour déterminer le nombre, la forme et les dimensions de chacune des pièces du patron ;
Dessiner, tracer et découper un premier patron pour la production de l'article ;
Créer des patrons de dimensions variées, à partir du premier patron, au moyen d'un ordinateur.

1998-2001 **Conseillère**
Maison Simons
Québec (Québec)

Fonctions
Accueillir les clients ;
Leur présenter la marchandise et les conseiller dans leurs choix ;
Aider à l'étalage des marchandises ;
Tenir à jour les registres des ventes pour l'inventaire.

LOISIRS

Théâtre, lecture et natation

Source : Emploi-Québec, 2003.

Emploi-Québec
http://emploiquebec.net

1.4 Le curriculum vitæ par secteur d'activité

Le CV par secteur insiste sur l'expérience la plus pertinente.

Le curriculum vitæ présenté par secteurs d'activité regroupe l'expérience du candidat par activité professionnelle. Dans chacun de ces secteurs, les emplois occupés ou les expériences de bénévolat sont placés en ordre antichronologique et leur description détaille à la fois les responsabilités et les compétences acquises (Maillette, 2005c). L'encadré 12.5 présente l'exemple du curriculum vitæ d'une personne postulant pour un emploi de directeur ou directrice des ventes dans le secteur industriel. Dans ce cas, les expériences de la candidate dans ce domaine ont été regroupées par secteur d'activité, sous la rubrique « Antécédents techniques et industriels » et placées au début du document.

Pour le recruteur, la présentation par secteur d'activité présente l'avantage de mettre en évidence les expériences qui correspondent le plus au poste convoité en premier, ce qui rend le curriculum vitæ accrocheur. Par ailleurs, la présentation antichronologique au sein de chaque secteur d'activité, ainsi que l'indication de la durée de chaque expérience, permettent de comprendre assez facilement le parcours du candidat, même si un effort supplémentaire est nécessaire pour calculer la durée totale du parcours professionnel. En revanche, si les dates ne figurent pas dans le curriculum vitæ, celui-ci laisse une impression de manque de transparence qui risque fort de porter préjudice au candidat.

ENCADRÉ 12.5 Exemple de curriculum vitæ par secteur d'activité

Nicole Hardy
1234, rue Principale
Enville (Québec) H1H 1H1

514 555-1212
nhardy@internet.com

Expansion d'entreprise – Comptes nationaux – Contrats de l'État – Gestion des ventes
Gestionnaire contractuelle fournissant des services de vente et de marketing dans les secteurs de la haute technologie, de la fabrication et des produits financiers. Solide formation technique, connaissance approfondie du marketing via Internet et des télécommunications.

PRINCIPALES RÉALISATIONS
- Démarrage de deux entreprises devenues très performantes. Levée de capitaux, lancement des produits, établissement d'équipes de vente bien entraînées.
- Négociation de contrats avec le gouvernement. Obtention du titre du fournisseur agréé en un temps record.
- Expansion des affaires sur les marchés internationaux. Développement de nouveaux créneaux selon la demande.

ANTÉCÉDENTS TECHNIQUES ET INDUSTRIELS

Directrice des ventes   RECYCLAGE XYZ, Enville   1996-2000
Gestion des ventes et du marketing pour cette nouvelle entreprise utilisant une technologie de pointe pour le nettoyage des nappes d'hydrocarbures. J'ai réuni des capitaux totalisant 1,8 million de dollars pour le rachat d'une entreprise en faillite et négocié une entente de crédit pour le plein remboursement des actionnaires.
- J'ai développé et lancé une gamme de produits et collaboré avec les fonctionnaires du ministère de l'Environnement et de la Faune pour m'assurer de la conformité de nos produits aux nouvelles normes environnementales. Au bout de trois ans, l'entreprise réalisait des ventes de 300 000 $.
- J'ai négocié un contrat d'approvisionnement avec le gouvernement fédéral qui a participé à la promotion du produit. Grâce à une campagne promotionnelle intensive, nous avons atteint notre objectif de vente en deux ans.

»

Associée, Directrice des ventes   BEST TECHNOLOGY, Bigcity, Ontario   1990-1996

J'ai cofondé cette entreprise de distribution et de conversion d'alliages à haute température, de titane et d'alliages nobles. J'ai ouvert trois bureaux au Canada et trois comptoirs, en Europe, aux États-Unis et en Amérique du Sud.

- Nous avons conclu des contrats avec des fournisseurs du ministère de la Défense et des fabricants comme Bombardier, Boeing et Aérospatiale/British Aerospace. Nos produits sont utilisés dans la fabrication de l'Airbus et de missiles Titan.
- J'ai augmenté nos ventes en portant à quinze le nombre de nos représentants et en concluant plusieurs contrats de distribution au Canada et à l'étranger. Nos ventes ont atteint 4 millions de dollars par année.

Vice-présidente   ADVANCED TECHNOLOGY, Bigcity, Ontario   1986-1990

Directrice des ventes et du marketing pour ce fournisseur et convertisseur d'alliages à haute température, de titane et d'alliages nobles pour l'industrie de l'aéronautique.

- J'ai formé et dirigé une équipe de vente de 25 représentants, opérant à l'échelle nationale et internationale. Pendant mon mandat, les ventes sont passées de 7 millions de dollars à 22 millions de dollars par année.
- J'ai restructuré les commissions afin qu'elles reflètent le coût réel des produits vendus. Les frais de commission ont ainsi été réduits de 20 %.
- J'ai obtenu l'accord du gouvernement pour l'utilisation de titane étranger dans la fabrication d'équipement militaire. Nous avons été les premiers à acheter du titane de la Chine.

SERVICES FINANCIERS

Directrice des ventes/Directrice de succursale   NATIONAL CAPITAL, Bigcity, Ontario   1981-1986
     CAPITAUX NATIONAL, Enville, Québec

Direction des ventes pour deux maisons de courtage offrant des placements à risque et à rendement élevé à une clientèle très aisée.

- J'ai doublé les ventes mensuelles en augmentant les effectifs et en améliorant les méthodes de formation.
- J'ai fait installer un système de commissions informatisé, basé sur le rendement individuel et permettant de contrôler les ventes des produits.

EXPÉRIENCE ANTÉRIEURE: représentante en fournitures dentaires et en monnaies rares. J'ai négocié un gros contrat de fabrication d'équipement avec une entreprise japonaise.

FORMATION

Baccalauréat en économie   BIGCITY UNIVERSITY

CONNAISSANCES TECHNIQUES

Corel Print & PhotoShop	MGI Photo Suite	MYOB	Quattro Pro
DayTimer	Microsoft Internet Explorer	Netscape Communicator	Quicken
Maximizer	Microsoft Office 2000	Pstudio	Winfax Pro

Références fournies sur demande.

Source: Yate, 2001.

1.5 Le questionnaire en ligne et le curriculum vitæ numérique

Un questionnaire en ligne se présente comme une série de champs préformatés.

De plus en plus de candidats postulent pour un emploi en remplissant des questionnaires en ligne, que ce soit sur des sites Web d'entreprise ou sur des sites de recrutement (voir à ce sujet le chapitre 8). Dans ces formulaires, le candidat doit fournir une information dans des champs préformatés comme l'illustre l'encadré 12.6. Les renseignements sont ensuite stockés dans la banque de données de l'entreprise (ou du site de recrutement); lorsqu'un emploi est disponible, une recherche par mots-clés permet d'accéder aux questionnaires dans lesquels figurent les termes recherchés. Le questionnaire en ligne constitue donc un outil de présélection pour l'employeur: les formulaires ne comprenant pas les mots-clés recherchés ne sont tout simplement pas vus par le recruteur.

ENCADRÉ 12.6 Exemple d'écran de saisie pour curriculum vitæ électronique

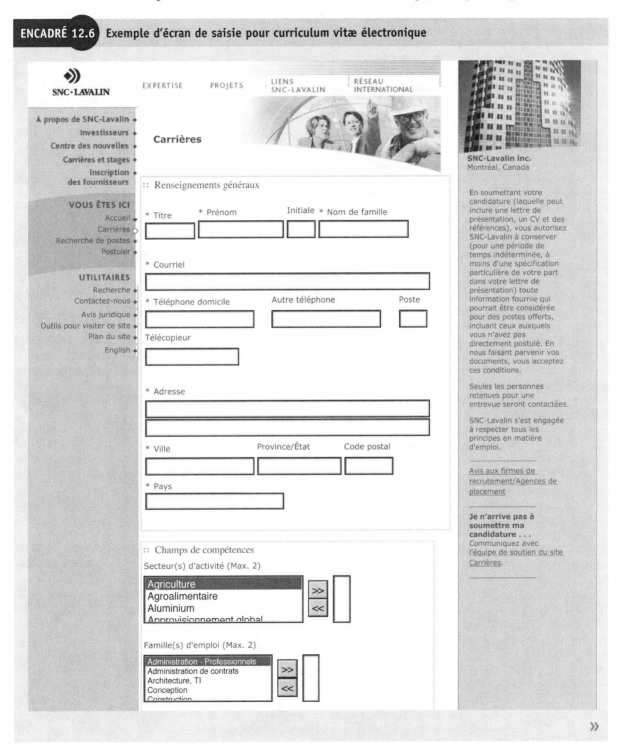

* Domaine(s) d'expertise (Max. 3)

| Achats |
| Administration de contrats |
| Affaires publiques |
| Assurance/contrôle de la qualité |
| Autre |

>> <<

:: Autres informations

* Centre de recrutement SNC-Lavalin

(Max. 3)

| Australie |
| Belgique |
| Bothell, WA, É-U |
| Calgary |
| Edmonton |

>> <<

* Dernier diplôme

* Années d'expérience

* Langue parlée

| ANGLAIS |
| ESPAGNOL |
| FRANÇAIS |
| Afrikaans |

>> <<

Association professionelle

Lettre de présentation (1000 caractères maximum, incluant les espaces)

* Où avez-vous entendu parler de nous?

:: Téléchargement du curriculum vitae

Votre CV doit être soumis en format Word

(compatible avec l'environnement Windows ou

MacIntosh) ou PDF.

Browse...

::

Soumettre votre candidature | **Aide**

Imprimer cette page | Version texte | Avertisseur de nouvelles   ☐ Haut de page

Source : SNC-Lavalin, 2006.

SNC-Lavalin
www.snclavalin.com

Mais une fois ce premier tri effectué, les candidats retenus sont invités à soumettre un curriculum vitæ plus détaillé (Bonneau, 2000). De plus en plus, les entreprises préfèrent un curriculum vitæ numérique (aussi appelé « curriculum vitæ électronique ») envoyé par courriel, plutôt qu'imprimé et posté. Le curriculum vitæ numérique peut être élaboré à partir de logiciels spécialisés ou, ce qui est plus fréquent, d'un traitement de texte. Il peut suivre l'une ou l'autre des présentations détaillées précédemment, mais le format dans lequel il est sauvegardé peut poser problème. En effet, il existe plusieurs formats (par exemple, ASCII, HTML, PDF) qui peuvent s'avérer incompatibles avec le logiciel utilisé par le recruteur (Maillette, 2005b). Ce dernier devrait donc toujours préciser le ou les formats dans lesquels il souhaite recevoir les curriculum vitæ.

Quel que soit le type ou le format des curriculum vitæ, les recruteurs les analysent tous et les trient ensuite. La section suivante détaille plus précisément les responsabilités en matière de tri des curriculum vitæ, ainsi que les critères et la méthode de tri.

2. Le tri des curriculum vitæ

2.1 Les responsabilités en matière de tri des curriculum vitæ

Hydro-Québec
www.hydroquebec.com

Lorsque les responsabilités de recrutement sont confiées à une agence privée (voir chapitre 8), celle-ci s'occupe généralement de la réception et du tri des curriculum vitæ. Dans le cas d'agences spécialisées, notamment celles qui œuvrent dans le domaine du recrutement de cadres, c'est même une partie de la sélection qui est réalisée : l'organisation cliente ne reçoit alors que deux ou trois candidatures.

En revanche, lorsque l'ensemble du processus de dotation est géré à l'interne, c'est le recruteur ou le spécialiste de la gestion des ressources humaines qui se charge de la réception et du tri des curriculum vitæ. Même s'il existe un comité de sélection, celui-ci est rarement impliqué à cette étape du processus. Cependant, le superviseur du poste à pourvoir intervient parfois pour conseiller le professionnel en ressources humaines quant aux critères de tri. Rappelons finalement que lorsque le postulant remplit un questionnaire de candidature en ligne, la présélection par mots-clés est automatisée : le recruteur ne reçoit donc que les candidatures qui satisfont aux critères de présélection.

2.2 Les critères de tri

Comme nous l'avons vu au chapitre 6, les critères de sélection sont les compétences requises par le poste qui peuvent être utilisées pour évaluer les candidatures. Cependant, certains de ces critères, comme les attitudes ou les qualités personnelles, sont difficiles, voire impossibles à évaluer sur papier. Par exemple, un curriculum vitæ est inutile pour déterminer si un candidat a

Le tri des curriculum vitæ se fait sur la base des critères de sélection importants et tangibles.

un bon sens de la communication. Il est donc impossible d'utiliser les attitudes et les habiletés comme critères de présélection. En fait, ce premier tri ne peut se fonder que sur les dimensions concrètes susceptibles de figurer dans le curriculum vitæ, comme la formation, la durée et la nature de l'expérience, ou encore la maîtrise de certaines langues.

Pour définir les critères de tri, ou critères de présélection, le recruteur doit donc relire la description du poste à pourvoir, le profil de compétences et les critères de sélection. Il détermine ensuite, parmi les critères de sélection importants, ceux qui doivent figurer dans le curriculum vitæ pour que la candidature soit retenue.

Prenons l'exemple d'un poste de courtier d'assurance, dont les tâches principales consistent à vendre divers types d'assurance (par exemple, assurance vie, assurance automobile, assurance sur les biens, assurance maladie) à des particuliers ou à des entreprises (Gouvernement du Canada, 2001). L'encadré 12.7 donne un exemple des critères de sélection pouvant être exigés par la compagnie d'assurance lors de l'embauche de ses courtiers.

ENCADRÉ 12.7 **Exemples de critères de sélection pour un courtier d'assurance**

- Détenir un baccalauréat en administration ou dans une discipline connexe.
- Posséder de deux à cinq années d'expérience dans le domaine de l'assurance.
- Détenir un permis en règle de l'Autorité des marchés financiers.
- Avoir d'excellentes aptitudes pour les mathématiques et l'analyse.
- Posséder un sens aigu du service à la clientèle.
- Avoir d'excellentes aptitudes pour la communication et la négociation.
- Être très organisé, montrer un bon esprit d'équipe et faire preuve d'initiative et d'autonomie.
- Être en mesure de très bien gérer son temps et avoir la capacité de gérer plusieurs tâches de front.
- Connaître le logiciel Microsoft Office, en particulier Excel.
- Être bilingue (français-anglais).

Dans cette liste figurent plusieurs habiletés, comme les aptitudes en communication et en négociation, et plusieurs attitudes, par exemple l'esprit d'équipe et l'initiative. Ces compétences sont difficiles à vérifier dans un dossier de candidature. En effet, un candidat peut se croire bon communicateur et donc le mentionner dans son curriculum vitæ, mais rien ne prouve de façon objective qu'il l'est effectivement. En revanche, la détention d'un baccalauréat et d'un permis de l'Autorité des marchés financiers, de même que la durée de l'expérience dans le domaine de l'assurance, sont des informations tangibles, qui ne sont pas sujettes à interprétation. Bien que plus subjectives, les connaissances informatiques et linguistiques figurent généralement au nombre des critères de présélection, même s'ils font par la suite l'objet d'une vérification. Ainsi, dans la liste des critères de sélection présentés à l'encadré 12.7, les cinq éléments suivants pourront être retenus comme critères de tri des curriculum vitæ:

- Détenir un baccalauréat en administration ou dans une discipline connexe.
- Posséder de deux à cinq années d'expérience dans le domaine de l'assurance.
- Détenir un permis en règle de l'Autorité des marchés financiers.
- Connaître le logiciel Microsoft Office, en particulier Excel.
- Être bilingue (français-anglais).

Il arrive que les candidats, notamment ceux qui viennent de pays étrangers où les pratiques de sélection sont différentes des nôtres, indiquent leur âge, leur sexe, leur état civil ou le nombre de personnes à leur charge dans leur curriculum vitæ. Même si ces informations sont données librement, il est illégal de les utiliser pour prendre une décision d'embauche (voir le chapitre 2 au sujet des obligations légales). Le recruteur devra donc faire abstraction de ces informations.

2.3 La méthode de tri des curriculum vitæ

Une fois les critères de tri déterminés, la méthode est assez simple : le recruteur lit les curriculum vitæ en fonction de ces critères et les classe dans l'un des trois groupes suivants (Emploi-Québec, 2006) :

- Groupe A : Candidats très proches du profil recherché, devant être convoqués en entrevue ; on appelle parfois ce groupe les « oui ».

- Groupe B : Candidats assez proches du profil recherché, pouvant être convoqués en entrevue si les candidats du groupe A sont trop peu nombreux ou s'avèrent inadéquats ; ce sont les curriculum vitæ classés « peut-être ».

- Groupe C : Candidats non qualifiés pour le poste à pourvoir ; c'est le groupe des « non ».

Afin de faciliter ce classement, il est utile de construire une grille d'analyse des candidatures comprenant les rubriques suivantes : « candidatures », « critères de présélection », « classement » et « commentaires ». Le tableau 12.1 fournit un exemple de grille de présélection pour le poste de courtier en assurance présenté à la section précédente. Chaque curriculum vitæ est alors évalué en donnant une cote pour chaque critère. Notons que, si l'entreprise reçoit un grand nombre de candidatures, une telle grille n'est appliquée qu'aux curriculum vitæ des groupes A et B, voire seulement à ceux du groupe A.

L'avantage de disposer d'une grille de présélection est de systématiser l'étape de l'analyse des curriculum vitæ, et de veiller à ce que ce premier tri repose bien sur les critères tangibles de sélection. En outre, cet outil permet de préparer les étapes suivantes du processus de sélection, puisque la colonne « Commentaires » peut être utilisée pour noter les irrégularités ou anomalies relevées dans le curriculum vitæ, et que le recruteur voudra explorer de façon plus approfondie lors de l'entrevue.

Un recruteur moins expérimenté pourra solliciter l'aide d'un tiers, par exemple le superviseur du poste, lors de l'étape de l'analyse des curriculum vitæ. Il pourra également se fier aux lignes directrices présentées à l'encadré 12.8.

TABLEAU 12.1	Exemple de grille de présélection des curriculum vitæ						

Poste : Courtier en assurance							
Candidat ou candidate	**Critères de présélection**					**Classement**	**Commentaires**
	Baccalauréat	**Expérience de 2 à 5 ans**	**Permis AMF**	**Microsoft Office**	**Bilingue**		
Marie Tremblay	Oui	Non	Oui	À vérifier	À vérifier	4	Candidature rejetée
Jocelyn Drouin	Non	Oui	Non	Oui	Oui	5	Candidature rejetée
Phong NGuyen	Oui	Oui	Oui	Oui	Oui	1	À voir en entrevue
Martine Pratte	Oui	Non	Oui	Oui	À vérifier	3	À voir en entrevue Vérifier le bilinguisme
Yazid Benmeur	Oui	Oui	Oui	Oui	Non	2	À voir en entrevue

ENCADRÉ 12.8	Lignes directrices pour l'analyse des curriculum vitæ

- Rechercher le diplôme d'études le plus élevé obtenu et les autres attestations d'études du candidat.
- Examiner l'expérience professionnelle en prêtant une attention spéciale aux dix dernières années et interroger le candidat sur cette période au cours de l'entrevue.
- Examiner les expériences inhabituelles qui ont permis au candidat d'acquérir les connaissances, les compétences et les habiletés requises pour occuper le poste.
- Examiner les compétences polyvalentes ou transférables.
- Vérifier si certaines périodes sont passées sous silence, afin de poser des questions plus tard.
- Évaluer la tendance qui se dessine dans la liste d'expériences du candidat.
- Cerner les compétences techniques pouvant être déterminées par un test préalable à l'entrevue.
- Déterminer les travaux (publications, portfolio) que le candidat doit apporter à l'entrevue.
- Repérer les fautes d'orthographe et de grammaire ou les erreurs de présentation dans le curriculum vitæ.
- Vérifier si la lettre de présentation fait un lien entre le poste et la qualification du candidat.
- S'assurer qu'il ne manque aucun renseignement. Si nécessaire, noter lesquels sont manquants.

Source : Gouvernement du Canada, s. d.

2.4 Le nombre de candidats à sélectionner

On devrait retenir de trois à six candidats par poste.

Les recruteurs se demandent souvent quel est le nombre idéal de candidatures à conserver à l'issue de l'étape de présélection. Il n'existe pas de règle absolue à cet égard.

On peut cependant retenir deux règles de décision (Gouvernement du Canada, s. d.). D'une part, pour que les recruteurs puissent vraiment être en mesure de faire un choix parmi les candidats, la présélection devrait leur permettre de retenir de trois à six dossiers par poste à pourvoir. D'autre part, seules les personnes susceptibles d'être embauchées devraient être convoquées en entrevue ; autrement dit, les recruteurs ne devraient pas rencontrer une personne peu qualifiée pour le poste uniquement dans le but de porter à trois le nombre de candidats convoqués.

Compte tenu de l'objectif de rencontrer de trois à six candidats par poste, il arrive que le nombre de candidatures dans le groupe A soit insuffisant. Dans ce cas, trois possibilités s'offrent au recruteur. Il peut :

- poursuivre ses recherches de candidats, par exemple en prolongeant la durée d'affichage de son annonce ou en l'affichant dans de nouveaux médias ;
- revoir ses critères de présélection, ou même ses critères de sélection, pour vérifier s'ils sont appropriés ; par exemple, certaines compétences pourraient être acquises après l'embauche, par la formule de l'apprentissage en milieu de travail ;
- relire les candidatures du groupe B pour s'assurer qu'aucun candidat n'a été sous-évalué.

Le choix de l'une ou l'autre de ces possibilités dépend du contexte. Cependant, il est généralement préférable de prolonger l'étape de la recherche de candidatures plutôt que d'embaucher une personne ne répondant pas suffisamment aux critères : le risque serait alors trop grand de devoir recommencer le processus quelques mois plus tard.

Il peut également arriver, au contraire, qu'un grand nombre de curriculum vitæ soient classés dans le groupe A. Dans cette situation, le recruteur révisera ces candidatures pour appliquer plus sévèrement les critères de présélection, et ce, avant de prévoir des entrevues. Une autre option consiste à organiser une entrevue de présélection afin d'évaluer certains critères comme la qualité de la communication ou la disponibilité du candidat. Cette entrevue de présélection permettra alors d'éliminer certains candidats.

3. L'entrevue de présélection

L'entrevue de présélection est généralement un court entretien téléphonique.

L'entrevue de présélection se déroule généralement par téléphone, parfois par vidéo-conférence. Contrairement à l'entrevue de sélection, qui sera détaillée au chapitre 13, il s'agit d'un court entretien visant à vérifier certaines caractéristiques du candidat, comme sa capacité à s'exprimer clairement ou encore sa motivation à occuper le poste (Lemieux, 2005). Cette première prise de contact permet également d'approfondir certains points que l'analyse du curriculum vitæ a pu soulever, par exemple quant au niveau de maîtrise de certaines tâches.

Même s'il s'agit d'une conversation de courte durée, l'entrevue de présélection doit être préparée avec soin afin qu'elle permette de recueillir toutes les informations nécessaires à la prise de décision. Ainsi, avant d'appeler le candidat, le recruteur doit relire les critères de sélection pour le poste de même que la grille d'analyse du curriculum vitæ. Il doit aussi préparer une grille d'entrevue afin de s'assurer qu'il couvrira tous les points importants lorsqu'il contactera le candidat. Selon Richards (2003), les éléments figurant généralement sur une telle grille d'entrevue sont :

- la confirmation de la formation, incluant les diplômes et les certifications ;
- la confirmation de l'expérience professionnelle ;
- les compétences informatiques et linguistiques ;
- la motivation ;
- la disponibilité.

Le tableau 12.2 propose une grille d'entrevue de présélection. Cet exemple doit évidemment être adapté aux exigences particulières de l'emploi et aux informations recueillies dans le curriculum vitæ. Par ailleurs, certaines particularités propres à un candidat peuvent être ajoutées à cette liste. Par exemple, si un candidat vient de l'étranger, on peut lui demander dès cette étape s'il a le droit de travailler légalement au Canada.

www.cheneliere.ca

TABLEAU 12.2 Exemple de grille d'entrevue de présélection

Poste à pourvoir : _____
Candidat : _____ Entrevue menée par : _____
Téléphone : _____ Date : _____

Critères	Commentaires
Formation	
Expérience	
Compétences informatiques	
Compétences linguistiques	
Motivation	
Disponibilité	
Autre	

Une fois la grille prête, mener l'entrevue de présélection est chose aisée. Toutefois, avant de la commencer, il importe de vérifier que le candidat dispose du temps et de la tranquillité nécessaires pour répondre aux questions. À titre d'exemple, si le recruteur joint le candidat à son travail, il est possible que celui-ci ne soit pas seul et soit donc mal à l'aise de discuter. De façon similaire, si le recruteur appelle le candidat sur son téléphone cellulaire, il se peut que le moment soit mal choisi et que le candidat manque d'intimité. Dans ces circonstances, il est préférable de convenir d'un moment pour le rappeler. Il peut aussi être nécessaire, en début d'entrevue, de rappeler au candidat la description du poste qui était annoncé : les personnes à la recherche d'un emploi répondent souvent à de multiples annonces, et on ne peut leur demander de se souvenir parfaitement de tous les postes.

Que ce soit à l'issue de l'analyse des curriculum vitæ ou après une entrevue téléphonique, l'étape de présélection conduit immanquablement à rejeter des candidatures et à en retenir d'autres. Une fois ces premières décisions prises, il faut communiquer avec les candidats pour les informer de la suite donnée à leur candidature.

4. La communication avec les candidats

Durant le processus de sélection, plusieurs occasions se présentent pour communiquer avec les candidats : lorsque celui-ci soumet son dossier ; pour lui annoncer que sa candidature n'a pas été retenue ; pour le convoquer aux étapes suivantes de la sélection ; et, finalement, pour faire une offre d'emploi à la personne sélectionnée. Cette dernière communication sera détaillée au chapitre 16.

4.1 L'accusé de réception

> L'accusé de réception sert à laisser savoir au candidat que son dossier a été reçu.

Certaines compagnies accusent réception de chaque candidature, c'est-à-dire qu'elles envoient une courte note indiquant que la candidature a bien été reçue, remerciant le candidat pour son intérêt et l'informant qu'il sera contacté à nouveau dès que son dossier aura été analysé. Les encadrés 12.9 et 12.10 fournissent des exemples d'accusés de réception.

ENCADRÉ 12.9 **Exemple d'accusé de réception générique**

Ying-Yang
Corporation

Service des
ressources humaines

Accusé de réception

Nous accusons réception de votre candidature et nous vous remercions de l'intérêt que vous manifestez à faire carrière chez Ying-Yang. Si votre profil correspond aux besoins de notre entreprise, il nous fera plaisir de communiquer avec vous.

La direction des ressources humaines

Il est évident qu'envoyer de telles lettres coûte cher, surtout pour les entreprises qui reçoivent régulièrement beaucoup de curriculum vitæ. C'est pourquoi, nombreuses sont les compagnies qui n'envoient pas d'accusé de réception et qui indiquent dans leurs annonces que seuls les candidats retenus pour une entrevue seront contactés. L'encadré 12.11 présente un exemple d'un tel libellé.

Madame Élise Diallo   Trois-Rivières, le 28 mai 2006
123, rue Principale
Trois-Rivières (Québec) G9A 3H6

Madame Diallo,

Nous avons bien reçu votre candidature pour le poste de préposé aux bénéficiaires et nous vous remercions de l'intérêt que vous portez à notre établissement.

Le comité de sélection se réunira bientôt pour analyser l'ensemble des CV reçus. Nous reprendrons alors contact avec vous pour vous indiquer les suites que nous donnerons à votre candidature. Sachez cependant que nous avons reçu plus de cinquante dossiers et que seuls deux postes sont vacants pour l'année en cours. C'est dire que le processus de sélection sera très rigoureux.

Je vous prie de recevoir, Madame Diallo, l'expression de mes sincères salutations.

Annie Simard
Annie Simard
Directrice des ressources humaines

‖‖‖Multibois inc.

*Située à Amos, MULTIBOIS INC. est une entreprise manufacturière spécialisée dans l'ébénisterie architecturale. Existant depuis 34 ans et souhaitant assurer sa croissance, MULTIBOIS cherche à pourvoir **un poste permanent**.*

Gérant de projet

FONCTIONS :

- Prise de mesures sur différents chantiers (Québec et États-Unis), suivi des dessins d'atelier, de l'échéancier et des budgets.
- Relation avec les architectes et entrepreneurs généraux.
- Gestion des dossiers relatifs à l'avancement et à l'exécution des projets.

EXIGENCES :

- Détenir un D.E.C. dans une discipline reliée à l'ébénisterie architecturale.
- BILINGUISME OBLIGATOIRE.
- Expérience minimale de 3 à 5 ans dans un poste semblable.

Pour vous joindre à une équipe des plus dynamiques, veuillez faire parvenir votre curriculum vitæ avant le 10 novembre 2005 au département des ressources humaines :

Télécopieur : 819 485-2211
Courriel : lynda.r@multibois.ca

N. B. : Seuls les candidats retenus pour une entrevue recevront un accusé de réception.

Cependant, recevoir un accusé de réception donne un message positif au candidat. Cela lui indique que sa candidature est valorisée et renvoie une image de professionnalisme de la part de l'organisation. Par ailleurs, envoyer un accusé de réception évite de recevoir des appels téléphoniques de candidats s'enquérant de leur dossier. Expédier un accusé de réception est donc une pratique à encourager, d'autant plus que cet envoi peut être fait de façon automatisée à tous les candidats ayant envoyé leur curriculum vitæ par courriel ou ayant postulé en ligne.

Cependant, si le tri des curriculum vitæ s'effectue rapidement, le recruteur peut s'abstenir d'envoyer un accusé de réception et lui préférer une lettre indiquant si la candidature est retenue ou rejetée.

4.2 Le rejet de la candidature

Les candidats rejetés sont généralement prévenus par courrier.

Le processus de sélection comprend invariablement le rejet d'un grand nombre de candidatures. Bien que cette décision constitue une déception pour le candidat, le recruteur doit limiter le temps d'attente et prévenir le candidat dès que la décision a été prise. Généralement, la communication d'une décision de rejet se fait par courrier ; cependant, dans les dernières étapes du processus de sélection, alors qu'une relation professionnelle s'est installée entre le candidat et le recruteur, celui-ci peut préférer annoncer la décision par téléphone.

Il n'est pas nécessaire de donner précisément au candidat les raisons du refus. On peut cependant lui indiquer si sa candidature n'a pas été retenue parce qu'il n'y avait pas de poste disponible dans l'organisation (dans le cas d'une candidature non sollicitée) ou parce que ses compétences ne correspondaient pas aux exigences de l'emploi. L'encadré 12.12 propose un exemple de lettre de rejet dans le cas d'une candidature spontanée, tandis que l'encadré 12.13 illustre un cas de refus d'une candidature reçue en réponse à une annonce.

ENCADRÉ 12.12 **Exemple de lettre de rejet d'une candidature spontanée**

Monsieur Jacques Casgrain   Laval, le 23 octobre 2005
87, rue des Érables, appartement 9
Laval (Québec) H3J 8K2

Monsieur Casgrain,

Nous accusons réception de votre candidature et nous vous remercions de l'intérêt que vous avez bien voulu nous témoigner en vous portant candidat pour un emploi dans notre organisation.

Malheureusement, nous n'avons actuellement aucun poste vacant susceptible de correspondre à votre expérience et à vos aspirations de carrière.

En vous remerciant de l'intérêt que vous avez bien voulu nous manifester, et en vous souhaitant bonne chance dans vos recherches, nous vous prions d'agréer, Monsieur Casgrain, nos sincères salutations.

Karim Haddad
Karim Haddad
Directeur des ressources humaines

Comme nous l'avons vu au chapitre 2, les dispositions légales visant la protection de la vie privée des citoyens limitent le droit d'une entreprise à conserver les dossiers de candidature. Cependant, il arrive qu'une organisation souhaite garder un dossier au cas où un poste correspondant au profil du candidat se libèrerait. Dans ce cas, la lettre de refus doit en demander la permission au candidat ou l'informer que son dossier sera conservé pour une durée déterminée, à moins qu'il ne s'y oppose. L'encadré 12.14 illustre un tel cas.

4.3 La poursuite du processus de sélection

Finalement, le recruteur a également la tâche, plus agréable, d'informer les candidats dont le dossier a été retenu. Il s'agit alors de leur indiquer la suite du processus de sélection, et de les convoquer pour l'étape suivante, que ce soit un test ou une entrevue.

Les candidats retenus sont convoqués pour les étapes suivantes.

L'annonce de cette bonne nouvelle peut se faire par courrier, comme le montre l'encadré 12.15. Plus souvent, le recruteur préfère téléphoner au candidat ; ce mode de communication est plus rapide, permet de fixer immédiatement un rendez-vous pour les prochaines étapes et, au besoin, indique au candidat les documents qu'il doit apporter.

ENCADRÉ 12.15 **Exemple de lettre d'acceptation de la candidature**

Madame Boubakar   Montréal, le 15 février 2006
987, rue des Pins
Montréal (Québec) H9D 3G5

Madame Boubakar,

Vous avez bien voulu répondre à notre annonce pour un poste de documentaliste dans notre établissement.

Le comité de sélection s'est réuni hier et c'est avec un grand plaisir que je vous annonce que votre candidature a été retenue. Nous souhaitons maintenant vous rencontrer en entrevue pour approfondir certains éléments de votre dossier. Mon adjointe, Madame Prieur, prendra contact avec vous dans les prochains jours pour déterminer une date qui vous conviendrait.

Dans l'attente de vous rencontrer, je vous prie de recevoir, Madame Boubakar, l'assurance de mes meilleurs sentiments.

Georges Mucchini
Georges Mucchini
Directeur des ressources humaines

Ainsi, l'étape de présélection commence par la réception et l'examen des candidatures, et se termine par l'annonce d'un premier choix parmi les curriculum vitæ reçus. Commence alors l'étape de la sélection à proprement parler, qui fera l'objet des trois prochains chapitres de ce livre.

Ce qu'il faut retenir

- Un recruteur doit se familiariser avec les différentes façons de présenter un curriculum vitæ afin d'y trouver facilement les informations recherchées.
- Le premier tri des candidats, ou présélection, porte sur les critères de sélection tangibles.
- Quelle que soit l'issue de la présélection, les candidats doivent en être informés le plus rapidement possible.

Références

BOLLES, Richard N. (2005). *De quelle couleur est votre parachute 2005-2006*, Repentigny, Les Éditions Reynald Goulet, 432 p.

BONNEAU, Danielle (2000, 27 septembre). « Le CV en voie de disparition ? », *La Presse*, Cahier spécial, p. 8.

COURRIER FRONTENAC (2005). « Offres d'emploi dans la MRC de l'Amiante : Gérant de projet », [en ligne], *Courrier Frontenac* [réf. du 3 novembre 2005]. <www.courrierfrontenac.qc.ca>.

EMPLOI-QUÉBEC (2006, 24 mai). « Sélectionner des candidats pour une entrevue », [en ligne], *Ministère de l'Emploi et de la Solidarité sociale*, Gouvernement du Québec [réf. du 9 juin 2006]. <http://emploiquebec.net>.

EMPLOI-QUÉBEC (2003, novembre). « Guide pratique de recherche d'emploi : Le curriculum vitæ », [en ligne], *Gouvernement du Québec* [réf. du 9 juin 2006]. <http://emploiquebec.net>.

FRY, Ron (2001). *101 excellentes réponses aux questions d'entrevue*, Repentigny, Les Éditions Reynald Goulet , 224 p.

GOUVERNEMENT DU CANADA (s. d.). « Dossier ressources humaines : Formation en ligne, Le processus d'embauche », [en ligne], *Service Canada* [réf. du 9 juin 2006]. <www.golservices.gc.ca>.

GOUVERNEMENT DU CANADA (2001). « Classification nationale des professions : Description des professions », [en ligne], *Ressources humaines et développement des compétences Canada* [réf. du 9 juin 2006]. <www23.hrdc-drhc.gc.ca>.

HEC MONTRÉAL (2005) *Guide de rédaction du curriculum vitæ et lettres : 1er cycle : B.A.A/Certificats/B.Gest.*, Montréal, Service de gestion de carrière, 14 p.

LEMIEUX, Sylvie (2005, 25 juin). « L'art de mener une bonne entrevue d'embauche », *Les Affaires*, Management, p. 33.

MAILLETTE, Paolo (2005a, 14 mai). « Le CV par compétences est peu percutant », *Le Soleil*, Carrières et professions, p. I10.

MAILLETTE, Paolo (2005b, 2 avril). « Le CV numérique », *La Presse*, Carrières professions/formation, p. 8.

MAILLETTE, Paolo (2005c, 19 mars). « Le CV par secteurs d'activités », *La Presse*, Carrières professions/formation, p. 12.

MAILLETTE, Paolo (2005d, 12 février). « Le CV antichronologique », *La Presse*, Carrières professions/formation, p. 8.

MAILLETTE, Paolo (2004, 3 avril). « La vraie nature du curriculum vitæ », *La Presse*, Carrières professions/formation, p. 4.

MORNELL, Dr Pierre (2001). *Recruter avec discernement, comment trouver l'employé qu'il vous faut*, Repentigny, Les Éditions Reynald Goulet, 240 p.

RICHARDS, Rebecca A. (2003). *Processus de recrutement*, Brossard, Publications CCH, Collections GRH, 100 p.

SNC-LAVALIN (2006). « Carrières », [en ligne], *SNC-Lavalin*, [réf. du 13 novembre 2006]. <www.snclavalin.com >.

YATE, Martin (2001). *Les CV qui ouvrent les portes*, Repentigny, Les Éditions Reynald Goulet, Collection Emploi Avenir, 262 p.

YATE, Martin (2001). *Les CV qui ouvrent les porte*, Repentigny, Les Éditions Reynald Goulet, 240 p.

YATE, Martin (2001). *Les lettres qui ouvrent les portes*, Repentigny, Les Éditions Reynald Goulet, 240 p.

CHAPITRE **13**

L'entrevue de sélection

Objectif du chapitre

L'entrevue est la méthode de sélection la plus utilisée par les recruteurs pour choisir un candidat. Pourtant, l'entrevue peut mener à des erreurs de sélection si elle n'est pas structurée autour des compétences requises par le poste. Ce chapitre a pour objectif:

- d'apprendre à concevoir, à conduire et à évaluer une entrevue structurée pour en maximiser l'efficacité.

L'entrevue de sélection en face-à-face est l'outil le plus utilisé par les entreprises pour choisir un candidat (Catano *et al.,* 2001 ; Rowe, Williams et Day, 1994). Pourtant, de nombreux gestionnaires connaissent mal les techniques d'entrevue et se fient à leur instinct pour embaucher les candidats qu'ils rencontrent. Le résultat est alarmant : un sondage révèle que 86 % des personnes embauchées à la suite d'une unique entrevue ne font pas l'affaire (Gouvernement du Canada, s. d.).

Il est vrai que l'entrevue de sélection a souvent été critiquée pour son côté subjectif et sa difficulté à prédire la performance future en emploi (Schmidt et Hunter, 1998). Pourtant, deux solutions simples existent pour augmenter la capacité de l'entrevue de sélection à repérer les meilleurs candidats. D'une part, d'autres outils de sélection, comme les tests (voir chapitre 14), peuvent être ajoutés à l'entrevue afin de mieux évaluer certaines compétences importantes, particulièrement en ce qui concerne les savoir-faire et savoir-être. D'autre part, l'entrevue de sélection elle-même peut être améliorée par une structure rigoureuse, basée sur les compétences requises par le poste (Campion, Palmer et Campion, 1997 ; Pettersen et Durivage, 2006 ; Schmidt et Hunter, 1998).

Se baser sur les compétences requises permet de diminuer les erreurs de sélection.

L'entrevue de sélection a principalement pour but de permettre à l'employeur de s'assurer que le candidat répond aux critères de sélection élaborés en fonction du poste à pourvoir (voir chapitre 6). L'objectif poursuivi par le recruteur n'est donc pas de juger les candidats dans l'absolu ni de les mettre mal à l'aise, mais bien de recueillir des renseignements le plus objectivement possible. De cette façon, le recruteur peut comparer les candidats et prendre une décision éclairée, basée autant que possible sur des faits vérifiables plutôt que sur des impressions. Cet exercice est d'autant plus difficile que les recruteurs disposent de peu de temps, quelques heures tout au plus, pour évaluer les candidats.

En parallèle, il semble que ces derniers soient de mieux en mieux préparés aux entrevues (Francisci, 2005 ; Lebreux, 2004) et un recruteur doit apprendre à discerner les candidats réellement qualifiés pour le poste de ceux qui se mettent bien en valeur sans nécessairement posséder les compétences requises. Car le coût d'une erreur de sélection est énorme : on estime que les seuls coûts de remplacement d'un employé sont de cinq à huit fois son salaire, et cela sans compter les pertes commerciales et l'effet d'une erreur de sélection sur le climat de travail (Gouvernement du Canada, s. d.).

Dans un tel contexte, un recruteur ne peut se permettre de se fier à sa seule intuition pour choisir un candidat. Il est indispensable que l'entrevue soit bien préparée et basée sur des critères de sélection précis, eux-mêmes établis selon l'analyse de fonction qui a été effectuée (voir chapitres 5 et 6). En outre, une entrevue bien préparée donne au candidat une impression de professionnalisme qui rejaillit positivement sur la réputation de l'entreprise, et cela même si le candidat n'est pas retenu à l'issue du processus.

Dans les prochaines pages, nous verrons comment concevoir, réaliser et évaluer une entrevue de sélection de façon à maximiser la capacité du recruteur à apprécier et à comparer les candidats. Il est à noter, comme nous l'avons vu au chapitre 7, qu'il arrive souvent qu'un processus de sélection comprenne plusieurs entrevues.

Même si différentes compétences sont évaluées à chaque étape, la préparation, le déroulement et l'évaluation de chacune des entrevues sont les mêmes.

Avant de poursuivre, il est important de rappeler qu'une entrevue de sélection se déroule toujours dans un contexte culturel précis. L'entrevue telle que détaillée dans les pages qui suivent correspond à un modèle canadien ou nord-américain d'appréciation des qualités des candidats. Les livres étrangers portant sur le recrutement et la sélection du personnel donnent aux recruteurs des conseils qui sont tout à fait inappropriés, voire illégaux, dans le contexte canadien ; l'encadré 13.1 en fournit quelques exemples.

ENCADRÉ 13.1 **Exemples de ce qu'il ne faut pas faire en contexte canadien**

« N'oubliez pas de noter le brillant des souliers [du candidat] : combien d'hommes, sachant que nul ne regarde leurs pieds, ne se soignent que jusqu'à la taille ! » (Doury, 2000)

« Raisonnez en *âge* plutôt qu'en *date*, c'est plus concret. » (Doury, 2000)

« Ce n'est pas faire une incursion indiscrète dans la vie privée de ce major HEC de vingt-deux ans que de vouloir apprendre qu'il est le huitième enfant d'un ouvrier agricole émigré polonais ; ni de s'assurer (puisque le poste à pourvoir est situé à Argenton-sur-Creuse) de la profession de sa femme, s'il est propriétaire de son logement ou s'il n'a pas un enfant handicapé, nécessitant une école spéciale. C'est de la conscience professionnelle. » (Doury, 2000)

« Lorsque l'entrevue officielle commence, posez toutes vos questions en une fois. » (Mornell, 2001)

« Rencontrer le conjoint – Poser des questions à un candidat sur sa situation conjugale est, en théorie, illégal, mais la pratique se répand, surtout quand il s'agit de postes de direction. Si l'occasion se présente, au cours du processus d'entrevue, vous en apprendrez beaucoup sur les candidats en rencontrant leur conjoint, s'ils en ont un. » (Mornell, 2001)

---

1. Les types d'entrevue

Il existe plusieurs catégories d'entrevue, classées en fonction de leur structure et du type de questions posées. Comme nous le verrons dans les lignes qui suivent, certains types d'entrevue sont plus propices que d'autres à l'évaluation objective de la qualification des candidats.

1.1 La structure de l'entrevue

Entrevue non structurée
▶ *Unstructured interview*
Entrevue sous forme de conversation.

On distingue généralement les entrevues ouvertes, ou non structurées, des entrevues structurées. Une **entrevue non structurée** commence généralement par la question : « Parlez-moi de vous » et prend rapidement la forme d'une conversation. Elle a pour but de mieux connaître le candidat en le faisant parler le plus possible de ses expériences professionnelles, de ses objectifs à moyen et à long terme, du milieu de travail qu'il recherche, etc. Pour ce type d'entrevue, le recruteur ne prépare aucune question à l'avance et se laisse guider par le curriculum vitæ et les réponses du candidat, choisissant d'approfondir certains éléments au fur et à mesure qu'ils sont évoqués dans la discussion. La seule préparation du recruteur consiste à bien connaître les exigences du poste pour pouvoir orienter l'entrevue.

Au contraire, dans une **entrevue structurée,** le recruteur prépare au préalable des questions visant à mesurer les critères de sélection, et pose les mêmes questions à tous les candidats. Mais une entrevue de sélection structurée signifie plus que le simple fait de poser les mêmes questions. Elle doit posséder au moins les trois caractéristiques suivantes (Campion, Palmer et Campion, 1997 ; Pettersen et Durivage, 2006) :

- Les questions sont basées sur les tâches et responsabilités définies dans une analyse de la fonction.
- Les questions sont élaborées de façon systématique pour cerner des compétences spécifiques requises par le poste (critères de sélection).
- Les réponses des candidats sont évaluées par rapport à des critères établis.

Les questions d'une entrevue structurée se basent sur le profil de compétences.

Comme on le voit au tableau 13.1, le principal avantage de l'entrevue structurée est de s'assurer que toutes les compétences requises pour le poste sont abordées, afin que les candidats soient comparés sur les mêmes critères. La structure permet également au recruteur de mieux contrôler l'entrevue, donc d'éviter de se laisser impressionner par un candidat particulièrement doué pour se mettre en valeur. Finalement, comme nous l'avons vu au chapitre 11, une entrevue structurée est plus facile à défendre devant les tribunaux en cas de poursuite judiciaire, puisque les questions sont identiques pour tous les candidats et basées sur une analyse de la fonction (Campion, Palmer et Campion, 1997 ; Williamson *et al.*, 1997).

TABLEAU 13.1 Avantages et inconvénients des types d'entrevue		
	Avantages	**Inconvénients**
Entrevue structurée	• Questions en lien avec les compétences requises pour le poste. • Questions couvrant tous les critères de sélection. • Questions uniformes pour tous les candidats. • Capacité à comparer les candidats. • Contrôle plus facile de l'entrevue par le recruteur. • Défense plus facile en cas de poursuite judiciaire pour discrimination.	• Contrainte pour le comité de sélection. • Travail de préparation important. • Risque de rigidité dans le déroulement de l'entrevue.
Entrevue non structurée	• Flexibilité accrue. • Travail de préparation moindre. • Liberté du candidat pour se mettre en valeur de la façon qu'il juge appropriée. • Conversation moins stressante pour le candidat.	• Analyse méthodique inexistante des exigences du poste. • Risque de questions sans lien direct avec l'emploi. • Risque d'oubli de questions portant sur des critères de sélection importants. • Traitement inégal des candidats. • Nécessité d'avoir un recruteur très expérimenté. • Risque élevé de subjectivité.

On reproche parfois à l'entrevue structurée d'être trop rigide et de ne pas permettre aux candidats de s'exprimer librement. Dans les faits, les recruteurs qui structurent leur processus de dotation n'effectuent pas pour autant les entrevues de façon rigide et mécanique. On parlera parfois d'entrevues semi-structurées pour indiquer que, même si le recruteur a préparé des questions en fonction des exigences du poste, il n'hésitera pas à interroger davantage le candidat sur un point particulier, s'il le juge nécessaire. Par exemple, le recruteur pourra poser des questions spécifiques sur le curriculum vitæ d'un candidat, débordant ainsi de ce qui est noté dans le guide d'entrevue. Imaginons un cas où le recruteur souhaite évaluer la capacité d'organisation d'un candidat. Il est possible que le guide d'entrevue prévoie la question suivante : « Parlez-moi d'une situation dans votre vie personnelle ou professionnelle dans laquelle vous avez dû utiliser vos capacités d'organisation. » Cette question sera posée à tous les postulants. Cependant, si un candidat a mentionné dans son curriculum vitæ qu'il étudiait à temps plein tout en étant sportif de haut niveau, on peut lui demander de parler plus spécifiquement de cette expérience. Pour ce candidat, la question pourra donc devenir : « Pouvez-vous m'expliquer comment vous réussissiez à organiser votre emploi du temps à l'époque où vous étiez étudiant à temps plein tout en vous entraînant pour la coupe du monde de vélo de montagne ? »

Dans certains cas, le recruteur pourra ajouter au guide d'entrevue des questions qui ne seront posées qu'à un candidat pour clarifier un élément de son curriculum vitæ. Par exemple, le recruteur pourrait demander à un candidat d'expliquer ses occupations à une période pendant laquelle son curriculum vitæ indique qu'il n'était ni étudiant, ni employé.

La capacité à questionner le candidat pour approfondir un élément ne dépend donc pas uniquement de la structure de l'entrevue, mais également de la nature des questions posées.

1.2 Le type de questions posées

Comme nous l'avons vu au chapitre 6, les critères de sélection peuvent inclure des connaissances, des habiletés ou des attitudes. Tous ces critères peuvent être évalués en entrevue, mais il est important de bien formuler les questions de façon à obtenir des réponses qui reflètent réellement les compétences du candidat pour le poste. L'employeur ne doit jamais oublier que le candidat cherche à se présenter sous son meilleur jour pour maximiser ses chances de se voir offrir un poste. Il appartient donc au recruteur de choisir les questions les plus appropriées, c'est-à-dire celles qui lui permettent d'évaluer réellement les compétences du candidat, et non sa préparation à l'entrevue ou son désir d'obtenir l'emploi.

Les questions portant sur les traits de personnalité

La question probablement la plus fréquente en entrevue est : « Quelles sont vos plus grandes qualités et vos plus grands défauts ? » Le recruteur qui pose cette question cherche évidemment à se faire une opinion sur le candidat, en particulier sur ce qu'il pense de lui-même. L'inconvénient de cette question, ou de ce type de questions (voir encadré 13.2), est le fait qu'un candidat s'attend à être interrogé sur ses qualités et ses défauts. Tout candidat minimalement préparé à l'entrevue aura donc dressé une liste correspondant à ce que le recruteur veut entendre. Ainsi, si l'offre d'emploi mentionne que la personne recherchée doit être dynamique et qu'elle doit avoir de l'entregent, l'immense majorité des candidats se décriront en entrevue comme dynamiques et à l'aise avec les autres.

Les questions qui portent sur les traits de personnalité appellent des réponses pas toujours vérifiables.

Une autre difficulté tient au fait que les traits de personnalité ne sont pas définis par tous de la même façon. Par exemple, il existe probablement autant de définitions du *leadership* que de situations dans lesquelles celui-ci peut s'exercer. Dès lors, rien ne permet d'affirmer qu'un candidat qui se décrit comme un *leader* répond aux critères de sélection tels que définis dans le contexte du poste offert dans cette organisation particulière.

Quant aux défauts, aucun candidat n'osera jamais dire qu'il est déloyal, paresseux ou malhonnête! Les candidats se décriront plutôt comme ayant «les défauts de leurs qualités» et se diront un peu perfectionnistes ou un peu trop francs… Aucun employeur n'oserait dire que la franchise ou la perfection, même en léger excès, ne sont pas les bienvenues dans son entreprise!

ENCADRÉ 13.2 **Exemples de questions portant sur les traits de personnalité, à éviter**

- Quelles sont vos trois plus grandes qualités?
- Quels sont vos trois plus grands défauts?
- Si on demandait à votre meilleur ami de vous décrire, que dirait-il de vous?
- Si on demandait à votre plus grand ennemi de vous décrire, que dirait-il de vous?
- Qu'est-ce que votre dernier employeur pensait de vous?
- Quels sont les cinq mots qui vous décriraient le mieux?
- Si vous aviez une chose à changer dans votre personnalité, quelle serait-elle?
- Pourriez-vous me parler de vos amis, de vos relations?
- Quels sont les gens avec lesquels vous avez le plus de difficulté à vous entendre?
- Quels sont vos meilleurs souvenirs d'enfance?

En d'autres termes, les questions portant sur les traits de personnalité sont inutiles, lorsqu'elles sont posées directement, parce qu'elles ne permettent pas de vérifier si ce que le candidat dit de lui est vrai. Cela ne signifie pas qu'on ne peut pas mesurer les traits de personnalité en entrevue; on peut le faire, mais en posant des questions portant sur les comportements, comme nous le verrons plus loin dans ce chapitre.

Les questions portant sur les motivations

Un recruteur cherche souvent à évaluer la motivation du candidat par des questions telles que: «Pourquoi postulez-vous pour cet emploi?» D'autres exemples de questions portant sur les motivations sont fournis à l'encadré 13.3.

Les questions portant sur la motivation sont peu utiles pour évaluer le candidat.

Tout comme pour les traits de personnalité, l'inconvénient majeur des questions portant sur la motivation vient du fait que les réponses sont impossibles à vérifier. Un candidat désireux d'obtenir le poste vantera les mérites de l'entreprise et se déclarera prêt à y faire carrière… même s'il n'a pas réellement l'intention d'y rester. Les questions portant sur la motivation peuvent donc fournir une indication du réalisme des attentes du candidat, ou encore de sa connaissance du poste et de l'entreprise, mais elles sont de peu d'utilité pour connaître réellement ses intentions.

ENCADRÉ 13.3 **Exemples de questions portant sur les motivations, à éviter**

- Pourquoi voulez-vous travailler chez nous?
- Que savez-vous de notre entreprise?
- Pourquoi avez-vous choisi d'étudier dans ce domaine?
- Pourquoi avez-vous quitté votre dernier emploi?
- Qu'est-ce qui vous attire le plus dans ce poste?
- Quels aspects liés au poste vous intéressent le moins?
- Qu'espérez-vous pouvoir accomplir dans ce poste?
- Quels sont vos objectifs personnels à atteindre dans ce poste?
- Êtes-vous prêt à faire des heures supplémentaires si le poste le requiert?
- Êtes-vous prêt à suivre une formation pour ce poste?
- Où vous voyez-vous dans cinq ans?
- Quels sont vos projets professionnels?

Il arrive cependant qu'on utilise une question générale sur la motivation en tout début d'entrevue, pour briser la glace et mettre le candidat à l'aise. Dans ce contexte bien précis, une telle question est appropriée (Lemieux, 2005).

Par ailleurs, certaines des questions de motivation portent sur des exigences de l'emploi figurant dans la description de poste. Pensons par exemple à l'obligation de faire des heures supplémentaires ou de posséder une compétence précise. Dans ce cas, il est normal d'en informer le candidat lors de l'entrevue car, dans la mesure où il s'agit d'une exigence de l'emploi, la recrue sélectionnée ne pourra pas s'y soustraire. Il ne s'agit alors pas réellement d'une question de motivation, mais plutôt d'une exigence professionnelle.

Les questions théoriques ou portant sur les opinions

Outre la personnalité et la motivation, les recruteurs posent souvent des questions directes sur les qualités requises pour le poste. Par exemple, pour mesurer la capacité du candidat à travailler en équipe, un recruteur pourrait lui demander « Aimez-vous travailler en équipe ? » ou « Si un collègue vous demandait de l'aider, que feriez-vous ? » Pour un poste de bénévole dans un centre de personnes âgées, on pourrait penser à la question « Est-il facile pour vous d'engager une conversation avec une personne plus âgée que vous ? » afin de mesurer la capacité du candidat à communiquer avec la clientèle.

Les questions théoriques sont à éviter.

Ces questions théoriques présentent l'avantage d'être liées aux compétences requises pour le poste. Cependant, la réponse recherchée par le recruteur est facile à deviner, de sorte que ces questions ne permettent pas de déterminer les candidats répondant aux critères de sélection, mais plutôt ceux qui savent bien se mettre en valeur. Elles n'offrent aucune garantie que la personne se comportera ainsi une fois en poste. À moins qu'elles portent spécifiquement sur des connaissances professionnelles à évaluer, comme nous le verrons plus loin, les questions théoriques ou celles qui portent sur des opinions sont donc à éviter. L'encadré 13.4 en propose quelques exemples.

ENCADRÉ 13.4 **Exemples de questions théoriques ou portant sur des opinions, à éviter**

- Qu'est-ce que vous aimez le plus dans le travail ?
- Pourriez-vous me décrire votre patron idéal ?
- Quels genres de relations entretenez-vous au travail ?
- Pouvez-vous travailler sous pression ?
- Êtes-vous capable de respecter des délais serrés ?
- Pourquoi devrions-nous vous embaucher plutôt qu'une autre personne ?
- En quoi êtes-vous qualifié pour ce poste ?
- Que pensez-vous des personnes âgées ?
- Quel genre de discipline croyez-vous qu'il faut pour les enfants et les adolescents ?
- Quels sont, d'après vous, les plus grands défis auxquels les jeunes font face dans notre communauté ?

Les questions portant sur les connaissances professionnelles

Nous avons vu au chapitre 6 que l'obtention d'un diplôme ou l'acquisition d'expérience sont parfois des indicateurs de connaissances ; celles-ci peuvent également être évaluées par des tests, comme nous le verrons au chapitre 14. Mais les entrevues de sélection sont également susceptibles d'être utilisées pour mesurer certaines connaissances. Ainsi, un recruteur peut poser des questions portant sur les connaissances professionnelles, par exemple : « Quelles sont les mesures à prendre lors d'une enquête pour ce genre de plainte ? » ou encore

« Quelle est la cause du mauvais fonctionnement de cette machine ? » Les questions sont spécifiques et propres à chaque profession, de sorte qu'il est difficile d'en dresser une liste complète.

De telles questions sont pertinentes lorsque la compétence que l'on cherche à mesurer relève du savoir, et non de la mise en application de ce savoir. Ainsi, dans l'exemple précédent, on ne demande pas au candidat comment il traiterait personnellement ce genre de plainte, ni s'il l'a déjà fait. On s'attend plutôt à une réponse théorique.

Il est préférable de limiter le recours aux questions portant sur les connaissances.

Poser de telles questions lors d'une entrevue est donc pertinent lorsque le recruteur cherche à s'assurer de la maîtrise de certaines connaissances. Cependant, les questions portant sur les connaissances requièrent une bonne réponse. Elles diffèrent en cela des questions généralement posées en entrevue qui, elles, n'entraînent ni de bonne ni de mauvaise réponse, puisqu'il s'agit de connaître le candidat tel qu'il est. De ce fait, mesurer les connaissances en entrevue ne favorise pas la création d'une atmosphère détendue. Il est donc préférable de limiter le recours à ce genre de questions lors de l'entrevue et de faire plutôt appel à des tests si de nombreuses connaissances doivent être mesurées. Nous aborderons ce point au chapitre 14.

Dans le cas de postes exigeant la connaissance d'une langue étrangère, les recruteurs profitent fréquemment de l'entrevue pour poser des questions dans cette langue. Il s'agit là d'un cas particulier de connaissances pouvant aisément être testées en entrevue. En effet, le fait de poser des questions dans une langue étrangère mesure la capacité à l'utiliser dans le cadre d'une conversation, ce qui relève davantage des habiletés que des seules connaissances.

Les questions portant sur les comportements passés

Question comportementale

▶ *Behavioral question*
Question portant sur la façon dont le candidat s'est comporté par le passé.

Les questions portant sur les comportements passés (parfois appelées **questions comportementales**) sont basées sur l'idée que le rendement antérieur est la meilleure variable permettant de prédire le rendement futur. Ce sont donc des questions qui visent à découvrir les compétences d'un candidat à travers la façon dont il s'est comporté par le passé dans des situations, des contextes ou des tâches similaires. Par exemple, au lieu de demander « Comment réagissez-vous devant un client difficile ? », question théorique, on demandera « Décrivez une situation où vous avez dû composer avec un client difficile. » L'encadré 13.5 donne des exemples de questions portant sur les comportements passés.

La prémisse des questions basées sur le comportement est le fait que le comportement passé est garant du comportement futur.

Il est à noter que les questions comportementales peuvent porter sur des traits de personnalité ou des motivations. Toutefois, de telles questions exigent du candidat qu'il mette en contexte ses traits de personnalité ou ses motivations, qu'il base sa réponse sur une action passée. Ainsi, au lieu de demander à un candidat quels sont ses qualités et ses défauts, on lui demandera plutôt : « Parlez-moi d'une situation où vous avez fait preuve de ce que vous considérez être votre plus grande qualité » ou encore « Nous avons tous des défauts. Décrivez-moi une situation dans laquelle vous avez regretté de posséder un défaut particulier. »

Les questions comportementales invitent le candidat à décrire une situation particulière illustrant la qualité évaluée ; elles sont parfois précédées d'une brève mise en contexte, et suivies de questions complémentaires. Par exemple : « On ne peut pas toujours plaire à tout le monde. Racontez-moi une occasion où vous avez été obligé de prendre une décision impopulaire. […] Quel a été le résultat de cette décision ? »

ENCADRÉ 13.5 **Exemples de questions portant sur les comportements passés, à privilégier**

- Parlez-moi d'une situation récente où vous avez subi plus de stress que d'habitude.

- Vous vous êtes sûrement déjà trouvé dans une situation où vous avez dû faire preuve de persévérance pour surmonter des obstacles. Pouvez-vous me parler d'une de ces situations ?

- Pouvez-vous me parler d'un travail que vous avez fait en équipe ?

- Parlez-moi d'un problème que vous avez rencontré et de la façon que vous l'avez résolu.

- Quelle a été votre plus grande réalisation dans le poste que vous occupiez précédemment ?

- Parlez-moi d'une situation où vous avez dû faire preuve de persuasion pour convaincre quelqu'un de la justesse de votre opinion.

- Pouvez-vous me donner un exemple précis de situation où vous avez dû faire preuve d'autonomie ?

- Décrivez-moi une situation où vous avez eu à vous conformer à un règlement (ou à une politique) avec lequel vous n'étiez pas d'accord.

- Donnez-moi un exemple de situation où vous avez facilement engagé une conversation avec une personne âgée.

- Il nous est arrivé à tous de connaître des échecs. Pouvez-vous me donner un exemple de situation où vous avez essayé quelque chose, mais que vous avez échoué ?

- Pouvez-vous me décrire le moment où vous avez été le plus fier de vous au plan professionnel ?

À partir de l'information obtenue, des questions complémentaires sont posées afin d'éclaircir la situation décrite par le candidat (Pettersen et Durivage, 2006). Elles permettent au recruteur de connaître les détails de la situation, de la tâche, du problème ou du contexte, les mesures que le candidat a prises, ainsi que l'incidence du comportement du candidat. Pour préparer les questions complémentaires, il est généralement utile de se référer au principe STAR qui stipule que les questions doivent permettre de préciser :

- S : la situation ;
- T : la tâche à accomplir ;
- A : les actions menées par le candidat ;
- R : les résultats de ces actions ou les leçons tirées de cette expérience.

Les questions complémentaires ont donc pour but, d'une part, d'aider le candidat à préciser la situation décrite et, d'autre part, de s'assurer que le recruteur obtient toutes les informations nécessaires à l'évaluation de l'entrevue. Le tableau 13.2 présente quelques exemples de questions complémentaires de type STAR.

Gendarmerie royale du Canada
www.rcmp-grc.gc.ca

La méthode STAR est de plus en plus connue et recommandée aux personnes à la recherche d'un emploi qui se préparent à passer des entrevues (à titre d'exemple, voir Gendarmerie royale du Canada, 2005). Ainsi, il est fréquent de croiser en entrevue des candidats qui répondront spontanément à des questions comportementales en utilisant cette méthode. Le tableau 13.3 illustre une réponse complète à une question de type STAR.

TABLEAU 13.2	Exemples de questions complémentaires de type STAR, à privilégier
	Questions
Situation	• De quel genre de situation était-il question ? • Dans quel contexte cela s'est-il passé ? • Qui était avec vous à ce moment-là ? • Quand cela s'est-il passé ? • Était-ce lorsque vous étiez à l'emploi de la compagnie XYZ ? • Pouvez-vous me décrire la situation ?
Tâche	• Quelles étaient vos responsabilités dans ce projet ? • Quelle tâche vous a-t-on confiée spécifiquement ? • Quel était le défi à relever ? • En quoi la tâche évoquée était-elle problématique ? • Quelles étaient les priorités ? • Pouvez-vous me donner un exemple de situation où vous avez fait…
Action	• Quelle a été votre action ? • Qu'avez-vous fait plus précisément ? • Quelle a été votre contribution personnelle à l'ensemble du projet ? • Sur quoi vous êtes-vous basé pour prendre cette décision ? • Comment avez-vous géré cette situation ? • Décrivez précisément comment vous vous y êtes pris pour… • Et qu'avez-vous fait exactement ? • Pouvez-vous préciser ce qui vous a amené à… • Pouvez-vous me donner un exemple de ce que vous avez fait pour arriver à ce résultat ? • Quel rôle avez-vous personnellement joué dans la réalisation de…
Résultats	• Quel en a été le résultat ? • Qu'est-ce que cela a donné ? • Avez-vous atteint vos objectifs ? • Qu'avez-vous accompli ? • Qu'avez-vous appris ? • Si on vous permettait de revenir en arrière, agiriez-vous de la même façon ? • Quel effet a eu votre réaction sur les autres ?

TABLEAU 13.3	Exemple de réponse de type STAR
Question :	*Pouvez-vous me décrire une situation où vous avez dû faire preuve de persuasion ?*
Situation	J'ai été élu président de mon association étudiante lors de ma dernière année de baccalauréat. L'année précédente, plusieurs diplômés avaient eu de la difficulté à se trouver un emploi et...
Tâche	...j'ai décidé de faire du placement étudiant la priorité de mon mandat.
Action	J'ai organisé plusieurs groupes de discussion avec les récents diplômés, et nous en avons conclu que le service de placement de l'Université ne répondait pas assez bien aux besoins des étudiants de notre faculté. J'ai alors pris contact avec le doyen de la faculté pour lui présenter les résultats de notre étude. Il a vraiment fallu que je lui présente des faits concrets, comme les chiffres de placement, pour qu'il accepte de faire quelque chose.
Résultat	Finalement, le doyen a réussi à convaincre le service de placement d'embaucher un conseiller en placement spécifiquement attitré à nos étudiants. L'année suivante, le taux de placement après trois mois était en hausse de 18 %.

Le principal avantage des questions portant sur les comportements passés réside dans le fait qu'il est difficile pour les candidats de deviner ce que l'on attend d'eux et d'inventer des réponses en conséquence. En outre, la mise en contexte de la qualité évoquée rend celle-ci plus facile à comprendre. Par exemple, la situation choisie par le candidat pour illustrer son sens du *leadership* donne au recruteur une idée précise de la correspondance entre la qualité du candidat et celle qui est requise par le poste. Le recruteur a donc une vision plus réaliste des compétences du candidat, telles que démontrées par son comportement passé. Même si l'on n'obtient jamais la garantie absolue que le candidat se comportera ainsi une fois en poste, le fait qu'il ait déjà démontré ses compétences augmente les probabilités de le voir répéter ces comportements.

Il n'en demeure pas moins que les questions portant sur les comportements passés restent difficiles à vérifier. Par exemple, un candidat peut raconter une anecdote qui est arrivée à un autre que lui, ou même qu'il a totalement inventée. Par ailleurs, les questions comportementales ne conviennent pas pour évaluer des compétences très spécifiques au poste ou pour lesquelles il est peu probable que les candidats possèdent des anecdotes pertinentes. Les recruteurs utilisent alors des questions portant sur des situations hypothétiques, des mises en situation.

Les mises en situation

Mise en situation
▶ *Situation scenario*
Présentation d'une situation de travail hypothétique.

Une **mise en situation** décrit une situation de travail hypothétique, mais réaliste, qui cible une ou plusieurs compétences précises. Le recruteur pose la situation, et les candidats doivent expliquer ce qu'ils feraient s'ils y étaient confrontés. L'encadré 13.6 présente quelques exemples de mises en situation.

Afin d'éviter que le candidat ne devine ce qu'il doit répondre, il est recommandé de formuler des mises en situation dont la réponse n'est pas évidente, ou encore qui amènent plusieurs réactions possibles. Une autre stratégie de formulation pour éviter que la réponse attendue soit trop évidente consiste à fournir des renseignements supplémentaires en cours de mise en situation pour évaluer comment le candidat réagit. Les mises en situation en plusieurs étapes sont également privilégiées lorsque l'on cherche à mesurer plusieurs compétences (voir un exemple au tableau 13.4 et à l'annexe A).

ENCADRÉ 13.6 Exemples de mises en situation

En tant que responsable du service à la clientèle d'une entreprise de commerce de détail, vous recevez un appel d'une cliente en colère qui vous explique qu'elle a essayé de joindre votre service pendant plus d'une heure pour obtenir un rapport publié récemment par votre entreprise, mais que la ligne était toujours occupée. Quand, finalement, elle a eu la chance de laisser un message, personne ne l'a rappelée. La cliente veut parler à votre supérieur. Que faites-vous ?

Vous assistez à une présentation d'un de vos collègues, connu pour son manque de confiance en lui. À votre avis, la présentation n'était pas très réussie : votre collègue s'est embourbé dans de longues explications techniques qui n'intéressaient pas vraiment l'auditoire ; il n'a pas su mettre en évidence les éléments essentiels de sa conclusion ; et, pour couronner le tout, il n'est pas très à l'aise à l'oral et a souvent bredouillé. Votre collègue vous demande ce que vous avez pensé de sa présentation. Que lui répondez-vous ?

À titre d'éducateur au service de garde d'une école primaire, vous êtes seul en charge d'un groupe de 12 enfants d'environ 8 ans, parmi lesquels certains souffrent de troubles de comportement importants. Aujourd'hui, vous aviez prévu une activité sportive : une partie de ringuette. Toutefois, en arrivant au gymnase, vous vous apercevez que le local où se trouve le matériel sportif est verrouillé et que personne n'a la clé. Vous n'avez pas la possibilité de changer de local ou d'aller à l'extérieur et vous devez occuper les enfants pendant une heure. Que faites-vous ?

Samedi soir, 17 h 30, vous venez de commencer votre quart de travail en tant qu'assistant-gérant d'un club vidéo ; c'est la soirée la plus occupée de la semaine. Vous êtes à peine arrivé, qu'un employé vous informe que Julie et Pierre sont malades et, par conséquent, qu'ils ne travailleront pas ce soir. Vous n'avez pas le temps de réagir qu'une quinzaine de clients entrent tour à tour dans le magasin en vous demandant des informations et en vous questionnant sur les meilleurs films à louer.

Un client s'approche, visiblement en colère, et exige de se faire rembourser immédiatement l'appareil *Illico* qu'il a acheté la semaine dernière. Vous tentez de lui expliquer que les politiques du magasin n'autorisent que les échanges, mais il ne veut rien entendre. Vous apercevez, en même temps, une personne qui vient de glisser un magazine dans son manteau près du kiosque à friandises. Le téléphone ne cesse de sonner, la file d'attente commence à s'étirer de plus en plus, les clients se plaignent... et deux de vos employés sont dans une rangée en train de parler de leur soirée d'hier et ne remarquent pas l'urgence de la situation. Que faites-vous ?

Vous êtes enseignant en alphabétisation auprès d'une clientèle d'immigrants. Vous remarquez qu'un des apprenants s'absente beaucoup sans raison apparente. Que faites-vous ?

Une mise en situation permet de mettre le candidat dans le contexte du poste.

L'avantage des mises en situation est de s'inscrire dans le contexte précis du poste à pourvoir, contrairement aux questions comportementales qui laissent la personne choisir l'anecdote qu'elle relate. Or, les situations ou contextes évoqués par les candidats lorsqu'ils répondent aux questions comportementales ne sont pas toujours liés à l'emploi, surtout s'ils ont peu d'expérience professionnelle. Par ailleurs, les mises en situation donnent au candidat une idée réaliste du type d'incident qu'il pourrait rencontrer au travail.

TABLEAU 13.4	Exemple d'une mise en situation par étapes
	Mise en situation
Étape 1	Vous êtes éducateur dans un camp de jour et, ce matin, vous êtes chargé de surveiller la récréation. Un petit garçon de 6 ans vient vous voir en pleurs en vous disant qu'Éric, âgé de 7 ans, l'a frappé violemment dans la cour d'école. C'est maintenant la troisième fois qu'un enfant se plaint de l'agressivité du petit Éric. Quels gestes posez-vous ?
Étape 2	Au moment où vous vous approchez d'Éric, il tente de se sauver. Que faites-vous ?
Étape 3	Vous réussissez à parler à Éric, mais il ne semble pas du tout intéressé par ce que vous avez à lui dire ; il semble même trouver l'incident plutôt drôle. Comment réagissez-vous ?
Étape 4	Finalement, vous réussissez à lui faire prendre conscience de la gravité de son geste. Il vous avoue que son papa le frappe à la maison lorsqu'il ne fait pas ce qu'on lui demande. Que faites-vous ?

Malgré leurs nombreux avantages, les mises en situation demeurent abstraites dans la mesure où l'on demande au candidat d'indiquer ce qu'il ferait, et non d'exécuter cette action. Or, il arrive que l'on puisse concevoir des mises en situation tellement réalistes qu'elles invitent le candidat à poser eux-mêmes les gestes. On parle alors de jeux de rôle.

Les jeux de rôle

Jeu de rôle
▶ *Role play*
Exercice permettant au candidat d'entrer dans la peau d'un personnage.

Les **jeux de rôle** sont la forme la plus sophistiquée de mise en situation, puisqu'ils permettent au candidat d'entrer dans la peau d'un personnage et d'agir de la même façon qu'en situation réelle. Par exemple, pour un poste de formateur en alphabétisation, on peut demander aux candidats de préparer et d'animer une leçon d'une quinzaine de minutes sur une règle de grammaire de leur choix. On laisse alors à chaque candidat un temps de préparation et on lui demande de jouer le rôle qui lui a été fixé.

L'encadré 13.7 présente d'autres exemples simples de jeux de rôle, mais ceux-ci peuvent cependant être beaucoup plus élaborés selon les compétences mesurées. Au chapitre 14, nous aurons d'ailleurs l'occasion de revenir sur des jeux de rôle plus complexes.

Un jeu de rôle est la forme la plus réaliste de mise en situation.

Le but d'un jeu de rôle est de simuler de façon réaliste un contexte de travail afin d'observer les réactions des candidats dans une situation donnée. La description du contexte fournie au candidat constitue un point de départ, mais les intervenants dans le jeu de rôle peuvent par la suite ajouter des informations pour tester la réaction du candidat. Il est donc très difficile pour ce dernier de feindre un comportement ou d'inventer des réponses.

Le jeu de rôle est le type de questions d'entrevue qui se rapproche le plus de la réalité du monde du travail, de sorte qu'il est facile de transférer les réponses ou les réactions du candidat dans le contexte réel du poste. Malheureusement, toutes les compétences ne se prêtent pas aux jeux de rôle, de sorte que ceux-ci complètent généralement des entrevues composées de questions plus classiques.

ENCADRÉ 13.7 **Exemples de jeux de rôle**

Nous aimerions maintenant passer à un jeu de rôle dans lequel nous vous demandons d'assumer le rôle d'un représentant pour notre compagnie. Voici la description d'un produit de grande consommation que nous venons de lancer [*remettre au candidat les documents descriptifs*]. Nous vous laissons 10 minutes pour en prendre connaissance. Par la suite, je jouerai le rôle d'un gérant de magasin que vous devrez convaincre d'acheter le produit. Vous disposerez pour cela de 15 minutes.

Vous allez jouer le rôle d'un gérant de librairie. Un client demande à vous voir immédiatement pour vous faire part d'un problème. Il a téléphoné la semaine dernière pour réserver une copie du dernier livre de Harry Potter. Malheureusement, quand il est venu à la date prévue pour chercher son exemplaire, on lui a dit qu'il n'y avait aucun livre mis de côté pour lui. Comble de malheur, toutes les copies que vous aviez en inventaire ont été vendues. Le client, dont je jouerai le rôle, est furieux.

Je vous demande de vous mettre dans le rôle d'un chef de département qui doit rencontrer un de ses employés, Jean Turcotte. Voici le dossier de M. Turcotte [*donner le dossier au candidat*]. Comme vous le verrez en lisant les documents qui y figurent, M. Turcotte ne vous donne pas satisfaction. Il a eu plusieurs absences non justifiées au cours des six derniers mois et est arrivé en retard à plusieurs occasions. Ce comportement a continué malgré plusieurs avertissements verbaux et un avertissement écrit de votre part. Cette entrevue est la dernière chance que vous lui laissez avant d'entamer des mesures disciplinaires punitives. Vous avez 10 minutes pour prendre connaissance du dossier ; par la suite, vous procéderez à la rencontre avec votre employé. Je jouerai le rôle de M. Turcotte.

Durant les prochaines minutes, je vous demande de jouer le rôle d'un journaliste de notre salle des nouvelles. Une entrevue est prévue avec le maire de la ville pour discuter des projets de réaménagement d'un quartier ; or, le journaliste qui devait assurer cette entrevue vient de téléphoner pour annoncer qu'il est malade. Le maire est déjà en route et il n'est pas possible de reporter l'entrevue. C'est donc vous qui allez devoir remplacer votre collègue au pied levé. Voici le dossier de presse [*remettre les documents au candidat*]. Vous disposez de 15 minutes pour en prendre connaissance. Par la suite, vous aurez 20 minutes pour votre entrevue avec le maire, joué par moi.

1.3 La meilleure combinaison de questions d'entrevue

Le tableau 13.5 récapitule les avantages et inconvénients des différents types de questions d'entrevue. Il montre que, même si plusieurs types de questions peuvent être efficaces pour mesurer les compétences d'un candidat, aucune n'est sans défaut. Il est donc généralement préférable de les combiner pour évaluer un ensemble de compétences données, car le mélange permet de multiplier les types de mesure et de réduire ainsi le risque d'erreur. Le type d'entrevue le plus approprié est donc l'entrevue semi-structurée, incluant des questions comportementales – et, occasionnellement, des questions portant sur les connaissances – complétées par des mises en situation et des jeux de rôle.

TABLEAU 13.5 Avantages et inconvénients des types de questions d'entrevue

	Avantages	Inconvénients
Questions portant sur les traits de personnalité	• Faciles à préparer ; • Recruteur et candidat habitués à ces questions.	• Facile de deviner ce que le recruteur veut entendre ; • Réponses impossibles à vérifier ; • Traits de personnalité définis différemment selon les personnes.
Questions portant sur les motivations	• Faciles à préparer ; • Recruteur et candidat habitués à ces questions ; • Mesurent le réalisme des attentes du candidat.	• Facile de deviner ce que le recruteur veut entendre ; • Réponses impossibles à vérifier.
Questions théoriques ou portant sur les opinions	• Faciles à préparer.	• Facile de deviner ce que le recruteur veut entendre ; • Repèrent les candidats qui savent bien se mettre en valeur ; • Ne garantit pas le comportement du candidat s'il est embauché.
Questions portant sur les connaissances professionnelles	• Pertinentes lorsque la compétence à mesurer relève du savoir.	• Ne favorisent pas la création d'une atmosphère détendue ; • Ne garantit pas le comportement du candidat s'il est embauché.
Questions portant sur les comportements passés	• Difficile de deviner ce que le recruteur veut entendre ; • Difficile d'inventer des réponses ; • Mettent en contexte la compétence mesurée ; • Réponses plus faciles à vérifier ; • Augmentent la probabilité que le candidat se comportera ainsi s'il est embauché.	• Ne conviennent pas pour toutes les compétences à évaluer ; • Exemples de comportements choisis par le candidat pas toujours liés à l'emploi.
Mises en situation	• S'inscrivent dans le contexte précis du poste.	• Réponses abstraites.
Jeux de rôle	• Se rapprochent le plus de la réalité ; • Augmentent la probabilité que le candidat se comportera ainsi s'il est embauché ; • Permettent d'observer réellement la performance.	• Ne conviennent pas à toutes les compétences à évaluer.

Chaque question, mise en situation et jeu de rôle doit permettre d'évaluer une ou plusieurs compétences définies grâce à l'analyse de poste. Cela signifie que le guide d'entrevue doit être conçu de façon à couvrir systématiquement les critères de sélection déterminés à la suite de l'analyse de fonction et du profil de compétences. La section suivante détaille la préparation de l'entrevue, incluant l'élaboration d'un guide d'entrevue et d'une grille d'évaluation des candidats.

2. La préparation de l'entrevue

Tel qu'il a été mentionné au début de ce chapitre, une entrevue de sélection ne s'improvise pas. La préparation de l'entrevue commence dès les premières étapes du processus de dotation, notamment avec l'analyse de fonction, le profil de compétences et la liste de critères de sélection. Les informations contenues dans ces documents permettent de rédiger un guide d'entrevue, comprenant l'ensemble des questions qui seront posées à tous les candidats.

2.1 Le guide d'entrevue

Comme nous l'avons vu précédemment, le guide d'entrevue idéal comprend des questions comportementales, des mises en situation et des jeux de rôle, tous basés sur les compétences requises par le poste. Le défi est d'organiser ces questions de façon à couvrir l'ensemble des critères de sélection tout en mesurant plus d'une fois les compétences importantes et indispensables, et cela dans une entrevue d'une durée de 40 à 60 minutes.

La conception des questions

La conception des questions d'entrevue prend son point de départ dans les compétences requises par le poste. Tel que mentionné au chapitre 6, les compétences sont réparties en trois groupes : les atouts, les compétences importantes et les compétences indispensables. La planification du processus de dotation (chapitre 7) tient compte de ces trois groupes, puisqu'elle prévoit de multiples mesures pour les compétences indispensables et importantes et, généralement, une seule mesure pour les atouts.

Le même raisonnement s'applique lors de la conception des questions d'entrevue. Après avoir déterminé les compétences qui seront mesurées lors de l'entrevue (voir chapitre 7), la personne responsable du développement des questions doit s'assurer de mesurer de multiples façons les compétences jugées primordiales.

Le recruteur définit des comportements inhérents aux critères de sélection.

Une fois qu'il a dressé la liste des critères de sélection à évaluer lors de l'entrevue, le recruteur doit définir des comportements inhérents à ces compétences ou des situations d'emploi dans lesquelles ces compétences se manifestent. Prenons l'exemple de la compétence « capacité à planifier ». Le recruteur devra se demander ce que font les bons et les mauvais planificateurs, quels genres d'activités doivent être planifiés et quelle est leur complexité, quels sont les obstacles liés à la planification dans le cadre précis de ce poste (Gouvernement du Canada, s. d.).

L'encadré 13.8 fournit des exemples de questions pour approfondir les compétences à mesurer. Ces réflexions permettent au recruteur de concevoir des questions plus précises et plus pertinentes que la simple interrogation « Diriez-vous que vous êtes un bon planificateur ? » ou même « Pouvez-vous me donner un exemple de situation où vous avez dû faire preuve de capacité à planifier ? » Les questions issues de cette réflexion peuvent être, par exemple : « Pouvez-vous me parler d'un événement sportif que vous auriez eu à planifier ? », « Vous est-il déjà arrivé d'avoir à organiser une activité sans disposer du budget nécessaire à ce que vous aviez initialement prévu ? », « Comment avez-vous réussi à planifier votre temps à l'époque où vous occupiez deux emplois à temps plein tout en vous préparant au concours d'entrée au Conservatoire de musique ? »

ENCADRÉ 13.8 **Exemples de questions permettant de préciser les compétences**

- De quelle façon ou de quelle manière le candidat peut-il démontrer qu'il possède la compétence requise ?

- De quelle façon la possession de cette compétence se manifeste-t-elle ?

- Que font les employés qui possèdent cette compétence ?

- Que ne font pas (ou ne peuvent pas faire) les employés qui ne possèdent pas cette compétence ?

- Dans quelles situations fait-on preuve de cette compétence ?

- Quelle est l'incidence de cette compétence sur le poste ?

- À quoi tient l'efficacité de l'employé dans la mise en œuvre de cette compétence ?

- Qu'est-ce qui différencie le comportement adopté par un bon employé de celui adopté par un mauvais employé ?

La conception des questions se fait en étroite collaboration avec des experts du poste.

Incident critique
▶ *Critical incident*
Événement marquant, représentatif d'un poste.

La conception des questions, et plus particulièrement des mises en situation et des jeux de rôle, se fait en étroite collaboration avec des experts du poste : titulaires, superviseurs, formateurs. En effet, tant les mises en situation que les jeux de rôle doivent se baser sur des incidents pouvant réellement être vécus par les titulaires du poste. Le recruteur travaille alors avec des experts de contenu pour déterminer des **incidents critiques,** c'est-à-dire des situations étant déjà survenues dans la fonction, qui permettent de démontrer la possession d'une compétence particulière. Ces incidents critiques sont la base des mises en situation et des jeux de rôles.

Dans un premier temps, il est toujours préférable de générer plus de questions que nécessaire pour mesurer une même compétence. Parmi les questions générées, certaines peuvent être formulées négativement de façon à ne pas aborder que les côtés positifs du candidat. Par exemple, si la compétence à évaluer est le respect des règlements, il est logique de prévoir des questions telles que « Pouvez-vous me donner un exemple de situation où le fait de respecter un règlement a posé une contrainte importante à votre action ? » Cependant, cette question ne reflète qu'un seul aspect du candidat : le respect des règlements. Or, il peut être pertinent de savoir dans quelles circonstances le candidat transgresse les règles. Afin d'avoir une vision plus complète de cet élément, on lui posera alors la question «Pouvez-vous me décrire une situation où vous avez dû transgresser un règlement pour résoudre un problème?» Cette formulation, perçue comme négative pour le candidat, amène ce dernier à dévoiler un comportement qui, de prime abord, ne semble pas le dépeindre sous son meilleur jour.

Les questions retenues sont choisies en fonction du nombre de mesures désirées pour la compétence, de la clarté ou de la pertinence de la question, ainsi que de sa capacité à mesurer en même temps d'autres compétences. Le recruteur pourra utiliser la grille présentée à titre d'exemple au tableau 13.6 pour choisir les questions à retenir.

À l'issue de l'exercice de formulation et du choix des questions, le recruteur possède donc une liste de questions, mises en situation et jeux de rôle qui mesurent différentes compétences. Cette liste constitue le plan ou le résumé du guide d'entrevue, comme le montre le tableau 13.7.

Ce résumé du guide d'entrevue permet de s'assurer que toutes les compétences pertinentes sont mesurées, et que celles qui sont importantes ou indispensables sont mesurées plus d'une fois. Cependant, afin de finaliser le guide d'entrevue, il faut veiller à ce que les questions soient correctement formulées.

TABLEAU 13.6 **Différents exemples de questions pour une même compétence**

Compétence à mesurer	Questions possibles	Compétences également mesurées
Capacité à réagir positivement à la critique	• Quand avez-vous été critiqué pour la dernière fois? Comment avez-vous réagi?	
	• Parlez-moi d'une situation où vous avez fait une grosse erreur. Qu'en avez-vous appris?	• Capacité à apprendre de ses erreurs
	• Vous est-il déjà arrivé de vous faire critiquer injustement? Comment avez-vous réagi?	
	• Vous est-il déjà arrivé de vous faire critiquer pour avoir enfreint les règles, même si votre action a donné un résultat positif?	• Respect des règles
	• Votre directeur vous a demandé la semaine dernière un rapport très important pour lequel il vous était nécessaire d'obtenir des statistiques provenant du département de production. Malheureusement, vous n'avez reçu ces statistiques qu'hier, de sorte que vous n'avez pas pu les vérifier et que vous avez passé la nuit à rédiger le rapport. Or, ce matin, votre directeur vous informe qu'il est très insatisfait de votre travail, car le rapport est bâclé et truffé de fautes. Comment réagissez-vous?	• Capacité à travailler en équipe • Capacité à gérer le stress • Respect de l'autorité

TABLEAU 13.7 Plan du guide d'entrevue

	Résumé de la question	Compétences mesurées
Question 1	Expérience dans le domaine du service à la clientèle.	• Orientation vers le client • Communication interpersonnelle
Question 2	Situation où le candidat a eu à évaluer le rendement d'un collègue ou d'un subordonné.	• Gestion et établissement d'indicateurs de performance • Communication interpersonnelle
Question 3	Situation où le candidat a outrepassé les procédures organisationnelles afin de satisfaire un client.	• Orientation vers le client • Capacité de jugement et d'analyse • Respect des procédures • Capacité à gérer des clients difficiles
Question 4	Situation où le candidat a eu à gérer un cas d'employé qui pose problème.	• Gestion et établissement d'indicateurs de performance • Communication interpersonnelle
Mise en situation	Journée très chargée, beaucoup de clients dont un client difficile (veut rapporter un produit et se faire rembourser). Employés présents discutent entre eux au lieu de s'occuper des clients.	• Méthode • Aptitudes à la planification • Capacité à gérer des clients difficiles • Orientation vers le client • Capacité de jugement et d'analyse
Jeu de rôle	Jeu de rôle en anglais; client difficile (refuse de payer des frais qui lui ont été facturés).	• Capacité à gérer des clients difficiles • Orientation vers le client • Écoute • Capacité de jugement et d'analyse • Communication interpersonnelle • Anglais

La formulation des questions

Le but des questions posées en entrevue est de vérifier que le candidat possède les compétences requises pour le poste. Il est donc essentiel que le candidat comprenne bien les questions afin qu'il puisse y répondre le mieux possible. Par ailleurs, il est important que les questions soient posées de façon neutre afin de ne pas guider le candidat vers la réponse attendue. Quelques règles sont donc à retenir pour la formulation des questions.

- Utiliser un vocabulaire clair et précis.
- Éviter le jargon, en particulier le jargon propre à l'entreprise.
- Privilégier les questions courtes.
- Faire une mise en contexte d'une phrase ou deux avant de poser la question, si nécessaire.
- Éviter de poser plusieurs questions en même temps.
- Commencer par une question générale, et poser ensuite des questions complémentaires pour éclaircir les réponses ambiguës.
- Prévoir dans le guide d'entrevue une reformulation des questions qui semblent ambiguës.
- Privilégier une formulation neutre qui évite de suggérer une réponse.

Il est parfois difficile de rédiger des questions claires, simples et neutres, comme le montrent les exemples présentés au tableau 13.8. Il peut donc être utile de faire relire les questions à des experts de contenu pour en vérifier la formulation. Une fois que les questions sont conçues et formulées, la dernière étape est la rédaction du guide d'entrevue qui sera utilisé pour tous les candidats. Cela fait l'objet de la section suivante.

La présentation du guide

Les candidats sont généralement nerveux lors de l'entrevue de sélection, mais le rôle du recruteur est lui aussi générateur de nervosité et de trac. Le recruteur doit à la fois conduire et contrôler l'entrevue, tout en écoutant les réponses du candidat, en observant son comportement non verbal et en prenant des notes, il doit anticiper la question suivante, prévoir les questions soulevées par le candidat… Bref, mener une entrevue de sélection est exigeant, surtout pour les recruteurs peu expérimentés.

Dans un tel contexte, le guide d'entrevue doit être présenté de façon à faciliter le plus possible la tâche du recruteur. Il doit être clair et organisé en fonction du déroulement chronologique de l'entrevue, prévoir un espace pour prendre des notes et fournir des directives au recruteur (Pettersen et Durivage, 2006).

Ainsi, le guide d'entrevue comprend généralement :

- Une page couverture indiquant le titre du poste à pourvoir, la date, les noms du candidat et des membres du comité de sélection.
- Une section « Introduction » qui rappelle les points à aborder en début d'entrevue : bref échange avec le candidat, présentation des membres du comité, informations sur le déroulement de l'entrevue et la prise de notes, etc.
- Les questions, suivies, le cas échéant, des reformulations possibles et des questions complémentaires.
- Un espace pour prendre des notes après chaque question.
- Une copie, sur une feuille séparée, des instructions pour les jeux de rôle et les mises en situation, afin de pouvoir les remettre au candidat.
- Une section « Conclusion » pour rappeler au recruteur de clore l'entrevue en remerciant le candidat, en l'invitant à poser des questions et en l'informant des prochaines étapes du processus de sélection.
- Éventuellement, une liste de réponses à des questions pouvant être posées par le candidat sur le poste, sur les conditions de travail ou sur l'entreprise.

Un exemple de guide d'entrevue est fourni à l'annexe A. Cependant, le seul fait de rédiger un guide d'entrevue comprenant les questions posées à tous les candidats sans exception ne suffit pas pour avoir une entrevue structurée ou semi-structurée. Encore faut-il que les réponses des candidats soient évaluées de façon uniforme, en fonction de critères établis au préalable. C'est là l'utilité de la grille d'évaluation des candidats.

TABLEAU 13.8 Exemples de questions d'entrevue à reformuler

Formulation initiale	Critique	Amélioration suggérée
Parlez-moi des organisations avec lesquelles vous avez déjà cherché sans succès à collaborer et expliquez-moi pourquoi cela n'a pas fonctionné.	Question longue ; plusieurs questions en même temps.	Parlez-moi des organisations avec lesquelles vous avez déjà cherché à collaborer. Questions complémentaires : – Avez-vous réussi à obtenir leur collaboration ? – Pourquoi ?
J'imagine que vous avez pris cette décision parce que vous croyiez qu'elle produirait le plus faible taux d'erreur.	Formulation suggestive.	Pourquoi avez-vous pris cette décision ? Quel était votre objectif en prenant cette décision ?
Pouvez-vous me donner un exemple de situation dans laquelle vous avez eu à gérer un «employé-problème»?	L'expression «employé-problème» peut-être mal comprise.	Prévoir une reformulation si la question n'est pas comprise. Exemple : Pouvez-vous me donner un exemple de situation dans laquelle vous avez eu à gérer un employé qui ne respectait pas les règles à suivre ou qui avait un comportement inadéquat ?
Dans notre entreprise, nous travaillons presque toujours en équipe. Préférez-vous travailler seul, en petite équipe ou en grand groupe ?	Formulation suggestive.	Dans vos expériences passées, avez-vous surtout travaillé seul, en petite équipe ou en grand groupe ? Questions complémentaires : – Quel mode d'organisation préférez-vous ? Pourquoi ? – Parlez-moi d'une difficulté que vous avez vécue lors d'un travail en équipe.
Pouvez-vous me parler d'une situation professionnelle où les règlements vous ont empêché de réaliser ce que vous souhaitiez ?	Comme il s'agit d'une question pouvant être perçue négativement, il est préférable de la mettre en contexte.	Nous sommes dans une industrie très réglementée et il arrive parfois que certains projets soient retardés, voire annulés, en raison de ces contraintes. Pouvez-vous me parler d'une situation professionnelle où les règlements vous ont empêché de réaliser ce que vous souhaitiez ?

2.2 La grille d'évaluation des candidats

L'évaluation des réponses des candidats doit suivre des critères établis pour s'assurer, d'une part, qu'ils répondent aux attentes pour chacune des compétences mesurées et, d'autre part, qu'il est possible de les comparer les uns aux autres. Pour cela, il est nécessaire de dresser, pour chaque compétence, une échelle d'évaluation comportant des points de référence (ou échelons)

L'évaluation des candidats se fait à l'aide d'une échelle comportant des points de référence précis.

précis et déterminés à l'avance (Campion, Palmer et Campion, 1997). Si, par exemple, le poste requiert de parler anglais couramment, on attribuera la note maximale à un candidat qui s'exprime parfaitement bien en anglais, et la note minimale à celui qui s'exprime avec difficulté et en commettant des fautes.

Il n'existe pas de norme précise quant au nombre d'échelons, mais les recruteurs en utilisent généralement quatre ou cinq. Chacun de ces échelons doit être défini le plus précisément possible, en utilisant des exemples de comportements. Les tableaux 13.9 et 13.10 présentent deux exemples d'échelles d'évaluation.

TABLEAU 13.9 Exemple d'échelle d'évaluation de la compétence «Service à la clientèle»

Situation

En tant que responsable du service à la clientèle d'une entreprise de commerce de détail, vous recevez un appel d'une cliente en colère qui vous explique qu'elle a essayé de joindre votre service pendant plus d'une heure pour obtenir un rapport publié récemment par votre entreprise, mais que la ligne était toujours occupée. Quand, finalement, elle a eu la chance de laisser un message, personne ne l'a rappelée. La cliente veut parler à votre supérieur. Que faites-vous?

1	2	3	4	5
Réponse du candidat: «Je dis à la cliente que je transmets tout de suite sa demande à mon supérieur et que je vais lui demander de la rappeler quand il aura le temps.»		*Réponse du candidat:* «J'explique à la cliente que je comprends la situation, mais que mon supérieur est très occupé et que je ne sais pas quand il pourra la rappeler. J'informe ensuite mon supérieur du problème.»		*Réponse du candidat:* «Je présente des excuses à la cliente et je lui explique qu'il n'est pas nécessaire qu'elle parle à mon supérieur, car je peux m'occuper de son problème.»

Source: Gouvernement du Canada, s. d.

TABLEAU 13.10 Exemple d'échelle d'évaluation de la compétence «Capacité à servir une clientèle multiculturelle»

Compétence absente	Compétence partiellement démontrée	Compétence bien démontrée	Compétence fortement démontrée
N'a jamais travaillé avec une clientèle multiculturelle 0	1	2	Plusieurs années d'expérience auprès d'une clientèle multiculturelle 3
Ne démontre aucune sensibilité à la dimension multiculturelle de la mise en situation 0	1	2	Saisit l'importance de la dimension multiculturelle de la mise en situation 3
S'adresse à tous les clients de la même façon, sans égard à leur culture 0	1	2	Répond en prenant en compte les aspects culturels 3

Comme pour la conception et la formulation des questions, les experts de contenu se révèlent d'une grande utilité lors de la détermination des échelles d'évaluation des entrevues. En effet, celles-ci doivent correspondre au niveau attendu de maîtrise de la compétence de la part d'un nouvel employé; si les échelles sont trop sévères ou trop clémentes, il sera impossible de départager les candidats.

Par ailleurs, la grille d'évaluation qui accompagne le guide d'entrevue doit inclure suffisamment d'espace pour que l'évaluateur puisse prendre des notes afin de justifier sa décision. Un exemple de grille d'évaluation est fourni à l'annexe B.

Un élément important de la grille d'évaluation est la pondération accordée à chaque compétence mesurée. En effet, la grille d'évaluation doit tenir compte, d'une part, de l'importance de la compétence dans le profil du poste (voir chapitre 6) et, d'autre part, du nombre de mesures effectuées pour chacune des compétences. Le tableau 13.11 fournit un exemple de pondération des questions d'entrevue pour un poste de réceptionniste. Dans cet exemple, toutes les réponses aux questions ont été évaluées sur des échelles à 4 niveaux, de sorte que l'on obtient des cotes sur 4. Cependant, certains critères de sélection comme le jugement et l'initiative, l'écoute, le service au client et la connaissance du français et de l'anglais correspondent à des compétences indispensables pour le poste. Ils ont donc été mesurés plusieurs fois et doivent peser lourd dans l'évaluation finale des candidats. Le critère « organisation » a été jugé comme important lors de la détermination du profil de compétences, tandis que l'expérience de travail a été considérée comme un atout. Ces deux dimensions n'ont donc été mesurées qu'une seule fois pendant l'entrevue, et leur poids dans l'évaluation des candidats doit être moins important.

Pour refléter le poids relatif de chaque compétence, une cote pondérée est attribuée à chaque question. Ainsi, le recruteur qui a bâti la grille d'évaluation a jugé que la dimension « écoute », observée à trois reprises durant l'entrevue, était mesurée de la façon la plus adéquate lors de la mise en situation. La pondération de cette dimension lors de la mise en situation est donc de 2, de sorte que la dimension « écoute » est notée sur 8 dans la mise en situation, alors qu'elle est notée sur 4 dans la question 3 et dans le jeu de rôle. Lorsque l'on tient compte des trois mesures (mise en situation, question et jeu de rôle), la dimension « écoute » obtient une note sur 16. En revanche, l'expérience de travail, qui n'était, rappelons-le, qu'un atout, est notée sur 8.

Une telle pondération peut paraître fastidieuse, mais elle permet d'accorder à chaque réponse un poids réaliste par rapport au profil de compétences recherché. Comme nous le verrons dans la suite de ce chapitre, l'évaluation des réponses ainsi que la détermination des cotes pondérées se fait à l'issue de chaque entrevue.

TABLEAU 13.11 **Exemple de pondération des notes d'entrevue**

Dimension mesurée	Question	Cote	Cote pondérée
Expérience de travail	Question 1	/4	/8
Jugement et initiative	Question 2	/4	/4
	Mise en situation	/4	/8
	Jeu de rôle	/4	/4
Connaissance de l'anglais	Question 2	/4	/8
	Jeu de rôle	/4	/8
Écoute	Question 3	/4	/4
	Mise en situation	/4	/8
	Jeu de rôle	/4	/4
Service au client	Question 3	/4	/4
	Mise en situation	/4	/4
	Jeu de rôle	/4	/8
Organisation	Mise en situation	/4	/12
Connaissance du français	Question 1	/4	/4
	Question 4	/4	/4
	Mise en situation	/4	/8
	Total:		**/100**

2.3 Le comité de sélection

L'importance du rôle des experts de contenu au moment de l'élaboration du guide d'entrevue et de la grille d'évaluation des candidats a été mentionnée à plusieurs reprises. Dans les faits, les personnes consultées à ces étapes sont souvent invitées à faire partie du comité de sélection, c'est-à-dire à rencontrer et à évaluer les candidats. Le fait de recourir à un comité de sélection plutôt qu'à un recruteur unique augmente l'efficacité de l'entrevue tout en diminuant les risques de discrimination (Campion, Palmer et Campion, 1997 ; Clayton, 1987 ; Williamson *et al.*, 1997). Cependant, dans les cas où un processus de sélection comprend plusieurs entrevues, le comité n'est pas nécessairement le même d'une fois à l'autre. Par exemple, on pourra demander à un collègue de travail de participer à l'entrevue portant spécifiquement sur les compétences techniques, et au superviseur d'être présent à l'entrevue finale mesurant les attitudes.

Un comité de sélection est généralement composé de deux à trois membres.

Un comité de sélection est généralement composé de deux à trois membres et est présidé par un recruteur, un professionnel en gestion des ressources humaines ou, dans le cas des petites entreprises, par le propriétaire ou le dirigeant de l'organisation. Les membres du comité de sélection sont consultés au moment de la préparation de l'entrevue, mais c'est le spécialiste en recrutement ou le professionnel en gestion des ressources humaines qui se charge de concevoir les documents, de contacter les candidats et de gérer l'organisation logistique des entrevues. C'est également à lui de prévoir les règles de fonctionnement du comité, notamment les règles de prise de décision au sujet des candidats.

Même s'il n'existe pas de règles précises quant à la formation d'un comité de sélection, certains principes méritent d'être respectés :

- Les membres du comité doivent pouvoir consacrer du temps au processus de dotation, car ce sont les mêmes personnes qui rencontrent tous les candidats. Cependant, leur rôle peut varier en fonction de leur emploi du temps. Ainsi, certains membres peuvent être invités à participer aux entrevues, mais ne pas avoir été impliqués dans le développement du guide.
- La participation à un comité de sélection doit être volontaire afin que les membres du comité soient motivés par cette tâche.
- La connaissance de l'emploi, ou d'une dimension particulière de l'emploi, est indispensable pour faire partie d'un comité de sélection. Cela est particulièrement important pour des emplois techniques pour lesquels plusieurs connaissances pointues doivent être mesurées. Les experts de l'emploi seront aussi spécifiquement mis à contribution dans l'évaluation des jeux de rôle.
- La formation des comités de sélection doit représenter, autant que possible, la composition souhaitée de la main-d'œuvre de l'organisation. Par exemple, une entreprise qui souhaite augmenter sa proportion de travailleurs issus de l'immigration a tout intérêt à inclure dans ses comités de sélection des membres de communautés culturelles. Cette présence permet de limiter les biais dans l'évaluation des candidats, notamment en ce qui concerne les attitudes. Nous reviendrons sur ce point un peu plus loin.
- Les membres d'un comité doivent tous suivre une formation avant les entrevues, surtout s'ils ont peu l'habitude de participer à des sélections. Cette formation a pour but de rappeler les caractéristiques du poste, de définir les compétences recherchées, de présenter le guide d'entrevue et la grille d'évaluation et, surtout, d'éviter les questions malheureuses, voire illégales. La formation est généralement confiée au professionnel en ressources humaines ou au recruteur qui préside le comité.
- Les membres du comité doivent se réunir avant de rencontrer les candidats pour se répartir les rôles durant l'entrevue et ainsi donner une impression de professionnalisme. Cette réunion sera l'occasion de relire les curriculum vitæ retenus et d'ajuster au besoin le guide d'entrevue. Généralement, la réunion préparatoire a lieu immédiatement avant la première entrevue.

Une fois que le comité de sélection est créé et que les documents d'évaluation sont conçus, il reste au recruteur à préparer le déroulement logistique des entrevues.

2.4 La préparation logistique des entrevues

Après avoir choisi les personnes à rencontrer en entrevue (voir chapitre 12), le recruteur doit établir un calendrier d'entrevues en fonction des disponibilités des membres du comité et des candidats. Comme il arrive fréquemment que les personnes rencontrées occupent déjà un emploi dont elles ne peuvent facilement s'absenter, les entrevues se déroulent souvent le soir ou tôt le matin. Dans ce cas, le recruteur doit s'assurer qu'une personne (réceptionniste, secrétaire, agent de sécurité) sera présente pour accueillir les candidats et prévoir un endroit confortable où ceux-ci pourront attendre avant l'entrevue.

La durée d'une entrevue est difficile à prévoir, car certaines personnes sont plus volubiles que d'autres. En outre, à la période de l'entrevue s'ajoute le temps d'évaluation, puisque le comité de sélection procédera à l'évaluation de chacun des candidats immédiatement après son départ. Ainsi, dans le cas où plusieurs entrevues se succèdent, il est conseillé de prévoir un laps de temps d'au moins 15 minutes entre les rencontres. Cette période pourra servir à rattraper un retard, le cas échéant. Il est en effet important que les entrevues aient lieu à l'heure convenue afin de projeter une image de professionnalisme et de respect des candidats.

Le lieu où se déroule l'entrevue doit être privé et suffisamment spacieux pour accueillir à la fois le comité de sélection et le candidat, sans que quiconque ne se sente à l'étroit. Le lieu idéal est une salle de réunion, généralement spacieuse, qui contient une table autour de laquelle tous les participants peuvent s'asseoir. Si l'entrevue doit absolument avoir lieu dans un bureau, il est nécessaire de veiller à transférer les communications téléphoniques et à demander de ne pas être dérangé.

La dernière étape de préparation de l'entrevue consiste, pour le recruteur, à convoquer les membres du comité en leur envoyant les curriculum vitæ retenus, la description du poste, les critères de sélection, le guide d'entrevue et la grille d'évaluation. Avec ces documents en main, le comité de sélection est prêt à réaliser les entrevues.

3. Le déroulement de l'entrevue

Si l'entrevue a été bien planifiée, son déroulement ne présente guère de difficulté. Il faut cependant garder à l'esprit que l'entrevue commence au moment où le candidat arrive dans l'entreprise, et finit au moment où il la quitte. Le professionnalisme dont il a été question tout au long des étapes de préparation doit transparaître à tout moment, y compris lors de l'accueil du candidat.

3.1 Les étapes de l'entrevue

Le responsable de la sélection, généralement le recruteur ou le professionnel en ressources humaines, se charge d'aller chercher le candidat à l'heure prévue et de l'amener dans la salle où se déroule l'entrevue. C'est habituellement l'occasion de souhaiter la bienvenue au candidat, de le remercier de s'être déplacé et de discuter de choses et d'autres, afin de le mettre à l'aise. L'encadré 13.9 offre des exemples de questions pouvant être utilisées à cet effet. Il faut cependant veiller, même si l'entrevue n'est pas véritablement commencée, à éviter toute question portant sur les motifs illégaux de discrimination, comme «Je ne suis pas sûr de bien prononcer votre nom de famille. De quelle origine est-il?» (voir chapitre 2).

- Avez-vous trouvé l'endroit facilement?

- Connaissiez-vous nos locaux?

- Avez-vous eu de la difficulté à vous stationner?

- Avez-vous passé une bonne matinée?

- Êtes-vous arrivé de Trois-Rivières ce matin?

- Puis-je vous offrir un café?

Conformément au déroulement prévu dans le guide d'entrevue, le recruteur doit ensuite présenter les membres du comité de sélection, ou les inviter à se présenter, puis expliquer le déroulement de l'entrevue. Si l'entrevue présente des aspects inhabituels, par exemple un jeu de rôle dans une langue étrangère, il est préférable de l'annoncer dès le début. De la même façon, le recruteur peut prévenir le candidat du rôle des membres du comité (par exemple, «Nous interviendrons à tour de rôle pour vous poser des questions») ou encore lui expliquer de ne pas se formaliser s'ils prennent beaucoup de notes.

L'entrevue se passe ensuite selon le déroulement prévu dans le guide. Les membres du comité posent les questions préparées et utilisent les questions complémentaires au besoin. Par exemple, si un candidat offre une réponse théorique comme «J'ai toujours à cœur les intérêts des clients», le recruteur peut chercher à préciser la réponse de la façon suivante: «Pouvez-vous nous donner un exemple de situation où vous avez eu à défendre les intérêts d'un client?»

L'entrevue se passe selon le déroulement prévu dans le guide.

S'il s'agit de la dernière entrevue du processus de sélection, le recruteur doit finir la période de questions par des interrogations sur le niveau de rémunération actuel du candidat et ses attentes salariales. Ces informations permettront au recruteur de se préparer à la négociation d'embauche, sur laquelle nous reviendrons au chapitre 16. Lors d'une dernière entrevue, le recruteur demande également au candidat de fournir les coordonnées de personnes qui peuvent être contactées pour la vérification des références professionnelles, ainsi que de signer le formulaire de consentement à l'examen de ces antécédents. Ce sujet sera abordé en détail au chapitre 15.

Une fois que toutes les questions ont été posées, le responsable de l'entrevue s'assure que le comité possède tous les renseignements nécessaires à l'évaluation du candidat et indique à ce dernier que tous les éléments que le comité souhaitait aborder ont été couverts. Il l'invite alors à poser ses propres questions; c'est l'occasion pour le candidat d'en connaître plus sur l'organisation et les tâches inhérentes au poste. Il arrive que les candidats soient mal à l'aise à l'idée de poser eux-mêmes des questions. Le recruteur peut alors amorcer cette étape de l'entrevue en décrivant brièvement le poste et ses principales responsabilités, avant de demander au candidat s'il a des questions.

Finalement, le recruteur remercie à nouveau le candidat d'avoir accepté de rencontrer le comité et explique la suite du processus de sélection. Cela comprend la date à laquelle le candidat peut s'attendre à avoir une réponse (positive ou négative), la façon dont cette réponse lui sera communiquée (par téléphone ou par courrier), ainsi que les autres étapes (tests ou entrevues) du processus. Il est important, quelle qu'a été la performance du candidat en entrevue, de rester neutre et de ne pas lui donner une évaluation immédiate. En effet, les membres du comité de sélection ne sont pas toujours d'accord sur la performance des candidats, et toute décision ne peut être prise qu'après les avoir tous rencontrés.

3.2 L'attitude des membres du comité

Durant l'entrevue, les membres du comité de sélection doivent conserver une attitude détendue, respectueuse, neutre, et qui ne laisse pas transparaître de jugement. Il est également important de rester cordial avec le candidat, même s'il est rapidement évident qu'il ne possède pas les qualités requises. Il ne faut jamais oublier qu'il est un client potentiel pour l'organisation, et que celle-ci doit maintenir en tout temps son image de professionnalisme.

Les membres du comité doivent conserver une attitude détendue, respectueuse et neutre.

Les membres du comité de sélection doivent également inviter les candidats à répondre, tout en gardant le contrôle de l'entrevue. Or, certains candidats sont peu loquaces et doivent être constamment encouragés à parler, tandis que d'autres sont très volubiles et cherchent, consciemment ou non, à prendre le contrôle de l'entrevue; certains sont nerveux et ont besoin d'être rassurés tandis que d'autres apparaissent comme très sûrs d'eux (Verne, 1988). En toute circonstance, le comité de sélection doit mener l'entrevue avec professionnalisme en s'assurant que le candidat fournit toutes les informations nécessaires à son évaluation. Le tableau 13.12 présente quelques comportements de candidats susceptibles de se produire en entrevue, et offre des suggestions pour garder le contrôle de la rencontre et ainsi obtenir toutes les informations recherchées sur le candidat.

Le rôle des membres du comité de sélection est d'encourager le candidat à parler. Or, une entrevue, surtout lorsqu'elle est très structurée et que le candidat est nerveux, peut parfois prendre des allures d'interrogatoire. Le comité de sélection doit alors porter une attention particulière aux transitions entre les questions pour conserver une atmosphère de discussion. Les transitions ont pour objectif de mettre le candidat à l'aise en s'assurant du bon déroulement de l'entrevue et du bon enchaînement des questions. Le tableau 13.13 en propose quelques exemples.

TABLEAU 13.12	Exemples de stratégies de contrôle de l'entrevue
Situation	**Stratégie de contrôle**

Candidat très volubile	• Demander des exemples précis, des descriptions brèves ;
	 • Demander un seul exemple ;
	 • Interrompre le candidat et le rediriger vers une autre question ;
	 • Utiliser les questions complémentaires ;
	 • Décourager les réponses longues :
	   – « Pouvez-vous brièvement m'indiquer… » ;
	   – « Je vais vous demander d'être un peu plus concis dans vos réponses » ;
	   – « Nous avons encore plusieurs sujets à aborder… ».

Candidat peu loquace	• Garder le silence ;
	 • Éviter de regarder le candidat durant les silences ;
	 • Éviter d'interrompre le candidat quand il parle ;
	 • Encourager le candidat :
	   – par des hochements de tête ;
	   – par des mots d'encouragement (par exemple, « C'est un exemple intéressant »).

Candidat très nerveux	• Clarifier les buts de l'entrevue ;
	 • Laisser au candidat le temps de répondre ;
	 • Rassurer le candidat :
	   – « Il n'y a pas de bonne ni de mauvaise réponse » ;
	   – « C'est exactement le genre d'information dont j'ai besoin » ;
	   – « Prenez le temps d'y penser ».

Candidat non qualifié pour le poste	• Continuer l'entrevue, car il est insultant pour un candidat de s'être déplacé pour se voir remercier après 10 minutes d'entrevue ; • Abréger certaines questions ou mises en situation.

La situation probablement la plus inconfortable pour les membres d'un comité de sélection est le silence. La tentation est grande de le rompre en précisant la question ou en ajoutant des informations. Cependant, ces informations peuvent influencer le candidat et le guider vers la réponse que le comité souhaite entendre. Ce dernier doit donc respecter ces silences qui sont autant de temps donné au candidat pour réfléchir à la question qui lui a été posée et penser au meilleur exemple possible.

Idéalement, le candidat doit occuper 80 % du temps de parole.

De façon générale, les membres des comités de sélection sont habituellement extravertis, ravis de rencontrer des recrues potentielles et enthousiastes à l'idée de leur parler de l'entreprise. Ces personnes doivent cependant se réfréner pendant les entrevues, car leur rôle est d'écouter ce que le candidat a à dire pour pouvoir l'évaluer correctement. Dans une entrevue idéale, le candidat devrait occuper 80 % du temps de parole total (Verne, 1988).

Les membres du comité de sélection doivent également se méfier de leur langage corporel qui peut, à leur insu, créer une atmosphère tendue. Ils peuvent cependant utiliser la communication non verbale, comme les hochements de tête ou les sourires, pour encourager le candidat à parler. Le tableau 13.14 résume l'impact de certains gestes fréquents sur le climat d'entrevue.

TABLEAU 13.13 **Exemples de transitions entre les questions**

Situation de transition	Exemple
Renforcement positif du candidat	«C'est vraiment remarquable que vous ayez pu résoudre tous les aspects de la situation. Il semble que vous ayez eu la situation bien en main.»
Explication préalable à la question	«Il nous arrive tous de ne pas atteindre les objectifs que nous nous étions fixés. Pouvez-vous nous parler d'une situation où vous avez échoué dans l'atteinte de vos objectifs?»
Justification après un renseignement négatif	«J'imagine que quiconque ayant à prendre une décision dans un tel contexte aurait fait comme vous. Quelles conclusions avez-vous tirées de cette situation?»
Précision d'une réponse trop vague	«Cela me semble intéressant... Pouvez-vous m'expliquer dans quel contexte cela s'est produit?» «C'est bien, mais de façon plus précise, avez-vous déjà...»
Encouragement pour trouver des exemples	«Prenez votre temps pour y réfléchir...» «Essayez de penser à un exemple dans votre vie personnelle si aucun en situation professionnelle ne vous vient à l'esprit.»
Réorientation de l'entrevue quand le candidat ne peut pas répondre	«Ce n'est pas grave, nous reviendrons sur ce sujet plus tard.»
Sympathie et compréhension	«J'ai connu le même genre de situation et c'est vrai que ce n'est pas facile.»
Réorientation d'une réponse	«Excusez-moi de vous interrompre... Vous avez mentionné que vous aviez travaillé avec des enfants handicapés. J'aimerais que nous approfondissions ce sujet.»
Transition entre deux parties de l'entrevue	«Nous avons terminé la partie plus technique de l'entrevue. Maintenant, j'aimerais savoir...» «Nous allons maintenant passer à quelques mises en situation.»
Récapitulation	«Je comprends donc qu'une partie importante de vos tâches consistait à...» «J'aimerais revenir plus précisément sur...»

TABLEAU 13.14 **Exemples de communication non verbale durant l'entrevue**

Langage corporel pouvant créer une atmosphère positive		Langage corporel pouvant créer une atmosphère négative	
• Position détendue	• Expression faciale détendue	• Bras croisés	• Bâillement
• Dos droit	• Mains ouvertes	• Jambes rigides	• Jouer avec ses mains ou avec un objet
• Silhouette légèrement orientée vers l'avant	• Contact visuel démontrant un intérêt	• Retrait sur la chaise	• Regard distrait, vers le plancher
• Sourire		• Lèvres pincées	
• Hochement de tête		• Regarder sa montre	

Source: Hindle, 1998.

Finalement, le comité de sélection doit être particulièrement vigilant quand il interprète les réponses ou le langage non verbal des candidats, notamment de ceux qui sont issus des communautés ethnoculturelles. Les membres du comité doivent être sensibles aux différences culturelles, dont certains exemples sont évoqués au tableau 13.15. La présence dans le comité d'une personne issue d'une communauté ethnique, ou encore une formation sur la diversité culturelle donnée aux membres du comité, peuvent limiter les risques de mauvaise interprétation durant l'entrevue.

TABLEAU 13.15 Exemples de traits culturels influençant l'entrevue

Situations	Différences culturelles	Conséquences possibles en entrevue
Autopromotion	Dans plusieurs cultures, une grande valeur est accordée à l'humilité.	Les candidats peuvent donner une mauvaise impression d'eux-mêmes, ne pas savoir « se vendre ».
Silence	Dans plusieurs cultures, il est habituel de faire une pause et de penser avant de parler.	Le recruteur peut passer à un autre point sans attendre ; Les candidats peuvent se sentir sous pression et percevoir les interruptions comme une impolitesse.
Réponses directes	Les membres de certains groupes minoritaires peuvent commencer par répondre indirectement aux questions et ne livrer le véritable message qu'à la fin de la réponse.	Le comité de sélection peut penser que la partie initiale constitue la réponse et interrompre ou laisser de côté la dernière partie de la réponse ; Le candidat peut percevoir cela comme un manque de respect.
Vocabulaire	Certaines personnes dont la langue maternelle n'est pas le français peuvent ne pas utiliser d'expression de courtoisie comme « S'il vous plaît » ou « Merci », parce qu'il n'y a pas d'équivalent dans leur langue maternelle.	Un candidat peut être perçu à tort comme arrogant, provocateur ou impoli.
Contact visuel	Les membres de certains groupes minoritaires peuvent éviter un contact visuel prolongé ou direct avec une personne en position d'autorité, car cela leur semble irrespectueux.	Les candidats peuvent donner une mauvaise impression d'eux-mêmes, ne pas savoir « se vendre ».
Poignée de main	Les poignées de main ne sont pas données de la même façon dans toutes les communautés. Par exemple, certaines personnes peuvent serrer la main mollement et ne la secouer qu'une ou deux fois.	Les candidats peuvent être perçus comme peu fiables ou manquant de confiance en eux.
Hochement de tête	Dans certaines cultures, le hochement de tête de gauche à droite signifie « oui » ou « je vous écoute et je vous comprends » plutôt que « non ».	Les candidats peuvent être mal compris ; Les comportements non verbaux peuvent influencer négativement l'évaluation du candidat.

4. L'évaluation des candidats

Une fois l'entrevue terminée, les membres du comité de sélection doivent évaluer les candidats en utilisant la grille d'évaluation mentionnée plus tôt. Cette évaluation se fait habituellement en deux temps : immédiatement après chaque entrevue, et après avoir rencontré tous les candidats.

4.1 L'évaluation de chaque entrevue

Immédiatement après chaque entrevue, les membres du comité de sélection évaluent individuellement le candidat qu'ils viennent de rencontrer. Ils utilisent pour ce faire la grille d'évaluation conçue en même temps que le guide d'entrevue (voir annexe B).

Une évaluation individuelle des candidats se fait après chaque entrevue.

Il est important, à ce stade-ci, d'accorder une note au candidat pour chaque dimension mesurée, mais également de consigner certains commentaires justifiant cette note. En effet, il est fréquent que les recruteurs, après plusieurs entrevues, confondent les candidats ou ne se souviennent plus avec exactitude des réponses de chacun : prendre le temps, à l'issue de chaque entrevue, de noter certains éléments critiques des réponses des candidats minimise ce risque. Par ailleurs, chaque évaluateur aura ensuite à comparer les candidats entre eux, et il sera nécessaire à cette étape de se remémorer de façon précise les réponses de chacun. En revanche, afin d'éviter toute discrimination illégale (voir chapitre 2), il est vivement déconseillé de prendre en note des caractéristiques physiques pour mieux se rappeler des candidats.

Au moment de l'évaluation, l'évaluateur doit faire preuve de flexibilité dans la façon dont il remplit la grille afin de tenir compte de la spontanéité inhérente aux réponses. Par exemple, il arrive qu'un candidat ait fourni à la question 1 des informations sur une compétence évaluée à la question 2. L'évaluateur devra donc user de son jugement et de sa souplesse dans l'utilisation de la grille. Cependant, ce document constitue un excellent outil pour s'assurer que toutes les réponses sont évaluées.

Lorsque vient le temps d'attribuer une note à chaque compétence, plusieurs dimensions entrent en jeu. Évidemment, la note accordée reflète dans quelle mesure la réponse correspond au comportement souhaité, mais certains éléments, comme la « récence » de la situation décrite pour illustrer la compétence, ou encore le lien entre la situation évoquée et l'emploi, permettent de préciser la note attribuée. Par exemple, pour un poste d'animateur de camp de vacances, on attribuera une note plus élevée au critère « expérience pertinente » à un candidat ayant travaillé l'été précédent avec un groupe de jeunes, qu'à un autre candidat dont l'expérience avec des jeunes remonte à plus de dix ans.

L'évaluation qui suit l'entrevue se fait de façon individuelle afin que chaque membre du comité de sélection ait l'occasion de porter un jugement sans être influencé par ses collègues. Ces évaluations sont ensuite mises en commun au moment de comparer les candidats entre eux.

4.2 La comparaison entre les candidats

Une fois que tous les candidats ont été reçus en entrevue et évalués individuellement, le comité met en commun ses évaluations dans le but d'obtenir un consensus. C'est à cette étape que les règles de fonctionnement établies par les membres du comité prennent toute leur importance. Dans certains comités, la note finale accordée à chaque candidat correspond à la moyenne des notes de chaque évaluateur ; dans d'autres cas, les membres discutent pour arriver à un consensus quant au classement des candidats ; d'autres enfin peuvent prévoir un droit de veto pour le cas où un candidat est rejeté catégoriquement par un des évaluateurs. Ce droit de veto est, en général, accordé au futur superviseur de la recrue qui peut ainsi bloquer la candidature d'une personne avec qui il serait incapable de travailler.

> Une fois que tous les candidats ont été reçus en entrevue, le comité compare les évaluations.

Certains auteurs (par exemple Verne, 1988) déconseillent de s'en tenir à une simple moyenne arithmétique pour déterminer le classement des candidats. Dans les faits, la grille cotée d'évaluation, telle que présentée au tableau 13.11, sert de guide pour le classement des candidats, mais les membres du comité de sélection doivent ensuite utiliser cette grille avec souplesse, au meilleur de leur jugement. Même si l'utilisation de chiffres pour noter les candidats est empreinte de subjectivité, elle présente néanmoins l'avantage de dépersonnaliser le processus final de décision et d'éviter ainsi de bloquer le cheminement sur des questions de principe. Par exemple, il arrive qu'un candidat ait particulièrement impressionné le comité en raison de sa maîtrise d'une compétence particulière : c'est ce qu'on appelle l'« effet de halo », détaillé au chapitre 11. L'utilisation d'une grille chiffrée d'évaluation des candidats permet alors de donner à cette compétence sa véritable place dans le profil du candidat, sans surévaluer l'ensemble de sa performance.

Quel que soit le mode de prise de décision choisi, la comparaison entre les candidats doit permettre d'établir un classement des candidatures et de faire des recommandations pour les étapes suivantes. La nature de ces recommandations dépend du reste du processus de sélection prévu.

> La comparaison permet de classer les candidats et de faire des recommandations pour les étapes suivantes.

Ainsi, s'il s'agit de la première entrevue et si le processus de sélection prévoit des tests ou une deuxième entrevue, le comité de sélection retient habituellement deux ou trois candidats qui participeront aux étapes suivantes. Le comité peut recommander que certaines compétences spécifiques soient à nouveau testées, par exemple dans la situation où l'entrevue n'a pas permis de mesurer une compétence, ou encore lorsque le comité a des doutes sur la maîtrise d'une compétence par un candidat.

S'il s'agit de la dernière ou de la seule entrevue, le comité détermine le meilleur candidat et recommande que l'on vérifie ses antécédents avant qu'une offre d'emploi lui soit faite. Nous reviendrons sur ces étapes aux chapitres 15 et 16.

Bien que cette situation soit rare, il arrive que le comité de sélection conclue qu'aucun des candidats rencontrés ne répond aux attentes. Dans ce cas, il est nécessaire d'en comprendre les raisons et de prendre les dispositions nécessaires pour rectifier la situation. Par exemple, l'analyse de la stratégie de recrutement peut conclure que le poste n'a pas été annoncé dans les bons médias: recommencer l'affichage peut alors résoudre le problème. Dans d'autres cas, c'est la description de poste ou le profil de compétences qui sont à revoir, ou même le guide d'entrevue. Quelle que soit la raison du problème, il est préférable de le régler et de recommencer une partie du processus de dotation, quitte à perdre du temps, plutôt que de se contenter d'un candidat qui ne répond pas aux exigences du poste. Rappelons que le coût associé à l'embauche d'un candidat ne possédant pas les compétences voulues peut se révéler colossal.

4.3 Les suites de l'entrevue

Une fois que le comité est arrivé à un consensus, la personne en charge de la sélection doit communiquer avec les candidats pour leur faire part de la décision. Il est préférable de contacter le plus rapidement possible les candidats retenus pour la suite du processus, afin de s'assurer qu'ils seront disponibles et qu'ils n'accepteront pas, entre-temps, une autre offre d'emploi. C'est par téléphone que le recruteur annoncera généralement la bonne nouvelle aux candidats retenus.

Le professionnalisme exige aussi que soient rapidement contactés les candidats n'ayant pas été retenus. Il est évident que cette nouvelle est moins agréable à annoncer, et certains recruteurs préfèrent le faire par courrier plutôt que par téléphone; il n'existe cependant pas de règle en la matière. Quel que soit le mode de communication choisi, le recruteur doit cependant demeurer courtois et remercier le candidat de son intérêt pour la compagnie et du temps qu'il lui a consacré. Il n'est pas nécessaire d'indiquer en détail les raisons du refus, mais une explication générale est toujours appréciée. Par exemple, on peut utiliser une formulation telle que «Malheureusement, votre expérience professionnelle dans le domaine de l'éducation ne correspond pas à ce que nous recherchions pour ce poste» ou encore «Bien que fort intéressante, votre candidature ne répond pas entièrement aux exigences que nous avions définies pour ce poste.» Les encadrés 13.10 et 13.11 fournissent des exemples de lettres de rejet de candidature après l'entrevue.

Il arrive parfois que la prise de décision soit retardée par rapport au délai qui a été annoncé aux candidats. Par exemple, un candidat a dû reporter son entrevue pour des raisons de santé, ou encore un des membres du comité de sélection a dû s'absenter pour une urgence. Dans ce cas, il est approprié de contacter les candidats, qui attendent impatiemment une réponse, pour leur faire part du délai et les informer de la nouvelle date prévue pour la décision.

La communication des résultats au candidat conclut l'étape du processus de sélection consacrée à l'entrevue. Cependant, il arrive souvent que l'entrevue ne soit qu'une méthode parmi d'autres pour évaluer les candidats. Le chapitre suivant portera plus précisément sur les tests de sélection, qui fournissent des renseignements complémentaires à ceux de l'entrevue. Nous concluons ce chapitre portant sur l'entrevue avec un résumé des six erreurs les plus fréquentes commises par des recruteurs, présenté à l'encadré 13.12.

Montréal, le lundi 25 juillet 2005

Madame Carole Laverdure
3454, rue de la Montagne
Montréal (Québec) H3V 1V3

Objet : Entrevue du 20 juillet 2005

Madame Laverdure,

Je vous remercie de l'intérêt que vous avez manifesté pour le poste de responsable du service à la clientèle de notre magasin. J'ai beaucoup apprécié la rencontre que nous avons eue la semaine dernière, qui nous a permis d'échanger sur le poste et la qualification requise.

Cependant, après de sérieuses délibérations, le comité de sélection et moi-même avons décidé de ne pas retenir votre candidature. Comme vous le savez, la clientèle de notre établissement est essentiellement anglophone, et il nous est apparu que votre niveau de compréhension en anglais n'était pas suffisant pour répondre aux demandes de ce poste.

Je vous remercie à nouveau du temps que vous nous avez consacré, et je vous souhaite la meilleure des chances dans votre recherche d'emploi.

Nicole Dumont

Nicole Dumont
Directrice des ressources humaines
IPC Tech inc.
34, rue Sainte-Catherine
Montréal (Québec) F4R 2T3
Tél. : 514 322-9856, poste 3345
nicole.dumont@ipctech.com

Montréal, le lundi 25 juillet 2005

Monsieur Thomas Gingras
45, rue de l'Épervier
Montréal (Québec) G5G 3T2

Objet : Entrevue du 20 juillet 2005

Monsieur Gingras,

Je vous remercie d'avoir pris le temps de venir me rencontrer pour discuter du poste d'ingénieur ouvert chez ABC. Nos échanges ont mis en lumière vos nombreuses et intéressantes compétences et j'ai beaucoup apprécié l'intérêt que vous avez démonté pour notre entreprise.

Le processus de sélection a été particulièrement difficile, car j'ai reçu plusieurs candidatures très qualifiées comme la vôtre. Malheureusement, n'ayant qu'un seul poste disponible, je ne peux pas embaucher tous les candidats qualifiés que j'ai rencontrés. Je suis donc au regret de vous informer que je n'ai pas retenu votre candidature pour ce poste.

Vos réalisations professionnelles sont impressionnantes, M. Gingras, et j'espère que nous aurons l'occasion de nous revoir si un autre poste devenait vacant dans notre compagnie. D'ici là, je souhaite que vos démarches de recherche d'emploi soient couronnées de succès.

Joseph Dubé

Joseph Dubé
Conseiller en ressources humaines
ABC inc.
89, rue Baudelaire
Montréal (Québec) J2J 1K8
Tél. : 514 996-3892
jdubé@abc.com

1. Trop parler: c'est ce qui arrive quant l'intervieweur insiste sur les détails du poste ou vante l'entreprise au lieu de laisser le candidat parler de la qualification et de son expérience. Souvenez-vous que lorsque vous parlez, vous n'apprenez rien.

2. Ne pas poser les mêmes questions à tous les candidats: comment allez-vous comparer les candidats si vous ne leur posez pas les mêmes questions?

3. Poser des questions inutiles et accepter des généralités pour réponse: l'intervieweur mal préparé se contente souvent de reprendre à peu près dans les mêmes mots ce qui se trouve dans le curriculum vitæ du candidat au lieu de scruter ses réalisations et son caractère. Trop souvent, les gestionnaires se contentent de banalités pour réponse, sans tenter de savoir ce qu'a fait, endossé ou réalisé le candidat tout au long de sa carrière.

4. Perdre de vue l'objectif: ne vous éloignez pas du sujet de la discussion. Une entrevue, ce n'est pas une conversation mondaine.

5. Juger sans réfléchir: bien des intervieweurs se font vite une idée d'un candidat, souvent d'après son apparence, son comportement ou encore sa tenue vestimentaire. Vous devez rester concentré et objectif. Choisissez vos questions en fonction de ce que vous voulez savoir. Cette personne convient-elle pour le poste? Pourra-t-elle s'intégrer à l'organisation?

6. Se fier à sa mémoire au lieu de prendre des notes: comment allez-vous comparer vos notes sur les candidats, si vous n'en prenez pas? Faites preuve d'organisation et notez les détails.

Source: Gouvernement du Canada, s. d.

Ce qu'il faut retenir

L'entrevue de sélection est toujours en partie subjective. Cependant, il est possible d'en augmenter l'objectivité et de réduire ainsi les erreurs si on:

- structure les entrevues autour des compétences requises pour le poste;
- pose des questions comportementales;
- élabore des mises en situation et des jeux de rôle;
- évalue les candidats selon une grille préparée à l'avance.

Références

CAMPION, Michael A., David K. PALMER et James E. CAMPION (1997). «A review of structure in the selection interview», *Personnel Psychology,* vol. 50, n° 3, p. 655-702.

CATANO, Victor M. *et al.* (2001). *Recruitment and selection in Canada*, 2nd ed., Scarborough, Nelson, 480 p.

CLAYTON, Sherman V. (1987). «Eight steps to preventing problem employees», *Personnel,* vol. 64, n° 6, p. 38-45.

DOURY, Jean-Pierre (2000). *L'art de mener un entretien de recrutement*, 3e éd., Paris, Éditions d'Organisation, 130 p.

FRANCISCI, Manuel (2005, 4 février). «Candidat recruteur», [en ligne], *La Toile des recruteurs* [réf. du 12 juin 2006]. <www.latoiledesrecruteurs.com>.

GENDARMERIE ROYALE DU CANADA (2005). «Guide préparatoire à l'entrevue de sélection des membres réguliers de la GRC», [en ligne], *Gendarmerie royale du Canada*, Gouvernement du Canada [réf. du 12 juin 2006]. <www.rcmp.ca>.

GOUVERNEMENT DU CANADA (s. d.). «Dossier ressources humaines: Formation en-ligne, Le processus d'embauche», [en ligne], *Service Canada*, Gouvernement du Canada [réf. du 12 juin 2006]. <www.golservices.gc.ca/>.

HINDLE, Tim (1998). *Interviewing skills*, Bolton, Fenn, 72 p.

LEBREUX, Marlène (2004, 7 février). « Je me prépare à l'entrevue », *La Presse*, cahier Carrières et professions, p. 10.

LEMIEUX, Sylvie (2005, 25 juin). « L'art de mener une bonne entrevue d'embauche », *Les Affaires*, p. 33.

MORNELL, Pierre (2001). *45 méthodes efficaces pour recruter avec discernement*, Repentigny, Éditions Reynald Goulet, 240 p.

PETTERSEN, Normand et André DURIVAGE (2006). *L'entrevue structurée pour améliorer la sélection du personnel*, Québec, Presses de l'Université du Québec, 272 p.

ROWE, Patricia M., Michael C. WILLIAMS et Arla L. DAY (1994). « Selection procedures in North America », *International Journal of Selection and Assessment*, vol. 2, nº 1, p. 74-79.

SCHMIDT, Frank L. et John E. HUNTER (1998). « The validity of selection methods in personnel psychology : Practical and theoretical implications of 85 years of research findings », *Psychological Bulletin*, vol. 124, nº 2, p. 262-274.

VERNE, Étienne (1988). *Comment conduire un entretien de recrutement ?*, Paris, INSEP, 259 p.

WILLIAMSON, Laura G. *et al.* (1997). « Employment interview on trial : Linking interview structure with litigation outcomes », *Journal of Applied Psychology*, vol. 82, nº 6, p. 900-912.

ANNEXE A — Exemple de guide d'entrevue pour le poste d'agent de voyages

Critères de sélection	
Expérience de travail pertinente	La personne titulaire du poste doit connaître les voyages et le taux d'adéquation de certains types de voyages avec les particularités de la clientèle. Elle doit également connaître les principaux systèmes de réservation des compagnies aériennes et le réseau de l'industrie du voyage. Ces compétences s'acquièrent par l'expérience. L'exigence pour ce poste est donc de posséder plusieurs années d'expérience à titre de conseiller en voyages, auprès de clientèles diversifiées et avec une gamme étendue de types de voyages.
Initiative	La personne titulaire du poste doit être en mesure de répondre rapidement aux demandes des clients et faire preuve de créativité et d'initiative pour trouver des solutions à des situations particulières.
Écoute	La personne titulaire du poste doit écouter tous les éléments d'information avancés par le client et comprendre ses besoins pour pouvoir lui offrir un service approprié. La personne doit accepter sans juger les contraintes du client, par exemple sur le plan financier.
Service au client	La personne titulaire du poste doit être courtoise et efficace envers la clientèle, quelles que soient les exigences du client. Elle doit garder son calme et faire preuve de patience dans toute situation. Elle doit aussi se soucier d'offrir à son client le meilleur service au meilleur prix, même si cela nécessite des efforts supplémentaires.
Capacité à résoudre les problèmes	La personne titulaire du poste doit être en mesure de répondre aux problèmes exposés par le client de façon efficace et rapide. Les problèmes peuvent porter sur des contraintes précises avant un voyage ou sur des plaintes à la suite d'un voyage.
Communication orale	La personne titulaire du poste doit pouvoir s'exprimer clairement en français pour comprendre son client et se faire comprendre de lui.
Connaissance de l'anglais	La personne titulaire du poste doit pouvoir communiquer au besoin avec des correspondants étrangers (compagnies aériennes, hôtels, etc.). La connaissance de l'anglais (oral) est donc nécessaire.

»

Guide d'entrevue

1) PAGE DE COUVERTURE

Agence de voyages
La Rose des Vents

Poste : *Conseiller ou conseillère en voyages*

Nom du candidat :	Louis Gagnon
Membres du comité :	Alice Krieber
	Clément Chaussé
Date de l'entrevue :	

2) PAGE D'INTRODUCTION

Introduction

(Personne responsable : Louis)

1. Bref échange avec le candidat : « Comment allez-vous ? », « Avez-vous eu de la difficulté à nous trouver ? », « Est-ce que je peux vous offrir un café ? »

2. Présentation des membres du comité.

3. Objectif de l'entrevue : « Le but de cette entrevue est d'apprendre à vous connaître un peu plus. Pendant le temps dont nous disposons, nous aimerions aborder avec vous des questions traitant de votre expérience professionnelle et des différentes compétences que nous exigeons de nos conseillers en voyages. »

4. Organisation de l'entrevue : « L'entrevue comprendra trois parties : nous vous poserons tout d'abord quelques questions, puis nous aurons une mise en situation et, enfin, un jeu de rôle. Par la suite, nous aurons l'occasion de répondre à vos questions concernant ce poste. »

5. L'entrevue se veut une discussion, donc nous échangerons tour à tour avec vous.

6. Ne vous surprenez pas si nous prenons beaucoup de notes, nous rencontrons plusieurs candidats aujourd'hui et nous voulons vraiment pouvoir nous rappeler ce qu'ils nous disent.

3) PAGE(S) DE QUESTIONS

Question 1 (Personne responsable : Alice)
Dans un premier temps, nous aimerions que vous nous parliez de votre expérience à titre de conseiller en voyages.

Questions complémentaires :
- Quel était votre rôle plus précisément ?
- Quel genre de voyages vendiez-vous surtout ?
- Quelle était votre clientèle typique ?
- Y a-t-il des types de clientèles que vous préfériez ?

_____
_____

»

Question 2 (Personne responsable : Clément)

Could you please give us an example of a situation in which you showed initiative?

Questions complémentaires :

- What was the situation?
- What did you do precisely?
- What was the result of your actions?
- What did you learn from this experience?

_____

_____

Question 3 (Personne responsable : Alice)

Pouvez-vous nous donner un exemple de situation où vous avez eu à transiger avec un client difficile?

Questions complémentaires :

- Quel était le contexte?
- Comment avez-vous traité la situation?
- Avez-vous agi seul dans cette situation?
- Quel a été le résultat?

_____

_____

4) PAGE(S) DE MISE EN SITUATION

Mise en situation

(Personne responsable : Louis)

Nous allons maintenant procéder à la mise à situation. Nous allons vous remettre une feuille sur laquelle sera exposée une situation. Vous disposerez de 5 minutes pour en prendre connaissance et vous aurez ensuite 5 autres minutes pour nous présenter ce que vous feriez dans une situation pareille.

Remettre la feuille au candidat et chronométrer.

Mise en situation : Description destinée au comité de sélection

Par un beau samedi après-midi, l'un de vos clients se présente à votre bureau afin de porter plainte contre votre agence de voyages, spécialisée dans les croisières.

Le client en question est âgé de 65 ans et il vient tout juste de se remarier alors qu'il était veuf depuis 25 ans. Il a déboursé plus de 9000 $ pour faire une croisière en Alaska qui était, en fait, son voyage de noces. Or, il désire se plaindre, car la température était très froide sur le bateau. Il stipule que vous aviez omis de lui parler de la température à ce mois de l'année, et il exige d'être dédommagé. Que faites-vous?

Le client vous mentionne qu'il a pris toutes ses économies afin de faire « le voyage de sa vie ». Que faites-vous?

Mise en situation : Description remise au candidat

Par un beau samedi après-midi, l'un de vos clients se présente à votre bureau afin de porter plainte contre votre agence de voyages, spécialisée dans les croisières.

Le client en question est âgé de 65 ans et il vient tout juste de se remarier alors qu'il était veuf depuis 25 ans. Il a déboursé plus de 9000 $ pour faire une croisière en Alaska qui était, en fait, son voyage de noces. Or, il désire se plaindre, car la température était très froide sur le bateau. Il stipule que vous aviez omis de lui parler de la température à ce mois de l'année, et il exige d'être dédommagé. Que faites-vous?

»

5) PAGE(S) DE JEU DE RÔLE

Jeu de rôle

(Personne responsable : Clément)

Nous allons maintenant procéder au jeu de rôle dans lequel vous devrez rencontrer une personne qui demande à vous voir. Cette personne sera jouée par moi-même, alors que les autres membres du comité demeureront dans la pièce à titre d'observateurs.

Nous allons vous remettre une feuille sur laquelle seront exposés les motifs de la demande de rencontre. Vous disposerez de 2 minutes pour en prendre connaissance. Ensuite, vous irez chercher la personne qui sera à l'extérieur du local. Vous aurez 5 minutes pour échanger avec elle.

Remettre la feuille au candidat et chronométrer.

Jeu de rôle : Description destinée au comité de sélection

À titre de conseiller (conseillère) en voyages, votre gérant vous informe que l'une de ses amies viendra vous rencontrer sous peu, car elle prévoit effectuer une croisière dans les Antilles au mois de septembre prochain avec ses parents.

[Jouer le rôle d'un client hésitant, qui ne sait pas trop quel genre de voyage il désire.]

Jeu de rôle : Description remise au candidat

À titre de conseiller (conseillère) en voyages, votre gérant vous informe que l'une de ses amies viendra vous rencontrer sous peu, car elle prévoit effectuer une croisière dans les Antilles au mois de septembre prochain avec ses parents.

6) PAGE DE CONCLUSION

Conclusion

(Personne responsable : Louis)

1. « Cela conclut les points que nous voulions aborder avec vous aujourd'hui. Je pense que nous avons toutes les informations dont nous avons besoin pour faire notre évaluation. Nous vous remercions de votre participation au processus de sélection. »
2. « Vous avez probablement des questions au sujet du poste… »
3. « Nous vous donnerons des nouvelles par téléphone d'ici la fin de la semaine. Les prochaines étapes sont… »
4. Raccompagner le candidat.

1) PAGE DE COUVERTURE

Agence de voyages
La Rose des Vents

Poste : *Conseiller ou conseillère en voyages*

Nom du candidat :	Louis Gagnon
Membres du comité :	Alice Krieber
	Clément Chaussé
Date de l'entrevue :	

2) PAGE DES DIMENSIONS MESURÉES EN ENTREVUE

Dimensions mesurées :

Question 1 :
- Expérience de travail pertinente
- Communication orale

Question 2 :
- Initiative
- Anglais

Question 3 :
- Initiative
- Écoute
- Service au client

Mise en situation :
- Capacité à résoudre les problèmes
- Initiative
- Écoute

Jeu de rôle :
- Écoute
- Service au client
- Communication orale

3) PAGE(S) DES GRILLES D'ÉVALUATION DES QUESTIONS

Question 1

Dimension : Expérience de travail pertinente

Caractéristique absente	Caractéristique partiellement démontrée	Caractéristique bien démontrée	Caractéristique fortement démontrée
Aucune expérience à titre de conseiller en voyages			Plusieurs années d'expérience à titre de conseiller en voyages
1	2	3	4
Expérience avec une gamme limitée de types de voyages			Expérience variée quant aux types de voyages
1	2	3	4
Expérience avec une gamme limitée de types de clientèles			Expérience variée quant aux types de clientèles
1	2	3	4
Cote :			/4

Commentaires :

Dimension : Communication orale

Caractéristique absente	Caractéristique partiellement démontrée	Caractéristique bien démontrée	Caractéristique fortement démontrée
S'exprime de façon confuse			S'exprime de façon claire
1	2	3	4
Connaissance du français pauvre			Connaissance du français excellente
1	2	3	4
Cote :			/4

Commentaires :

Question 2

Dimension : Initiative

Caractéristique absente	Caractéristique partiellement démontrée	Caractéristique bien démontrée	Caractéristique fortement démontrée
Attend qu'on lui demande avant d'agir			Prend les devants dans une situation sans hésiter
1	2	3	4
Réagit aux situations			Agit de façon proactive
1	2	3	4
Cote :			/4

Commentaires :

Dimension : Anglais

Caractéristique absente	Caractéristique partiellement démontrée	Caractéristique bien démontrée	Caractéristique fortement démontrée
Est incapable d'exprimer sa pensée en anglais			Exprime clairement sa pensée en anglais
1	2	3	4
Cote :			/4

Commentaires :

Question 3

Dimension : Initiative

Caractéristique absente	Caractéristique partiellement démontrée	Caractéristique bien démontrée	Caractéristique fortement démontrée
Attend qu'on lui demande avant d'agir			Prend les devants dans une situation sans hésiter
1	2	3	4
Réagit aux situations			Agit de façon proactive
1	2	3	4
Cote :			/4

Commentaires :

Dimension : Écoute

Caractéristique absente	Caractéristique partiellement démontrée	Caractéristique bien démontrée	Caractéristique fortement démontrée
Ne considère pas les arguments exprimés par le client			Considère tous les arguments exprimés par le client
1	2	3	4
Ne comprend pas les besoins du client			Comprend tous les besoins du client
1	2	3	4
Émet une opinion ou un jugement sur le client			Ne juge pas le client
1	2	3	4
Cote :			/4

Commentaires :

Note : La grille d'évaluation de l'entrevue se poursuit de la même façon pour toutes les dimensions évaluées par chacune des questions.

4) PAGE DE CONSENSUS

Résultat de l'entrevue (consensus)

Dimension mesurée	Question	Cote	Cote pondérée
Expérience de travail	Q1	/4	/20
Initiative	Q2	/4	/12
	Q3	/4	/4
	MS	/4	/4
Connaissance de l'anglais	Q2	/4	/8
Écoute	Q3	/4	/4
	MS	/4	/10
	JR	/4	/4
Service au client	Q3	/4	/8
	JR	/4	/10
Capacité à résoudre les problèmes	MS	/4	/8
Communication orale	JR	/4	/8
Total :			**/100**

Commentaires généraux :

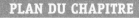
CHAPITRE 14

Les tests de sélection

Objectifs du chapitre

Ce chapitre passe en revue les différents tests pouvant être utilisés dans un contexte de sélection. Sans chercher à enseigner comment créer de tels tests, ce chapitre a pour objectifs de :

- clarifier les différences entre les divers tests de sélection ;
- aider le lecteur à évaluer la pertinence de l'utilisation d'un test ;
- définir les avantages et les inconvénients d'un test ;
- indiquer où s'adresser pour concevoir, administrer ou interpréter un test.

Comme nous l'avons vu au chapitre 13, il n'est pas facile d'évaluer toutes les compétences en entrevue. Par exemple, interroger un candidat sur ses connaissances théoriques risque de donner à l'entrevue une tournure d'interrogatoire plutôt que de discussion. Pour évaluer les compétences difficiles à cerner en entrevue, les recruteurs disposent de tests qui permettent de recueillir des informations complémentaires à celles obtenues lors d'un entretien.

Les tests sont généralement utilisés après une première entrevue d'embauche. Il arrive cependant, notamment dans le cas où le recrutement attire de très nombreuses candidatures, qu'on les utilise juste avant l'entrevue, afin d'effectuer une première sélection et de ne rencontrer que les candidats les plus qualifiés pour le poste à pourvoir. Quel que soit le moment de leur utilisation, les tests procèdent de la même logique que les entrevues : ils doivent servir à mesurer le plus précisément possible les compétences jugées nécessaires à l'exercice de l'emploi.

L'utilisation de tests pour mesurer les capacités et les qualités des êtres humains n'est pas un fait nouveau. Les premiers tests étaient tournés vers la mesure des capacités physiques des individus : vision, ouïe, etc. (Bernié et d'Aboville, 2001). Des tests psychologiques ont par la suite été conçus à des fins cliniques, comme l'étude des personnes déficientes ou des délinquants violents, tandis que les premiers tests d'intelligence étaient mis au point pour évaluer les enfants d'âge scolaire. Mais l'utilisation intensive des tests dans des processus de sélection date de la Seconde Guerre mondiale, époque à laquelle l'armée américaine a cherché à systématiser son processus d'embauche. Les tests psychologiques destinés à la sélection ont par la suite été affinés, en particulier au cours des années 1950 à 1970, puis complétés par d'autres sortes d'exercices plus spécifiquement adaptés au milieu professionnel. Il existe aujourd'hui une multitude de tests de sélection, couvrant différentes dimensions d'un candidat.

Dans les pages qui suivent, nous passerons en revue les différentes catégories de tests et leur pertinence dans un contexte de sélection. Le but de ce chapitre n'est pas d'apprendre à créer un test, car cela relève de la psychométrie et nécessite des études poussées en la matière. Mais un recruteur doit savoir comment évaluer la pertinence d'un test, quels en sont les avantages et les inconvénients, et à qui s'adresser pour concevoir, administrer ou interpréter un test. Cela fait l'objet de ce chapitre.

1. Les différents tests

1.1 Les tests de connaissances

Test de connaissances
▶ *Knowledge testing*
Test qui évalue des savoirs.

Les **tests de connaissances,** qui s'apparentent aux examens utilisés par les institutions d'enseignement pour mesurer les apprentissages des étudiants, ont pour but d'évaluer ce que le candidat sait d'un domaine particulier. Les examens de certification des ordres professionnels constituent d'excellents exemples de tests de connaissances.

Les tests de connaissances sont utiles lorsqu'un diplôme ne suffit pas à évaluer une connaissance spécifique.

Dans un contexte de sélection, de tels tests sont très utiles, d'une part, lorsque le profil de compétences inclut des connaissances précises exigées d'un candidat et, d'autre part, lorsque ces connaissances ne peuvent être mesurées par la seule détention d'un diplôme. Prenons l'exemple d'un poste de comptable. Le profil de compétences fait nécessairement apparaître la connaissance des règles comptables, mais cette connaissance est garantie par la détention d'un titre professionnel. Dans une telle situation, il est inutile de soumettre les candidats à un examen de comptabilité dont le résultat n'apporterait aucune information nouvelle. En revanche, imaginons la situation d'une agence de publicité qui souhaite embaucher un gestionnaire de comptes capable de rédiger des slogans en français et en anglais. La détention d'un diplôme universitaire en marketing atteste des connaissances du candidat dans ce domaine, mais elle ne garantit aucunement la maîtrise du français et de l'anglais écrits. L'utilisation d'un test écrit de langue est alors justifiée.

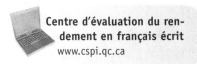

Centre d'évaluation du rendement en français écrit
www.cspi.qc.ca

Association américaine du diabète
www.endocrinologist.com

Il existe autant de tests que de connaissances à tester. Certains tests sont conçus par des organismes, comme le test de rendement en français écrit du Centre d'évaluation du rendement en français écrit ou encore le test de connaissance du diabète de l'Association américaine du diabète. D'autres, en revanche, sont créés sur mesure par les entreprises en fonction de leurs besoins propres (Sapitula et Shartzer, 2001). Mais que le test soit conçu à l'interne ou à l'externe, un recruteur a intérêt à le faire valider par les experts de contenu de son organisation afin de s'assurer qu'il répond aux besoins du poste, c'est-à-dire qu'il mesure bien la compétence telle que requise par l'emploi. Reprenons l'exemple du gestionnaire de comptes dans une agence de publicité : il existe une grande variété de tests de français ou d'anglais, mais ce qui est pertinent pour un tel poste est un test de rédaction publicitaire, et non un test de grammaire ou d'orthographe.

Les tests de connaissances présentent de nombreux avantages, le principal étant qu'ils constituent un moyen valide de mesurer les compétences théoriques requises par un poste (Schmidt et Hunter, 1998). Comme ils fournissent des données objectives, généralement sous la forme d'une note chiffrée, les résultats sont faciles à communiquer aux candidats et la décision qui en découle se justifie aisément. Par ailleurs, les tests de connaissances peuvent être conçus ou achetés à faible coût, et administrés et interprétés à l'interne, c'est-à-dire par les professionnels en ressources humaines de l'organisation, ce qui en facilite l'usage. Leur principal défaut est de ne mesurer que des savoirs ou des connaissances théoriques. Ces tests ne fournissent donc aucune information sur la façon dont un candidat met en application ses connaissances, contrairement aux tests d'aptitudes ou de performance qui seront abordés plus loin. Le tableau 14.1 récapitule les avantages et l'inconvénient des tests de connaissances.

TABLEAU 14.1	Avantages et inconvénient des tests de connaissances
Avantages	**Inconvénient**
• Bonne validité prédictive. • Bonne validité apparente. • Données objectives. • Coûts de conception peu élevés. • Risque de discrimination systémique faible. • Administration en grand groupe. • Facilité d'interprétation.	• Mesure des connaissances théoriques uniquement.

1.2 Les tests d'habileté cognitive ou tests d'intelligence

Test d'habileté cognitive
▶ *Cognitive ability test*
Test qui mesure les capacités intellectuelles.

Les **tests d'habileté cognitive,** également appelés « tests d'intelligence », évaluent les aptitudes intellectuelles comme la capacité d'apprentissage, l'aptitude à raisonner, le type de raisonnement, la compréhension ou la mémoire. L'exemple le plus connu est le test du quotient intellectuel, ou QI, mais il en existe de nombreux autres, comme en fait foi le tableau 14.2.

La détention d'un diplôme remplace généralement les tests cognitifs.

La plupart des tests d'intelligence ont été conçus dans des contextes bien différents de celui de la sélection, aux fins de programmes de formation, par exemple. Ils peuvent cependant être utilisés pour la sélection de candidats à des postes exigeant de grandes capacités intellectuelles, comme un poste de chercheur ou d'ingénieur. Cependant, il est assez rare que l'on soumette les candidats à de tels tests, car on leur demande des diplômes universitaires qui, tout en garantissant la possession de certaines connaissances, sont également des indicateurs de leur intelligence au niveau intellectuel.

Ainsi, bien que les tests d'intelligence offrent une excellente validité prédictive pour une vaste gamme d'emplois (Schmidt et Hunter, 1998), leur utilité est assez faible, car les mêmes compétences peuvent être mesurées par le fait de posséder ou non un diplôme ou par les réalisations professionnelles. En outre, certains tests d'intelligence, qui sont conçus par des psychométriciens et qui nécessitent des années de validation, peuvent coûter très cher à administrer et à interpréter. Une entreprise qui souhaiterait utiliser des tests cognitifs pourrait cependant trouver sur le marché des tests moins onéreux, mais moins valides.

Un autre inconvénient de ces tests provient du fait que, la définition de l'intelligence variant d'un pays ou d'une culture à l'autre, les tests d'habileté cognitive sont culturellement biaisés : ils permettent uniquement de mesurer l'intelligence telle qu'elle est définie dans un groupe particulier, au détriment d'autres formes d'intelligence. Comme la plupart des tests cognitifs utilisés dans le monde ont été conçus en Amérique du Nord et validés auprès de populations d'hommes de race blanche, il n'est pas étonnant de constater que les femmes et les personnes issues d'autres groupes ethnoculturels obtiennent des résultats plus faibles (Bobko, Roth et Potosky, 1999 ; McShane et Berry, 1988). L'utilisation de tels tests risque donc de perpétuer une situation de discrimination systémique (Commission ontarienne des droits de la personne, 2005).

TABLEAU 14.2	Exemples de tests d'intelligence fréquemment utilisés	
Test	**Dimensions mesurées**	**Description**
Échelle de Standfort-Binet	Aptitudes verbales.	Administré en 120 minutes.
Batterie générale de tests d'aptitudes (BGTA)	Neuf aptitudes cognitives, perceptives et psychomotrices : intelligence générale, numérique et verbale ; perception spatiale ; perception des formes ; travail administratif ; coordination ; dextérité ; motricité fine.	Administré en 150 minutes ; administré individuellement.
Échelle d'intelligence de Weschler pour adultes (WAIS-R)	Aptitude cognitive générale ; forces et faiblesses intellectuelles ; aptitudes verbales et performance.	Version originale administrée individuellement ; version révisée administrée en groupe ; une partie verbale ; administré en 135 minutes.
Batterie multi-dimensionnelle de tests d'aptitudes II (MAB-II)	Aptitudes verbales et non verbales (capacités cognitives).	Administré en 100 minutes (50 minutes – partie verbale, 50 minutes – partie exécution) ; administré collectivement ; support papier ou informatique.
Test d'aptitudes informatisé (TAI)	Capacités cognitives générales ; capacités spécifiques : verbale, non verbale, spatiale, mathématique, arithmétique, visualisation spatiale ; sériations ; connaissances, compréhension, mémoire et perception.	Administré et corrigé par ordinateur ; administré en 90 minutes ; test verbal et non verbal ; évalue les performances individuelles.
Matrices progressives de Raven (PM 38-F)	Capacité intellectuelle générale ; intelligence concrète ; observation ; aptitude à relier les choses ; esprit logique ; capacité inductive.	Suites logiques de figures abstraites à compléter ; test non verbal ; administré en 30 minutes.
Test des cartes à jouer de Pire (MGM)	Niveau d'intelligence, esprit logique, pensée rationnelle.	Suites logiques de cartes à compléter ; test non verbal.
Test des dominos (D48 et D70)	Niveau d'intelligence, esprit logique, pensée rationnelle.	Suites logiques de dominos à compléter ; test non verbal.
Test d'intelligence de Kaufman	Intelligence verbale et non verbale.	Administration individuelle ; une partie verbale, l'autre présentée sous forme de matrices ; administré en 90 minutes.

À ces inconvénients, s'ajoute le fait que les tests d'habileté cognitive comportent souvent des échelles verbales. Par exemple, pour mesurer la logique de raisonnement, on peut demander à un candidat de trouver l'intrus parmi quatre mots (par exemple, «varicelle», «mononucléose», «rubéole», «tabouret»). Une telle question ne peut pas mesurer adéquatement les aptitudes intellectuelles des personnes dont la langue maternelle n'est pas celle dans laquelle le test est administré. Au mieux, elle mesure le niveau actuel de fonctionnement du candidat dans la langue qui fait l'objet du test. Il est donc préférable, lorsque les candidats ne maîtrisent pas parfaitement cette langue, de choisir des tests non verbaux, comme les exemples présentés à l'encadré 14.1.

Exemples de tests d'intelligence non verbaux

Complétez la planche de gauche à l'aide de l'une des figures de la planche de droite (Matrices de Raven) :

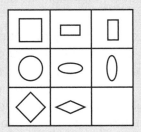

Complétez le domino en pointillés (D48) :

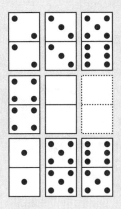

Source : Camous, 2002.

Finalement, les tests d'intelligence n'ont pas toujours une bonne validité apparente : ils ne sont pas facilement acceptés par tous les candidats, de sorte que les décisions prises sont difficiles à justifier par la suite. Le tableau 14.3 résume les avantages et les inconvénients de ces tests.

TABLEAU 14.3 **Avantages et inconvénients des tests d'intelligence**

Avantages	Inconvénients
• Bonne capacité à déceler l'intelligence générale et la capacité à apprendre. • Bonne ou très bonne validité prédictive. • Très bonne fiabilité. • Administration en grand groupe possible. • Correction électronique possible.	• Utilité moyenne ou faible. • Risque élevé de discrimination systémique. • Validité apparente médiocre. • Pertinence limitée aux emplois requérant une intelligence théorique ou la capacité d'apprendre.

Si les tests d'intelligence purs mesurent uniquement les capacités intellectuelles, certains d'entre eux mesurent à la fois l'intelligence et les aptitudes. Voyons en quoi ces deux caractéristiques diffèrent.

1.3 Les tests d'aptitudes

Test d'aptitude

▶ *Aptitude test*

Test qui évalue l'intelligence pratique.

Contrairement aux tests de connaissances et d'intelligence, purement théoriques, les **tests d'aptitudes** mesurent la mise en pratique des capacités d'un individu, parfois appelée « intelligence pratique ». Bien que les aptitudes touchent une grande variété de domaines, y compris celui des arts, celles qui sont le plus souvent mesurées dans le processus de sélection sont les aptitudes mécaniques, mathématiques, physiques et spatiales. Le tableau 14.4 fournit une liste de tests d'aptitudes ; l'encadré 14.2 présente un exemple de question d'aptitudes mécaniques, et l'encadré 14.3, des exemples de questions d'un test de rapidité et de précision.

TABLEAU 14.4	Exemples de tests d'aptitudes	
Test	**Dimensions mesurées**	**Description**
Test d'aptitude mécanique de Wiesen	Questions portant sur des situations quotidiennes appliquées à la mécanique.	Test administré sur papier (test écrit d'aptitudes mécaniques) ; administré en 30 minutes.
Test de compréhension mécanique de Bennett	Test qui mesure l'aptitude individuelle d'apprentissage de compétences mécaniques.	Test comportant 68 questions à choix multiple liées à des situations simples en mécanique ; les connaissances en mécanique sont préalables à ce test ; administré en 30 minutes.
Bloc de Wiggly	Capacité à visualiser dans l'espace.	Test manuel consistant à reconstituer un casse-tête en trois dimensions ; administration individuelle.
BUR 1T	Aptitudes aux tâches administratives et de secrétariat.	Test écrit ; peut être administré en groupe ; contient des sections verbales.
Test de collationnement d'Avenati	Rapidité, précision dans l'exécution, exactitude.	Test écrit ; peut être administré en groupe.

ENCADRÉ 14.2	Exemple de question d'un test d'aptitudes mécaniques

Dans le dessin ci-dessous, quelle planche supportera le plus lourd fardeau ?

a) la planche A   b) la planche B   c) égalité

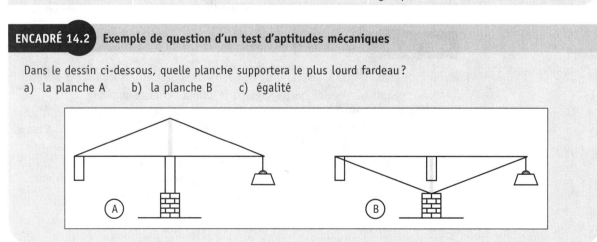

Les tests d'aptitudes peuvent être une solution de remplacement aux tests d'intelligence.

Les tests d'aptitudes, parfois administrés en même temps que les tests d'intelligence, sont utilisés pour mesurer des compétences pratiques. La plupart de ces tests font montre d'une bonne validité prédictive et apparente, et ne coûtent pas très cher. Ils constituent, dans la plupart des situations, une solution de remplacement intéressante aux tests mesurant purement l'intelligence théorique. Cependant, comme l'indique le tableau 14.5, ces tests ne sont pas exempts de discrimination, notamment celle basée sur l'origine ethnique ou encore sur le handicap, comme la dyslexie. À ce sujet, la Commission de la fonction publique du Canada (2005) rappelle qu'un «des défis liés à l'utilisation des mesures des aptitudes auprès des groupes visés par les mesures liées à la diversité tient au fait que certains groupes, notamment les Noirs […] et les Autochtones, […] obtiennent des résultats moins élevés […] [que] la majorité de la population».

Un autre reproche pouvant être adressé aux tests d'aptitudes est le fait qu'ils ne s'appuient pas sur des situations susceptibles de survenir en cours d'emploi. En

TABLEAU 14.5	Avantages et inconvénients des tests d'aptitudes
Avantages	**Inconvénients**
• Très bonne fiabilité. • Bonne validité prédictive, surtout avec une combinaison de tests d'aptitudes. • Meilleure validité apparente que les tests d'intelligence. • Administration en grand groupe possible. • Correction électronique possible.	• Risque de discrimination systémique assez élevé. • Faible validité de contenu (lien avec l'emploi pas toujours clair).

effet, bien qu'ils soient plus concrets que les tests d'intelligence, les tests d'aptitudes demeurent déconnectés de la réalité du poste à pourvoir. La prochaine catégorie, les échantillons de travail, constitue une réponse à cette critique.

1.4 Les tests de performance ou échantillons de travail

Test de performance
▶ *Work sample*
Test qui place le candidat dans une situation similaire à celle de l'emploi.

Les **tests de performance,** aussi nommés « échantillons de travail », représentent le plus fidèlement possible certains aspects du travail que le candidat devra effectuer. Un test de saisie au clavier est un bon exemple d'échantillon permettant d'évaluer un postulant pour un poste administratif. Parce qu'ils sont étroitement liés au travail à effectuer, ces tests évaluent la réaction de la personne pour en déduire son comportement une fois qu'il sera embauché. Ils requièrent donc que le candidat soit placé dans une situation similaire à celle qu'il vivra dans l'entreprise.

Les tests de performance sont utilisés surtout pour mesurer des compétences manuelles.

En théorie, les échantillons de travail peuvent être utilisés pour une vaste gamme d'emplois. Dans les faits, ils sont plutôt réservés aux composantes manuelles des compétences requises pour un poste, car celles-ci sont facilement observables. Ainsi, on peut demander à un candidat pour un poste de couturier de réaliser un ourlet ou une boutonnière à l'aide d'une machine à coudre, ou à un candidat pour un poste de boucher de découper une pièce de viande, ou encore à un futur soudeur d'effectuer une soudure au chalumeau. Dans tous les cas, le candidat sera évalué sur la rapidité avec laquelle il a réalisé la tâche, ainsi que sur la qualité de son travail.

Lorsque l'emploi comprend plutôt des tâches d'analyse et de réflexion, on préférera utiliser une batterie de tests pouvant inclure des simulations de travail. Nous reviendrons sur ce cas de figure dans la section sur les centres d'évaluation.

Comme les échantillons de travail sont spécifiques au contexte particulier de l'entreprise, il est préférable de les créer à l'interne, en se fiant aux experts du poste, plutôt que d'acheter un test conçu par une firme externe. Cela permet de concevoir un test très proche des conditions réelles de travail. Par exemple, si l'exécution normale du travail requiert l'utilisation d'un équipement en particulier, le même équipement devrait être utilisé lors des tests de performance. Cependant, même si le réalisme est recherché lors de la création des échantillons de travail, la sécurité du candidat doit toujours avoir préséance, notamment lors de l'utilisation de la machinerie. Ainsi, on évitera les tests requérant l'utilisation d'un équipement potentiellement dangereux.

Les échantillons de travail jouissent d'une excellente validité prédictive attribuable à leur réalisme et au fait que les candidats ne peuvent pas tricher. À cela, s'ajoutent une très bonne crédibilité aux yeux des recruteurs et une très grande validité apparente pour les candidats, ce qui facilite la justification des décisions de sélection prises sur la base de tels tests. Ils offrent également l'avantage de fournir au candidat une idée précise de ce qui l'attend s'il est embauché.

Malgré ces avantages indéniables, le tableau 14.6 indique que les tests de performance ne sont pas exempts de défauts. Leur principal inconvénient réside dans le fait qu'ils ne peuvent être utilisés que pour des tâches précises, dont le résultat est observable et mesurable sur une courte période de temps. En effet, le test doit pouvoir être administré rapidement, de sorte qu'il exclut *de facto* les tâches plus longues. En outre, comme ces tests sont généralement administrés sur une base individuelle et nécessitent souvent l'usage de matériel ou d'équipement, ils sont assez chers à utiliser, même si leur conception est peu coûteuse.

TABLEAU 14.6	Avantages et inconvénients des tests de performance
Avantages	**Inconvénients**
• Excellente fiabilité. • Excellente validité prédictive et apparente. • Excellente validité de contenu. • Coûts de conception peu élevés. • Résultats faciles à justifier. • Risque de discrimination systémique très faible. • Risque de tricherie minime.	• Coûts d'administration élevés. • Utilisation limitée à des compétences observables sur une courte période.

Les tests détaillés jusqu'à présent servent à mesurer des savoirs dans le cas des tests de connaissances et d'intelligence, et des savoir-faire en ce qui concerne les tests d'aptitudes ou de performance. Mais un profil de compétences peut aussi inclure des savoir-être, ou attitudes. C'est là que les tests de personnalité et les inventaires d'intérêts professionnels entrent en jeu.

1.5 Les tests de personnalité ou tests psychométriques

Test psychométrique
▶ *Personality test*
Test qui évalue les traits de personnalité.

Comme leur nom l'indique, les tests de personnalité évaluent les traits de caractère ou la personnalité d'un candidat. Ils permettent de mieux comprendre ce que les individus ressentent et comment ils pensent, agissent ou réagissent quand ils sont devant une situation particulière.

Bien que tous les candidats soient susceptibles d'être soumis à un test de personnalité, il y a peu de chance que cela se produise en réalité, notamment dans le cas de postes manuels. Pour ces derniers, on dispose en effet d'autres moyens d'évaluer les candidats, comme les échantillons de travail. Parce qu'ils sont généralement administrés et interprétés par des firmes externes de psychologues industriels, les tests de personnalité coûtent assez cher, de sorte qu'ils sont plutôt réservés aux candidats à des postes de professionnels et de cadres, dont les caractéristiques personnelles constituent une partie importante des compétences recherchées.

Il existe sur le marché de nombreux tests de personnalité, comme en fait foi le tableau 14.7. Comme il n'y a pas de consensus sur la définition de la personnalité, tous les tests ne mesurent pas exactement la même chose, et ne le font pas de la même façon.

TABLEAU 14.7 **Exemples de tests de personnalité**

Test	Dimensions mesurées	Description
Inventaire de tempérament de Guilford-Zimmerman	Activité générale, contrainte, ascendance, sociabilité, stabilité émotive, objectivité, bienveillance, méditation, relations personnelles, masculinité/féminité.	Test écrit comprenant 300 questions objectives ; peut être administré en groupe.
Questionnaire de recherche de personnalité de Jackson (PRF)	Mesure de 22 dimensions, parmi lesquelles : accomplissement, affiliation, agressivité, autonomie, structure cognitive, capacité à se défendre, domination, endurance, etc.	Test écrit, disponible en plusieurs versions ; la version la plus utilisée contient 352 énoncés (vrai/faux) ; disponible en anglais, français et espagnol ; peut être administré en groupe.
Inventaire de personnalité de Jackson (JPI)	Dimension analytique ; dimension émotive ; extraversion ; opportunisme ; confiance.	Test écrit contenant 300 énoncés (vrai/faux) ; peut être administré en groupe.
Inventaire psychologique de Californie révisé (CPI)	Confiance en soi ; efficacité interpersonnelle ; acceptation de soi ; maîtrise de soi ; souplesse et empathie.	Administré individuellement en 30 minutes.
Inventaire de personnalité NEO PI-R de Costa et McRae	Modèle à cinq facteurs : tendance à la névrose ; extraversion ; ouverture ; personnalité agréable ; conscience.	Test écrit, pouvant être administré verbalement dans certains cas ; peut être administré en groupe ; l'interprétation des résultats exige une formation dans le domaine de la mesure et des tests psychologiques.
Indicateur de types psychologiques de Myers-Briggs (MBTI)	Style privilégié par rapport à quatre échelles bipolaires : extraversion-introversion, sensation-intuition, pensée-sentiment, jugement-perception.	Test écrit, non chronométré, en anglais ; peut être administré en groupe ; parfois déconseillé aux fins de sélection (Coe, 1992).
Questionnaire de personnalité de Cattell (16 PF)	Structure de la personnalité selon 16 critères fondamentaux.	Test écrit composé de 187 questions objectives ; peut être administré en groupe.
Épreuve PF de Rosenweig	Réaction à la frustration, agressivité.	Test écrit présentant 24 situations illustrant des contextes frustrants.
CDR 3-Dimensional Assessment Suite	*Leadership*, intelligence émotive.	Administré individuellement.

La plupart des tests de personnalité consistent en une série d'énoncés auxquels correspond un choix de réponses. L'encadré 14.4 propose des exemples de questions inspirées de tels tests.

ENCADRÉ 14.4 Exemples de questions de tests de personnalité	Jamais	Rarement	Parfois	Souvent	Toujours
1. J'aime lire des livres de fiction.	O	O	O	O	O
2. Je suis davantage prudent qu'amateur de risque.	O	O	O	O	O
3. Il m'arrive d'être très nerveux.	O	O	O	O	O
4. Il m'arrive plus souvent de me présenter à des étrangers plutôt que des étrangers se présentent à moi.	O	O	O	O	O
5. Je me considère plus comme quelqu'un qui agit que comme quelqu'un qui réfléchit.	O	O	O	O	O
6. J'aime me fixer des objectifs au début d'un projet.	O	O	O	O	O
7. J'aime suivre un horaire.	O	O	O	O	O
8. Je pense qu'il est permis d'enfreindre un peu les règles pour terminer une tâche à temps.	O	O	O	O	O
9. J'aime les longues fins de semaine.	O	O	O	O	O

Source: HR Guide, 1999.

Test d'honnêteté
▶ *Honesty test*
Test qui évalue l'honnêteté.

Au tableau 14.8 figurent deux exemples d'une catégorie particulière de test de personnalité: les **tests d'intégrité** ou **d'honnêteté.** De tels tests sont parfois utilisés lors de la sélection de candidats pour des postes relativement peu qualifiés, par exemple dans le commerce de détail ou dans le secteur bancaire, où les employés ont de l'argent à manipuler. Ils peuvent également être utilisés dans les établissements de jeu, voire dans des services de police, comme à la Ville de New York (voir l'encadré 14.5).

TABLEAU 14.8 Exemples de tests d'honnêteté

Test	Dimensions mesurées	Description
Giotto test of personal integrity	Modèle à 7 dimensions : négligence ; manque de loyauté ; inclination à la violence ; rapport à l'autorité ; manque de respect ; susceptibilité de voler ; capacité à supporter le changement.	Test écrit, conçu au Royaume-Uni ; administré en 20 minutes.
Employee Screening Questionnaire (ESQ)	Mesure 6 comportements positifs : attachement à l'organisation, satisfaction au travail, service à la clientèle, productivité, précision, capacité à être promu, et 9 comportements contre-productifs : vol, absentéisme, consommation de drogue ou d'alcool au travail, retard, sabotage, non respect des consignes, flânerie, divulgation d'informations.	Administré en 20 minutes ; test qui n'est pas influencé par le mensonge (*faking*).

ENCADRÉ 14.5 **Tests utilisés au Service de police de la Ville de New York**

Au début des années 1990, la Mollen Commission of Inquiry a révélé de sérieux problèmes de corruption au sein du Service de police de la Ville de New York. Pour cette raison, un test d'intégrité a été implanté afin de détecter plus facilement les signes de corruption chez les policiers new-yorkais.

Ce test regroupe des situations fictives auxquelles les candidats sont confrontés lors de l'exercice de leurs fonctions quotidiennes, le but étant de tester l'intégrité des employés. Cela implique donc que le policier, ne sachant pas qu'il est surveillé, est mis dans une situation dans laquelle il pourrait succomber à la corruption.

Il existe deux tests d'intégrité :

1) Test d'intégrité ciblé, qui s'adresse à un officier spécifique ;

2) Test d'intégrité non ciblé, qui s'adresse à un officier sélectionné au hasard.

Afin de s'assurer de la réussite de l'implantation de ce nouveau test, la Ville de New York a déterminé trois facteurs d'importance à respecter. D'abord, le comportement qu'aura adopté le policier doit être enregistré ou filmé pour d'éventuelles sanctions. Ensuite, le policier ne doit pas pouvoir se douter qu'il est soumis au test d'intégrité. Finalement, les différents bureaux policiers de la Ville de New York doivent être soumis au test au moins une fois par année.

Les conséquences de l'échec de ce test varient en fonction de ce qui s'est passé et peuvent mener à des mesures disciplinaires ou à de la formation lorsque les règles n'ont pas été respectées.

Source : Newham, 2003.

Service de police de la Ville de New York
www.nyc.gov

De plus en plus de concepteurs affirment que leurs tests permettent également de réduire une vaste gamme de comportements contre-productifs au travail, comme l'absentéisme ou les retards (National Hire Network, 2004). Ces tests se présentent sous forme de questions à choix multiple portant directement sur des comportements illégaux ou mal vus (questions directes), ou sur des comportements liés à l'honnêteté, de façon plus générale (questions voilées). L'encadré 14.6 en propose quelques exemples.

Malgré l'intérêt des gestionnaires, des consultants et des chercheurs pour les tests psychométriques (Desjardins, 2000), ces derniers demeurent controversés et doivent être utilisés avec précaution. Tout d'abord, la validité prédictive de ces tests reste difficile à mesurer, et ce, pour plusieurs raisons :

- Un calcul de validité requiert une définition claire de ce que le test tente de mesurer (la personnalité ou l'honnêteté) ; or, les chercheurs eux-mêmes utilisent plusieurs définitions de la personnalité. Ainsi, certains auteurs s'intéressent aux traits tandis que d'autres parlent de types de personnalité (Desjardins, 2000).

- Contrairement aux aptitudes ou à l'intelligence, qui sont relativement stables, certains traits de personnalité, entre autres l'honnêteté, sont parfois qualifiés de situationnels par les psychologues, ce qui signifie que le comportement d'un individu varie en fonction du contexte. De tels changements mettent en cause la fiabilité des tests psychométriques (Druckman et Bjork, 1991 ; National Hire Network, 2004).

Biais de désirabilité sociale
▸ *Social desirability bias*
Fait de fournir des réponses socialement acceptables.

- Certains tests de personnalité, en particulier les tests d'honnêteté, sont sensibles au **biais de désirabilité sociale** : les candidats savent quels traits de personnalité sont valorisés et tendent à répondre en fonction de ceux-ci.

ENCADRÉ 14.6 **Exemples de questions de test d'honnêteté**

Exemples de questions directes

Question	Type d'échelle
1. Quel est le montant total de marchandises ou de biens que vous avez pris sans le consentement de vos employeurs ?	Choix multiple
2. Je me tiens souvent avec des collègues qui ont admis avoir volé des marchandises de la compagnie.	○ Vrai ○ Faux
3. Je ne suis pas une personne honnête et je suis susceptible de voler ou de tricher.	○ Vrai ○ Faux
4. Je pourrais aider des amis à voler la compagnie.	○ Vrai ○ Faux
5. Je rapporte au poste de police les pièces de 25 ¢ que je trouve dans la rue.	○ Vrai ○ Faux
6. À quelle fréquence dites-vous la vérité ?	○ Jamais ○ Rarement ○ Parfois ○ Souvent ○ Toujours

»

Exemples de questions directes

Question	Type d'échelle
7. Pensez-vous que vous êtes trop honnête pour vous approprier quelque chose qui ne vous appartient pas ?	⭘ Oui ⭘ Non
8. Vous sentez-vous coupable quand vous faites quelque chose que vous ne devriez pas faire ?	⭘ Oui ⭘ Non
9. Pensez-vous que le fait de rapporter à la maison de petites fournitures prises au travail constitue du vol ?	⭘ Oui ⭘ Non
10. Quelle est la proportion des personnes que vous connaissez qui sont tellement honnêtes qu'elles ne voleraient pas du tout ?	Choix multiple

Exemples de questions voilées

Question	Type d'échelle
1. Quelle est la proportion d'employés qui prennent de petites choses de leur employeur de temps en temps ?	Choix multiple
2. Ma philosophie se résume de la façon suivante :	⭘ La terre appartiendra aux humbles ⭘ L'homme est un loup pour l'homme ⭘ Personne ne te doit rien
3. Qu'est-ce qui devrait être fait si un employé fume occasionnellement un joint de marijuana sur son lieu de travail ?	Choix multiple
4. Est-ce que cela vous dérange que les gens posent des questions stupides ?	⭘ Oui ⭘ Non
5. Est-ce que vous entamez des conversations avec des gens dans les salles d'attente ?	⭘ Jamais ⭘ Rarement ⭘ Parfois ⭘ Souvent ⭘ Toujours
6. Pensez-vous que l'on devrait refuser un emploi où l'honnêteté est importante à une personne qui a déjà émis un chèque sans provision ?	⭘ Oui ⭘ Non
7. Bien manger est important pour ma santé.	⭘ Vrai ⭘ Faux
8. J'aime prendre des risques.	⭘ Vrai ⭘ Faux
9. En moyenne, combien de fois par semaine allez-vous à des soirées ?	Choix multiple
10. Je fais fréquemment des cauchemars.	⭘ Vrai ⭘ Faux

Source : National Hire Network, 2004.

Ainsi, l'utilisation des tests de personnalité aux fins de sélection a longtemps été critiquée parce que leur validité prédictive était remise en question. Plus récemment, certaines études suggèrent que, lorsqu'elles reposent sur une analyse rigoureuse de l'emploi et qu'elles sont convenablement administrées, les mesures de la personnalité peuvent avoir une corrélation positive avec la performance en emploi (Barrick et Mount, 1993 ; Judge *et al.*, 1999 ; Tett, Jackson et Rothstein, 1991).

Mais, plus que d'un problème de validité prédictive, les tests de personnalité souffrent d'une déficience de validité apparente, telle qu'elle est définie au chapitre 11 (Pettersen, 2000 ; Schmidt et Hunter, 1998). Les candidats ne voient pas toujours le lien entre le test qu'on leur demande de passer et les compétences requises par l'emploi, de sorte que les résultats des tests, et les décisions d'embauche qui en découlent, sont parfois difficiles à justifier.

Les tests de personnalité ont également été critiqués au plan légal. Par exemple, dans l'affaire opposant la Commission des droits de la personne et les droits de la jeunesse à l'Institut Demers (voir l'encadré 11.1 présenté au chapitre 11), le Tribunal a estimé que les tests psychologiques portent atteinte aux droits reconnus par la Charte, dans la mesure où ils permettent de détecter des déficiences de la personnalité pouvant s'apparenter à un handicap. Au-delà de ce cas particulier, il faut retenir de ce jugement que la légitimité de faire passer de tels tests à tous les candidats, quel que soit le poste, est sujette à caution. Les tests psychométriques sont justifiables dans la mesure où l'employeur démontre qu'il s'agit d'une exigence « normale » de l'emploi.

Par ailleurs, le choix des traits de personnalité considérés comme nécessaires pour occuper l'emploi peut être une source de discrimination systémique. En effet, comme nous l'avons vu au chapitre 11, l'utilisation de certains traits, par exemple la confiance en soi ou l'indépendance, peut amener à rejeter un nombre disproportionné de femmes et de membres de certains groupes ethnoculturels (Ghorpade, Hattrup et Lackritz, 1999). Dans le même ordre d'idées, l'utilisation de tests écrits peut avoir un impact négatif sur l'évaluation des candidats dont la langue maternelle n'est pas celle du test. Toutefois, faire usage de versions traduites n'est pas toujours approprié, car les tests psychométriques reposent souvent sur des descripteurs de traits principalement ancrés dans la langue dans laquelle ils sont conçus. Le tableau 14.9 synthétise l'avantage et les principaux inconvénients des tests de personnalité.

TABLEAU 14.9   **Avantage et inconvénients des tests de personnalité**

Avantage	Inconvénients
• Possibilité de confirmer des impressions laissées par l'entrevue.	• Validité prédictive et de contenu variable. • Faible validité apparente. • Sensibilité à la désirabilité sociale. • Risque de discrimination systémique élevé. • Coûts souvent élevés.

Compte tenu de la controverse entourant l'utilisation de tests de personnalité dans un processus de sélection, il est important d'user de précaution dans le choix des tests. Les inventaires d'intérêts professionnels peuvent constituer une solution de remplacement intéressante aux tests de personnalité. En effet, certaines recherches, par exemple celle de Costa, McCrae et Kay (1995), montrent que les mesures des intérêts et des traits de personnalité sont très corrélées.

1.6 Les inventaires d'intérêts professionnels

Inventaire d'intérêts professionnels
▶ *Vocational interest inventories*
Test qui évalue les intérêts de la personne.

Comme leur nom l'indique, les **inventaires d'intérêts professionnels** ont pour but d'évaluer l'intérêt des individus pour les activités, le développement des compétences et le milieu propres à chaque profession. Il existe une multitude d'inventaires des intérêts professionnels, dont le tableau 14.10 donne quelques exemples.

TABLEAU 14.10	Exemples d'inventaires d'intérêts professionnels	
Test	**Dimensions mesurées**	**Description**
Inventaire de préférences professionnelles de Jackson (JVIS)	Mesure 289 items ; évalue 34 intérêts de base dont 26 rôles, 8 styles de travail et 10 thèmes occupationnels.	Outil de planification de carrière ; administré en une période de 45 à 60 minutes, sur papier ou par Internet ; résultats disponibles immédiatement ; convient à divers contextes culturels.
Inventaire des intérêts Strong	Mesure 6 thèmes occupationnels généraux, 25 intérêts de base, 211 professions et 4 styles de personnel.	Test qui évalue les intérêts en lien avec un certain nombre de professions.
Orientation professionnelle par soi-même « Self-Directed Search », de Holland	Mesure 6 thèmes occupationnels généraux : réaliste, conventionnel, artistique, entrepreneur, investigateur et social ; évalue les intérêts, activités, compétences, occupations, habiletés.	Autoadministré, autoévalué et autointerprété ; aide à prendre des décisions relatives à l'éducation et à la carrière de l'individu.
Inventaire des préférences professionnelles Kuder	Préférences liées à 10 domaines : mécanique, informatique, scientifique, artistique, littéraire, musical, secrétariat, extérieur, persuasion.	Détermination des activités d'intérêt et lien entre ces activités et une profession.
Inventaire canadien d'intérêts professionnels (ICIP)	Échelle : choses, contacts d'affaire, routine, social, prestige, gens, scientifique, créatif, solidaire, production.	Produit par Ressources humaines et Développement des compétences Canada, test mesurant le profil d'intérêt d'un individu.
Inventaire canadien des préférences professionnelles (CWPI)	Mesure 5 intérêts de carrière : méthodique, objectif, innovateur, directif et social.	Administré en 20 minutes ; aide à la sélection d'une carrière et à déterminer si l'emploi actuel d'un individu correspond bien à ses intérêts.

Les inventaires d'intérêts sont surtout utilisés aux fins d'orientation professionnelle.

Les inventaires d'intérêts professionnels sont surtout utilisés dans un contexte d'orientation professionnelle, dans lequel ils bénéficient d'une bonne validité ; leur usage est peu répandu dans les processus de sélection, notamment en raison de leur faible validité prédictive (Schmidt et Hunter, 1998). Cependant, les informations qu'ils fournissent peuvent se révéler utiles pour des postes donnant accès à une formation professionnelle propre à l'entreprise.

Bien que certaines recherches suggèrent que la structure des intérêts professionnels est relativement universelle (Day et Rounds, 1998 ; Fouad, Harmon et Borgen, 1997 ; Ryan, Tracey et Rounds, 1996), l'utilisation d'inventaires des intérêts standardisés doit être faite avec prudence lorsque la population testée est diversifiée, notamment en tenant compte du contexte culturel (Fouad et Spreda, 1995). Une autre précaution à prendre touche le registre de langue utilisé dans ces tests. En effet, plusieurs études indiquent que le vocabulaire de certains inventaires d'intérêts est trop spécialisé pour des candidats peu scolarisés ou dont la langue maternelle n'est pas celle du test (Juni et Koenig, 1982). Malgré ces nécessaires précautions, les inventaires d'intérêts jouissent d'une bonne validité apparente. Le tableau 14.11 reprend ces avantages et ces inconvénients.

TABLEAU 14.11	Avantages et inconvénients des inventaires d'intérêts professionnels	
Avantages		**Inconvénients**
• Bonne validité apparente.		• Faible validité prédictive.
• Bonne fiabilité.		• Validité de contenu variable.
• Risque de discrimination systémique assez faible.		• Faible utilité en contexte de sélection.
• Faibles coûts.		

1.7 Les tests d'aptitudes physiques

Les tests d'aptitudes physiques sont utilisés dans le cas où l'emploi requiert des efforts physiques.

Lorsqu'un emploi requiert certaines capacités physiques, il est approprié de soumettre les candidats à des tests pour mesurer ces dimensions. Cependant, comme de tels tests ont un effet négatif sur les personnes appartenant à des groupes protégés par les lois contre la discrimination, notamment les femmes et les personnes handicapées, il est primordial, avant de faire passer les tests, de s'assurer qu'il s'agit bien d'une compétence professionnelle justifiée. C'est le cas du test du Service de police de la Ville de Montréal, présenté à l'encadré 14.7, puisque la Loi sur la police (Gouvernement du Québec, 2000) stipule quelles sont les exigences physiques requises des policiers.

Test d'aptitudes physiques
▶ *Physical ability test*
Test qui évalue les capacités physiques.

Les **tests d'aptitudes physiques** varient en fonction des exigences des postes. Par exemple, ils peuvent porter sur la rapidité, l'endurance, la vision, la capacité à porter des charges, la coordination, etc. Ils sont donc le plus souvent conçus

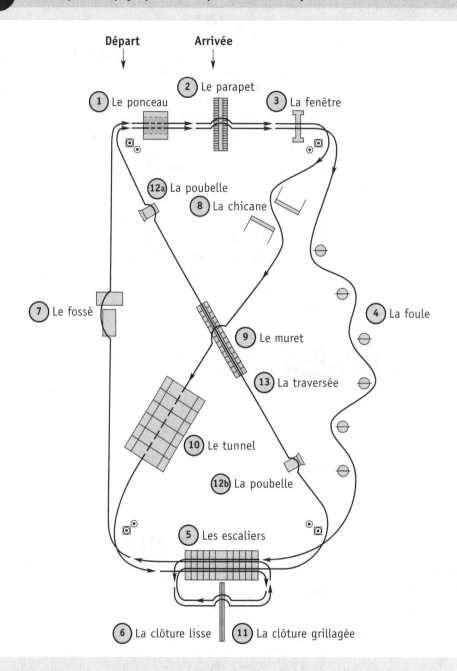

Départ ↓   **Arrivée** ↓

① Le ponceau
② Le parapet
③ La fenêtre
12a La poubelle
⑧ La chicane
⑦ Le fossé
④ La foule
⑨ Le muret
13 La traversée
⑩ Le tunnel
12b La poubelle
⑤ Les escaliers
⑥ La clôture lisse   11 La clôture grillagée

Synthèse des tâches du circuit chronométré

No.	Nom de la station	Tâches à effectuer
	Départ	• Rester derrière la ligne de départ ; • Activer le chronomètre à l'aide du faisceau laser de la lampe de poche ; • Remettre la lampe de poche sur le cône 1.
1.	Le ponceau	• Passer sous le ponceau sans le déplacer.
2.	Le parapet	• Franchir le parapet en passant les deux pieds par-dessus.

»

Synthèse des tâches du circuit chronométré

No.	Nom de la station	Tâches à effectuer
3.	La fenêtre	• Passer dans la fenêtre sans la déplacer ; • Contourner le cône 2 par l'extérieur.
4.	La foule	• Contourner les silhouettes selon le trajet défini ; • Contourner le cône 3 par l'extérieur.
5.	Les escaliers	• Monter, puis descendre les escaliers sans passer par-dessus la rampe.
6.	La clôture lisse	• Franchir la clôture lisse sans autre aide que celle du bac ou de la poubelle (sans s'aider des escaliers, du mur, etc.).
7.	Le fossé	• Contourner le cône 4 par l'extérieur ; • Sauter par-dessus le fossé ; • Contourner le cône 1 par l'extérieur.
8.	La chicane	• Contourner la chicane selon le trajet défini sans déplacer les haies.
9.	Le muret	• Franchir le muret en passant les deux pieds par-dessus.
10.	Le tunnel	• Passer sous le tunnel ; • Contourner le cône 4 par l'extérieur.
11.	La clôture grillagée	• Franchir sans aide la clôture grillagée (sans s'aider des escaliers, du mur, etc.).
12a.	La poubelle	• Contourner le cône 3 par l'extérieur ; • Passer par-dessus la poubelle sans la déplacer.
12b.	La poubelle	• Passer par-dessus la poubelle sans la déplacer ; • Contourner le cône 1 par l'extérieur.
13.	La traversée	• Monter en mettant ses deux pieds derrière la marque de début ; • Se déplacer en équilibre sur le muret jusqu'à la marque de fin.
	Arrivée	• Récupérer la lampe de poche et se rendre au parapet ; • Arrêter le chronomètre en visant les silhouettes à l'aide du faisceau laser de la lampe de poche.

Source : École nationale de police du Québec et Université de Montréal, 2004.

à l'interne par les organisations, parfois en collaboration avec des centres sportifs. Ces tests jouissent d'une excellente validité prédictive et apparente, leur principal défaut étant le risque de discrimination dont nous avons parlé précédemment. Le tableau 14.12 présente les avantages et les inconvénients des tests d'aptitudes physiques.

TABLEAU 14.12 — Avantages et inconvénients des tests d'aptitudes physiques

Avantages	Inconvénients
• Excellente validité prédictive et apparente. • Bonne fiabilité. • Coûts modérés.	• Risque de discrimination systémique élevé. • Nécessité d'une exigence professionnelle justifiée.

Les tests de sélection

Nous avons jusqu'à présent passé en revue différents tests pris individuellement. Notons qu'aucun de ces tests n'est parfait, et qu'ils mesurent généralement des facettes différentes d'un candidat. C'est pourquoi certaines entreprises font parfois appel à une combinaison de plusieurs types de tests de sélection, administrés dans un centre d'évaluation.

1.8 Les centres d'évaluation

Centre d'évaluation
▶ *Assessment center*
Processus complet d'évaluation des candidats.

Le terme « **centre d'évaluation** », traduction littérale de l'anglais « assessment center », est trompeur, car il suggère un endroit particulier où se ferait l'évaluation. Ernoult (2001) en propose une traduction plus fidèle à la réalité : « bilan comportemental ». En effet, un centre d'évaluation est un processus complet d'évaluation des candidats reposant sur une batterie de méthodes : échantillons de travail, simulations, mises en situation, entrevues individuelles ou en groupe, tests psychométriques, etc. Bien que le terme « bilan comportemental » soit plus approprié, il n'est jamais réellement passé dans l'usage, de sorte que nous utiliserons ici l'appellation plus connue de « centre d'évaluation ».

Les activités d'un centre d'évaluation s'étalent généralement sur un ou plusieurs jours et comprennent différents exercices. Parmi les plus courants, on trouve la discussion de groupe sans *leader,* le panier de courrier, le jeu de rôle, l'exercice de recherche d'information et la présentation orale :

- La discussion de groupe sans *leader* permet d'évaluer simultanément plusieurs candidats. On donne aux membres du groupe un problème relié à l'emploi – généralement un problème réel – et on leur demande d'en discuter pendant une période de temps déterminée. Les candidats sont observés, notamment pour évaluer leur *leadership* et leurs habiletés de communication et de relations interpersonnelles.

- L'exercice du panier de courrier (traduction du terme anglais *in basket*) consiste à mettre le candidat dans la peau du titulaire du poste et à lui demander de régler un certain nombre de problèmes accumulés dans le panier de courrier de son prédécesseur pendant son absence. Les problèmes sont présentés sous forme de mémos, lettres, messages téléphoniques, rapports, etc., et le candidat dispose généralement d'une à deux heures pour en prendre connaissance et décider des actions à prendre. Les évaluateurs se basent sur les actions que les candidats ont écrites, qu'ils complètent souvent par un entretien oral dans le but de comprendre les raisons qui ont poussé le candidat à prendre telle ou telle décision.

- Le jeu de rôle est un exercice similaire à ce qui a été présenté au chapitre 13. Cependant, contrairement au jeu de rôle inclus dans les entrevues structurées, celui qui figure dans les centres d'évaluation peut être très élaboré et durer plus de quelques minutes. Ernoult (2001), par exemple, recommande d'inclure trois jeux de rôle d'une vingtaine de minutes chacun dans chaque centre d'évaluation.

- L'exercice de recherche d'information met le candidat devant un problème sur lequel il dispose de peu d'éléments. Cependant, l'information est disponible auprès de diverses ressources, incluant des interlocuteurs, et le candidat doit obtenir les renseignements afin de résoudre convenablement la situation qui lui est soumise.

- Le recours à une présentation orale dans un centre d'évaluation, de même que sa forme, dépendent du type de poste à pourvoir. Donner une conférence de presse, animer une réunion, prendre la parole pendant une séance d'information ou présenter un rapport sont autant de formes d'exercices susceptibles de figurer dans un centre d'évaluation. Dans tous les cas, les candidats ont quelques minutes pour se préparer à intervenir devant un public composé des évaluateurs qui peuvent poser des questions ou non.

Mêmes si ces exercices sont les plus utilisés, toute combinaison de tests peut figurer au menu d'un centre d'évaluation. À titre d'exemple, les encadrés 14.8 et 14.9 décrivent les tests utilisés au centre d'évaluation de la Société de transport de Montréal et les compétences évaluées par le Service de police de la Ville de Montréal.

ENCADRÉ 14.8 **Exercices utilisés au centre d'évaluation de la Société de transport de Montréal**

La BGTA (la batterie générale de tests d'aptitudes)
Ce test est utilisé, entre autres, pour les postes de préposés à l'entretien. Il compare les aptitudes du candidat avec celles d'un échantillon de la population active et vérifie les aptitudes générales pour l'apprentissage et pour l'expression verbale ; les aptitudes numériques et spatiales ; et la perception des écritures.

Le test vidéo-Conduite (poste de chauffeur d'autobus)
Ce test a pour but d'évaluer la capacité du candidat à se concentrer sur la conduite et à s'adapter à diverses situations. Le candidat ne doit pas nécessairement avoir de l'expérience comme chauffeur d'autobus pour réussir ce test.

Le test vidéo-Service à la clientèle (poste de chauffeur d'autobus)
Ce test mesure le jugement du candidat en ce qui concerne ses habiletés pour le service à la clientèle.

Tests de connaissances
Ces tests vérifient les connaissances théoriques se rapportant à l'emploi.

Tests pratiques
Ces tests mesurent les habiletés manuelles nécessaires à la pratique du métier.

Source : Société de transport de Montréal, 2005.

Société de transport de Montréal
www.stm.info

ENCADRÉ 14.9 **Compétences mesurées au centre d'évaluation du Service de police de la Ville de Montréal**

Compétences évaluées
- Compétences intellectuelles :
  - jugement ;
  - prise de décision.
- Compétences interpersonnelles :
  - communication orale ;
  - sensibilité à la clientèle ;
  - capacité de travailler en équipe.

》

- Compétences liées aux qualités personnelles :
  - autonomie, initiative ;
  - capacité d'adaptation ;
  - tolérance au stress ;
  - motivation.
- Compétences liées à l'autorité :
  - respect de l'autorité organisationnelle ;
  - capacité d'exercer de l'autorité.

Exercices

Les compétences sont évaluées par quatre exercices :
- groupe de discussion ;
- jeu de rôle ;
- recherche d'information ;
- entrevue.

La durée totale des quatre exercices est d'environ trois heures et demie.

Source : Service de police de la Ville de Montréal, 2005.

Service de police de la Ville de Montréal
www.spvm.qc.ca

Tous les centres d'évaluation sont créés par des spécialistes qui conçoivent les exercices proposés, puis qui observent et évaluent la performance des candidats. Ces centres permettent donc à ces derniers d'obtenir une rétroaction approfondie. Les spécialistes peuvent être des experts de contenu internes à l'organisation, mais nombreuses sont les entreprises qui préfèrent faire appel à des firmes externes, comme des cabinets en psychologie industrielle. Quoi qu'il en soit, les centres d'évaluation coûtent cher à concevoir et à administrer, puisqu'ils requièrent l'expertise et le temps de plusieurs évaluateurs. L'utilisation d'enregistrements et de tests de panier de courrier avec une correction objective permet de diminuer légèrement ces coûts, en augmentant le nombre de candidats pouvant être évalués en une journée (HR Guide, 2000). Malgré cela, les centres d'évaluation demeurent une méthode de sélection très coûteuse (Pettersen, 2000). En outre, certains exercices, comme la discussion sans *leader*, manquent de standardisation, puisque les résultats varient selon la composition du groupe, ce qui rend les comparaisons entre les candidats parfois ardues.

Malgré leur coût, les centres d'évaluation sont de plus en plus utilisés.

Malgré ces défauts, les centres d'évaluation sont de plus en plus utilisés pour un grand éventail de professions (HR Guide, 1999) parce qu'ils jouissent d'une bonne validité prédictive et d'une excellente validité apparente. La rétroaction reçue par les candidats est généralement de grande qualité, de sorte que les résultats sont faciles à justifier auprès des personnes qui ne sont pas retenues à l'issue du processus. Par ailleurs, comme les centres d'évaluation utilisent plusieurs méthodes pour évaluer de nombreuses dimensions, ils conviennent particulièrement bien aux postes multidimensionnels requérant des candidats à la fois polyvalents et capables de faire plusieurs tâches en même temps. Le tableau 14.13 reprend les principaux avantages et inconvénients de cette méthode de sélection.

TABLEAU 14.13 Avantages et inconvénients des centres d'évaluation	
Avantages	**Inconvénients**
• Validité apparente et de contenu élevée. • Validité prédictive modérée à élevée. • Évaluation complète. • Méthode appropriée pour des postes multidimensionnels.	• Coûts de conception et d'administration élevés. • Absence de standardisation de certains exercices.

Jusqu'à présent, ce chapitre a présenté des tests de sélection qui, sans être exempts de défauts, suscitent une large adhésion de la part des chercheurs et des professionnels en ressources humaines. On ne saurait cependant passer sous silence quelques tests dont l'utilisation est plus controversée.

1.9 Quelques autres tests controversés

La graphologie

La graphologie, qui consiste à analyser de façon systématique l'écriture d'une personne pour en tirer des conclusions sur sa personnalité et sa correspondance avec un emploi ou une organisation, est probablement la méthode de sélection qui a suscité le plus de controverse au cours des dernières années. En effet, alors que de nombreuses études mettent en doute sa validité prédictive, cette méthode continue à être largement utilisée en Europe, où jusqu'à 85 % des entreprises en font usage, et semble gagner en popularité aux États-Unis (Steven et Vaught, 2001).

Pourtant, il n'existe aucune étude scientifique indiquant que la graphologie est une méthode de sélection efficace (Driver, Buckley et Frink, 1996 ; Neter et Ben-Shakhar, 1989 ; Steven et Vaught, 2001). Sa fidélité est, au mieux, modérée, et sa validité prédictive est faible, que ce soit pour prédire la performance en emploi ou pour déterminer les traits de personnalité. En outre, l'analyse graphologique ne peut être faite que par des graphologues diplômés, ce qui rend son utilisation coûteuse pour les organisations. L'utilisation de la graphologie en Europe, malgré ses lacunes, peut s'expliquer par l'habitude, qui augmente le niveau de validité apparente pour les candidats européens (Steiner et Gilliland, 1996). Mais si l'on tient compte de sa faible validité prédictive et de son coût élevé, l'analyse graphologique n'est pas conseillée dans un contexte nord-américain, d'autant que ses résultats seraient probablement remis en question par les tribunaux.

La morphopsychologie

La morphopsychologie tente d'établir des correspondances entre, d'une part, les formes du visage et, d'autre part, les traits de caractère, les aptitudes et l'intelligence. Créée en 1937 par le Docteur Corman, psychiatre français, cette méthode a longtemps été utilisée en Europe, notamment en France, pour évaluer des candidats. Cependant, la morphopsychologie n'a aucune base scientifique, et aucune étude n'a démontré sa validité prédictive. C'est pourquoi cette technique de sélection est à proscrire, d'autant plus qu'elle ouvre la porte à la discrimination basée sur l'origine ethnique, nationale ou raciale, sur l'âge, sur le sexe ou sur le handicap.

Même en France où elle a connu un certain succès comme méthode de sélection, la morphopsychologie est désormais de plus en plus dénoncée. En effet, la Loi Aubry de 1992 a ajouté au Code du travail français l'article 121-6 qui stipule que les techniques de sélection utilisées doivent avoir pour seul but de vérifier les aptitudes professionnelles du candidat ou sa capacité à occuper l'emploi proposé (République française, 1993). Or, la morphopsychologie ne satisfait pas cette condition de pertinence.

L'astrologie et la numérologie

L'astrologie est l'étude de l'influence des astres sur le comportement humain. La numérologie, pour sa part, prétend tirer de l'analyse numérique des caractéristiques individuelles (nom, prénom, date de naissance, etc.) des conclusions sur le caractère des personnes et des pronostics sur leur avenir. L'une et l'autre de ces techniques sont parfois utilisées en sélection en Europe et en Asie. Or, leur validité prédictive n'a jamais été démontrée, de sorte qu'elles sont à proscrire lors d'un processus de sélection.

Ainsi, si on exclut certaines pratiques controversées, il existe une multitude de tests dont l'utilité lors d'un processus de sélection est reconnue. Pour un recruteur, l'essentiel n'est pas de connaître tous les tests disponibles, ni d'être en mesure de les créer, mais plutôt de savoir quand et comment les utiliser, comment les choisir, et quand faire appel à des experts externes à l'entreprise.

2. Les principes d'utilisation des tests de sélection

2.1 Quand utilise-t-on les tests?

Le principal critère de choix d'un test est le profil de compétences recherché.

Le principal critère pour décider d'utiliser ou non un test de sélection, et pour choisir quel test utiliser, est le profil de compétences recherché pour le poste. Tout se joue donc à l'étape de la planification des méthodes de sélection, que nous avons vue au chapitre 7. Lorsqu'une ou plusieurs entrevues ne suffisent pas à mesurer l'ensemble des compétences recherchées, il faut envisager l'utilisation d'un ou de plusieurs tests. Les questions à se poser sont donc les suivantes:

- Quelles sont les compétences recherchées ?
- Ces compétences peuvent-elles être mesurées par une ou plusieurs entrevues ?
- Ces compétences peuvent-elles être mesurées par un ou plusieurs tests ?

Les réponses à ces questions justifient en grande partie l'utilisation non pas d'un seul test, mais plutôt d'une batterie de tests pour évaluer les candidats. En effet, le succès à un poste est rarement attribuable uniquement à l'intelligence, à la personnalité ou aux aptitudes. Il dépend, dans la majorité des cas, d'une combinaison de connaissances, d'habiletés, d'aptitudes, d'attitudes et de traits de personnalité. L'évaluation des êtres humains est complexe et nécessite donc plusieurs méthodes pour réussir à comprendre toutes les facettes d'un candidat.

Il arrive souvent qu'une même compétence puisse être mesurée à la fois par une entrevue et par un test. S'il s'agit d'une compétence importante, voire indispensable pour le poste, on choisira la méthode de sélection qui permet de mieux la mesurer, ou on utilisera les tests et l'entrevue de façon complémentaire.

Un deuxième critère de choix pour utiliser ou non des tests de sélection est la capacité à payer de l'organisation. Nous l'avons vu, certains tests sont très onéreux et cette dimension doit entrer en ligne de compte. Cependant, plus que le seul coût du test, c'est son utilité, c'est-à-dire son coût par rapport à l'information supplémentaire qu'il apporte, qui a de l'importance. Prenons l'exemple du test d'aptitudes physiques du Service de police de la Ville de Montréal présenté plus tôt. Bien que coûteux, ce test apporte une information de la plus haute importance, puisque les capacités physiques requises des policiers sont précisées dans la Loi sur la police (Gouvernement du Québec, 2000). En outre, un tel test est le moyen le plus valide d'obtenir de l'information sur la condition physique des candidats. Dans une telle situation, l'utilité du test d'aptitudes physiques est grande et le processus de sélection ne peut en faire l'économie.

Le délai peut également être considéré comme un facteur de décision dans le choix d'utiliser ou non des tests de sélection. Ce critère est cependant trompeur. En effet, même si les délais pour pourvoir un poste sont courts, il est plus important de prendre toutes les mesures nécessaires pour bien évaluer les compétences des candidats plutôt que de risquer de choisir la mauvaise personne en prenant une décision trop hâtive.

2.2 Comment choisir les tests appropriés ?

Une fois que la décision est prise d'utiliser des tests de sélection pour évaluer une compétence particulière, il est important de choisir le test le plus approprié. Ici encore, l'adéquation avec les compétences à mesurer est le critère principal de choix.

La question qui se pose souvent à ce stade-ci est la suivante : doit-on acheter un test disponible sur le marché, concevoir à l'interne son propre test, ou encore faire affaire avec une firme externe de psychologues ? Pour répondre à cette question, il importe de connaître les compétences requises de l'utilisateur du test en fonction du niveau de complexité de celui-ci. Comme le résume le tableau 14.14, on distingue habituellement trois niveaux de tests selon les compétences exigées de l'utilisateur.

TABLEAU 14.14	Classification des tests selon les compétences requises de l'utilisateur
Niveau de qualification	**Description**
Niveau A	L'administration, la notation et l'interprétation de ces tests requièrent simplement un manuel d'instruction et des connaissances générales quant à l'utilisation prévue des résultats. Ce niveau comprend, par exemple, les tests d'orientation et d'aptitudes professionnelles.
Niveau B	Ces tests sont plus complexes que ceux du niveau A et exigent une formation et une compréhension des principes d'évaluation et de leurs limites. L'utilisateur doit s'enquérir de la formation de celui qui administrera certains tests, y compris pour l'administration, la notation et l'interprétation supervisées de tests. Les inventaires d'intérêts en sont de bons exemples.
Niveau C	L'administration, la notation et l'interprétation de ces tests exigent une formation poussée et beaucoup d'expérience. L'administrateur doit avoir fait des études universitaires de deuxième cycle et de la supervision dans l'une des professions auxquelles les tests s'appliquent (par exemple, psychologie industrielle). Il doit également connaître la théorie et les principes psychométriques de l'évaluation et être au courant de la recherche dans le domaine de la validation de chacun des tests qu'il administre. Les tests d'évaluation de la personnalité et de capacité cognitive ou d'intelligence font partie de cette catégorie.

Source: Gouvernement du Canada, s. d.

Gouvernement du Canada
www.golservices.gc.ca

Il existe sur le marché plusieurs tests de niveau A ou B ; c'est le cas par exemple des tests de connaissances. Si ceux-ci mesurent effectivement les compétences telles qu'elles sont définies dans le contexte du poste à pourvoir, ces tests peuvent aisément être achetés et utilisés à l'interne. Les tests de niveau B requièrent cependant que leur utilisateur ou leur administrateur ait une formation en gestion des ressources humaines. Les tests plus complexes, de niveau C, nécessitent en revanche de s'en remettre à des professionnels en psychologie industrielle. Le site Internet du gouvernement du Canada dresse une liste de questions, présentée à l'encadré 14.10, pour prendre une décision quant au recours à une firme externe spécialisée dans les tests de sélection.

Bien que le recours à un spécialiste externe entraîne des frais supplémentaires, l'un de ses avantages est le code de déontologie auquel adhèrent les psychologues industriels. Ce code est garant d'une certaine qualité, à la fois dans le choix des tests, dans leur administration et dans le suivi octroyé aux candidats. À titre d'exemple, l'encadré 14.11 résume la fiche déontologique publiée par l'Ordre des psychologues du Québec au sujet des tests.

Critères ou facteurs à considérer dans la décision de recourir à des firmes externes

1. Le nombre de candidats possédant des qualifications semblables est important.

2. L'entreprise embauche assez fréquemment (peut-être deux ou trois fois par année) de nouveaux employés.

3. Ces tests peuvent servir à prendre des décisions au sujet des employés actuels et des candidats à un poste.

4. Le coût des tests risque d'imposer une réelle contrainte. Il doit être le plus bas possible.

5. Les tests prévus sont seulement de types A et B.

6. L'entreprise dispose du temps nécessaire pour examiner les tests.

7. L'intégration des résultats des tests aux processus de présélection et d'entrevue peut être complète.

8. Compte tenu de ces informations, le recruteur a confiance dans sa capacité (ou celle de son entreprise) à faire passer les tests.

Source : Gouvernement du Canada, s. d.

Fiche déontologique relative à l'utilisation des tests, un extrait

Les tests et leur usage

Bien que les psychologues détiennent la formation leur permettant d'exercer pleinement les activités professionnelles visant à «utiliser et à interpréter les tests standardisés des capacités mentales, d'aptitudes et de personnalité aux fins de classification et d'évaluation psychologiques (voir le Code des professions, article 37e)», ils ne détiennent pas un droit exclusif d'exercice dans ce domaine. [...]

Le Code de déontologie des psychologues contient deux articles à propos des normes d'utilisation des tests psychologiques. En ce qui a trait à l'administration, l'interprétation et l'utilisation des tests psychologiques, il est souligné que les psychologues doivent s'en tenir aux principes explicités dans l'ouvrage *Standards for Educational and Psychological Testing* (article 72, American Educational Research Association *et al.*), et éviter l'administration de tests par correspondance (article 73). Par extension, l'administration de tests à la résidence du client sans la présence du psychologue ou de la personne qui le mandate pour assurer la conformité de l'exercice est aussi prohibée. [...]

Il faut comprendre que le psychologue doit s'assurer que lui-même ou les personnes à qui il confie la responsabilité d'administrer un test détiennent la formation et l'entraînement requis pour veiller à ce que cela soit fait en conformité avec les prescriptions de l'auteur. [...] Par ailleurs, la jurisprudence provenant du Comité de discipline de l'OPQ a confirmé ces dernières années qu'un psychologue doit faire preuve de prudence dans l'interprétation du matériel obtenu à partir de ces tests. [...] À l'article 11 du Code de déontologie, il est mentionné qu'un psychologue ne peut donner des avis et des conseils à son client «que s'il possède les informations professionnelles et scientifiques suffisantes».

Source : Ordre des psychologues du Québec, 2000.

Ordre des psychologues du Québec
www.ordrepsy.qc.ca

Qu'une organisation décide de créer ses propres tests, d'en acheter ou encore de faire appel à une firme externe, les tests utilisés doivent avoir démontré leur validité dans un contexte similaire à celui dans lequel ils sont employés. La Commission des droits de la personne et des droits de la jeunesse du Québec met en garde les entreprises contre l'utilisation de tests conçus à l'étranger et n'ayant pas fait l'objet d'études de validité scientifiquement crédibles au Québec (Carpentier, 1998). Le Bureau international du travail (1993) rappelle que plusieurs tests de personnalité n'ont pas été créés pour les milieux de travail, mais plutôt pour des contextes de recherche médicale ou des tests cliniques, et qu'ils ne peuvent être utilisés dans un but de sélection du personnel sans une adaptation.

Par ailleurs, plusieurs tests communément employés en sélection ont été critiqués en raison de leurs biais préjudiciables aux femmes ou aux minorités ethniques et raciales. Ainsi, la batterie générale de tests d'aptitudes (BGTA), conçue aux États-Unis à partir d'un échantillon représentatif de la population active américaine de 1949, a dû être normalisée aux États-Unis, au Canada et au Québec en 1985 (Carpentier, 1998). Dans un autre exemple, le tribunal canadien des droits de la personne a jugé, dans la cause Action travail des femmes contre Canadien National (Cour Suprême du Canada, 1987), que le test de compréhension mécanique de Bennett excluait un nombre de femmes disproportionné (Carpentier, 1998).

Les tests doivent démontrer leur validité dans un contexte similaire et leur absence de biais.

Les tests adéquats sont donc ceux qui reposent sur une analyse des compétences requises par l'emploi, qui ont été validés et standardisés en fonction de la population visée, et dont le caractère non discriminatoire a été démontré. Le seul fait qu'un test soit généralement bien accepté par les candidats, c'est-à-dire qu'il jouisse d'une bonne validité apparente, ne constitue pas une raison suffisante pour en justifier l'usage. En effet, l'habitude de devoir passer un test particulier, comme la graphologie en France, peut créer chez les candidats une fausse impression de validité qui risque de perpétuer des pratiques critiquables.

Ainsi, une organisation qui envisage l'achat d'un test ou d'une batterie de tests, ou qui souhaite faire affaire avec une firme spécialisée pour en concevoir ou en administrer un, doit se renseigner sur la fiabilité et la validité des tests, ainsi que sur leur neutralité au plan culturel. Dans le cas de l'achat d'un test publié, l'éditeur peut fournir un manuel technique sur la conception du test; quant aux firmes spécialisées, elles possèdent généralement les études nécessaires pour informer leurs clients sur la nature des tests. Mais le choix du test approprié ne garantit pas à lui seul sa validité ou son utilité. Les conditions d'utilisation des tests doivent également faire l'objet de beaucoup d'attentions.

2.3 Les conditions d'utilisation des tests

Le consentement des candidats

Puisque certains tests contiennent parfois des énoncés très personnels, ils peuvent porter atteinte au respect de la vie privée protégé par diverses lois (voir chapitre 2). C'est pourquoi la personne qui est soumise à des tests de sélection doit y avoir consenti de façon libre et éclairée (Carpentier, 1998). L'organisation qui souhaite faire passer des tests à ses candidats doit donc lui faire signer un formulaire de consentement, ainsi qu'un formulaire d'autorisation de divulgation des renseignements précisant à quoi et à qui serviront les informations recueillies. Seules les personnes qui administrent et évaluent le test doivent avoir accès aux réponses spécifiques des candidats.

L'uniformisation de l'administration du test

Une des conditions de la fiabilité des tests est l'uniformisation de leur administration (voir à ce sujet le chapitre 11). Ainsi, tous les candidats à un poste donné doivent passer les mêmes tests d'évaluation, au même stade du processus. L'administration de ces tests (conditions physiques, durée, etc.) doit également être uniforme.

L'utilisation des résultats

Les personnes responsables de l'administration d'un test doivent avoir la formation nécessaire pour interpréter correctement et uniformément les résultats. Dans tous les cas de figure, les résultats du test ne devraient être communiqués qu'aux personnes qui prennent les décisions d'embauche et au candidat lui-même. Dans le cas de tests psychométriques confiés à des firmes externes, le candidat reçoit généralement un rapport détaillé, parfois complété par une entrevue de rétroaction avec l'administrateur du test.

Par ailleurs, les limites inhérentes aux tests recommandent la plus grande prudence quant à l'interprétation des résultats. En particulier, les résultats des tests ne devraient pas constituer la seule méthode utilisée pour décider d'embaucher quelqu'un. Ils sont complémentaires à d'autres outils de mesure, notamment l'entrevue, qui permettent d'obtenir une évaluation globale de différentes facettes d'un individu.

Ce qu'il faut retenir

- Il existe de nombreux tests de sélection sur le marché ; le choix d'un test se fait en fonction des compétences à mesurer.
- Les tests complètent les informations recueillies en entrevue. Il n'est pas conseillé de n'utiliser que des tests pour prendre une décision de sélection.
- Certains tests comportent des risques de discrimination ; d'autres recueillent de l'information très personnelle. L'usage de tests doit donc se faire avec précaution.
- Tous les tests utilisés doivent avoir été validés dans un contexte similaire à celui de leur utilisation.

Références

BARRICK, Murray R. et Michael K. MOUNT (1993). « Autonomy as a moderator of the relationships between the big five personality dimensions and job performance », *Journal of Applied Psychology,* vol. 78, n° 1, p. 111-118.

BERNIÉ, Marie-Madeleine et Arnaud D'ABOVILLE (2001). *Les tests de recrutement à la loupe,* Paris, Éditions d'Organisation, 158 p.

BOBKO, Philip, Philip L. ROTH et Denise POTOSKY (1999). « Derivation and implications of a meta-analytic matrix incorporating cognitive ability, alternative predictors, and job performance », *Personnel Psychology,* vol. 52, n° 3, p. 561-590.

BUREAU INTERNATIONAL DU TRAVAIL (1993). « Workers' privacy part III: Testing in the workplace », *Conditions of Work Digest,* vol. 12, n° 2, p. 71-85.

CAMOUS, Henri (2002). *Tests psychotechniques d'intelligence,* Paris, Éditions d'Organisation, 180 p.

CARPENTIER, Daniel (1998). *Les tests psychologiques et psychométriques en emploi,* document adopté à la 430ᵉ séance de la Commission, résolution COM-430-5.1.2., Québec, Commission des droits de la personne et des droits de la jeunesse, 18 p.

COE, Charles K. (1992). « The MBTI: Potential uses and misuses in personnel administration », *Public Personnel Management,* vol. 21, n° 4, p. 511-522.

COMMISSION DE LA FONCTION PUBLIQUE DU CANADA (2005, 7 juin). « Test standardisé et orientation professionnelle aux fins d'équité en emploi: Analyse documentaire de six tests », [en ligne], *Commission de la fonction publique du Canada,* Gouvernement du Canada [réf. du 12 juin 2006]. <www.psc-cfp.gc.ca>.

COMMISSION ONTARIENNE DES DROITS DE LA PERSONNE (2005, 9 juin) « Dimensions systémiques ou institutionnelles, Politique et directives sur le racisme et la discrimination raciale », [en ligne], *Commission ontarienne des droits de la personne* [réf. du 12 juin 2006]. <www.ohrc.on.ca>.

COSTA, Paul T. Jr., Robert R. McCRAE et Gary G. KAY (1995). « Persons, places, and personality: Career assessment using the revised NEO personality inventory », *Journal of Career Assessment,* vol. 3, n° 2, p. 123-139.

COUR SUPRÊME DU CANADA (1987). *Action travail des femmes c. CN,* [1987] 1 R.C.S., p. 1114.

DAY, Susan X. et James ROUNDS (1998). « Universality of vocational interest structure among racial and ethnic minorities », *American Psychologist,* vol. 53, n° 7, p. 728-736.

DESJARDINS, Claudette (2000, novembre/décembre). « Les tests et leur usage », *Effectif,* vol. 3, n° 5, p. 8-39.

DRIVER, Russel W., Ronald M. BUCKLEY et Dwight D. FRINK (1996). « Should we write off graphology? », *International Journal of Selection and Assessment,* vol. 4, n° 2, p. 78-86.

DRUCKMAN, Daniel et Robert A. BJORK (1991). *In the mind's eye: Enhancing human performance,* Washington, National Academy Press, 291 p.

ÉCOLE NATIONALE DE POLICE DU QUÉBEC ET UNIVERSITÉ DE MONTRÉAL (2004). « Présentation du *TAP-ENPQ,* Condition d'admission au programme de formation initiale en patrouille-gendarmerie », [en ligne], *École nationale de police du Québec* [réf. du 15 décembre 2006]. <www.enpq.qc.ca/patgen_proforini_guiadm.html>.

ERNOULT, Victor (2001). *Recruter sans se tromper – Conseils et techniques d'un chasseur de têtes,* Paris, Éditions d'Organisation, 235 p.

FOUAD, Nadya A. et Sarah L. SPREDA (1995). « Use of interest inventories with special populations: Women and minority groups », *Journal of Career Assessment,* vol. 3, n° 4, p. 453-468.

FOUAD, Nadya A., Lenore W. HARMON et Fred H. BORGEN (1997). « Structure of interests in employed male and female members of U.S. racial-ethnic minority and non minority groups », *Journal of Counseling Psychology,* vol. 44, n° 4, p. 339-345.

GHORPADE, Jai, Keith HATTRUP et James R. LACKRITZ (1999). « The use of personality measures in cross-cultural research: A test of three personality scales across two countries », *Journal of Applied Psychology,* vol. 84, n° 5, p. 670-679.

GOUVERNEMENT DU CANADA (s. d.). «Dossier ressources humaines : Formation en-ligne, Le processus d'embauche», [en ligne], *Service Canada* [réf. du 12 juin 2006]. <www.golservices.gc.ca>.

GOUVERNEMENT DU QUÉBEC (2000). «Loi sur la police, L.R.Q. chap. P-13.1», [en ligne], *Éditeur officiel du Québec* [réf. du 12 juin 2006]. <www2.publicationsduquebec.gouv.qc.ca>.

HR GUIDE (2000). «Assessment centers, HR Guide to the Internet», [en ligne], *HR-Guide.com* [réf. du 12 juin 2006]. <www.hr-guide.com/data/G318.htm>.

HR GUIDE (1999). «Personality tests, HR Guide to the Internet», [en ligne], *HR-Guide.com* [réf. du 12 juin 2006]. <www.hr-guide.com>.

JUDGE, Timothy A. *et al.* (1999). «The big five personality traits, general mental ability, and career success across the life span», *Personnel Psychology,* vol. 52, n° 3, p. 621-652.

JUNI Samuel et Esther J. KOENIG (1982). «Contingency validity as a requirement in forced-choice item construction : A critique of the Jackson vocational interest survey», *Measurement and Evaluation in Guidance,* vol. 14, n° 4, p. 202-207.

McSHANE, Damian et John W. BERRY (1988). «Native North Americans : Indian and Inuit abilities», dans IRVINE, Sydney H. et John W. BERRY (dir.), *Human abilities in cultural context,* Cambridge, Cambridge University Press, 610 p.

NATIONAL HIRE NETWORK (2004). «The use of honesty tests as a means of screening job applicants», [en ligne], *Legal action centre* [réf. du 12 juin 2006]. <www.hirenetwork.org>.

NETER, Efrat et Gershon BEN-SHAKHAR (1989). «The predictive validity of graphological inferences : A meta-analytic approach», *Personality and Individual Differences,* vol. 10, n° 7, p. 737-745.

NEWHAM, Gareth (2003, 18 août). «Preventing police corruption : Lessons from the New York City police department», [en ligne], *Centre for the study of violence and reconciliation* [réf. du 12 juin 2006]. <www.csvr.org.za>.

ORDRE DES PSYCHOLOGUES DU QUÉBEC (2000, septembre). *Les tests et leur usage,* Fiche déontologique, vol. 1, n° 3, 4 p.

PETTERSEN, Normand (2000). *Évaluation du potentiel humain dans les organisations,* Sainte-Foy, Presses de l'Université du Québec, 374 p.

RÉPUBLIQUE FRANÇAISE (1993, 1er janvier). «Titre V : Dispositions relatives au recrutement et aux libertés individuelles, Loi n° 92-1446 du 31 décembre 1992», [en ligne], *LegiFrance.gouv.fr* [réf. du 12 juin 2006]. <www.legifrance.gouv.fr>.

RYAN, Jennifer M., Terence J. G. TRACEY et James ROUNDS (1996). «Generalizability of Holland's structure of vocational interests across ethnicity, gender, and socioeconomic status», *Journal of Counseling Psychology,* vol. 43, n° 3, p. 330-337.

SAPITULA, Lester L. et Mark C. SHARTZER (2001). «Predicting the job performance of maintenance workers using a job knowledge test and a mechanical aptitude test», *Applied HRM Research,* vol. 6, n° 1, p. 71-74.

SCHMIDT, Frank L. et John E. HUNTER (1998). «The validity of selection methods in personnel psychology : Practical and theoretical implications of 85 years of research findings», *Psychological Bulletin,* vol. 124, n° 2, p. 262-274.

SERVICE DE POLICE DE LA VILLE DE MONTRÉAL (2005). «Processus de sélection – Policiers, 2004-2006», [en ligne], *Service de police de la Ville de Montréal* [réf. du 12 juin 2006]. <www.spvm.qc.ca>.

SOCIÉTÉ DE TRANSPORT DE MONTRÉAL (2005). «Quelques-uns des tests utilisés», [en ligne], *Société de transport de Montréal* [réf. du 12 juin 2006]. <www.stcum.qc.ca>.

STEINER, Dirk D. et Stephen W. GILLILAND (1996). «Fairness reactions to personnel selection techniques in France and the United States», *Journal of Applied Psychology,* vol. 81, n° 2, p. 134-141.

STEVEN, Thomas L. et Steve VAUGHT (2001). «The write stuff : What the evidence says about using handwriting analysis in hiring», *S.A.M. Advanced Management Journal,* vol. 66, n° 4, p. 31-35.

TETT, Robert P., Douglas N. JACKSON et Mitchell ROTHSTEIN (1991). «Personality measures as predictors of job performance : A meta-analytic review», *Personnel Psychology,* vol. 44, n° 4, p. 703-742.

CHAPITRE **15**

La vérification des antécédents

Objectifs du chapitre

La vérification des antécédents constitue la dernière étape du processus de sélection avant la prise de décision finale. Ce chapitre a pour objectifs de :

- préciser l'encadrement juridique de cette activité ;

- passer en revue les différents antécédents susceptibles d'être vérifiés ;

- indiquer les méthodes les plus appropriées pour vérifier les antécédents des candidats.

Comme nous l'avons vu dans les chapitres précédents, l'analyse du curriculum vitæ, suivie d'entrevues et de tests de sélection, permet de recueillir des informations sur les candidats. Mais ces informations sont-elles toujours exactes? Selon une agence de vérification de références, jusqu'à 60% des chercheurs d'emploi fournissent de l'information trompeuse, voire mensongère, dans leur curriculum vitæ ou en entrevue (Gouvernement du Canada, s. d.). Les mensonges les plus fréquents concernent la formation scolaire et les réalisations en cours d'emploi (Tremblay, 2005). Dans un tel contexte, les recruteurs doivent vérifier les antécédents fournis par les candidats afin de baser leur décision d'embauche sur des informations aussi exactes que possible. En effet, selon plusieurs chercheurs, «les références professionnelles multiples et diversifiées permettraient de prédire, avec plus de 90% des chances, quelle sera la performance des recrues au sein de leur nouvelle organisation» (De Smet, 2000). La vérification des antécédents limite également la responsabilité de l'employeur en cas d'erreur de sélection. En effet, si une recrue cause un préjudice à autrui, l'employeur risque d'être tenu responsable s'il a demandé au candidat de lui fournir le nom de personnes à contacter comme référents, mais que les vérifications n'ont pas été faites (Gouvernement du Canada, s. d.).

Society for Human Resource Management
www.shrm.org

Parce qu'elles ont été échaudées par des expériences d'embauche malheureuses ou par la multiplication des informations erronées dans les curriculum vitæ, de plus en plus d'entreprises vérifient les antécédents de leurs candidats (Rivard, 2005). Ainsi, selon une étude menée par la Society for Human Resource Management, plus de huit professionnels en ressources humaines sur dix affirment qu'ils vérifient régulièrement les références, que ce soit pour des postes professionnels (89%), administratifs (84%), techniques (81%) ou même de haute direction (85%) (Doyle, s. d.). Au Canada, le taux de croissance annuel de l'industrie de la sécurité privée, qui inclut les firmes de vérification des antécédents, varie de 5% à 7% (Noël, 2001), voire plus, si l'on se fie aux données du gouvernement fédéral (voir figure 15.1). Par exemple, en 2001, Investigations Condor, une agence privée d'investigation de Montréal, notait une augmentation de 25% des demandes de vérification préemploi, incluant la vérification des antécédents criminels (Noël, 2001).

Il faut noter qu'il existe des différences culturelles en matière de vérification des antécédents. Ainsi, en Amérique du Nord, cette vérification se fait habituellement à la fin du processus de sélection et touche le candidat classé en tête (et parfois celui qui le suit immédiatement). En revanche, en France, la vérification des données factuelles, comme l'obtention du diplôme, a souvent lieu en tout début de processus, et participe à la présélection des candidats.

Comme nous le verrons au cours de ce chapitre, la vérification des antécédents doit tenir compte de certaines précautions d'usage, notamment quant aux autorisations à obtenir et au type d'information à recueillir.

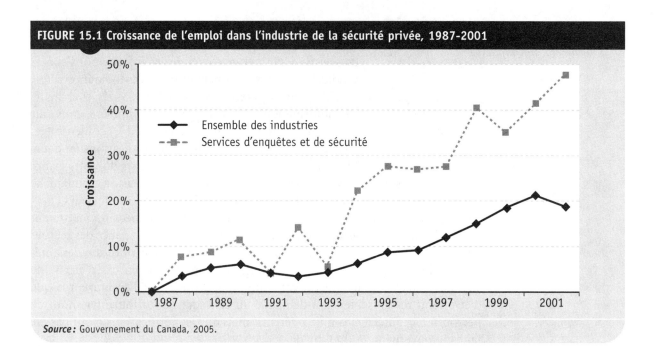

FIGURE 15.1 Croissance de l'emploi dans l'industrie de la sécurité privée, 1987-2001

Source: Gouvernement du Canada, 2005.

1. L'encadrement juridique

Le chapitre 2 précisait les différentes dispositions légales protégeant la vie privée des citoyens au Canada et au Québec. Plus spécifiquement, dans les entreprises privées et les organismes publics sous juridiction fédérale, ce sont la Loi sur la protection des renseignements personnels (Gouvernement du Canada, 1985a) et la Loi sur la protection des renseignements personnels et les documents électroniques (Gouvernement du Canada, 2000) qui s'appliquent. Pour leur part, les entreprises privées et les organismes publics sous juridiction québécoise sont assujettis à la Loi sur l'accès aux documents des organismes publics et sur la protection des renseignements personnels (Gouvernement du Québec, 1982) et à la Loi sur la protection des renseignements personnels dans le secteur privé (Gouvernement du Québec, 1993).

> *Avant de vérifier ses références, l'employeur doit obtenir le consentement du candidat.*

Même si elles permettent aux employeurs de recueillir des informations personnelles au sujet des candidats, ces dispositions légales encadrent la collecte, l'utilisation et la diffusion de ces informations, dans le but de protéger la vie privée des citoyens. Ainsi, avant de communiquer avec des tiers pour recueillir de l'information sur un candidat, l'employeur doit obtenir le consentement de ce dernier. Ce consentement fait l'objet d'un document écrit, clair et précis, dont la durée est limitée. Les encadrés 15.1 et 15.2 proposent des exemples de formulaires de consentement à la vérification des antécédents.

C'est généralement au cours de l'entrevue (ou de la dernière entrevue lorsque le processus de sélection en prévoit plusieurs) que l'on demande au candidat de donner son consentement à l'examen de ses antécédents. À cette occasion, le recruteur demande également au candidat de fournir une liste de répondants pouvant confirmer son expérience de travail, ses compétences, ou tout autre point ayant été soulevé lors de l'entrevue. Nous reviendrons un peu plus loin sur le choix des personnes à contacter lors de la vérification des antécédents et sur les questions à leur poser.

Bell Canada
www.bell.ca

ENCADRÉ 15.1 Formulaire de consentement à la vérification des antécédents – Bell Canada

Demande d'emploi : déclaration et autorisation

Je certifie par la présente que tous les renseignements fournis dans mon CV, mon formulaire de candidature et tout autre document que j'ai pu transmettre à Bell Canada, ainsi que les renseignements communiqués durant mon entrevue, sont à la fois exacts et complets.

Je comprends que toute omission délibérée ou fausse déclaration à propos desdits renseignements peut constituer un motif valable pour rejeter ma candidature et/ou mettre fin à mon emploi, et ce, à la discrétion de Bell Canada.

Par la présente, j'autorise Bell Canada ou toute partie agissant en son nom à vérifier tous les renseignements que j'ai fournis à Bell Canada.

Voici les coordonnées des répondants avec qui Bell Canada ou toute partie agissant en son nom peut communiquer pour vérifier mes emplois précédents et mon rendement au travail :

Nom	Compagnie	Titre	N° de téléphone

Nom : _____

Signature : _____ Date : _____

Source : Bell Canada, s. d.

Une copie du formulaire de consentement doit être fourni aux répondants, puisque ceux-ci sont en droit de vérifier que le candidat a bel et bien donné son accord. Par ailleurs, un répondant ayant fourni une référence défavorable peut être poursuivi en dommages et intérêts par un candidat, même si celui-ci avait donné son accord (Rivard, 2005). Pourtant, dans l'affaire opposant Larochelle à l'Association des personnes handicapées de Lévis, le tribunal a jugé qu'un ancien employeur avait le droit d'émettre une opinion négative sur un candidat, à condition que cette dernière soit basée sur des faits véridiques et vérifiables (Perreault, 2006).

ENCADRÉ 15.2 **Exemple de formulaire de consentement à la vérification des antécédents**

Consentement

Je, _____ soussigné, candidat à un poste dans _____, accepte, par la présente, les conditions suivantes :

Consentement général à l'enquête sur les antécédents

Dans le cadre de l'examen de ma candidature, j'autorise l'organisation X et toute autre organisation mandatée par cette dernière, à mener une enquête au sujet de mes antécédents personnels et professionnels. Je reconnais que cette enquête comprendra la vérification de tous les renseignements que j'ai remis à l'entreprise, mais qu'elle ne s'y limitera pas.

Consentement à communiquer avec mes employeurs antérieurs

J'autorise _____ à communiquer avec mes employeurs antérieurs, mon employeur actuel ou toute autre personne mentionnée par moi, afin d'obtenir des références à mon sujet. J'autorise également tous mes employeurs actuels ou antérieurs et leurs représentants, ainsi que toute autre personne mentionnée par moi, à discuter avec _____ de mes antécédents personnels et professionnels pertinents. Je consens à la divulgation orale ou écrite de tels renseignements, et je les dégage de toute responsabilité et accepte de ne pas les poursuivre pour diffamation ou autre allégation fondée sur des déclarations faites à un représentant de _____.

Consentement à communiquer avec des organismes gouvernementaux

J'autorise _____ et toute autre organisation mandatée par cette dernière, à recevoir une copie de tous les renseignements me concernant contenus dans le dossier de tout tribunal ou de tout organisme gouvernemental. Je consens à la divulgation de tels renseignements et nomme, par la présente, _____ et toute autre organisation mandatée par cette dernière, comme mon agent pour la réception de l'information.

Limite du consentement

Le présent consentement n'est valide que pour la durée nécessaire à l'examen de ma candidature et ne concerne que les informations pertinentes à cet examen. Je reconnais que je n'ai aucune garantie d'embauche et que _____ peut décider de ne pas m'engager pour toute raison légitime.

Signature

_____
Signature du candidat

_____   _____
Nom du candidat en lettres moulées   Date

Malgré cette décision du tribunal, par crainte d'être accusés de diffamation, certains employeurs ont pour politique de ne pas fournir de références sur leurs anciens employés ou de ne transmettre que des informations de base comme le poste occupé, la période d'emploi et le salaire. Une bonne préparation du recruteur est alors essentielle pour obtenir les informations voulues, même si le répondant semble réticent à les fournir. C'est ce que nous examinerons dans la prochaine section de ce chapitre.

2. La vérification des références professionnelles

Parmi les antécédents faisant l'objet de vérifications lors du processus de sélection, le passé professionnel du candidat est le plus fréquemment examiné. Les références professionnelles peuvent devenir des sources d'information très utiles pour corroborer, préciser ou compléter les renseignements déjà recueillis sur les réalisations ou sur le rendement antérieur d'un candidat. Cependant, pour être efficace, la vérification des références professionnelles exige de la planification et de la préparation. Trois éléments sont alors à considérer : la façon de conduire la vérification des références, le choix des personnes à contacter et le type de questions à poser pour obtenir l'information recherchée.

2.1 Le mode de vérification des références

Il arrive souvent qu'un candidat se présente en entrevue muni de lettres de recommandation faisant état de ses compétences et de son expérience. Bien que cette information soit intéressante, ces lettres sont souvent trop vagues pour répondre aux besoins spécifiques d'un recruteur. En revanche, celui-ci souhaite un contact personnalisé avec le répondant pour aborder plus en profondeur certaines questions et préciser des points discutés avec le candidat en entrevue. Compte tenu des objectifs très spécifiques de la vérification des références professionnelles, les entrevues téléphoniques constituent le meilleur moyen d'en apprendre davantage sur les antécédents d'un candidat ; c'est d'ailleurs la façon la plus fréquente de vérifier les références (Gouvernement du Canada, s. d.).

Les références professionnelles sont généralement vérifiées par téléphone.

Il est également possible de confier la vérification des références à des firmes professionnelles qui contrôlent notamment les dates d'emploi, le dernier salaire touché, le titre du dernier poste occupé, le rendement du candidat à ce poste, les études effectuées et les diplômes obtenus, ou encore les titres professionnels (Gouvernement du Canada, s. d.). Ce service peut faire gagner du temps à un recruteur. Cependant, le recours aux organisations externes pour vérifier les références professionnelles comporte deux inconvénients majeurs. D'une part, c'est un service relativement coûteux, de l'ordre d'une centaine de dollars pour une enquête simple auprès des anciens employeurs (Noël, 2001). D'autre part, lors de ces enquêtes, les compagnies privées vérifient les données professionnelles objectives, comme les dates d'emploi ou l'année d'obtention d'un diplôme. Toutefois, puisqu'elles ne connaissent ni le poste ni les compétences requises, il leur est difficile de vérifier les habiletés ou les attitudes des candidats. Elles ne sont donc en mesure d'effectuer que la partie la plus factuelle de la vérification des références professionnelles. Ainsi, le recours à des compagnies externes devrait plutôt être réservé à la vérification d'autres antécédents que les références professionnelles, comme nous le verrons plus loin dans ce chapitre.

2.2 Le choix des répondants

Bien que certains recruteurs insistent pour contacter des personnes qui ne sont pas sur la liste des références fournies par le candidat, cette pratique est délicate, car elle peut mettre en péril la carrière du candidat (Commission de la fonction publique du Canada, s. d.). En effet, un recruteur ne peut garantir la discrétion de ses interlocuteurs, et le candidat peut se trouver dans une position fort dommageable si son employeur actuel apprend, de cette façon, ses démarches de recherche d'emploi.

Il est donc préférable de demander au candidat de fournir une liste de répondants. Cependant, afin d'éviter que cette liste ne soit composée que d'amis du postulant, le recruteur peut imposer certaines restrictions. Par exemple, il est recommandé d'exiger la référence d'au moins un superviseur ayant travaillé récemment avec le candidat; le recruteur peut également demander les coordonnées de collègues de travail, de subalternes ou de clients. Dans le cas de postes d'entrée pour lesquels les candidats ont souvent peu d'expérience professionnelle, on peut demander la référence d'un professeur. Rappelons cependant que la Loi canadienne sur les droits de la personne (Gouvernement du Canada, 1985b) et la Charte des droits et libertés de la personne du Québec (Commission des droits de la personne et des droits de la jeunesse du Québec, 1975) interdisent à un recruteur de demander la référence d'un membre du clergé ou d'un chef religieux (voir le chapitre 2 pour plus de détails).

Le recruteur peut également demander au candidat s'il y a des personnes avec lesquelles il préfère que l'on ne communique pas (par exemple, son employeur ou ses collègues de travail actuels). Cette question, en apparence banale, peut fournir de l'information sur des événements qui risquent de nuire au candidat, et qu'il n'aurait pas abordés spontanément en entrevue (par exemple, une mésentente avec un superviseur). En soit, cette information ne devrait pas porter préjudice au candidat, car il arrive à tout le monde de vivre des expériences professionnelles moins positives que d'autres; mais elle permet au recruteur de préciser le parcours du candidat.

> Les répondants doivent avoir eu l'occasion d'observer le travail du candidat récemment.

Étant donné que le recruteur cherche à confirmer ou à approfondir des informations précises, il lui est nécessaire de s'adresser à des personnes qui connaissent bien le travail du candidat et qui l'ont vu à l'œuvre récemment et de façon prolongée. Cependant, comme une seule et même personne n'est pas toujours en mesure d'évaluer toutes les facettes d'un candidat, il est conseillé de contacter deux ou trois répondants. Cette pratique permet de comparer les réponses et d'éviter d'accorder trop d'importance à un répondant qui serait excessivement négatif ou excessivement positif. Notons que le nombre de personnes à contacter varie en fonction de la nature du poste; ainsi, plus les responsabilités dévolues au titulaire du poste sont grandes, plus le nombre de vérifications de références et leur niveau de détail sont importants (De Smet, 2000).

Même si les personnes contactées lors de la vérification des références connaissent bien le candidat, elles ne fournissent pas spontanément les informations précises que le recruteur recherche. Par ailleurs, les candidats savent que leurs références peuvent être vérifiées, de sorte qu'ils proposent habituellement une liste de personnes qui les apprécient. Le risque est donc grand que les répondants offrent une recommandation positive très générale, qui est de peu d'utilité pour le recruteur. C'est d'ailleurs la critique principale des détracteurs de la vérification des références (Hamntiaux, Joron et Normandeau, 1999).

Or, la vérification des références professionnelles peut réellement générer des informations utiles et précises, à condition que le recruteur pose les bonnes questions ; il s'agit d'une question de préparation. Comme pour l'entrevue de sélection, le recruteur doit donc planifier ses entrevues de vérification des références et préparer une liste de questions précises à poser aux répondants.

2.3 La grille d'entrevue de vérification des références

Le recruteur doit rédiger une grille de vérification des références.

Une entrevue de vérification des références professionnelles se prépare comme toute entrevue de sélection : en notant, sous forme de grille d'entrevue, les questions que l'on souhaite poser à son interlocuteur. Tout comme la grille d'entrevue de sélection détaillée au chapitre 13, la grille d'entrevue de vérification des références présente plusieurs avantages. Tout d'abord, elle rappelle au recruteur l'information qu'il souhaite obtenir, ce qui lui permet de ne rien oublier et lui assure de recueillir les mêmes renseignements pour tous les candidats. Cet outil facilite ainsi les comparaisons entre les candidats et évite les biais possibles lors de la vérification des références. De tels biais peuvent en effet entraîner des plaintes ultérieures, comme le montre l'encadré 15.3 qui résume une poursuite intentée en avril 2003 contre Statistique Canada. En outre, l'utilisation d'une grille précise de questions donne au répondant l'impression que le processus de sélection est professionnel et bien organisé. Enfin, la grille d'entrevue fournit au recruteur un support pour consigner les réponses données par les personnes contactées.

Commission de la fonction publique du Canada
www.psc-cfp.gc.ca

L'entrevue de vérification des références n'a pas pour objectif de mesurer à nouveau toutes les compétences passées en revue lors des tests ou de l'entrevue de sélection. En fait, la planification des activités de sélection, détaillée au chapitre 7, a permis d'établir les compétences à mesurer lors de la vérification des références. À ces compétences initialement prévues, le recruteur peut ajouter celles sur lesquelles il a besoin d'informations supplémentaires à l'issue des entrevues et des tests. Cela peut être une compétence au sujet de laquelle il a un doute, une dimension sur laquelle il dispose d'informations contradictoires, un élément qu'il n'a pas été en mesure d'évaluer pendant le processus de sélection, ou encore une habileté tellement fondamentale qu'il souhaite la vérifier une fois de plus.

Une entrevue de vérification des références est généralement composée de 10 à 12 questions.

Compte tenu du fait que l'entrevue de vérification se fait par téléphone, elle doit rester courte. On estime qu'elle ne devrait pas être composée de plus de dix à douze questions. Une partie de l'entrevue peut porter sur des informations factuelles, comme les dates d'embauche, le titre du poste occupé ou les principales responsabilités assumées par le candidat. Mais comme pour l'entrevue de sélection, les questions les plus instructives portent sur des faits précis, des exemples spécifiques, des incidents pertinents ou des comportements passés. Ces questions peuvent être précédées d'une mise en contexte ou d'une définition de la compétence recherchée, afin que le répondant se fasse une idée précise du poste. Par exemple, pour vérifier l'esprit d'initiative d'un candidat, le recruteur pourrait poser la question suivante : « Nous recherchons une personne capable de prendre rapidement des initiatives pour répondre aux demandes

des clients sans attendre les instructions de son superviseur. Avez-vous déjà observé une situation où M. Dupond a dû faire preuve d'initiative?» Le principe STAR (situation, tâche, action et résultat) que nous avons expliqué au chapitre 13 aide à formuler des questions complémentaires.

ENCADRÉ 15.3 **Barème de correction pour la vérification de références**

Statistique Canada n'a pas respecté le «principe du mérite» dans la dotation touchant une cinquantaine de postes de gestionnaires, vient de statuer le Comité d'appel de la Commission de la fonction publique du Canada dans un jugement rendu le 10 avril [2003], et dont *Le Droit* a obtenu copie.

La Commission de la fonction publique du Canada est l'organisme chargé de faire respecter le principe du mérite lors de l'embauche de fonctionnaires fédéraux. Le principe du mérite suppose, selon la jurisprudence, qu'il faille trouver les personnes les plus aptes à remplir les différents postes de la Fonction publique. Le Comité d'appel de la CFP n'intervient que si la preuve révèle que les résultats du concours ont été influencés par une irrégularité dans le processus de sélection, ce qui est le cas de l'affaire Simard.

La plainte

En octobre 2002, une plainte a été déposée au Comité d'appel de la Commission par Monique Simard, une fonctionnaire fédérale de Gatineau, membre de l'Association des employés en sciences sociales, dont la candidature n'avait pas été retenue par le jury de sélection mis sur pied afin de pourvoir les postes de gestionnaires de niveau IS-5 dans trois secteurs différents (Opérations, Technologies de l'information et Sujet matière/comptabilité) à Statistique Canada. Le ministère avait alors reçu 451 demandes pour les postes, dont 103 candidatures ont été retenues après la présélection pour le secteur Opérations, 64 pour le secteur Technologies de l'information et 59 pour le secteur Sujet matière/comptabilité.

Or, la candidature de Mme Simard n'a pas été retenue parce qu'elle n'avait pas réussi à obtenir la note de passage pour les capacités, et ce, dans les trois concours, selon le jury de sélection. Dans son appel, la fonctionnaire estimait que le jury de sélection ne pouvait utiliser des questions axées sur le comportement sans faire la vérification des faits relatés par les candidats. Elle alléguait également que le principe du mérite n'avait pas été respecté dans la vérification des références.

La décision

Dans sa décision, la présidente du Comité d'appel, Valérie Lagacé, a accueilli l'appel de la fonctionnaire estimant que le principe du mérite n'avait pas été respecté dans la vérification des références.

«La preuve a démontré que les évaluateurs qui ont effectué la vérification des références n'ont pas tous utilisé le même barème de correction» écrit la présidente du Tribunal, qui souligne que les candidats jugés par deux des membres du jury de sélection avaient bénéficié «d'une correction plus généreuse au détriment des autres candidats».

La présidente a surtout reproché à un des membres du jury de sélection, Judy Sauvé, d'avoir à la fois agi comme référence pour un candidat et comme évaluateur des références des autres candidats sur un même concours. Elle note ainsi que l'évaluation négative faite de la fonctionnaire Simard «laisse plutôt l'impression que Judy Sauvé a donné des références en conséquence des résultats recherchés».

Elle conclut que le jury de sélection était incapable de comparer les résultats dans le processus de sélection qui a eu un impact sur les résultats du concours, puisque «cette irrégularité a influencé le pointage accordé aux candidats, lequel détermine le rang de chacun d'eux sur la liste d'admissibilité», note la présidente du Comité d'appel.

Source: Le Droit, 2003.

Ainsi, l'entrevue de vérification des références professionnelles peut porter sur des comportements ou des attitudes, comme en témoigne le tableau 15.1. Elle peut également inclure des questions portant sur des informations objectives, comme la ponctualité du candidat ou les promotions qu'il a obtenues. De telles questions sont relativement faciles à élaborer.

TABLEAU 15.1 Exemples de questions de vérification des références professionnelles

Dimension à vérifier	Question initiale	Questions complémentaires
Expérience professionnelle générale dans l'organisation	Monsieur X m'indique qu'il a travaillé plusieurs années dans votre entreprise. Pouvez-vous m'indiquer quel était son poste ?	Quel était votre lien professionnel avec lui ? Dans quel service travaillait-il ? Quel était le niveau hiérarchique de son poste ? Quel était son niveau de salaire ?
	Quelles sont plus précisément les dates de son embauche chez vous ?	Pouvez-vous m'indiquer les raisons pour lesquelles il a quitté votre entreprise ?
Dimensions spécifiques de l'expérience professionnelle	Quelles étaient ses principales responsabilités ?	Avait-il à gérer une équipe ? De combien de personnes ? Avait-il à gérer un budget ? De quel ordre de grandeur ? Quelle a été sa contribution spécifique au projet Y ?
	Quel était son horaire de travail ?	M. X était-il ponctuel ?
Compétences particulières	Pouvez-vous me parler d'un projet dans lequel M. X a eu à travailler en équipe ?	Était-ce une équipe multidisciplinaire ? Quel était le rôle de M. X dans cette équipe ? Selon vous, y a-t-il eu des tensions dans cette équipe ? Si oui, comment M. X a-t-il réagi ?
	Pouvez-vous me citer un exemple de situation dans laquelle M. X a démontré ses capacités de conviction ?	A-t-il réussi à convaincre son auditoire ? Comment s'y est-il pris ?
Questions générales	Quel domaine M. X devrait-il perfectionner ?	Pouvez-vous me donner un exemple de situation où vous avez particulièrement remarqué ce point faible ?
	Si vous en aviez l'occasion, embaucheriez-vous à nouveau M. X ?	
	Recommanderiez-vous l'embauche de M. X ?	

L'encadré 15.4 présente un exemple de grille d'entrevue de vérification des références, qui peut être adaptée aux besoins spécifiques de l'organisation.

Renseignements de base

Nom du candidat : _____

Poste auquel le candidat est considéré : _____

Nom du référent : _____

Titre du référent : _____

Compagnie : _____

Lien avec le candidat : _____

Période d'emploi : _____

Référence vérifiée par : _____

Date : _____

Renseignements de référence

1. Le candidat a-t-il été à l'emploi de votre compagnie ?

   ○ oui   ○ non

   • Si oui, à quelle période ?
   • Quel était son titre ?
   • Quelles étaient ses principales tâches et responsabilités ?
   • A-t-il eu des promotions ? Si oui, dans quelles circonstances ?
   • Quels sont les domaines dans lesquels le candidat s'est particulièrement illustré ?
   • Quelles étaient, selon vous, les principales compétences du candidat ? Pouvez-vous me donner des exemples illustrant ces compétences ?
   • Selon vous, quels sont les besoins du candidat en matière de formation ou de perfectionnement ? Pouvez-vous me donner des exemples illustrant ces besoins ?
   • Quelles relations de travail le candidat entretenait-il avec ses supérieurs, ses pairs et ses clients ? Pouvez-vous me donner des exemples ?

2. Le poste que nous avons à pourvoir requiert telle compétence. Avez-vous déjà eu l'occasion d'observer le candidat faire preuve de cette compétence ? Dans quelle circonstance ?

   • Comment évalueriez-vous sa capacité à… ? Pouvez-vous me donner un exemple ?

3. Lors de l'entrevue, le candidat nous a indiqué qu'il avait participé à tel projet.

   • Quelles étaient ses responsabilités ?
   • Qu'a-t-il fait exactement dans ce projet ?
   • Quels ont été les résultats de son action ?
   • Y a-t-il des choses qu'il aurait dû faire autrement ?

4. Pour quelles raisons le candidat a-t-il décidé de quitter votre compagnie ?

5. Est-ce que vous seriez prêt à réembaucher cette personne ?

   ○ oui   ○ non

   • Pourquoi ?

6. Avez-vous d'autres commentaires à faire ?

www.cheneliere.ca

Comme l'indiquent le tableau 15.1 et l'encadré 15.4, une entrevue de vérification des références se termine souvent par une question générale, par exemple, « Embaucheriez-vous à nouveau cette personne ? » ou « Recommanderiez-vous l'embauche de cette personne ? » Une telle question est extrêmement importante, car c'est souvent l'occasion pour le répondant d'exprimer une opinion défavorable ou nuancée sur le candidat. De façon générale, la plupart des employeurs fournissent des informations positives sur leurs anciens employés. Cependant, leur propre crédibilité est en jeu lorsqu'ils répondent à une demande de vérification des références. Ainsi, même s'ils ne souhaitent pas nuire à la future carrière du candidat, les répondants offrent parfois des références mitigées qui se traduisent par des hésitations inhabituelles, des propos évasifs ou une attitude négative, notamment en réponse à une question générale comme « Si c'était à refaire, embaucheriez-vous cette personne ? » Ce sont des signes qu'un recruteur doit savoir reconnaître lorsqu'il vérifie des références (Commission de la fonction publique du Canada, s. d.). Il peut alors décider d'approfondir ce point particulier pour mieux comprendre l'hésitation de son interlocuteur.

Une fois la grille d'entrevue établie, le déroulement de l'entrevue de vérification des références est assez aisé. Avant de communiquer avec le premier répondant, il importe cependant de revoir le dossier du candidat (curriculum vitæ, notes d'entrevues, notes de vérification des références précédentes, etc.) afin de vérifier que tous les points pertinents seront abordés.

La courtoisie veut qu'au début de l'entretien téléphonique, le recruteur annonce la raison de son appel et assure son interlocuteur de l'entière confidentialité de leur conversation. Le recruteur offre également au répondant de lui envoyer par télécopie le formulaire de consentement signé par le candidat. Si le répondant accepte de répondre à ses questions, le recruteur devrait brièvement résumer les fonctions du poste pour lequel le candidat est considéré, afin que la personne contactée ait une idée juste des compétences recherchées. Le déroulement de l'entrevue se fait ensuite en suivant la grille préparée.

> Les références constituent _un_ élément parmi la totalité des informations sur le candidat.

Pendant toute l'entrevue, le recruteur doit prendre soin de noter les informations fournies par son interlocuteur afin de pouvoir les interpréter plus tard. En effet, les informations recueillies à cette étape doivent toujours être évaluées dans le contexte de l'ensemble des renseignements obtenus sur le candidat pendant le processus de sélection. Le recruteur cherchera notamment la cohérence avec les autres informations recueillies ou, à l'inverse, les divergences. L'utilisation de l'ensemble des informations sera abordée dans le prochain chapitre de ce livre.

2.4 Les limites de la vérification des références professionnelles

Si le choix des répondants et la préparation des questions d'entrevue améliorent la valeur des informations recueillies lors de la vérification des références professionnelles, cette étape du processus de sélection n'est cependant pas exempte de limites. Elle est notamment critiquée en raison des biais liés aux répondants. Par exemple, une référence négative peut traduire un conflit de personnalité entre le référent et le candidat plutôt que le manque de compétences de ce dernier. Au contraire, une référence très positive peut être motivée par la volonté du répondant de se débarrasser d'un employé improductif ou refléter les liens d'amitié entre le répondant et le candidat. Ainsi, certains auteurs considèrent que la prise de références constitue le « maillon faible de la chaîne d'activités composant le processus de dotation », puisque l'information a pour source des répondants inconnus (Hamntiaux, Joron et Normandeau, 1999). Cependant, l'utilisation de multiples répondants limite ce risque. Par ailleurs, le recruteur est libre d'attribuer aux références un poids relatif en fonction de l'identité des répondants. Ainsi, la parole d'un supérieur immédiat aura-t-elle généralement plus de poids que celle d'un collègue.

D'autres biais sont attribuables au recruteur. Ainsi, il arrive fréquemment qu'un recruteur voie dans la vérification des références l'occasion de confirmer un jugement déjà établi. Il aura donc tendance à poser des questions générales, parfois tendancieuses, telles que « Diriez-vous que Mme Duval a un bon esprit d'équipe ? », plutôt que des questions neutres, précises et portant sur des comportements observables, telles que « Lors de son expérience chez vous, Mme Duval a-t-elle eu à travailler en équipe ? Pouvez-vous me décrire dans quelles circonstances ? Pouvez-vous me décrire le rôle qu'elle assumait dans l'équipe ? » La vérification des références professionnelles doit être considérée comme une source d'information parmi d'autres, et être abordée avec un esprit ouvert plutôt qu'avec une opinion déjà faite sur le candidat.

Certains auteurs critiquent également le fait que la vérification des références se pratique à la fin du processus de sélection, alors que de nombreux efforts ont déjà été consacrés à l'évaluation des candidats (Hamntiaux, Joron et Normandeau, 1999). Pourtant, rien n'empêche le recruteur qui le souhaite de procéder à la vérification des références avant les entrevues. Cependant, la vérification des références est alors moins utile, car elle ne permet pas d'approfondir les points soulevés en entrevue. Le moment choisi par le recruteur pour vérifier les références professionnelles résulte donc d'un compromis entre les dépenses engagées et l'utilité de l'étape de vérification.

Finalement, les détracteurs de la vérification des références soulignent que les répondants issus du milieu professionnel n'ont accès qu'à une quantité limitée d'informations sur le candidat : de nombreuses dimensions ne peuvent donc être évaluées par ce moyen. Cette critique est tout à fait justifiée, car les références ne sont qu'un élément d'information parmi d'autres et c'est la totalité des renseignements collectés sur un candidat qui justifiera la décision finale. D'ailleurs, au nombre des sources d'information sur les candidats, s'ajoute la vérification des antécédents autres que professionnels. Cela fait l'objet de la section suivante.

3. La vérification des autres antécédents

3.1 Quels antécédents vérifier et dans quelles circonstances ?

Outre les références professionnelles, la liste des antécédents susceptibles d'être vérifiés au cours d'un processus de sélection est longue. Elle varie des antécédents scolaires aux dossiers criminel et pénal, en passant par les antécédents médicaux et la situation financière. Tous ces renseignements ont cependant un point commun : en vertu de la Loi canadienne sur les droits de la

Seuls les antécédents pertinents à l'emploi peuvent être vérifiés lors de la sélection.

personne (Gouvernement du Canada, 1985b) et des chartes provinciales des droits et libertés, ils ne peuvent légalement faire l'objet d'une vérification que s'ils constituent, de façon claire et raisonnable, une exigence professionnelle justifiée (voir chapitre 2). Or, le lien entre les antécédents du candidat et les exigences de l'emploi doit souvent être évalué au cas par cas.

Ainsi, au sujet des antécédents judiciaires, la Commission des droits de la personne et de la jeunesse du Québec indique-t-elle que «les types d'emplois et d'infractions étant tous deux nombreux et variés, chaque cas devra faire l'objet d'une appréciation objective particulière» (Carpentier, 1988). Cette appréciation prend en compte non pas la gravité du geste pour lequel le candidat a été condamné, mais bien le lien entre ce crime et l'emploi. Par exemple, dans la cause Provençal contre Marcheterre, le juge a tranché que la Ville de Magog ne pouvait rejeter la candidature de M. Provençal sur la seule base de son passé criminel, car il n'existait pas de lien entre le crime commis, l'inceste, et l'emploi de journalier à la Ville (Gervais, 1996).

Au Québec, nonobstant les avis de la Commission des droits de la personne et des droits de la jeunesse, plusieurs lois, projets de lois ou projets de règlements autorisent les employeurs à vérifier les antécédents judiciaires de leurs candidats. C'est le cas, entre autres, de la Loi sur les centres de la petite enfance et autres services de garde à l'enfance (Gouvernement du Québec, 1979), ainsi que des projets de règlements visant à modifier le Règlement sur l'autorisation d'enseigner (Gouvernement du Québec, 1997), le Règlement sur le permis et le brevet d'enseignement (Gouvernement du Québec, 1981) et le Règlement sur les services de garde en milieu scolaire (Gouvernement du Québec, 1998).

À ce propos, la Loi sur l'instruction publique a récemment été modifiée afin de permettre la vérification des antécédents judiciaires des enseignants et professionnels œuvrant dans les écoles du Québec (Gouvernement du Québec, 1988). La modification autorise le ministre de l'Éducation «à exiger d'un professionnel de l'éducation une déclaration sur ses antécédents judiciaires, s'il a des motifs raisonnables de croire qu'il en possède» (Radio-Canada, 2005). La Loi nouvellement modifiée enjoint aux dirigeants d'institutions d'enseignement de vérifier les antécédents judiciaires de leur personnel auprès des corps policiers, et à former un comité d'experts afin de statuer, le cas échéant, sur la compatibilité entre la nature des infractions et la fonction d'enseignant ou de professionnel en éducation. La vérification des antécédents criminels dans les milieux éducatifs est donc de plus en plus fréquente. À Montréal, par exemple, le Service de police, débordé par les requêtes de vérification des antécédents criminels du personnel des écoles et des garderies, a créé une unité spécialisée pour répondre à ces demandes (Péloquin, 2006).

Le Québec n'est d'ailleurs pas la seule province du Canada à autoriser la vérification des antécédents judiciaires des candidats en milieu scolaire. À titre d'exemple, cette pratique est courante en Ontario depuis 2002, comme le montre l'encadré 15.5.

Quant aux enquêtes de crédit ou aux bilans de la situation financière du candidat, ils ne sont eux aussi autorisés que lorsque la nature de l'entreprise ou du poste justifie l'emploi de personnes dont l'intégrité n'est pas mise en doute. Ainsi, un arbitre a-t-il donné raison à Loto-Québec dans l'affaire qui l'opposait au syndicat de ses employés ; le jugement a autorisé l'employeur à soumettre ses employés à des enquêtes sur le crédit et les antécédents judiciaires, en raison des risques de fraude qui pouvaient survenir (Bernard, 1996).

Loto-Québec
www.loto-quebec.com

Gouvernement de l'Ontario
www.gov.on.ca

ENCADRÉ 15.5 **Vérification des antécédents criminels en Ontario**

La vérification des antécédents criminels débutera cette année pour tous les employés des conseils scolaires, et ce, conformément aux efforts que continue de déployer le gouvernement de l'Ontario pour protéger les élèves, a annoncé aujourd'hui Mme Janet Ecker, ministre de l'Éducation. [...]

La vérification obligatoire des antécédents criminels fait partie de la promesse électorale, faite en 1999, d'améliorer la sécurité dans les écoles pour les élèves et le personnel enseignant. Le nouveau règlement à ce sujet s'inscrit dans la mise en application de la Loi de 2000 sur la sécurité dans les écoles, qui a été adoptée en juin 2000.

En vertu du règlement, qui est entré en vigueur le 1er janvier 2002, les conseils scolaires doivent obtenir un relevé du Centre d'information de la police canadienne (CIPC) relatif à tout leur personnel et à leurs fournisseurs de services qui sont régulièrement en contact avec les élèves. Le nouveau règlement exige que les conseils obtiennent :

– un relevé des antécédents criminels relatif à leur personnel actuel d'ici la fin de juillet 2003 ;

– un relevé des antécédents criminels relatif à tous les nouveaux employés embauchés après le 31 mars 2002, avant qu'ils n'entrent en fonction.

[...] Depuis 1999, toutes les personnes qui souhaitent faire partie du personnel enseignant accrédité et qui présentent une demande d'adhésion à l'Ordre des enseignantes et des enseignants de l'Ontario doivent divulguer leurs antécédents criminels à cet organisme. La vérification des antécédents criminels est pratique courante dans plusieurs autres professions, notamment le travail social et l'éducation de la petite enfance.

Source : Gouvernement de l'Ontario, 2002.

Les antécédents médicaux constituent une autre catégorie de renseignements pouvant être recueillis sur les candidats. Les employeurs ont le droit de vérifier l'aptitude physique et mentale des candidats à exercer l'emploi pour lequel ils sont considérés. Cependant, l'exercice de ce droit met en cause les droits individuels à l'intégrité de la personne, au respect de la vie privée et au respect du secret professionnel protégés tant par la Loi canadienne sur les droits de la personne (Gouvernement du Canada, 1985b) que par la Charte des droits et libertés de la personne du Québec (Commission des droits de la personne et des droits de la jeunesse du Québec, 1975). C'est pourquoi il est recommandé de ne soumettre à un examen médical que les candidats ayant préalablement reçu une offre d'embauche ; cette offre est alors conditionnelle au résultat de cet examen qui permet à l'employeur de vérifier qu'il n'existe aucun empêchement médical à l'exécution de l'emploi (Carpentier, 1998). Nous reviendrons sur les examens médicaux dans le chapitre suivant.

3.2 Comment procéder à la vérification de ces antécédents?

Contrairement à la vérification des antécédents professionnels, qui ne requiert qu'une conversation avec d'anciens employeurs ou collègues de travail, la vérification des antécédents scolaires, judiciaires, financiers et médicaux, nécessite un travail de recherche relativement important. Certaines des informations exigées sont publiques. Ainsi, les établissements d'enseignement fournissent-ils sur demande la formation scolaire et le diplôme obtenu (Tremblay, 2005). Les plumitifs des tribunaux, c'est-à-dire les registres d'audience résumant les procédures et les décisions rendues, constituent également des bases de données publiques accessibles aux employeurs. Ceux-ci peuvent même vérifier la réputation des candidats dans les médias et sur Internet par une simple requête avec un moteur de recherche (Tremblay, 2005). En revanche, d'autres vérifications, comme les enquêtes de crédit, exigent un véritable travail de détective.

La vérification des antécédents non professionnels peut être confiée à une firme spécialisée.

Dans la mesure où de telles vérifications peuvent prendre beaucoup de temps à une personne peu habituée, il est recommandé de les confier à une compagnie externe spécialisée dans les enquêtes privées. Cependant, il s'agit d'une activité coûteuse. Ainsi, Noël (2001) rapporte-t-elle que « [...] dans le cas de postes de cadre, l'investigation va parfois plus loin. Pour 350 $, le détective ira, par exemple, questionner les voisins du candidat sur ses habitudes et sa personnalité. Il poussera plus l'enquête sur les emplois antérieurs, particulièrement si le candidat a été congédié ». Le tableau 15.2 présente les tarifs pour une enquête de préemploi, tels que proposés par une compagnie spécialisée dans le secteur des enquêtes privées au Québec.

Même si une telle enquête entraîne des dépenses parfois importantes, s'adresser à des professionnels permet d'économiser du temps et de s'assurer que les vérifications seront faites dans les règles de l'art. Faire appel à une compagnie externe offre également au candidat de meilleures garanties quant à la confidentialité des informations collectées.

TABLEAU 15.2 Tarifs pour une enquête de préemploi au Québec

Éléments vérifiés	Prix
Deux employeurs + antécédents judiciaires ou crédit	100 $
Deux employeurs + antécédents judiciaires et crédit	120 $
Antécédents judiciaires*	30 $
Fiche de crédit (situation et historique financiers)	30 $
Écoles et ordres professionnels	30 $
Rapport de solvabilité (fiche de crédit et état des actifs)	500 $
Dépistage de drogue	150 $
Employeur additionnel	50 $

* Tarification supplémentaire de 10 $ par ajout d'éléments lors d'une demande approfondie de vérification pour les antécédents judiciaires et les antécédents civils.

Source: Communication personnelle confidentielle, 2005.

Ainsi, la vérification des antécédents complète l'ensemble des informations recueillies afin d'évaluer chaque candidat. Ces informations doivent ensuite être soupesées pour déterminer, avec autant de certitude que possible, le meilleur candidat pour le poste. Cette prise de décision finale, de même que l'établissement d'une offre d'emploi et la négociation qui en découle font l'objet de la partie 5 de ce livre.

Ce qu'il faut retenir

- La vérification des antécédents fournit des informations complémentaires aux autres outils de sélection. Mais pour être utile, cette vérification doit être bien préparée.
- Seules les informations pertinentes à l'emploi peuvent faire l'objet de vérifications.
- Les références professionnelles peuvent être vérifiées par le recruteur, par téléphone. La vérification d'autres antécédents doit être confiée à des firmes spécialisées.
- En tout temps, la vérification des antécédents doit avoir été autorisée par le candidat.

Références

BELL CANADA (s. d.). « Formulaire de demande de déclaration d'emploi et d'autorisation, Carrefour du recrutement : Guide de sélection », [en ligne], *Bell Canada* [réf. du 13 juin 2006]. <http://216.46.28.99>.

BERNARD, Claire (1996, novembre). « La conformité à la Charte québécoise des Règles sur les conditions d'embauche dans un casino d'État, Cat. 2.126.6 », [en ligne], *Commission des droits de la personne et des droits de la jeunesse du Québec,* 16 p. [réf. du 13 juin 2006]. <www.cdpdj.qc.ca/fr>.

CARPENTIER, Daniel (1998, juin). « Les examens médicaux en emploi, Cat. 2.115.9.5 », [en ligne], *Commission des droits de la personne et des droits de la jeunesse du Québec,* 39 p. [réf. du 13 juin 2006]. <www.cdpdj.qc.ca/fr>.

CARPENTIER, Daniel (1988, mai). « Lignes directrices pour l'application de l'article 18.2, Cat. 2.128-2.2 », [en ligne], *Commission des droits de la personne et des droits de la jeunesse du Québec,* 6 p. [réf. du 12 juin 2006]. <www.cdpdj.qc.ca/fr>.

COMMISSION DE LA FONCTION PUBLIQUE DU CANADA (s. d.). « La vérification des références : Regard sur le passé », [en ligne], *Commission de la fonction publique du Canada, Gouvernement du Canada* [réf. du 13 juin 2006]. <www.psc-cfp.gc.ca>.

COMMISSION DES DROITS DE LA PERSONNE ET DES DROITS DE LA JEUNESSE DU QUÉBEC (1975). « Charte canadienne des droits et libertés de la personne du Québec, L.R.Q. chap. C-12 », [en ligne], *Commission des droits de la personne et des droits de la jeunesse,* 35 p. [réf. du 13 juin 2006]. <www.cdpdj.qc.ca/fr>.

COMMUNICATION PERSONNELLE CONFIDENTIELLE (2005). *Tarifs pour une enquête de préemploi au Québec.*

DE SMET, Michel (2000, 13 octobre). « Les références : Un outil de sélection fiable », *Les Affaires,* Hors Série, p. 23.

DOYLE, Alison (s. d.). « References – Will they or won't they : Will employers check your references ? », [en ligne], *The New York Times Company : About* [réf. du 13 juin 2006]. <http://jobsearch.about.com>.

GERVAIS, Paul M. (1996, 16 février). «*Provençal c. Marcheterre*, 450-05-000061-941, J.E. 96-1507», C.S. Saint-François (Sherbrooke), Juge Paul M. Gervais, 9 p.

GOUVERNEMENT DE L'ONTARIO (2002, 7 janvier). *La vérification des antécédents criminels permettra de protéger les élèves de l'Ontario*, Communiqué de presse, Ontario, Ministère de l'Éducation, 2 p.

GOUVERNEMENT DU CANADA (s. d.). «Dossier ressources humaines : Formation en-ligne, Le processus d'embauche», [en ligne], *Service Canada* [réf. du 12 juin 2006]. <www.golservices.gc.ca>.

GOUVERNEMENT DU CANADA (2005, 8 juillet). «Services d'enquête et de sécurité», [en ligne], *Ressources humaines et Développement social Canada*, Gouvernement du Canada [réf. du 13 juin 2006]. <www.rhdcc.gc.ca>.

GOUVERNEMENT DU CANADA (2000). «Loi sur la protection des renseignements personnels et les documents électroniques [2000] chap. 5», [en ligne], *Ministère de la Justice Canada*, Gouvernement du Canada [réf. du 13 juin 2006]. <http://lois.justice.gc.ca/fr>.

GOUVERNEMENT DU CANADA (1985a). «Loi sur la protection des renseignements personnels, L.R. [1985] chap. P-21», [en ligne], *Ministère de la Justice Canada, Gouvernement du Canada* [réf. du 13 juin 2006]. <http://lois.justice.gc.ca/fr>.

GOUVERNEMENT DU CANADA (1985b). «Loi canadienne sur les droits de la personne, L.R. [1985] chap. H-6», [en ligne], *Ministère de la Justice Canada, Gouvernement du Canada* [référence du 13 juin 2006]. <http://lois.justice.gc.ca/fr>.

GOUVERNEMENT DU QUÉBEC (1998). «Règlement sur les services de garde en milieu scolaire, Loi sur l'instruction publique, L.R.Q., chap. I-13.3, art. 454.1 [1997] chap. 58, art. 51 [1997] chap. 96, art. 132», [en ligne], *Éditeur officiel du Québec* [réf. du 13 juin 2006]. <www2.publicationsduquebec.gouv.qc.ca>.

GOUVERNEMENT DU QUÉBEC (1997). «Règlement sur l'autorisation d'enseigner, Loi sur l'instruction publique, L.R.Q., chap. I-13-3, art. 456, par. 1», [en ligne], *Éditeur officiel du Québec* [réf. du 13 juin 2006]. <www2.publicationsduquebec.gouv.qc.ca>.

GOUVERNEMENT DU QUÉBEC (1993). «Loi sur la protection des renseignements personnels dans le secteur privé, L.R.Q., chap. P-39.1», [en ligne], *Éditeur officiel du Québec* [réf. du 13 juin 2006]. <www2.publicationsduquebec.gouv.qc.ca>.

GOUVERNEMENT DU QUÉBEC (1988). «Loi sur l'instruction publique, L.R.Q., chap. I 13.3», [en ligne], *Éditeur officiel du Québec* [réf. du 13 juin 2006]. <www2.publicationsduquebec.gouv.qc.ca>.

GOUVERNEMENT DU QUÉBEC (1982). «Loi sur l'accès aux documents des organismes publics et sur la protection des renseignements personnels, L.R.Q. chap. A-2.1», [en ligne], *Éditeur officiel du Québec* [réf. du 13 juin 2006]. <www2.publicationsduquebec.gouv.qc.ca>.

GOUVERNEMENT DU QUÉBEC (1981). «Règlement sur le permis et le brevet d'enseignement, Loi sur le Conseil supérieur de l'éducation, L.R.Q., chap. C-60, art. 30», [en ligne], *Éditeur officiel du Québec* [réf. du 13 juin 2006]. <www2.publicationsduquebec.gouv.qc.ca>.

GOUVERNEMENT DU QUÉBEC (1979). «Loi sur les centres de la petite enfance et autres services de garde à l'enfance, L.R.Q., chap. C 8-2», [en ligne], *Éditeur officiel du Québec* [réf. du 13 juin 2006]. <www2.publicationsduquebec.gouv.qc.ca>.

HAMNTIAUX, Thierry, Pierre JORON et Gilles NORMANDEAU (1999, avril-mai). «La prise de références : Une étape délicate du processus de dotation ou quand le jeu n'en vaut peut-être pas la chandelle...», *Effectif*, vol. 2, n° 2, p. 41-43.

LE DROIT (2003, 18 avril). «Statistique Canada blâmé pour ne pas avoir respecté le principe du mérite», *Le Droit*, La Capitale, p. 6.

NOËL, Kathy (2001, 24 novembre). «Sécurité dans les entreprises : Qui se cache derrière le futur employé ?», *Les Affaires*, Dossier spécial, p. 41.

PÉLOQUIN, Tristan (2006, 10 juin). «Le contrôle des antécédents pénaux chez le personnel d'écoles et de garderies est en hausse rapide», *La Presse*, p. A18.

PERREAULT, Rhéaume (2006, juin). « Demandes de références : Peut-on répondre en toute quiétude ? », *Bulletin CCH,* vol. 8, n° 6, p. 9.

RADIO-CANADA (2005, 12 mai). « Est-ce que la vérification des antécédents judiciaires dans le milieu scolaire est justifiée ? », [en ligne], *Radio-Canada.ca : Maisonneuve en direct* [réf. du 13 juin 2006]. <http://radio-canada.ca/radio/maisonneuve>.

RIVARD, Sylvie L. (2005). « La vérification des références professionnelles : Fouille-moi », [en ligne], *Jobboom.com : Le magazine* [réf. du 13 juin 2006]. <www.jobboom.com/magazine>.

TREMBLAY, Jacinthe (2005, 30 juillet). « Détectives d'antécédents », *La Presse,* Carrières professions/formation, p. 2.

PARTIE

5

L'embauche et l'intégration en emploi

CHAPITRE 16

L'embauche

Objectifs du chapitre

Comme nous l'avons vu précédemment, la sélection consiste à recueillir le plus d'informations possible sur le candidat à l'aide d'entrevues ou de tests. Une fois ces informations recueillies, il reste à l'organisation à faire un choix parmi les postulants. Ce chapitre a pour objectifs de :

• montrer comment l'ensemble des informations sont conciliées pour prendre une décision finale ;

• indiquer au recruteur comment rédiger une offre d'emploi, accompagnée d'un contrat de travail.

Tout au long du processus de sélection, le recruteur a recueilli des informations sur chacun des candidats, que ce soit à l'aide des tests et des entrevues, ou de la vérification des antécédents. Au fur et à mesure de cette collecte d'information, certaines candidatures ont été écartées, de sorte qu'il ne reste habituellement plus que deux ou trois candidats en lice à la fin du processus de sélection. L'organisation doit maintenant décider si elle offrira le poste à l'un d'entre eux et, dans l'affirmative, auquel. Par la suite, les modalités du contrat de travail seront à définir.

1. La prise de décision finale

1.1 Les critères de prise de décision

Pour prendre sa décision, le responsable de la dotation dispose généralement d'une multitude d'informations au sujet de chaque candidat : l'évaluation des entrevues, les résultats des tests, les renseignements obtenus à la suite de la vérification des antécédents. C'est sur l'ensemble de ces informations, ainsi que sur des impressions plus subjectives, que doit être prise la décision finale.

Des critères plus subjectifs entrent en ligne de compte dans le choix final.

Il arrive souvent que le portrait qui se dégage de chaque candidat soit mitigé : la personne possède parfaitement certaines des compétences exigées, mais a des lacunes dans d'autres domaines. Cependant, à ce stade du processus de sélection, les compétences objectives de chaque candidat ont été mesurées à de multiples reprises et il ne devrait plus rester dans la course que les personnes qui répondent aux exigences minimales du poste. D'autres critères, plus subjectifs, entrent alors en ligne de compte dans la décision finale : les caractéristiques personnelles du candidat, comme sa motivation, sa capacité d'adaptation, son potentiel d'évolution dans la compagnie ou ses facultés d'intégration dans l'équipe de travail. Sur ces critères, c'est généralement le superviseur du poste, ou les collègues, s'ils siègent au comité de sélection, qui auront le dernier mot.

Ainsi, le fait de baser le processus de sélection sur les exigences requises pour le poste, comme nous l'avons montré dans les chapitres précédents, n'interdit pas l'usage de critères de décision basés sur l'intuition. En revanche, cette façon de procéder garantit que l'intuition n'entre en jeu qu'à la fin du processus, une fois que l'on s'est assuré que tous les candidats encore en lice possèdent bien les compétences exigées par le poste.

Les membres du comité de sélection ordonnent les dossiers des candidats.

En se basant sur l'ensemble de ces données, à la fois objectives et subjectives, les membres du comité de sélection classent les dossiers des candidats en ordre, en commençant par celui de la personne qu'ils jugent la plus qualifiée pour le poste. Comme nous le verrons plus en détail dans ce chapitre, une offre d'emploi sera faite à cette personne. Cependant, un candidat à qui l'on offre un poste est toujours libre de le refuser. C'est pourquoi le comité de sélection doit ordonner tous les dossiers des candidats afin d'avoir un deuxième choix au cas où celui qui arrive en tête déclinerait l'offre.

1.2 Le cas où aucun candidat ne répond aux attentes

Il arrive qu'un comité de sélection réalise, à l'issue du processus, qu'aucun des candidats ne répond aux exigences du poste. Cette situation est relativement rare, car les membres du comité ont généralement eu plusieurs occasions d'évaluer les candidats et ont éliminé au fur et à mesure ceux dont les compétences n'étaient pas satisfaisantes. Cependant, il arrive, par exemple, qu'un candidat possède toutes les compétences requises, mais qu'il ne répond pas aux attentes sur des critères plus subjectifs, comme la capacité à s'adapter à la culture de l'organisation.

Si aucun des candidats n'est satisfaisant, plusieurs options peuvent être envisagées.

Chaque situation est alors à examiner individuellement. Si le besoin de pourvoir le poste est impératif et urgent, l'organisation peut décider de prendre le risque d'embaucher un candidat ne répondant pas parfaitement à ses attentes. Il faut cependant avoir conscience que cette décision est délicate et qu'elle peut entraîner d'importants problèmes de gestion par la suite. Il est souvent préférable de n'embaucher personne plutôt que d'accueillir dans une équipe quelqu'un qui aura du mal à s'intégrer, qui risque de créer des conflits ou, encore, qui démissionnera ou que l'on devra congédier après seulement quelques semaines en poste.

Une autre solution envisageable est de réexaminer des candidatures écartées au cours du processus, afin de déterminer si certains candidats pourraient être reconsidérés. Par exemple, un postulant qui ne possède pas toutes les connaissances requises pourrait acquérir ces compétences au moyen d'une formation appropriée ; dans une telle situation, l'organisation peut décider de lui offrir cette formation. L'option de réévaluer des candidats éliminés précédemment peut cependant être délicate si ces personnes ont déjà été averties que leur candidature n'avait pas été retenue.

Le plus souvent, les organisations préfèrent recommencer l'ensemble du processus de dotation en espérant que cette fois, ils trouveront des candidats répondant mieux à leurs attentes. Il est alors souhaitable d'évaluer l'ensemble des décisions qui ont été prises pour déterminer si certaines erreurs ont été commises. Par exemple, on peut revoir les méthodes de recrutement utilisées ou les critères de sélection choisis. L'encadré 16.1 propose une liste de questions à poser pour évaluer le processus de dotation.

1.3 Le cas des processus de sélection simplifiés

Dans le cas de petites entreprises, le processus de sélection comporte rarement plus d'une entrevue et les tests sont peu utilisés. La prise de décision se fait donc sur la base des informations recueillies lors de l'entrevue et de la vérification des antécédents.

Dans les PME, le classement final est souvent fait immédiatement après les entrevues.

Dans ce cas, la décision d'embauche est généralement prise immédiatement après les entrevues de sélection. Le comité, s'il y en a un, compare tous les candidats rencontrés et effectue son classement, conditionnel à la vérification des références. Si l'étape de vérification ne signale aucun fait suspect, le classement final demeure identique à celui qui a été dressé à l'issue des entrevues. Toutefois, si la vérification des références soulève des questions, le comité de sélection est averti des problèmes potentiels et choisit généralement de faire une offre au candidat placé en deuxième position.

1.4 La communication de la décision aux candidats

La décision finale est généralement annoncée par téléphone.

Comme nous l'avons vu au chapitre 12, il est important de communiquer la décision aux candidats de façon professionnelle. À ce stade de la sélection, il ne reste en général que peu de candidats en lice et le recruteur a établi une relation personnelle avec chacun d'entre eux, surtout si le processus de sélection a comporté plusieurs étapes. Il arrive donc fréquemment que l'annonce de la décision, quelle qu'elle soit, se fasse par téléphone, outil de communication plus personnel et, surtout, plus rapide qu'une lettre. Téléphoner au candidat retenu pour lui annoncer la bonne nouvelle augmente donc les chances d'obtenir rapidement une réponse et limite les risques qu'il accepte une offre d'une autre compagnie. Cette conversation téléphonique doit cependant être suivie d'un envoi par courrier confirmant par écrit les différents termes de l'entente. Nous y reviendrons un peu plus loin.

Annoncer la mauvaise nouvelle aux candidats n'ayant pas été retenus n'est jamais chose aisée. C'est pourtant une marque de professionnalisme de la part du recruteur que de tenir les candidats informés des progrès dans leur dossier. Par ailleurs, comme il est toujours possible que le candidat retenu refuse l'offre d'emploi qui lui a été faite, certaines organisations préfèrent attendre son acceptation formelle avant de prévenir les autres candidats. Ainsi, en cas de refus du premier candidat, l'organisation peut se tourner vers celui qui était classé au deuxième rang. Cette pratique nécessite cependant une réponse rapide de la part du candidat classé en tête, car il est inconcevable de laisser attendre les autres trop longtemps.

Ainsi, le candidat retenu reçoit-il une lettre lui confirmant l'offre qui lui a été faite. Ce courrier contient le contrat de travail, qui sera détaillé un peu plus loin. Pour les raisons déjà évoquées, la lettre peut indiquer la date à laquelle le candidat doit donner sa réponse, et stipule que l'offre d'emploi est conditionnelle au résultat d'un examen médical, s'il y a lieu. Ce dernier élément fait l'objet de la section suivante.

2. L'examen médical

Comme nous l'avons vu au chapitre 2, les candidats sont protégés contre la discrimination à l'embauche, notamment contre celle basée sur le handicap. À cette fin, la législation, que ce soit les chartes provinciales ou la Loi canadienne sur les droits de la personne (Gouvernement du Canada, 1985a), interdit à un employeur potentiel de requérir d'un candidat des renseignements portant sur un des motifs illégaux de discrimination. Il est donc contraire à la législation en vigueur de demander à des candidats, préalablement à la décision d'embauche, de remplir des formulaires dans lesquels ils devraient fournir des renseignements sur leur état de santé, ou encore d'exiger qu'ils subissent un examen médical.

En revanche, un employeur a le droit de s'assurer qu'un employé ne souffre pas d'un problème d'ordre médical qui l'empêcherait d'exécuter ses tâches. Par ailleurs, la législation relative à la santé et à la sécurité au travail par exemple, au Québec, la Loi sur la santé et la sécurité du travail (Gouvernement du Québec, 1979a) et le Code civil du Québec (Gouvernement du Québec, 1991) confère à l'employeur l'obligation d'assurer la santé, la sécurité et l'intégrité physique de ses employés. En conséquence, un employeur peut demander à un candidat de subir un examen médical afin de s'assurer qu'il est capable d'effectuer les tâches requises par le poste ; cependant, cette demande ne doit avoir lieu qu'une fois que le candidat a passé toutes les étapes du processus de sélection et qu'il a reçu une offre d'emploi (Carpentier, 1998). On s'assure ainsi, d'une part, qu'aucun candidat n'est rejeté du processus de sélection pour une raison médicale sans lien avec l'emploi et, d'autre part, que l'employeur n'uti-

Un examen médical peut être exigé après l'envoi d'une offre d'emploi.

lise pas les renseignements sur l'état de santé des candidats pour choisir celui qui a la meilleure condition physique (Centre patronal de santé et sécurité du travail du Québec, 1991).

Par ailleurs, toutes les informations obtenues à la suite d'un examen médical constituent des données personnelles qui sont protégées par diverses lois (voir le chapitre 2 à ce sujet). C'est pourquoi l'examen médical préalable à l'embauche, de même que toutes ses composantes (prélèvements, tests, etc.), ne peuvent avoir lieu qu'avec le consentement libre et éclairé du candidat. Un candidat peut refuser de subir certains examens en raison de sa condition particulière (Carpentier, 1998). Ainsi, dans l'affaire Roussel Canada inc. c. Cherkaoui, le Tribunal du travail du Québec (1991) a donné raison à une candidate qui avait refusé de subir une radiographie comprise dans l'examen médical de préembauche, car elle se croyait enceinte (Carpentier, 1998).

2.1 Les informations fournies par l'examen médical

L'examen médical préalable à l'embauche vise uniquement à vérifier si le candidat possède la capacité d'accomplir l'emploi pour lequel il postule. Les renseignements recueillis, que ce soit par questionnaire, par test ou par examen clinique, se limitent donc à ce qui est essentiel pour évaluer les caractéristiques nécessaires à l'exécution des tâches, en fonction des risques connus inhérents au poste (Bureau du syndic du Collège des médecins du Québec, 1997 ; Carpentier, 1998).

Par ailleurs, l'évaluation de l'aptitude du candidat à occuper ses fonctions doit porter sur l'état de santé de celui-ci au moment de l'examen médical, et non sur les risques futurs (Bureau du syndic du Collège des médecins du Québec, 1997). Ainsi, un candidat qui a été traité par le passé ne peut se voir refuser un emploi si le traitement a porté fruit, et cela même si, en théorie, il présente des risques de récidive dans un avenir plus ou moins lointain.

De la même façon, le médecin ne peut révéler à l'employeur que ce qui est nécessaire à l'accomplissement du travail. Son rapport prend donc l'une des quatre formes suivantes (Carpentier, 1998) :

- acceptation sans condition du candidat ;
- acceptation malgré des limitations qui ne sont pas entièrement incompatibles avec le poste, accompagnée d'une description des limitations ;
- acceptation conditionnelle à un accommodement du poste, accompagnée d'une description de l'accommodement ;
- refus en raison de déficiences résultant en une incompatibilité absolue avec le poste.

Une fois qu'il a reçu le rapport du médecin, l'employeur peut donner suite à la lettre d'offre d'emploi envoyée au candidat. Dans le cas où le médecin évalue que l'état de santé du candidat ne lui permet pas d'exercer ses fonctions, l'employeur n'est pas tenu de l'embaucher, puisque l'offre qui a été faite est conditionnelle au résultat de l'examen médical.

2.2 Le cas particulier de certains tests de dépistage

Les examens médicaux mentionnés précédemment ne comprennent pas les tests de dépistage de drogues ou d'alcool, pas plus qu'ils n'incluent la recherche de certaines conditions médicales comme la séropositivité pour le VIH/sida. Ces tests ne peuvent être utilisés que si l'employeur peut démontrer que le résultat négatif d'un tel dépistage constitue une exigence professionnelle justifiée.

Ainsi, en 1988, la Commission canadienne des droits de la personne indiquait trois situations dans lesquelles un test de dépistage du VIH/sida pouvait se justifier (Commission canadienne des droits de la personne, 1988) :

- le milieu des soins de santé;
- le cas où l'employé doit voyager dans des pays qui refusent l'entrée aux personnes infectées par le VIH;
- la situation d'un employé devant exercer seul des fonctions qui ont des répercussions sur la sécurité du public.

Or, en considérant, d'une part, les progrès accomplis à l'égard du VIH/sida depuis la date de la publication de la politique et, d'autre part, le fait qu'il n'y a eu au Canada aucun cas de transmission du VIH à des patients qui auraient été exposés à des travailleurs de la santé infectés, ni aucune plainte de personnes infectées qui se sont vu refuser un emploi à cause de limitations imposées à leurs déplacements, la Commission a amendé ses recommandations en 1996. Désormais, la politique de la Commission estime qu'aucune exigence professionnelle ne justifie un test de détection du VIH, qu'il soit effectué avant ou après l'emploi (Commission canadienne des droits de la personne, 1988). Il existe pourtant encore quelques exceptions, comme le montre la décision prise récemment par le Grand Séminaire de Montréal et présentée à l'encadré 16.2. Cependant, même dans ce cas particulier, si l'utilisation des tests de dépistage devait être contestée devant les tribunaux, il n'est pas certain que l'Église obtiendrait gain de cause.

Les tests de dépistage de drogue, pour leur part, permettent de déterminer avec précision qu'une personne a consommé ou non des substances illégales par le passé. Ils ne constituent cependant pas un moyen fiable de déterminer si une personne est, au moment du test, apte ou non à s'acquitter des fonctions ou des obligations essentielles de son poste, ni si elle le sera plus tard. La situation est différente pour les tests de dépistage de la consommation d'alcool qui, au contraire, peuvent déterminer avec précision la quantité d'alcool absorbée et le degré d'altération des facultés au moment où le test est administré. Ils ne permettent pas, en revanche, de déterminer si une personne consommera de l'alcool dans le futur.

Dans sa politique sur le dépistage des drogues et d'alcool, la Commission canadienne des droits de la personne conclut donc que «étant donné que les résultats d'un test de dépistage préalable à l'emploi ne permettent pas de prédire si l'individu aura éventuellement les facultés affaiblies au travail, il est impossible de faire la preuve que ce genre de test est raisonnablement nécessaire pour atteindre l'objectif légitime d'embaucher des travailleurs aptes» (Commission canadienne des droits de la personne, 2002). La Commission juge donc que l'usage systématique de tels tests contrevient à la loi. Cependant, si l'employeur est en mesure de démontrer que l'absence de consommation d'alcool ou de drogue constitue une exigence professionnelle justifiée, l'usage de ces tests de dépistage de façon ciblée est légal (Laroche et Le Corre, 1996).

L'examen médical permet donc de s'assurer que le candidat à qui l'entreprise vient d'offrir un emploi est bel et bien apte à en accomplir les tâches inhérentes. Il ne reste plus alors qu'à finaliser l'offre d'emploi.

Il semble bien que le Grand Séminaire de Montréal sera le seul employeur, au Québec, à soumettre dès l'automne prochain ses futurs employés, des prêtres dans ce cas-ci, à un test de dépistage du VIH. La plupart des employeurs québécois, qu'ils soient du secteur privé ou public, n'exigent même pas de certificats médicaux de la part de leurs nouveaux salariés. Tant dans le réseau de la santé que dans celui de l'éducation, le gouvernement du Québec ne réclame pas, de la part de ses nouveaux travailleurs, qu'ils fournissent un bilan complet de leur état de santé. Et encore moins les résultats d'un test obligatoire de dépistage du sida. [...]

À la Commission des droits de la personne et des droits de la jeunesse, cette histoire de tests de dépistage du VIH pour les futurs prêtres montréalais suscite un intérêt évident. La législation québécoise interdit toute discrimination basée, entre autres, sur un handicap qui n'a pas un lien direct avec l'emploi recherché. «On ne peut exiger, par exemple, qu'un journaliste possède une vision parfaite. Ce n'est pas le cas pour un pilote d'avion», a expliqué la porte-parole de la Commission, Ginette L'Heureux. La même loi prévoit aussi des exceptions pour des organismes sans but lucratif. Ainsi, une maison d'aide aux femmes victimes de violence peut afficher un poste ouvert exclusivement aux femmes. Dans la même veine, l'Église catholique peut exiger que ses futurs prêtres n'aient pas d'activités sexuelles. Peut-elle, par contre, utiliser les résultats d'un test de dépistage du sida pour fermer ses portes à des candidats à la prêtrise? «Il faudrait enquêter là-dessus», a signalé Mme L'Heureux en soulignant le danger d'utiliser des tests médicaux pour déterminer si un candidat est apte à occuper un emploi. «Faudra-t-il tester tous les hommes pour le cancer de la prostate? Et tous les fumeurs pour le cancer du poumon pour vérifier s'ils peuvent occuper une telle fonction?» À défaut d'une plainte en bonne et due forme, la Commission des droits de la personne et des droits de la jeunesse peut, de sa propre initiative, déclencher une enquête sur la façon de faire du Grand Séminaire de Montréal si elle juge qu'il s'agit d'un dossier «prioritaire» pour l'avancement des droits ou d'une situation qui risque de pénaliser beaucoup de citoyens. «Actuellement, on n'a pas d'élément qui justifierait le déclenchement d'une enquête. Si on a une plainte, on n'aura pas le choix de le faire», a conclu la porte-parole.

Source : Leduc et Lemieux, 2004.

Grand Séminaire de Montréal
www.gsdm.qc.ca

3. L'offre d'emploi

Contrat de travail
▶ *Employment contract*
Entente par laquelle une personne s'engage à travailler pour une autre personne sous sa direction et moyennant un salaire.

Une fois qu'un candidat est sélectionné, l'organisation doit lui faire parvenir une offre d'emploi conditionnelle à l'examen médical, tel que nous venons de le voir. Le candidat sera ensuite libre d'accepter ou non cette offre, et éventuellement de la négocier, pour en arriver à une entente finale. Afin de s'assurer que chacun s'entend sur l'offre qui a été faite, il est préférable de la mettre par écrit dans une lettre ou de façon plus détaillée dans un **contrat de travail.** Les encadrés 16.3 et 16.4 fournissent des exemples de lettres adressées à un candidat et précisant le contenu de l'offre d'emploi.

Montréal, le 25 septembre 2006

Madame Caroline Sanson
4533, rue Berlingot
Montréal (Québec) H3J 1T2

Madame,

C'est avec plaisir que je vous confirme notre offre d'engagement à titre de directrice des communications au Musée d'histoire naturelle de Toronto. Nous sommes très heureux de vous accueillir au sein de notre organisation.

Les conditions de votre engagement seront les suivantes :
- Sous la responsabilité de : M. Khouli, directeur général
- Date d'entrée en fonction : 16 octobre 2006
- Période d'essai : trois mois
- Salaire annuel : 42 000 $
- Horaire : 38 heures par semaine, selon un horaire flexible
- Avantages sociaux : après la période d'essai
- Vacances annuelles payées : trois semaines après un an de service continu
- Préavis de départ : préavis écrit de trois semaines exigé de part et d'autre

Ces conditions seront révisées à la date anniversaire de votre entrée en fonction.

Nous espérons que ces conditions vous conviendront. Si c'est le cas, nous vous invitons à signer une copie de la présente lettre et à nous en retourner un exemplaire avant le 5 octobre 2006.

_____
M. Khouli, directeur général

_____
Signature de l'employé et date

Outre le titre du poste et les conditions générales d'embauche, la lettre d'offre d'emploi doit obligatoirement préciser la date d'entrée en fonction ; les conditions que le candidat doit respecter avant d'entrer en fonction, comme l'adhésion à une association ou la passation d'un examen médical ; les documents ou les renseignements que le candidat doit présenter lors de sa première journée ; ainsi que la date limite à laquelle le candidat doit répondre à l'offre d'emploi. Ces informations ne figureront pas dans le contrat de travail. En revanche, celui-ci détaille de façon plus complète que ne le fait une lettre le contenu de l'emploi proposé et les conditions de travail.

3.1 Le contrat individuel de travail

Les informations que peut contenir une lettre d'offre d'emploi sont nécessairement limitées. C'est pourquoi il est préférable de détailler la proposition faite au candidat dans un contrat individuel de travail. L'annexe A propose un exemple de contrat individuel type de travail. Notons cependant que si le poste proposé au candidat est syndiqué, c'est alors le contrat collectif de travail qui s'applique, comme nous le verrons un peu plus loin.

Toronto, le 22 août 2006

Monsieur Pierre LePrieur
5489, rue Berty
Toronto (Ontario) M3G 3M5

Monsieur LePrieur,

Pour faire suite à notre conversation téléphonique de ce matin, je suis heureux de vous offrir le poste d'examinateur principal auquel vous avez postulé. Voici les modalités de notre offre.

Vous serez employé à temps plein (37,5 heures par semaine) à compter du lundi 10 septembre 2006. Au cours de vos six premiers mois à notre emploi, vous aurez le statut d'employé probatoire en stage. Vous travaillerez sous la direction du vice-président, Recherche et développement, au siège social de l'entreprise, rue Bloor, à Toronto. Vous exercerez les fonctions énumérées dans la description de poste ci-jointe.

À votre entrée en fonction, votre salaire sera de 37,50 $ l'heure; il sera revu à la fin de la période probatoire. Outre la participation habituelle de l'employeur aux coûts obligatoires de l'employé, tels le Régime de pensions du Canada et l'assurance emploi, vous serez admissible, à la fin de la période probatoire, à l'assurance maladie de groupe de l'entreprise. Vous trouverez, dans le livret ci-joint, la description du régime et les taux de cotisation des employés.

Vous aurez droit à des vacances après six mois à notre emploi. À partir de votre premier jour de travail, des jours de congé, que vous cumulerez à raison d'un jour par mois, vous seront crédités. Des crédits de congés de maladie vous seront accordés à raison d'un jour et quart par mois de service complet. Les congés de maladie seront cumulatifs.

Cette offre est conditionnelle à ce que vous nous présentiez, avant votre date d'entrée en fonction, un document attestant que vous êtes membre en règle de l'Association canadienne des laboratoires d'essais. Vous devrez également signer un protocole d'entente concernant la propriété intellectuelle.

La présente offre énonce les modalités d'emploi du poste offert. Si vous l'acceptez, nous vous remercions de signer et de nous renvoyer la déclaration ci-dessous avant le 5 septembre 2006.

Signature de l'employeur (nom et titre)

ACCEPTATION

J'accepte le poste décrit ci-dessus.

Date : _____ Signature du candidat : _____

Source : Gouvernement du Canada, s. d.a.

Au Québec, les conditions pouvant être offertes à un employé dans le cadre d'un contrat de travail sont notamment régies par le Code civil du Québec (Gouvernement du Québec, 1991) et la Loi sur les normes du travail (Gouvernement du Québec, 1979b). S'y ajoutent d'autres normes issues de lois ou de règlements tels que la Loi sur la santé et la sécurité du travail (Gouvernement du Québec, 1979a), la Loi sur les accidents du travail et maladies professionnelles (Gouvernement du Québec, 1985) ou encore la Charte des droits et libertés de la personne (Gouvernement du Québec, 1975). Pour les entreprises sous juridiction fédérale, c'est le Code canadien du travail (Gouvernement du Canada, 1985b) qui s'applique, complété par des normes issues de lois ou de règlements tels que la Loi sur l'équité en matière d'emploi (Gouvernement du Canada, 1995) ou la Loi canadienne sur les droits de la personne (Gouvernement du Canada, 1985a).

Ces dispositions légales stipulent les conditions minimales d'embauche, mais ne précisent pas de façon exhaustive le contenu d'un contrat individuel de travail. Les parties peuvent donc convenir de ce qu'elles incluent dans leur contrat de travail, à condition que ces dispositions n'aillent pas à l'encontre de l'ordre public ou de dispositions légales existantes. Rien n'empêche un employeur de proposer un contrat plus généreux que ce qui est prévu par la loi. L'annexe B offre un aperçu des principales conditions énoncées par la Loi sur les normes du travail et le Code canadien du travail en 2006.

Le contrat individuel de travail peut être verbal ou écrit, à la discrétion des parties. Dans la pratique, les contrats verbaux sont les plus fréquents (Ouimet et Laporte, 2003). Pourtant, l'écrit est préférable pour des raisons évidentes de preuve en cas de litige. En effet, toute promesse faite à l'employé, même de vive voix, constitue un contrat non écrit ; mais en cas de litige, il est difficile pour un employeur de prouver qu'il n'a pas, par exemple, promis une augmentation de salaire après six mois en poste.

Les clauses habituelles d'un contrat écrit précisent les obligations réciproques de l'employeur et de l'employé. Les pages suivantes détaillent le contenu et certaines caractéristiques du contrat individuel de travail. Pour de plus amples informations, un employeur a cependant tout intérêt à faire affaire avec un conseiller juridique, qui pourra rédiger un contrat sur mesure ou vérifier la légalité de certaines clauses.

> Les obligations de l'employeur et de l'employé sont précisés dans un contrat écrit.

La durée du contrat de travail

Avant d'aborder les obligations réciproques de l'employeur et de l'employé, qui sont spécifiées dans les clauses du contrat, il importe de préciser la durée du contrat de travail. Il existe deux sortes de contrat de travail : le contrat à durée indéterminée et le contrat à durée déterminée.

Comme son nom l'indique, le contrat à durée indéterminée ne comporte aucune date d'échéance, de sorte que chacune des parties peut y mettre fin à la seule condition de donner à l'autre un délai raisonnable, également appelé « préavis » (Gagnon, 2003 ; Ouimet et Laporte, 2003).

Au contraire, dans un contrat à durée fixe ou déterminée (voir l'encadré 16.5), les parties fixent à l'avance l'échéance de leur relation. Celle-ci peut survenir soit à une date précise, par exemple un an après le début du contrat, soit à la date de la réalisation d'un ouvrage particulier, comme la coupe d'un certain nombre d'arbres, soit encore à la date où un événement a lieu, comme le retour de congé du titulaire du poste (Gagnon, 2003 ; Ouimet et Laporte, 2003). Comme le caractère déterminé de la durée du contrat ne se présume pas, une entente explicite doit figurer au contrat de travail à ce sujet ; en son absence, le contrat sera présumé à durée indéterminée (Ouimet et Laporte, 2003). De la même façon, on considérera qu'il y a tacite reconduction du contrat pour une durée indéterminée si le salarié continue de travailler, aux mêmes conditions, après la fin officielle de son contrat (Bonhomme et Lesage, s. d.).

CONTRAT DE TRAVAIL POUR L'EMBAUCHE DE TRAVAILLEURS AGRICOLES SAISONNIERS DES ANTILLES (ÉTATS MEMBRES DU COMMONWEALTH) AU CANADA 2006
[...] I PORTÉE ET PÉRIODE D'EMPLOI

Les parties conviennent de ce qui suit :

1. L'employeur convient d'embaucher le travailleur qui lui est attribué par le représentant du gouvernement, conformément à l'offre de mise en circulation du ministère des Ressources humaines et du Développement des compétences du Canada (RHDCC), et le travailleur fournit ses services à l'employeur au lieu de travail indiqué sous réserve des modalités mentionnées dans le présent contrat, pourvu que cette période d'emploi saisonnier ne soit pas supérieure à huit (8) mois, ni inférieure à 240 heures sur une période de six (6) semaines ou moins, à moins que le RHDCC reconnaisse l'existence d'une situation d'urgence, auquel cas les parties conviennent que la période minimale d'emploi ne doit pas être inférieure à 160 heures. L'employeur doit respecter les modalités précisant la durée du contrat conclu avec le travailleur ainsi que son retour dans son pays d'origine le 15 décembre, au plus tard, à moins de circonstances exceptionnelles comme une urgence médicale.

2. L'employeur convient d'embaucher le travailleur qui lui est attribué à partir de la date d'arrivée de ce dernier au Canada jusqu'au _____ ou jusqu'à la fin du travail pour lequel il a été embauché ou auquel il a été affecté, suivant que l'une ou l'autre des circonstances se produira la première.

3. L'employeur doit accorder au travailleur non désigné une période d'essai de quatorze (14) jours ouvrables à compter de la date d'arrivée à son lieu de travail. L'employeur ne doit pas congédier le travailleur, à moins d'un motif valable ou d'un refus de travailler, pendant la période d'essai.

4. L'employeur fournira au travailleur et au représentant du gouvernement une copie des règles concernant la conduite, la sécurité, la discipline ainsi que le soin et l'entretien des biens et du matériel que le travailleur pourrait être tenu de respecter. [...]

Source : Gouvernement du Canada, 2006.

Gouvernement du Canada
http://canada.gc.ca

Tel que le montre l'encadré 16.6, l'utilisation d'un contrat à durée déterminée comporte des risques car, en cas de cessation de l'emploi avant terme, l'employé peut réclamer le solde du terme du contrat (Laroche et Le Corre, 1996). La cessation d'emploi est plus facile dans le cas de contrats à durée indéterminée, comme l'indique la section suivante.

Finalement, rappelons que, quelle que soit la durée du contrat de travail, celui-ci doit toujours préciser la date d'entrée en fonction de l'employé.

Biselele c. CCH Canadienne ltée

M. Dino Biselele réclame de CCH Canadienne ltée (ci-après appelée CCH) la somme de 3000 $ en dédommagement de la rupture du contrat de travail qu'ils avaient conclu. Comme il s'agit, à son avis, d'un contrat à durée déterminée, il réclame le revenu dont il est privé depuis la date de la cessation de son emploi jusqu'à la date de la fin de la période d'emploi convenue. CCH conteste la requête. Elle prétend que le contrat intervenu avec le requérant est un contrat à durée indéterminée et qu'elle pouvait y mettre fin en versant une indemnité de préavis d'une semaine de salaire tel que prévu à la Loi sur les normes du travail. Elle soutient également avoir mis fin au contrat pour un motif valable : le fait que M. Biselele ne pouvait, selon elle, s'exprimer convenablement en anglais, ce qui l'empêchait d'accomplir sa tâche.

Les faits pertinents

M. Biselele est informaticien. CCH est une entreprise qui, entre autres activités, développe et met en marché des logiciels dont, notamment, des logiciels servant à compléter des déclarations de revenus à des fins fiscales. Chaque année, durant la période de production des déclarations fiscales, CCH embauche des employés temporaires dont la tâche consiste à assurer une assistance téléphonique à sa clientèle. Ce sont des techniciens en informatique qui, après avoir reçu une formation de base sur le fonctionnement des logiciels de CCH, sont affectés au service de dépannage en ligne offert à la clientèle en difficulté. M. Biselele est embauché le 20 décembre 2001 et est affecté au service à la clientèle anglophone. Après une entrevue d'une durée de trente minutes qui se déroule exclusivement en anglais, sa candidature est retenue en raison de son expertise et de son expérience. Après une période de formation et de familiarisation aux produits de CCH, M. Biselele est affecté à son travail régulier le 16 janvier. Jusqu'au 5 février, il traite 137 appels. De ce nombre, 39 sont des transferts d'appels et 98 sont des contacts directs avec la clientèle pour résoudre des problèmes ou des difficultés de fonctionnement des logiciels. Le 5 février, CCH met fin à l'emploi de M. Biselele. La raison qu'on lui donne est le fait que les clients se plaignent de ne pas comprendre ses instructions en raison de son fort accent quand il parle anglais.

Analyse et décision

S'agit-il d'un contrat à durée déterminée ou indéterminée ?

Le contrat intervenu entre les parties mentionne ceci : « 2. Votre statut sera celui d'un employé temporaire à temps plein. Les semaines normales sont de 35 heures travaillées et nous prévoyons que votre contrat s'échelonnera du 3 janvier 2002 jusqu'au 3 mai 2002. » Même si CCH utilise l'expression « *(...) nous prévoyons (...)* », la preuve démontre que les parties ont réellement convenu que la durée de l'emploi serait celle indiquée au contrat. Le Tribunal conclut de l'ensemble de la preuve que le contrat intervenu entre les parties est un contrat de travail à durée déterminée et que la période qu'il mentionne constitue, dans les circonstances, une durée fixe minimale et non une durée indéterminée.

CCH avait-elle un motif sérieux pour résilier unilatéralement le contrat ?

L'employeur est tenu, lorsque le contrat est à durée déterminée, de respecter ses obligations jusqu'à la fin de la période convenue. Il peut cependant résilier unilatéralement le contrat pour un motif sérieux (article 2094 du Code civil du Québec), mais la preuve lui en incombe. Le Tribunal conclut de la preuve que ce n'est pas en raison d'un accent rendant incompréhensibles ses communications téléphoniques que M. Biselele a été congédié. Ce seul motif invoqué est insuffisant.

»

S'il y avait d'autres motifs, il fallait l'en aviser et, le cas échéant, lui donner l'assistance requise pour lui permettre de se corriger. CCH ne l'a pas fait, vraisemblablement en raison de l'urgence du moment et du caractère temporaire de l'emploi. En l'absence de preuve suffisante, le motif qu'elle a donné pour mettre fin au contrat apparaît davantage comme un prétexte que comme un motif sérieux, comme le prévoit la loi.

Le requérant a-t-il droit à l'indemnité qu'il réclame?

Le Tribunal conclut que CCH a résilié unilatéralement et sans motif suffisant le contrat de travail à durée déterminée qu'elle avait conclu avec le requérant. Elle est, par conséquent, redevable du salaire qu'elle s'était engagée à lui verser durant la période convenue. Le Tribunal condamne l'intimée à payer au requérant la somme de trois mille dollars (3000 $) avec intérêts au taux légal depuis le 12 février 2002, plus des frais de soixante-quatorze dollars (74 $).

Source : Cour du Québec, 2003b.

CCH Canadienne
www.cch.ca

La cessation du contrat de travail

Préavis

▶ *Notice of termination ot employment*
Avertissement que la partie qui prend l'initiative d'une rupture de contrat est tenue de donner à l'autre partie, dans un délai stipulé.

Un contrat de travail peut être résilié en tout temps et sans **préavis** s'il y a consentement mutuel des deux parties (Laroche et Le Corre, 1996). Il n'y a pas non plus d'obligation de préavis lorsqu'un contrat à durée déterminée se termine à la date prévue.

Le contrat peut aussi être rompu unilatéralement par l'employeur ou par l'employé. Cette rupture entraîne des conséquences différentes selon la cause de la résiliation et la durée du contrat. Les dispositions légales prévoient que le contrat prend automatiquement fin pour des raisons de force majeure, comme le décès ou l'incapacité physique de l'employé, ou encore la destruction des installations de l'employeur à la suite d'un incendie ou d'une catastrophe naturelle (Gagnon, 2003 ; Ouimet et Laporte, 2003). Il n'est donc pas nécessaire de le préciser dans le contrat individuel.

Un employeur peut également résilier un contrat de travail unilatéralement et sans préavis s'il a des motifs sérieux de le faire (Gagnon, 2003). Bien que le terme motif sérieux ne soit pas précisé, la jurisprudence a donné à ce terme le sens de «faute grave commise par le salarié», ou encore de «faute liée à la conduite de celui-ci ou à son défaut d'exécuter le travail» (Gagnon, 2003). Ce point peut être précisé dans le contrat individuel de travail, dans la section portant sur les mesures disciplinaires dont nous traiterons plus loin.

En revanche, si l'employeur n'a pas de motif sérieux de mettre fin au contrat de travail, il doit obligatoirement fournir au salarié un délai de congé raisonnable, souvent appelé «préavis». Ce délai de congé peut correspondre à une période de temps pendant laquelle l'employé fournit sa prestation de travail et reçoit sa rémunération (Laroche et Le Corre, 1996) ; l'employeur peut aussi opter pour le paiement d'une indemnité tenant lieu de délai de congé (Bonhomme et Lesage, s. d.). La détermination de la durée raisonnable du préavis est encadrée par les dispositions législatives (Loi sur les normes du travail ou Code canadien du travail). Cependant, un employeur peut offrir des délais plus généreux : il devra alors le mentionner dans le contrat individuel de travail. Selon Ouimet et Laporte (2003), les éléments suivants devraient être pris en considération dans la détermination d'un délai raisonnable de préavis :

- les circonstances de l'engagement ;
- la nature et l'importance du travail ;
- l'abandon d'un emploi certain et rémunérateur ;
- l'intention des parties ;
- la difficulté pour l'une ou l'autre des parties de trouver soit un remplaçant satisfaisant, soit un emploi similaire ;
- l'âge du salarié ;
- le nombre d'années de service ;
- les raisons de la rupture du contrat de travail.

Notons qu'une obligation similaire contraint l'employé qui démissionne à donner à son employeur un délai raisonnable de préavis pour lui permettre de trouver un remplaçant ou de réorganiser ses activités. Ainsi, le contrat individuel de travail peut stipuler que l'employé démissionnaire dispose d'un délai comparable à celui qui est offert par l'employeur en cas de rupture unilatérale du contrat de travail.

En dehors du préavis de fin d'emploi, un contrat individuel de travail peut également spécifier les compensations monétaires offertes à l'employé en cas de cessation unilatérale du contrat ou de changement de contrôle de l'entreprise. Les contrats de hauts dirigeants comprennent souvent de telles clauses, parfois appelées « parachute doré » (Giroux, 2000). Le contenu de ces clauses, notamment le montant de l'indemnité, dépend habituellement de la qualification de l'employé, du moment et des circonstances de l'entente et de la capacité à payer de l'entreprise (Giroux, 2000).

Outre les conditions de fin d'emploi, la signature d'un contrat individuel entraîne plusieurs obligations pour l'employeur. Deux d'entre elles font généralement l'objet de clauses dans le contrat individuel de travail : fournir au salarié le travail convenu et le rémunérer.

La description de l'emploi

L'article du contrat décrivant le contenu de l'emploi a pour but de s'assurer que l'employé et l'employeur s'entendent sur le titre du poste, les tâches qui y sont inhérentes ainsi que les degrés d'autorité et de responsabilité qui s'y rattachent. Il inclut généralement le titre du poste et celui du superviseur, de même que la liste des principales responsabilités qui incombent au titulaire. Le lieu de travail peut également être mentionné, au besoin. Si l'organisation possède des descriptions de poste, il est recommandé d'en faire mention dans le contrat de travail, comme le montre l'exemple présenté à l'encadré 16.7.

Article 1 – Description de l'emploi

1.1 L'employé agit à titre de : [*titre du poste*].

Ses tâches sont décrites dans le document *Description de poste* joint au présent contrat.

1.2 L'énumération des tâches incluses dans la description de poste n'est pas restrictive. Dans l'exécution de ses fonctions, l'employé effectue toutes tâches connexes à son emploi ou conformes à ses capacités.

1.3 Pour le bon fonctionnement de l'entreprise, l'employeur pourra être appelé à modifier les tâches de l'employé. L'employeur s'engage à informer l'employé de ces modifications à ses fonctions.

1.4 L'employé rend compte de ses fonctions auprès de [*nom et titre*], son supérieur immédiat, à compter de la signature des présentes.

1.5 En cours d'emploi, l'employé peut être promu ou muté à des fonctions que l'employeur juge correspondre à ses compétences et capacités.

1.6 L'employé a le devoir d'agir de bonne foi, avec respect et loyauté envers ses supérieurs et collègues. L'employé respectera les politiques et directives de l'entreprise.

Source : Laroche et Le Corre, 1996.

Comme l'indiquent les alinéas 1.2, 1.3 et 1.5 de l'encadré 16.7, la description du contenu de l'emploi n'interdit pas à l'employeur de modifier les tâches assignées au salarié en cours d'emploi, à condition que ces modifications soient raisonnables et faites de bonne foi. Un changement unilatéral et substantiel des tâches peut en effet être interprété comme un congédiement déguisé (Ouimet et Laporte, 2003). Cependant, lorsque ces modifications s'avèrent raisonnables, le salarié ne peut les refuser (Ouimet et Laporte, 2003).

La rémunération et les avantages sociaux

En contrepartie de la prestation de travail, la rémunération est essentielle à l'existence d'un contrat de travail, sans quoi il s'agit de bénévolat. Les paramètres de la rémunération sont déterminés par les parties au contrat, dans le respect de la législation en vigueur (Bonhomme et Lesage, s. d.). Une clause portant sur la rémunération est donc nécessaire dans un contrat de travail afin de clarifier les politiques de l'entreprise en matière de rémunération, de temps supplémentaire, de déduction à la source et d'avantages sociaux.

Au sein d'une même entreprise, le mode de rémunération varie souvent en fonction du poste. Par exemple, les cadres se voient généralement offrir un salaire annuel, sans égard aux heures de travail ; les représentants ou les vendeurs perçoivent des commissions sur le total de leurs ventes ; les serveurs ou barmans reçoivent des pourboires. Cette grande disparité rend difficile la rédaction d'un modèle type de clause de contrat de travail. Un article portant sur la rémunération peut cependant inclure les éléments suivants (Commission des normes du travail du Québec, s. d.) :

- le mode de rémunération (par exemple, à l'heure, à la semaine, au rendement, à la commission) ;
- le taux de salaire ;

- la durée de la période de paie ou la journée de versement du salaire ;
- le mode de versement du salaire ;
- les avantages ayant une valeur pécuniaire et faisant partie du salaire, comme les primes ;
- les avantages sociaux incluant les régimes d'assurances collectives ;
- le taux de commission et les modalités de versement ;
- le mode de calcul des bonifications au rendement ;
- les modalités de distribution des pourboires lorsque l'employeur les perçoit pour le salarié, et l'existence d'une convention de partage des pourboires ;
- les modalités de versement des avances ;
- les sommes retenues sur le salaire ;
- les modalités de révision du salaire ;
- les modalités de remboursement de certaines dépenses, par exemple les déplacements.

Notons que l'employeur ne peut diminuer unilatéralement la rémunération prévue par le contrat, mais il n'est pas non plus tenu d'accorder une augmentation de salaire à l'employé s'il n'y a pas d'entente à ce sujet (Ouimet et Laporte, 2003). Des exemples de clauses de contrat de travail relatives à la rémunération ou aux avantages sociaux sont présentés aux encadrés 16.8 et 16.9.

ENCADRÉ 16.8 **Exemple de clause salariale**

3.01 **Salaire**

En considération de l'exécution de son travail, l'employé a droit à un salaire annuel de _____ dollars (_____ $). Ledit salaire est révisé sur une base annuelle, à la date anniversaire de son entrée en fonction, selon l'évaluation du rendement de l'employé et les résultats de l'entreprise de l'employeur. Ledit salaire (diminué des déductions légales et contributives, s'il y a lieu) est payable le _____ de chaque _____ par chèque ou par dépôt direct dans le compte de banque de l'employé, au choix de l'employeur.

Source: Allard, Pigeon et Goulet, s. d.

Le temps de travail

Le contrat de travail doit préciser non seulement la durée de la relation contractuelle, mais également la durée du travail, c'est-à-dire la durée de la semaine normale de travail, de même que les horaires et, le cas échéant, la durée et le moment des périodes de pause. Comme le montre l'annexe B, le temps de travail est réglementé à la fois par la Loi sur les normes du travail (Gouvernement du Québec, 1979b) et le Code canadien du travail (Gouvernement du Canada, 1985b). Rappelons cependant que ces dispositions ne s'appliquent généralement pas aux postes de cadre.

Article 8 – Rémunération

– Traitement fixe

En contrepartie de l'accomplissement de ses fonctions, M. _____ percevra chaque mois un traitement fixe brut de _____ [$].

– Commission

M. _____ aura droit à des commissions pour toutes les affaires réalisées directement par lui avec la clientèle qu'il est habilité à visiter.

Il percevra également des commissions sur toutes les commandes émanant de son secteur, qui, sans passer par son intermédiaire, sont transmises directement à la Société, sous réserve qu'il puisse justifier, au vu des rapports d'activité, avoir régulièrement visité le client, au plus tard dans les _____ mois (ou jours) précédant la commande.

Le règlement des commissions exigibles interviendra à la fin de chaque trimestre.

Les taux des commissions dues pour toutes les affaires réalisées dans les conditions normales et aux tarifs habituels de la Société sont fixés de la façon suivante :

_____% jusqu'à un chiffre d'affaires de _____ [$] par an ;

_____% pour la fraction du chiffre d'affaires comprise entre _____ [$] et _____ [$] par an ;

_____% pour la fraction du chiffre d'affaires excédant _____ [$] par an.

Dans tous les cas, le droit à la commission ne sera ouvert que sur les ordres acceptés par la Société et acquis définitivement seulement après l'encaissement des factures.

Les taux de commission porteront sur le montant net des factures, déduction faite des frais de transport et d'emballage, des différentes taxes existantes pouvant être créées et des frais que la Société aurait eu à supporter pour le recouvrement des créances.

– Frais professionnels

M. _____ sera indemnisé pour les frais exposés à l'occasion des déplacements effectués pour les besoins du service. Il sera remboursé sur présentation de justificatifs, selon les règles en vigueur dans l'entreprise.

Source : *Liaisons sociales,* 2001.

Les articles d'un contrat portant sur le temps de travail précisent généralement la politique de l'organisation au sujet des heures supplémentaires : nécessité d'approbation préalable par le supérieur hiérarchique, montant de la majoration, modalités de paiement, etc. L'encadré 16.10 fournit un exemple de clause relative aux heures supplémentaires. Notons cependant que, tout comme le temps de travail, le paiement des heures excédant la durée normale du travail est encadré par la Loi sur les normes du travail et le Code canadien du travail. Par ailleurs, rappelons qu'un salarié peut refuser de travailler au-delà de ses heures habituelles.

ENCADRÉ 16.10 **Exemple de clause relative aux heures supplémentaires d'un contrat de travail**

Article 2 – Heures supplémentaires

2.1 Les heures supplémentaires doivent avoir été autorisées par le supérieur immédiat et entraînent une majoration de 50 % du salaire horaire habituel lorsqu'il s'agit d'heures exécutées en sus de [*nombre*] heures travaillées dans la même semaine.

2.2 L'employé demande, par la présente, et obtiendra, lorsque l'employeur le jugera possible, de remplacer le paiement des heures supplémentaires par un congé d'une durée équivalente.

Source : Laroche et Le Corre, 1996.

Les vacances et les congés

Le contrat de travail doit également informer le salarié des vacances et des autres congés auxquels il a droit. Ici encore, différentes lois prévoient les minimums devant être offerts à tout salarié, notamment la Loi sur les normes du travail (Gouvernement du Québec, 1979b), le Code canadien du travail (Gouvernement du Canada, 1985b) et la Loi sur la fête nationale (Gouvernement du Québec, 1978).

Un contrat de travail prévoit généralement trois types de congés :

- les vacances annuelles payées, dont la durée dépend généralement du nombre d'années de service de l'employé au sein de l'organisation ;
- les jours fériés, chômés et payés, dont les dates sont fixes (par exemple, le 25 décembre) ;
- les absences autorisées pour des événements spéciaux, qui peuvent être rémunérées ou non, et qui incluent les congés à l'occasion d'un décès ou d'un mariage dans la famille, de même que les congés pour maladie, maternité, naissance ou adoption d'un enfant, soins à un dépendant, ou tout autre absence pour raisons personnelles.

Ainsi, un article de contrat individuel de travail portant sur les vacances et les congés devrait préciser (Commission des normes du travail du Québec, s. d.) :

- la durée des vacances et les conditions pour y avoir droit ;
- l'année de référence aux fins du calcul des vacances ;
- les modalités qui s'appliquent quant au choix des dates de vacances ;
- la liste des jours fériés, chômés et payés ;
- la liste des congés pour événements spéciaux ainsi que les conditions de rémunération et les modalités d'application.

Les encadrés 16.11 et 16.12 proposent différents exemples de formulation de clauses de congés.

Vacances

1. Période de vacances

Un employé ayant travaillé pendant moins d'une année au 30 avril suivant la date de son embauche bénéficie de 1,25 jours ouvrables de vacances payées par mois de service. Par la suite, l'année de référence pour le calcul des vacances s'étend du 1er mai au 30 avril.

2. Durée des vacances

Un employé qui a travaillé pendant une année bénéficie de quinze jours ouvrables de vacances payées.

Un employé qui a travaillé pendant deux années ou plus bénéficie de vingt jours ouvrables de vacances payées.

Un employé qui a travaillé pendant cinq années ou plus pourra ajouter, à compter de la sixième année, une journée par année, et ce, jusqu'à un maximum de cinq jours ouvrables additionnels correspondant à un total de vingt-cinq jours ouvrables de vacances annuelles.

3. Paie de vacances

La paie de vacances peut être accordée à l'employé à sa demande à la période de paie précédant ses vacances. Dans le cas où un employé quitte son emploi en cours d'année, le calcul de son indemnité de vacances se fait sur la base de 6 % (s'il bénéficie de quinze jours de vacances) ou sur la base de 8 % (s'il bénéficie de vingt jours de vacances) du salaire brut gagné.

4. Choix de la date de vacances

La coordination des périodes de vacances des employés est faite par la direction, selon l'ancienneté.

Congés

a. Congés fériés

1. Dès la date de son embauche, l'employé bénéficie des quatorze jours fériés payés suivants :
   - Jour de Noël (25 décembre) ainsi que la veille ou le lendemain ;
   - Jour de l'An (1er janvier) ainsi que la veille ou le lendemain ;
   - Trois jours de congé exclusivement entre le jour de Noël et le jour de l'An ;
   - Vendredi saint ;
   - Lundi de Pâques ;
   - Action de grâce ;
   - Fête nationale des patriotes (fête de Dollard) ;
   - Saint-Jean-Baptiste, le 24 juin (fête nationale du Québec) ;
   - Fête du Canada (1er juillet) ;
   - Fête du Travail.

2. Un employé en période de vacances durant un ou plusieurs des congés mentionnés ci-dessus, peut, après entente avec l'employeur, prolonger sa période de vacances par le nombre de jours de congés dont il n'a pu bénéficier ou reporter ce ou ces congés à un moment de son choix.

b. Congés de maladie

1. En cas d'absence pour raison de maladie, comme pour toute autre raison, l'employé doit en aviser l'employeur le plus tôt possible ; l'employeur pourra exiger un certificat médical.

2. Un employé accumule 0,83 jour de maladie payé par mois travaillé.

»

3. Un employé ne peut accumuler plus de dix jours de maladie par année ; les journées de maladie non utilisées ne peuvent être créditées ni en temps, ni en argent, ni au cours du temps travaillé, ni au départ de l'employé.

c. Congés pour événements familiaux

1. Tout employé peut s'absenter pour certains événements spéciaux sans perte de salaire. Ces congés sont :
   - Pour le décès ou les funérailles de son conjoint, de son enfant ou de l'enfant de son conjoint, un maximum de dix jours ouvrables ;
   - Pour le décès du père, de la mère, d'un frère ou d'une sœur de l'employé, un maximum de cinq jours ouvrables ;
   - Pour le mariage ou l'union de fait de l'employé lui-même, deux jours ouvrables ;
   - Pour la naissance ou l'adoption de son enfant ou de l'enfant de son conjoint, un maximum de cinq jours ouvrables.

2. Tous ces congés doivent être pris lors de l'événement en question et ne peuvent être reportés.

d. Congé pour devoir de juré

Si un employé régulier est appelé à servir comme juré, l'employeur s'engage à compenser la perte de salaire par un montant équivalent à la différence entre les frais accordés par la Cour et le salaire net de l'employé.

La période de probation

Habituellement, un contrat de travail précise une période d'essai, également appelée « période de probation » ou « période probatoire », pendant laquelle l'employeur peut mettre fin unilatéralement et sans préavis à la relation contractuelle si l'employé ne répond pas aux exigences de son poste. Il arrive souvent que la fin de la période de probation corresponde également au versement de certains avantages sociaux.

Il n'existe pas réellement de règle concernant la durée de la période de probation : celle-ci dépend généralement du poste occupé et de la durée raisonnable nécessaire à l'employeur pour porter un jugement sur le travail du nouvel employé. Les périodes de probation varient donc habituellement de quelques jours à un an. Cependant, il est impératif, dans la formulation d'une clause de probation, de préciser non seulement la durée de la période d'essai, mais également les conditions d'évaluation qui prévaudront à la fin de cette période. À ce sujet, l'encadré 16.13 relate un jugement de la Cour supérieure de justice de l'Ontario illustrant la nécessité de bien définir la période de probation.

Ainsi, le seul fait qu'un contrat précise une période de probation n'est pas suffisant pour congédier un employé à la fin de cette période. L'employeur devra évaluer le travail de la recrue pour déterminer si elle convient ou non au poste. En revanche, si l'employeur n'évalue pas le travail de l'employé et que celui-ci continue de travailler après la fin officielle de la période d'essai, on considérera qu'il a rempli avec succès les conditions de sa probation. Les clauses de préavis devront donc s'appliquer en cas de congédiement. À ce sujet, l'encadré 16.14 illustre le cas particulier d'un nouvel employé qui a obtenu gain de cause dans une affaire de congédiement sans raison juste et suffisante, puisqu'il

ENCADRÉ 16.13 Formulation d'une clause de probation :
l'affaire Easton c. Wilmslow Properties Corp.

Une période de probation « ambiguë » rend l'employeur responsable du préavis

[...] Dans l'affaire Easton c. Wilmslow Properties Corp. (9 février 2001), une décision de la Cour supérieure de justice de l'Ontario a été rendue concernant le litige qui portait sur le congédiement d'une aide-comptable après seulement deux semaines d'emploi.

Donna Easton avait occupé pendant neuf ans un poste de banquière pour les services aux particuliers et aux petites entreprises lorsqu'elle a quitté son emploi pour aller travailler chez Wilmslow. [...]

Le contrat de Mme Easton indiquait que la « période de probation » serait d'une durée de 90 jours à partir de la date du début de l'emploi. Quant à la période faisant suite à la période de probation, le contrat stipulait ce qui suit :

« Une fois que les fonctions prévues auront été maîtrisées, le salaire sera ajusté à la hausse pour atteindre 45 000 $ par année. L'incapacité de remplir toutes les fonctions prescrites de façon complète et satisfaisante entraînera une renégociation de la structure salariale. » [traduction]

Il est devenu évident, après un certain temps, que Mme Easton n'arrivait pas à maîtriser les compétences informatiques nécessaires à son poste. Elle a été congédiée avec deux semaines de salaire en guise de préavis.

Mme Easton a réussi à convaincre le Tribunal de lui accorder un préavis de trois mois, puisqu'elle avait quitté un emploi sûr croyant que son nouveau poste serait raisonnablement certain. En réponse à l'allégation que son emploi au moment du congédiement était à titre d'essai, le Tribunal a jugé que la disposition n'était pas suffisamment claire pour fonder l'argument de l'employeur :

« L'utilisation de l'expression "période de probation" dans l'offre écrite est ambiguë. On ne précise pas qu'il s'agit d'une période où l'employée doit démontrer qu'elle convient pour remplir un poste régulier comme employée permanente et qu'elle doit subir une période d'évaluation pour déterminer si elle convient au poste. » [traduction]

Il était clair, selon le Tribunal, que Mme Easton avait été traitée dès le départ comme une employée permanente. Le simple fait que le mot « probation » était utilisé ne faisait pas de Mme Easton une employée en probation. Il semblait plutôt que la probation s'appliquait seulement à son niveau salarial, en ce sens que si elle réussissait complètement sa formation, son salaire passerait de 32 000 $ à 45 000 $.

Source : Guilbert, s. d.

avait continué de travailler après la période de probation de 150 jours prévue à la convention collective. Bien qu'il s'agisse dans ce cas-ci d'un employé couvert par un contrat collectif de travail (une convention collective) et non par un contrat individuel, cet exemple illustre la nécessité de définir les conditions de fin de probation.

Corporation des comtés unis de Prescott et Russell c. Syndicat canadien de la Fonction publique, Local 2828

La présente sentence traite d'un moyen préliminaire soulevé par l'employeur relativement au grief d'un ambulancier, M. André Jean. Par ce grief déposé le 1er juin 2001, le plaignant conteste son congédiement au motif que «l'employeur ne respecte pas les règles du jeu en référence aux articles 11.03 (employé en probation), 10.01 et 10.02 (discipline, suspension et congédiement) ainsi que 10.05 (référence au dossier antérieur)».

André Jean a signé le 18 décembre l'offre d'emploi de son nouvel employeur. Le document intitulé *Entente relative à l'embauche de paramédic I pour poste à plein temps* contient les renseignements d'usage sur l'identité de l'employé et autres éléments afférents et fournit des détails sur les vacances et autres avantages sociaux. Aux articles *date d'embauche* et *période de probation*, les réponses inscrites sont le *1er janvier 2001* et *150 jours* respectivement. André Jean a effectué son premier quart de travail le lendemain de son embauche, soit le 2 janvier 2001, conformément à son horaire de travail antérieur. Une rencontre s'est tenue le 31 mai 2001 entre le plaignant et l'équipe de gestion du département des services d'urgence au bureau du directeur. André Jean a déposé son grief le lendemain de cette rencontre. La lettre de congédiement de l'employeur porte la date du 12 juin 2001 et confirme au plaignant qu'à la suite de la rencontre du 31 mai «[il] n'[est] plus à l'emploi de la Corporation des comtés unis de Prescott et Russell en raison que [l'équipe de direction a] jugé qu'[il] n'av[ait] pas réussi avec succès [sa] période de probation». L'employeur et le syndicat se sont rencontrés le 3 juillet pour discuter du grief d'André Jean. [...] Comme l'atteste la note du 13 juillet 2001 du directeur des ressources humaines au président du syndicat, l'employeur a réitéré à cette occasion sa position selon laquelle le plaignant «était toujours en période de probation le jour où il a été avisé de la cessation de son emploi pour juste cause». [...]

L'article 11.03 de la convention collective parle d'une «période de probation de cent cinquante (150) jours de calendrier». Dans cette affaire, l'employeur est d'avis que la première journée de travail, et non la date d'embauche, détermine le point à partir duquel il faut calculer les 150 jours requis d'un employé pour achever sa période de probation. En vertu de cette interprétation, le plaignant n'aurait pas effectué les 150 jours requis lorsqu'il a été avisé de son congédiement le 31 mai 2001, puisque son premier jour de travail est établi au 2 janvier 2001. À l'inverse et suivant la prétention syndicale, si le point de départ du décompte retenu est le 1er janvier, c'est-à-dire la date d'embauche, le plaignant aurait complété sa période de probation de 150 jours le 30 mai 2001, soit un jour avant sa date de congédiement. La règle applicable en l'espèce est la période de cent cinquante (150) jours de calendrier comme l'exige la convention collective. Selon la preuve, le plaignant a été embauché le 1er janvier 2001, puis congédié le 31 mai 2001. Appliquée à cette période, la règle du 150 jours de calendrier de l'article 11.03 fixe donc la fin de la période de probation d'André Jean au 30 mai 2001. Il s'ensuit que son congédiement survient tout juste «après la période des cent cinquante (150) jours de probation». La conclusion qui s'en dégage, c'est qu'au moment où il a été congédié, le plaignant avait effectivement terminé sa période de probation au sens de l'article 11.03 de la convention collective et du point 6 de l'annexe D dont elle est partie intégrante.

Ainsi, le Tribunal rejette le moyen préliminaire soulevé par l'employeur sur la recevabilité du grief; reconnaît que le plaignant, à titre d'employé ayant terminé sa période de probation, peut se prévaloir de la procédure de griefs prévue à la convention collective; et ordonne la tenue d'une audience portant sur le mérite du grief du plaignant et dont les modalités seront communiquées aux parties instamment.

Source: Conférence des arbitres du Québec, 2001.

Comtés unis de Prescott et Russell
www.prescott-russell.on.ca

Syndicat canadien de la Fonction publique
www.scfp.ca

À titre d'exemples, les encadrés 16.15 et 16.16 présentent diverses formulations adéquates d'une clause de probation.

ENCADRÉ 16.15   **Exemples de formulation d'une clause de probation**

Période de probation

Tout nouvel employé régulier aura une période de probation d'une durée de six (6) mois de travail continu. À la fin de cette période, une évaluation permettra à l'employeur de lui accorder sa permanence, de prolonger sa période de probation ou de lui signifier son congédiement.

***

Article X – Période d'essai

Le contrat ne deviendra ferme qu'à l'issue d'une période d'essai de _____ [*préciser la durée*]. La période d'essai devant correspondre à du travail effectif, toute suspension du contrat au cours de cette période prolonge celle-ci d'une même durée. Durant cette période, chacune des parties pourra rompre le contrat à tout moment, sans indemnité ni préavis.

La période d'essai pourra être renouvelée selon les conditions suivantes: ... [*préciser les conditions de renouvellement de l'essai*].

Source: *Liaisons sociales*, 2001.

ENCADRÉ 16.16   **Période de probation: exemple du diocèse de Rimouski**

2.4 Période de probation

Tout nouvel agent de pastorale dans le diocèse est soumis à une période de probation d'un an dont les modalités d'évaluation sont déterminées par l'Ordinaire.

Source: Diocèse de Rimouski, 2006.

Diocèse de Rimouski
www.dioceserimouski.com

L'obligation de loyauté, de confidentialité, d'exclusivité de service et de non-concurrence

La loi, notamment le Code civil du Québec ou le Code canadien du travail, impose au salarié une obligation de loyauté qui persiste pendant un délai raisonnable après la cessation d'emploi. Cette obligation signifie notamment que l'employé doit donner la priorité aux intérêts de son employeur plutôt qu'aux siens, agir honnêtement, ne pas se placer en situation de conflit d'intérêts et éviter toute concurrence directe ou indirecte avec les activités de son employeur, toute divulgation d'informations confidentielles, et tout comportement pouvant causer un préjudice à son employeur (Bonhomme et Lesage, s. d.). Le degré d'intensité de l'obligation de loyauté augmente avec l'importance des responsabilités professionnelles assumées au sein de l'entreprise ou avec la position hiérarchique détenue.

Bien que ces obligations soient imposées par la loi, elles peuvent néanmoins faire l'objet de clauses spécifiques au contrat individuel de travail, afin de mieux définir les obligations de l'employé à cet égard. Ces clauses, qui restreignent la liberté de l'employé, peuvent prendre plusieurs formes, comme le montrent les encadrés 16.17 à 16.19.

ENCADRÉ 16.17 Exemple de clause d'exclusivité de services

Article 4 – Exclusivité des services

4.1 Pendant toute la durée de son emploi, l'employé consacre tout son temps, toutes ses énergies, tout son dynamisme et toute sa compétence à l'exécution de ses fonctions. L'employé ne peut occuper un autre emploi sans avoir préalablement obtenu le consentement écrit de son employeur, consentement qui peut être révoqué ; l'employeur ne refusera le double emploi que pour cause.

Source : Laroche et Le Corre, 1996.

ENCADRÉ 16.18 Exemple de clause de loyauté et de confidentialité

Article 11 – Obligation de loyauté

11.1 L'employé reconnaît qu'il recevra, à l'occasion de son travail, des renseignements confidentiels ayant trait à l'entreprise, aux technologies et aux activités passées, présentes et futures de l'employeur. L'employé reconnaît que la divulgation de tels renseignements confidentiels pourrait être préjudiciable à l'employeur et contraire à ses intérêts. En conséquence, l'employé s'engage, pendant son emploi et pour une période de douze mois à compter de la cessation de son emploi [...] à respecter le caractère confidentiel de ces renseignements, à ne les divulguer à personne, à ne pas en discuter avec quiconque, ni à en faire usage, autrement que dans l'exécution de son travail pour l'employeur.

11.2 L'employé s'engage également envers l'employeur pour une période de douze mois à compter du jour où il cessera d'être à l'emploi de l'employeur, **à ne pas,** pour lui-même ni pour une autre personne, directement ou indirectement, en quelque capacité que ce soit, incluant, sans s'y limiter, comme employeur, employé, mandat, mandataire, agent, franchiseur, franchisé, distributeur ou conseiller, **solliciter** les clients de l'employeur connus de lui au moment de la cessation de son emploi, ni permettre l'utilisation de son nom afin de solliciter ces clients, et **à ne rien faire** en vue d'amener ou de décider toute personne à mettre fin à ses relations d'affaires avec l'employeur, et ce, à l'intérieur du territoire suivant : [*territoire*].

Source : Laroche et Le Corre, 1996.

ENCADRÉ 16.19 Exemple de clause de non-concurrence

Dispositions de non-concurrence :

L'employé s'engage, pour toute la durée de son emploi et pour une période additionnelle de _____ mois après la fin de son emploi, à ne pas remplir des fonctions ni exercer des activités dans le genre de travail suivant : _____, et ce, à l'intérieur du territoire suivant : _____, dans le but de protéger les intérêts légitimes de l'employeur.

Source : Audet et associés, 2005.

Cependant, la formulation de telles clauses ne peut être trop restrictive afin de protéger le droit de l'employé à travailler. Les tribunaux déclareront illégale, donc inapplicable, une clause trop restrictive. Elle ne doit pas non plus être trop vague, sous peine d'être considérée comme illégale par les tribunaux, comme l'illustre l'encadré 16.20.

ENCADRÉ 16.20   **Une clause de non-concurrence jugée déraisonnable**

Marquis c. Lebel

M. Bernard Marquis réclame à M. Laurent Lebel 1173,05 $ en dommages-intérêts résultant de l'inexécution d'un engagement de non-concurrence. M. Lebel conteste.

En septembre 2001, Laurent Lebel contacte Bernard Marquis et lui demande du travail à son école de conduite. Laurent Lebel n'est pas qualifié comme moniteur de véhicules de promenade et Bernard Marquis lui demande de suivre une formation. M. Lebel n'ayant pas les ressources financières suffisantes pour payer ladite formation, Bernard Marquis accepte d'en acquitter les frais moyennant la signature d'un engagement de non-concurrence. En mars 2002, Laurent Lebel, qui est encore en stage chez Bernard Marquis et qui n'a pas terminé sa formation, avise M. Marquis qu'il abandonne. La semaine suivante, Bernard Marquis apprend, dans un hebdomadaire régional, que Laurent Lebel exploite sa propre école de conduite.

La seule clause apparaissant à l'engagement invoqué par M. Marquis est la suivante : « Par la présente, je m'engage à respecter une clause de non-concurrence envers l'École de conduite Le Marquis durant une période minimale de sept ans à partir de la date d'obtention de mon permis de moniteur-automobile, et ce, dans un rayon de 100 kilomètres autour de Rivière-du-Loup. Le signataire paiera à l'École de conduite Le Marquis, à titre de dommages-intérêts, une somme de 200,00 $ pour chaque jour d'infraction à la présente entente. Signé : Laurent Lebel. »

À titre de dommages, M. Marquis réclame le remboursement des frais déboursés pour la formation de Laurent Lebel. La preuve ne démontre aucun contrat prévoyant un tel remboursement et la seule question soulevée par le litige concerne la validité de l'engagement de non-concurrence. L'article 2089 du Code civil du Québec prévoit que : « Les parties peuvent, par écrit et en termes exprès, stipuler que, même après la fin du contrat, le salarié ne pourra faire concurrence à l'employeur ni participer à quelque titre que ce soit à une entreprise qui lui ferait concurrence. Toutefois, cette stipulation doit être limitée, quant au temps, au lieu et au genre de travail, à ce qui est nécessaire pour protéger les intérêts légitimes de l'employeur. »

La jurisprudence bien établie considère les clauses de non-concurrence contraires à la liberté de travail et à l'ordre public lorsqu'elles sont inéquitables et ne contiennent pas de limites raisonnables quant au territoire, à la durée et au genre d'activité interdite par la clause, eu égard aux circonstances. Dans le cas présent, il n'existe aucun contrat de travail et le document ne stipule aucune obligation pour Bernard Marquis. L'engagement de non-concurrence de la part de Laurent Lebel constitue la seule et unique obligation. Ainsi, la preuve ne contient aucun élément démontrant la légitimité de l'intérêt de Bernard Marquis, ni la validité de l'obligation. Dans ces circonstances, cet engagement de non-concurrence est déraisonnable et contraire à l'ordre public.

Source : Cour du Québec, 2003a.

Ainsi, une clause de non-concurrence doit-elle être limitée, dans le temps, le lieu et le genre de travail, à ce qui est nécessaire pour protéger les intérêts légitimes de l'employeur. En cas de contestation devant les tribunaux, il revient à l'employeur de prouver que la clause de non-concurrence est valide (Bonhomme et Lesage, s. d.). Plus un poste est élevé dans la hiérarchie et plus il est spécialisé, plus le délai de non-concurrence considéré comme raisonnable risque d'être long. Par exemple, pour le vice-président à l'ingénierie de Spar Aérospatiale, l'entreprise qui fabrique le bras canadien pour les navettes spatiales, il pourrait s'agir de un an ou plus (Audet, s. d.). Il appartient donc aux parties de trouver une formulation claire pour définir les limites de l'obligation de non-concurrence.

La propriété intellectuelle

Selon le poste, il est parfois nécessaire de prévoir, dans un contrat individuel de travail, un article portant sur la propriété intellectuelle afin de préciser les obligations réciproques de l'employeur et de l'employé au-delà de ce qui est prévu par la loi (voir l'encadré 16.21). Par exemple, au Canada, la Loi sur le droit d'auteur (Gouvernement du Canada, 1985c) indique que le titulaire du droit d'auteur peut être, selon le cas :

- l'auteur de l'œuvre ;
- l'employeur de l'auteur de l'œuvre, si cette dernière est réalisée dans l'exercice de son emploi ;
- la Couronne, si l'œuvre a été réalisée ou publiée par l'entremise, sous la direction ou sous la surveillance de quelque département du gouvernement, sauf si le contraire a été stipulé ;
- une autre personne, si les droits lui ont été vendus ou transférés.

À défaut d'inclure une clause spécifique dans le contrat de travail, on reconnaît généralement que les idées développées, les ouvrages écrits et les inventions créées par l'employé ne sont la propriété de l'employeur que s'ils sont directement reliés à l'emploi, ce qui laisse place à interprétation (Laroche et Le Corre, 1996). Dans le cas d'une œuvre réalisée pour le compte d'un client, par voie d'un contrat de service, le client en est propriétaire, mais l'employé conserve le droit d'auteur qui s'y rattache, à moins qu'une clause du contrat de service ne spécifie que les droits d'auteur appartiennent au client (SERVIQ, s. d.).

ENCADRÉ 16.21 **Exemple de clause de propriété intellectuelle**

Clause de propriété intellectuelle

Toute invention, amélioration, idée ou autre que vous pourrez recevoir ou réaliser durant votre emploi ou qui est reliée, de quelque façon que ce soit, directement ou indirectement, aux affaires de [*la compagnie*], sera la propriété exclusive de cette dernière.

Source : Thériault, 2006.

Les mesures disciplinaires

La jurisprudence reconnaît le pouvoir de l'employeur d'imposer à un employé des mesures pouvant aller jusqu'à une suspension avec ou sans solde, voire un congédiement, pour des motifs disciplinaires ou administratifs. On parle de mesure disciplinaire lorsque le motif est, par exemple, l'insubordination, la négligence dans l'exécution du travail, le défaut d'exécuter les tâches demandées, des absences ou des retards injustifiés, ou encore un comportement agressif envers des collègues de travail ou des supérieurs. Pour leur part, l'incompétence ou l'incapacité de faire le travail justifient plutôt l'imposition de mesures administratives (Roy et Sauvé, 2003). Le pouvoir de sanction allant jusqu'au congédiement est implicite au contrat de travail, mais les tribunaux d'arbitrage ont généralement reconnu que l'employé fautif a le droit de recevoir une gradation des sanctions avant de perdre son emploi, à moins qu'il ne se soit rendu coupable d'une faute grave, comme le vol ou le sabotage (Le Corre, 1996 ; Roy et Sauvé, 2003).

Inclure dans un contrat individuel de travail un article portant sur les mesures disciplinaires a pour but de préciser la politique de l'organisation pour le bénéfice du nouvel employé, et facilite la justification d'une décision disciplinaire en cas de contestation. Bien qu'il y ait plusieurs formulations possibles en fonction du contenu de la politique de l'organisation, un article sur les mesures disciplinaires doit établir clairement la gradation des sanctions, de même que les recours possibles. L'encadré 16.22 en est un exemple.

ENCADRÉ 16.22 **Exemple de clause portant sur les mesures disciplinaires**

Préambule

Afin de permettre à tous de connaître, d'une façon claire et équitable, ce que l'entreprise attend de ses salariés, nous avons déterminé des règles à suivre dans l'entreprise. Pour ce faire, nous avons consulté nos plus anciens employés et nous avons tenu compte de leurs suggestions. La très grande majorité de nos employés n'ont pas besoin de ces règlements qui ne peuvent causer d'inconvénients à un employé dont le comportement est normal. Cependant, pour faire face à toutes les situations, y compris celle possible d'un employé difficile ou non-intéressé par son travail, l'entreprise doit mettre en place des règles à suivre et les appliquer d'une manière uniforme et avec toute la compréhension qui s'impose.

Ces règles tiennent compte de la gravité des infractions et de leur fréquence, et n'ont pas pour conséquence de mettre en péril l'emploi d'un salarié, à moins que son comportement ne soit grandement répréhensible ou encore qu'il refuse, malgré de nombreux avertissements, de corriger une déficience.

Ce règlement comporte, à la troisième étape, des suspensions sans solde d'un à trois jours, suivant la gravité de la faute. Ces suspensions ont pour but de faire réaliser à l'employé concerné que son emploi est en péril. La direction estime que chaque employé est assez raisonnable pour se rendre compte du sérieux d'une situation sans qu'il soit nécessaire d'imposer des suspensions plus longues. [...]

Chacun des avis comportera les éléments suivants :

1) l'énoncé clair des faits reprochés ;

2) les corrections qui sont attendues de l'employé ;

3) lorsque approprié, comment trouver l'aide et les ressources pour corriger le comportement ;

4) lorsque le comportement est grave ou la faute répétée, l'employé sera avisé lorsqu'il met son emploi en péril.

»

Tout avertissement ou réprimande écrits sera retiré du dossier de l'employé après cent cinquante (150) jours travaillés, sans mesure disciplinaire, et ne pourra pas être considéré pour toute décision future après l'expiration de ce délai. [...]

La progression des sanctions

1. L'avertissement : l'avertissement peut être répété s'il s'agit d'un comportement sans gravité, mais qui doit être corrigé.

2. La réprimande : la réprimande signifie l'insatisfaction de l'employeur, soit face à un comportement qui ne peut être toléré ou face à une absence de correction de la part du salarié. La réprimande est normalement précédée d'un avertissement.

3. La suspension : le salarié se verra imposer une suspension d'un à trois jours sans solde, selon la gravité de la faute. Pour le salarié qui subit une telle suspension, il est très clair que son emploi est en péril, soit parce qu'il refuse de corriger un comportement fautif ou soit parce qu'il a commis une faute suffisamment grave pour que sa répétition ne soit pas tolérée.

4. Le congédiement : l'employeur ayant pour objectif de conserver tous ses employés, cette mesure ne sera utilisée qu'en cas de faute lourde ou encore de refus répétés de se conformer aux directives de l'employeur.

Source : Le Corre et associés, 1994.

Ainsi, un contrat individuel de travail confirme par écrit les détails de l'offre d'embauche qui est faite à un candidat. Cependant, comme tout contrat, le contrat individuel de travail résulte parfois de négociations.

3.2 La négociation de l'offre d'emploi

Comme nous l'avons mentionné plus tôt, le candidat qui reçoit une offre d'emploi est libre d'accepter ou de refuser cette offre. Il arrive également que le candidat cherche à faire modifier les termes de l'entente qui lui est proposée : on entre alors dans une phase de négociation du contrat de travail. En théorie, tous les articles d'un contrat de travail sont négociables ; en pratique, les candidats négocient plus fréquemment les éléments de rémunération, le temps ou les horaires de travail ainsi que la durée des congés payés.

Une offre d'emploi ouvre la période de négociation du contrat de travail.

La négociation intervient lorsque le recruteur fait une offre au candidat correspondant à son premier choix. À ce moment, le candidat placé en deuxième position, s'il y en a un, est encore en attente. Il est donc évident que les pourparlers doivent être menés assez rapidement, pour ne pas perdre le deuxième candidat dans le cas où la négociation n'aboutirait pas à la satisfaction du premier. Ainsi, avant de faire une offre formelle à un postulant, le recruteur devrait rassembler les informations qui lui seront nécessaires en cas de négociation. Ces renseignements incluent :

- le positionnement salarial du poste dans l'organisation ;
- le positionnement salarial de postes comparables dans l'organisation ;
- la rémunération, directe et indirecte, du dernier titulaire du poste ;

- les conditions d'embauche non salariales offertes précédemment à d'autres candidats dans l'organisation, le paiement des frais de déménagement, par exemple;
- les conditions, salariales et autres, offertes pour un poste similaire sur le marché.

Outre ces informations, le recruteur peut avoir recueilli, au cours du processus de sélection, des renseignements sur les attentes du candidat. Le contexte spécifique de la dotation, comme l'existence d'une pénurie de main-d'œuvre ou l'urgence de pourvoir le poste, influence également le contenu des négociations. Prenons le cas où, à l'issue de l'ensemble des activités de sélection, deux candidats sont arrivés en tête : le recruteur, conscient qu'il dispose d'une alternative, sera peu enclin à accepter toutes les demandes du premier candidat. En revanche, lorsqu'il n'y a pas d'alternative, le candidat dispose d'un pouvoir de négociation plus grand.

Une fois que les paramètres du poste et des conditions offertes sont établis, le recruteur doit s'assurer de disposer d'un mandat de négociation, c'est-à-dire de directives précises qui l'autorisent à négocier au nom de l'employeur et lui fixent une marge de négociation. Par exemple, un recruteur peut être autorisé à négocier une augmentation de salaire allant jusqu'à 5 %, mais devra obtenir le consentement de son supérieur hiérarchique pour accorder davantage. Ou encore, plutôt que de négocier une augmentation de salaire, un recruteur peut être autorisé à offrir au candidat une prime de signature, c'est-à-dire un montant forfaitaire versé une seule fois, au moment où le postulant signe son contrat de travail. Notons qu'il arrive souvent que les négociations ne soient pas menées par le recruteur, mais plutôt directement par le directeur des ressources humaines voire, dans les entreprises de taille moyenne, par le président.

Les limites de la négociation sont établies en fonction de la capacité de l'entreprise à accorder ce que le candidat demande. Cette capacité tient bien évidemment compte de sa situation financière, mais ce n'est pas le seul élément à considérer. En effet, la conservation de l'équité de traitement entre les employés, anciens et nouveaux, est un principe directeur fondamental à toute négociation d'embauche.

Une seule situation assure qu'il n'y aura pas de négociation individuelle de l'offre d'emploi : il s'agit du cas où le poste à pourvoir est syndiqué. La dernière section de ce chapitre aborde ce cas particulier.

3.3 Le cas des employés syndiqués

Une convention collective fixe les conditions d'embauche du nouvel employé.

Lorsque le poste à pourvoir est couvert par une unité d'accréditation, les conditions d'embauche et de travail figurent dans la convention collective, négociée par le syndicat au nom de tous les salariés de l'unité : il s'agit donc d'un contrat collectif de travail. Dans ce cas, l'offre d'emploi faite au candidat doit être accompagnée d'une copie de la convention collective. Aucune négociation individuelle ne peut avoir lieu sur les clauses couvertes par la convention.

Cependant, certains juristes croient qu'une convention collective et un contrat individuel de travail peuvent coexister, le dernier couvrant les domaines sur lesquels la convention collective est muette (Bonhomme et Lesage, s. d.). Par exemple, si une convention collective ne traite pas de l'obligation de loyauté et de discrétion du salarié envers son employeur, un contrat individuel peut préciser cette obligation. Pourtant, la coexistence d'un contrat individuel de travail et d'une convention collective est loin de faire l'unanimité, comme en témoigne un récent jugement de la Cour suprême du Canada (2006), résumé à l'encadré 16.23.

ENCADRÉ 16.23   **Compatibilité entre le Code civil du Québec et les régimes collectifs de travail**

Isidore Garon ltée c. Tremblay ;
Fillion et Frères (1976) inc. c. Syndicat national des employés de garage du Québec inc.

Les faits

Dans les deux cas qui nous sont soumis, les appelantes ferment leur entreprise. Le 24 novembre 1997, Fillion et Frères (1976) inc. avise tous ses employés qu'elle cessera d'exploiter sa concession d'automobiles au plus tard le 16 janvier 1998 ; la cessation d'emploi de certains salariés est prévue pour le 19 décembre 1997 et, pour les autres, le 16 janvier 1998. La convention collective alors en vigueur chez Fillion ne prévoit rien en cas de fermeture de l'entreprise. De son côté, le 15 avril 1999, Isidore Garon ltée annonce à l'ensemble de ses salariés qu'elle fermera son commerce de quincaillerie le 19 juin 1999 en raison de difficultés financières. La convention collective de Garon ne comporte pas de clause régissant la fermeture de l'entreprise ; elle précise toutefois que, en cas de mise à pied pour plus de six mois, l'employeur devra donner les préavis prévus par la Loi sur les normes du travail. Les préavis donnés par les deux employeurs respectent les délais fixés par l'article 82 de la Loi sur les normes du travail. Les syndicats («intimés») représentant les deux groupes de salariés prétendent cependant que ce délai n'est pas raisonnable au sens de l'article 2091 du Code civil du Québec. Ils réclament une indemnité de quatre semaines par année de service pour chacun des employés.

Application des principes juridiques aux faits en litige

1. Articulation de la réclamation individuelle et des rapports collectifs

Au Québec, l'article 62 du Code du travail rend nulle toute disposition d'une convention collective qui contrevient à l'ordre public. En plus des chartes, plusieurs lois québécoises contiennent des dispositions relatives au droit du travail qui sont d'ordre public. Particulièrement, la Loi sur les normes du travail énonce des seuils minimums que toute convention collective doit respecter. Outre les lois particulières, on ne saurait ignorer le Code civil du Québec, qui constitue le fondement général de toutes les autres lois. Le Code civil du Québec énonce des dispositions d'ordre public qui visent directement les relations de travail. En vertu des articles 2091 et 2092 du Code civil du Québec, le salarié jouit du droit à un délai de congé raisonnable et il ne peut renoncer à ce droit. Il faut alors examiner s'il est incompatible avec le régime de rapports collectifs du travail, ce qui interdirait au syndicat de l'invoquer au profit des salariés qu'il représente.

2. Le caractère collectif du licenciement et l'évaluation individuelle des conséquences

Selon les appelantes, le droit du salarié au délai de congé du Code civil du Québec, convenu de façon individuelle avec chaque employé, serait incompatible avec le régime collectif de travail, caractérisé par des conditions de travail collectives convenues d'avance entre le syndicat et l'employeur. En s'appuyant sur cet argument, les appelantes se méprennent sur la nature du régime de rapports collectifs de travail et sur celle des règles fort diverses qui régissent la rupture du lien d'emploi ou le droit à l'emploi. Le contexte collectif de travail n'entraîne pas inévitablement la négociation de conditions s'appliquant uniformément à l'ensemble des salariés, sans considération des situations individuelles. C'est le caractère exclusif du syndicat à titre de représentant des salariés qui constitue l'élément crucial du régime collectif de droit du travail et non la question de savoir pour combien de salariés le syndicat agit.

»

3. Le droit à la réintégration et le droit au délai de congé raisonnable

Selon les appelantes, permettre aux salariés assujettis à une convention collective d'invoquer le droit au délai de congé raisonnable prévu à l'article 2091 du Code civil du Québec serait non seulement incompatible avec le régime collectif de droit du travail, mais remettrait en cause un compromis historique entre les règles de ce régime et celles du contrat individuel de travail. Toutefois, rien ne s'oppose à ce que des salariés assujettis à une convention collective puissent bénéficier du droit au préavis raisonnable prévu au Code civil du Québec. Loin d'être incompatibles avec le régime collectif de droit du travail, les articles 2091 et 2092 du Code civil du Québec le complètent et offrent un recours aux salariés qui perdent leur emploi sans que leur employeur les indemnise adéquatement.

Décision. Pour ces motifs, les pourvois sont rejetés et les arrêts de la Cour d'appel du Québec sont confirmés. Ainsi, les dépens devraient être accordés aux intimés.

Source : Cour suprême du Canada, 2006.

Ainsi, selon cette décision de la Cour suprême du Canada, les dispositions juridiques au Québec sont complémentaires aux conventions collectives, car elles dictent les seuils minimums qui doivent être respectés en matière de relations de travail. Dans un tel contexte, il est donc préférable pour une organisation dont les salariés sont syndiqués de ne pas signer de contrat individuel de travail au moment de l'embauche d'un nouvel employé. En revanche, l'entreprise doit plutôt s'assurer que des dispositions relatives au droit du travail sont respectées dans la convention collective. Si l'employeur juge que la convention collective en vigueur est incomplète, il peut utiliser la ronde de négociation suivante pour négocier de nouvelles clauses avec le syndicat.

En conclusion, le processus de dotation ne se termine pas avec le choix d'un candidat : celui-ci doit ensuite accepter l'offre qui lui est faite. Le contrat de travail officialise l'entente survenue, parfois au prix d'une négociation, entre l'organisation et le candidat. À partir du moment où le candidat entre en fonction, il perd son statut de candidat et devient un employé à part entière. Reste maintenant à l'organisation à faire un bon accueil à la recrue.

Ce qu'il faut retenir

- Le comité de sélection doit classer les candidats ; une offre d'emploi est faite au candidat placé en tête.
- Une offre d'emploi peut être conditionnelle à la passation d'un examen médical qui vérifie si le candidat est physiquement apte au travail.
- Un candidat peut accepter une offre d'emploi telle quelle ; il peut aussi la refuser ou en négocier les termes.
- Il est préférable de signer un contrat écrit de travail pour officialiser l'offre d'emploi.

Références

ALLARD, Vincent, Richard PIGEON et Michel A. GOULET (s. d.) « Contrat de travail (employé) », [en ligne], *Jurifax* [réf. du 18 août 2006]. <www.jurifax.com>.

AUDET ET ASSOCIÉS (2005). « Disposition de non-concurrence », [en ligne], *Audet & Associés inc.* [réf. du 18 août 2006]. <www.droitdespme.com>.

AUDET, Luc (s. d.). « Les obligations de non-concurrence d'un employé », [en ligne], *Audet & Associés inc.* [réf. du 18 août 2006]. <www.droitdespme.com>.

BONHOMME Robert et Laurent LESAGE (s. d.). « Le contrat de travail », [en ligne], *Réseau Juridique du Québec* [réf. du 18 août 2006]. <www.avocat.qc.ca>.

BUREAU DU SYNDIC DU COLLÈGE DES MÉDECINS DU QUÉBEC (1997, janvier). « Les examens médicaux de préaffectation au travail », [en ligne], *Collège des médecins du Québec*, 17 p. [réf. du 18 août 2006]. <www.cmq.org>.

CARPENTIER, Daniel (1998, 8 juin). « *Les examens médicaux en emploi,* Cat. 2.115.9.5 », [en ligne], *Commission des droits de la personne et des droits de la jeunesse du Québec*, 39 p. [réf. du 18 août 2006]. <www.cdpdj.qc.ca>.

CENTRE PATRONAL DE SANTÉ ET SÉCURITÉ DU TRAVAIL DU QUÉBEC (1991). « L'examen médical : Outil de gestion ou atteinte aux droits de l'employé ? », [en ligne], *Centre patronal de santé et sécurité du travail du Québec : Revue Convergence,* vol. 7, n° 1, 3 p. [réf. du 4 mai 2006]. <www.centrepatronalsst.qc.ca>.

COMMISSION CANADIENNE DES DROITS DE LA PERSONNE (2002, juin). « Politique de la Commission canadienne des droits de la personne sur le dépistage des drogues et de l'alcool », [en ligne], *Commission canadienne des droits de la personne,* Gouvernement du Canada, 17 p. [réf. du 18 août 2005]. <www.chrc-ccdp.ca>.

COMMISSION CANADIENNE DES DROITS DE LA PERSONNE (1988). « Politique de la Commission canadienne des droits de la personne sur le VIH/sida (révisée en juin 1996) », [en ligne], *Commission canadienne des droits de la personne, Gouvernement du Canada* [réf. du 18 mai 2006]. <www.chrc-ccdp.ca>.

COMMISSION DES NORMES DU TRAVAIL DU QUÉBEC (s. d.). « Aide mémoire pour la rédaction d'un contrat individuel de travail », [en ligne], *Commission des normes du travail, Gouvernement du Québec*, 2 p. [réf. du 1er mars 2006]. <www.cnt.gouv.qc.ca>.

CONFÉRENCE DES ARBITRES DU QUÉBEC (2001, 12 novembre). « Corporation des comtés unis de Prescott et Russell c. Syndicat canadien de la Fonction publique, Local 2828, [2001] IIJCan 21874 (QC A.G.) », [en ligne], *Institut canadien d'information juridique : Lexum* [réf. du 18 août 2006]. <www.canlii.org>.

COUR DU QUÉBEC (2003a, 17 mars). « Marquis c. Lebel, [2003] IIJCan 4496 (QC C.Q.) », [en ligne], *Institut canadien d'information juridique : Lexum* [réf. du 18 août 2006]. <www.canlii.org>.

COUR DU QUÉBEC (2003b, 10 février). « Biselele c. CCH Canadienne ltée, [2003] IIJCan 18106 (QC C.Q.) (QC A.G.) », [en ligne], *Institut canadien d'information juridique : Lexum* [réf. du 16 août 2006]. <www.canlii.org>.

COUR SUPRÊME DU CANADA (2006, 27 janvier). « Isidore Garon ltée c. Tremblay ; Fillion et Frères (1976) inc. c. Syndicat national des employés de garage du Québec inc., [2006] CSC 2 », [en ligne], *Institut canadien d'information juridique : Lexum* [réf. du 18 août 2006]. <www.iijcan.org>.

DIOCÈSE DE RIMOUSKI (2006). « Ordonnance relative au traitement et conditions de travail des agents laïcs de pastorale, [1996] Décret n° 10 », [en ligne], *Archidiocèse catholique romain de Rimouski* [réf. du 18 août 2006]. <www.dioceserimouski.com>.

GAGNON, Robert, P. (2003). *Le droit du travail du Québec*, 5e édition, Cowansville, Les Éditions Yvon Blais, 809 p.

GIROUX, André (2000, 15 mars). « Les défis actuels », [en ligne], *Le Journal du Barreau*, vol. 32, n° 5 [réf. du 18 août 2006]. <www.barreau.qc.ca>.

GOUVERNEMENT DU CANADA (s. d.a). « Dossier ressources humaines : Le processus d'embauche », [en ligne], *Service Canada, Gouvernement du Canada* [réf. du 2 mars 2006]. <www.golservices.gc.ca>.

GOUVERNEMENT DU CANADA (s. d.b). « Annexe 2 : Instructions accompagnant le contrat de travail », [en ligne], *Ressources humaines et Développement social Canada, Gouvernement du Canada*, 4 p. [réf. du 18 août 2006]. <www.rhdsc.gc.ca>.

GOUVERNEMENT DU CANADA (s. d.c). « Législation en matière de normes d'emploi au Canada », [en ligne], *Ressources humaines et Développement social Canada, Gouvernement du Canada* [réf. du 26 juillet 2006]. <www.rhdsc.gc.ca>.

GOUVERNEMENT DU CANADA (2006). « Contrat de travail pour l'embauche de travailleurs agricoles saisonniers des Antilles (États membres du Commonwealth) au Canada », [en ligne], *Ressources humaines et Développement social Canada, Gouvernement du Canada*, 6 p. [réf. du 27 juillet 2006]. <www.rhdsc.gc.ca>.

GOUVERNEMENT DU CANADA (1995). « *Loi sur l'équité en matière d'emploi,* [1995] chap. 44 », [en ligne], *Ministère de la Justice Canada, Gouvernement du Canada* [réf. du 18 août 2006]. <http://lois.justice.gc.ca>.

GOUVERNEMENT DU CANADA (1985a). « Loi canadienne sur les droits de la personne, L.R. [1985] chap. H-6 », [en ligne], *Ministère de la Justice Canada, Gouvernement du Canada* [réf. du 18 août 2005]. <http://lois.justice.gc.ca>.

GOUVERNEMENT DU CANADA (1985b). « Code canadien du travail, L.R. [1985] chap. L-2 », [en ligne], *Ministère de la Justice Canada, Gouvernement du Canada* [réf. du 18 août 2006]. <http://lois.justice.gc.ca>.

GOUVERNEMENT DU CANADA (1985c). « Loi sur le droit d'auteur, L.R. [1985] chap. C-42 », [en ligne], *Ministère de la Justice Canada, Gouvernement du Canada* [réf. du 15 août 2006]. <http://lois.justice.gc.ca>.

GOUVERNEMENT DU QUÉBEC (2006). « Les normes du travail au Québec », [en ligne], *Commission des normes du travail, Gouvernement du Québec* [réf. du 26 juillet 2006]. <www.cnt.gouv.qc.ca>.

GOUVERNEMENT DU QUÉBEC (1991). « Code civil du Québec, L.R.Q. [1991] chap. C », [en ligne], *Éditeur officiel du Québec, Gouvernement du Québec* [réf. du 18 août 2006]. <www2.publicationsduquebec.gouv.qc.ca>.

GOUVERNEMENT DU QUÉBEC (1985). « Loi sur les accidents de travail et les maladies professionnelles, L.R.Q., chap. A-3.001 », [en ligne], *Éditeur officiel du Québec, Gouvernement du Québec* [réf. 18 août 2006]. <www2.publicationsduquebec.gouv.qc.ca>.

GOUVERNEMENT DU QUÉBEC (1979a). « Loi sur la santé et la sécurité du travail, L.R.Q., chap. S-2.1 », [en ligne], *Éditeur officiel du Québec, Gouvernement du Québec* [réf. du 18 août 2006]. <www2.publicationsduquebec.gouv.qc.ca>.

GOUVERNEMENT DU QUÉBEC (1979b). « Loi sur les normes du travail, L.R.Q., chap. N-1.1 », [en ligne], *Éditeur officiel du Québec, Gouvernement du Québec* [réf. du 18 août 2006]. <www2.publicationsduquebec.gouv.qc.ca>.

GOUVERNEMENT DU QUÉBEC (1978). « Loi sur la fête nationale, L.R.Q., chap. F-1.1 », [en ligne], *Éditeur officiel du Québec, Gouvernement du Québec* [réf. du 18 août 2006]. <www2.publicationsduquebec.gouv.qc.ca>.

GOUVERNEMENT DU QUÉBEC (1975). « Charte des droits et libertés de la personne, L.R.Q., chap. C-12 », [en ligne], *Éditeur officiel du Québec, Gouvernement du Québec* [réf. du 3 mai 2006]. <www2.publicationsduquebec.gouv.qc.ca>.

GUILBERT, Sylvie (s. d.). « Une période de probation "ambiguë" rend l'employeur responsable du préavis », [en ligne], *Perspective patronale en droit de l'emploi et relations de travail, Emond Harnden* [réf. du 18 août 2006]. <www.emond-harnden.com>.

LAROCHE, Marc-André et Claude LE CORRE (1996). *Embauche et contrats de travail : Approches et rédaction. Tout ce que l'employeur doit savoir*, Cowansville, Les Éditions Yvon Blais, 149 p.

LE CORRE, Claude (1996). *L'approche disciplinaire : Choix de sanctions, modèles et cas vécus. Tout ce que l'employeur doit savoir*, Cowansville, Les Éditions Yvon Blais, 270 p.

LE CORRE ET ASSOCIÉS (1994). *Gestion moderne de la discipline et du congédiement*, Cowansville, Les Éditions Yvon Blais, 158 p.

LEDUC, Gilbert et Louise LEMIEUX (2004, 13 janvier). « Test de dépistage du VIH : Le Grand Séminaire de Montréal sera un cas d'exception au Québec », *Le Soleil*, La Une, p. A1.

LIAISONS SOCIALES (2001, novembre). *Les modèles de lettres et contrats*, Rueil Malmaison, Groupe Liaisons, 132 p.

OUIMET, Hélène et Pierre LAPORTE (2003). *Travail plus. Le travail et vos droits*, 4e édition, Montréal, Wilson & Lafleur, 468 p.

ROY, Pierre-Georges et Bélanger SAUVÉ (2003, 5 février). «Les mesures disciplinaires: Un guide à l'intention des employeurs», [en ligne], *Réseau juridique du Québec* [réf. du 18 août 2006]. <www.avocat.qc.ca>.

SERVIQ (s. d.). «Le contrat de travail», [en ligne], *Corporation de services des ingénieurs du Québec* [réf. du 22 août 2006]. <www.serviq.qc.ca>.

THÉRIAULT, Denis (2006, 31 mai). «Charte des droits et libertés et autres lois, et nos stagiaires», [en ligne], *Association canadienne de l'enseignement coopératif – Comité Québec*, 39 p. [réf. du 18 août 2006]. <www.acdec.etsmtl.ca>.

TRIBUNAL DU TRAVAIL DU QUÉBEC (1991). *Roussel Canada c. Charkaoui*, T.T. 288.

CONTRAT DE TRAVAIL

L'employeur:

Dénomination commerciale (s'il s'agit d'une entreprise, fournir les nom et prénom d'un représentant compétent):

Nom: Prénom:

Adresse:

Téléphone: Télécopieur:

Courriel:

L'employeur:

Nom: Prénom:

Adresse:

Téléphone: Télécopieur:

Courriel:

Les PARTIES s'entendent sur les dispositions suivantes:

DURÉE DU CONTRAT

1. Le présent contrat aura une durée de _____ mois à partir de la date à laquelle L'EMPLOYÉ sera entré en fonction («DURÉE D'EMPLOI»).

2. Les deux parties conviennent que le présent contrat est assujetti à la condition que L'EMPLOYÉ obtienne un permis de travail valide conformément au Règlement sur l'immigration et qu'il réussisse à être admis au Canada.

DESCRIPTION DU TRAVAIL

3. L'EMPLOYÉ convient d'exécuter les tâches suivantes (décrire les tâches en détail):

    _____

    _____

    _____

    _____

HORAIRE DE TRAVAIL

4. L'EMPLOYÉ travaillera _____ heures par semaine. Il recevra _____% de plus que le taux ordinaire pour toutes les heures de travail dépassant ce seuil. Sa journée de travail commencera à _____ heures et se terminera à _____ heures ou (si l'horaire est variable d'un jour à l'autre, préciser): _____.

5. L'EMPLOYÉ aura droit à _____ minutes de période de repos par jour (dîner, pause-café, etc.).

6. L'EMPLOYÉ aura droit à _____ jour(s) de congé par semaine, le _____.

7. L'EMPLOYÉ aura droit à _____ semaines de vacances payées.

8. L'EMPLOYÉ aura droit à _____ jours de congé de maladie par an.

SALAIRES ET RETENUES À LA SOURCE

9. L'EMPLOYEUR convient de payer à L'EMPLOYÉ, pour son travail, un salaire de _____ dollars par semaines ou de _____ dollars l'heure. Ce salaire sera versé à intervalles de _____.

10. L'EMPLOYEUR convient de payer tous les impôts et de présenter toutes les retenues à la source payables selon les dispositions légales (notamment, mais non exclusivement, au titre de l'assurance emploi, de l'impôt sur le revenu, du Régime de pensions du Canada ou du Régime des rentes du Québec).

》

11. L'EMPLOYEUR ne récupérera pas sur le salaire de L'EMPLOYÉ, sous forme de déductions ou par tout autre moyen, les frais qu'il a engagés pour recruter L'EMPLOYÉ ou le maintenir en poste. Ces frais sont notamment, mais non exclusivement, les honoraires versés à un recruteur tiers.

DÉPENSES DE DÉPLACEMENT

12. L'EMPLOYEUR convient d'assumer les frais de transport aérien aller-retour de L'EMPLOYÉ entre le pays de résidence de L'EMPLOYÉ et son lieu de travail, à savoir _____ (préciser le lieu de résidence et le lieu de travail). Ces frais ne sont pas recouvrables par l'employeur.

LOGEMENT

13. L'EMPLOYEUR convient de s'assurer que L'EMPLOYÉ disposera d'un logement raisonnable et convenable et le fournira s'il y a lieu. Si le logement est fourni par l'employeur, celui-ci en récupérera le coût selon la méthode ci-dessous. Ces frais ne devront pas dépasser ce qui est raisonnable pour ce genre de logement dans la région.

    L'EMPLOYEUR _____ fournira / _____ ne fournira pas un logement à L'EMPLOYÉ (inscrivez un X sur la ligne qui convient).

    Si la réponse est oui, L'EMPLOYEUR récupérera à cet égard un montant de _____ dollars par _____ (mois, période de deux semaines, etc.) au moyen de retenues salariales.

ASSURANCE HOSPITALISATION ET ASSURANCE MALADIE

14. L'EMPLOYEUR convient de fournir gratuitement un régime d'assurance maladie au travailleur étranger jusqu'à ce que celui-ci ait droit à l'assurance maladie provinciale.

ASSURANCE CONTRE LES ACCIDENTS DU TRAVAIL (indemnités d'accident du travail)

15. L'EMPLOYEUR convient d'inscrire L'EMPLOYÉ au régime d'assurance gouvernemental de la province. L'EMPLOYEUR convient de ne faire aucune retenue sur le salaire de L'EMPLOYÉ à ce titre.

AVIS DE DÉMISSION

16. Si L'EMPLOYÉ désire mettre fin au présent contrat, il convient d'en donner un avis écrit à L'EMPLOYEUR au moins une semaine à l'avance.

AVIS DE CESSATION D'EMPLOI

17. L'EMPLOYEUR doit informer L'EMPLOYÉ par un avis écrit qu'il désire mettre fin au contrat à condition que L'EMPLOYÉ ait travaillé sans interruption pendant trois mois pour L'EMPLOYEUR et que le contrat ne soit pas sur le point d'expirer. Il devra donner au moins une semaine de préavis.

CONTRAT ASSUJETTI À LA LOI PROVINCIALE SUR L'EMPLOI ET LES RELATIONS DE TRAVAIL ET AUX CONVENTIONS COLLECTIVES APPLICABLES

18. L'EMPLOYEUR a l'obligation de respecter les normes énoncées dans les codes provinciaux du travail et, s'il y a lieu, les dispositions des conventions collectives éventuellement en vigueur. Il doit notamment se conformer aux normes relatives au mode de versement des salaires, au calcul des heures supplémentaires, aux périodes de repas, aux congés fériés, aux congés annuels, aux avantages sociaux et aux recours en vertu de la Loi et, s'il y a lieu, de la convention collective. Toute disposition du présent contrat qui serait inférieure aux normes énoncées dans les codes de travail applicables est nulle et non avenue.

EN FOI DE QUOI les parties attestent qu'elles ont lu et accepté les conditions et modalités énoncées dans le présent contrat.

Signé à : _____ et à : _____

_____   _____
L'employeur   L'employé

_____   _____
Date   Date

Source : Gouvernement du Canada, s. d.b.

Dispositions de la Loi sur les normes du travail (Québec) et le Code canadien du travail (Canada), 2006

Les normes	Loi sur les normes du travail (Québec)	Code canadien du travail (Canada)
Salaire	• Taux général : 7,75 $ / heure • Taux pour les salariés rémunérés au pourboire : 7,00 $ / heure • Taux pour les salariés de l'industrie du vêtement : 8,25 $ / heure	Le taux du salaire minimum applicable aux travailleurs œuvrant dans la juridiction fédérale est le taux général minimum pour adulte de la province ou du territoire où le travail est exécuté, indépendamment de la profession, du statut ou de l'expérience de travail.
Durée de travail	La semaine normale de travail est de 40 heures, sauf pour le salarié de l'industrie du vêtement (39 heures), le salarié occupé dans une exploitation forestière ou une scierie (47 heures), le salarié qui travaille dans un endroit isolé ou sur le territoire de la Baie James (55 heures), et le gardien qui ne travaille pas pour le compte d'une entreprise de gardiennage (60 heures).	La durée normale du travail est de 8 heures par jour et de 40 heures par semaine. L'employé peut être employé au delà de la durée normale du travail. Toutefois, le nombre d'heures qu'il peut travailler au cours d'une semaine ne doit pas dépasser 48 ou le nombre inférieur fixé par règlement pour l'établissement où il est employé, à moins que l'employeur ait obtenu une dérogation du ministre permettant pour une catégorie d'employés déterminée le dépassement de la durée maximale fixée.
Jours fériés, chômés et payés	Les jours suivants sont fériés, chômés et payés : • le 1er janvier ; • le Vendredi saint ou le lundi de Pâques, au choix de l'employeur ; • le lundi qui précède le 25 mai ; • le 1er juillet ou, si cette date tombe un dimanche, le 2 juillet ; • le 1er lundi de septembre ; • le 2e lundi d'octobre ; • le 25 décembre. Le salarié de l'industrie du vêtement a également droit aux jours fériés, chômés et payés suivants : le 2 janvier, le Vendredi saint et le lundi de Pâques. **Note :** Le 24 juin, jour de la fête nationale du Québec, est aussi un jour férié, chômé et payé. Cependant, en vertu de la Loi sur la fête nationale, les conditions pour bénéficier de l'indemnité ou du congé compensatoire sont différentes des conditions requises pour avoir droit aux congés reconnus ci-dessus.	Chaque employé a droit à un congé payé lors de chacun des jours fériés tombant au cours de toute période d'emploi, soit : • le jour de l'An ; • le Vendredi saint ; • la fête de Victoria ; • la fête du Canada ; • la fête du Travail ; • le jour de l'Action de grâce ; • le jour du Souvenir ; • le jour de Noël ; • le lendemain de Noël.

»

Les normes	Loi sur les normes du travail (Québec)	Code canadien du travail (Canada)
Absence pour cause de maladie ou d'accident	Un salarié qui justifie de 3 mois de service continu peut s'absenter du travail, sans salaire, pendant une période d'au plus 26 semaines sur une période de 12 mois pour cause de maladie ou d'accident. Le salarié doit aviser l'employeur le plus tôt possible de son absence et des motifs de celle-ci.	L'employeur ne peut congédier, suspendre, mettre à pied ni rétrograder un employé, ni prendre des mesures disciplinaires contre lui, pour absence en raison de maladie ou d'accident si celui-ci remplit par ailleurs les conditions suivantes : *a)* il travaille sans interruption pour lui depuis au moins 3 mois ; *b)* il n'est pas absent pendant plus de 12 semaines ; *c)* il fournit à l'employeur, sur demande de celui-ci présentée par écrit dans les 15 jours du retour au travail, un certificat d'un médecin qualifié attestant qu'il était, pour cause de maladie ou d'accident, incapable de travailler pendant la période qui y est précisée, celle-ci devant correspondre à celle de l'absence.
Congés annuels	Le droit aux congés annuels payés s'acquiert pendant une période de 12 mois consécutifs. La durée des congés annuels et le montant de l'indemnité varient selon le service continu du salarié (en tenant compte de l'année de référence en vigueur dans l'entreprise), soit : • moins d'un an, 1 jour par mois de service continu, indemnité de 4 % ; • de 1 an à moins de 5 ans, 2 semaines continues, indemnité de 4 % ; • 5 ans et plus, 3 semaines continues, indemnité de 6 %.	Sauf disposition contraire, tout employé a droit, par année de service accomplie, à au moins 2 semaines de congés payés, et à au moins 3 semaines après 6 années de service. L'indemnité égale à 4 % ou 6 %, après 6 années consécutives au service du même employeur, du salaire gagné au cours de l'année de service donnant droit aux congés annuels.
Absences ou congés pour raisons familiales ou parentales	Un salarié qui justifie de 3 mois de service continu peut s'absenter du travail, sans salaire, pendant une période d'au plus 12 semaines sur une période de 12 mois lorsque sa présence est requise auprès de son enfant, de son conjoint, de l'enfant de son conjoint, de son père, de sa mère, du conjoint de son père ou de sa mère, d'un frère, d'une sœur ou de l'un de ses grands-parents en raison d'une grave maladie ou d'un grave accident.	L'employé a droit à un congé d'au plus 8 semaines pour offrir des soins ou du soutien à un membre de la famille (époux, conjoint de fait, enfant y compris l'enfant de l'époux ou du conjoint de fait, père ou mère y compris l'époux ou le conjoint de fait du père ou de la mère) qui est gravement malade et dont le risque de décès est important au cours des 26 semaines suivantes.

»

Les normes	Loi sur les normes du travail (Québec)	Code canadien du travail (Canada)
Congé de maternité	Le congé de maternité s'étend sur une période maximale de 18 semaines continues sans salaire. Si la salariée le demande, l'employeur peut consentir à un congé de maternité d'une période plus longue. Le congé ne peut commencer avant le début de la 16e semaine précédant la date à laquelle est prévu l'accouchement. Il existe aussi des dispositions qui prévoient que la salariée peut s'absenter dans certains cas. Préavis minimum : 3 semaines.	L'employée qui travaille pour un employeur sans interruption depuis au moins 6 mois a droit à un congé de maternité maximal de 17 semaines commençant au plus tôt 11 semaines avant la date prévue pour l'accouchement et se terminant au plus tard 17 semaines après la date effective de celui-ci, à la condition de fournir à son employeur le certificat d'un médecin attestant qu'elle est enceinte. Préavis minimum : 4 semaines.
Congé parental (complémentaire à la section sur le congé de maternité)	Le père et la mère d'un nouveau-né et la personne qui adopte un enfant ont droit à un congé parental sans salaire d'au plus 52 semaines continues. Il se termine au plus tard 70 semaines après la naissance ou, dans le cas d'une adoption, 70 semaines après que l'enfant lui a été confié. *Congé de paternité :* Un salarié a droit à un congé de paternité d'au plus 5 semaines continues, sans salaire, à l'occasion de la naissance de son enfant. Le congé de paternité débute au plus tôt la semaine de la naissance de l'enfant et se termine au plus tard 52 semaines après la semaine de la naissance. • Conservation de l'ancienneté pendant le congé. • Conservation des régimes et avantages pendant le congé.	A droit à un congé d'au plus 37 semaines l'employé qui travaille pour un employeur sans interruption depuis au moins 6 mois et qui doit prendre soin de son nouveau-né ou d'un enfant qui lui est confié en vue de son adoption en conformité avec les lois régissant l'adoption dans la province où il réside. La durée maximale de l'ensemble des congés que peuvent prendre un ou deux employés à l'occasion de la naissance d'un enfant est de 52 semaines. • Accroissement de l'ancienneté pendant le congé. • Conservation des régimes et avantages pendant le congé.
Harcèlement au travail	*Harcèlement psychologique :* Depuis le 1er juin 2004, de nouvelles dispositions de la Loi sur les normes du travail précisent que le salarié a droit à un milieu de travail exempt de harcèlement psychologique. Dans les milieux de travail, la prévention du harcèlement est l'affaire de tous : employeurs, cadres, employés, syndicats. L'employeur doit non seulement éviter de harceler, il doit aussi contribuer activement à maintenir un milieu de travail sans harcèlement.	*Harcèlement sexuel :* Le *harcèlement sexuel* s'entend de tout comportement, propos, geste ou contact qui, sur le plan sexuel : *a)* soit est de nature à offenser ou humilier un employé ; *b)* soit peut, pour des motifs raisonnables, être interprété par celui-ci comme subordonnant son emploi ou une possibilité de formation ou d'avancement à des conditions à caractère sexuel.

»

Les normes	Loi sur les normes du travail (Québec)	Code canadien du travail (Canada)
Harcèlement au travail (*suite*)	L'obligation de fournir un milieu de travail exempt de harcèlement psychologique incombe à l'employeur. Cette obligation est essentiellement une obligation de moyens et non de résultats. L'employeur n'a pas l'obligation de garantir que jamais aucune situation de harcèlement ne se produira, mais il devra : • prendre les moyens raisonnables pour faire en sorte qu'il n'y ait pas de harcèlement psychologique ; • prendre les mesures appropriées et, dans certains cas, les sanctions nécessaires pour mettre fin au harcèlement psychologique lorsqu'il est informé de l'existence d'une telle conduite. Il doit aussi se doter d'un mécanisme interne connu et efficace qui permette, entre autres, d'être informé de l'existence de ces situations, de traiter objectivement et avec diligence les cas de harcèlement et de prendre les mesures appropriées pour les faire cesser. L'ignorance d'une situation de harcèlement ne saurait en soi dégager l'employeur de sa responsabilité. L'employeur pourrait être tenu responsable des conduites de harcèlement commis par lui-même ou par ses employés dans l'exercice de leurs fonctions et dans tout lieu où ceux-ci peuvent être appelés à travailler. Il est aussi tenu d'intervenir lorsque les auteurs du harcèlement sont des tiers (client, usager, fournisseur, visiteur). L'employeur est en droit de demander à ses employés qu'ils adoptent une conduite exempte de harcèlement à l'égard non seulement de leurs collègues et de leurs patrons, mais aussi des tiers avec lesquels l'entreprise et les employés font affaire dans le cours de leur emploi.	Tout employé a droit à un milieu de travail exempt de harcèlement sexuel. L'employeur veille, dans toute la mesure du possible, à ce qu'aucun employé ne fasse l'objet de harcèlement sexuel. Après consultation des employés ou de leurs représentants, le cas échéant, l'employeur diffuse une déclaration en matière de harcèlement sexuel. L'employeur peut établir la déclaration dans les termes qu'il estime indiqués, pourvu qu'elle soit compatible avec la présente section et contienne les éléments suivants : *a)* une définition du harcèlement sexuel qui soit pour l'essentiel identique à celle de l'article ; *b)* l'affirmation du droit de tout employé à un milieu de travail exempt de harcèlement sexuel ; *c)* l'affirmation de la responsabilité de l'employeur, telle que précisée par l'article ; *d)* son engagement de prendre les mesures disciplinaires qu'il jugera indiquées contre ceux de ses subordonnés qui se seront rendus coupables de harcèlement sexuel envers un employé ; *e)* les modalités à suivre pour le saisir des plaintes de harcèlement sexuel ; *f)* son engagement de ne pas révéler le nom d'un plaignant ni les circonstances à l'origine de la plainte, sauf lorsque cela s'avère nécessaire pour son enquête ou pour prendre les mesures disciplinaires justifiées en l'occurrence ; *g)* l'affirmation du droit des employés victimes d'actes discriminatoires d'exercer les recours prévus par la Loi canadienne sur les droits de la personne en matière de harcèlement sexuel.

»

Les normes	Loi sur les normes du travail (Québec)	Code canadien du travail (Canada)
Avis de cessation d'emploi (avis de licenciement individuel)	Sauf exceptions, l'employeur doit donner un avis écrit au salarié avant de mettre fin à son contrat de travail ou de le mettre à pied pour 6 mois ou plus. La durée de l'avis varie en fonction du service continu, soit : • de 3 mois à 1 an, 1 semaine ; • de 1 an à 5 ans, 2 semaines ; • de 5 ans à 10 ans, 4 semaines ; • 10 ans et plus, 8 semaines. Dans le cas d'un contrat à durée déterminée qui expire ou pour une entreprise déterminée, l'employeur n'est pas tenu de donner cet avis. L'employeur qui ne donne pas d'avis doit verser au salarié une indemnité compensatrice équivalant à son salaire habituel pour une période égale à celle de l'avis auquel il avait droit, sans tenir compte des heures supplémentaires.	Sauf s'il s'agit d'un congédiement justifié, l'employeur qui licencie un employé qui travaille pour lui sans interruption depuis au moins 3 mois est tenu : *a*) soit de donner à l'employé un préavis de licenciement écrit d'au moins 2 semaines ; *b*) soit de verser, en guise et lieu de préavis, une indemnité égale à 2 semaines de salaire au taux régulier pour le nombre d'heures de travail normal. L'employeur qui licencie un employé qui travaille pour lui sans interruption depuis au moins 12 mois est tenu, sauf en cas de congédiement justifié, de verser à celui-ci le plus élevé des montants suivants : *a*) 2 jours de salaire, au taux régulier et pour le nombre d'heures de travail normal, pour chaque année de service ; *b*) 5 jours de salaire, au taux régulier et pour le nombre d'heures de travail normal.
Avis de licenciement collectif	Un licenciement collectif, c'est le fait pour un employeur de mettre fin à l'emploi de 10 salariés et plus d'un même établissement au cours d'une période de 2 mois consécutifs. De plus, le fait de mettre à pied, pour une durée de 6 mois ou plus, au moins 10 salariés constitue également un licenciement collectif. La Loi sur les normes du travail établit la marche à suivre et les délais à respecter pour émettre un avis de licenciement collectif. Ces délais dépendent du nombre de salariés visés, soit : • de 10 à moins de 100, 8 semaines ; • de 100 à moins de 300, 12 semaines ; • 300 salariés et plus, 16 semaines. Un avis de cessation d'emploi doit également être donné à chaque salarié visé par le licenciement collectif. Les délais pour donner cet avis au salarié varient en fonction du service continu	Avant de procéder au licenciement simultané, ou échelonné sur au plus 4 semaines, de 50 employés ou plus d'un même établissement ou le nombre inférieur applicable, l'employeur doit en donner avis au ministre par écrit au moins 16 semaines avant la date du premier licenciement prévu. La copie de l'avis donné au ministre est transmise immédiatement par l'employeur au ministre des Ressources humaines et du Développement social Canada, à la Commission de l'assurance emploi du Canada et à tous les syndicats représentant les surnuméraires (employés) en cause ; en l'absence de représentation syndicale, l'employeur doit, sans délai, remettre une copie au surnuméraire ou l'afficher dans un endroit bien en vue à l'intérieur de l'établissement où celui-ci travaille. L'employeur remet en outre à chaque surnuméraire, dans les meilleurs délais »»

Les normes	Loi sur les normes du travail (Québec)	Code canadien du travail (Canada)
Avis de licenciement collectif (*suite*)	de chaque salarié au sein de l'entreprise. Si l'employeur ne donne pas l'avis de licenciement collectif ou l'avis de cessation d'emploi dans les délais requis, il devra verser une indemnité à chacun des salariés concernés. Si l'avis est d'une durée insuffisante par rapport à la durée requise par la loi, l'employeur devra également verser une indemnité à chacun des salariés concernés. L'indemnité devra alors être payée au salarié pour la période qui reste afin que le délai soit respecté.	suivant la transmission au ministre de l'avis et, au plus tard, 2 semaines avant la date de licenciement, un bulletin indiquant les indemnités de congé annuel, le salaire, les indemnités de départ et les autres prestations auxquelles lui donne droit son emploi, à la date du bulletin. Aussitôt après avoir transmis l'avis au ministre, l'employeur procède à la constitution d'un comité mixte de planification.

Sources : Gouvernement du Canada, s. d.c., 1985b.
Gouvernement du Québec, 2006.

CHAPITRE **17**

L'accueil et l'intégration des nouveaux employés

Objectifs du chapitre

Le processus de dotation ne s'arrête pas à la signature du contrat de travail. Il reste ensuite une dernière étape cruciale pour s'assurer que le candidat sélectionné restera dans l'organisation: l'accueil et l'intégration de ce nouvel employé. Ce chapitre a pour objectifs de:

- passer en revue les différentes étapes du processus d'accueil;
- fournir un guide à la rédaction d'un manuel de l'employé;
- décrire brièvement d'autres pratiques d'intégration afin de compléter le tour d'horizon de la socialisation des recrues.

Une fois que le candidat choisi a confirmé son acceptation de l'offre d'emploi et a signé le contrat de travail, il devient un employé de l'organisation. Le travail de dotation est presque terminé, mais il reste encore à accueillir la recrue afin de lui assurer une bonne intégration au sein de l'organisation. Comme nous le verrons dans les pages qui suivent, un bon accueil permet de clarifier les attentes de l'organisation vis-à-vis du nouvel employé, de s'assurer que la recrue sera rapidement opérationnelle dans son poste et de diminuer les risques de départs volontaires. Mais outre l'accueil à proprement parler, d'autres activités peuvent être organisées au cours des premières semaines ou des premiers mois de travail de l'employé afin d'améliorer son intégration. L'ensemble de ces activités d'accueil et d'intégration fait l'objet de ce chapitre.

1. L'accueil

À la fin du processus de sélection, le candidat choisi commence généralement son nouvel emploi avec des attentes élevées, mais également avec un peu d'appréhension. Malheureusement, nombreux sont les exemples d'employés qui vivent une première journée de travail décevante : le superviseur n'est pas là pour les accueillir, leur bureau n'est pas prêt, personne ne les présente à leurs collègues, ou encore personne ne sait quelles tâches leur confier… Le scénario catastrophe imaginé par la journaliste Marie-Josée Labrosse (voir l'encadré 17.1) ressemble malheureusement trop souvent à la réalité. Prenons-en pour preuve les anecdotes présentées à l'encadré 17.2.

ENCADRÉ 17.1 **Une première journée de cauchemar**

Premier jour de travail, 8 h 30. Vous vous heurtez à la porte fermée de votre nouveau bureau.

Patiemment, vous faites le pied de grue devant l'immeuble jusqu'à 8 h 50. Se pointe le premier de vos futurs collègues. Une fois les présentations faites, il vous installe à la réception et vous invite à attendre votre supérieur, qui ne devrait pas tarder.

Il est 10 h 35, et vous avez déjà parcouru quatre magazines. Votre supérieur qui avait complètement oublié votre arrivée arrive d'une réunion. Il se confond en excuses tout au long du chemin qui conduit à votre poste de travail. Il a à peine pris le temps de vous indiquer votre fauteuil, que le voilà reparti : « une autre réunion qui commence dans cinq minutes ».

Mais il a promis de repasser avant midi. « On aura le temps de parler. Et je vous présenterai à l'équipe. » À 16 h 45, il vous téléphone d'une succursale pour vous dire qu'il vous verra sans faute demain matin, à 8 h 30 !

Source : Labrosse, 2003.

Programme d'accueil
▶ *Orientation program*
Ensemble de pratiques visant à fournir à une recrue des informations sur l'organisation.

De plus en plus d'entreprises ont compris l'importance de structurer l'accueil de leurs nouvelles recrues. Par exemple, la plupart des banques canadiennes ont mis en place un **programme d'accueil** s'étalant sur des périodes de trois à douze mois et incluant une formation poussée sur les produits financiers (Dumont, 2004). Pourtant, nombreux sont les nouveaux employés qui se plaignent encore d'avoir été mal accueillis.

«Ils m'avaient promis de me fournir un appartement meublé. Au lieu de cela, ils m'ont tendu un journal et m'ont dit de commencer à faire des appels téléphoniques. [...]»

«À 8 h, lors de ma première journée de travail, mon patron m'a convoqué dans son bureau pour me donner une pile de travail. Après quoi, il m'a dit de faire mes bagages pour un voyage d'affaires de trois jours en sa compagnie. [...]»

«J'ai commencé à travailler dans cet hôtel avant son ouverture officielle. Mon patron et moi étions les premières personnes à aller sur le site, alors que le reste de l'équipe était ailleurs. Au milieu de cette première journée de travail, mon patron a dû s'absenter pour assister à une réunion et il m'a laissé seul au bureau. Personne d'autre n'est venu me souhaiter la bienvenue.»

«Pendant toute la période d'accueil, l'horaire ne semblait pas avoir été planifié et plusieurs personnes n'étaient pas au courant que je devais arriver. De nombreux gestionnaires ne savaient pas ce qu'ils devaient faire de moi. Visiblement, le directeur des ressources humaines n'était pas très organisé ni préparé pour mon "programme de formation".»

«Lorsque je suis arrivé, personne n'avait le temps de me montrer quoi faire et personne ne voulait me confier du travail pour m'occuper. À la place, pendant presque deux semaines, j'ai eu droit à deux ou trois minutes de conversation polie tous les jours, puis on me disait de lire de vieux rapports annuels afin d'en apprendre sur le style de la compagnie.»

«Après quelques semaines, mon patron m'a appelé à son bureau pour m'apprendre que l'un de mes collègues était incompétent, qu'il avait mal fait un rapport, et que personne n'avait le temps de le reprendre. Il m'a dit que je n'aurais qu'à m'en charger à titre d'exercice de formation.»

Source: Young et Lundberg, 1996.

Selon un sondage mené par American Society for Training & Development, les programmes d'accueil représentent seulement 7% des sommes consacrées à la formation dans les entreprises américaines (Sims, 2002). Au Canada, seuls 6,6% des montants réservés aux activités de formation sont utilisés pour des programmes d'accueil des nouveaux employés (Harris-Lalonde, 2001). La situation au Québec n'est guère plus réjouissante. Ainsi, selon une étude du Conseil québécois des ressources humaines en tourisme (2004) menée auprès de 307 employeurs répartis dans différents secteurs d'activité et régions du Québec, «à peine le quart des entreprises disent avoir une procédure d'accueil et d'intégration des nouveaux employés». Le tableau 17.1 recense les différentes pratiques mises en place dans ces entreprises afin d'accueillir les recrues. Les résultats présentés indiquent que ces pratiques d'accueil et d'intégration sont plus fréquentes pour les postes opérationnels que pour les postes de gestion.

American Society for Training and Development
www.astd.org

À titre de comparaison, le tableau 17.2 présente les mécanismes qui ont été cités par les 209 employés ayant répondu à l'étude, de même que l'importance de ces mécanismes à leurs yeux. Ce tableau montre que les employeurs auraient avantage à insister sur le suivi de leurs employés et sur la rétroaction qui leur est donnée. C'est en effet l'énoncé pour lequel l'importance perçue diffère le plus de la fréquence dans l'entreprise.

Fait important à noter: «Dans un cas sur deux, aucune information écrite n'est remise à l'employé lors de son embauche» (Conseil québécois des ressources humaines en tourisme, 2004). L'utilisation du manuel de l'employé est rare et le contrat de travail est très peu utilisé.

TABLEAU 17.1 Fréquence des pratiques d'accueil et d'intégration dans les entreprises au Québec

Pratiques d'accueil et d'intégration utilisées	Fréquence d'utilisation dans des postes de gestion	Fréquence d'utilisation dans des postes d'opération
Visite de l'entreprise et des lieux	46 %	65 %
Présentation à l'ensemble du personnel	46 %	64 %
Présentation à l'équipe ou aux collègues de travail	46 %	65 %
Formation à la tâche	32 %	55 %
Coaching	35 %	57 %
Rencontre de suivi, rétroaction	34 %	45 %

Source : Conseil québécois des ressources humaines en tourisme, 2004.

TABLEAU 17.2 Importance des pratiques d'accueil et d'intégration pour les employés

Pratiques d'accueil et d'intégration utilisées	Fréquence dans l'entreprise	Proportion de répondants jugeant la pratique « importante pour accueillir et intégrer un nouvel employé »
Aucun mécanisme n'est en place	3 %	na
Visite de l'entreprise et des lieux	89 %	66 %
Présentation à l'ensemble du personnel	70 %	63 %
Présentation à l'équipe ou aux collègues de travail	86 %	67 %
Formation à la tâche	72 %	60 %
Coaching et supervision pendant les premiers temps minimalement	76 %	73 %
Rencontre de suivi, rétroaction	48 %	72 %

na : ne s'applique pas

Source : Conseil québécois des ressources humaines en tourisme, 2004.

Un programme d'accueil favorise l'intégration du nouvel employé.

Pourtant, accueillir convenablement un nouvel employé est plus qu'une simple question de politesse. Plusieurs études ont montré que les programmes d'accueil permettaient de clarifier les attentes et les normes de performance, augmentant ainsi la productivité des nouveaux employés (Chao, 1988 ; Schettler et Johnson, 2002) et, dans certains cas, diminuant les risques d'accidents (Pomfret, 1999).

Les programmes d'accueil améliorent également la connaissance que les recrues ont des objectifs et des valeurs de l'organisation, et favorisent les relations interpersonnelles entre collègues (Klein et Weaver, 2000 ; Schettler et Johnson, 2002).

Cela a pour conséquence un plus grand engagement de l'employé envers son employeur et, de ce fait, une réduction significative des départs volontaires, réduction pouvant aller de 15 % à 20 % selon certaines études (Dumont, 2004 ; Klein et Weaver, 2000). En effet, un nouvel employé qui se perçoit comme inefficace, non désiré ou inutile, peut réagir en démissionnant. Pour l'entreprise, une telle réaction signifie une perte de temps en recrutement et en formation, des coûts liés à la perte d'une bonne personne au profit de la concurrence et une atteinte à la réputation de la compagnie au sein de l'industrie (Richards, 2003).

Comme le dit le dicton, on n'a qu'une seule occasion de faire une première impression. L'étude de Young et Lundberg (1996) montre que les recrues restent marquées par l'impression désagréable générée par les lacunes de leur première journée de travail. Elles interprètent ces incidents comme un manque d'intérêt de la part de leur nouvel employeur, ce qui nuit à la réputation de celui-ci et donc à son image comme employeur de choix.

Ainsi, l'accueil d'un nouvel employé est primordial pour que ce dernier ait le sentiment d'être un membre à part entière d'une organisation, qu'il s'y sente le bienvenu et qu'il en connaisse le fonctionnement et les attentes (Richards, 2003). Or, un tel accueil ne s'improvise pas au moment où le nouvel employé passe la porte de l'entreprise ; il se prépare avant même l'arrivée de la recrue. À titre d'exemple, l'encadré 17.3 présente le programme d'accueil de l'entreprise américaine Sprint.

ENCADRÉ 17.3 L'accueil et l'intégration des employés chez Sprint

Certaines entreprises optent pour l'utilisation des technologies de l'information afin d'accueillir et d'intégrer leurs nouveaux employés, par exemple en mettant différents documents à la disposition des utilisateurs sur l'intranet. Mais lorsque Sprint a décidé de revoir son programme d'accueil et d'intégration qui datait déjà de huit ans, il a été décidé que la compagnie aurait plutôt recours à une technologie vidéo avancée afin de créer le nouveau programme d'une journée visant à joindre chaque nouvelle recrue.

Pendant six mois, l'équipe responsable de revoir le programme d'orientation de l'entreprise a évalué les pratiques des compagnies de même taille, telles que Coca Cola, Bank One et Ritz Carlton. Lors de ce travail d'analyse, l'équipe a découvert que 60 % des nouveaux employés œuvrant pour l'une des entreprises de Fortune 500 quittaient la compagnie pendant les trois premiers mois de travail. Ces départs semblaient être majoritairement causés par le sentiment que les nouveaux employés n'étaient pas bien préparés et qu'ils se sentaient accablés et déconnectés de l'organisation. Ainsi, pour contrer ces problèmes, Sprint voulait regrouper ses produits et services autour des besoins des consommateurs et désirait que ses employés considèrent l'entreprise comme un tout.

Appelée *One Sprint*, la philosophie se voulait être à la fois un pont entre chaque unité d'affaires et un outil pour construire une culture commune. Elle a touché tous les départements de l'entreprise grâce au programme d'accueil et d'intégration, dévoilé en 2001. Ce dernier, appelé *The power of possibilities* a été complètement revu, tant sur le plan du contenu que sur celui de la technologie choisie. Entre autres révisions majeures, la journée d'accueil a maintenant lieu dans le nouvel auditorium au siège social de Sprint ou dans l'une des villes secondaires où un grand nombre d'employés sont embauchés, telles que Dallas, Atlanta et Reston.

En outre, un répertoire central d'information est dorénavant disponible en ligne, permettant aux nouveaux employés d'accéder à l'information dont ils ont besoin rapidement. Les gestionnaires ont également accès à cet outil afin de mieux se préparer à l'accueil et à l'intégration de leurs recrues. Ainsi, le programme donne un message unique et uniforme à tous les employés travaillant chez Sprint.

Source : Schettler et Johnson, 2002.

1.1 La préparation de l'arrivée du nouvel employé

Au moment de la signature du contrat de travail, l'organisation sait la date à laquelle le nouvel employé entrera en fonction. Il est dès lors possible de planifier son installation au travail : s'assurer que son bureau ou son espace de travail sera disponible le jour même de son arrivée ; commander ses outils de travail, tels que son ordinateur ; configurer son poste téléphonique et sa boîte vocale ; acheter ses équipements de sécurité, s'il y a lieu ; faire imprimer ses cartes professionnelles, etc.

> *L'accueil d'un nouvel employé se prépare avant son arrivée.*

Il est important de s'assurer que le superviseur du poste sera présent lors de la première journée de travail de l'employé. Si nécessaire, il est préférable de déplacer la date d'entrée en fonction de la recrue plutôt que de la laisser seule à son arrivée. Préparer l'accueil du nouvel employé implique également d'informer les collègues, les responsables du soutien informatique, les préposés au stationnement ou encore les réceptionnistes de la date de son arrivée. À cet égard, l'encadré 17.4 propose un exemple de note interne annonçant l'arrivée d'un nouvel employé. Une telle note peut émaner du service des ressources humaines ou du superviseur.

ENCADRÉ 17.4 **Note de service annonçant l'arrivée d'un nouvel employé**

Destinataires : L'ensemble du personnel

Date : 12 septembre 2006

Objet : Arrivée de M. Dumais, responsable des approvisionnements

Nous avons le plaisir de vous annoncer l'arrivée dans notre entreprise de M. Jean-Pierre Dumais, qui remplacera Mme Sylvie Francœur au poste de responsable des approvisionnements.

Détenteur d'un baccalauréat en administration des affaires de l'Université de Sherbrooke, M. Dumais possède plus d'une dizaine d'années d'expérience dans le domaine des approvisionnements dans une importante entreprise de la grande distribution. Nous sommes très heureux de le compter désormais dans nos rangs.

M. Dumais entrera en fonction le lundi 18 septembre. Vous pourrez le joindre au poste 1234.

La direction des ressources humaines

Si le titulaire du poste est amené à travailler fréquemment avec des personnes à l'extérieur de l'organisation, la note peut également être adressée aux partenaires, aux fournisseurs ou encore aux clients. Dans ce cas, on en assurera la diffusion par courrier, par courriel, voire par communiqué, tel que l'illustre l'encadré 17.5.

Plusieurs documents administratifs, tels que les contrats d'assurance collective, devront être signés au moment de l'entrée en fonction de l'employé ; d'autres, comme la convention collective ou le manuel de l'employé, devront lui être remis, mais ne nécessitent pas de signature. Cependant, pour éviter de surcharger d'informations la recrue lors de sa première journée de travail, ces documents peuvent lui être envoyés à l'avance. La recrue a alors tout le loisir d'en prendre connaissance avant son entrée en fonction et, au besoin, de préparer des questions de clarification. Par ailleurs, certaines entreprises ont pris l'habitude de joindre à l'envoi des documents administratifs de petits cadeaux de bienvenue, comme une tasse ou une épinglette portant le logo de l'organisation. Bien que de tels gestes ne soient aucunement une obligation, ils envoient claire-ment le message au nouvel employé qu'il est le bienvenu dans l'organisation.

Association canadienne-française de l'Alberta
www.acfa.ab.ca

ENCADRÉ 17.5 Communiqué annonçant l'arrivée d'un nouvel employé

Association canadienne-française de l'Alberta

8627, rue Marie-Anne-Gaboury, bureau 303
Edmonton (Alberta) T6C 3N1
Téléphone : (780) 466-1680
Télécopieur : (780) 465-6773
Courriel : acfaprov@acfa.ab.ca
Page Web : www.acfa.ab.ca

2005
Alberta Centennial

Pour diffusion immédiate

Communiqué de presse

Un nouveau rédacteur pour le journal *Le Franco*

Edmonton, le 17 août 2005 – Le président de l'ACFA, Jean Johnson, a le plaisir d'an-noncer la nomination de Monsieur Étienne Alary à titre de nouveau rédacteur du jour-nal *Le Franco*. Monsieur Alary occupait auparavant le poste de coordonnateur du service des nouvelles pour l'APF, l'Association de la presse francophone. Il occupait également un poste d'enseignant en journalisme à la Cité collégiale d'Ottawa.

Monsieur Alary a une excellente connaissance du milieu minoritaire francophone, puisqu'il œuvre en milieu minoritaire depuis maintenant plus de dix ans. Il connaît aussi l'Ouest canadien, puisqu'il a habité la Saskatchewan pendant cinq ans, où il a occupé successivement les postes de rédacteur en chef du journal l'*Eau vive* et d'agent de communication pour la division scolaire francophone. «Je suis très excité à l'idée de retourner dans l'Ouest et de travailler pour un journal de qualité comme *Le Franco*», a affirmé Monsieur Alary.

De son côté, le président de l'ACFA dit avoir été impressionné par la connaissance de la communauté démontrée par le nouveau rédacteur et par sa vision d'avenir pour le journal.

Monsieur Étienne Alary débutera au *Franco* le 6 septembre prochain ; il sera accom-pagné en Alberta par sa conjointe et leur deux fillettes de 1 an et 4 ans.

– 30 –

Pour informations : Patrick Henri, directeur des communications
Téléphone : (780) 466-8394

Depuis 1926, l'ACFA est l'organisme porte-parole de la communauté francophone de l'Alberta. Son rôle est de faire valoir les intérêts de cette dernière et d'assurer son développement global.

Source : Association canadienne-française de l'Alberta, 2005.

Dans les entreprises de grande taille, c'est généralement le service de gestion des ressources humaines, en collaboration avec le superviseur du poste, qui prend la responsabilité de préparer l'arrivée du nouvel employé. Lorsqu'il n'existe pas de services des ressources humaines, cette responsabilité incombe au superviseur. Le tableau 17.3 fournit un exemple de répartition des respon-sabilités d'accueil.

Poste : _____ R = responsable ; S = soutien au responsable

	Directeur de l'entreprise	Service des RH	Superviseur du poste	Mentor	Collègues
1. Préparation de l'arrivée					
• Confirmation de la date d'entrée en poste		S	R		
• Préparation des documents administratifs		R			
• Envoi des documents administratifs		R			
• Préparation de l'espace de travail		R	S		
• Préparation des outils de travail		R	S		
• Annonce de l'arrivée aux collègues		R	ou	R	
2. Première journée					
• Accueil de l'employé			R		
• Présentation de l'organisation	R	S			
• Visite du milieu de travail		S ✓	R		S
• Présentation aux collègues			R ou	R.	S
• Désignation de l'espace de travail			R.		
• Signature des documents administratifs		R			
• Explication du poste, des attentes			R		
• Assignation de tâches		R			
• Activités sociales (ex. : dîner)			S		R
• Formation		R	S		
3. Suivi de l'accueil					
• Évaluation du programme d'accueil		R			
• Évaluation des besoins de formation		S.	R.	S	
• Évaluation de la performance		S.	R	S	

www.cheneliere.ca

1.2 La première journée du nouvel employé

Selon une récente étude, 77 % des nouveaux employés quittent leur bureau plus tôt que l'horaire normal lors de leur première journée de travail parce que l'entreprise n'est pas prête à les accueillir : aucune formation n'est prévue ou encore les outils de travail, par exemple l'ordinateur, ne sont pas disponibles (Averbook, 2005). Pourtant, la première journée de travail, ou parfois les quelques premières journées, sont l'occasion pour la recrue de se familiariser avec son organisation et son poste et de rencontrer ses nouveaux collègues. C'est aussi le moment de l'ouverture de son dossier administratif de salarié. Plusieurs activités doivent donc avoir lieu pendant ces moments importants de l'intégration. Le supérieur immédiat, chargé d'accueillir la recrue à son arrivée, [...] la diriger vers les différentes activités de la journée.

[...]tation de l'organisation

[...]tion de l'organisation a pour but de donner au nouvel employé une [...] des environnements interne et externe de son poste. C'est donc [...] lui présenter l'historique de l'organisation, sa mission, ses valeurs [...]pales caractéristiques. L'encadré 17.6 fournit des exemples de sujets [...]rs de cette présentation.

[...]t, la quantité d'informations fournies, ainsi que la façon de commu-[...]essage, varient selon les organisations. Par exemple, dans une PME, la [...] sera généralement faite de vive voix par le dirigeant de l'entre-[...]vanche, comme nous l'avons vu dans l'exemple de Sprint présenté [...] 17.3, une entreprise multinationale peut investir dans la réalisation [...] présentation qui sera diffusé à tous les nouveaux employés. Mais, [...]ce cas, il est toujours apprécié qu'un membre de la haute direction vienne en personne accueillir les recrues et répondre à leurs questions sur l'entreprise. Le message est alors clair : l'organisation accorde véritablement de l'importance à ses nouveaux employés.

[...]ites organisations, qui accueillent un nouvel employé de temps en [...]ésentation de l'organisation se fait souvent de manière informelle. [...], les entreprises de plus grande taille engagent souvent massive-[...]préfèrent alors parfois regrouper les embauches à des dates précises [...]illir tous les nouveaux employés en même temps. Même si toutes ces nouvelles recrues sont destinées à travailler dans différents services, la présentation de l'organisation est identique pour tous. Outre le fait de diminuer le temps de présentation, l'uniformisation des dates d'entrée en fonction des recrues présente l'avantage de favoriser les contacts entre les nouveaux employés dès leur première journée.

La présentation de l'organisation peut également donner lieu à la distribution de documents ou de matériel. Par exemple, une entreprise dont l'historique a fait l'objet d'un livre peut distribuer cet ouvrage à ses nouveaux employés comme cadeau d'accueil ; un organisme ayant récemment fêté ses dix ans d'existence peut, pour sa part, leur donner la brochure publiée à cette occasion.

Finalement, la présentation de l'entreprise se termine habituellement par une visite des lieux. Dans les PME, c'est habituellement le superviseur qui fait visiter les installations à l'employé et en profite pour lui présenter ses collègues. Dans les entreprises de plus grande taille, la visite des installations est généralement organisée par le service des ressources humaines, celui-ci laissant ensuite le soin au superviseur de faire le tour du poste de travail plus spécifique pour présenter la recrue à ses nouveaux collègues.

L'ouverture du dossier administratif

Tout programme d'accueil contient une portion administrative, puisque la première journée de travail est l'occasion d'ouvrir ou de compléter le dossier de l'employé. Cette tâche, dont les principaux éléments sont résumés dans l'encadré 17.7, revient au service des ressources humaines ou, dans les organisations de petite taille, à la personne responsable des dossiers du personnel. Il s'agit pour l'organisation de recueillir l'ensemble des informations relatives à l'employé. Certains documents, comme le curriculum vitæ, ont pu être assemblés lors de la sélection. D'autres, en revanche, comme la date de naissance ou le numéro d'assurance sociale, n'ont pas été demandés pour des raisons légales. Une fois que le candidat est embauché, l'entreprise est autorisée à recueillir ces renseignements personnels. Rappelons cependant que la conservation de ces informations doit faire l'objet de précautions pour satisfaire aux principes de protection des renseignements personnels expliqués au chapitre 2.

Comme nous l'avons mentionné dans la section précédente, certains formulaires peuvent être envoyés au préalable à l'employé, afin qu'il les lise et les remplisse. Cette préparation permet de simplifier cette étape de la journée d'accueil. Cependant, certains documents, comme les programmes d'assurance maladie, nécessitent parfois des explications supplémentaires. Une rencontre avec la personne responsable des dossiers des employés ou des avantages sociaux permet de répondre aux questions que pourrait avoir la recrue afin de finaliser ses choix. Les questions d'identification, comme la carte d'employé ou le laissez-passer sont aussi abordées à ce stade de l'accueil de l'employé.

C'est également à cette étape que sont collectées les informations relatives à la paie. Par exemple, certaines entreprises demandent que leur soit remis un exemplaire de chèque afin de procéder au dépôt direct de la paie sur le compte en banque de l'employé. Les informations permettant les retenues à la source sont également recueillies. Les procédures de vérification des horaires de travail doivent également être expliquées au nouvel employé : Doit-il remplir des feuilles de temps ? Doit-il pointer ? etc.

<table>
<tr><td>ENCADRÉ 17.7   Exemples de points à traiter dans le dossier administratif</td></tr>
</table>

- Collecte d'informations personnelles (adresse, numéro d'assurance sociale, date de naissance, etc.).
- Présentation (ou rappel) des avantages sociaux.
- Choix de certains avantages sociaux (ex. : choix entre plusieurs plans d'assurance maladie).
- Collecte des informations relatives aux avantages sociaux (ex. : bénéficiaire de l'assurance vie).
- Présentation des conditions d'examen médical.
- Présentation (ou rappel) des procédures de paie (fréquence, carte de temps, etc.).
- Collecte des informations relatives à la paie (numéro de compte en banque, dépôt direct, etc.).
- Établissement du laissez-passer ou de la carte d'employé.
- Remise du manuel de l'employé ou de la convention collective.
- Explication des règlements internes.

Pour les postes syndiqués, les informations sur les horaires de travail, mais aussi sur l'ensemble du fonctionnement de l'organisation, sont contenues dans la convention collective. Si un exemplaire n'a pas été envoyé à l'employé au préalable, la rencontre avec le responsable des ressources humaines est l'occasion de le lui remettre. Pour les postes non syndiqués, ces renseignements apparaissent parfois dans un manuel de l'employé, dont nous détaillerons le contenu plus loin dans ce chapitre, et qui doit être remis à la recrue.

La familiarisation avec le poste

Alors que les deux étapes précédentes de la journée d'accueil sont habituellement assumées par la direction de l'entreprise et le service des ressources humaines, c'est généralement au supérieur immédiat que revient la responsabilité de présenter au nouvel employé son poste et les tâches qu'il aura à effectuer. L'encadré 17.8 résume les principaux points à couvrir à cette étape.

<table>
<tr><td>ENCADRÉ 17.8   Exemples de points à traiter dans la présentation du poste</td></tr>
</table>

- Présentation de la description de poste.
- Situation du poste dans l'organigramme de l'organisation.
- Présentation des procédures d'évaluation de performance (fréquence, critères, etc.).
- Présentation des outils de travail (ordinateur, équipement, etc.).
- Identification des personnes-ressources dans l'organisation.

Si une description de poste n'a pas encore été remise à l'employé, la rencontre avec le supérieur immédiat est l'occasion de le faire. Le superviseur peut alors expliquer plus en détail la situation du poste dans l'organigramme, les principales responsabilités à assumer ainsi que les comportements attendus. Une discussion sur l'évaluation de la performance, et notamment sur les critères sur lesquels l'employé sera apprécié, permet de clarifier les attentes. S'il existe dans l'organisation un formulaire d'évaluation de la performance, il est approprié de le fournir au nouvel employé lors de cette rencontre.

Il est également important que le supérieur immédiat éclaire la recrue sur les ressources qui sont mises à sa disposition pour effectuer son travail. Il peut s'agir d'équipements ou de documents, mais également d'aide et de support provenant du superviseur lui-même, des collègues du service ou d'autres départements dans l'organisation. Indiquer ces personnes-ressources permet à l'employé d'être plus rapidement opérationnel dans son emploi.

Il arrive que les nouvelles recrues suivent, dès leur arrivée au sein d'une organisation, une formation dont la durée peut varier de quelques heures à quelques semaines. Dans cette situation, une partie plus ou moins importante de la familiarisation avec le poste est assurée par cette formation, qui est coordonnée par le service des ressources humaines. Le superviseur doit cependant s'informer des points qui ont été traités pendant la formation pour pouvoir la compléter au besoin. Par exemple, certaines entreprises offrent à toutes les recrues une formation obligatoire sur la santé et la sécurité au travail, mais les autres aspects spécifiques à chaque poste sont laissés à la discrétion du superviseur.

Même s'il ne s'attend pas à ce que le nouvel employé soit pleinement efficace dès sa première journée de travail, le supérieur doit préparer des tâches à lui confier. Il est extrêmement décourageant pour un nouveau venu de ne pas savoir quoi faire et d'avoir l'impression de perdre son temps. Le supérieur doit donc expliquer ce qu'il attend du nouvel employé et lui assigner des tâches relativement simples, mais dont la complexité s'intensifiera avec le temps. Pendant les premières journées de travail, le superviseur doit être présent pour assister l'employé ou désigner une personne qui pourra l'aider.

Les relations interpersonnelles

Finalement, la première journée de travail d'un nouvel employé est l'occasion de rencontrer de nouveaux visages et d'établir des relations interpersonnelles. Il revient généralement au supérieur hiérarchique de présenter la recrue à ses collègues. À défaut, une personne désignée comme le mentor ou le parrain de l'employé pourra se charger de cette tâche.

Mais une simple présentation ne suffit pas pour que l'employé se sente rapidement à l'aise dans son milieu de travail. Les collègues doivent également faire l'effort de l'intégrer dans leurs activités sociales. Par exemple, convier le nouveau venu à prendre un café ou l'inviter à aller manger avec le reste de l'équipe sont autant de gestes qui favorisent son intégration.

1.3 Le suivi

Un programme d'accueil ne se termine pas à la fin de la première journée ou de la première semaine de travail de la recrue (Gustafson, 2005). Idéalement, le service des ressources humaines doit rencontrer le nouvel employé pour faire un suivi deux à quatre semaines après son arrivée. Cette rencontre est l'occasion de vérifier que la recrue se sent bien intégrée dans l'organisation et dans son équipe. L'employé peut alors faire part des préoccupations ou des interrogations qu'il n'aurait pas nécessairement osé exprimer dans un autre contexte. Le suivi permet également de s'assurer que les promesses faites lors de l'accueil de l'employé ou de la négociation du contrat de travail ont bien été tenues.

Le service des ressources humaines doit faire le suivi du programme d'accueil.

Au-delà de l'évaluation du programme d'accueil, les quelques premières semaines de travail d'un nouvel employé sont l'occasion pour son supérieur immédiat de déceler d'éventuelles difficultés. Il ne faut pas oublier qu'un nouvel employé est soumis à une période d'essai à l'issue de laquelle l'employeur peut mettre fin unilatéralement au contrat de travail. Il est donc particulièrement important pour le superviseur d'exercer un suivi rigoureux du candidat pendant cette période afin d'établir des besoins de formation ou d'encadrement. L'évaluation formelle de performance réalisée à la fin de la période de probation marque la fin de la période d'accueil et d'intégration de l'employé.

2. Le manuel de l'employé

Nous venons de le voir, les premières journées d'un emploi donnent habituellement lieu à la présentation d'une grande quantité de nouvelles informations sur l'organisation et sur son fonctionnement. Afin de s'assurer de donner des informations claires et identiques à tous, certaines organisations optent pour la rédaction d'un manuel qui fait la synthèse des renseignements que l'employé doit connaître. En milieu syndiqué, cette fonction est plutôt remplie par la convention collective, bien que rien n'empêche qu'un manuel de l'employé la complète.

Un manuel de l'employé synthétise les informations que la recrue doit connaître.

2.1 Les objectifs du manuel de l'employé

Rédiger un manuel de l'employé répond à plusieurs objectifs. Tout d'abord, le document permet de préciser ce que l'employé doit savoir sur la compagnie, notamment en ce qui concerne son historique, ses valeurs et sa culture. C'est également l'occasion de rappeler les comportements attendus, ce qui constitue une forme de renforcement positif. Même si ces éléments d'information sont généralement abordés lors de l'accueil du nouvel employé, les mettre par écrit permet à la recrue de s'y référer ultérieurement.

Un manuel de l'employé a également pour but de préciser certains règlements qui ne sont pas nécessairement détaillés lors de la journée d'accueil. En particulier, les règlements relatifs aux mesures disciplinaires sont rarement abordés dans un programme d'accueil, car on veut donner aux recrues une image favorable de l'organisation. Les inclure dans le manuel de l'employé est donc un moyen indirect de s'assurer que les employés en prendront connaissance.

Lors de son intégration dans une organisation, le nouveau venu doit apprendre non seulement comment elle fonctionne et ce qu'elle attend de lui, mais également ce qu'elle a à lui offrir et ce à quoi elle s'engage. Or, toutes les politiques de ressources humaines ne sont pas nécessairement détaillées dans le programme d'accueil, faute de temps. Le manuel de l'employé peut alors fournir une copie de l'ensemble des politiques susceptibles d'intéresser le personnel, notamment les politiques de promotion ou de formation.

2.2 Le contenu du manuel de l'employé

Il n'existe pas de règle quant au contenu d'un manuel de l'employé; chaque organisation est libre d'y inclure ce qu'elle désire. Mais comme ce manuel a pour but de fournir les informations nécessaires à l'intégration de l'employé, les thèmes abordés lors de la journée d'accueil devraient y être traités. Comme nous l'avons vu plus tôt, ils peuvent être complétés par toutes les informations que l'organisation juge utile de partager avec son personnel, même si elle ne croit pas nécessaire de les inclure dans le programme d'accueil.

Ainsi, un manuel de l'employé peut inclure :

- un message du président ;
- la description de l'organisation ;
- son organigramme ;
- son historique ;
- sa mission ;
- sa philosophie de gestion et ses valeurs, illustrées au besoin par des exemples ;
- les principales attentes de la direction en ce qui a trait aux comportements et aux attitudes au travail ;
- les conditions de travail, incluant les horaires, les jours fériés, etc. ;
- les différentes politiques de gestion des ressources humaines, comme la politique d'évaluation de la performance, la politique de rémunération, les règlements de santé et de sécurité au travail, etc. ;
- les différentes politiques administratives telles que celles portant sur la tenue vestimentaire, le harcèlement, la sécurité informatique, l'usage du tabac, la non-concurrence, l'utilisation du téléphone à des fins personnelles, etc. ;
- les moyens de communication, notamment les mécanismes de gestion des différends.

Certains éléments contenus dans le manuel de l'employé peuvent également figurer au contrat individuel de travail de la recrue. Cette apparente redondance permet à l'employé de confirmer que le traitement qu'il a reçu lors de la négociation de son contrat de travail est conforme aux politiques de l'ensemble de l'organisation, accroissant ainsi son sentiment d'équité dans la façon dont il a été traité.

Chaque organisation doit adapter le contenu de ses politiques, et donc de son manuel d'employé, à la réalité qui lui est propre. Ainsi, dans un article s'adressant à des PME américaines en milieu rural, Brown (2005) conseille d'inclure dans le manuel des employés un article relatif au port d'arme à feu sur les lieux de travail. Il est évident qu'une telle recommandation serait tout à fait incongrue en contexte canadien. En revanche, la question de l'utilisation d'Internet à des fins personnelles, qui était rarement abordée jusqu'à récemment, mérite probablement de faire l'objet d'une clarification dans le manuel des employés de plusieurs entreprises canadiennes. À cet égard, l'annexe A propose l'exemple de la politique sur l'utilisation du courriel, du collecticiel et des services Internet du ministère de la Justice du Québec.

2.3 La rédaction du manuel de l'employé

Tous les employés d'une organisation n'ont pas le même niveau de scolarité ni la même habitude de lire des documents. Le style de rédaction du manuel de l'employé doit donc rester simple et clair pour que tout le personnel puisse le lire sans difficulté. À titre d'exemple, l'encadré 17.9 propose deux articles portant sur la santé et la sécurité ainsi que sur l'entretien des lieux de travail.

ENCADRÉ 17.9 **Exemples d'articles tirés d'un manuel des employés**

Les méthodes de travail sécuritaires

Notre entreprise se caractérise par un très faible taux d'accidents et de maladies professionnelles. Nous tenons à maintenir cette performance. Les mesures de santé et de sécurité provenant des recommandations du comité responsable et de spécialistes doivent être observées en tout temps.

L'entretien des lieux

Nous tenons à ce que l'ensemble de nos locaux de travail soit ordonné et propre afin de rendre l'atmosphère de travail agréable à tous et de présenter une bonne image aux clients qui nous rendent visite.

Source : Croteau et Lapierre, 2001.

De façon générale, l'information doit être présentée de façon inspirante, afin de susciter la fierté et le goût de contribuer au développement de l'entreprise (Croteau et Lapierre, 2001). Cela n'exclut pas pour autant l'inclusion dans le manuel de l'employé de certaines politiques administratives ou disciplinaires, certes moins agréables à évoquer, mais qui doivent néanmoins être spécifiées. C'est le cas, par exemple, d'un règlement sur l'utilisation du tabac, comme celui présenté à l'encadré 17.10, ou encore d'une politique sur le harcèlement sexuel telle que celle fournie à l'annexe B.

Université Laval
www.ulaval.ca

ENCADRÉ 17.10 **Règlement sur l'utilisation du tabac à l'Université Laval**

Règlement sur l'utilisation du tabac

L'utilisation du tabac est interdite dans tous les bâtiments sous la juridiction de l'Université Laval. Vous pouvez consulter ce règlement à www.vrrh.ulaval.ca/sante/regutilisationtabac.pdf ou contacter le Service de sécurité et de prévention au 418 656-5555.

Source : Université Laval, s. d.

Un manuel de l'employé est généralement rédigé à l'interne par une personne responsable des ressources humaines ou par un chargé de projet. Cette personne peut se faire aider par un comité de travail formé de gens représentant l'ensemble des secteurs de l'organisation. Le principal mandat de ce comité sera de recueillir l'information et d'élaborer les grandes lignes du manuel (TechnoCompétences, 2003). L'aide de spécialistes externes, comme un avocat, peut également être nécessaire pour la rédaction de certaines politiques. Le tableau 17.4 propose un aide-mémoire spécifiant les responsabilités en matière de rédaction du manuel.

www.cheneliere.ca

TABLEAU 17.4 Aide-mémoire pour la rédaction d'un manuel de l'employé

R = responsable ; S = soutien au responsable

Thèmes	Responsabilité				Échéancier
	Président	Comité	Chargé de projet interne	Expert externe	
1. Présentation générale					
Attentes de la direction			R		
Description de l'organisation		S	R		
Historique de l'organisation		S	R		
Message du président	R		S		
Mission		S	R		
Organigramme		S	R		
Philosophie et valeurs		S	R		
2. Conditions de travail					
Cessation d'emploi		S	R		
Congés de maladie		S	R		
Congés sociaux		S	R		
Contrôle des heures travaillées		S	R		
Frais de déplacement		S	R		
Heures de travail		S	R		
Heures supplémentaires		S	R		
Jours fériés, chômés et payés		S	R		
Pauses et repas		S	R		
Perfectionnement			S	R	
Vacances et congés annuels		S	R		
Autres absences		S	R		
Autres		S	R		

»

TABLEAU 17.4 *(suite)*

R = responsable ; S = soutien au responsable

Thèmes	Responsabilité				Échéancier
	Président	Comité	Chargé de projet interne	Expert externe	
3. Politiques de ressources humaines					
Évaluation de rendement			R		
Formation			R		
Mécanismes de communication		S	R		
Rémunération			R		
Santé et sécurité au travail		S	R		
4. Politiques administratives					
Clause de non-concurrence		S	R ou	R	
Confidentialité		S	R ou	R	
Politique contre le harcèlement		S	S	R	
Service à la clientèle		S	R		
Tenue vestimentaire		S	R		
Usage du tabac, de drogues et d'alcool		S	R ou	R	
Utilisation du téléphone, du courriel et d'Internet		S	R ou	R	

Source : TechnoCompétences, 2003.

Au-delà des activités d'accueil à proprement parler, qui incluent dans certains cas la distribution d'un manuel de l'employé, plusieurs pratiques peuvent favoriser l'intégration d'une recrue dans l'organisation. La prochaine section en présente brièvement trois.

3. Les autres activités d'intégration

La plupart des études portant sur les activités organisées pour socialiser les recrues au sein des organisations citent quatre pratiques susceptibles de favoriser l'intégration des employés. La première, l'accueil, a été traitée en détail dans les pages précédentes. Mais le mentorat, la formation et les activités sociales sont d'autres pratiques susceptibles de faciliter l'intégration rapide des nouveaux venus. Ces pratiques d'intégration sont d'autant plus importantes qu'une majorité des personnes qui quittent volontairement une organisation le font dans

Une organisation peut prévoir plusieurs activités pour intégrer ses nouveaux employés.

les mois suivant l'embauche (Carrière et Guérin, 2000 ; Gustafson, 2005). Il convient donc d'étudier les pratiques d'intégration dont la recrue peut bénéficier au cours de ses premiers mois de travail.

3.1 La formation

Offrir une formation aux nouvelles recrues constitue une façon de les aider à s'intégrer dans l'organisation. Contrairement à un programme d'accueil, qui vise essentiellement à fournir de l'information sur l'organisation et le poste, une formation est plutôt orientée vers le développement des compétences que le nouvel employé doit posséder pour exercer ses nouvelles fonctions (Chao, 1988). Certains parlent même à ce sujet « d'entraînement à la tâche » pour souligner le caractère spécifique et immédiat de la formation des recrues (Desrochers, 2001).

> *La formation des recrues vise le perfectionnement des compétences requises à court terme.*

D'un autre côté, la formation peut également jouer un rôle symbolique, en signalant aux recrues que l'organisation se soucie de leur développement (Klein et Weaver, 2000 ; Tannenbaum *et al.*, 1991).

C'est autant pour ce rôle symbolique que pour le développement des compétences que les programmes de formation facilitent l'intégration des recrues. Par exemple, une étude effectuée auprès de 198 nouveaux employés de firmes de comptabilité américaines indique que la formation reçue améliore l'engagement des employés envers leur organisation et diminue leur désir de la quitter (Saks, 1995).

Bank of America
www.bankofamerica.com

Il existe de multiples formats de formation pour les nouveaux employés, qui varient notamment en fonction du type de compétences à développer. Ainsi, certaines compagnies offrent des séminaires formels auxquels toutes les recrues assistent en même temps. Cette formule, idéale pour parfaire les connaissances théoriques des nouveaux employés, est privilégiée, par exemple, par les banques qui souhaitent que les recrues connaissent bien les produits financiers offerts (Dumont, 2004). Ainsi, la Bank of America invite tous ses nouveaux employés à New York pour suivre une formation de groupe d'une durée de deux semaines. Après cette période, les recrues joignent leurs divisions respectives pour une seconde formation davantage liée à leur futur emploi (eFinancialCareers, 2004). La rotation de poste est un autre format de développement des compétences des nouveaux employés utilisé abondamment par les banques pour les recrues peu expérimentées. Ainsi, il n'est pas rare qu'un nouvel employé destiné à un poste de cadre passe sa première année à occuper successivement tous les emplois d'une succursale.

Une telle formation ne convient cependant pas aux candidats possédant déjà une grande expérience. Un *coaching* individualisé sur le poste de travail est souvent une option de formation intéressante, en particulier pour des postes manuels. Si l'entreprise offre un programme de mentorat, ce *coaching* peut être inclus dans les fonctions du mentor. L'encadré 17.11 dresse la liste des différents formats pouvant être proposés pour la formation des recrues.

- Mentorat et assistance professionnelle : processus lors duquel les travailleurs expérimentés partagent leur connaissance d'une entreprise.

- Cours en salle de classe : méthode traditionnelle de formation et d'apprentissage face à face permettant une interaction immédiate entre le formateur et le participant.

- Formation en milieu de travail : terme assez large qui inclut les simulations, les jeux de rôle et la rotation de poste.

- Vidéoconférence, vidéotransmission et autres outils virtuels de collaboration : outils virtuels de conférence et de réunion permettant à un groupe dispersé géographiquement d'interagir à l'aide de la technologie.

- Apprentissage en ligne et formation sur le Web : apprentissage individuel asynchrone au moyen de matériel pédagogique développé sur CD-Rom ou sur un site Internet.

- Systèmes électroniques de soutien du rendement : outils électroniques tels que des fichiers d'aide, des glossaires ou des manuels donnant de l'information explicative sur les tâches et les procédures.

Source : Gouvernement du Canada, s. d.

La formation permet au nouvel employé d'être rapidement opérationnel dans son emploi (Duguay et Korbut, 2002). Mais encore faut-il qu'elle soit adaptée à la fois aux compétences initiales de l'employé et aux besoins spécifiques du poste. Ainsi, un programme personnalisé de développement des compétences devrait être prévu pour chaque recrue. Le tableau 17.5 propose un aide-mémoire pour l'élaboration d'un tel programme. Ce document précise l'ensemble des thèmes de formation pouvant s'appliquer au poste. Il permet ensuite de vérifier la pertinence et l'urgence de développer les compétences de chaque nouvel employé. Ainsi, pour le même poste, deux recrues ne suivront pas nécessairement les mêmes activités. Le fait de préciser le nom du formateur et la date de la formation facilite également le suivi. Le tableau prévoit également un espace pour les commentaires, par exemple pour indiquer la performance de l'employé.

De plus en plus d'entreprises offrent une formation à leurs nouveaux employés. Ainsi, la Fédération canadienne de l'entreprise indépendante note-t-elle que les PME canadiennes consacrent en moyenne 113 heures à la formation informelle de leurs recrues, et 23 heures à leur formation formelle. La distinction entre formation formelle et formation informelle n'est pas toujours claire et les auteurs ne s'entendent pas sur la classification (Centre canadien du marché du travail et de la productivité, 1993). Ainsi, certaines formations sont clairement formelles, d'autres clairement informelles, tandis que d'autres encore peuvent être considérées comme formelles ou informelles selon le contexte. Le tableau 17.6 illustre ces propos.

Les gestionnaires ayant répondu au sondage de la Fédération canadienne de l'entreprise indépendante précisent en outre, dans une proportion de 63 %, que la formation en général a spécifiquement pour but d'intégrer rapidement les nouveaux employés. En effet, un tiers des répondants estiment qu'il faut

www.cheneliere.ca

quelques mois de formation à un employé pour atteindre son niveau de productivité maximum; un autre tiers évaluent cette durée à une année ou plus (Dulipovici, 2003).

TABLEAU 17.5	Aide-mémoire pour l'élaboration d'un programme de formation des recrues

Nom de l'employé : _____

Poste : _____

Date d'entrée en fonction : _____

Programme élaboré par : _____

Thèmes de la formation	Pertinence	Échéancier	Type de formation	Formateur	Date de la formation	Commentaires

Source : Duguay et Korbut, 2002

TABLEAU 17.6	Classification des types de formation

Formation informelle	Formation formelle
Formation en cours d'emploi	Cours offert dans l'entreprise
Coaching informel	Cours offert dans une institution d'enseignement
Soutien des pairs	Cours offert chez un fournisseur
Autoformation	*Coaching* formel
	Tutorat
	Présentation (audio ou audiovisuelle)
	Apprentissage en alternance travail-études
	Autoformation

Ainsi, la formation des recrues a pour but de les aider à développer ou à perfectionner les compétences qui sont immédiatement exigées. Mais pour une intégration à plus long terme des nouveaux employés, certains préfèrent miser sur des programmes de plus longue portée, visant à promouvoir l'engagement dans l'organisation plutôt que dans le poste uniquement. Le mentorat est un exemple d'un tel programme.

3.2 Le mentorat

Le **mentorat,** également appelé « parrainage », fait référence à l'établissement d'une relation entre un mentor, membre expérimenté de l'organisation, et un protégé, personne nouvellement arrivée dans l'entreprise ou dans le poste (Chao, 1988 ; Chatman, 1991). L'objectif du mentorat est triple (Chao, Walz et Gardner, 1992) : il s'agit tout d'abord d'aider le nouvel employé à développer les connaissances, les habiletés et les comportements requis par son nouvel emploi ; ensuite, d'aider le protégé à développer sa carrière, par exemple, en lui fournissant des conseils, de la visibilité, de la protection ou divers défis qui l'aideront à progresser ; finalement, de remplir une fonction dite « psychosociale », dans la mesure où le mentor offre à la recrue ses conseils et son soutien affectif et devient, pour lui, un modèle.

Le mentorat a une fonction à la fois profession-nelle et sociale.

Une relation de mentorat peut se développer de façon spontanée et informelle, mais les organisations peuvent également décider, par un processus officiel, de jumeler un employé expérimenté à une personne débutante dans un objectif précis de développement. Le mentor se porte généralement volontaire pour ce rôle qui devient alors une partie intégrante de ses fonctions. L'encadré 17.12 propose des exemples de programmes formels de mentorat en entreprise.

Mentorat Québec
www.mentoratquebec.org

Bien qu'il n'existe pas de statistiques précises sur le nombre d'entreprises utilisant un programme formel de mentorat, il semble que cette pratique soit en pleine expansion (Cuerrier, 2004 ; Hegstad et Wentling, 2004). Ainsi, plusieurs institutions américaines telles que le Département d'agriculture ou l'Agence fiscale américaine ont publicisé le fait qu'elles avaient mis en place de tels programmes. Plusieurs entreprises de la liste des 500 du magazine *Fortune* ont fait de même, notamment IBM, Johnson & Johnson, AT&T, Honeywell et Allstate Insurance (Phillips-Jones, 1983). Au Canada, plusieurs entreprises ont, depuis peu, implanté un programme de mentorat aux fins d'intégration des nouveaux employés. Ainsi en est-il, par exemple, du Secrétariat du Conseil du trésor du Québec (Leduc, 2002), de la compagnie québécoise de construction Pomerleau (Morchoine, 2006) ou encore de l'entreprise manufacturière Waltec Plastic, située à Midland, en Ontario (LeGault, 2000). Le milieu associatif n'est pas en reste, puisque le Réseau des femmes d'affaires du Québec, le regroupement des Services d'aide aux gestionnaires et aux entrepreneurs, ou encore la Jeune Chambre de commerce du Montréal métropolitain ont eux aussi organisé des programmes formels de mentorat (Cuerrier, 2004). D'ailleurs, un organisme à but non lucratif, Mentorat Québec, a récemment vu le jour afin de promouvoir l'avancement du mentorat au Québec.

Bien que les effets d'un programme formel de mentorat soient parfois difficiles à évaluer (Hegstad et Wentling, 2004), le taux de satisfaction des participants est généralement très élevé (Cuerrier, 2004). Certaines études indiquent que les programmes de mentorat sont particulièrement efficaces pour promouvoir la carrière des individus à haut potentiel et des personnes issues de groupes minoritaires (Benabou, 2000). D'autres soulignent que de tels programmes améliorent l'intégration des recrues et, de ce fait, diminuent leur taux de roulement (Joiner, Bartram et Barreffa, 2004 ; Louis, Posner et Powell, 1983).

Le **Y des femmes de Montréal** offre un ensemble de services sociaux, économiques et communautaires à sa clientèle essentiellement féminine. L'organisme situé au centre-ville de Montréal propose, entre autres, un programme de mentorat qui vise l'insertion professionnelle des femmes, sans emploi ou en réorientation, souvent chefs de familles monoparentales ou issues de minorités visibles. L'encadrement est double : d'une part, les femmes intéressées sont jumelées à des mentors qui œuvrent dans les secteurs d'activités professionnelles dans lesquels elles veulent s'intégrer ; d'autre part, elles peuvent rencontrer des mentors de vie, qui les soutiennent dans les difficultés de la vie personnelle, familiale et professionnelle pouvant nuire au maintien en emploi et à l'autonomie professionnelle.

Le **Barreau de Montréal** a mis sur pied un programme de mentorat en 1999 pour briser l'isolement et offrir du soutien professionnel aux avocats débutants ainsi qu'aux moins jeunes qui le souhaitent. Simple, bien structuré, le programme de mentorat facilite le réseautage, informe sur les cheminements de carrière, discute de la pratique professionnelle et de la conciliation travail-famille, parle de motivation, de relations harmonieuses et d'organisation du travail et, enfin, fait en sorte que les avocats qui le désirent puissent obtenir des conseils avisés d'un de leurs collègues expérimentés. L'objectif du programme est donc de favoriser les échanges entre avocats et d'aider les plus jeunes à planifier leur carrière.

La **Banque Royale du Canada** propose une démarche de perfectionnement personnel et professionnel autodidacte axée sur l'acquisition de compétences par le mentorat. Le programme permet aux employés de créer des liens uniques entre eux et de mettre en commun leurs connaissances et leur expertise. À partir d'une liste de 15 compétences, les participants intéressés sélectionnent celles qu'ils désirent apprendre (protégé) ou partager (mentor). Le protégé communique ensuite avec les différents mentors ciblés et évalue avec eux la pertinence d'un jumelage. Quand la dyade est formée, elle définit les modalités de leur entente mutuelle (contrat d'apprentissage, fréquence, durée, etc.), avec l'aide d'une trousse d'outils fournie par le programme. Ici, la relation mentorale est tripartite : elle offre des bénéfices au protégé, au mentor et à l'organisation.

Chez **Hewlett-Packard,** le programme de mentorat concerne tout nouvel employé, tout employé qui change de fonction ainsi que les gestionnaires ou professionnels débutants qui souhaitent parfaire leurs apprentissages et réaliser leur plan de développement professionnel. Les jumelages sont effectués par l'équipe de gestion ; le choix du mentor se base sur la crédibilité professionnelle qu'il a acquise dans l'organisation. La formation et la préparation des personnes impliquées se font de façon autodidacte, à l'aide de guides préparés à cet effet. Le jumelage a une durée officielle de six mois, mais étant donné les pratiques qui encouragent le travail d'équipe, les échanges informels remplacent bien vite le mentorat plus formel, une fois que les nouveaux employés ont intégré la culture organisationnelle.

Source : Cuerrier, 2001.

Y des femmes de Montréal
http://ydesfemmesmtl.org

Barreau de Montréal
www.barreau.qc.ca/montreal

Banque Royale du Canada
www.rbcbanqueroyale.com

Hewlett-Packard
www.hp.com

Une des raisons pour lesquelles on attribue tant de bienfaits au mentorat est sa dimension personnelle et affective, et non pas seulement professionnelle. Les activités sociales sont un autre exemple de pratique de socialisation misant sur l'aspect personnel des relations au sein d'une organisation.

3.3 Les activités sociales

En effet, une dernière pratique d'intégration des employés, souvent négligée par les entreprises, est la tenue d'activités sociales. Il s'agit d'activités organisées par l'entreprise, mais auxquelles les employés participent volontairement (Bauer et Green, 1994). De telles activités peuvent prendre plusieurs formes : soirée de Noël, cocktail pour célébrer un événement de la vie de l'organisation, ligue d'entreprise de hockey, sortie de groupe, etc.

Les activités sociales misent sur le développement de relations interpersonnelles.

Le principal avantage des activités sociales est le fait qu'elles permettent aux employés, nouveaux comme anciens, d'apprendre à se connaître et de créer des relations interpersonnelles en dehors du cadre normal de travail. Par le fait même, elles offrent aux recrues l'occasion d'en apprendre davantage sur les attentes et les valeurs de l'organisation, qui ne sont pas toujours formalisées (Bauer et Green, 1994 ; Chatman, 1991). À titre d'exemple, différentes études ont démontré que la participation d'un nouvel employé à des activités sociales augmente sa satisfaction au travail et diminue les risques qu'il quitte l'entreprise (Chatman, 1991 ; Louis, Posner et Powell, 1983). Comme la participation à ces activités est volontaire, le simple fait d'y assister démontre également un effort d'intégration de la part des nouveaux employés.

Ainsi, les activités d'intégration, qu'elles soient purement professionnelles ou qu'elles misent plutôt sur le développement de relations interpersonnelles, mettent un point final au processus de dotation. D'autres pratiques de gestion des ressources humaines, comme la rémunération ou le développement des compétences, doivent prendre la relève pour s'assurer que le nouvel employé contribuera à long terme à la croissance de l'organisation. Avant de tourner la page sur les activités de dotation du personnel, il importe d'évaluer l'ensemble de ce processus. C'est l'objet du chapitre 18.

Ce qu'il faut retenir

- Le processus de dotation n'est pas complet sans un programme d'accueil des nouveaux employés.
- Formaliser l'accueil des nouveaux employés permet de faciliter leur intégration à l'organisation, d'augmenter leur niveau de satisfaction et de réduire les risques qu'ils démissionnent.
- L'accueil des recrues a des effets à court terme. D'autres pratiques, comme le mentorat, la formation et les activités sociales, visent à intégrer les nouveaux employés de façon plus permanente.

Références

ASSOCIATION CANADIENNE-FRANÇAISE DE L'ALBERTA (2005, 17 août). « Communiqué de presse : Un nouveau rédacteur pour le journal *Le Franco* », [en ligne], *Association canadienne-française de l'Alberta* [réf. du 15 mai 2006]. <www.acfa.ab.ca>.

AVERBOOK, Jason (2005, juin). « Connecting CLOs with the recruiting process », [en ligne], *Chief Learning Officer, MediaTec Publishing* [réf. du 19 mai 2006]. <www.clomedia.com>.

BAUER, Tayla N. et Stephen G. GREEN (1994). « The effect of newcomer involvement in work-related activities : A longitudinal study of socialization », *Journal of Applied Psychology,* vol. 79, n° 2, p. 211-223.

BENABOU, Charles (2000, juin/juillet/août). « Le mentorat structuré : Un système efficace de développement des ressources humaines », *Effectif,* vol. 3, n° 3, p. 48-52.

BROWN, Rachel (2005, septembre/octobre). « Playing by the rules : The do's and don'ts for writing an employee handbook », *Rural Telecommunications,* vol. 24, n° 5, p. 20-28.

CARRIÈRE, Jules et Gilles GUÉRIN (2000, juin/juillet/août). « L'encadrement du diplômé universitaire nouvellement recruté », *Effectif,* vol. 3, n° 3, p. 32-35.

CENTRE CANADIEN DU MARCHÉ DU TRAVAIL ET DE LA PRODUCTIVITÉ (1993). *Sondage national sur la formation de 1991,* Ottawa, CCMTP, 96 p.

CHAO, Georgia T. (1988). « The socialization process : Building newcomer commitment », dans LONDON, Manuel et Edward M. MONE (dir.), *Career growth and human resource strategies,* New York, Quorum Books, p. 31-47.

CHAO, Georgia T., WALZ, Pat M. et Philip D. GARDNER (1992). « Formal and informal mentorships : A comparison on mentoring functions and contrast with nonmentored counterparts », *Personnel Psychology,* vol. 45, n° 3, p. 619-636.

CHATMAN, Jennifer A. (1991). « Matching people and organizations : Selection and socialization in public accounting firms », *Administrative Science Quarterly,* vol. 36, n° 3, p. 459-484.

CONSEIL QUÉBÉCOIS DES RESSOURCES HUMAINES EN TOURISME (2004, octobre). « Diagnostic des ressources humaines en tourisme : Horizon 2004-2009, Rapport final », [en ligne], *Conseil québécois des ressources humaines en tourisme,* 168 p. [réf. du 15 mai 2006]. <www.cqrht.qc.ca>.

CROTEAU, Simon et Diane LAPIERRE (2001). « Produire un manuel des employés : un guide à l'usage des PME », *Recruter et garder son personnel : Trois guides pour sélectionner, rémunérer et intégrer le personnel que vous lancez dans la course au championnat,* Québec, Éditeur officiel du Québec, 32 p.

CUERRIER, Christine (2004). « Le mentorat appliqué au monde du travail : Analyse québécoise et canadienne », *Carriérologie,* vol. 9, n° 3-4, p. 519-520.

CUERRIER, Christine (2001). *Le mentorat et le monde du travail : Un modèle de référence,* Charlesbourg, Les Éditions de la Fondation de l'entrepreneurship, Collection Entreprendre, p. 20-32.

DESROCHERS, Lyne (2001, avril/mai). « L'intégration des nouveaux employés : Faut-il encore en parler ? », *Effectif,* vol. 4, n° 2, p. 32-36.

DUGUAY, Scot M. et Keith A. KORBUT (2002). « Designing a training program which delivers results quickly », *Industrial and Commercial Training,* vol. 34, n° 6, p. 223-228.

DULIPOVICI, Andreea (2003, mai). « Les compétences en formation. Résultats des sondages de la FCEI sur la formation », [en ligne], *La Fédération canadienne de l'entreprise indépendante, FCEI Recherche,* 8 p. [réf. du 11 août 2006]. <www.cfib.ca>.

DUMONT, Marc-André (2004, 17 avril). « Les banques encadrent mieux leurs nouveaux employés », *Les Affaires,* p. A2.

eFINANCIALCAREERS (2004, 11 mai). « Bank of America – Graduate training programme », [en ligne], *eFinancialCareers* [réf. du 10 août 2006]. <http://news.efinancialcareers.co.uk>.

FEDERATION CANADIENNE DE L'ENTREPRISE INDEPENDANTE (s. d.). « Pour un milieu de travail sans harcèlement », [en ligne], *La Fédération canadienne de l'entreprise indépendante,* 2 p. [réf. du 15 mai 2006]. <www.fcei.ca>.

GOUVERNEMENT DU CANADA (s. d.). «Modes de transmission», [en ligne], *Service Canada, Gouvernement du Canada* [réf. du 8 août 2006]. <www.gestionrh.gc.ca>.

GOUVERNEMENT DU QUÉBEC (2003, 23 avril). «Politique ministérielle d'utilisation du courriel, du collecticiel et des services Internet», [en ligne], *Service gouvernementaux: WebMaestro, Ministère de la Justice, Gouvernement du Québec,* 6 p. [réf. du 19 mai 2006]. <www.webmaestro.gouv.qc.ca>.

GUSTAFSON, Kristin (2005). «A better welcome mat», *Training,* vol. 42, n° 6, p. 34.

HARRIS-LALONDE, Stephanie (2001). *Training and development outlook,* Ottawa, Conference Board of Canada, 38 p.

HEGSTAD, Christine D. et Rose Mary WENTLING (2004). «The development and maintenance of exemplary formal mentoring programs in Fortune 500 companies», *Human Resource Development Quarterly,* vol. 15, n° 4, p. 421-448.

JOINER, Therese A., Timothy BARTRAM et Terese BARREFFA (2004). «The effects of mentoring on perceived career success, commitment and turnover intentions», *The Journal of American Academy of Business,* vol. 5, n°s 1-2, p. 164-170.

KLEIN, Howard J. et Natasha A. WEAVER (2000). «The effectiveness of an organizational-level orientation training program in the socialization of new hires», *Personnel Psychology,* vol. 53, n° 1, p. 47-66.

LABROSSE, Marie-Josée (2003, 11 octobre). «Un accueil sans écueil, ça s'organise!», *Les Affaires,* p. 43.

LEDUC, Gilbert (2002, 6 mai). «Les jeunes ont l'aide de mentors dans la Fonction publique», *Le Soleil,* p. A6.

LEGAULT, Michael (2000). «Rallying the resources: Supervisors and employees need training that is flexible and customized to their needs», *Canadian Plastics,* vol. 58, n° 9, p. 20.

LOUIS, Meryl R., Barry Z. POSNER et Gary N. POWELL (1983). «The availability and helpfulness of socialization practices», *Personnel Psychology,* vol. 36, n° 4, p. 857-881.

MORCHOINE, Astrid (2006, 4 février). «Pour Pomerleau, former son personnel est payant», *Les Affaires,* p. A6.

PHILLIPS-JONES, Linda (1983). «Establishing a formal mentoring program», *Training & Development Journal,* vol. 37, n° 2, p. 38-42.

POMFRET, Bill (1999, 25 janvier). «Sound employee orientation program boosts productivity and safety», *Canadian HR Reporter,* vol. 12, n° 2, p. 17-19.

RICHARDS, Rebecca A. (2003). *Intégration et formation des nouveaux employés,* Brossard, Les Publications CCH, Collection GRH, 77 p.

SAKS, Alan M. (1995). «Longitudinal field investigation of the moderating and mediating effects of self-efficacy on the relationship between training and newcomer adjustment», *Journal of Applied Psychology,* vol. 80, n° 2, p. 211-225.

SCHETTLER, Joel et Heather JOHNSON (2002, août). «Welcome to ACME inc.», *Training,* vol. 39, n° 8, p. 36-43.

SIMS, Doris M. (2002). *Creative new employee orientation programs,* Montréal, McGraw-Hill, 360 p.

TANNENBAUM, Scott I. *et al.* (1991). «Meeting trainees' expectations: The influence of training fulfillment on the development of commitment, self-efficacy, and motivation», *Journal of Applied Psychology,* vol. 76, n° 6, p. 759-769.

TECHNOCOMPÉTENCES (2003). «Guide de gestion des ressources humaines destiné aux entreprises des technologies de l'information», [en ligne], *TechnoCompétences,* 135 p. [réf. du 15 mai 2006]. <www.technocompetences.qc.ca>.

UNIVERSITÉ LAVAL (s. d.). «Guide du nouvel employé», [en ligne], *Vice-rectorat aux Ressources humaines, Université Laval,* p. 21 [réf. du 19 mai 2006]. <www.vrrh.ulaval.ca>.

YOUNG, Cheri A. et Craig C. LUNDBERG (1996, décembre). «Creating a good first day on the job», *Cornell Hotel and Restaurant Administration Quarterly,* vol. 37, n° 6, p. 31.

Politique d'utilisation du courriel, du collecticiel et des services Internet du ministère de la Justice du Québec

[...]

3. Règles générales d'utilisation

3.1 L'utilisateur doit employer les services des réseaux électroniques à des fins pertinentes à la réalisation de ses fonctions. L'utilisation des réseaux électroniques à des fins personnelles constitue un privilège consenti par le Ministère. En conséquence, cette utilisation doit respecter les principes suivants : se faire occasionnellement, se limiter au strict minimum, ne pas nuire aux activités professionnelles, n'impliquer aucuns frais supplémentaires et ne causer aucun préjudice au ministère de la Justice ainsi qu'à son image.

3.2 Un employé ne peut utiliser un accès gouvernemental au courriel, à un collecticiel et aux services d'Internet pour :

– télécharger tout logiciel incluant les gratuiciels, partager ou copier un logiciel installé sur l'équipement gouvernemental auquel l'utilisateur a accès, sans obtenir une autorisation préalable conformément à l'article 5.6 ;

– créer sciemment une interférence sur le réseau local ou porter atteinte à la sécurité du réseau ;

– utiliser à son profit les moyens électroniques mis à sa disposition ;

– exprimer ses opinions ou préférences politiques ;

– participer à une chaîne de lettres ;

– harceler ou importuner une ou des personne(s) ;

– visionner, télécharger, copier, partager, expédier ou conserver des images ou des fichiers érotiques, de sexualité explicite ou de pornographie juvénile ou dont le contenu a un caractère diffamatoire, offensant, harcelant, haineux, violent, menaçant, raciste, sexiste ou qui contrevient à l'une des dispositions de la Charte des droits et libertés de la personne (L.R.Q., c. C-12) ainsi que de toute autre loi applicable au Québec ;

– créer, expédier ou réexpédier tout message électronique ou fichier qui contient un élément contraire aux prescriptions qui précèdent ou qui est susceptible d'affecter le fonctionnement de l'équipement mis à la disposition de l'utilisateur ou d'un réseau gouvernemental auquel il est relié ;

– diffuser massivement des courriels de manière intentionnelle, à moins d'avoir obtenu l'autorisation préalable d'un gestionnaire.

3.3 Le sous-ministre peut exceptionnellement autoriser un membre du personnel du Ministère, lorsque la nature des fonctions de ce dernier l'exige, à utiliser les réseaux électroniques à des conditions différentes de celles prévues à la présente politique.

3.4 L'utilisateur doit employer les réseaux électroniques à une fréquence et selon une durée qui est compatible avec sa prestation de travail.

3.5 Le but des mots de passe et des codes d'accès est de s'assurer que seules les personnes autorisées peuvent accéder aux réseaux électroniques. Ils n'ont pas pour objet de conférer un caractère confidentiel aux données résultant des usages qui sont faits des réseaux électroniques.

3.6 La communication de renseignements confidentiels, notamment les renseignements personnels, ne peut être effectuée par l'intermédiaire des services des réseaux électroniques à moins d'employer préalablement une méthode appropriée pour rendre cette information inintelligible ou inaccessible aux personnes autres qu'à celles à qui elle est destinée.

»

3.7 L'utilisation des services des réseaux électroniques doit se faire dans le respect des lois et règlements en vigueur au Québec, notamment la Loi sur l'accès aux documents des organismes publics et sur la protection des renseignements personnels (L.R.Q. c. A-2.1), la Loi concernant le cadre juridique des technologies de l'information (L.R.Q. c. C-1.1), la Loi sur les archives (L.R.Q., c. A-21.1), la Loi sur la fonction publique (L.R.Q., c. F-3.1.1) et la Loi sur le droit d'auteur (L.R.C., (1985), c. C-42).

4. Règles particulières d'utilisation

4.1 L'utilisateur des services d'Internet, de courriel, de collecticiel, de liste de discussion et de forum doit :

– employer les codes d'accès, les mots de passe ou tout autre mécanisme de contrôle d'accès qu'il est autorisé à utiliser, sans les faire connaître aux personnes qui n'ont pas obtenu les mêmes accès ;

– utiliser l'adresse organisationnelle de courrier électronique, à moins d'une autorisation expresse de son gestionnaire ;

– se nommer et indiquer ses coordonnées dans tous ses messages ;

– se soucier de préserver l'image du Ministère dans ses échanges ;

– veiller à la conservation de ses courriels ou de ses échanges lorsqu'ils constituent des documents visés par le calendrier de conservation que l'on retrouve au *Manuel de gestion documentaire* du Ministère, approuvé en vertu de la Loi sur les archives ;

– évaluer la pertinence en regard de ses fonctions et le temps à y consacrer avant d'adhérer à un forum de discussion et informer ses interlocuteurs que son opinion n'engage que lui-même sauf s'il a pour mandat d'agir comme représentant du Ministère.

4.2 L'utilisateur qui navigue sur les sites Internet doit :

– effectuer la collecte d'information sur les sites dans le respect des droits d'auteur ;

– quitter immédiatement un site ou un forum dont le contenu contrevient aux dispositions de la présente politique ou peut nuire à l'image du ministère de la Justice.

5. Responsabilités

5.1 L'utilisateur

En outre du respect des règles générales ou particulières d'utilisation, l'utilisateur doit :

– prendre des mesures raisonnables pour contrôler l'utilisation de son mot de passe ou tout autre mécanisme de contrôle d'accès qu'il est autorisé à utiliser ;

– se conformer aux instructions données par le Ministère destinées à assurer la sécurité des réseaux électroniques ;

– utiliser les équipements et les réseaux électroniques de manière à éviter, dans la mesure du possible, l'encombrement que peuvent produire notamment les envois massifs ou le téléchargement de fichiers volumineux.

5.2 Le gestionnaire :

– doit favoriser la formation du personnel sur la navigation et l'utilisation des logiciels afin que celui-ci puisse circuler efficacement sur l'inforoute ;

– doit informer et sensibiliser le personnel relativement à la présente politique et d'autres documents porteurs de règles et de conseils sur l'utilisation des réseaux électroniques ;

– doit s'assurer que les réseaux électroniques sont utilisés en conformité avec la politique ;

– peut, après avoir obtenu l'autorisation du sous-ministre associé, s'adresser à la Direction de la vérification interne et du traitement des plaintes pour formuler les demandes de vérification portant sur le respect de l'application de la politique ;

»

– doit s'assurer, par engagement contractuel, que la présente politique est respectée par toute personne qui ne fait pas partie du personnel du Ministère et à laquelle il a permis l'accès aux réseaux électroniques, au courriel, au collecticiel ou aux services d'Internet.

5.3 La Direction des communications doit :

– diffuser l'information pertinente sur le site Internet du Ministère dont le contenu a été élaboré en collaboration avec les directions concernées ;

– diffuser sur le site Internet du Ministère un avertissement voulant que les messages adressés aux personnes visées à l'article 2 peuvent être contrôlés et surveillés par les autorités ;

– coordonner l'application des normes concernant l'édition et la publication des documents sur l'inforoute.

5.4 La Direction du personnel et de l'administration doit :

– suivre l'évolution des risques éthiques associés à l'utilisation de l'inforoute et du courrier électronique ;

– sensibiliser le personnel aux questions d'éthique relatives à l'utilisation de l'inforoute et du courrier électronique.

5.5 Le responsable ministériel de la gestion des documents doit élaborer et coordonner l'application des règles de conservation, de destruction et d'archivage des documents électroniques.

5.6 La Direction des ressources informationnelles doit :

– élaborer et mettre en place des mécanismes de contrôle pour s'assurer du respect de la présente politique ;

– surveiller les réseaux électroniques afin d'en assurer la sécurité ;

– acquérir ou développer des outils appropriés pour assurer la confidentialité des renseignements personnels ou des documents confidentiels ;

– autoriser le téléchargement de logiciels, incluant les gratuiciels, ainsi que le partage ou la copie d'un logiciel installé sur l'équipement gouvernemental, dans le respect des règles relatives aux droits d'auteur.

5.7 La Direction de la vérification interne et du traitement des plaintes doit :

– analyser les registres d'utilisation constitués à l'aide des mécanismes de contrôle mis en place par la Direction des ressources informationnelles ;

– procéder aux vérifications portant sur le respect de l'application de la politique à la suite des demandes formulées par les gestionnaires et leur faire rapport.

6. Contrôle

Toute information stockée ou consignée sur l'équipement gouvernemental, au moyen du courriel, d'un collecticiel ou des services d'Internet ou par tout autre moyen est réputée constituer une information à laquelle le Ministère a accès. L'analyse des registres d'utilisation est effectuée périodiquement afin de s'assurer du respect de la présente politique. Une vérification des registres d'utilisation peut être faite selon les modalités prescrites à l'article 5.2, lorsqu'il y a des raisons de soupçonner qu'il y a une utilisation des réseaux électroniques qui n'est pas conforme à la politique. La lecture du contenu d'un message électronique peut être effectuée uniquement dans le cadre d'une telle vérification. La mise en œuvre des mesures de contrôle prévues dans la présente section doit être faite conformément à la loi, notamment à l'égard de la protection de la vie privée, des renseignements personnels et des autres renseignements de nature confidentielle.

»

7. Mise en application et suivi de la politique

Le responsable de la sécurité de l'information numérique (RSIN) est chargé de la mise en application, du suivi et de la révision de la présente politique. Le RSIN, en collaboration avec les autres intervenants du Ministère, fait un bilan annuel et le transmet au Comité ministériel de sécurité de l'information sur l'application de la politique et, s'il y a lieu, formule des recommandations ou propose des modifications à la politique au Conseil de direction du Ministère.

8. Sanction

Un utilisateur qui fait un usage des réseaux électroniques non conforme à la loi, à un principe ou à une règle de la politique peut faire l'objet d'une restriction à ses privilèges d'accès aux réseaux. Il peut également faire l'objet d'une mesure administrative ou disciplinaire.

[...]

Source : Gouvernement du Québec, 2003.

La présente politique s'applique aux employés, à la direction, aux clients et aux fournisseurs et vise à éliminer toutes formes de harcèlement au sein du milieu de travail de notre entreprise.

(insérer le nom de l'entreprise)

Définition

On entend par *harcèlement* un comportement, des paroles, des actes ou des gestes répétés, à caractère vexatoire ou méprisant, qui sont hostiles ou non désirés et qui sont de nature à porter atteinte à la dignité ou à l'intégrité physique ou psychologique de la personne. Un seul acte grave engendrant un effet nocif continu peut aussi constituer du harcèlement.

Le harcèlement peut prendre plusieurs formes, soit physique, sexuel ou psychologique. Aucun harcèlement ne saura être toléré.

Mécanismes de traitement des plaintes

Une personne ayant connaissance de harcèlement, à titre de victime ou témoin, est tenue d'informer _____ et de détailler par écrit les allégations ;

(personne responsable et ses coordonnées)

Advenant la survenance d'un événement, toutes les personnes seront informées de leurs droits et responsabilités et auront l'occasion de faire part de leurs commentaires ;

Advenant que le chef de la direction soit impliqué dans la pratique de harcèlement allégué, les parties auront droit à un service de médiation externe et indépendant ;

Tous les témoins du harcèlement allégué seront interrogés ;

Une fois l'enquête terminée, s'il y a lieu, des mesures disciplinaires seront appliquées (exemple, avis disciplinaire, suspension, etc.). Un suivi sera effectué après un mois pour s'assurer que le problème est éliminé.

Contestation

La victime ou la personne visée par la sanction peut, si elle s'estime lésée, demander à ce que son dossier soit révisé par le service de médiation externe et indépendant, par la Commission des normes du travail pour le harcèlement psychologique ou encore par la Commission des droits de la personne et des droits de la jeunesse.

Source : Fédération canadienne de l'entreprise indépendante, s. d.

Fédération canadienne de l'entreprise indépendante
www.cfib.ca

CHAPITRE 18

L'évaluation du processus de dotation

Objectifs du chapitre

On ne saurait conclure un processus de dotation en personnel sans évaluer ses résultats dans un but d'amélioration continue des décisions de recrutement, de sélection et d'accueil. Ce chapitre a pour objectifs de :

- revenir sur chacune des étapes du processus de dotation ;
- fournir au lecteur des indicateurs pour en évaluer les résultats.

Pratique relativement peu répandue pendant des années, le contrôle en gestion des ressources humaines connaît un intérêt certain depuis la fin des années 1990 (Le Louarn et Wils, 2001). En effet, le développement du domaine de la gestion, et notamment de celui de la gestion des ressources humaines, coïncide avec un accent mis sur la mesure des résultats des activités ou des programmes. De plus en plus, les entreprises demandent aux services de gestion des ressources humaines d'être responsables de leurs actions, de prouver leur valeur ajoutée ou encore de démontrer en quoi les programmes qu'ils mettent en place contribuent à la performance de l'organisation (Saks, 2000). Les activités de recrutement et de sélection des ressources humaines n'échappent pas à cette exigence.

Mais l'évaluation du processus de dotation n'a pas uniquement pour but de prouver sa valeur ajoutée ; elle participe également d'une volonté d'amélioration continue des activités de gestion des ressources humaines. Obtenir des éléments d'évaluation de ses efforts de dotation permet à une organisation de porter un regard critique sur ses décisions, en fonction de ses propres objectifs. Cette critique établit les bases d'une révision périodique des activités mises en place, et cela dans un but d'amélioration constante du processus de dotation.

1. L'évaluation et le choix des indicateurs

Il existe de nombreux indicateurs en gestion des ressources humaines.

Il existe de nombreux indicateurs pouvant être utilisés en gestion des ressources humaines, et plusieurs méthodes de mesure. Le Louarn et Wils (2001) distinguent les méthodes qualitatives, basées sur le jugement de certaines personnes ; les méthodes quantitatives, qui permettent de mesurer les résultats de la gestion des ressources humaines de manière chiffrée ; et, finalement, les méthodes financières, sous-groupe des méthodes quantitatives, dont les mesures sont monétaires. Le tableau 18.1 récapitule ces méthodes.

TABLEAU 18.1   Méthodes d'évaluation des résultats de la gestion des ressources humaines

Type de méthode	Méthode d'évaluation	Définition
Méthodes qualitatives	Reconnaissance des pairs	Jugement sur la qualité de la gestion des ressources humaines porté par des experts ne travaillant pas dans l'organisation. Ce jugement se concrétise parfois par la remise d'un prix ou d'une récompense.
	Audit de conformité	Vérification de la conformité d'une pratique de gestion des ressources humaines avec les lois en vigueur ou avec un modèle défini par l'organisation.
	Atteinte des objectifs	Mesure de l'écart entre l'objectif fixé et l'objectif réalisé. Ce jugement est habituellement subjectif, même s'il peut s'appuyer sur des données chiffrées.

»

TABLEAU 18.1 *(suite)*

Type de méthode	Méthode d'évaluation	Définition
Méthodes quantitatives	Sondage d'opinion	Mesure de l'opinion du personnel. Les sondages les plus fréquents portent sur les attentes envers la gestion des ressources humaines, les perceptions du travail effectué par le service des ressources humaines, le degré de satisfaction quant aux services qu'il offre.
	Indicateurs de résultats	Construction d'indicateurs qui mesurent un résultat en gestion des ressources humaines. Cette méthode nécessite une définition rigoureuse de ce que l'on cherche à mesurer.
	Coefficient de corrélation	Cas particulier d'un indicateur de résultats mesurant la force du lien entre deux phénomènes.
	Balisage ou étalonnage	Comparaison de données sur la gestion des ressources humaines d'un groupe d'entreprises afin d'indiquer les «meilleures pratiques»; également appelé *benchmarking*.
Méthodes financières	Comptabilité des ressources humaines	Détermination de la valeur économique des ressources humaines en se basant sur les coûts historiques, la valeur économique et les coûts de remplacement.
	Comptes de surplus	Évaluation de la productivité résultant d'une meilleure utilisation des facteurs de production. Tient compte de la variation en quantité et en prix de tous les facteurs de production.
	Coûts-bénéfices	Détermination des conséquences économiques des comportements au travail, tels la productivité, les retards, l'absentéisme, etc.
	Utilité économique	Estimation des bénéfices potentiels d'un programme de gestion des ressources humaines au regard de ses coûts de conception et d'utilisation.
	Rendement du capital humain investi	Estimation des bénéfices potentiels d'un programme de gestion des ressources humaines au regard des coûts associés à son implantation. Contrairement à l'utilité, le rendement du capital investi est un ratio bénéfices/coûts.
	Tableau de bord	Ensemble d'indicateurs présentés de manière synthétique pour aider le gestionnaire à prendre de meilleures décisions.
	Coûts cachés	Estimation des coûts de fonctionnement cachés liés au dysfonctionnement de l'entreprise (exemple, l'absentéisme ou les salaires trop élevés).

Source: Le Louarn et Wils, 2001.

Compte tenu de la multiplicité des indicateurs en gestion des ressources humaines, le choix d'une méthode d'évaluation doit se faire en fonction des priorités de l'organisation et du programme évalué. Par exemple, une organisation peut être plus pressée de pourvoir un poste stratégique que préoccupée par les coûts de dotation. Dans ce cas, son objectif sera atteint si le poste est effectivement pourvu rapidement, même si elle a dû, pour ce faire, déployer des efforts coûteux. Il est donc indispensable, avant de déterminer les indicateurs de performance, de bien définir ce que l'on cherche à mesurer. Les pages suivantes proposent donc différents indicateurs pour évaluer les diverses activités de dotation.

2. L'évaluation des activités de planification des ressources humaines

Comme nous l'avons vu au chapitre 4, la planification des ressources humaines vise à prévoir les besoins et les disponibilités de la main-d'œuvre. Cependant, nombreux sont les facteurs influençant la planification des ressources humaines qui s'avèrent difficiles à prédire. Par exemple, l'analyse des menaces et opportunités de l'environnement externe se base toujours sur des hypothèses qui ne se réalisent pas toutes. Compte tenu de ces incertitudes, il serait utopique d'espérer que les résultats du processus de planification des ressources humaines soient toujours exacts, à un individu près (Fitz-enz et Davison, 2001). Il serait donc illogique d'évaluer le processus de planification uniquement sur la base de l'exactitude des prévisions (ou de l'écart entre les prévisions et le niveau réel de l'offre et de la demande). Cependant, la planification des ressources humaines doit permettre de déterminer, le plus précisément possible, les tendances à venir, afin que l'entreprise puisse s'y préparer.

Dans cette optique, il n'existe pas d'indicateur unique des résultats du processus de planification des ressources humaines. On considérera plutôt une combinaison d'indicateurs généraux, parmi lesquels :

- le nombre réel d'employés par rapport aux disponibilités prévues ;
- la productivité réelle par rapport à la productivité prévue ;
- le taux réel de départs volontaires par rapport au taux prévu ;
- les pénuries ou les surplus de main-d'œuvre constatés ;
- la proportion des unités de l'organisation ayant un organigramme de remplacement ;
- la proportion des unités ayant des répertoires de compétences ;
- l'utilité des prévisions, c'est-à-dire leur fréquence d'utilisation par les gestionnaires lors de l'élaboration des politiques de gestion des ressources humaines ;
- le coût des mesures prises pour réconcilier les écarts par rapport aux montants budgétisés ;
- les délais de réconciliation des écarts ;
- l'impact des mesures de réconciliation des écarts sur le climat de travail, mesuré par exemple par un sondage de satisfaction des employés ;
- l'impact de ces mesures sur la composition de la main-d'œuvre.

D'autres indicateurs, plus spécifiques, peuvent mesurer l'atteinte d'objectifs particuliers. Ainsi, une organisation qui s'est lancée dans un processus de planification des ressources humaines dans le but de favoriser le recrutement à l'interne et la gestion de la carrière, pourra évaluer la proportion de postes effectivement pourvus par des employés de l'interne. Elle pourra également calculer le **ratio** moyen de **mobilité**, défini par le rapport entre l'ancienneté de l'employé et le nombre de postes qu'il a occupés dans l'organisation (Le Louarn et Wils, 2001).

Ratio de mobilité

▶ *Mobility ratio*

Rapport entre l'ancienneté d'un employé et le nombre de postes qu'il a occupés.

À titre d'exemple, imaginons une organisation préoccupée par le nombre, apparemment élevé, de départs volontaires de son personnel. Dans le but de documenter ce problème, elle peut entamer un exercice de planification de ses disponibilités en ressources humaines. À partir de l'effectif actuel, elle cherchera à prévoir les départs et les arrivées dans chaque catégorie d'emploi, et pourra donc calculer le taux de roulement anticipé pour chacune d'entre elles. Une grille d'inventaire des mouvements prévus de main-d'œuvre est fournie au tableau 18.2. Celle-ci permet également, dans les trois dernières colonnes, de comparer les prévisions aux différents taux de roulement réels constatés à la fin de la période. Cette comparaison constitue une évaluation de la justesse des prévisions concernant les mouvements de personnel.

www.cheneliere.ca

TABLEAU 18.2 Grille d'inventaire des mouvements prévus de main-d'œuvre

Fonction	Effectif début d'année	Augmentation prévue de l'effectif				Diminution prévue de l'effectif							Effectif prévu fin d'année	Effectif moyen prévu	Taux de roulement prévu			Taux de roulement réel		
		Embauche	Promotion	Mutation	Autre	Congédiement	Démission	Retraite	Mutation	Promotion	Décès	Autre			Interne	Externe	Volontaire	Interne	Externe	Volontaire
	(1)	(2)	(3)	(4)	(5)	(6)	(7)	(8)	(9)	(10)	(11)	(12)	(13)	(14)	(15)	(16)	(17)	(18)	(19)	(20)

Tous les effectifs sont calculés en équivalent temps plein

(15) = {(1) - [(9) + (10)]} ÷ (13)

(16) = {(1) - [(6) + (7) + (8) + (11)]} ÷ (13)

(17) = {(1) - [(7) + (8)]} ÷ (13)

Puisque la planification des ressources humaines porte avant tout sur les effectifs nécessaires et prévus, les indicateurs présentés dans cette section visent essentiellement à mesurer la précision de ces prévisions numériques. D'autres indicateurs sont nécessaires pour évaluer l'analyse des tâches et des compétences requises par chaque poste.

3. L'évaluation de l'analyse de fonction et de la description de poste

Comme nous l'avons vu au chapitre 5, l'analyse de fonction vise à collecter des informations sur les tâches et responsabilités inhérentes à un travail, ainsi que sur les conditions d'exercice de celui-ci (Pettersen, 2000). Les descriptions de poste, qui constituent le produit du travail d'analyse de fonction, sont ensuite utilisées dans plusieurs programmes de gestion des ressources humaines, depuis la rémunération jusqu'à l'évaluation des besoins de formation.

Rappelons que l'analyse de fonction et la description de poste constituent des étapes dans l'élaboration de politiques de gestion des ressources humaines, et ne sont pas une fin en soi. Il est donc difficile d'isoler leur apport spécifique. On peut cependant évaluer l'adéquation des descriptions de poste ainsi que la qualité du processus d'analyse de fonction, notamment à l'aide des indicateurs suivants :

- la proportion d'employés qui participent à l'analyse de leurs postes ;
- la proportion des fonctions de l'entreprise ayant été analysées ;
- la proportion des fonctions ou des postes ayant une description à jour ;
- la proportion des fonctions ou des postes dont la description est révisée annuellement ;
- l'utilité des descriptions, c'est-à-dire la proportion d'employés ou de gestionnaires qui les utilisent lors de l'élaboration des politiques de gestion des ressources humaines ;
- le temps consacré annuellement aux analyses de fonction ou aux descriptions de poste ;
- les ressources financières consacrées annuellement aux analyses de fonction ou aux descriptions de poste ;
- le nombre d'emplois dont les tâches se chevauchent, puisque de bonnes descriptions de poste devraient limiter de tels chevauchements ;
- le temps passé par les gestionnaires à expliquer le rôle de chaque employé. En effet, plus une description de poste est claire, moins le gestionnaire devrait passer de temps à expliquer les responsabilités de chacun ;
- la proportion des employés qui interprètent de la même façon leurs responsabilités.

Aux fins de la dotation, la description de poste est utilisée pour dresser un profil de compétences qui, pour sa part, servira à déterminer les critères de sélection. La qualité du profil de compétences sera évaluée à la fin des activités de sélection, quand un regard critique sera porté sur l'ensemble du processus de dotation.

4. L'évaluation des activités de recrutement

Au début du chapitre 8, nous avons déterminé deux objectifs du recrutement : attirer des candidats de qualité et en quantité suffisante. Il apparaît donc nécessaire d'examiner comment une organisation peut vérifier qu'elle a atteint ces deux objectifs. Par ailleurs, Le Louarn et Wils (2001) citent deux éléments d'évaluation d'un processus de recrutement : d'une part, son **efficience,** c'est-à-dire la manière dont il a été mené et, d'autre part, son **efficacité,** c'est-à-dire les résultats qu'il a donnés. Le tableau 18.3 présente les dimensions propres à chacun de ces critères.

> L'efficience et l'efficacité du processus sont des éléments à évaluer.

TABLEAU 18.3	Critères d'évaluation du processus de recrutement	
Critère d'évaluation	**Dimension**	**Définition**
Efficience	Délai	Temps nécessaire pour obtenir des candidatures.
	Coût	Dépenses engagées pour obtenir des candidatures ; inclut les coûts directs, les frais administratifs et la rémunération des recruteurs.
Efficacité	Quantité de candidatures	Nombre de candidatures générées par source de recrutement.
	Qualité des candidatures	Adéquation des candidats par rapport aux compétences déterminées.

Source : Le Louarn et Wils, 2001.

Comme le montre le tableau 18.3, plusieurs critères peuvent être utilisés pour évaluer un processus de recrutement. Idéalement, l'évaluation doit être faite pour chaque méthode afin de collecter des données et, ultimement, d'améliorer l'ensemble du processus.

4.1 La mesure de l'efficience

> L'efficience du processus de recrutement se mesure notamment d'après ses coûts et ses délais.

Un processus de recrutement efficient permet de réunir les candidatures rapidement et à un moindre coût. Le choix des méthodes les plus appropriées pour le profil de compétences recherché est un des éléments essentiels pour atteindre une bonne efficience, mais ce n'est pas le seul. Par exemple, le moment où le poste est affiché ou le contenu de l'annonce peuvent également influencer l'efficience du processus, puisqu'ils agissent à la fois sur le temps de réponse et sur le coût du processus.

Le délai de recrutement se calcule généralement en comptant le nombre de jours entre le début du recrutement et le moment où les candidatures arrivent dans l'organisation. Mais cette formule, en apparence simple, contient des éléments difficiles à évaluer précisément. Tout d'abord, la date du début du recrutement peut être considérée comme le moment où le gestionnaire indique qu'il a un poste à pourvoir (Le Louarn et Wils, 2001), le jour où l'annonce est publiée, ou encore la date où une agence privée se voit confier le mandat. Ensuite, les activités de tri de curriculum vitæ et de présélection peuvent être incluses ou non dans le calcul des délais. Finalement, comme les curriculum vitæ n'arrivent pas tous en même temps, on calcule habituellement un délai approximatif, par exemple en prenant comme référence la date à laquelle 80 % des candidatures sont reçues (Le Louarn et Wils, 2001).

En ce qui concerne les coûts, plusieurs éléments sont à considérer (Fitz-enz et Davison, 2001 ; Le Louarn et Wils, 2001), comme l'illustrait le tableau de planification du budget de recrutement présenté au chapitre 7 :

- les coûts directs de l'activité de recrutement : frais d'agence privée, de publication d'une annonce, de location d'un kiosque dans une foire d'emploi, primes versées pour les recommandations, etc. ;
- les frais administratifs : télécopie, téléphone, etc. ;
- la rémunération des recruteurs pendant le temps consacré aux activités de recrutement. À titre d'exemple, l'encadré 18.1 illustre le calcul de la rémunération d'un conseiller en recrutement pendant un salon de l'emploi.

ENCADRÉ 18.1 **Exemple de calcul de la rémunération d'un conseiller en recrutement pendant un salon de l'emploi**

Un conseiller en recrutement est payé 40 000 $ par an et travaille 35 heures par semaine. Son salaire horaire est donc de 21,98 $. À cela, s'ajoutent les avantages sociaux correspondant à 30 % du salaire, soit 6,59 $, et les frais généraux couvrant l'utilisation du bureau et des équipements ; admettons que ce chiffre soit de 4,30 $ par heure. Le taux horaire total du conseiller est donc :

- Salaire horaire : 21,98 $
- Avantages sociaux : 6,59 $
- Bureau et équipements : 4,30 $
- **Total :** **32,87 $**

Ce conseiller participe à un salon de l'emploi ouvert pendant deux jours, et y est présent de 9 h à 17 h, soit 8 heures par jour. À cela, s'ajoute le temps nécessaire pour installer le kiosque et le démonter à la fin du salon ; admettons que cela représente un total de 4 heures. La rémunération du conseiller pour sa participation à ce salon sera donc calculée sur un total de 20 heures, soit 657,40 $.

Source : Le Louarn et Wils, 2001.

Finalement, on peut calculer le coût de chaque méthode de recrutement en fonction du nombre de candidatures reçues, du nombre de candidatures retenues, du rendement des candidats embauchés, de leur taux d'absentéisme, ou encore du nombre de candidats encore en poste après un an. En effet, certaines études ont montré que le taux de roulement des nouveaux employés varie parfois du simple au double selon la méthode de recrutement utilisée pour les attirer (De Witte, 1989 ; Gannon, 1971 ; Taylor, 1994). D'autres indiquent que le rendement et le taux d'absentéisme des nouveaux employés varient en fonction de la méthode de recrutement employée (Breaugh, 1981 ; Breaugh et Mann, 1984). Le tableau 18.4 récapitule les différentes méthodes de calcul de l'efficience.

TABLEAU 18.4

Méthodes de calcul de l'efficience du processus de recrutement

Dimension	Méthode de calcul
Délais	Temps entre le début du recrutement et la réception des candidatures ; Temps entre le début du recrutement et la première sélection.
Coûts	Coûts totaux du processus (coûts directs + frais administratifs + rémunération) ; Coûts directs par méthode de recrutement ; Coûts totaux par méthode de recrutement ; Coûts totaux du recrutement ÷ Nombre de candidatures reçues ; Coûts totaux du recrutement ÷ Nombre de candidatures présélectionnées ; Coûts totaux du recrutement ÷ Nombre de postes pourvus ; Coûts totaux du recrutement ÷ Nombre de candidats encore en poste après un an.

www.cheneliere.ca

À titre d'exemple, le tableau 18.5 fournit un outil de calcul de certains coûts du processus de recrutement.

TABLEAU 18.5   **Outil de calcul des coûts du recrutement**

Critères d'évaluation	Calcul	Méthode			
		Annonce dans le journal	Annonce sur un site Internet	Foire d'emploi	etc.
1. Nombre de postes offerts					
2. Nombre total de candidats					
3. Nombre de candidats par poste	*Ligne 2 ÷ Ligne 1*				
4. Nombre de candidats invités en entrevue					
5. Proportion de candidats intéressants	*(Ligne 4 ÷ Ligne 2) × 100*				
6. Nombre d'offres d'emploi faites					
7. Nombre de candidats qui ont refusé le poste					
8. Nombre de candidats embauchés	*Ligne 6 − Ligne 7*				
9. Proportion de postes pourvus	*(Ligne 8 ÷ Ligne 1) × 100*				
10. Coût total					
11. Coût par poste pourvu	*Ligne 10 ÷ Ligne 8*				
12. Temps moyen de réception des candidatures					
13. Nombre de personnes en poste après un an					
14. Taux de rétention	*(Ligne 13 ÷ Ligne 8) × 100*				
15. Coût par poste après un an	*Ligne 10 ÷ Ligne 13*				

Pour illustrer l'utilisation de cet outil, prenons l'exemple d'une entreprise qui décide d'annoncer des postes en utilisant plusieurs méthodes de recrutement. Cet exemple est détaillé à l'encadré 18.2.

Cet exemple est, bien sûr, simplifié. Dans les faits, il est parfois difficile d'évaluer avec certitude comment les candidats ont appris l'existence d'un poste vacant; un même candidat peut également voir l'annonce dans plusieurs médias. Bien qu'imparfait, l'outil de calcul présenté à l'encadré 18.2 permet cependant de comparer l'efficience de diverses méthodes de recrutement, dans le but de choisir celle qui répond le mieux aux besoins de l'entreprise pour un poste.

ENCADRÉ 18.2 **Exemple de calcul des coûts du recrutement**

La compagnie AAA doit recruter trois ingénieurs en informatique pour son usine de Québec. Sachant qu'il s'agit de compétences rares, le recruteur de l'entreprise décide de faire paraître une annonce pour ce poste dans trois médias différents :

1) le cahier Carrière du journal *Le Soleil* (coût : 190 $) ;
2) le site Internet Monster (coût : 500 $) ;
3) la revue *Plan*, publiée par l'Ordre des ingénieurs du Québec (coût : 900 $).

À la fin du processus de dotation, le recruteur décide de comparer les méthodes de recrutement qu'il a employées. Le tableau ci-dessous résume les principaux indicateurs que le recruteur choisit de considérer.

Critères d'évaluation	Méthode		
	Annonce dans *Le Soleil*	Annonce sur le site Monster	Annonce dans *Plan*
1. Nombre de postes offerts	4	4	4
2. Nombre total de candidats	39	126	8
3. Nombre de candidats par poste	9,75	31,5	2,0
4. Nombre de candidats invités en entrevue	2	5	5
5. Proportion de candidats intéressants	5 %	4 %	63 %
6. Nombre d'offres d'emploi faites	0	1	3
7. Nombre de candidats qui ont refusé le poste	–	0	0
8. Nombre de candidats embauchés	0	1	3
9. Proportion de postes pourvus	0	25 %	75 %
10. Coût total	190 $	500 $	900 $
11. Coût par poste pourvu	–	500 $	300 $
12. Temps moyen de réception des candidatures	25 jours	10 jours	35 jours

On constate que, bien qu'initialement plus coûteuse, l'annonce dans la revue de l'Ordre des ingénieurs du Québec a généré une proportion nettement plus importante de candidatures intéressantes que les deux autres annonces; le coût moyen par embauche est donc moindre. En revanche, en raison des délais de publication, le temps de recrutement est plus long lorsque l'on utilise la revue *Plan*.

4.2 La mesure de l'efficacité

L'efficacité du processus de recrutement inclut la quantité et la qualité des candidatures.

Toutefois, un simple calcul des coûts et des délais ne suffit pas pour évaluer complètement un processus de recrutement : encore faut-il également mesurer son efficacité. La première mesure de l'efficacité du processus de sélection, soit la quantité de candidatures reçues, est relativement facile à colliger. Dans la mesure du possible, on calcule le nombre de candidatures générées par chaque méthode de recrutement, bien que cette distinction ne soit pas toujours facile à faire. En effet, il arrive fréquemment qu'un candidat ne précise pas comment il a appris que le poste était disponible.

La qualité des candidatures reçues est, en revanche, plus difficile à évaluer à ce stade-ci du processus de dotation. En effet, ce sont les résultats des activités de sélection qui fourniront des données quant au nombre de personnes ayant passé avec succès toutes les étapes de la sélection. On peut néanmoins évaluer la proportion de candidatures répondant aux exigences de sélection minimales et passant avec succès l'étape de la présélection. Le tableau 18.6 récapitule les méthodes de calcul de l'efficacité du processus de sélection.

TABLEAU 18.6	**Méthodes de calcul de l'efficacité du processus de sélection**
Dimension	**Méthode de calcul**
Quantité de candidatures	Nombre de candidatures reçues ; Nombre de candidatures reçues ÷ Nombre de postes vacants.
Qualité des candidatures	Nombre de candidats répondant aux exigences minimales ÷ Nombre de candidats ; Nombre de candidats invités en entrevue ÷ Nombre de candidats ; Nombre de postes pourvus ÷ Nombre de postes vacants.

4.3 L'importance relative des critères d'évaluation

Ainsi, le nombre de candidatures, la qualité de celles-ci, de même que l'argent et le temps investis, sont des éléments à prendre en compte dans toute évaluation de processus de recrutement. Cependant, ces éléments doivent être considérés de façon relative. Ainsi, le recours à une agence de recrutement de cadres génère moins de candidatures qu'un site Web d'entreprise, mais la proportion de candidatures retenues pour une entrevue est habituellement plus grande.

Par ailleurs, outre ces critères quantitatifs généraux, d'autres éléments sont à considérer en fonction des objectifs spécifiques de l'organisation. Par exemple, la proportion de femmes ou de candidats issus des groupes minoritaires peut être particulièrement importante pour une organisation dotée d'un programme d'accès à l'égalité. En fonction de ses objectifs, l'organisation préférera peut-être utiliser une méthode de recrutement moins rapide, mais qui génère plus de candidatures répondant à ses attentes. Dans ce cas, des critères plus spécifiques de mesure de l'efficacité du processus, comme la proportion de candidats issus des groupes ciblés par le programme d'accès à l'égalité, devront être ajoutés aux mesures présentées au tableau 18.5.

D'autres mesures plus qualitatives peuvent aussi être prises en considération : la satisfaction des employés vis-à-vis du processus, le traitement équitable de tous les candidats potentiels ou l'image projetée par l'entreprise sont autant de facteurs qui peuvent avoir de l'importance pour cette dernière. Ce sont cependant des facteurs subjectifs plus difficiles à évaluer, car leur mesure implique généralement d'interroger le groupe visé. Les sondages de satisfaction du personnel peuvent s'avérer des outils intéressants à cet égard.

5. L'évaluation des activités de sélection

Comme nous l'avons vu au cours de la partie 4 de ce livre, la sélection consiste à choisir les meilleurs candidats parmi ceux que l'on a recrutés. Tout comme le recrutement, la sélection peut être évaluée en fonction de son efficience (la manière dont le processus s'est déroulé) et de son efficacité (les résultats qu'il a donnés). Comme le montre le tableau 18.7, les délais, les coûts et la qualité des candidats permettent d'évaluer l'efficience et l'efficacité du processus de sélection.

TABLEAU 18.7	Critères d'évaluation du processus de sélection	
Critère d'évaluation	**Dimension**	**Définition**
Efficience	Délai	Temps nécessaire pour choisir un candidat.
	Coût	Dépenses engagées pour évaluer des candidats ; inclut les coûts directs et indirects, les frais administratifs et la rémunération des recruteurs et du comité de sélection.
Efficacité	Embauche	Capacité de l'organisation à faire une offre d'emploi à un candidat et à voir cette offre acceptée.
	Qualité des candidats sélectionnés	Adéquation des candidats par rapport aux exigences ; inclut le rendement des nouveaux employés, leur stabilité et la formation requise.

Source : Le Louarn et Wils, 2001.

Notons que nous ne parlerons pas ici de l'évaluation de la qualité des instruments de sélection, qui a été abordée au chapitre 11. Cependant, il est clair que l'utilisation d'instruments de sélection fidèles et valides améliore les résultats de l'ensemble du processus de sélection.

5.1 La mesure de l'efficience

Si le délai de sélection est relativement facile à calculer en comptant le nombre de jours entre le moment où les candidatures arrivent dans l'entreprise et celui où le candidat sélectionné accepte l'offre qui lui est faite, il n'en va pas de même pour le coût du processus de sélection. En effet, comme l'indiquait le tableau de planification d'un budget de sélection, plusieurs éléments figurent dans le calcul des coûts de ces activités :

L'efficience du processus de sélection inclut les coûts et les délais.

- les coûts directs incluent tous les déboursés directement liés aux activités de sélection : honoraires d'une firme externe engagée pour faire passer des tests aux candidats ou pour vérifier leurs antécédents, frais de transport et d'hébergement des candidats et des recruteurs, coûts des examens médicaux, frais de location de salle ou de matériel, etc. ;
- les frais administratifs : télécopie, téléphone, etc. ;
- la rémunération des recruteurs et des membres du comité de sélection pendant le temps consacré aux activités, notamment à l'élaboration des grilles d'entrevue ou aux entrevues proprement dites.

Les coûts directs sont relativement faciles à évaluer, puisqu'ils correspondent à des déboursés pour lesquels l'organisation reçoit habituellement des factures. À cet égard, le chapitre 11 présente une évaluation des coûts directs des principales méthodes de sélection. En revanche, les frais administratifs et la rémunération des différents intervenants sont souvent sous-évalués, voire ignorés.

Conference Board of Canada
www.conference-board.org

Il est difficile d'établir une moyenne des coûts de sélection, car ceux-ci varient en fonction des méthodes de recrutement et de sélection utilisés, du type de poste à pourvoir ou encore des priorités stratégiques de l'organisation. Par ailleurs, les études sur le sujet évaluent habituellement non pas le coût de la sélection, mais le coût total des activités de recrutement et de sélection menant à l'embauche d'un employé. À titre d'exemple, le Conference Board of Canada (2002) évalue à environ 43 000 $ le coût d'embauche moyen d'un cadre supérieur ; il est de 17 000 $ pour un poste de gestionnaire ou de professionnel, de 13 300 $ pour un poste technique et de 3 300 $ pour un poste de soutien. Notons que ces chiffres n'incluent pas les dépenses liées à une erreur de sélection ; nous reviendrons plus loin sur cet aspect de l'évaluation du processus de dotation.

Le tableau 18.8 propose différentes méthodes de calcul de l'efficience du processus de sélection. Cependant, comme dans le cas du recrutement, l'efficience ne prend en compte qu'une facette du processus de sélection. Les résultats de ces activités sont évalués par la mesure de l'efficacité.

TABLEAU 18.8	Méthodes de calcul de l'efficience du processus de sélection
Dimension	**Méthode de calcul**
Délais	Temps entre la réception des candidatures et l'acceptation de l'offre par le candidat choisi ; Temps entre le début des activités de sélection et le choix d'un candidat.
Coûts	Coûts totaux du processus (coûts directs + frais administratifs + rémunération) ; Coûts directs par méthode de sélection ; Coûts totaux par méthode de sélection ; Coûts totaux de la sélection ÷ Nombre de candidatures reçues ; Coûts totaux de la sélection ÷ Nombre de candidatures sélectionnées ; Coûts totaux de la sélection ÷ Nombre de postes pourvus ; Coûts totaux de la sélection ÷ Nombre de postes toujours vacants après un an.

5.2 La mesure de l'efficacité

L'efficacité du processus de sélection mesure le fait qu'un candidat de qualité accepte l'offre.

Les résultats espérés d'un processus de sélection sont de deux ordres : on s'attend, d'une part, à ce que l'organisation choisisse un candidat et lui fasse une offre qu'il acceptera et, d'autre part, à ce que ce candidat réponde aux exigences du poste. La première dimension est assez facile à évaluer : on sait si une offre a été faite au candidat, s'il l'a acceptée, et sous quelles conditions. En revanche, la qualité du nouvel employé est plus difficile à cerner. Pourtant, les experts en dotation affirment qu'il s'agit là d'un élément crucial à évaluer (Grossman, 2006). Trois éléments peuvent ainsi être pris en compte pour juger de l'adéquation de la recrue :

- son évaluation de performance à l'issue de la période de probation ;
- sa stabilité, c'est-à-dire le fait que la recrue soit encore en poste après un an ;
- ses besoins de formation initiale.

En se basant sur ces éléments, le tableau 18.9 propose différentes méthodes d'évaluation de l'efficacité d'un processus de sélection.

TABLEAU 18.9	Méthodes de calcul de l'efficacité du processus de sélection
Dimension	**Méthode de calcul**
Embauche	Nombre de candidats à qui une offre a été faite ÷ Nombre de postes à pourvoir ; Nombre de candidats ayant accepté l'offre ÷ Nombre de postes à pourvoir ; Proportion de candidats ayant décliné l'offre ; Proportion de candidats ayant décliné l'offre initiale, mais ayant accepté une offre améliorée.
Qualité des recrues	Nombre de candidats réussissant la période d'essai ÷ Nombre de candidats embauchés ; Proportion des recrues dont la performance est jugée satisfaisante après un an ; Nombre de recrues en poste après un an ÷ Nombre de candidats embauchés ; Nombre de recrues nécessitant une formation initiale ÷ Nombre de candidats embauchés ; Nombre de journées de formation initiale offertes ÷ Nombre de candidats embauchés.

Il faut cependant noter que la qualité des recrues ne dépend pas uniquement des activités de sélection utilisées pour faire un choix parmi les candidats. Comme nous l'avons mentionné plus tôt, une étude de Breaugh (1981) a montré, par exemple, que l'évaluation de performance de jeunes scientifiques dépend de la méthode de recrutement utilisée pour les attirer. En effet, dans cette étude, les candidatures spontanées et l'affichage dans des journaux ou pendant des conférences professionnelles ont intéressé des recrues de meilleure qualité que les centres de placement des universités ou les annonces dans la presse écrite générale.

De la même façon, la qualité du processus de recrutement (mesurée par la proportion de candidatures répondant aux exigences de l'emploi) influe sur la qualité de la sélection : on ne peut choisir les bons employés que si ceux-ci figurent bel et bien dans le bassin de candidats (Carlson, Connerley et Mecham, 2002).

5.3 Les autres critères à considérer

Comme nous l'avons vu au chapitre 11, d'autres critères que l'efficience et l'efficacité peuvent être importants à mesurer pour évaluer un processus de sélection. Ainsi, une organisation qui souhaite augmenter la proportion de recrues issues de groupes minoritaires veillera à choisir des méthodes de sélection exemptes de biais. Il sera donc particulièrement important, à l'issue du processus de sélection, de s'assurer que les candidats issus de ces groupes n'ont pas été rejetés dans une proportion plus importante que ceux issus des groupes majoritaires. Notons que toutes les organisations soumises à la Loi sur l'équité en matière d'emploi (Gouvernement du Canada, 1995) ou à la Loi sur l'accès à l'égalité en emploi dans les organismes publics (Gouvernement du Québec, 2000) doivent se prêter à cet exercice afin de s'assurer que leurs pratiques de sélection ne sont pas sujettes à la discrimination systémique.

Une organisation peut également souhaiter mesurer d'autres caractéristiques, plus qualitatives, de son processus de sélection. Par exemple, la satisfaction des membres de l'organisation ayant participé au processus, le traitement professionnel et équitable des candidats ou encore l'image que l'organisation projette dans son milieu peuvent, ici encore, faire l'objet d'une évaluation.

6. L'évaluation des activités d'accueil et d'intégration

L'accueil et l'intégration des nouveaux employés visent plusieurs objectifs : réduire le temps d'adaptation et le stress des recrues, augmenter leur productivité et diminuer les départs volontaires ou les accidents de travail (voir le chapitre 17). C'est donc essentiellement sur ces critères que doit être évaluée l'efficacité des activités d'accueil et d'intégration. Mais, comme nous l'avons vu plus tôt, la manière dont se déroulent ces activités, c'est-à-dire leur efficience, peut également faire l'objet d'une évaluation. Le tableau 18.10 offre les exemples les plus pertinents de critères d'évaluation de ces activités.

6.1 La mesure de l'efficience

Le temps d'adaptation est la durée nécessaire à la recrue pour atteindre un niveau de performance adéquat.

Si la durée des activités d'accueil et d'intégration est plutôt facile à évaluer, en revanche, mesurer le temps d'adaptation de la recrue peut poser plus de difficultés. Le temps d'adaptation peut se définir comme la durée nécessaire à la recrue pour atteindre un niveau de performance adéquat. Mesurer cette période d'adaptation implique donc que quelqu'un, habituellement le superviseur, évalue la performance du nouvel employé. On estime habituellement que l'intégration se poursuit jusqu'à ce que la recrue atteigne son rythme de croisière, mais plusieurs activités, comme la formation, le mentorat ou les activités sociales, peuvent s'étendre sur une période beaucoup plus longue (Fitz-enz et Davison, 2001). L'organisation doit donc décider, pour son calcul de la durée du processus d'intégration, où elle désire fixer la limite des activités évaluées.

TABLEAU 18.10 **Critères d'évaluation du processus d'accueil et d'intégration**

Critère d'évaluation	Dimension	Définition
Efficience	Délai	Durée des activités d'accueil et d'intégration ; temps d'adaptation de la recrue.
	Coût	Dépenses engagées ; inclut le salaire des recrues et des responsables de l'accueil et de l'intégration pendant la durée des activités, ainsi que le ralentissement de production pendant cette période.
	Étendue	Proportion des recrues qui bénéficient d'un programme d'accueil et d'intégration.
Efficacité	Satisfaction	Satisfaction des recrues et des superviseurs quant aux activités ; peut faire l'objet d'un sondage.
	Taux de roulement	Taux de départs volontaires des recrues dans les semaines ou les mois qui suivent leur embauche.
	Performance	Niveau de performance atteint par les recrues ; peut également inclure l'absentéisme ou le taux d'accidents de travail.

De la même façon, le coût des activités d'accueil et d'intégration pourrait, en théorie, inclure celui des programmes de mentorat ou de formation. Mais ces derniers coûts pourraient plutôt être comptabilisés dans l'évaluation des programmes de développement du personnel ; dans ce cas, seuls les coûts des activités d'accueil entreraient dans l'évaluation de la dotation. Les coûts d'un programme d'accueil des recrues incluent :

- la rémunération des recrues pendant les activités d'accueil ;
- la rémunération des personnes responsables de ces activités, pendant la période de conception des activités et pendant leur déroulement ;
- les frais de conception de matériel comme des vidéos ou des brochures ;
- les coûts indirects liés à la perte de productivité pendant la durée des activités.

La proportion des recrues qui bénéficient d'un programme d'accueil et d'intégration est une autre mesure de l'efficience de ces activités. En effet, il arrive qu'un tel programme existe, mais que les recrues, entraînées dans un tourbillon d'obligations professionnelles dès leur entrée en fonction, ne puissent pas systématiquement en profiter.

6.2 La mesure de l'efficacité

La satisfaction des recrues quant aux activités d'accueil est la mesure la plus immédiate de l'efficacité de ces activités. Réaliser un sondage auprès des personnes concernées est la meilleure façon de la mesurer. À cet égard, l'encadré 18.3 propose des exemples d'énoncés permettant d'évaluer la satisfaction des nouveaux employés.

- Je me suis senti à l'aise dans l'organisation à l'issue de mon programme d'accueil.
- L'information reçue était claire.
- La personne responsable de l'accueil était bien informée et répondait à mes questions.
- Je connais l'histoire de l'organisation.
- Je connais la place de l'organisation dans son secteur d'activité.
- Je comprends les objectifs de l'organisation.
- Je comprends le jargon de l'organisation.
- Je connais et je comprends les avantages sociaux qui me sont offerts.
- Je connais et je comprends les conditions de travail qui me sont offertes.
- Je connais et je comprends les règlements, les politiques et les procédures de l'organisation.
- Je sais comment obtenir les informations supplémentaires dont je pourrais avoir besoin pour mon travail.
- Je comprends ce que l'organisation et mon superviseur attendent de moi.
- Je comprends ce que mes collègues attendent de moi.
- Je comprends mes rôles et responsabilités dans le cadre de mon emploi.
- J'ai accès à tout l'équipement nécessaire pour faire mon travail.
- Je possède toutes les informations nécessaires pour faire mon travail.

Cependant, les recrues ne sont pas les seules personnes pouvant évaluer un programme d'accueil. Les superviseurs, ou encore les responsables du service des ressources humaines, peuvent également participer à un sondage de satisfaction quant aux activités d'accueil (Barbazette, 1994).

Si la satisfaction relativement à l'accueil peut être évaluée immédiatement, en revanche, les autres mesures de l'efficacité des activités d'accueil et d'intégration des recrues nécessitent davantage de recul. Le taux de départs volontaires après six mois de travail, la proportion des recrues ne réussissant pas leur période de probation ou encore la performance des recrues après un an dans leur poste sont autant d'indicateurs servant à mesurer l'intégration des nouveaux employés. Cependant, plus ces mesures sont éloignées dans le temps de l'arrivée des recrues dans l'entreprise, plus le lien avec les activités d'accueil et d'intégration est difficile à établir. D'autres facteurs, comme le contenu du travail ou encore la relation avec le superviseur, peuvent influencer, plus que les activités d'intégration, la décision de rester dans l'organisation ou la performance au travail de l'employé.

7. L'évaluation des conséquences de l'activité de dotation

Finalement, les conséquences de l'activité de dotation dans son ensemble peuvent aussi être évaluées. Sur le plan des coûts, cette évaluation doit tenir compte :

- de l'impact de la dotation sur la masse salariale de l'organisation;
- des coûts indirects qu'entraîne la dotation, comme les frais de déménagement ou d'hébergement temporaire de la recrue, ou encore les frais liés aux primes de signature dont nous avons parlé au chapitre 16;
- des coûts liés à la période d'apprentissage de la recrue, c'est-à-dire du manque à gagner encouru par l'organisation avant que la recrue ne soit pleinement opérationnelle.

Mais cette évaluation générale peut également porter sur des activités de gestion des ressources humaines à plus long terme, par exemple la proportion des employés considérés au moins satisfaisants dans leur évaluation annuelle de performance, le taux de roulement des recrues après deux ou trois ans ou leur progression de carrière après quelques années.

Le fait de structurer le processus de dotation diminue les risques d'erreur; il serait cependant illusoire de croire que l'on peut éliminer totalement ce risque. C'est pourquoi l'évaluation des conséquences de l'activité de dotation doit tenir compte des coûts d'une mauvaise décision d'embauche, qui incluent:

- les coûts de recrutement, de sélection et d'accueil du remplaçant;
- les coûts de formation du remplaçant;
- la diminution de la productivité attribuable à un manque d'efficacité lors de la période de remplacement;
- la perte de clients;
- les coûts, plus subjectifs, liés au stress et à la baisse de moral des autres employés.

U.S. Department of Labor
www.dol.gov

Ainsi, le U.S. Department of Labor évalue le coût moyen d'une mauvaise décision d'embauche à environ 30 % du salaire de la première année du nouvel employé (Hacker, 1999). Plus récemment encore, un sondage indique que, pour 42 % des organisations interrogées, le coût d'une mauvaise décision d'embauche s'était élevé à trois fois le salaire de la recrue (Right Management, 2006).

Devant la multiplicité des indicateurs, seules les priorités de l'organisation et les stratégies de gestion des ressources humaines doivent guider le choix de la mesure des résultats des activités de dotation. Ainsi, beaucoup de centres d'appels emploient une main-d'œuvre relativement peu qualifiée et connaissent un taux de roulement de personnel très élevé (Foy, 2005; Kirby, 2006). Dans une telle situation, la rapidité et le faible coût du processus de sélection sont des critères de première importance. En revanche, pour un service de police, la priorité est de choisir une recrue qui aura une performance irréprochable. En effet, dans ce cas, une erreur de dotation n'a pas uniquement des conséquences monétaires: elle peut malheureusement se calculer en nombre de pertes de vies humaines. Pour un service de police, le coût et la durée du processus de dotation sont donc des éléments secondaires subordonnés à la qualité des recrues. L'évaluation du processus de dotation ne peut donc se faire qu'en cohérence avec les objectifs de l'organisation.

Ce qu'il faut retenir

- Il existe de nombreux indicateurs pour mesurer les résultats du processus de dotation.
- Le choix des indicateurs dépend des priorités de l'organisation.
- On évalue généralement à la fois l'efficience du processus de dotation et son efficacité.

Références

BARBAZETTE, Jean (1994). *Successful new-employee orientation. Assess, plan, conduct & evaluate your program,* San Francisco, Jossey-Bass, 113 p.

BREAUGH, James A. (1981, mars). « Relationships between recruiting sources and employee performance, absenteeism, and work attitudes », *Academy of Management Journal,* vol. 24, n° 1, p. 142-147.

BREAUGH, James A. et Rebecca B. MANN (1984, décembre). « Recruiting source effects : A test of two alternative explanations », *Journal of Occupational Psychology,* vol. 57, n° 4, p. 261-267.

CARLSON, Kevin D., Mary L. CONNERLEY et Ross L. MECHAM (2002, été). « Recruitment evaluation : The case for assessing the quality of applicants attracted », *Personnel Psychology,* vol. 55, n° 2, p. 461-490.

CONFERENCE BOARD OF CANADA (2002). *Compensation planning outlook,* Ottawa, Centre de recherche sur la rémunération, 198 p.

DE WITTE, Karel (1989). « Recruitment and advertising », dans HERRIOT, Peter (dir.), *Assessment and selection in organizations : Methods and practices for recruitement and appraisal,* Chichester, Wiley, 680 p.

FITZ-ENZ, Jac et Barbara DAVISON (2001). *How to measure human resources management,* 3th ed., New York, McGraw-Hill, 351 p.

FOY, Denis (2005, novembre). « Improving agent performance by improving agent selection », *Call Center Magazine,* vol. 18, n° 11, p. 38-41.

GANNON, Martin J. (1971, juin). « Sources of referral and employee turnover », *Journal of Applied Psychology,* vol. 55, n° 3, p. 226-228.

GOUVERNEMENT DU CANADA (1995). « Loi sur l'équité en matière d'emploi, [1995] chap. 44 », [en ligne], *Ministère de la Justice Canada, Gouvernement du Canada* [réf. du 24 août 2006]. <http://lois.justice.gc.ca>.

GOUVERNEMENT DU QUÉBEC (2000). « Loi sur l'accès à l'égalité en emploi dans les organismes publics, L.R.Q.,chap. A-2.01 », [en ligne], *Éditeur officiel du Québec, Gouvernement du Québec* [réf. du 24 août 2006]. <www2.publicationsduquebec.gouv.qc.ca>.

GROSSMAN, Robert J. (2006, juin). « Measuring hiring managers », *HR Magazine,* vol. 15, n° 6, p. 92-97.

HACKER, Carol A. (1999). *The costs of bad hiring decisions & how to avoid them,* 2nd ed., Boca Raton, St. Lucie Press, 228 p.

KIRBY, Amanda (2006). « The ethical call center where people clamor to work », *Human Resource Management International Digest,* vol. 14, n° 5, p. 34-37.

LE LOUARN, Jean-Yves et Thierry WILS (2001). *L'évaluation de la gestion des ressources humaines,* Paris, Liaisons, 264 p.

PETTERSEN, Normand (2000). *Évaluation du potentiel humain dans les organisations,* Sainte-Foy, Presses de l'Université du Québec, 374 p.

RIGHT MANAGEMENT (2006, 11 avril). « Lower employee morale & decreased productivity are biggest consequences of bad hires & promotions », [en ligne], *Right Management, Press Releases* [réf. du 25 août 2006]. <www.right.com>.

SAKS, Alan M. (2000). *Research, measurement, and evaluation of human resources,* Scarborough, Nelson, Series in Human Resources Management, 411 p.

SMITH, Mike, Mike GREGG et Dick ANDREWS (1991). *Savoir recruter,* Paris, Eyrolles, 143 p.

TAYLOR, G. Stephen (1994, février). « The relationship between sources of new employees and attitudes toward the job », *The Journal of Social Psychology,* vol. 134, n° 1, p. 99-110.

CONCLUSION

Les organisations sont soumises à diverses pressions pour structurer leur processus de dotation.

Cette incursion dans le monde de la dotation nous a permis de constater l'importance de structurer les activités de recrutement, de sélection et d'accueil des nouveaux employés. Une telle structuration répond à différentes pressions, à la fois internes et externes à l'organisation. Ainsi, le resserrement du marché du travail et la forte concurrence pour attirer une main-d'œuvre qualifiée obligent les entreprises à innover en matière de dotation. Mais ces innovations doivent respecter l'encadrement législatif, de plus en plus sévère, ainsi que les exigences des candidats et des employés, qui attachent une importance accrue au professionnalisme et à l'équité du processus de dotation.

Ce livre propose donc les grandes lignes de la structuration du processus de recrutement, de sélection et d'accueil des nouveaux employés. La première étape, la préparation de la dotation, consiste à déterminer ce dont une organisation a besoin, ce qu'elle recherche et ce qu'elle peut offrir. Trop souvent négligée par les recruteurs, cette phase est pourtant cruciale, car l'ensemble des activités de recrutement et de sélection découle des décisions prises à ce moment-là.

La deuxième étape, le recrutement, a pour but de constituer un bassin de candidats répondant aux exigences du poste à pourvoir. Puisque c'est dans ce groupe que sera choisi le nouvel employé, il importe que les activités de recrutement génèrent un nombre suffisant de candidats de qualité. L'étape suivante, la sélection, permet ensuite de choisir un candidat parmi tous ceux qui ont postulé. Pour ce faire, les organisations disposent de plusieurs outils, dont les plus couramment employés sont l'entrevue et les tests. Finalement, les activités d'intégration, qui doivent elles aussi être structurées, aideront le nouvel employé à être rapidement opérationnel dans son poste et à devenir un membre à part entière de l'organisation.

Et l'intuition dans tout cela? De nombreux gestionnaires continuent en effet de faire l'apologie de l'intuition comme principal critère de sélection des employés (Cockroft, 2006). Pourtant, les recherches indiquent que les mauvaises décisions de sélection sont principalement attribuables au fait de se fier uniquement à l'intuition et de ne pas vérifier les données plus objectives sur les candidats (Hanft, 2003 ; Nowicki et Rosse, 2002). Cependant, cela ne signifie pas que l'intuition n'a pas sa place dans le processus de dotation. Au contraire, l'instinct du recruteur ou la « chimie » interpersonnelle entre un candidat et son futur superviseur sont des éléments qui jouent inéluctablement un rôle dans la décision finale. Nier l'influence de l'intuition dans les décisions d'embauche est tout aussi risqué que de ne faire reposer ces décisions que sur l'intuition (Gladwell, 2006).

> L'intuition doit jouer un rôle au moment du choix final.

Alors, quel rôle l'intuition doit-elle réellement jouer dans le processus de dotation? Elle permet de faire un choix final éclairé entre plusieurs candidats dont la qualification a été préalablement vérifiée de façon plus objective. Par exemple, si trois candidats ont passé avec succès les différentes étapes du processus de sélection, la meilleure décision est sans doute de choisir celui qui, selon les membres du comité de sélection, s'intégrera le mieux à l'équipe ou celui qui partage déjà les valeurs de l'organisation. Mais ce critère final de l'intuition, subjectif, ne doit en aucun cas ouvrir la porte à des discriminations. La ligne est parfois mince entre dire: « Je choisis Paul parce qu'il s'intégrera bien à l'équipe » et penser « Je choisis Paul parce que c'est un homme et qu'il s'intègrera bien à l'équipe. » Il revient à la personne responsable de la dotation de veiller à ce que l'intuition des gestionnaires soit utilisée de façon à améliorer les décisions, et non pour favoriser indûment une personne ou un groupe.

Malgré toutes les précautions prises pour aborder la dotation en ressources humaines de façon structurée et systématique, les décisions finales ne pourront jamais être totalement exemptes d'erreurs (Heizer, 1976). La dotation est d'abord et avant tout un processus dans lequel des êtres humains doivent en juger d'autres. Dès lors, on ne peut empêcher une certaine part de subjectivité. Un recruteur peut avoir une mauvaise impression d'un candidat parce qu'il ressemble physiquement à une personne qu'il déteste, ou encore parce qu'il a travaillé dans une entreprise dont la réputation est douteuse, voire parce que cette personne porte une cravate affreuse... de telles pensées sont inévitables. Mais structurer le processus de sélection permet de ne pas baser la décision d'embauche sur ces critères sans lien avec l'emploi. Si elle ne peut garantir l'élimination des erreurs de dotation, la structuration du processus permet néanmoins de les limiter considérablement.

Références

COCKROFT, Lucia (2006, 21 février). «Basic instinct», *Personnel Today,* p. 20-21.

GLADWELL, Malcolm (2006). «Know in a blink», *Leadership Excellence,* vol. 23, nᵒ 6, p. 4-5.

HANFT, Adam (2003). «Smarter hiring, the DDI way», *Inc.,* vol. 25, nᵒ 3, p. 92-98.

HEIZER, Jay H. (1976). «Transfer and terminations as staffing options», *Academy of Management Journal,* vol. 19, nᵒ 1, p. 115-120.

NOWICKI, Margaret D. et Joseph G. ROSSE (2002). «Managers' views of how to hire: Building bridges between science and practice», *Journal of Business and Psychology,* vol. 17, nᵒ 2, p. 157-170.

INDEX

D